개정
증보판

2022
양도소득세 실무

1주택 비과세 · 다주택 양도세 중과 · 종부세 · 주택임대 집중정리

세무사 변종화 저

지난 8.2 부동산대책 이후의 계속된 세법개정으로 양도소득세가 상당히 복잡해졌다. 특히 1세대 1주택 비과세에서의 보유기간 기산일 변경은 아직도 명확하게 정리되지 않은 부분이 있다. 새로운 해석이 계속 발표되고 있다. 지금까지 발표된 해석과 예규 등을 18가지 유형으로 정리하여 모두 수록하였다. 또한, 양도세 분야의 최신 예규 및 해석사례를 추가하였다.

이 책은 양도소득세 전반을 포함하고 있다. 최근 쟁점이 되는 주택에 대한 부분은 보다 추가적인 자료와 설명을 덧붙였다. 주택에 대한 세금이 복잡하게 된 주요 원인 중의 하나는 세법이 개정될 때마다 기억해야 하는 부칙에 따른 경과규정과 시행일이 많아졌기 때문이다. 이런 부분을 보완하기 위해 과거 연혁을 따라가 날짜 기준으로 구분한 표를 만들어 한눈에 보기 편하게 정리하였다.

표에는 시행일과 경과규정에 따른 날짜뿐만 아니라 등록일 기준인지, 취득일 기준인지, 신청일 기준인지도 구분하여 한 번에 볼 수 있게 표시하였다.

책에 대한 이해를 돕기 위해 "변종화의 양도세 아카데미"학원에서 저작직강으로 다양한 실무강의를 탑재하고 있다. 강의를 통해 다양한 연구와 자료를 개발하여 탑재하고 있다.

실무 담당자로서 복잡해진 양도세로 인하여 많은 애로점이 있겠지만 포기하지 않고 납세자의 권익을 지키는 일선에 있는 독자분들에게 응원의 박수를 보낸다.

항상 책을 낼 때마다 도움을 주신 삼일인포마인 이희태 대표이사님과 조원오 전무님, 임연혁 차장님 그리고 편집에 수고를 아끼지 않는 편집자분께 감사함을 전한다.

2022년 3월
저자 변종화

머리말

점점 복잡해지는 양도소득세 실무의 현재와 미래에 대비하자.

■ 점점 복잡해지는 양도소득세

8.2 부동산대책으로 양도소득세가 점점 복잡해졌다. 뛰는 집값을 안정시키기 위한 조치로 다주택자에 대한 조정대상지역 내 양도소득세 중과세율적용과 장기보유특별공제배제가 대표적인 내용이다. 각종 규제뿐만 아니라 임대차시장을 안정시키기 위한 조치로 주택임대사업자를 장려하는 정책도 반영되어 있다. 주택임대사업자등록을 하여 요건을 갖춘다면 각종 혜택이 주어졌다. 우선, 양도소득세 중과배제와 장기보유특별공제배제 대상에서 제외가 되었다. 그리고 거주주택 1세대 1주택 비과세, 종합부동산세 합산배제, 취득세 면제, 재산세 감면, 종합소득세 감면까지 가능한 큰 혜택을 볼 수 있었다. 2018년 3월 31일 세법개정에서는 4년 단기일반민간임대주택에 대한 혜택이 축소되었다. 이렇게 해도 안정되지 않는 주택가격으로 인해 정부는 2018년 9월 13일을 기준으로 소위 9.13 부동산안정화대책을 발표하였다. 양도소득세에서 또 한 번의 전환기를 맞았다. 그동안의 주택임대사업자에게 주어진 많은 혜택을 축소하는 방향으로 세법개정이 이루어졌다. 대표적으로 1세대 1주택 이상인 자가 조정대상지역 내 새롭게 취득하는 주택은 더 이상 주택임대사업자로 주어지는 양도세 중과배제, 종합부동산세합산배제에서 제외되는 혜택 등이 주어지지 않는다. 그리고 조정대상지역 내 신규주택을 취득하는 경우 일시적 1세대 1주택 비과세 기간을 3년에서 2년으로 축소하는 등 많은 변화가 있었다.

2019년도 개정세법에서는 거주주택 1세대 1주택 비과세를 종전 횟수 제한 없이 가능하던 것이 생애 1번만 가능하도록 바뀌었다. 그리고 거의 대부분의 주택임대사업자 규정에 임대료 5% 상한 제한 조건 등이 추가되었다. 이렇듯 지난 2년여 가까이 부동산세재에 많은 변화가 있었고, 따라가기도 숨이 찰 정도이다. 일선에서 상담과 신고대행을 해야 하는 실무자들의 어깨가 더욱더 무거워지고 있다. 담당자로서 가장 많이 듣는 질문이 아마 "주택임대사업자 등록해야 하나요 말아야 하나요?"일 것이다. 이 한마디에 모든 것이 들어 있다.

첫째, 세법에 따라 현황진단을 정확히 해야 한다. 여기서 실수를 하게 되면 그 세액 차이는 엄청나게 크게 벌어질 수 있다. 둘째, 이 질문은 미래 최소 4년 이상의 장기적인 의사결정으로서 향후 4년 후, 8년 후, 10년 후의 장래 세금과 관련된 현금흐름을 예상해야 결정할 수 있다. 세금을 바탕으로 한 장기 투자에 관련된 의사결정이 될 수밖에 없다. 종전보다 부동산 세금 관련 의사결정이 한층 더 복잡해졌다.

초기 혼란스러운 상황에서 누군가는 이런 복잡한 양도소득세를 연구해서 발표를 해야 한다는 나름대로의 사명감으로, 대책이 발표될 때마다 바로 연구를 하여 세무사회 등에서 강의를 해왔다.

지난 15년간의 일선 세무현장에서 수많은 양도소득세 세무상담 및 신고를 한 경험과 강의 연구자료를 바탕으로 이번 책을 출간하였다.

■ 책의 구성 및 장점

이 한 권으로 실무적용이 가능하도록 양도소득세의 모든 규정을 수록하였다. 실무에서 가장 중요한 것은 법조문의 정확한 해석이다. 법조문은 하나의 조항에 대한 문구 하나하나의 분석뿐만 아니라, 법체계 안에서의 구조와 위치를 파악해야만 비로소 정확한 해석과 적용이 가능하다. 이를 가능하도록 법조문을 순서에 따라 충실히 표시하였다. 쟁점이 되는 부분과 해석이 필요한 부분은 예규, 해석사례 등을 첨부하였다. 이 책을 기본서로 방향을 잡은 다음 의문이 생기는 점은 법조문과 다양한 예규, 사례 등을 찾아가서 최종 판단을 한다면 완벽할 것이다.

특히, 최근 이슈가 되고 있는 다주택자와 주택임대사업자 관련 규정을 별도의 편으로 추가 구성하였다. 여기저기 산재해 있는 관련 규정들을 한눈에 볼 수 있도록 수록하였다. 지난 강의자료와 현장에서의 상담과 신고 경험을 바탕으로 구성하였으므로, 도움이 될 것이라 자부할 수 있다.

■ 다주택자 양도소득세의 현재 그리고 미래 우리는?

최근 다주택자 양도소득세의 영향은 현재뿐만 아니라 향후 10년 후 먼 미래까지 영향을 미치는 내용이 많다. 예를 들면, 거주주택 비과세, 10년 장기임대주택으로 임대하면 양도소득세 100% 감면, 8년 이상 장기임대주택으로 임대하면 장기보유특별공제 50% 가능한 규정 등 다양한 혜택들은 해당 주택이 양도될 때까지 현재로서는 영원히 꼭 기억하고 체크해야 될 조항이다. 현재뿐만 아니라 먼 미래까지 영향을 미치는 양도소득세를 포기할 수는 없다.

실무전문가로서 깊이 있는 연구를 하여 혼란스러운 납세자들을 위해 정확한 진단과 상담, 신고대행을 하여 사회에 기여할 때라고 생각한다. 그러한 연구에 조금이나마 보탬이 되고자 이 책을 출간하게 되었다. 앞으로 매년 개정판을 낼 때마다 최신의 연구자료들을 업데이트할 것을 약속드린다.

이 책은 실무현장에서 현재뿐만 아니라 먼 미래까지 대비할 수 있도록 보기 편하도록 편집하였다. 그리고 계속된 개정과 세법 조항 신설로 기억해야 할 날짜가 많아졌다. 예를 들면, 2017. 8. 3. 전후 취득으로 달라지는 규정, 2018. 3. 31. 전후 임대등록으로 달라지는 내용들, 2018. 9. 13. 전후 취득한 주택으로 달라지는 규정들, 2019. 2. 12. 전후로 달라지는 주택 등이 있다. 이러한 날짜를 놓치면 전혀 다른 결과가 도출되므로 꼭 주의해야 한다. 본문에 날짜별로 주의해야 하는 내용을 보기 좋게 표로 정리해 놓았으니 참고하기 바란다.

■ 감사의 말씀

부족한 부분이 있다면 앞으로 꾸준한 연구로 점점 채워갈 것을 독자 여러분께 약속드린다. 부디 일선에서 실무를 담당하는 독자 여러분께 도움이 되었으면 한다.

책이 나오기까지 많은 도움을 주신 분들이 계시다. 이분들이 아니었다면 이 책이 세상에 나오지 못했을 것이다. 우선 출간을 기꺼이 허락해주신 삼일인포마인 송상근 대표이사님, 항상 지원해주시고 용기를 주신 조원오 상무님, 많은 교정작업을 하시느라 고생하신 임연혁 과장님과 편집부 직원분들, 책을 출간하는 동안에 사무실을 안정적으로 관리하고 맡은 업무를 성실히 해주신 이경숙 실장님과 직원분들, 그리고 항상 세법연구에서 능력의 한계를 느낄 때마다 솔루션과 영감을 준 신경재 세무사님께 감사드린다.

2019년 3월
저자 변종화

목 차

제1편 양도소득세 개념과 범위 / 29

| 제1장 | 양도소득세 개념과 범위 ··· 31

제1절 납세의무자 ·· 31

1. 납세의무자 / 31

2. 법인이 아닌 단체 중 거주자 또는 비거주자로 보는 단체 / 36

3. 거주자 또는 비거주자로 보는 단체로서 구성원 중 일부 구성원의
   분배비율만 확인되는 경우 / 36

4. 국외투자기구의 경우 / 37

5. 납세의무의 범위 / 37

제2절 신탁재산 귀속 소득에 대한 납세의무의 범위 ············· 38

1. 신탁재산에 귀속되는 소득의 납세의무자 / 38

2. 위탁자에게 귀속되는 것으로 보는 경우 / 38

제3절 납세지 ··· 39

1. 거주자 / 39

2. 비거주자 / 39

3. 납세지가 불분명한 경우 / 39

제2편 양도의 정의 / 41

| 제1장 | 용어의 정의 ··· 43

1. 양도의 정의 / 43

2. 주식 등 / 44

3. 실지거래가액 / 44

4. 1세대의 정의 / 45

5. 주택 / 47

6. 농지 / 49

7. 조합원입주권 / 49

8. 분양권 / 51

목 차

| 제2장 | 양도소득의 범위 ·· 53
  1. 토지 및 건물 / 53
  2. 부동산에 관한 권리의 양도 / 53
  3. 기타자산 / 54
  4. 파생상품 등 / 57

제3편 양도소득에 대한 비과세 및 감면 / 59

| 제1장 | 비과세 양도소득 ·· 61

제1절 비과세 양도소득 ··· 61
  1. 파산선고에 의한 처분으로 발생하는 소득 / 61
  2. 농지의 교환 또는 분합으로 인하여 발생하는 소득 / 61
  3. 1세대 1주택 비과세 / 64
  4. 1세대 1조합원입주권 비과세 / 66
  5. 조정금 / 70

제2절 1세대 1주택 비과세 ·· 71
  1. 보유요건과 거주요건 / 71
  2. 겸용주택인 경우 / 96
  3. 주택과 부수토지 / 97
  4. 1세대 1주택 판정시 주택 수에서 제외되는 주택 / 99
  5. 같은 날 2 이상의 주택 양도할 때 양도순서, 부수토지의
    분할 양도의 경우 / 99
  6. 다가구주택 / 100

제3절 조합원입주권과 분양권이 있는 경우 1세대 1주택 비과세 판단 ········ 101
  1. 주택과 조합원입주권을 소유한 경우 1세대 1주택의 특례 / 102
  2. 주택과 분양권을 소유한 경우 1세대 1주택의 특례 / 121

| 제2장 | 1세대 1주택의 특례 ··· 132

제1절 일시적 1세대 2주택 비과세 ··· 132
  1. 신규주택 취득으로 인한 일시적 1세대 2주택 비과세 / 132

CONTENTS

2. 종전의 주택을 취득한 날부터 1년 이상이 지난 후 다른 주택을
   취득하는 요건을 적용하지 아니하는 경우 / 136
3. 관련 예규·판례 / 137

제2절 상속받은 주택과 그 밖의 일반주택 ·· 142
   1. 상속받은 주택 / 143
   2. 일반주택 / 145

제3절 공동상속주택 ·· 146

제4절 협의분할이 안되어 등기되지 않은 상속주택이 있는 경우 ·············· 147

제5절 동거봉양 합가로 인한 1세대 2주택 ·· 148

제6절 혼인으로 인한 1세대 2주택 ··· 150

제7절 문화재보호법에 따른 주택 ··· 151

제8절 수도권 밖 상속주택, 이농주택, 귀농주택 ··· 151
   1. 상속받은 주택(피상속인이 취득 후 5년 이상 거주한 사실이
      있는 경우에 한한다) / 152
   2. 이농인(어업에서 떠난 자를 포함한다. 이하 이 조에서 같다)이 취득일
      후 5년 이상 거주한 사실이 있는 이농주택 / 152
   3. 영농 또는 영어의 목적으로 취득한 귀농주택 / 152
   4. 귀농으로 인하여 세대전원이 농어촌주택으로 이사하는 경우 / 153
   5. 사후관리 / 153
   6. 입증서류 제출 / 154

제9절 수도권 밖 취학, 근무상의 형편, 질병의 요양, 그 밖에 부득이한
   사유의 주택 ··· 155

제10절 다가구주택 ·· 156

제11절 거주주택 1세대 1주택 비과세 ··· 157
   1. 주택 임대사업자의 거주용 자가 주택 1세대 1주택 비과세 / 157

|제3장| 양도소득세 비과세 또는 감면의 배제 등 ··· 183
   1. 미등기양도자산 비과세 적용배제 / 183
   2. 실거래가액과 다른 계약서 비과세 또는 감면 배제 / 184
   3. 미등기양도자산 관련 예규 / 184

목 차

| 제4장 | 양도소득 과세표준과 세액의 계산 ···································· 186

제1절 양도소득과세표준의 계산 ···································· 186
  1. 구분계산 / 186
  2. 양도소득 과세표준 / 186

제2절 양도소득세액계산의 순서 ···································· 186
  1. 양도소득 산출세액 / 187
  2. 양도소득 결정세액 / 187
  3. 양도소득 총결정세액 / 187

제4편 양도소득 과세표준과 세액의 계산 / 189

| 제1장 | 양도소득의 범위 ·· 191
  1. 양도소득 / 191

| 제2장 | 양도소득금액 ·· 195
  1. 양도소득금액 / 195
  2. 장기보유특별공제 / 195
  3. 비과세 대상에서 제외되는 고가주택(조합원입주권)의
     장기보유특별공제 계산방법 / 202
  4. 보유기간 / 205

| 제3장 | 양도가액 ··· 206
  1. 양도가액 / 206
  2. 특수한 경우의 양도가액 / 206
  3. 부담부증여의 양도가액 / 207
  4. 지하수개발·이용권 등의 양도가액 / 208

| 제4장 | 필요경비 ··· 209

제1절 필요경비 ·· 209
  1. 취득가액 / 209

　　2. 자본적지출액 / 217

　　3. 양도비용 / 219

제2절 사업의 필요경비에 산입한 감가상각비 공제 ····························· 220

제3절 실거래가액이 확인되는 경우 ··· 221

| 제5장 | 필요경비 계산 특례 ··· 222

　　1. 배우자, 직계존비속으로부터 증여받은 자산 이월과세 / 222

　　2. 이월과세 대상자산 / 222

　　3. 배우자 등 이월과세의 예외 / 223

　　4. 5년 연수의 계산 / 224

　　5. 가업상속공제 적용된 자산의 필요경비 / 224

　　6. 증여세상당액과 가업상속공제적용률 / 225

| 제6장 | 양도 또는 취득의 시기 ··· 227

　　1. 대금청산일이 불분명한 경우 / 227

　　2. 양도한 자산의 취득시기가 불분명한 경우 / 229

　　3. 의제취득일 / 230

　　4. 양도가액의 수입시기 / 231

| 제7장 | 기준시가의 산정 ··· 232

　　1. 기준시가 / 232

　　2. 특수한 경우의 기준시가 / 236

| 제8장 | 기준시가의 재산정 및 고시 신청 ··· 241

　　1. 기준시가 재산정 신청 / 241

　　2. 30일 내 처리결과 통지 / 241

　　3. 국세청장은 기준시가 산정·고시가 잘못되었거나 오기 또는 그 밖에
　　　대통령령으로 정하는 명백한 오류를 발견한 경우에는 지체 없이 다시
　　　산정하여 고시하여야 한다. / 241

　　4. 재산정, 고시 신청 및 처리절차 등에 관하여 필요한 사항은
　　　대통령령으로 정한다. / 241

목 차

| 제9장 | 양도차익의 산정 ·· 242

  1. 취득가액 / 242

  2. 토지, 건물 가액의 구분이 불분명한 경우 / 242

  3. 구분가액과 안분계산한 가액이 30/100 이상 차이나는 경우 / 243

  4. 재개발사업, 재건축사업 또는 소규모재건축사업의 양도차익
    계산 / 244

  5. 재건축 등으로 취득한 신축주택 및 그 부수토지 양도하는 경우
    양도차익의 산정 / 245

  6. 기존 건물과 그 부수토지의 취득가액을 확인할 수 없는 경우 / 246

  7. 기존건물과 그 부수토지의 평가액 / 246

  8. 장기보유특별공제액을 공제하는 경우 그 보유기간 / 246

  9. 토지와 건물 등의 가액의 구분이 불분명한 경우 / 247

  10. 재개발 등으로 신축한 건물 및 부수토지를 기준시가로 양도차익을
     계산하는 경우 / 247

  11. 환지예정지 등의 양도 또는 취득가액의 계산 / 249

| 제10장 | 양도소득의 부당행위계산 ··· 251

  1. 부당행위계산 / 251

  2. 특수관계인에게 자산을 증여한 후 5년 이내 타인에게 양도하는
    경우 / 251

  3. 당초 증여받은 자산에 대한 증여세 / 252

  4. 연수의 계산 / 253

  5. 특수관계인의 범위 / 253

  6. 토지 등을 시가를 초과하여 취득하거나 시가에 미달하게 양도하는
    경우 / 254

  7. 시가의 평가 / 254

  8. 개인과 법인 간의 거래 시 / 255

| 제11장 | 양도소득금액의 구분계산 ··· 256

  1. 양도소득금액의 구분계산 / 256

  2. 양도차손이 발생한 경우 / 259

제5편 양도소득에 대한 세액의 계산 / 261

| 제1장 | 양도소득기본공제 ··· 263
   1. 양도소득기본공제 / 263
   2. 감면소득이 있는 경우의 양도소득기본공제 순서 / 263

| 제2장 | 양도소득세의 세율 ··· 264

제1절 양도소득세의 세율 ··· 264
   1. 토지 및 건물, 부동산에 관한 권리, 기타자산 / 264
   2. 토지 및 건물, 부동산에 관한 권리의 단기 양도세율
      (1년 이상 2년 미만 보유) / 265
   3. 토지 및 건물, 부동산에 관한 권리의 1년 미만 보유 양도세율 / 266
   4. 비사업용 토지 양도세율 / 267
   5. 비사업용토지 과다보유법인주식의 양도세율 / 267
   6. 미등기양도자산 / 268
   7. 주식의 양도세율 / 268
   8. 제94조 제1항 제3호 다목에 따른 자산. 현재 삭제된 규정으로
      2022년 12월 31일 이전 양도분까지 적용한다. / 269
   9. 파생상품 등의 양도세율 / 270
   10. 제94조 제1항 제6호에 따른 신탁 수익권 / 270

제2절 미등기양도자산 ··· 271
   1. 장기할부조건으로 취득한 자산 / 271
   2. 등기가 불가능한 자산 / 271
   3. 농지의 교환 또는 분합 토지, 자경감면 토지, 대토감면 토지 / 271
   4. 무허가 1주택 / 273
   5. 삭제(2018. 2. 13) / 273
   6. 「도시개발법」에 따른 도시개발사업이 종료되지 아니하여 토지
      취득등기를 하지 아니하고 양도하는 토지 / 273
   7. 건설사업자가 「도시개발법」에 따라 공사용역 대가로 취득한
      체비지를 토지구획환지처분공고 전에 양도하는 토지 / 273

제3절 지정지역의 토지 등 ·· 274

   1. 지정지역 내의 비사업용토지 / 274

   2. 부동산가격 급등지역 부동산 / 274

제4절 2 이상 양도하는 경우 양도소득 산출세액 계산 방법 ·············· 275

제5절 조정대상지역 내 양도시 중과세율 ······························ 276

제6편　다주택자 관련 규정 종합편 / 279

| 제1장 | 다주택자 관련 규정 ·································· 281

제1절 조정대상 지역 구분 ·· 281

   1. 전국 조정대상지역 지정·해제 현황(2022년 3월 31일 현재) / 281

제2절 다주택자, 주택임대사업자 주요 규정 ···························· 286

제3절 민간임대주택에 관한 특별법 ·································· 287

   1. 민간임대주택에 관한 특별법 / 287

   2. 등록 임대사업자 제도 변경 / 287

   3. 임대사업자 등록 / 290

   4. 자진말소 및 자동말소 보완조치 / 292

   5. 임대사업자 의무사항 / 294

제4절 다주택자 관련 규정 ·· 299

   1. 장기보유특별공제 / 299

   2. 양도소득세율 / 319

   3. 양도소득세 중과 및 장기보유특별공제 배제 판단 순서 / 322

제5절 1세대 3주택 이상의 주택 중과규정 ······························ 329

   1. 1세대 3주택 이상 중과 여부 판정 기준 / 329

   2. 1세대 3주택·조합원입주권에서 제외되는 주택의 범위 / 358

C O N T E N T S

제6절 1세대 2주택 양도세 중과 규정 ························· 364
  1. 1세대 2주택 이상 중과 여부 판정 기준 / 364
  2. 1세대가 주택과 조합원입주권 또는 분양권을 각각 1개씩 보유한
     경우의 주택 / 379

제7절 장기일반민간임대주택의 세액감면 ····················· 387
  1. 100% 감면대상 주택 / 387
  2. 중복적용 배제 / 389
  3. 과세특례적용 신청 / 389
  4. 임대기간의 계산 / 390
  5. 요건 / 390
  6. 임대주택 자진말소, 자동말소 등록의 영향 / 391
  7. 관련 예규 사례 / 391

제8절 양도세 중과와 부동산매매업 ························· 392
  1. 중과세가 적용되지 않는 경우의 부동산매매업 세금신고 / 392
  2. 중과세가 적용되는 경우의 부동산매매업 / 392
  3. 중과대상 판단시 주택 수 계산 / 392
  4. 1세대 1주택 판단 시 주택 수 포함 여부 / 393
  5. 예정신고 여부 / 394
  6. 부동산매매업 예정신고 시 중과세율, 장기보유특별공제 배제 적용
     여부 / 394
  7. 부동산매매업 확정신고 시 중과세율, 장기보유특별공제 적용
     여부 / 395

제9절 상속주택 관련 규정 정리 ··························· 396
  1. 상속주택 관련 양도소득세 세법 조문 정리 / 396
  2. 상속주택 관련 예규·판례 / 403

제10절 다주택자 취득세 ······························· 406
  1. 다주택자 취득세율 인상 / 406
  2. 취득세 감면 / 414

목 차

제11절 주택임대소득세 ··· 421

1. 비과세주택임대소득(1주택 임대소득, 단 기준시가 9억 원 초과분은
   제외) / 421
2. 분리과세 주택임대소득 / 425
3. 총수입금액계산의 특례 / 426
4. 주택임대소득에 대한 세액 계산의 특례 / 428
5. 주택임대사업자 미등록 가산세 / 436
6. 사업장현황신고 / 437
7. 사업장 현황신고 불성실 가산세 / 437
8. 사업장 현황을 조사·확인 / 438
9. 소형주택 임대사업자에 대한 세액감면 / 438

제12절 일자 기준으로 정리한 다주택자 관련 규정 ··························· 447

1. 분양권의 주택 수 포함 여부 / 447
2. 1세대 1주택 비과세 2년 거주요건 여부 / 447
3. 일자로 구분한 1세대 1주택 비과세 보유기간(2년) 기산일 / 448
4. 1세대 1주택의 장특공제율 최대 10년(80%) 적용 요건 / 449
5. 1세대 1주택 비과세 겸용 고가주택 / 449
6. 상속주택과 일반주택 비과세 / 450
7. 중과배제 임대주택 요건 / 451
8. 거주주택 비과세 규정에서 임대주택의 요건 / 452
9. 거주주택 비과세에서 임대주택의 요건 / 454
10. 자동말소 자진말소 / 455
11. 일시적 1세대 2주택 비과세 종전주택 처분기한 / 456
12. 거주주택 비과세 횟수제한 여부 / 456
13. 장기일반민간임대주택 양도세 100% 감면 / 456
14. 임대주택 유형별 혜택 정리 / 457
15. 장기보유특별공제 특례 / 458
16. 2019. 2. 12. 이전·후 조특법 제97조의3 적용시 단기에서 장기로
    변경할 때 임대기간 인정기간 / 458
17. 조특법 제97조의3 장기보유특별공제 50%(70%) 가액요건
    여부 / 459

18. 조특법 제97조의3 장기보유특별공제 50%(70%) 적용 여부 / 459

19. 각 법령별 5% 증액제한의 최초 임대료 기준 / 459

20. 장기매입임대주택의 종부세 합산배제 / 460

21. 토지 등 양도차익에 대한 법인세 추가과세 제외 여부
   (민간임대주택 중에서) / 461

22. 지금 임대등록해도 가능한 혜택 정리 / 461

제7편   주택에 대한 조세특례제한법상 특례 / 463

| 제1장 | 조특법 제97조 장기임대주택에 대한 양도소득세의 감면 ························· 465
   1. 조특법 제97조 장기임대주택 양도세 감면 / 465
   2. 주택 수 계산 포함 여부 / 465
   3. 주택임대신고서 및 감면신청서 제출 / 466
   4. 임대기간의 계산 / 466

| 제2장 | 조특법 제97조의2 신축임대주택에 대한 양도소득세의 감면특례 ············· 467
   1. 조특법 제97조의2 신축임대주택에 대한 양도소득세의 감면특례 / 467
   2. 준용규정 / 468

| 제3장 | 조특법 제98조 미분양주택에 대한 과세특례 ······························· 469
   1. 조특법 제98조 미분양주택에 대한 과세특례 / 469
   2. 1998년 3월 1일부터 1998년 12월 31일까지의 기간 중에 취득한
      미분양 국민주택 / 471

| 제4장 | 조특법 제98조의2 지방 미분양주택 취득에 대한 양도소득세 등
   과세특례 ··· 472
   1. 지방 미분양주택 취득에 대한 양도소득세 등 과세특례 / 472
   2. 법인의 지방 미분양주택 양도의 경우 / 473
   3. 부동산매매업자의 지방 미분양주택 양도의 경우 / 474
   4. 1세대 1주택 비과세 규정 관련 / 474
   5. 과세표준확정신고와 구비서류 제출 / 474

목 차

| 제5장 | 조특법 제98조의3 미분양주택의 취득자에 대한 양도소득세의 과세특례 ·· 475

1. 미분양주택의 취득자에 대한 양도소득세의 과세특례 / 475
2. 자가건설 신축주택인 경우 / 477
3. 1세대 1주택 비과세 규정 관련 / 477
4. 장기보유특별공제 및 세율 적용 특례 / 478
5. 과세표준확정신고와 구비서류 제출 / 478

| 제6장 | 조특법 제98조의5 수도권 밖의 지역에 있는 미분양주택의 취득자에 대한
양도소득세의 과세특례 ·· 479

1. 수도권 밖의 지역에 있는 미분양주택의 취득자에 대한
양도소득세의 과세특례 / 479
2. 1세대 1주택 비과세 규정 적용시 / 481
3. 장기보유특별공제 및 세율 적용 특례 / 481
4. 양도소득금액의 계산 등 / 482

| 제7장 | 조특법 제98조의6 준공 후 미분양주택의 취득자에 대한 양도소득세의
과세특례 ·· 483

1. 준공 후 미분양주택의 취득자에 대한 양도소득세의 과세특례 / 483
2. 1세대 1주택 비과세 규정 적용시 / 485
3. 장기보유특별공제 및 세율 적용 특례 / 485
4. 그 밖의 사항 / 486

| 제8장 | 조특법 제98조의7 미분양주택의 취득자에 대한 양도소득세의 과세특례 ·· 487

1. 미분양주택의 취득자에 대한 양도소득세의 과세특례 / 487
2. 1세대 1주택 비과세 규정 적용시 / 489
3. 양도소득금액의 계산 등 / 489

| 제9장 | 조특법 제98조의8 준공 후 미분양주택의 취득자에 대한 양도소득세의
과세특례 ·· 490

1. 준공 후 미분양주택의 취득자에 대한 양도소득세 과세특례 / 490
2. 1세대 1주택 비과세 규정 적용시 주택 수 포함 여부 / 492
3. 그 밖의 사항 / 492

CONTENTS

| 제10장 | 조특법 제99조 신축주택의 취득자에 대한 양도소득세의 감면 ················· 493

1. 신축주택의 취득자에 대한 양도소득세의 감면 / 493

2. 1세대 1주택 비과세 규정 적용시 주택 수 포함 여부 / 494

3. 감면신청 / 495

4. 그 밖의 사항 / 495

| 제11장 | 조특법 제99조의2 신축주택 등 취득자에 대한 양도소득세의 과세특례 ·· 496

1. 신축주택 등 취득자에 대한 양도소득세의 과세특례 / 496

2. 1세대 1주택 비과세 주택 수 포함 여부 / 501

3. 적용제외지역 / 501

4. 구비서류제출 / 501

5. 그 밖의 사항 / 502

| 제12장 | 조특법 제99조의3 신축주택의 취득자에 대한 양도소득세의 과세특례 ··· 503

1. 신축주택의 취득자에 대한 양도소득세의 과세특례 / 503

2. 1세대 1주택 비과세 규정 적용시 주택 수 포함 여부 / 505

3. 감면신청 / 505

4. 그 밖의 사항 / 505

| 제13장 | 조특법 제99조의4 농어촌주택 등 취득자에 대한 양도소득세의
과세특례 ·· 506

1. 농어촌주택 등 취득자에 대한 양도소득세 과세특례 / 506

2. 과세특례가 적용되지 않는 경우 / 508

3. 3년 이상 보유 요건을 충족하기 전에 일반주택을 양도하는 경우 / 508

4. 농어촌주택 취득시 2주택 중과세율 적용 배제 / 508

5. 사후관리 / 508

6. 과세특례 신청 / 509

7. 그 밖의 사항 / 509

8. 관련예규 및 해석사례 / 509

목 차

제8편 종합부동산세 / 511

| 제1장 | 총 칙 ·· 513

제1절 정의 ·· 513
1. 시·군·구 / 513
2. 주택 / 513
3. 토지 / 513
4. 주택분 재산세 / 513
5. 토지분 재산세 / 514
6. 삭제(2005. 12. 31) / 514
7. 세대 / 514
8. 공시가격 / 514

제2절 과세기준일 ································ 514

제3절 납세지 ······································ 515
1. 개인의 납세지 / 515
2. 법인의 납세지 / 515
3. 비거주자인 개인 또는 외국법인인 경우 / 517

제4절 과세구분 및 세액 ···················· 517
1. 과세구분 / 517
2. 토지에 대한 종합부동산세 / 517

제5절 비과세 등 ································· 519
1. 재산세의 감면규정 준용 / 519
2. 시·군의 감면조례 준용 / 519
3. 감면금액을 공제한 후의 공시가격 / 520
4. 분리과세규정을 적용하지 아니하는 경우 / 520

| 제2장 | 주택에 대한 과세 ················ 521

제1절 납세의무자 ······························ 521
1. 주택분 재산세 납세의무자 / 521
2. 신탁재산의 위탁자 / 521

C O N T E N T S

제2절 신탁주택 관련 수탁자의 물적납세의무 ·· 521

제3절 과세표준 ··· 522
   1. 주택에 대한 종합부동산세의 과세표준 / 522
   2. 종합부동산세 합산배제 / 525
   3. 합산배제 주택보유현황 신고 / 550
   4. 다른 주택의 부속토지를 함께 소유하고 있는 경우 1세대 1주택 / 551
   5. 종합부동산세를 추징하지 않는 경우 / 551

제4절 세율 및 세액 ·· 552
   1. 2주택 이하를 소유한 경우(조정대상지역 내 2주택 제외) / 552
   2. 3주택 이상, 조정대상지역 내 2주택인 경우 / 553
   3. 법인 또는 법인으로 보는 단체인 경우 / 553
   4. 재산세 공제 / 555
   5. 주택 수 계산 / 556
   6. 1세대 1주택자 / 557
   7. 60세 이상인 1세대 1주택자의 공제액 / 558
   8. 1세대 1주택 공제 / 558

제5절 세부담의 상한 ··· 559
   1. 세부담 상한 비율 / 559
   2. 재산세액과 종합부동산세액의 합계액 / 559

제6절 공동명의 1주택자의 납세의무 등에 관한 특례 ······························· 562
   1. 배우자 공동소유 주택 / 562
   2. 신청 및 변경신청 / 564
   3. 과세표준과 세율 및 세액 / 565
   4. 세부담 상한 등 / 565

| 제3장 | 토지에 대한 과세 ·· 566

제1절 과세방법 ··· 566

제2절 납세의무자 ·· 566
   1. 토지분 재산세 납세의무자 / 566
   2. 신탁재산의 위탁자 / 567

목 차

제3절 신탁주택 관련 수탁자의 물적납세의무 ··· 567

제4절 과세표준 ·· 567
1. 종합합산과세대상인 토지 / 567
2. 별도합산과세대상인 토지 / 568
3. 음수인 경우 / 568

제5절 세율 및 세액 ·· 569
1. 종합합산과세대상인 토지 / 569
2. 종합합산과세대상인 토지의 재산세 공제 / 569
3. 별도합산과세대상인 토지 / 569
4. 별도합산과세대상인 토지의 재산세 공제 / 570
5. 재산세 공제액의 계산 / 570

제6절 세부담의 상한 ·· 571
1. 종합합산과세대상인 토지 세부담 상한 / 571
2. 별도합산과세대상인 토지 세부담 상한 / 573

┃제4장┃ 신고·납부 등 ·· 576

제1절 부과·징수 등 ·· 576
1. 납부기간 / 576
2. 납세고지서 발부 / 576
3. 신고납부방식을 선택한 경우 / 576
4. 신고납부방식의 납부기한 / 577
5. 기타 / 577

제2절 물적납세의무에 대한 납부특례 ·· 578
1. 수탁자에 납부고지서 발급 / 578
2. 납부고지 후 영향 / 578
3. 수탁자 변경시 납세의무 승계 / 578
4. 제1항에 따른 납세의무자인 위탁자의 관할 세무서장은 최초의
   수탁자에 대한 신탁 설정일을 기준으로 제7조의2 및 제12조의2에
   따라 그 신탁재산에 대한 현재 수탁자에게 위탁자의 종합부동산세
   등을 징수할 수 있다. / 578
5. 우선변제 / 579

6. 기타 / 579

제3절 결정과 경정 ·· 579

1. 결정 및 경정 / 579

2. 탈루 또는 오류가 있는 때 / 579

3. 경정 및 재경정 / 580

4. 재경정 / 580

5. 세액 추징 및 이자상당가산액 / 580

제4절 분납 ·· 581

1. 분납세액 / 581

2. 분납신청서 제출 / 582

3. 납세고지서 수정 고지 / 582

제9편 비사업용토지의 범위 / 583

| 제1장 | 비사업용토지 ··· 585

제1절 비사업용 토지 ·· 585

1. 비사업용토지의 기간 기준 / 587

2. 기타 공통 적용 규정 / 589

3. 농지 / 591

4. 임야 / 608

5. 목장용지 / 614

6. 농지, 임야 및 목장용지 외의 토지(나대지 등) / 618

7. 주택 정착면적을 초과하는 토지 / 638

8. 별장의 부수토지 / 640

9. 그 밖의 사업과 무관한 토지 / 642

제2절 법률에 따라 사용이 금지되거나 부득이한 사유가 있는 토지 ········· 643

1. 해당 기간 동안 사업용토지 기간으로 보는 경우 / 643

2. 토지 양도시기 / 646

3. 기간기준에 관계없이 비사업용토지로 보지 아니하는 토지 / 647

목 차

제10편 **토지에 대한 조세특례제한법상 특례** / 653

| 제1장 | 자경농지에 대한 양도소득세의 감면 ······················ 655
    1. 자경감면 / 655
    2. 농업법인 사후관리 / 665
    3. 감면신청 / 665

| 제2장 | 축사용지에 대한 양도소득세의 감면 ······················ 667
    1. 축사용지에 대한 양도소득세의 감면 / 667
    2. 사후관리 / 675
    3. 감면신청 / 675
    4. 그 밖의 사항 / 675

| 제3장 | 어업용 토지 등에 대한 양도소득세의 감면 ············· 676
    1. 어업용 토지 등에 대한 양도소득세의 감면 / 676
    2. 감면신청 / 682
    3. 그 밖의 사항 / 683

| 제4장 | 자경산지에 대한 양도소득세의 감면 ······················ 684
    1. 자경산지에 대한 양도소득세의 감면 / 684
    2. 감면신청 / 691

| 제5장 | 농지대토에 대한 양도소득세의 감면 ······················ 692
    1. 농지대토에 대한 양도소득세의 감면 / 692
    2. 대토감면 적용배제 / 697
    3. 감면신청 / 698
    4. 사후관리 / 698
    5. 이자상당액 가산 / 701

| 제6장 | 경영회생 지원을 위한 농지 매매 등에 대한 양도소득세의 과세특례 ······· 702
    1. 경영회생 지원을 위한 농지 매매 등에 대한 양도소득세의
       과세특례 / 702

CONTENTS

2. 취득가액 및 취득시기 / 702

3. 환급신청 / 703

4. 그 밖의 사항 / 703

| 제7장 | 공익사업용토지 등에 대한 양도소득세의 감면 ·· 704

1. 공익사업용토지 등에 대한 양도소득세의 감면 / 704

2. 2015년 12월 31일 이전에 양도 지정되기 전의 사업자에게
   양도한 경우 / 707

3. 사후관리 / 707

4. 이자상당가산액 준용 / 708

5. 사업시행자의 감면신청 / 709

6. 감면신청 / 709

7. 그 밖의 사항 / 710

8. 상속, 증여받은 토지의 취득일 / 710

| 제8장 | 대토보상에 대한 양도소득세의 과세특례 ··· 711

1. 대토보상에 대한 양도소득세의 과세특례 / 711

2. 시행자의 대토보상명세 통보 / 713

3. 사후관리 / 714

4. 감면 및 과세이연 신청 / 715

5. 그 밖의 사항 / 716

| 제9장 | 개발제한구역 지정에 따른 매수대상 토지 등에 대한 양도소득세의 감면 ·· 717

1. 개발제한구역 지정에 따른 매수대상 토지 등에 대한
   양도소득세의 감면 / 717

2. 개발제한구역에서 해제된 해당 토지 등을 수용 등을 통하여
   양도하는 경우 감면 / 718

3. 상속받은 토지 등의 취득일 / 719

4. 그 밖의 사항 / 719

| 제10장 | 박물관 등의 이전에 대한 양도소득세의 과세특례 ································ 721

1. 박물관 등의 이전에 대한 양도소득세의 과세특례 / 721

2. 사후관리 / 721

3. 준용규정 / 722

4. 그 밖의 사항 / 722

| 제11장 | 국가에 양도하는 산지에 대한 양도소득세의 감면 ·················· 723

1. 국가에 양도하는 산지에 대한 양도소득세의 감면 / 723

2. 감면신청 / 723

| 제12장 | 임대주택 부동산투자회사의 현물출자자에 대한 과세특례 ············ 724

| 제13장 | 임대사업자에게 양도한 토지에 대한 과세특례 ·················· 727

| 제14장 | 공공매입임대주택 건설을 목적으로 양도한 토지에 대한 과세특례 ········ 729

제11편 조세특례제한법상 양도소득세 감면 배제 및 종합한도 / 731

| 제1장 | 조세특례제한 중복지원의 배제 ······························ 733

1. 토지 등을 양도하여 둘 이상의 감면규정을 동시에 적용받는 경우
   그 중 하나만 감면 / 733

2. 「공익사업용토지 등에 대한 양도소득세의 감면」 및 「공익사업을 위한
   수용 등에 따른 공장이전에 대한 과세특례」가 동시에 적용되는 경우
   그 중 하나만 감면 / 733

3. 「지방 미분양주택 취득에 대한 양도소득세 등 과세특례」와
   「미분양주택의 취득자에 대한 양도소득세의 과세특례」가 동시에
   적용되는 경우 그 중 하나만 감면 / 733

| 제2장 | 양도소득세의 감면 배제 등 ······························· 734

1. 매매계약서의 거래가액을 실지거래가액과 다르게 적은 경우 / 734

2. 미등기양도자산 / 734

| 제3장 | 양도소득세 감면의 종합한도 ·· 735

    1. 감면받을 양도소득세액의 합계액이 과세기간별로 1억 원을 초과하는 금액 / 735

    2. 5개 과세기간의 감면받을 양도소득세액의 합계액을 초과하는 금액 / 735

제12편　양도소득 과세표준의 예정신고 및 확정신고와 납부 / 737

| 제1장 | 양도소득과세표준 예정신고 ·· 739

    1. 예정신고 / 739

    2. 예정신고는 양도차익이 없거나 양도차손이 발생한 경우 / 739

| 제2장 | 예정신고 산출세액의 계산 ·· 740

    1. 예정신고 산출세액의 계산 / 740

    2. 양도소득금액 합산신고의 경우 예정신고 산출세액 계산 / 740

| 제3장 | 재외국민과 외국인의 부동산 등 양도신고확인서의 제출 ·············· 742

| 제4장 | 양도소득과세표준 확정신고 ·· 743

    1. 양도소득과세표준 확정신고 / 743

    2. 과세표준이 없거나 결손금액이 있는 경우 / 743

    3. 예정신고를 한 경우의 확정신고 / 743

| 제5장 | 환산가액 적용에 따른 가산세 ·· 745

    1. 환산가액 적용에 따른 가산세 / 745

| 제6장 | 신탁 수익자명부 변동상황명세서의 제출 ······························ 746

목 차

제13편 국외자산양도에 대한 양도소득세 / 747

| 제1장 | 국외자산 양도소득의 범위 ·· 749
   1. 토지 또는 건물의 양도로 발생하는 소득 / 749
   2. 다음 각 목[아래 (1), (2)]의 어느 하나에 해당하는 부동산에 관한
      권리의 양도로 발생하는 소득 / 749
   3. 그 밖의 자산의 양도로 발생하는 소득 / 749

| 제2장 | 국외자산의 양도가액 ·· 750
   1. 국외자산의 양도가액 산정 / 750

| 제3장 | 국외자산 양도소득의 필요경비 계산 ······························· 752
   1. 국외자산의 양도에 대한 필요경비 / 752
   2. 국외자산의 양도차익의 외화환산 / 752

| 제4장 | 국외자산 양도소득세의 세율 ······································ 753
   1. 국외자산의 양도소득세율 / 753
   2. 준용규정 / 753

| 제5장 | 국외자산 양도소득에 대한 외국납부세액의 공제 ··················· 754
   1. 국외자산 양도소득에 대한 외국납부세액의 공제 / 754
   2. 필요경비 산입 방법 / 755

| 제6장 | 국외자산 양도소득 기본공제 ······································ 756
   1. 양도소득 기본공제 / 756
   2. 감면소득금액이 있는 경우 / 756

| 제7장 | 국외자산 양도에 대한 준용규정 ··································· 757

제14편　농어촌특별세 / 759

| 제1장 | 농어촌특별세 ·· 761

제1절 정 의 ··· 761

제2절 납세의무자 ··· 761

제3절 비과세 ·· 762

제4절 과세표준 및 세율 ··· 764

제1편

양도소득세 개념과 범위

양도소득세 개념과 범위 제1장

제1장

양도소득세 개념과 범위

개인은 소득세법에 따라 납세의 의무가 있다. 소득세법은 납세의무자의 유형을 거주자와 비거주자로 구분한다. 거주자에 대하여는 거주지국 과세를 채택하고, 비거주자에 대하여는 원천지국 과세를 채택하고 있다. 그리고 양도소득세에서는 각종 특례나 감면 및 공제 규정에서 거주자와 비거주자에 따라 다르게 적용되는 경우가 많다. 그래서 거주자와 비거주자의 구분은 중요하다. 소득세의 납세의무자는 다음과 같다.

❶ 납세의무자

다음 어느 하나[아래 (1), (2)]에 해당하는 개인은 소득세법에 따라 각자의 소득에 대한 소득세를 납부할 의무를 진다.(2009. 12. 31. 개정)(소득법 §2 ①)

(1) 거주자

"거주자"란 국내에 주소를 두거나 183일 이상의 거소(居所)를 둔 개인을 말한다.(2014. 12. 23. 개정)(소득법 §1의2 ① 1호)

1) 주소와 거소의 판정

① 주소

주소는 국내에서 생계를 같이 하는 가족 및 국내에 소재하는 자산의 유무 등 생활관계의 객관적 사실에 따라 판정한다.(2010. 2. 18. 개정)(소득령 §2 ①)

② 거소

거소는 주소지 외의 장소 중 상당기간에 걸쳐 거주하는 장소로서 주소와 같이 밀접한 일반적 생활관계가 형성되지 아니한 장소로 한다.(2010. 2. 18. 개정)(소득령 §2 ②)

③ 국내에 주소를 가진 것으로 보는 경우

국내에 거주하는 개인이 다음 각 호[아래 ⅰ), ⅱ)]의 어느 하나에 해당하는 경우에는 국내에 주소를 가진 것으로 본다.(2015. 2. 3. 개정)(소득령 §2 ③)

　　ⅰ) 계속하여 183일 이상 국내에 거주할 것을 통상 필요로 하는 직업을 가진 때(2015. 2. 3. 개정)(소득령 §2 ③ 1호)

　　ⅱ) 국내에 생계를 같이하는 가족이 있고, 그 직업 및 자산상태에 비추어 계속하여 183일 이상 국내에 거주할 것으로 인정되는 때(2015. 2. 3. 개정)(소득령 §2 ③ 2호)

④ 국내에 주소가 없는 것으로 보는 경우

국외에 거주 또는 근무하는 자가 외국국적을 가졌거나 외국법령에 의하여 그 외국의 영주권을 얻은 자로서 국내에 생계를 같이하는 가족이 없고 그 직업 및 자산상태에 비추어 다시 입국하여 주로 국내에 거주하리라고 인정되지 아니하는 때에는 국내에 주소가 없는 것으로 본다.(2015. 2. 3. 개정)(소득령 §2 ④)

⑤ 외국을 항행하는 선박 또는 항공기 승무원의 경우

외국을 항행하는 선박 또는 항공기의 승무원의 경우 그 승무원과 생계를 같이하는 가족이 거주하는 장소 또는 그 승무원이 근무기간 외의 기간 중 통상 체재하는 장소가 국내에 있는 때에는 당해 승무원의 주소는 국내에 있는 것으로 보고, 그 장소가 국외에 있는 때에는 당해 승무원의 주소가 국외에 있는 것으로 본다.(1994. 12. 31. 개정)(소득령 §2 ⑤)

(2) 비거주자로서 국내원천소득이 있는 개인

"비거주자"란 거주자가 아닌 개인을 말한다.(2009. 12. 31. 신설)(소득법 §1의2 ① 2호)

구 분	거주자	비거주자
납세의무 범위	국내외 소재 자산	국내 소재 자산
납세지	주소지(주소지가 없는 경우 거소지)	국내사업장(국내사업장이 없는 경우 부동산 소재지)
과세대상자산	소득세법 제94조에 따른 국내외원천소득	소득세법 제119조 제9호(부동산 등) 제11호(유가증권)에 따른 국내원천소득
1세대 1주택 비과세	적용	적용 배제*)

구 분		거주자	비거주자
장기보유특 별공제	1세대1주택자	적용	적용배제
	기타	적용	적용
자경감면		적용	적용 배제**)
원천납부의무		의무 없음	의무 있음***)

*) 다만, 1세대 1주택자인 거주자가 해외이주 등으로 비거주자가 된 경우에도 출국일로부터 2년 이내 양도하는
경우 비과세 적용(소득령 §154 ① 2호 다목)
**) 비거주자가 된 날부터 2년 이내의 사람은 적용
***) 개인 간 부동산거래에 대해서는 2007년 1월 1일 이후 양도분부터 원천징수의무 면제

(3) 거주자 또는 비거주자가 되는 시기

1) 비거주자가 거주자로 되는 시기

① 국내에 주소를 둔 날(2009. 2. 4. 신설)(소득령 §2의2 ① 1호)

② 국내에 주소를 가진 것으로 보는 경우(제2조 제3항[위 (1), ③]) 및 외국을 항행하는 선
박 또는 항공기 승무원의 경우(제5항[위 (1), ⑤])의 규정에 따라 국내에 주소를 가지거
나 국내에 주소가 있는 것으로 보는 사유가 발생한 날(2009. 2. 4. 신설)(소득령 §2의2 ① 2호)

③ 국내에 거소를 둔 기간이 183일이 되는 날(2015. 2. 3. 개정)(소득령 §2의2 ① 3호)

2) 거주자가 비거주자로 되는 시기는 다음과 같다.

① 거주자가 주소 또는 거소의 국외 이전을 위하여 출국하는 날의 다음 날(2009. 2. 4. 신설)
(소득령 §2의2 ② 1호)

② 국내에 주소가 없는 것으로 보는 경우(제2조 제4항[위 (1), ④]) 및 외국을 항행하는
선박 또는 항공기 승무원의 경우(제5항[위 (1), ⑤])의 규정에 따라 국내에 주소가
없거나 국외에 주소가 있는 것으로 보는 사유가 발생한 날의 다음 날(2009. 2. 4. 신설)
(소득령 §2의2 ② 2호)

▶▶ [참고] 거주자 또는 비거주자가 되는 시기

비거주자가 거주자로 되는 시기	거주자가 비거주자로 되는 시기
1. 국내에 주소를 둔 날 2. 국내에 주소를 가지거나 국내에 주소가 있 는 것으로 보는 사유가 발생한 날 3. 국내에 거소를 둔 기간이 183일이 되는 날	1. 거주자가 주소 또는 거소의 국외이전을 위하 여 출국하는 날의 다음 날 2. 국내에 주소가 없거나 국외에 주소가 있는 것으로 보는 사유가 발생한 날의 다음 날

(4) 해외현지법인 등의 임직원 등에 대한 거주자 판정

거주자나 내국법인의 국외사업장 또는 해외현지법인(내국법인이 발행주식총수 또는 출자지분의 100분의 100을 직접 또는 간접 출자한 경우에 한정한다) 등에 파견된 임원 또는 직원이나 국외에서 근무하는 공무원은 거주자로 본다.(2015. 2. 3. 개정)(소득령 §3)

▶▶ [참고] 국외 파견 임직원 등의 거주자 여부 판정

1. 거주자 또는 내국법인의 국외사업장 또는 해외현지법인(100% 직·간접 출자법인)에 파견된 임원 또는 직원이 생계를 같이 하는 가족이나 자산상태로 보아 파견기간의 종료 후 재입국할 것으로 인정되는 때에는 파견기간이나 외국의 국적 또는 영주권의 취득과는 관계없이 거주자로 본다.(소득세법 집행기준 1의2-3-1 ①)

2. 제1항[위 1.]에 준하여 국내에 생활의 근거가 있는 자가 국외에서 거주자 또는 내국법인의 임원 또는 직원이 되는 경우에는 국내에서 파견된 것으로 본다.(소득세법 집행기준 1의2-3-1 ②)

(5) 거주기간의 계산

거주기간의 계산은 다음과 같이 한다.

1) 거소를 둔 기간

국내에 거소를 둔 기간은 입국하는 날의 다음 날부터 출국하는 날까지로 한다.(1994. 12. 31. 개정)(소득령 §4 ①)

2) 출국목적이 관광, 질병의 치료 등 일시적인 경우의 거소기간

국내에 거소를 두고 있던 개인이 출국 후 다시 입국한 경우에 생계를 같이하는 가족의 거주지나 자산소재지 등에 비추어 그 출국목적이 관광, 질병의 치료 등으로서 명백하게 일시적인 것으로 인정되는 때에는 그 출국한 기간도 국내에 거소를 둔 기간으로 본다.(2015. 2. 3. 개정)(소득령 §4 ②)

3) 국내에 거소를 둔 기간이 1과세기간 동안 183일 이상인 경우에는 국내에 183일 이상 거소를 둔 것으로 본다.(2018. 2. 13. 개정)(소득령 §4 ③)

4) 재외동포가 관광, 질병의 치료 등 일시적인 경우 거소기간의 예외

「재외동포의 출입국과 법적 지위에 관한 법률」 제2조에 따른 재외동포가 입국한 경우 생계를 같이 하는 가족의 거주지나 자산소재지 등에 비추어 그 입국목적이 관광, 질병의 치료 등 기획재정부령으로 정하는 사유[아래 ①]에 해당하여 그 입국한 기간이 명백하게 일시적인 것으로 기획재정부령으로 정하는 방법[아래 ②]에 따라 인정되는 때에는 해당 기간은 국내에 거소를 둔 기간으로 보지 아니한다.(2016. 2. 17. 신설)(소득령 §4 ④)(소득칙 §2 ①, ②)

① 국내에 거소를 둔 기간으로 보지 아니하는 사유

"기획재정부령으로 정하는 사유"는 사업의 경영 또는 업무와 무관한 것으로서 다음 각 호의 것을 말한다.(2016. 3. 16. 신설)

ⅰ) 단기 관광(2016. 3. 16. 신설)(소득칙 §2 ① 1호)

ⅱ) 질병의 치료(2016. 3. 16. 신설)(소득칙 §2 ① 2호)

ⅲ) 병역의무의 이행(2016. 3. 16. 신설)(소득칙 §2 ① 3호)

ⅳ) 그밖에 친족 경조사 등 사업의 경영 또는 업무와 무관한 사유(2016. 3. 16. 신설)(소득칙 §2 ① 4호)

② 입국목적이 관광, 질병의 치료 등의 사유 입증

"기획재정부령으로 정하는 방법"이란 다음 각 호의 구분에 따른 자료로서 관광, 질병의 치료 등 기획재정부령으로 정하는 사유[위 ①]에 따른 일시적인 입국 사유와 기간을 객관적으로 입증하는 것을 말한다.(2016. 3. 16. 신설)(소득칙 §2 ②)

ⅰ) 단기 관광의 입증

관광시설 이용에 따른 입장권, 영수증 등 입국기간 동안 관광을 한 것을 입증할 수 있는 자료(2016. 3. 16. 신설)(소득칙 §2 ② 1호)

ⅱ) 질병 치료의 입증

「의료법」 제17조에 따른 진단서, 증명서, 처방전 등 입국기간 동안 진찰이나 치료를 받은 것을 입증하는 자료(2016. 3. 16. 신설)(소득칙 §2 ② 2호)

ⅲ) 병역의무의 입증

병역사항이 기록된 주민등록초본 또는 「병역법 시행규칙」 제8조에 따른 병적증명서 등 입국기간 동안 병역의무를 이행한 것을 입증하는 자료(2016. 3. 16. 신설)(소득칙 §2 ② 3호)

ⅳ) 친족 경조사 등 그밖에 사업의 경영 또는 업무와 무관한 사유

사업의 경영 또는 업무와 무관하게 일시적으로 입국한 것을 입증하는 자료(2016. 3. 16. 신설)(소득칙 §2 ② 4호)

❷ 법인이 아닌 단체 중 거주자 또는 비거주자로 보는 단체

「국세기본법」 제13조 제1항에 따른 법인 아닌 단체 중 같은 조 제4항에 따른 법인으로 보는 단체(이하 "법인으로 보는 단체"라 한다) 외의 법인 아닌 단체는 국내에 주사무소 또는 사업의 실질적 관리장소를 둔 경우에는 1거주자로, 그 밖의 경우에는 1비거주자로 보아 소득세법을 적용한다. 다만, 다음 각 호[아래 (1), (2)]의 어느 하나에 해당하는 경우에는 소득구분에 따라 해당 단체의 각 구성원별로 이 법 또는 「법인세법」에 따라 소득에 대한 소득세 또는 법인세[해당 구성원이 「법인세법」에 따른 법인(법인으로 보는 단체를 포함한다)인 경우로 한정한다. 이하 이 조에서 같다]를 납부할 의무를 진다.(2018. 12. 31. 개정)(소득법 §2 ③)

(1) 구성원 간 이익의 분배비율이 정하여져 있고 해당 구성원별로 이익의 분배비율이 확인되는 경우(2018. 12. 31. 신설)(적용시기 : 2020년 1월 1일부터 시행한다)(소득법 §2 ③ 1호)

(2) 구성원 간 이익의 분배비율이 정하여져 있지 아니하나 사실상 구성원별로 이익이 분배되는 것으로 확인되는 경우(2018. 12. 31. 신설)(소득법 §2 ③ 2호)(적용시기 : 2020년 1월 1일부터 시행한다)

❸ 거주자 또는 비거주자로 보는 단체로서 구성원 중 일부 구성원의 분배 비율만 확인되는 경우

해당 단체의 전체 구성원 중 일부 구성원의 분배비율만 확인되거나 일부 구성원에게만 이익이 분배되는 것으로 확인되는 경우에는 다음 각 호[아래 (1), (2)]의 구분에 따라 소득세 또는 법인세를 납부할 의무를 진다.(2018. 12. 31. 신설)(소득법 §2 ④)

(1) 확인되는 부분

해당 구성원별로 소득세 또는 법인세에 대한 납세의무 부담(2018. 12. 31. 신설)(적용시기 : 2020년 1월 1일부터 시행한다)(소득법 §2 ④ 1호)

(2) 확인되지 아니하는 부분

해당 단체를 1거주자 또는 1비거주자로 보아 소득세에 대한 납세의무 부담(2018. 12. 31. 신설)(적용시기 : 2020년 1월 1일부터 시행한다)(소득법 §2 ④ 2호)

④ 국외투자기구의 경우

위에 규정[제3항(위 ❷) 및 제4항(위 ❸)]에도 불구하고 법인으로 보는 단체 외의 법인 아닌 단체에 해당하는 국외투자기구(투자권유를 하여 모은 금전 등을 가지고 재산적 가치가 있는 투자대상자산을 취득, 처분하거나 그 밖의 방법으로 운용하고 그 결과를 투자자에게 배분하여 귀속시키는 투자행위를 하는 기구로서 국외에서 설립된 기구를 말한다. 이하같다)를 국외투자기구에 대한 실질귀속자 특례규정[소득법 제119조의2 제1항 제2호]에 따라 국내원천소득의 실질귀속자로 보는 경우 그 국외투자기구는 1비거주자로서 소득세를 납부할 의무를 진다.(2018. 12. 31. 신설)(소득법 §2 ⑤)(적용시기 : 2020년 1월 1일부터 시행한다)

⑤ 납세의무의 범위

(1) 상속으로 인한 납세의무 승계의 경우

피상속인의 소득금액에 대해서 과세하는 경우에는 그 상속인이 납세의무를 진다.(2009. 12. 31. 개정)(소득법 §2의2 ②)

(2) 특수관계자를 통한 우회양도의 경우 연대납세의무

특수관계인에게 자산을 증여한 후 그 자산을 증여받은 자가 그 증여일로부터 5년 이내 양도시 적용되는 양도소득부당행위계산부인(소득법 §101 ②)에 따라 증여자가 자산을 직접 양도한 것으로 보는 경우 그 양도소득에 대해서는 증여자와 증여받은 자가 연대하여 납세의무를 진다.(2009. 12. 31. 개정, 2020. 12. 29 항번개정)(소득법 §2의2 ③)

(3) 공동 소유 자산의 경우

공동으로 소유한 자산에 대한 양도소득금액을 계산하는 경우에는 해당 자산을 공동으로 소유하는 각 거주자가 납세의무를 진다.(2017. 12. 19. 신설, 2020. 12. 29 항번개정)(소득법 §2의2 ⑤)

제2절 **신탁재산 귀속 소득에 대한 납세의무의 범위**

❶ 신탁재산에 귀속되는 소득의 납세의무자

신탁재산에 귀속되는 소득은 그 신탁의 이익을 받을 수익자(수익자가 사망하는 경우에는 그 상속인)에게 귀속되는 것으로 본다.(2020. 12. 29. 신설)(소득법 §2의3 ①)

❷ 위탁자에게 귀속되는 것으로 보는 경우

제1항[위 1.]에도 불구하고 수익자가 특별히 정하여지지 아니하거나 존재하지 아니하는 신탁 또는 위탁자가 신탁재산을 실질적으로 통제하는 등 대통령령으로 정하는 요건을 충족하는 신탁의 경우에는 그 신탁재산에 귀속되는 소득은 위탁자에게 귀속되는 것으로 본다.(2020. 12. 29. 신설)(소득법 §2의3 ②)

수익자의 특정 여부 또는 존재 여부는 신탁재산과 관련되는 수입 및 지출이 있는 때의 상황에 따른다.(2021. 2. 17. 개정)(소득령 §4의2 ②)

위에서 "대통령령으로 정하는 요건을 충족하는 신탁"이란 다음 각 호[아래 (1), (2)]의 요건을 모두 갖춘 신탁을 말한다.(2021. 2. 17. 신설)(소득령 §4의2 ④)

(1) 위탁자가 신탁을 해지할 수 있는 권리, 수익자를 지정하거나 변경할 수 있는 권리, 신탁 종료 후 잔여재산을 귀속 받을 권리를 보유하는 등 신탁재산을 실질적으로 지배·통제할 것(2021. 2. 17. 신설)(소득령 §4의2 ④ 1호)

(2) 신탁재산 원본을 받을 권리에 대한 수익자는 위탁자로, 수익을 받을 권리에 대한 수익자는 그 배우자 또는 같은 주소 또는 거소에서 생계를 같이 하는 직계존비속(배우자의 직계존비속을 포함한다)으로 설정했을 것(2021. 2. 17. 신설)(소득령 §4의2 ④ 2호)

[적용시기]

1) 2020년 12월 29일 신설된 소득법 제2조의3 개정규정은 2021년 1월 1일 이후 신탁계약을 체결하는 분부터 적용한다.

2) 2021년 2월 17일 신설된 소득령 제4조의2 개정규정은 2023년 1월 1일 이후 양도하는 분부터 적용한다.

(3) 「자본시장과 금융투자업에 관한 법률 시행령」 제103조 제1호에 따른 특정금전신탁으로서 법 제4조 제2항을 적용받는 신탁의 이익에 대한 소득금액은 해당 이익에서 「자본시장과 금융투자업에 관한 법률」에 따른 각종 보수·수수료 등을 뺀 금액으로 한다.(2021. 2. 17. 개정)(소득령 §4의3 ③)(2021. 3. 16. 신설)(소득칙 §2의2)

제3절 납세지

❶ 거주자

거주자의 소득세 납세지는 그 주소지로 한다. 다만, 주소지가 없는 경우에는 그 거소지로 한다.(2009. 12. 31. 개정)(소득법 §6 ①)

❷ 비거주자

비거주자의 소득세 납세지는 소득세법 제120조에 따른 국내사업장(이하 "국내사업장"이라 한다)의 소재지로 한다. 다만, 국내사업장이 둘 이상 있는 경우에는 주된 국내사업장의 소재지로 하고, 국내사업장이 없는 경우에는 양도자산 소재지가 납세지가 된다.(2013. 1. 1. 개정)(소득법 §6 ②)

❸ 납세지가 불분명한 경우

납세지가 불분명한 경우(소득법 §6 ③)의 규정에 의한 납세지의 결정은 다음 각 호[아래 (1)~(4)]에 의한다.(2007. 2. 28. 개정)(소득령 §5 ①)

(1) 주소지(거소지)가 2 이상인 경우

주소지가 2 이상인 때에는 「주민등록법」에 의하여 등록된 곳을 납세지로 하고, 거소지가 2 이상인 때에는 생활관계가 보다 밀접한 곳을 납세지로 한다.(2005. 2. 19. 법명개정)(소득령 §5 ① 1호)

(2) 국내에 2 이상의 사업장이 있는 비거주자의 경우

국내에 2 이상의 사업장이 있는 비거주자의 경우 그 주된 사업장을 판단하기가 곤란한 때에는 당해 비거주자가 제5항의 규정에 준하여 납세지로 신고한 장소를 납세지로 한다.(1994. 12. 31. 개정)(소득령 §5 ① 2호)

(3) 비거주자의 국내사업장[소득법 제120조] 규정에 따른 국내사업장(이하 "국내사업장" 이라 한다)이 없는 비거주자에게 국내의 2 이상의 장소에서 비거주자의 국내원천소득 규정[소득법 제119조 제3호]에 따른 국내원천 부동산소득 또는 같은 조 제9호에 따른 국내원천 부동산 등 양도소득이 발생하는 경우에는 그 국내원천소득이 발생하는 장소 중에서 해당 비거주자가 규정에 따라 납세지로 신고한 장소를 납세지로 한다.(2019. 2. 12. 개정)(소득령 §5 ① 3호)

(4) 비거주자가 제2호[위 (2)] 또는 제3호[위 (2)]의 규정에 의한 신고를 하지 아니하는 경우에는 소득상황 및 세무 관리의 적정성 등을 참작하여 국세청장 또는 관할지방국세 청장이 지정하는 장소를 납세지로 한다.(1994. 12. 31. 개정)(소득령 §5 ① 3호)

▶▶ [참고] 납세지의 결정과 신고

구 분			납 세 지
거주자	원 칙	주 소 지	주소지가 2 이상인 경우 : 「주민등록법」에 의해 등록된 곳
	주소지가 없는 경우	거 소 지	거소지가 2 이상인 경우 : 생활관계가 보다 밀접한 곳
	거주자가 취학, 질병의 요양, 근무상 또는 사업상의 형편 등으로 본래의 주소지 또는 거소지를 일시퇴거한 경우에는 본래의 주소지 또는 거소지를 납세지로 봄		
비거주자	원 칙	국내사업장 소재지	국내사업장이 2 이상인 경우 : 주된 국내사업장 주된 사업장 판단이 곤란한 경우 : 납세지로 신고한 장소
	국내사업장이 없는 경우	국내원천소득이 발생하는 장소	국내원천소득이 2 이상의 장소에서 발생한 경우 : 납세지로 신고한 장소
법인격 없는 단체		동 단체의 대표자 또는 관리인의 주소지	단, 해당 단체의 업무 주관 장소 등을 납세지로 지정받은 경우 : 그 지정받은 장소

제 2 편

양도의 정의

용어의 정의　제1장

양도소득의 범위　제2장

용어의 정의

 양도의 정의

"양도"란 자산에 대한 등기 또는 등록과 관계없이 매도, 교환, 법인에 대한 현물출자 등을 통하여 그 자산을 유상으로 사실상 이전하는 것을 말한다. 이 경우 대통령령으로 정하는 부담부증여 시 수증자가 부담하는 채무액에 해당하는 부분은 양도로 보며, 다음 각 목[아래 (1)~(3)]의 어느 하나에 해당하는 경우에는 양도로 보지 아니한다.(2016. 12. 20. 개정, 2020. 12. 29. 개정)(소득법 §88 1호)

(1) 「도시개발법」이나 그 밖의 법률에 따른 환지처분으로 지목 또는 지번이 변경되거나 보류지(保留地)로 충당되는 경우(2016. 12. 20. 개정)(소득법 §88 1호 가목)

(2) 토지의 경계를 변경하기 위하여 「공간정보의 구축 및 관리 등에 관한 법률」 제79조에 따른 토지의 분할 등 대통령령으로 정하는 방법과 절차로 하는 토지 교환의 경우 (2016. 12. 20. 개정)(소득법 §88 1호 나목)

(3) 위탁자와 수탁자 간 신임관계에 기하여 위탁자의 자산에 신탁이 설정되고 그 신탁재산의 소유권이 수탁자에게 이전된 경우로서 위탁자가 신탁 설정을 해지하거나 신탁의 수익자를 변경할 수 있는 등 신탁재산을 실질적으로 지배하고 소유하는 것으로 볼 수 있는 경우(2020. 12. 29. 신설)(소득법 §88 1호 다목)
신탁설정시 양도로 보지 않고 신탁재산 양도 시 위탁자를 양도자로 보아 과세한다. 그러나, 위탁자의 지배를 벗어나는 경우에 한해 신탁 설정 시 양도소득세로 과세한다. 위탁자의 지배를 벗어나는 경우에는 신탁계약 해지권, 수익자변경권, 해지시 신탁재산 귀속권 등이 위탁자에게 부여되지 않아 신탁재산이 수탁자에게 실질적으로 이전되는 경우를 말한다.

> **부담부증여 채무액**
>
> 양도의 정의 규정[소득법 제88조 제1호 각 목 외의 부분 후단]에서 "대통령령으로 정하는 부담부증여(負擔附贈與)의 채무액에 해당하는 부분"이란 부담부증여 시 증여자의 채무를 수증자(受贈者)가 인수하는 경우 증여가액 중 그 채무액에 해당하는 부분을 말한다. 다만, 배우자 간 또는 직계존비속 간의 부담부증여(「상속세 및 증여세법」 제44조에 따라 증여로 추정되는 경우를 포함한다)로서 같은 법 제47조 제3항 본문에 따라 수증자에게 인수되지 아니한 것으로 추정되는 채무액은 제외한다.(2017. 2. 3. 신설)(소득령 §151 ③)

❷ 주식 등

"주식 등"이란 주식 또는 출자지분을 말하며, 신주인수권과 대통령령으로 정하는 증권예탁증권을 포함한다.(2016. 12. 20. 개정)

2023년 1월 1일 이후 양도분부터는 "주식등"이란 「자본시장과 금융투자업에 관한 법률」 제4조 제4항에 따른 지분증권(같은 법 제4조 제1항 단서는 적용하지 아니하며, 같은 법 제9조 제21항의 집합투자증권 등 대통령령으로 정하는 것은 제외한다), 같은 법 제4조 제8항의 증권예탁증권 중 지분증권과 관련된 권리가 표시된 것 및 출자지분을 말한다.(2016. 12. 20. 개정, 2020. 12. 29. 개정, 2021. 12. 8. 개정)(소득법 §88 2호)

❸ 실지거래가액

"실지거래가액"이란 자산의 양도 또는 취득 당시에 양도자와 양수자가 실제로 거래한 가액으로서 해당 자산의 양도 또는 취득과 대가관계에 있는 금전과 그 밖의 재산가액을 말한다.(2016. 12. 20. 개정)(소득법 §88 5호)

④ 1세대의 정의

"1세대"란 거주자 및 그 배우자(법률상 이혼을 하였으나 생계를 같이 하는 등 사실상 이혼한 것으로 보기 어려운 관계에 있는 사람을 포함한다. 이하 이 호에서 같다)가 그들과 같은 주소 또는 거소에서 생계를 같이 하는 자[거주자 및 그 배우자의 직계존비속(그 배우자를 포함한다) 및 형제자매를 말하며, 취학, 질병의 요양, 근무상 또는 사업상의 형편으로 본래의 주소 또는 거소에서 일시 퇴거한 사람을 포함한다]와 함께 구성하는 가족단위를 말한다. 다만, 다음의 경우에는 배우자가 없어도 1세대로 본다.(2018. 12. 31. 개정)(소득법 §88 6호)

다음 각 호[아래 (1)~(3)]의 어느 하나에 해당하는 경우에는 배우자가 없어도 1세대로 본다.(2017. 2. 3. 신설)(소득령 §152의3)

(1) 해당 거주자의 나이가 30세 이상인 경우(2017. 2. 3. 신설)(소득령 §152의3 1호)

(2) 배우자가 사망하거나 이혼한 경우(2017. 2. 3. 신설)(소득령 §152의3 2호)

(3) 거주자의 종합소득 또는 비거주자의 국내원천소득[소득법 제4조에 따른 소득]이 「국민기초생활 보장법」 제2조 제11호에 따른 기준 중위소득의 100분의 40 수준 이상으로서 소유하고 있는 주택 또는 토지를 관리·유지하면서 독립된 생계를 유지할 수 있는 경우. 다만, 미성년자의 경우를 제외하되, 미성년자의 결혼, 가족의 사망 그밖에 기획재정부령이 정하는 사유로 1세대의 구성이 불가피한 경우에는 그러하지 아니하다.(2017. 2. 3. 신설)(소득령 §152의3 3호)

「국민기초생활 보장법」 제2조 제11호에 따른 기준 중위소득

보건복지부고시 기준 중위소득은 다음과 같다.

1. 2022년 기준 중위소득(2022.1.1. 시행)

구 분	1인가구	2인가구	3인가구	4인가구	5인가구	6인가구	7인가구
금액(원/월)	1,944,812	3,260,085	4,194,701	5,121,080	6,024,515	6,907,004	7,780,592

* 8인 이상 가구의 기준 중위소득: 1인 증가시마다 873,588원씩 증가(8인가구: 8,654,180원)

2. 2021년 기준 중위소득(2021.1.1. 시행)

구 분	1인가구	2인가구	3인가구	4인가구	5인가구	6인가구	7인가구
금액(원/월)	1,827,831	3,088,079	3,983,950	4,876,290	5,757,373	6,628,603	7,497,198

* 8인 이상 가구의 기준 중위소득: 1인 증가시마다 868,595원씩 증가(8인가구: 8,365,793원)

3. 2020년 기준 중위소득(2020.1.1. 시행)

구 분	1인가구	2인가구	3인가구	4인가구	5인가구	6인가구	7인가구
금액(원/월)	1,757,194	2,991,980	3,870,577	4,749,174	5,627,771	6,506,368	7,389,715

* 8인 이상 가구의 기준 중위소득: 1인 증가시마다 883,347원씩 증가(8인가구: 8,273,062원)

4. 2019년 기준 중위소득(2019.1.1. 시행)

구 분	1인가구	2인가구	3인가구	4인가구	5인가구	6인가구	7인가구
금액(원/월)	1,707,008	2,906,528	3,760,032	4,613,536	5,467,040	6,320,544	7,174,048

* 8인 이상 가구의 기준 중위소득: 1인 증가시마다 853,504원씩 증가(8인가구: 8,027,552원)

5. 2018년 기준 중위소득(2018.1.1. 시행)

구 분	1인가구	2인가구	3인가구	4인가구	5인가구	6인가구	7인가구
금액(원/월)	1,672,105	2,847,097	3,683,150	4,519,202	5,355,254	6,191,307	7,027,359

* 8인 이상 가구의 기준 중위소득: 1인 증가시마다 836,052원씩 증가(8인가구: 7,863,411원)

6. 2017년 기준 중위소득(2017.1.1. 시행)

구 분	1인가구	2인가구	3인가구	4인가구	5인가구	6인가구	7인가구
금액(원/월)	1,652,931	2,814,449	3,640,915	4,467,380	5,293,845	6,120,311	6,946,776

* 8인 이상 가구의 경우 : 1인 증가시마다 826,465원씩 증가(8인가구: 7,773,241원)

관련 심판례

1. 청구인과 청구인의 아들은 생계를 달리하고 있는 독립된 세대이므로 쟁점부동산 양도
   가 1세대 1주택 비과세에 해당한다는 청구주장의 당부 :
   청구인과 그 아들은 쟁점부동산 양도 시점으로부터 최근 3년간 개인별 소득이 「국

민기초생활 보장법」제2조 제11호에 따른 기준 중위소득의 100분의 40(2016년 기준 1인 가구 월 650천원) 이상의 별도 소득이 있어 각자 독립된 생활을 유지할 수 있는 것으로 보이는 점, 청구인과 그 아들의 계좌 거래내역에 따르면 서로를 부양하였다고 보기 어렵고, 아들이 청구인과 함께 생활하면서 생활비 등을 일부 부담하였다는 주장에 신빙성이 있어 보이는 점 등에 비추어 청구인과 아들이 생계를 같이하는 동일세대로서 쟁점부동산의 양도에 대하여 1세대 1주택 양도소득세 감면을 배제하여 청구인에게 양도소득세를 과세한 이 건 처분은 잘못이 있음.(조심 2018서4980, 2019. 11. 5.)

2. 청구인이 주민등록상 세대를 같이하고 1주택을 보유한 청구인의 자녀와 서로 각자 생계를 유지하는 독립된 세대에 해당하는지 여부

청구인의 자녀는 30세가 넘었으나 혼인하지 않고 청구인·○○○과 같이 거주하고 있으나 청구인과 ○○○은 연금소득과 주택임대소득이 있고, 청구인의 자녀 또한 근로소득이 있으며 신용카드 사용내역 등으로 볼 때 각각 별도의 구분되는 소득으로 생계를 유지하였을 것이라 보이는 점 등에 비추어 볼 때 쟁점주택 양도당시 청구인과 청구인의 자녀가 동일한 생활자금으로 생계를 같이한다고 보기 어려움.(조심 2018서4689, 2019. 10. 30.)

3. 청구인이 쟁점주택 양도 당시 자녀들과 생계를 같이 하였는지 여부

자녀들의 나이가 각 35세, 37세로 중위소득의 40% 이상의 근로소득이 있고 각자의 주택에서 임대소득이 발생하며, 신용카드 사용내역 등을 감안할 때 청구인으로부터 독립하여 별도로 생계를 유지한다고 보이는 점, 청구인도 별도의 재산과 소득이 있으며, 시각장애로 인하여 부득이 동일 주소에서 생활하는 것으로 보이는 점 등에 비추어 쟁점주택 양도당시 청구인과 자녀들이 동일한 생활자금으로 생계를 같이한다고 보기 어렵다 할 것이므로 처분청이 쟁점주택 양도에 대하여 청구인과 자녀들을 동일세대로 보아 이 건 양도소득세의 경정청구를 거부한 처분은 잘못이 있음.(조심 2019서836, 2019. 5. 7.)

⑤ 주택

"주택"이란 허가 여부나 공부(公簿)상의 용도구분과 관계없이 사실상 주거용으로 사용하는 건물을 말한다. 이 경우 그 용도가 분명하지 아니하면 공부상의 용도에 따른다.(2016. 12. 20. 개정)(소득법 §88 7호)

관련 예규 · 판례

1. 사무실로 임대하긴 했지만 주택으로서의 구조와 성질이 동일하므로 주택으로 보아야 함

2층을 법인의 사무실 용도로 임대하였다고 하나 주택으로서의 구조와 성질이 동일하고 별도의 노력 없이 주택으로 사용이 가능한 상태이므로 2층을 주택으로 보면 주택면적이 더 커 이 사건 건물은 전체를 주택으로 보아야 함(대구고법 2020누3145, 2020. 12. 4.)

2. 펜션 중 쟁점건물은 주거용으로 사용되어 1세대 1주택 비과세 적용 여부

펜션 전체는 상시 영업용 펜션으로 사용되었고 관리동만 주택으로 사용한 것으로 보이므로 관리동에 대하여만 1세대 1주택 비과세 적용함이 타당함.(심사양도 2019-133, 2020. 4. 8.)

3. 숙박 용역에 제공된 건물은 주택에 해당하지 않음

주택이라 함은 공부상 용도구분에 관계없이 사실상 주거용으로 사용하는 건물을 말하는 것이며 숙박 용역을 제공하는 건물은 주택에 해당하지 않음.(심사양도 2019-48, 2019. 7. 3.)

▶▶ [참고] 주택법 제2조에 따른 주택의 구분

세법상 주택은 주택법에서의 구분 및 공부상의 용도구분과 관계없이 사실상 주거용으로 사용하는 건물을 말한다.

참고로 주택법에서 구분하는 주택의 종류를 보면 다음과 같다. 준주택은 통상적으로 세법상 주택에 해당하지 않으나 사실상 주거용으로 사용하고 있다면 주택에 해당한다.

1. 주택과 준주택

주택	준주택
① 단독주택 : 단독주택, 다중주택, 다가구주택 ② 공동주택 : 다세대주택, 연립주택, 아파트	기숙사, 다중생활시설, 노인복지주택, 오피스텔

2. 단독주택과 공동주택의 구분

구 분	단독주택			공동주택		
종류	단독주택	다중주택	다가구주택	다세대주택	연립주택	아파트
층수	-	3층 이하	3층 이하	4층 이하	4층 이하	5층 이상
바닥면적	-	330㎡ 이하	660㎡ 이하	660㎡ 이하	660㎡ 초과	-
세대수	-	-	19세대 이하	-	-	-

⑥ 농지

"농지"란 논밭이나 과수원으로서 지적공부(地籍公簿)의 지목과 관계없이 실제로 경작에 사용되는 토지를 말한다. 이 경우 농지의 경영에 직접 필요한 농막, 퇴비사, 양수장, 지소(池沼), 농도(農道) 및 수로(水路) 등에 사용되는 토지를 포함한다.(2016. 12. 20. 개정)(소득법 §88 8호)

⑦ 조합원입주권

"조합원입주권"이란 「도시 및 주거환경정비법」 제74조에 따른 관리처분계획의 인가 및 「빈집 및 소규모주택 정비에 관한 특례법」 제29조에 따른 사업시행계획인가로 인하여 취득한 입주자로 선정된 지위를 말한다. 이 경우 「도시 및 주거환경정비법」에 따른 재건축사업 또는 재개발사업, 「빈집 및 소규모주택 정비에 관한 특례법」에 따른 자율주택정비사업, 가로주택정비사업, 소규모재건축사업 또는 소규모재개발사업을 시행하는 정비사업조합의 조합원(같은 법 제22조에 따라 주민합의체를 구성하는 경우에는 같은 법 제2조 제6호의 토지 등 소유자를 말한다)으로서 취득한 것(그 조합원으로부터 취득한 것을 포함한다)으로 한정하며, 이에 딸린 토지를 포함한다.(2020. 8. 18. 신설, 2021. 12. 8. 후단개정)(소득법 §88 9호)

여기서 자율주택정비사업, 가로주택정비사업 및 소규모재개발사업을 시행하는 정비사업조합의 조합원입주권은 2022년 1월 1일 이후 취득하는 분부터 조합원입주권의 정의에 추가되었다.

| 자율주택정비사업, 가로주택정비사업 및 소규모재개발사업을 시행하는 정비사업조합의 조합원의 조합원입주권 포함 여부 |

구 분	자율주택정비사업, 가로주택정비사업 및 소규모재개발사업을 시행하는 정비사업조합의 조합원의 조합원입주권	
	2021년 12월 31일까지 취득분	2022년 1월 1일 이후 취득분
소득법 제88조 제9호의 조합원입주권에 포함 여부	미포함	포함

| 조합원입주권의 정의 |

근거법령	사업
「도시 및 주거환경정비법」	① 재건축사업 ② 재개발사업
「빈집 및 소규모주택 정비에 관한 특례법」	③ 자율주택정비사업 ④ 가로주택정비사업 ⑤ 소규모재건축사업 ⑥ 소규모재개발사업

관리처분계획인가일이 종전의 부동산이 입주권이라는 부동산권리로 전환되는 시점이다.

| 조합원입주권 전환시기 연혁 |

구 분	2003. 6. 29. 이전	2003. 6. 30.~2005. 5. 30.	2005. 5. 31. 이후
재건축사업	사업계획승인일	사업시행인가일	관리처분계획인가일
재개발사업	관리처분계획인가일	관리처분계획인가일	
소규모 재건축사업	사업시행계획인가일(2018. 2. 9. 이후)		

⑧ 분양권

"분양권"이란 「주택법」 등 대통령령으로 정하는 법률에 따른 주택에 대한 공급계약을 통하여 주택을 공급받는 자로 선정된 지위(해당 지위를 매매 또는 증여 등의 방법으로 취득한 것을 포함한다)를 말한다.(2020. 8. 18. 신설)(소득법 §88 10호)

"「주택법」 등 대통령령으로 정하는 법률"이란 다음 각 호[아래 ①~⑧]의 법률을 말한다.(2021. 2. 17. 신설)(소득령 §152의4)

① 「건축물의 분양에 관한 법률」
② 「공공주택 특별법」
③ 「도시개발법」
④ 「도시 및 주거환경정비법」
⑤ 「빈집 및 소규모주택 정비에 관한 특례법」
⑥ 「산업입지 및 개발에 관한 법률」
⑦ 「주택법」
⑧ 「택지개발촉진법」

관련 예규 및 해석사례

1. 오피스텔 분양권의 주택 수 포함 여부
   「건축법 시행령」 별표 1 제14호 나목 2)에 따른 오피스텔을 공급받는 자로 선정된 지위는 「소득세법」 제88조 제10호에 따른 분양권에 해당하지 아니하는 것임.(서면법규재산 2021 - 586, 2022. 1. 27.)

2. 입주자 모집공고에 따른 청약이 당첨되어 취득하는 아파트 분양권의 취득시기
   입주자 모집공고에 따른 청약이 당첨되어 분양계약한 경우 「소득세법」 제88조 제10호에 따른 분양권의 취득시기는 청약당첨일임.(사전법규재산 2021 - 226, 2022. 1. 17.)

3. 지역주택조합의 승계조합원 지위가 신규주택을 취득할 수 있는 권리인지 여부
   「주택법」 제2조 제11호 가목에 따른 지역주택조합의 조합원의 지위는 같은 법 제15조에 따른 사업계획승인일 이후에 한하여 「소득세법 시행령」 제155조 제1항 제2호에 따른 신규주택을 취득할 수 있는 권리임.(서면법규재산 2021 - 3039, 2022. 1. 18.)

4. 생활형 숙박시설 분양권의 주택 수 포함 여부

비과세 및 중과세율 판정 시 2021. 1. 1. 이후 취득한 생활형 숙박시설 분양권의 주택 수 포함 여부

「건축법 시행령」 별표1 제15호 가목에 따른 생활숙박시설을 공급받는 자로 선정된 지위는 「소득세법」 제88조 제10호에 따른 분양권에 해당하지 아니하는 것임.(서면법 규재산 2021 – 5635, 2022. 2. 25.)

제2장

양도소득의 범위

양도소득은 해당 과세기간에 발생한 다음 소득으로 한다.(2009. 12. 31. 개정)

❶ 토지 및 건물

토지[「공간정보의 구축 및 관리 등에 관한 법률」에 따라 지적공부(地籍公簿)에 등록하여야 할 지목에 해당하는 것을 말한다] 또는 건물(건물에 부속된 시설물과 구축물을 포함한다)의 양도로 발생하는 소득(2014. 6. 3. 개정)(소득법 §94 ① 1호)

❷ 부동산에 관한 권리의 양도

다음 어느 하나[아래 (1)~(3)]에 해당하는 부동산에 관한 권리의 양도로 발생하는 소득(2009. 12. 31. 개정)(소득법 §94 ① 2호)

(1) 부동산을 취득할 수 있는 권리

부동산을 취득할 수 있는 권리(건물이 완성되는 때에 그 건물과 이에 딸린 토지를 취득할 수 있는 권리를 포함한다)(2009. 12. 31. 개정)(소득법 §94 ① 2호 가목)

(2) 지상권(2000. 12. 29. 개정)(소득법 §94 ① 2호 나목)

(3) 전세권과 등기된 부동산임차권(2000. 12. 29. 개정)(소득법 §94 ① 2호 다목)

③ 기타자산

다음[아래 (1)~(4)]의 어느 하나에 해당하는 자산(이하 이 장에서 "기타자산"이라 한다)의 양도로 발생하는 소득(2009. 12. 31. 개정)

(1) 사업용고정자산과 함께 양도하는 영업권

사업에 사용하는 토지 및 건물(제1호) 및 부동산에 관한 권리(제2호)의 자산과 함께 양도하는 영업권(영업권을 별도로 평가하지 아니하였으나 사회통념상 자산에 포함되어 함께 양도된 것으로 인정되는 영업권과 행정관청으로부터 인가·허가·면허 등을 받음으로써 얻는 경제적 이익을 포함한다)(2019. 12. 31. 개정)(소득법 §94 ① 4호 가목)

여기서 사업용고정자산이란 토지 및 건물[1호], 부동산에 관한 권리의 양도[2호]를 말한다.

(2) 시설물 배타적 이용권

이용권·회원권 및 그 밖에 그 명칭과 관계없이 시설물을 배타적으로 이용하거나 일반이용자보다 유리한 조건으로 이용할 수 있도록 약정한 단체의 구성원이 된 자에게 부여되는 시설물이용권(법인의 주식 등을 소유하는 것만으로 시설물을 배타적으로 이용하거나 일반이용자보다 유리한 조건으로 시설물이용권을 부여받게 되는 경우 그 주식 등을 포함한다)(2009. 12. 31. 개정)(소득법 §94 ① 4호 나목)

(3) 부동산과다 법인의 과점주주 주식 양도

법인의 자산총액 중 다음의 합계액이 차지하는 비율이 100분의 50 이상인 법인의 과점주주(소유 주식 등의 비율을 고려하여 대통령령으로 정하는 주주를 말하며, 이하 이 장에서 "과점주주"라 한다)가 그 법인의 주식 등의 100분의 50 이상을 해당 과점주주 외의 자에게 양도하는 경우(과점주주가 다른 과점주주에게 양도한 후 양수한 과점주주가 과점주주 외의 자에게 다시 양도하는 경우로서 대통령령으로 정하는 경우를 포함한다)에 해당 주식 등(2018. 12. 31. 개정)(소득법 §94 ① 4호 다목)

과점주주의 범위

위에서 "소유 주식 등의 비율을 고려하여 대통령령으로 정하는 주주"란 법인의 주주 1인 및 기타주주가 소유하고 있는 주식 등의 합계액이 해당 법인의 주식 등의 합계액의 100분의 50을 초과하는 경우 그 주주 1인 및 기타주주(이하 "과점주주"라 한다)를 말한다.(2017. 2. 3. 개정, 2020. 2. 11. 개정)(소득령 §158 ①)

1. 주식을 수회에 걸쳐 양도하는 경우

부동산과다 법인의 과점주주 주식 양도규정[소득법 제94조 제1항 제4호 다목{위 (3)}]은 과점주주가 주식 등을 과점주주 외의 자에게 여러 번에 걸쳐 양도하는 경우로서 과점주주 중 1인이 주식 등을 양도하는 날부터 소급해 3년 내에 과점주주가 양도한 주식 등을 합산해 해당 법인의 주식 등의 100분의 50 이상을 양도하는 경우에도 적용한다. 이 경우 부동산과다 법인의 과점주주 주식 양도규정[소득법 제94조 제1항 제4호 다목{위 (3)}]에 해당하는지는 과점주주 중 1인이 주식 등을 양도하는 날부터 소급하여 그 합산하는 기간 중 최초로 양도하는 날 현재의 해당 법인의 주식 등의 합계액 또는 자산총액을 기준으로 한다.(2019. 2. 12. 개정)(소득령 §158 ②)

2. 부동산과다 법인의 과점주주 주식 양도규정[소득법 제94조 제1항 제4호 다목{위 (3)}]에서 "대통령령으로 정하는 경우"란 과점주주가 해당 법인의 주식 등의 100분의 50 이상을 과점주주 외의 자에게 양도한 주식 등 중에서 양도하는 날(여러 번에 걸쳐 양도하는 경우에는 그 양도로 양도한 주식 등이 전체 주식 등의 100분의 50 이상이 된 날을 말한다)부터 소급해 3년 내에 해당 법인의 과점주주 간에 해당 법인의 주식 등을 양도한 경우를 말한다. 이 경우 위의 주식을 수회에 걸쳐 양도하는 경우[제2항]의 규정을 준용한다.(2019. 2. 12. 신설)(소득령 §158 ③)

1) 토지 및 건물, 부동산에 관한 권리의 양도[위 ❶, ❷]

2) 부동산과다 보유법인 주식

해당 법인이 직접 또는 간접으로 보유한 다른 법인의 주식가액에 그 다른 법인의 부동산 등 보유비율을 곱하여 산출한 가액. 이 경우 다른 법인의 범위 및 부동산 등 보유비율의 계산방법은 다음과 같다.(2020. 2. 11. 개정)(소득령 §158 ⑦)

$$\text{다른 법인의 부동산 등 보유비율} = \frac{A + B + C}{D}$$

A : 다른 법인이 보유하고 있는 토지 및 건물[소득법 제94조 제1항 제1호의 자산] 가액
B : 다른 법인이 보유하고 있는 부동산을 취득할 수 있는 권리 등[소득법 제94조 제1항 제2호의 자산] 가액
C : 다른 법인이 보유하고 있는 「국세기본법 시행령」 제1조의2 제3항 제2호 및 같은 조 제4항에 따른 경영지배관계인에 있는 법인이 발행한 주식가액에 그 경영지배관계에 있는 법인의 부동산 등 보유비율을 곱하여 산출한 가액
D : 다른 법인의 자산총액

(4) 골프장 등 영위 법인의 주식

「체육시설의 설치·이용에 관한 법률」에 따른 골프장업·스키장업 등 체육시설업, 「관광진흥법」에 따른 관광사업 중 휴양시설관련업 및 부동산업·부동산개발업으로서 골프장, 스키장, 휴양콘도미니엄, 전문휴양시설 중 하나에 해당하는 시설을 건설 또는 취득하여 직접 경영하거나 분양 또는 임대하는 사업을 하는 법인으로서 자산총액 중 다음[아래 1), 2)]의 합계액이 차지하는 비율이 100분의 80 이상인 법인의 주식 등(2016. 12. 20. 신설, 2018. 2. 13. 개정, 2022. 2. 15. 삭제)(소득법 §94 ① 4호 라목)(소득령 §157 ⑧)(소득칙 §76 ②) 소득세법 시행령 제157조 제8항은 2023년 1월 1일 이후 조항이 삭제된다.

이때 양도일 현재 해당 법인의 자산총액을 기준으로 이를 판정한다. 다만, 양도일 현재의 자산총액을 알 수 없는 경우에는 양도일이 속하는 사업연도의 직전 사업연도 종료일 현재의 자산총액을 기준으로 한다.(소득칙 §76 ①)

1) 토지 및 건물, 부동산에 관한 권리의 양도[위 ❶, ❷]

2) 부동산과다 보유법인 주식

해당 법인이 보유한 다른 법인의 주식가액에 그 다른 법인의 부동산 등 보유비율을 곱하여 산출한 가액. 이 경우 다른 법인의 범위 및 부동산 등 보유비율의 계산방법은 다음과 같다.(2020. 2. 11. 개정)(소득령 §158 ⑦)

$$다른\ 법인의\ 부동산\ 등\ 보유비율 = \frac{A + B + C}{D}$$

A : 다른 법인이 보유하고 있는 토지 및 건물[소득법 제94조 제1항 제1호의 자산] 가액
B : 다른 법인이 보유하고 있는 부동산을 취득할 수 있는 권리 등[소득법 제94조 제1항 제2호의 자산] 가액
C : 다른 법인이 보유하고 있는 「국세기본법 시행령」 제1조의2 제3항 제2호 및 같은 조 제4항에 따른 경영지배관계인에 있는 법인이 발행한 주식가액에 그 경영지배관계에 있는 법인의 부동산 등 보유비율을 곱하여 산출한 가액
D : 다른 법인의 자산총액

(5) 이축권

토지 및 건물과 함께 양도하는 「개발제한구역의 지정 및 관리에 관한 특별조치법」 제12조 제1항 제2호 및 제3호의2에 따른 이축을 할 수 있는 권리(이하 "이축권"이라 한다). 다만, 해당 이축권 가액을 대통령령으로 정하는 방법에 따라 별도로 평가하여 신고하는 경우는 제외한다.(2019. 12. 31. 신설)(소득법 §94 ① 4호 마목)

여기서 대통령령으로 정하는 방법에 따라 별도로 평가하여 신고하는 경우"란 「감정평가 및 감정평가사에 관한 법률」에 따른 감정평가법인 등이 감정한 가액이 있는 경우 그 가액(감정한 가액이 둘 이상인 경우에는 그 감정한 가액의 평균액)을 구분하여 신고하는 경우를 말한다.(2020. 2. 11. 신설, 2022. 1. 21. 개정)(소득령 §158의2)

❹ 파생상품 등

다음의 파생상품 등의 거래 또는 행위로 발생하는 소득(소득법 제16조 제1항 제13호 및 제17조 제1항 제10호에 따라 이자소득, 배당소득으로 과세되는 파생상품의 거래 또는 행위로부터의 이익은 제외한다)(2014. 12. 23. 신설)(소득법 §94 ① 5호)

(1) 파생상품

양도소득의 범위 규정[소득법 제94조 제1항 제5호]에서 "대통령령으로 정하는 파생상품 등"이란 파생결합증권, 「자본시장과 금융투자업에 관한 법률」 제5조 제2항 제1호부터 제3호까지의 규정에 따른 장내파생상품 또는 같은 조 제3항에 따른 장외파생상품 중 다음[아래 1)~ 4)] 각 호의 어느 하나에 해당하는 것을 말한다.(2019. 2. 12. 개정) 소득세법 시행령

제159조의2 조항은 2023년 1월 1일 이후 삭제된다.

1) 「자본시장과 금융투자업에 관한 법률」 제5조 제2항 제1호에 따른 장내파생상품으로서 증권시장 또는 이와 유사한 시장으로서 외국에 있는 시장을 대표하는 종목을 기준으로 산출된 지수(해당 지수의 변동성을 기준으로 산출된 지수를 포함한다)를 기초자산으로 하는 상품(2019. 2. 12. 신설, 2022. 2. 15. 삭제)(소득령 §159의2 ①)

2) 당사자 일방의 의사표시에 따라 제1호에 따른 지수의 수치의 변동과 연계하여 미리 정하여진 방법에 따라 주권의 매매나 금전을 수수하는 거래를 성립시킬 수 있는 권리를 표시하는 증권 또는 증서(2019. 2. 12. 개정)(소득령 §159의2 ① 4호)

3) 「자본시장과 금융투자업에 관한 법률」 제5조 제2항 제2호에 따른 해외 파생상품시장에서 거래되는 파생상품(2018. 2. 13. 신설)(소득령 §159의2 ① 5호)

4) 「자본시장과 금융투자업에 관한 법률」 제5조 제3항에 따른 장외파생상품으로서 경제적 실질이 제1호에 따른 장내파생상품과 동일한 상품(2019. 2. 12. 신설)(소득령 §159의2 ① 6호)

제3편

양도소득에 대한 비과세 및 감면

비과세 양도소득 · 제1장

1세대 1주택의 특례 · 제2장

양도소득세 비과세 또는 감면의 배제 등 · 제3장

양도소득 과세표준과 세액의 계산 · 제4장

제1장

비과세 양도소득

제1절 · 비과세 양도소득

다음[아래 ❶ ~ ❺] 각 호의 소득에 대해서는 양도소득세를 과세하지 아니한다.(2009. 12. 31. 개정)(소득법 §89 ①)

❶ 파산선고에 의한 처분으로 발생하는 소득
(2009. 12. 31. 개정)(소득법 §89 ① 1호)

❷ 농지의 교환 또는 분합으로 인하여 발생하는 소득

다음에 해당하는 농지의 교환 또는 분합(分合)으로 인하여 발생하는 소득(2009. 12. 31. 개정)(소득법 §89 ① 2호)

양도소득세 비과세 대상이 되는 농지의 교환 또는 분합

1. 비과세양도소득 규정[소득법 제89조 제1항 제2호{위 ❷}]에서 양도소득세가 비과세되는 농지의 교환 또는 분합으로 인하여 발생하는 소득이란 다음[아래 (1)~(4)] 각 호의 어느 하나에 해당하는 농지(제4항 각 호의 어느 하나에 해당하는 농지는 제외한다)를 교환 또는 분합하는 경우로서 교환 또는 분합하는 쌍방 토지가액의 차액이 가액이 큰 편의 4분의 1 이하인 경우를 말한다.(2010. 2. 18. 개정)(소득령 §153 ①)

   (1) 국가 또는 지방자치단체가 시행하는 사업으로 인하여 교환 또는 분합하는 농지 (1994. 12. 31. 개정)(소득령 §153 ① 1호)

   (2) 국가 또는 지방자치단체가 소유하는 토지와 교환 또는 분합하는 농지(1994. 12. 31.

개정)(소득령 §153 ① 2호)

(3) 경작상 필요에 의하여 교환하는 농지. 다만, 교환에 의하여 새로이 취득하는 농지를 3년 이상 다음[아래 1)]의 농지소재지에 거주하면서 경작하는 경우에 한한다.(1994. 12. 31. 개정)(소득령 §153 ① 3호)

  1) 농지소재지란

    여기서 "농지소재지"라 함은 다음[아래 ①~③] 각 호의 어느 하나에 해당하는 지역(경작개시 당시에는 당해 지역에 해당하였으나 행정구역의 개편 등으로 이에 해당하지 아니하게 된 지역을 포함한다)을 말한다.(2013. 2. 15. 개정)(소득령 §153 ③)

    ① 농지가 소재하는 시(「제주특별자치도 설치 및 국제자유도시 조성을 위한 특별법」 제10조 제2항에 따라 설치된 행정시를 포함한다. 이하 이 항에서 같다)·군·구(자치구인 구를 말한다. 이하 이 항에서 같다) 안의 지역 (2016. 1. 22. 개정)(소득령 §153 ③ 1호)

    ② 제1호의 지역과 연접한 시·군·구 안의 지역(1995. 12. 30. 개정)(소득령 §153 ③ 2호)

    ③ 농지로부터 직선거리 30킬로미터 이내에 있는 지역(2015. 2. 3. 개정)(소득령 §153 ③ 3호)

  2) 협의매수·수용 및 그 밖의 법률에 의하여 수용되는 경우

    위의 (3)의 경작상 필요에 의하여 교환하는 농지(소득령 §153 ① 3호)의 규정을 적용함에 있어서 새로운 농지의 취득 후 3년 이내에 「공익사업을 위한 토지 등의 취득 및 보상에 관한 법률」에 의한 협의매수·수용 및 그 밖의 법률에 의하여 수용되는 경우에는 3년 이상 농지소재지에 거주하면서 경작한 것으로 본다.(2005. 12. 31. 개정)(소득령 §153 ⑤)

  3) 농지 취득 후 3년 이내에 농지 소유자가 사망한 경우

    위의 (3)의 경작상 필요에 의하여 교환하는 농지(소득령 §153 ① 3호)의 규정을 적용함에 있어서 새로운 농지 취득 후 3년 이내에 농지 소유자가 사망한 경우로서 상속인이 농지소재지에 거주하면서 계속 경작한 때에는 피상속인의 경작기간과 상속인의 경작기간을 통산한다.(2005. 12. 31. 개정)(소득령 §153 ⑥)

(4) 「농어촌정비법」·「농지법」·「한국농어촌공사 및 농지관리기금법」 또는 「농업협동조합법」에 의하여 교환 또는 분합하는 농지(2009. 6. 26. 개정)(소득령 §153 ① 4호)

2. 농지란

위의 양도소득세 비과세인 농지[조특령 제153조 제1항(위 1.)]의 규정에 따른 농지는 다음[아래 (1), (2)] 각 호와 같다.(2013. 2. 15. 개정)(소득령 §153 ④)

(1) 양도일 현재 특별시·광역시(광역시에 있는 군을 제외한다)·특별자치시(특별자치시에 있는 읍·면지역은 제외한다)·특별자치도(「제주특별자치도 설치 및 국제자유도시 조성을 위한 특별법」 제10조 제2항에 따라 설치된 행정시의 읍·면지역은 제외한다) 또는 시지역(「지방자치법」 제3조 제4항의 규정에 의한 도·농복합형태의 시의 읍·면지역을 제외한다)에 있는 농지 중 「국토의 계획 및 이용에 관한 법률」에 의한 주거지역·상업지역 또는 공업지역 안의 농지로서 이들 지역에 편입된 날부터 3년이 지난 농지. 다만, 다음[아래 1), 2)] 각 목의 어느 하나에 해당하는 경우는 제외한다.(2016. 1. 22. 개정)(소득령 §153 ④ 1호)

1) 사업지역 내의 토지소유자가 1천명 이상이거나 사업시행면적이 기획재정부령으로 정하는 규모 이상인 개발사업지역(사업인정고시일이 같은 하나의 사업시행지역을 말한다) 안에서 개발사업의 시행으로 인하여 「국토의 계획 및 이용에 관한 법률」에 따른 주거지역·상업지역 또는 공업지역에 편입된 농지로서 사업시행자의 단계적 사업시행 또는 보상지연으로 이들 지역에 편입된 날부터 3년이 지난 경우(2008. 2. 29. 직제개정)(소득령 §153 ④ 1호 가목)

2) 사업시행자가 국가, 지방자치단체, 그 밖에 기획재정부령으로 정하는 공공기관인 개발사업지역 안에서 개발사업의 시행으로 인하여 「국토의 계획 및 이용에 관한 법률」에 따른 주거지역·상업지역 또는 공업지역에 편입된 농지로서 기획재정부령으로 정하는 부득이한 사유에 해당하는 경우(2008. 2. 29. 직제개정)(소득령 §153 ④ 1호 나목)

(2) 당해 농지에 대하여 환지처분 이전에 농지 외의 토지로 환지예정지의 지정이 있는 경우로서 그 환지예정지 지정일부터 3년이 지난 농지(1995. 12. 30. 개정)(소득령 §153 ④ 2호)

❸ 1세대 1주택 비과세

다음[아래 (1), (2)] 어느 하나에 해당하는 주택(주택 및 이에 딸린 토지의 양도 당시 실지거래가액의 합계액이 12억 원[1]을 초과하는 고가주택은 제외한다)과 이에 딸린 토지로서 건물이 정착된 면적에 지역별로 대통령령으로 정하는 배율을 곱하여 산정한 면적 이내의 토지(이하 이 조에서 "주택부수토지"라 한다)의 양도로 발생하는 소득(2014. 1. 1. 개정, 2021. 12. 8. 개정)(소득법 §89 ① 3호)

1세대 1주택 비과세의 자세한 내용은 다음 제2절에서 자세히 기술하였다.

(1) 1세대가 1주택을 보유하는 경우로서 대통령령으로 정하는 요건(소득령 §154)을 충족하는 주택(2016. 12. 20. 개정)(소득법 §89 ① 3호 가목)

위에서 대통령령으로 정하는 요건이란 다음과 같다.

1) 2년 이상 보유한 주택

비과세되는 1세대 1주택이란 1세대가 양도일 현재 국내에 1주택을 보유하고 있는 경우로서 해당 주택의 보유기간이 2년 이상인 주택을 말한다.(소득령 §154 ①)

다만, 보유기간과 거주기간을 계산할 때 비거주자가 해당 주택을 3년 이상 계속 보유하고 그 주택에서 거주한 상태로 거주자로 전환된 경우에는 해당 주택에 대한 거주기간 및 보유기간을 통산하며 이때에는 3년 이상 보유하여야 한다.(2008. 2. 22. 신설)(소득령 §154 ⑧ 2호)

2) 2년 이상 거주요건이 필요한 주택

취득 당시에 「주택법」 제63조의2 제1항 제1호에 따른 조정대상지역(이하 "조정대상지역"이라 한다)에 있는 주택의 경우에는 해당 주택의 보유기간이 2년(제8항 제2호에 해당하는 거주자의 주택인 경우에는 3년) 이상이고 그 보유기간 중 2년 거주요건을 충족해야 1세대 1주택 비과세 대상이 된다.(소득령 §154 ①)

단, 2017년 8월 2일 이전에 취득한 주택이거나 계약금지급일 현재 1세대가 무주택인 경우로서 2017년 8월 2일 이전에 매매계약을 체결하고 계약금을 지급한 경우에는 종전 규정을 적용한다. 즉, 거주요건이 없다.

---

1) 2021년 12월 7일 이전 양도분까지는 9억 원

(2) 대체취득하거나 상속, 동거봉양, 혼인 등으로 인하여 2주택 이상을 보유하는 경우

1세대가 1주택을 양도하기 전에 다른 주택을 대체취득하거나 상속, 동거봉양, 혼인 등으로 인하여 2주택 이상을 보유하는 경우로서 대통령령으로 정하는 주택(2014. 1. 1. 신설)(소득법 §89 ① 3호 나목)

여기서 "대통령령으로 정하는 주택"이란 소득세법 시행령 제155조에 따른 1세대 1주택의 특례에 해당하여 이 소득세법 시행령 제154조를 적용하는 주택을 말한다.(2014. 2. 21. 신설)(소득령 §154 ⑪) 자세한 내용은 본서 제3편 제3장에 자세히 기술하였다.

고가주택의 범위

1. 고가주택

위의 「소득세법」 제89조 제1항 제3호 각 목 외의 부분을 적용할 때 1주택 및 이에 딸린 토지의 일부를 양도하거나 일부가 타인 소유인 경우로서 실지거래가액 합계액에 양도하는 부분(타인 소유부분을 포함한다)의 면적이 전체 주택면적에서 차지하는 비율을 나누어 계산한 금액이 12억 원을 초과하는 경우에는 고가주택으로 본다.(2014. 2. 21. 개정, 2022. 2. 15. 개정)(소득령 §156 ①)

2. 겸용주택의 경우 고가주택 판단

위의 「소득세법」 제89조 제1항 제3호를 적용할 때 하나의 건물이 주택과 주택 외의 부분으로 복합되어 있는 경우와 주택에 딸린 토지에 주택 외의 건물이 있는 경우에는 그 전부를 주택으로 본다. 다만, 주택의 연면적이 주택 외의 부분의 연면적보다 적거나 같을 때에는 주택 외의 부분은 주택으로 보지 아니한다.(2010. 2. 18. 개정) 위의 고가주택 규정을 적용함에 있어서 겸용주택 규정에 의하여 주택으로 보는 부분(이에 부수되는 토지를 포함한다)에 해당하는 실지거래가액을 포함한다.(2002. 12. 30. 개정)(소득령 §154 ③)(소득령 §156 ②)

3. 다가구주택의 경우 고가주택 판단

「소득세법 시행령」 제155조 제15항에 따라 단독주택으로 보는 다가구주택의 경우에는 그 전체를 하나의 주택으로 보아 법 제89조 제1항 제3호 각 목 외의 부분을 적용한다.(2002. 12. 30. 개정, 2022. 2. 15. 개정)(소득령 §156 ③)

④ 1세대 1조합원입주권 비과세

(1) 1세대 1조합원입주권 비과세

조합원입주권을 1개 보유한 1세대[「도시 및 주거환경정비법」 제74조에 따른 관리처분계획의 인가일 및 「빈집 및 소규모주택 정비에 관한 특례법」 제29조에 따른 사업시행계획인가일(인가일 전에 기존 주택이 철거되는 때에는 기존 주택의 철거일) 현재 제3호 가목(1세대 1주택 비과세 요건을 충족하는 주택)에 해당하는 기존 주택을 소유하는 세대]가 다음 [아래 1), 2)] 각 목의 어느 하나의 요건을 충족하여 양도하는 경우 해당 조합원입주권을 양도하여 발생하는 소득은 비과세한다. 다만, 해당 조합원입주권의 양도 당시 실지거래가액이 12억 원[2]을 초과하는 경우에는 양도소득세를 과세한다.(2018. 12. 31. 개정, 2020. 8. 18. 개정, 2021. 12. 8. 단서개정)(소득법 §89 ① 4호)(소득령 §155 ⑰)

1) 양도일 현재 다른 주택 또는 분양권을 보유하지 아니할 것(2016. 12. 20. 신설, 2021. 12. 8. 개정)(소득법 §89 ① 4호 가목)

단, 2021년 12월 31일 이전에 종전의 제88조 제9호에 따라 취득한 조합원입주권의 양도소득 비과세 요건에 관하여는 종전규정인 양도일 현재 다른 주택을 보유하지 아니할 것을 따른다.

분양권은 2022년 1월 1일 이후에 취득한 분양권을 대상으로 한다.

2) 양도일 현재 1조합원입주권 외에 1주택을 보유한 경우(분양권을 보유하지 아니하는 경우로 한정한다. 단, 2021년 12월 31일 이전에 종전의 제88조 제9호에 따라 취득한 조합원입주권의 양도소득 비과세 요건에 관하여는 분양권을 보유하지 아니한 경우로 한정한다는 내용은 제외한다)로서 해당 1주택을 취득한 날부터 3년 이내에 해당 조합원입주권을 양도할 것(3년 이내에 양도하지 못하는 경우로서 대통령령으로 정하는 사유에 해당하는 경우를 포함한다)(2016. 12. 20. 신설, 2021. 12. 8. 개정)(소득법 §89 ① 4호 나목)

분양권은 2022년 1월 1일 이후에 취득한 분양권을 대상으로 한다.

---

2) 2021년 12월 7일 이전 양도분까지는 9억 원

| 1세대 1주택 조합원입주권 비과세 요건(소득법 §89 ① 4호 가목, 나목) |

구분	2021년 12월 31일 이전 취득한 종전규정에 따른 조합원 입주권	2022년 1월 1일 이후에 취득한 조합원입주권
요건	① 양도일 현재 다른 주택을 보유하지 아니할 것 ② 양도일 현재 1조합원입주권 외에 1주택을 보유한 경우	① 양도일 현재 다른 주택 또는 분양권[*]을 보유하지 아니할 것 ② 양도일 현재 1조합원입주권 외에 1주택을 보유한 경우(분양권[*]을 보유하지 아니하는 경우로 한정한다.

[*] 분양권은 2022년 1월 1일 이후에 취득한 분양권을 대상으로 한다.

3년 이내에 양도하지 못하는 경우로서 대통령령으로 정하는 사유에 해당하는 경우란 다음과 같다.

다른 주택을 취득한 날부터 3년이 되는 날 현재 다음[아래 1.~5.] 각 호의 어느 하나에 해당하는 경우를 말한다.(2017. 2. 3. 신설, 2020. 2. 11. 개정)(소득령 §155 ⑱)

1. 「한국자산관리공사 설립 등에 관한 법률」에 따른 한국자산관리공사에 매각을 의뢰한 경우(2017. 2. 3. 신설, 2022. 2. 17. 개정)(소득령 §155 ⑱ 1호)
2. 법원에 경매를 신청한 경우(2017. 2. 3. 신설)(소득령 §155 ⑱ 2호)
3. 「국세징수법」에 따른 공매가 진행 중인 경우(2017. 2. 3. 신설)(소득령 §155 ⑱ 3호)
4. 재개발사업, 재건축사업 또는 소규모재건축사업 등[**]의 시행으로 「도시 및 주거환경정비법」 제73조 또는 「빈집 및 소규모주택 정비에 관한 특례법」 제36조에 따라 현금으로 청산을 받아야 하는 토지 등 소유자가 사업시행자를 상대로 제기한 현금청산금 지급을 구하는 소송절차가 진행 중인 경우 또는 소송절차는 종료되었으나 해당 청산금을 지급받지 못한 경우(2018. 2. 9. 개정, 2020. 2. 11. 개정, 2022. 2. 15. 개정)(소득령 §155 ⑱ 4호)
5. 재개발사업, 재건축사업 또는 소규모재건축사업 등[**]의 시행으로 「도시 및 주거환경정비법」 제73조 또는 「빈집 및 소규모주택 정비에 관한 특례법」 제36조에 따라 사업시행자가 「도시 및 주거환경정비법」 제2조 제9호 또는 「빈집 및 소규모주택 정비에 관한 특례법」 제2조 제6호에 따른 토지 등 소유자(이하 이 호에서 "토지 등 소유자"라 한다)를 상대로 신청·제기한 수용재결 또는 매도청구소송 절차가 진행 중인 경우 또는 재결이나 소송절차는 종료되었으나 토지 등 소유자가 해당 매도대금 등을 지급받지 못한 경우(2020. 2. 11. 신설, 2021. 2. 17. 개정, 2022. 2. 15. 개정)(소득령 §155 ⑱ 5호)

**) 소규모재건축사업 중에서 자율주택정비사업, 가로주택정비사업, 소규모재개발사업은 2022년 1월 1일 이후 취득하는 조합원입주권부터 적용한다.

(2) 조합원입주권의 정의

양도세법에서 "조합원입주권"이란 「도시 및 주거환경정비법」 제74조에 따른 관리처분계획의 인가 및 「빈집 및 소규모주택 정비에 관한 특례법」 제29조에 따른 사업시행계획인가로 인하여 취득한 입주자로 선정된 지위를 말한다.(2020. 8. 18. 신설, 2021. 12. 8. 후단개정)(소득법 §88 9호)

(3) 관리처분계획인가일 현재 보유기간이 모자라는 경우

1세대 1주택 비과세 요건에서 2년 보유 또는 2년 거주요건을 충족해야 한다. 관리처분계획인가일 현재 이 기간을 충족하지 못하지만 이후 주택을 철거하지 않고 사실상 거주를 했다면 보유와 거주를 인정해주어 비과세가 가능하다. 하지만 철거되지는 않았지만 사실상 거주를 하지 않고 공가로 있는 경우 보유기간으로 인정이 안된다는 예규들이 있으므로 주의해야 한다.

1) 관리처분계획인가일 이후에도 철거되지 않고 주택으로 사용한 기존주택의 보유기간 산정방법

관리처분계획의 인가일 이후에도 기존주택이 철거되지 않고 사실상 주거용으로 사용되고 있는 경우에는 해당 기간을 1세대 1주택 비과세 특례 적용을 위한 보유기간 및 거주기간에 합산하는 것임.(사전재산 2019-739, 2021. 7. 23.)

2) 관리처분계획인가 후 사실상 주거용으로 사용하지 않고 비어 있는 주택의 보유기간 계산 등

「소득세법 시행령」 제155조 제17항에 따른 조합원입주권 비과세 특례와 관련하여 기존주택의 보유기간을 계산할 때 「도시 및 주거환경정비법」에 따른 관리처분계획의 인가일 이후에는 철거되지 않은 건물이 사실상 주거용으로 사용되고 있는 경우에만 이를 주택으로 보아 보유기간을 계산하는 것임.(부동산거래관리-232, 2012. 4. 23.)

(4) 관련 예규·판례

1) 조합원입주권 비과세 판단 기준일

1세대 1주택 비과세대상인지 여부는 양도 주택의 양도일 현재의 상황에 의하여 판단할 것이지, 사업계획승인일 현재 주택 보유수에 의하여 판단할 것은 아님.(대법원 2007두10501, 2008. 6. 12.)

2) 관리처분계획의 인가일 현재 2주택을 보유하였으나 양도일 현재 다른 주택이 없이 당해 조합원입주권을 양도하는 경우에는 1세대 1주택 비과세 대상에 해당한다. (기획재정부 재산-394, 2010. 4. 28.)

3) 조합원입주권에 대한 비과세 특례 적용 시 관리처분계획 인가일 현재 1주택이어야 하는지 여부

소득법 제89조 제1항 제4호 각 목에 따른 요건을 충족하여 조합원입주권을 양도하는 경우, 관리처분계획인가일 현재 1주택이 아니어도 1조합원입주권 양도에 대한 비과세 특례를 적용받을 수 있음.(기획재정부 조세법령-590, 2021. 7. 6.)

4) 재건축사업 시행기간 취득한 대체주택의 조합원입주권을 양도하는 경우 비과세 여부

재건축사업 시행기간 동안 취득한 대체주택의 조합원입주권을 양도하는 경우는 1세대 1주택 비과세 적용을 받을 수 없는 것임.(서면부동산 2021-3932, 2021. 7. 20.)

5) 1주택이 2개의 입주권으로 전환된 경우

관리처분계획인가일 전에 보유하던 1세대 1주택 요건을 갖춘 종전주택이 입주권 2개로 전환된 경우에는 2조합원입주권으로 주택 수로는 2주택 등에 해당한다. 먼저 양도하는 조합원입주권은 과세되고 나중에 양도하는 조합원입주권은 1세대 1주택 비과세된다.(서면법령해석재산 2016-2865, 2016. 2. 23.)

(5) 조합원입주권 거주주택 1세대 1주택 비과세 여부

거주주택 1세대 1주택 비과세 규정을 적용할 때 거주주택은 주택에 한정하여 엄격해석하고 있다. 그러므로 거주주택으로서 요건을 갖추었다고 하더라도 조합원입주권으로 변환된 이후 양도한다면 거주주택 1세대 1주택 비과세 대상에 해당하지 아니한다.

> **해석사례 등**
>
> 거주주택이 조합원입주권으로 변경된 경우 소득령 제155조 제20항에 따른 비과세 여부
> 「소득세법 시행령」 제167조의3 제1항 제2호에 따른 주택(장기임대주택)과 그 밖의 1
> 주택(거주주택)을 국내에 소유하고 있는 1세대가 같은 영 제155조 제20항 각 호의 요
> 건을 모두 충족하고 거주주택을 양도하는 경우로서 거주주택이 관리처분계획인가 후
> 조합원입주권으로 변경되어 양도하는 경우에는 비과세 대상에 해당하지 않음.(서면법
> 령해석재산 2017-1581, 2018. 4. 18.)

⑤ 조정금

「지적재조사에 관한 특별법」 제18조에 따른 경계의 확정으로 지적공부상의 면적이 감소
되어 같은 법 제20조에 따라 지급받는 조정금(2018. 12. 31. 신설)(소득법 §89 ① 5호)

> **관련 예규·판례**
>
> 1. 청구인과 사위세대는 생계를 달리하는 별도의 독립세대에 해당하므로 쟁점주택의 양
>   도에 대하여 1세대 1주택 비과세 규정을 적용하여야 한다는 청구주장의 당부
>   쟁점주택 양도 당시 청구인의 딸과 사위는 34세이고, 혼인하여 자녀를 두고 있으므
>   로 다른 특별한 사정이 없는 한 별도의 세대로 보는 것이 사회통념에 부합하는 점,
>   청구인은 매달 일정한 연금소득이 있고, 딸과 사위도 각각 일정 수준 이상의 사업소
>   득 등이 있으므로 청구인과 딸·사위가 각자 독립적으로 생계를 유지할만한 능력이
>   있는 점 등에 비추어 청구인과 사위세대는 생계를 달리하는 별도 세대로 봄이 타당
>   하므로 처분청이 청구인과 사위·딸을 동일세대로 보아 쟁점주택의 양도에 대하여
>   1세대 1주택 비과세 적용을 배제하고 청구인에게 이 건 양도소득세를 과세한 처분
>   은 잘못이 있다고 판단됨.(조심 2019서1202, 2020. 1. 20.)

2. 토지와 건물이 시차를 두고 동일인에게 양도된 쟁점주택의 토지가 1세대 1주택 부수
토지에 해당하는지 여부

주택의 부수토지만을 양도하는 경우는 1세대 1주택 비과세 요건을 충족한 주택의
부수토지라 하더라도 양도소득세 비과세 대상에 해당하지 아니함.(심사양도 2019 – 46,
2019. 5. 29.)

3. 매매계약 조건에 따라 계약 후 양도일 이전에 주택을 멸실한 경우

「소득세법 시행령」 제154조 제1항의 규정에 따른 1세대 1주택 비과세의 판정은 양
도일 현재를 기준으로 하며, 다만, 매매계약 후 양도일 이전에 매매특약에 의하여
1세대 1주택에 해당되는 주택을 멸실한 경우에는 매매계약일 현재를 기준으로 함.
(부동산거래관리 – 977, 2010. 7. 27.)

제2절 1세대 1주택 비과세

① 보유요건과 거주요건

(1) 2년 이상 보유한 주택

비과세되는 1세대 1주택이란 1세대가 양도일 현재 국내에 1주택을 보유하고 있는 경우로
서 해당 주택의 보유기간이 2년 이상인 주택을 말한다.(소득령 §154 ①)

다만, 보유기간과 거주기간을 계산할 때 비거주자가 해당 주택을 3년 이상 계속 보유하고
그 주택에서 거주한 상태로 거주자로 전환된 경우에는 해당 주택에 대한 거주기간 및 보유
기간을 통산하며 이때에는 3년 이상 보유하여야 한다.(2008. 2. 22. 신설)(소득령 §154 ⑧ 2호)

보유기간의 확인

보유기간의 확인은 당해 주택의 등기부등본 또는 토지·건축물대장등본 등에 의한다.
(1996. 3. 30. 개정)(소득칙 §71)

(2) 2년 이상 거주요건이 필요한 주택

2017년 8월 3일 이후 조정대상지역 내 취득한 주택분부터 취득 당시에 「주택법」 제63조의2 제1항 제1호에 따른 조정대상지역(이하 "조정대상지역"이라 한다)에 있는 주택의 경우에는 해당 주택의 보유기간이 2년(제8항 제2호에 해당하는 거주자의 주택인 경우에는 3년) 이상이고 그 보유기간 중 2년 거주요건을 충족해야 1세대 1주택 비과세 대상이 된다. (소득령 §154 ①)

취득 당시 조정대상지역 여부에 따라 거주요건 판단한다. 취득당시 조정대상지역으로 지정되지 않았다면, 양도 시 조정대상지역 여부와 관계없이 거주요건이 없다.

2017년 8월 2일 이전에 취득한 주택과 계약금 지급일 현재 1세대가 무주택인 경우로서 2017년 8월 2일 이전에 매매계약을 체결하고 계약금을 납부한 주택은 조정대상지역 내 취득일지라도 2년 거주요건이 없다.

또한 무주택세대가 조정대상지역 공고일 이전에 매매계약을 체결하고 계약금을 납부한 사실이 입증되는 경우도 2년 거주요건이 없다.

| 1세대 1주택 비과세 2년 거주요건 적용 여부(소득령 §154 ① 4호) |

구 분	2017년 8월 2일 이전 취득분[1]	2017년 8월 3일 이후 취득분		
		임대등록 안한 경우	임대등록을 한 경우	
			2019년 12월 16일 이전 임대등록분	2019년 12월 17일 이후 임대등록분
1. 취득당시 조정대상지역인 경우	거주요건 없음	거주요건 있음	거주요건 없음	거주요건 있음
2. 취득당시 조정대상지역이 아닌 경우[2]	거주요건 없음			

1) 계약금 지급일 현재 1세대 무주택인 경우로서 2017. 8. 2. 이전 매매계약을 체결하고 계약금을 지급한 경우 포함
2) 무주택세대가 조정대상지역 공고일 이전에 매매계약을 체결하고 계약금을 납부한 경우 포함

| 주택임대사업자 등록 시 거주요건 예외 |

요 건	특 례
① 민특법 제5조에 따른 임대사업자 등록(단기, 장기) ② 세무서에 사업자등록 ③ 임대료 증가율 5% 이내 준수 　(2019. 2. 12. 이후 주택 임대차계약을 체결하거나 기존 계약을 갱신	2년 거주요건의 제한을 받지 않는다.

요 건	특 례
하는 분부터 적용한다) ④ 2019년 12월 16일까지 임대 등록한 경우에 한해 적용한다. ⑤ 민특법 제43조를 위반하여 임대의무기간 중에 양도하지 않을 것	

주택임대사업자 등록을 한 주택은 요건을 갖춘 경우 거주요건의 제한을 받지 않는다. 그 중에서 임대의무기간의 요건이 있다. 소득세법에서는 민특법 제43조를 위반하여 임대의무기간 중에 양도한 주택은 2년 거주요건의 제한을 받는다. 민특법 제43조의 규정에 따른 자진말소·자동말소를 하는 경우 민특법 제43조를 위반한 것이 아니므로 2년 거주요건의 제한을 받지 않는다고 볼 수 있다.

민특법 개정법률 시행일 이후부터 단기임대주택과 아파트장기일반민간매입임대주택에 한하여 자진말소(세입자의 동의 필요)를 할 수 있으며 임대의무기간 종료 후 자동말소된다. 민특법에서는 세법과는 달리 자진말소에서 임대의무기간의 1/2 이상 임대하여야 한다는 규정은 없다.

1) 거주기간에 관련한 예규 및 해석사례

① 2017. 8. 2. 이전에 자가건설로 주택을 취득하기 위해 착공을 한 경우에도 거주요건 적용대상인지?

2017. 8. 2. 이전에 건축허가를 받아 착공신고를 하고 2017. 8. 3. 이후에 완공하여 취득한 자가건설 주택을 양도하는 경우에도 소득령 제154조 제1항의 거주요건을 적용함. (서면재산 2020-3871, 2021. 2. 5.)

② 2017. 8. 2. 이전 매매계약 체결 및 계약금 지급한 조정대상지역 내 분양권을 동일세대원이 상속받은 경우 거주요건 적용 여부

피상속인이 2017. 8. 2. 이전에 매매계약을 체결하고 계약금을 지급한 분양권을 2017. 8. 3. 이후 피상속인과 동일세대원인 상속인이 상속받아 주택으로 완공된 후 양도하는 경우에는 거주요건을 적용받지 않는 것임.(서면재산 2020-2708, 2020. 12. 24.)

③ 2017. 8. 3. 이후 동일세대원이 된 피상속인이 취득한 상속주택 양도시 거주요건 적용 여부

2017. 8. 2. 이전에 조정대상지역 소재 주택을 피상속인이 취득하고, 2017. 8. 3. 이후에 동일세대원이 된 상속인이 동 주택을 상속받아 양도하는 경우에는 소득령 제154조 제1항에 따른 거주기간의 제한을 받는 것임.(사전재산 2020-1047, 2021. 5. 4.)

④ 2017. 8. 2. 이전에 피상속인이 취득한 주택을 동일세대원이 상속받은 경우 거주요건 적용 여부

2017. 8. 2. 이전에 피상속인이 취득한 조정대상지역 내 주택을 2017. 8. 2. 당시 동일세대원이었던 상속인이 상속개시일에 동일세대원으로서 상속받은 주택을 양도하는 경우 1세대 1주택 비과세 판정 시 거주요건을 충족하지 않아도 됨.(서면재산 2020－3884, 2021. 4. 23.)

⑤ 2017. 8. 3. 이후 동일세대원이 된 피상속인이 취득한 상속주택 양도시 거주요건 적용 여부

2017. 8. 2. 이전에 조정대상지역 소재 주택을 피상속인이 취득하고, 2017. 8. 3. 이후에 동일세대원이 된 상속인이 동 주택을 상속받아 양도하는 경우에는 소득령 제154조 제1항에 따른 거주기간의 제한을 받는 것임.(사전법령해석재산 2020－1047, 2021. 5. 4.)

⑥ 배우자가 2017. 8. 2. 이전에 취득한 조정대상지역 내 주택을 2017. 8. 3. 이후 상속받은 경우 거주요건 적용 여부

일방 배우자가 2017. 8. 2. 이전에 조정대상지역에 있는 주택을 취득하고, 2017. 8. 3. 이후에 타방 배우자가 해당 주택을 상속받아 양도한 경우에는 「소득세법 시행령」 제154조 제1항에 따른 거주기간의 제한을 받지 않는 것임.(사전재산 2020－836, 2020. 12. 14.)

⑦ 상속받은 농어촌주택을 보유한 상태에서 2017. 8. 2. 이전 취득 계약한 조정대상지역 내 주택의 1세대 1주택 비과세 거주요건 적용 여부

2017. 8. 2. 이전에 조정대상지역 내 주택을 취득하는 매매계약 체결 및 계약금을 지급한 1세대의 해당 주택 비과세 거주요건(2년) 적용 여부 판정 시 「소득세법 시행령」 제155조 제7항에 따른 상속받은 주택을 보유한 경우에는 무주택세대로 보지 않음.(서면부동산 2018－1956, 2018. 12. 6.)

⑧ 조정대상지역 내 주택의 분양계약을 2017. 8. 2. 이전 체결하고 이후에 지분 1/2을 배우자에게 증여하는 경우 거주요건 적용 여부

조정대상지역 내 주택의 분양계약을 2017. 8. 2. 이전 체결하고 계약금을 지급하였으나, 이후에 그 지분 중 1/2을 배우자에게 증여 시 거주요건을 적용하지 않음.(서면부동산 2018－3454, 2018. 11. 28.)

⑨ 1세대 1주택 비과세 거주요건 적용시 세대원 일부가 거주하지 않은 경우 적용 여부

1세대가 조정대상지역에 있는 1주택을 양도하는 경우 거주요건 적용시 배우자 등이 부득이한 사유로 처음부터 해당 주택에 거주하지 않고 나머지 세대원이 거주요건을

충족한 경우에는 1세대가 거주한 것으로 보는 것임.(서면부동산 2018-442, 2019. 5. 27.)

⑩ 조정대상지역 소재 겸용주택 취득 이후 용도변경시 1세대 1주택 비과세 거주요건 적용 여부

취득당시 조정대상지역에 소재한 겸용주택을 2회 이상 용도 변경하여 다시 주택으로 용도 변경하는 시점에 조정대상지역에서 해제된 경우에도, 1세대 1주택 비과세 요건 판정시 거주요건 적용함.(서면재산 2020-3906, 2021. 8. 26.)

⑪ 조합원입주권 지분 일부를 배우자로부터 증여받아 신축주택 양도 시 「소득세법 시행령」 제159조의 3에 따른 거주기간 계산방법

배우자로부터 조합원입주권을 증여받아 취득한 주택의 「소득세법 시행령」 제159조의3에 따른 거주기간은 기존주택과 신축주택에서 1세대로서 거주한 기간을 통산하는 것임.

⑫ 2017. 8. 2. 이전에 상속주택 소수지분권자가 조정대상지역 내 주택에 대한 매매계약을 체결하고 계약금을 지급한 경우에 거주기간요건 적용 여부

2017. 8. 2. 이전에 상속주택 소수지분을 소유한 1세대가 조정대상지역에 있는 주택에 대한 매매계약을 체결하고 계약금을 지급한 경우에 1세대 1주택 비과세 판정시 거주기간요건 충족해야 함.(서면재산 2020-6226, 2021. 4. 27.)

⑬ 가계약금을 2017. 8. 2. 이전에 지급한 경우 거주요건 적용 여부

「소득세법 시행령」 부칙(대통령령 제28293호, 2017. 9. 19.) 제2조 제2항 제2호 규정이 적용되는 주택은 2017년 8월 2일 이전에 매매계약을 체결하고 계약금을 완납한 사실이 증빙서류에 의하여 확인되는 주택임.(서면부동산 2020-3298, 2020. 7. 24.)

⑭ 2017. 8. 2. 이전에 취득한 주택을 멸실하여 2017. 8. 3. 이후 신축한 경우 1세대 1주택 비과세 거주요건 적용 여부

2017. 8. 2. 이전에 취득한 주택을 신축할 목적으로 멸실하고 2017. 8. 3. 이후 신축한 경우 「소득세법 시행령」 부칙〈제28293호, 2017. 9. 19.〉 제2항 제1호에 따라 거주기간요건을 적용하지 않는 것임.(서면부동산 2020-1236, 2020. 11. 30.)

⑮ 2017. 8. 3. 이후에 용도 변경한 다가구주택을 하나의 매매단위로 양도하는 경우 거주요건 적용 여부

1세대가 2017. 8. 2. 이전에 취득한 조정대상지역에 있는 다세대주택을 2017. 8. 3. 이후에 사실상 공부상 용도만 다가구주택으로 변경하여 하나의 매매단위로 양도하는 경우

보유기간 중 2년 이상 거주요건은 적용하지 않는 것임.(서면재산 2019 – 2448, 2021. 3. 9.)

⑯ 2017. 8. 2. 이전에 취득한 조정대상지역 주택을 재건축한 경우 1세대 1주택 비과세 거주요건 적용 여부

2017. 8. 2. 이전에 취득한 조정대상지역 주택을 재건축하여 2017. 8. 3. 이후 준공한 경우 1세대 1주택 비과세 규정[소득령 제154조 제1항]의 거주요건을 적용하지 않는 것임.(사전재산 2018 – 149, 2018. 10. 16.)

⑰ 근린생활시설을 주택으로 용도 변경하는 경우 1세대 1주택 비과세 거주요건 적용 여부

거주요건은 주택 취득시점을 기준으로 판단하는 것으로 조정대상지역에 소재한 오피스텔을 취득하여 근린생활시설로 사용하다가 해당 지역이 조정대상지역에서 해제된 후 주택으로 용도 변경하여 양도한 경우 거주요건을 적용하지 않는 것임.(서면부동산 2020 – 5098, 2021. 9. 8.)

(3) 전국 조정대상지역 지정·해제 현황(2022년 3월 31일 현재)

① 서울특별시

지정지역		지정일자	해제일자
서울특별시	전 역(25개구)	2017. 9. 6.	

② 경기도

지정지역		지정일자	해제일자
경기도	과천시, 광명시, 성남시, 하남시	2017. 9. 6.	
	화성시 동탄2(반송동·석우동, 동탄면 금곡리·목리·방교리·산척리·송리·신리·영천리·오산리·장지리·중리·청계리 일원에 지정된 택지개발지구에 한함)	2017. 9. 6.	
	화성시 전지역	2020. 6. 19.	
	고양시(삼송택지개발지구, 원흥·지축·향동 공공주택지구, 덕은·킨텍스(고양국제전시장) 1단계·고양관광문화단지(한류월드) 도시개발구역은 제외)	2017. 9. 6.	2019. 11. 8.
	삼송택지개발지구, 원흥·지축·향동 공공주택	2017. 9. 6.	

		지정지역	지정일자	해제일자
경기도	고양시	지구, 덕은·킨텍스(고양국제전시장)1단계·고양관광문화단지(한류월드) 도시개발구역		
		고양시 전지역	2020. 6. 19. (재지정)	
	남양주시	남양주시(별내, 다산 제외)	2017. 9. 6.	2019. 11. 8.
		별내동, 다산동	2017. 9. 6.	
		남양주시(화도읍·수동면·조안면 제외)	2020. 6. 19. (재지정)	
	구리시		2018. 8. 28.	
	용인시	광교택지개발지구(용인시 수지구 상현동, 기흥구 영덕동 일원)	2018. 8. 28.	
		용인시 수지구·기흥구	2018. 12. 31.	
		용인시 처인구(포곡읍, 모현면, 백암면, 양지면 및 원삼면 가재월리·사암리·미평리·좌항리·맹리·두창리 제외)	2020. 6. 19.	
	수원시	광교택지개발지구(수원시 영통구 이의동·원천동·하동·매탄동, 팔달구 우만동, 장안구 연무동)	2018. 8. 28.	
		팔달구	2018. 12. 31.	
		영통구·권선구·장안구	2020. 2. 21.	
	안양시	동안구	2018. 8. 28.	
		만안구	2020. 2. 21.	
	의왕시		2020. 2. 21.	
	군포시, 부천시, 안산시, 시흥시, 오산시, 평택시, 광주시(초월읍, 곤지암읍, 도척면, 퇴촌면, 남종면 및 남한산성면 제외), 의정부시		2020. 6. 19.	
	안성시	안성시(일죽면, 죽산면 죽산리·용설리·장계리·매산리·장릉리·장원리·두현리 및 삼죽면 용월리·덕산리·율곡리·내장리·배태리 제외)	2020. 6. 19.	
		안성시 미양면·대덕면, 양성면, 고삼면, 보개면, 서운면, 금광면, 죽산면, 삼죽면	2020. 6. 19.	2020. 12. 18.
	양주시	양주시	2020. 6. 19.	
		양주시 백석읍, 남면, 광적면, 은현면	2020. 6. 19.	2020. 12. 18.

지정지역		지정일자	해제일자
	김포시(통진읍, 대곶면, 월곶면, 하성면 제외)	2020. 11. 20.	
	파주시(문산읍, 파주읍, 법원읍, 조리읍, 월롱면, 탄현면, 광탄면, 파평면, 적성면, 군내면, 장단면, 진동면 및 진서면 제외)	2020. 12. 18.	
	동두천시(광암동, 걸산동, 안흥동, 상봉암동, 하봉암동, 탑동동 제외)	2021. 8. 30.	

③ 인천광역시

	지정지역	지정일자	해제일자
인천광역시	전지역(중구, 동구, 미추홀구, 연수구, 남동구, 부평구, 계양구, 서구). 단, 강화군, 옹진군은 제외	2020. 6. 19.	
	중구 을왕동, 남북동, 덕교동, 무의동	2020. 6. 19.	2020. 12. 18.

④ 부산광역시

	지정지역	지정일자	해제일자
부산광역시	기장군(일광면 제외)	2017. 9. 6.	2018. 8. 28.
	기장군(일광면)	2017. 9. 6.	2018. 12. 31.
	남구, 연제구	2017. 9. 6.	2018. 12. 31.
		2020. 11. 20.(재지정)	
	해운대구, 동래구, 수영구	2017. 9. 6.	2019. 11. 8.
		2020. 11. 20.(재지정)	
	부산진구	2017. 9. 6.	2018. 12. 31.
		2020. 12. 18.(재지정)	
	서구, 동구, 영도구, 산진구, 금정구, 북구, 강서구, 사상구, 사하구	2020. 12. 18.	

⑤ 대구광역시

	지정지역	지정일자	해제일자
대구광역시	수성구	2020. 11. 20.	
	중구, 동구, 서구, 남구, 북구, 달서구, 달성군(가창면, 구지면, 하빈면, 논공읍, 옥포읍, 유가읍 및 현풍읍 제외)	2020. 12. 18.	

⑥ 광주광역시

	지정지역	지정일자	해제일자
광주광역시	동구, 서구, 남구, 북구, 광산구	2020. 12. 18.	

⑦ 대전광역시

	지정지역	지정일자	해제일자
대전광역시	전 지역(동구, 중구, 서구, 유성구, 대덕구)	2020. 6. 19.	

⑧ 울산광역시

	지정지역	지정일자	해제일자
울산광역시	중구, 남구	2020. 12. 18.	

⑨ 세종특별자치시

	지정지역	지정일자	해제일자
세종특별자치시	「신행정수도 후속대책을 위한 연기·공주지역 행정중심복합도시 건설을 위한 특별법」 제2조 제2호에 따른 예정지역[1]	2017. 9. 6.	

[1] 건설교통부고시 제2006-418호에 따라 지정된 행정중심복합도시 건설 예정지역으로, 「신행정수도 후속대책을 위한 연기·공주지역 행정중심복합도시 건설을 위한 특별법」 제15조 제1호에 따라 해제된 지역을 포함.
［행정중심복합도시 건설예정지역]

세종특별자치시	반곡동, 소담동, 보람동, 대평동, 가람동, 한솔동, 나성동, 새롬동, 다정동, 어진동, 종촌동, 도담동, 고운동, 아름동**	
	연기면	산울리, 한별리, 해밀리, 누리리, 세종리
	연동면	용호리, 다솜리, 합강리
	금남면	집현리

ⅰ) 행정중심복합도시건설청고시 제2017-16호, 2017. 7. 4.
ⅱ) 행정중심복합도시건설청고시 제2017-21호, 2017. 10. 10. : ** 고운동, 아름동 추가고시

⑩ 충청북도

지정지역		지정일자	해제일자
충청북도	청주시(동 지역, 오창·오송읍만 지정)* [*낭성면, 미원면, 가덕면, 남일면, 문의면, 남이면, 현도면, 강내면, 옥산면, 내수읍 및 북이면 제외]	2020. 6. 19.	

⑪ 충청남도

지정지역		지정일자	해제일자
충청남도	천안 동남구[*1)], 천안 서북구[*2)], 논산시[*3)], 공주시[*4)]	2020. 12. 18.	

*1) 목천읍, 풍세면, 광덕면, 북면, 성남면, 수신면, 병천면 및 동면 제외
*2) 성환읍, 성거읍, 직산읍 및 입장면 제외
*3) 강경읍, 연무읍, 성동면, 광석면, 노성면, 상월면, 부적면, 연산면, 벌곡면, 양촌면, 가야곡면, 은진면 및 채운면 제외
*4) 유구읍, 이인면, 탄천면, 계룡면, 반포면, 의당면, 정안면, 우성면, 사곡면 및 신풍면 제외

⑫ 전라북도

지정지역		지정일자	해제일자
전라북도	전주시 완산구, 전주시 덕진구	2020. 12. 18.	

⑬ 전라남도

지정지역		지정일자	해제일자
전라남도	여수시[*1)], 순천시[*2)], 광양시[*3)]	2020. 12. 18.	

*1) 돌산읍, 율촌면, 화양면, 남면, 화정면 및 삼산면 제외
*2) 승주읍, 황전면, 월등면, 주암면, 송광면, 외서면, 낙안면, 별량면 및 상사면 제외
*3) 봉강면, 옥룡면, 옥곡면, 진상면, 진월면 및 다압면 제외

⑭ 경상북도

지정지역		지정일자	해제일자
경상북도	포항시 남구[*1)], 경산시[*2)]	2020. 12. 18.	

*1) 구룡포읍, 연일읍, 오천읍, 대송면, 동해면, 장기면 및 호미곶면 제외
*2) 하양읍, 진량읍, 압량읍, 와촌면, 자인면, 용성면, 남산면 및 남천면 제외

⑮ 경상남도

지정지역		지정일자	해제일자
경상남도	창원시 성산구	2020. 12. 18.	

(4) 보유기간 및 거주기간의 제한을 받지 않는 경우

1세대가 양도일 현재 국내에 1주택을 보유하고 있는 경우로서 다음의 1)부터 3)까지의 어느 하나에 해당하는 경우에는 그 보유기간 및 거주기간의 제한을 받지 않는다. (2018. 10. 23. 개정)(소득령 §154 ①)

1) 민간건설임대주택, 공공건설임대주택, 공공매입임대주택

「민간임대주택에 관한 특별법」에 따른 민간건설임대주택이나 「공공주택 특별법」에 따른 공공건설임대주택 또는 공공매입임대주택을 취득하여 양도하는 경우로서 해당 임대주택의 임차일부터 양도일까지의 기간 중 세대전원이 거주(기획재정부령으로 정하는 취학, 근무상의 형편, 질병의 요양, 그 밖에 부득이한 사유로 세대의 구성원 중 일부가 거주하지 못하는 경우를 포함한다)한 기간이 5년 이상인 경우(2015. 12. 28. 개정, 2022. 2. 15. 개정)(소득령 §154 ① 1호)

이 중에서 공공매입임대주택은 2022년 2월 15일 이후 양도하는 분부터 제한을 받지 않는다.

2) 다음[아래 ①~③] 각 목의 어느 하나에 해당하는 경우. 이 경우 가목[아래 ①]에 있어서는 그 양도일 또는 수용일부터 5년 이내에 양도하는 그 잔존주택 및 그 부수토지를 포함하는 것으로 한다.(2013. 2. 15. 개정)(소득령 §154 ① 2호)

① 주택 및 그 부수토지(사업인정 고시일 전에 취득한 주택 및 그 부수토지에 한한다)의 전부 또는 일부가 「공익사업을 위한 토지 등의 취득 및 보상에 관한 법률」에 의한 협의매수·수용 및 그 밖의 법률에 의하여 수용되는 경우(2006. 2. 9. 개정)(소득령 §154 ① 2호 가목)

② 「해외이주법」에 따른 해외이주로 세대전원이 출국하는 경우. 다만, 출국일 현재 1주택을 보유하고 있는 경우로서 출국일부터 2년 이내에 양도하는 경우에 한한다.(2008. 2. 22. 개정)(소득령 §154 ① 2호 나목)

출국일이란

위 규정을 적용함에 있어서 「해외이주법」에 따른 현지이주의 경우 출국일은 영주권 또는 그에 준하는 장기체류 자격을 취득한 날을 말한다.(2009. 4. 14. 신설)(소득칙 §71 ⑥)

---

③ 1년 이상 계속하여 국외거주를 필요로 하는 취학 또는 근무상의 형편으로 세대전원 이 출국하는 경우. 다만, 출국일 현재 1주택을 보유하고 있는 경우로서 출국일부터 2년 이내에 양도하는 경우에 한한다.(2008. 2. 22. 개정)(소득령 §154 ① 2호 다목)

관련 해석사례

거주주택과 장기임대주택을 보유하는 1세대가 해외이주 후 2년 이내에 양도하는 거주주택의 비과세 여부

• 거주주택과 장기임대주택을 보유한 자는 출국일 현재 1주택을 보유한 자에 해당하지 않으므로 소득령 제154조 제1항 (2) 다목에 따른 양도소득세 비과세 적용은 불가함.

• 조정대상지역에 보유한 장기임대주택 및 거주주택은 양도세 중과에서 제외되는 주택들로서 양도한 거주주택은 1세대 2주택 양도세 중과대상이 아니고, 이 경우 장기보유특별공제율 [표1] 적용 가능함.(사전법령해석재산 2019-188, 2019. 8. 20)

---

3) 1년 이상 거주한 주택을 기획재정부령으로 정하는 취학, 근무상의 형편, 질병의 요양, 그 밖에 부득이한 사유로 양도하는 경우(2014. 2. 21. 개정) (소득령 §154 ① 3호)

기획재정부령으로 정하는 취학, 근무상의 형편, 질병의 요양, 그 밖에 부득이한 사유란

1세대 1주택 비과세 규정인 소득령 제154조 제1항 제1호 및 제3호, 영 제155조 제1항 제2호 가목, 영 제155조 제8항 및 제10항 제5호, 영 제156조의2 제4항 제1호 및 제5항 제2호에서 "기획재정부령으로 정하는 취학, 근무상의 형편, 질병의 요양, 그 밖에 부득이한 사유"란 세대의 구성원 중 일부(영 제154조 제1항 제1호의 경우를 말한다) 또는

세대전원(영 제154조 제1항 제3호의 경우를 말한다)이 다음 각 호[아래 1.~4.]의 어느 하나에 해당하는 사유로 다른 시(특별시, 광역시, 특별자치시 및 「제주특별자치도 설치 및 국제자유도시 조성을 위한 특별법」 제10조 제2항에 따라 설치된 행정시를 포함한다. 이하 이 조, 제72조 및 제75조의2에서 같다)·군으로 주거를 이전하는 경우(광역시지역 안에서 구지역과 읍·면지역 간에 주거를 이전하는 경우와 특별자치시, 「지방자치법」 제7조 제2항에 따라 설치된 도농복합형태의 시지역 및 「제주특별자치도 설치 및 국제자유도시 조성을 위한 특별법」 제10조 제2항에 따라 설치된 행정시 안에서 동지역과 읍·면지역 간에 주거를 이전하는 경우를 포함한다. 이하 이 조, 제72조 및 제75조의2에서 같다)를 말한다.(2019. 3. 20. 개정, 2020. 3. 13. 개정)(소득칙 §71 ③)

1. 「초·중등교육법」에 따른 학교(초등학교 및 중학교를 제외한다) 및 「고등교육법」에 따른 학교에의 취학(2014. 3. 14. 개정)
2. 직장의 변경이나 전근 등 근무상의 형편(1996. 3. 30. 개정)
3. 1년 이상의 치료나 요양을 필요로 하는 질병의 치료 또는 요양(1996. 3. 30. 개정)
4. 「학교폭력예방 및 대책에 관한 법률」에 따른 학교폭력으로 인한 전학(같은 법에 따른 학교폭력대책자치위원회가 피해학생에게 전학이 필요하다고 인정하는 경우에 한한다)(2016. 3. 16. 신설)

위의 규정[위의 1.~4.]을 적용할 때 제3항 각 호[위의 1.~4.]의 사유가 발생한 당사자 외의 세대원 중 일부가 취학, 근무 또는 사업상의 형편 등으로 당사자와 함께 주거를 이전하지 못하는 경우에도 세대전원이 주거를 이전한 것으로 본다.(1996. 3. 30. 개정, 2020. 3. 13. 개정)(소득칙 §71 ⑤)

(5) 거주기간의 제한을 받지 않는 경우

1세대가 양도일 현재 국내에 1주택을 보유하고 있는 경우로서 다음[아래 1), 2)] 중 어느 하나에 해당하는 경우에는 거주기간의 제한을 받지 않는다.(2020. 2. 11. 개정)(소득령 §154 ①)

1) 2019년 12월 16일 이전에 임대사업자등록을 한 경우

거주자가 2019년 12월 16일 이전에 해당 주택을 임대하기 위하여 소득세법 제168조 제1항에 따른 사업자등록과 「민간임대주택에 관한 특별법」 제5조 제1항에 따른 임대사업자로 등록을 신청한 자에 대해서는 거주자가 해당 주택을 임대하기 위하여 소득세법에 따른 사업자등록과 「민간임대주택에 관한 특별법」 제5조에 따른 임대사업자등록을 한 경우. 다만,

「민간임대주택에 관한 특별법」 제43조를 위반하여 임대의무기간 중에 해당 주택을 양도하는 경우와 임대보증금 또는 임대료의 연 증가율이 100분의 5를 초과하는 경우는 제외한다. (삭제. 2020. 2. 11. 개정)(소득령 §154 ① 4호)

이 규정은 2020년 2월 11일 삭제된 규정으로 2019년 12월 17일 이후에 임대사업자등록을 하는주택은 이 조항에 의한 거주요건의 제한을 받지 않는 특례가 적용되지 않는다.

| 요건 |

요건	특례
① 민특법 5조에 따른 임대사업자 등록(4년, 8년) ② 세무서에 사업자등록 ③ 의무임대기간 충족 후 양도 ④ 임대료 증가율 5% 이내 준수(2019년 2월 12일 이후 주택 임대차계약을 체결하거나 기존 계약을 갱신하는 분부터 적용한다) ⑤ 2019년 12월 16일까지 임대 등록한 경우에 한해 적용한다.	2년 거주요건의 제한을 받지 않는다.

2) 무주택 세대가 조정대상지역 공고일 이전에 매매계약하고 계약금 지급한 경우

거주자가 조정대상지역의 공고가 있는 날 이전에 매매계약을 체결하고 계약금을 지급한 사실이 증빙서류에 의하여 확인되는 경우로서 해당 거주자가 속한 1세대가 계약금 지급일 현재 주택을 보유하지 아니하는 경우(2018. 2. 13. 개정)(소득령 §154 ① 5호)

관련 예규

1. 계약금 일부를 2017. 8. 2. 이후 납부하는 경우 거주요건 적용 여부
   주택의 거주자가 속한 1세대가 계약금 지급일은 계약금을 완납한 경우를 말하는 것임.(서면부동산 2019-377, 2019. 8. 26.)

(6) 보유기간 및 거주기간의 계산

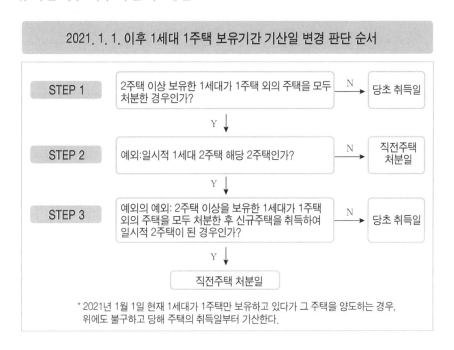

2021. 1. 1. 이후 1세대 1주택 보유기간 기산일 변경 판단 순서

STEP 1 — 2주택 이상 보유한 1세대가 1주택 외의 주택을 모두 처분한 경우인가? → N → 당초 취득일

↓ Y

STEP 2 — 예외:일시적 1세대 2주택 해당 2주택인가? → N → 직전주택 처분일

↓ Y

STEP 3 — 예외의 예외: 2주택 이상을 보유한 1세대가 1주택 외의 주택을 모두 처분한 후 신규주택을 취득하여 일시적 2주택이 된 경우인가? → N → 당초 취득일

↓ Y

직전주택 처분일

* 2021년 1월 1일 현재 1세대가 1주택만 보유하고 있다가 그 주택을 양도하는 경우, 위에도 불구하고 당해 주택의 취득일부터 기산한다.

1) 보유기간의 계산

1세대 1주택 비과세 판단시 1항[위 (1)]에 따른 보유기간의 계산은 보유기간 규정인[소득법 제95조 제4항]에 따른다. 다만, 2주택 이상(소득령 제155조, 제155조의2 및 제156조의2 및 제156조의3에 따라 일시적으로 2주택에 해당하는 경우 해당 2주택은 제외하되, 2주택 이상을 보유한 1세대가 1주택 외의 주택을 모두 처분[양도, 증여 및 용도변경(「건축법」 제19조에 따른 용도변경을 말하며, 주거용으로 사용하던 오피스텔을 업무용 건물로 사실상 용도변경하는 경우를 포함한다)하는 경우를 말한다. 이하 이 항에서 같다]한 후 신규주택을 취득하여 일시적 2주택이 된 경우는 제외하지 않는다)을 보유한 1세대가 1주택 외의 주택을 모두 처분한 경우에는 처분 후 1주택을 보유하게 된 날부터 보유기간을 기산한다.(2019. 2. 12. 개정, 2021. 2. 17. 개정)(소득령 §154 ⑤)

| 2021. 2. 17. 개정내용(양도한 후 → 처분한 후)|

종 전	개 정
• 예외1 : 직전주택 양도일부터 기산	• 예외1 : 직전주택 처분일부터 기산
– 2주택 이상을 보유한 1세대가 1주택 외의 주택을 모두 양도한 경우에는 양도 후 1주택을 보유하게 된 날부터 보유기간을 기산한다.	– 2주택 이상을 보유한 1세대가 1주택 외의 주택을 모두 처분한 경우에는 처분 후 1주택을 보유하게 된 날부터 보유기간을 기산한다.
• 예외3 : 직전주택 양도일로 기산	• 예외3: 직전주택 처분일로 기산
– 2주택 이상을 보유한 1세대가 1주택 외의 주택을 모두 양도한 후 신규주택을 취득하여 일시적 2주택이 된 경우는 제외하지 않는다. → 즉, 직전주택 양도일부터 기산	– 2주택 이상을 보유한 1세대가 1주택 외의 주택을 모두 처분*한 후 신규주택을 취득하여 일시적 2주택이 된 경우는 제외하지 않는다. * 처분이란 : 양도, 증여 및 용도변경(「건축법」 제19조에 따른 용도변경을 말하며, 주거용으로 사용하던 오피스텔을 업무용 건물로 사실상 용도 변경하는 경우를 포함한다)

〈적용 시기〉 2021년 2월 17일 이후 2주택 이상을 보유한 1세대가 증여 또는 용도 변경하는 경우부터 적용한다.

▶▶ 1세대 1주택 비과세 보유기간(2년) 기산일 판단 방법

2021년 1월 1일 이후 양도분부터 다음과 같이 적용한다.

1. 원칙 : 당초 취득일부터 기산
2. 예외1 : 직전주택 처분일부터 기산
   2주택 이상을 보유한 1세대가 1주택 외의 주택을 모두 처분한 경우에는 처분 후 1주택을 보유하게 된 날부터 보유기간을 기산한다.
3. 예외2 : 당초 취득일부터 기산
   소득령 제155조, 제155조의2 및 제156조의2 및 제156조의3에 따라 해당하는 경우는 제외한다.(즉, 취득일로부터 보유기간을 기산한다)
4. 예외3 : 직전주택 처분일부터 기산
   그러나, 2주택 이상을 보유한 1세대가 1주택 외의 주택을 모두 처분[양도, 증여 및 용도변경(「건축법」 제19조에 따른 용도변경을 말하며, 주거용으로 사용하던 오피스텔을 업무용 건물로 사실상 용도변경하는 경우를 포함한다)하는 경우를 말한다. 이하 이 항에서 같다]한 후 신규주택을 취득하여 일시적 2주택이 된 경우는 제외하지 않는다(즉 예외1대로 모든 주택을 처분하고 1주택을 보유하게 된 날부터 보유기간을 기산한다.(2021.

2. 17. 개정)
5. 해석사례 : 2021년 1월 1일 현재 1주택만 보유한 경우

　　2021년 1월 1일 현재 1주택만 보유하고 있는 1세대가 해당 1세대 1주택 보유 상태를 유지하다가 그 주택 양도 시 비과세 판정을 위한 보유기간은 양도하는 당해 주택의 취득일부터 기산한다.(기획재정부 재산-1132, 2020. 12. 24.)

2) 일시적 1세대 2주택 유형

　　2주택 이상에서 제외하는 일시적 1세대 2주택이란 소득세법 시행령 제155조, 제155조의2 및 제156조의2 및 제156조의3에 따라 일시적으로 2주택에 해당하는 경우를 말한다.

① 일시적 1세대 2주택

② 동거봉양 합가로 10년 이내 양도하는 주택

③ 혼인으로 인한 2주택으로 5년 이내 양도하는 주택

④ 취학, 근무상의 형편, 질병의 요양, 그 밖의 부득이한 사유로 2주택

⑤ 이농주택

⑥ 귀농주택

⑦ 일시적 1세대 1주택 1조합원입주권

⑧ 일시적 1세대 1주택 1분양권

3) 보유기간 판단 기본 8가지 유형(기재부 재산 2020-194)

① 사례1

　　기산일은 당해 주택(A) 취득일('15. 10.)이 타당하다.

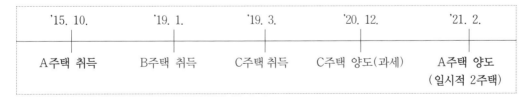

② 사례2

기산일은 당해 주택(C) 취득일('14. 12.)이 타당하다.

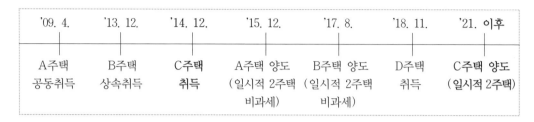

③ 사례3

기산일은 당해 주택(B) 취득일('17. 3.)이 타당하다.

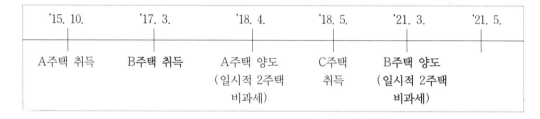

④ 사례4

기산일은 당해 주택(C) 취득일('18. 5.)이 타당하다.

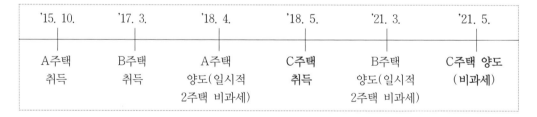

⑤ 사례5

기산일은 당해 주택(B) 취득일('19. 1.)이 타당하다.

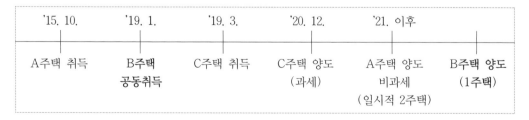

⑥ 사례6

기산일은 직전주택(B) 양도일('19. 8. 7.)이 타당하다.(기획재정부 재산세제과 2020-194)

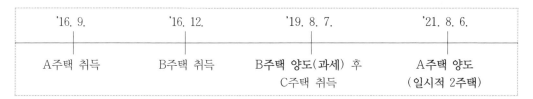

√ 위 해석사례는 2021년 11월 2일 삭제하고 다음(기획재정부 재산-953, 2021. 11. 2.)으로 해석이 변경되었다.

●●●○ [새로운 해석]

❑ 2021. 1. 1. 전에 2주택 이상을 보유한 1세대가 1주택 외의 주택을 모두 양도(마지막으로 양도한 주택을 '과세'로 신고)한 후 신규주택을 취득하여, 2021. 1. 1. 현재 일시적 2주택이 되어 종전주택을 양도하는 경우 보유기간 기산일은?

보유기간 기산일은 당해 주택의 취득일로부터 기산함.(기획재정부 재산세제과-953, 2021. 11. 2.)

⑦ 사례7

기산일은 직전주택(B) 양도일('21. 4.)이 타당하다.

⑧ 사례8

기산일은 직전주택입주권(A) 양도일('22. 2.)이 타당하다.

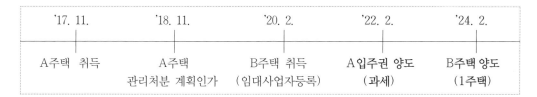

4) 최신예규 및 해석사례 10가지 유형

① 직전주택을 멸실한 경우

신규주택을 멸실한 후 종전주택 양도시 「소득령」 제154조 제5항에 따른 보유기간 계산방법
1세대 2주택자가 신규주택을 멸실한 후 종전주택을 양도하는 경우 1세대 1주택 비과세
적용시 소득령 제154조 제5항에 따른 보유기간은 종전주택 취득일부터 기산함.(서면재산
2020-2354, 2021. 2. 8.)

→ 보유기간은 당해 주택(A) 취득일부터 기산한다.

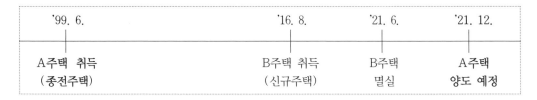

② 2021. 1. 1. 현재 1세대 1주택인 경우

2021. 1. 1. 현재 1주택만 보유하고 있는 1세대가 해당 1세대 1주택 보유 상태를 유지하다
가 그 주택 양도 시 비과세 판정을 위한 보유기간은 양도하는 당해 주택의 취득일부터
기산함.(기획재정부 재산-1132, 2020. 12. 24.)

→ 보유기간은 당해 주택(A) 취득일부터 기산한다.

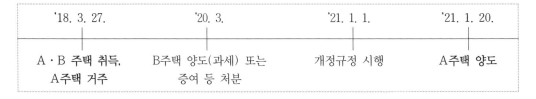

③ 분양권 과세양도 후 남은 1주택 양도 시 주택의 보유기간 기산일

1세대가 1주택과 2021. 1. 1. 이후 취득한 「소득세법」 제88조 제10호에 따른 분양권을 보
유하다가 분양권을 먼저 양도하여 과세된 후 남은 최종 1주택을 양도하는 경우 해당 주택
의 보유기간은 분양권을 양도하여 1주택을 보유하게 된 날부터 기산하는 것임.(서면재산
2021-1365, 2021. 6. 10.)

→ 보유기간은 직전분양권(B) 양도일('22. 4.)부터 기산한다.

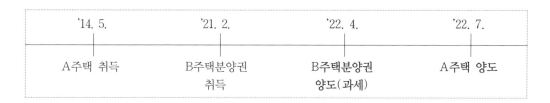

④ 일시적 3주택 상태에서 주택 양도 시 비과세 보유기간 기산일

4주택을 보유한 1세대가 1주택을 양도하여 과세된 후 남은 3주택 중 1주택을 양도하는 경우로서 「소득세법 시행령」 제155조에 따라 1세대 1주택으로 보는 경우 양도하는 주택의 보유기간은 취득일부터 기산함.(사전법령해석재산 2021-599, 2021. 6. 30.)

⑤ 3주택을 보유중인 1세대가 1채를 양도(과세)하여 남은 일시적 2주택 중 종전 주택을 양도하는 경우 사례별 기산일은? (기획재정부 재산세제과-953, 2021. 11. 2.)

가. 사례 1

[질의] C주택 취득일 및 A주택 양도일이 모두 '20. 12. 31. 이전인 경우 B주택의 보유기간 기산일은?

기산일은 B주택 취득일('15. 4. 1.)이 타당하다.(기재부 재산-953, 2021. 11. 2.)

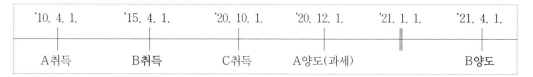

나. 사례 2

[질의] C주택 취득일은 2020. 12. 31. 이전이고 A주택 양도일은 2021. 1. 1. 이후인 경우 B주택의 보유기간 기산일은?

기산일은 A주택 양도일('21. 3. 1.)이 타당하다.

다만, 먼저 취득한 주택(3주택을 보유 중인 1세대가 1채를 양도 후 남은 2채 중 먼저 취득한 주택을 말함)을 해당 회신일 이후로 양도하는 분부터 적용됨.(기재부 재산-953, 2021. 11. 2.)

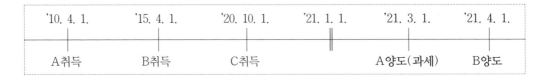

다. 사례 3

[질의] C주택 취득일 및 A주택 양도일이 모두 2021. 1. 1. 이후인 경우 B주택의 보유기간 기산일은?

기산일은 A주택 양도일('21. 3. 1.)이 타당하다.(기재부 재산-953, 2021. 11. 2.)

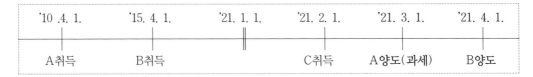

⑥ 2주택과 2021. 1. 1. 이후 취득한 분양권을 보유한 1세대가 분양권을 먼저 양도한 후 종전주택 양도시 보유기간 기산일은?

2주택과 2021. 1. 1. 이후 취득한 분양권을 보유한 1세대가 분양권을 먼저 양도한 후 종전주택 양도시 보유기간은 분양권 양도한 날부터 기산하는 것임.(서면법령해석재산 2021-2946, 2021. 12. 17.)

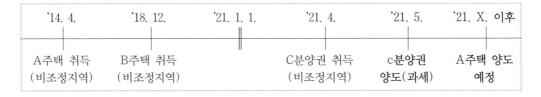

⑦ 2주택 보유세대가 별도세대 자녀에게 1주택을 상속한 후 나머지 주택 양도시 보유기간 기산일은?

2주택 보유세대가 별도세대 자녀에게 1주택을 상속한 후 종전주택 양도시 보유기간은 종전주택 취득일부터 기산하는 것임.(서면법령해석재산 2021-6265, 2021. 12. 13.)

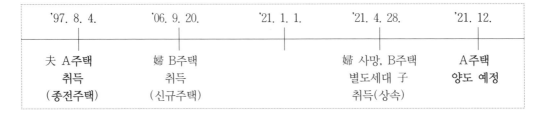

⑧ 1주택과 1입주권(승계조합원) 보유세대가 1입주권 양도(과세) 후 남은 최종 1주택 양도시 「소득령」 제154조 제5항에 따른 보유기간 기산일은?

1주택과 1입주권(승계조합원) 보유세대가 1입주권 양도(과세) 후 남은 "최종 1주택"을 양도하는 경우 「소득세법 시행령」 제154조 제5항에 따른 보유기간 기산일은 '입주권 양도일'임.(서면법령해석재산 2021-565, 2021. 5. 17.)

5) 거주기간 기산일

2주택 이상을 보유한 1세대가 1주택 외의 주택을 모두 양도한 경우에는 양도 후 1주택을 보유하게 된 날부터 보유기간을 기산한다. 그 보유기간 중 2년 거주요건을 충족해야 한다. (소득령 §154 ①)

관련 예규·판례

1. 조정대상지역 1세대 1주택 비과세 특례 적용시 거주기간 기산일은?

   2주택 이상을 보유한 1세대가 다른 주택을 양도하고 조정지역에 있는 주택만 남은 경우, 그 최종주택의 1세대 1주택 비과세 특례를 적용받기 위하여 거주기간도 최종 1주택을 보유하게 된 날부터 새로 기산(기획재정부 재산-35, 2021. 1. 14.)

   다음 사례에서 A주택의 거주기간 기산일은 직전 주택양도일인 2021. 5. 9.부터이다.

2018. 4. 3.	2018. 5. 3.	2020. 5. 1.	2021. 1. 1.	2021. 5. 9.	2023. 5. 10. 이후
▲	▲	▲	▲	▲	▲
A주택 취득	B주택 취득	타인소유 주택으로 이사	시행일	B주택 양도	A주택 양도 예정

---

6) 거주기간의 계산

1세대 1주택 비과세 규정[소득령 제154조 제1항]에 따른 거주기간은 주민등록표 등본에 따른 전입일부터 전출일까지의 기간으로 한다.(2019. 2. 12. 신설)(소득령 §154 ⑥)

(7) 보유기간, 거주기간 통산

1세대 1주택 비과세 규정[소득법 제89조 제1항 제3호]에 따른 거주기간 또는 보유기간을 계산할 때 다음[아래 1)~3)] 각 호의 기간을 통산한다.(2018. 2. 13. 개정)(소득령 §154 ⑧)

1) 멸실 후 재건축한 주택

거주하거나 보유하는 중에 소실·무너짐·노후 등으로 인하여 멸실되어 재건축한 주택인 경우에는 그 멸실된 주택과 재건축한 주택에 대한 거주기간 및 보유기간(2018. 2. 13. 개정) (소득령 §154 ⑧ 1호)

2) 비거주자에서 거주자로 전환된 경우

비거주자가 해당 주택을 3년 이상 계속 보유하고 그 주택에서 거주한 상태로 거주자로 전환된 경우에는 해당 주택에 대한 거주기간 및 보유기간(2008. 2. 22. 신설)(소득령 §154 ⑧ 2호)

3) 동일세대원으로부터 상속받은 주택

상속받은 주택으로서 상속인과 피상속인이 상속 개시 당시 동일세대인 경우에는 상속개시 전에 상속인과 피상속인이 동일세대로서 거주하고 보유한 기간(2017. 9. 19. 개정)(소득령 §154 ⑧ 3호)

| 상속 · 증여 · 이혼으로 취득한 주택의 보유기간 계산 |

취득 구분		보유 및 거주기간 계산
상속	같은 세대원 간 상속인 경우	같은 세대원으로서 피상속인의 보유 및 거주기간과 상속인의 보유 및 거주기간 통산
	같은 세대원 간 상속이 아닌 경우	상속이 개시된 날부터 양도한 날까지 계산
이혼	재산분할로 취득(민법 §838의2)	재산분할 전 배우자가 해당 주택을 취득한 날부터 양도한 날까지 보유 및 거주기간 통산
	위자료로 취득	소유권이전등기접수일부터 양도한 날까지 계산

(8) 공동상속주택의 거주기간

조정대상지역 내 취득한 주택의 거주기간 요건(제1항)을 적용할 때 취득 당시에 조정대상지역에 있는 주택으로서 소득령 제155조 제3항 각 호 외의 부분 본문에 따른 공동상속주택인 경우 거주기간은 같은 항 각 호 외의 부분 단서에 따라 공동상속주택을 소유한 것으로 보는 사람이 거주한 기간으로 판단한다.(2021. 2. 17. 신설)(소득령 §154 ⑫)

공동상속주택[상속으로 여러 사람이 공동으로 소유하는 1주택을 말하며, 피상속인이 상속 개시 당시 2 이상의 주택(상속받은 1주택이 재개발사업, 재건축사업 또는 소규모재건축사업 등의 시행으로 2 이상의 주택이 된 경우를 포함한다)을 소유한 경우에는 제2항 각 호의 순위에 따른 1주택을 말한다]은 다음 순서에 따라 해당 각 호에 해당하는 사람이 그 공동상속주택을 소유한 것으로 본다.(2017. 2. 3. 개정, 2020. 2. 11. 개정, 2022. 2. 15. 개정)(소득령 §155 ③)

1) 상속지분이 가장 큰 상속인
2) 당해 주택에 거주하는 자(1994. 12. 31. 개정)(소득령 §155 ③ 1호)
3) 최연장자(1994. 12. 31. 개정)(소득령 §155 ③ 3호)

(9) 상생임대주택에 대한 1세대 1주택의 특례

1) 1년 거주기간 의제

국내에 1주택(제155조, 제155조의2, 제156조의2, 제156조의3 및 그 밖의 법령에 따라 1세대 1주택으로 보는 경우를 포함한다. 이하 이 항에서 같다)을 소유한 1세대가 다음 각 호[아래 ①~④]의 요건을 모두 갖춘 주택(이하 "상생임대주택"이라 한다)을 양도하는 경우에는 해당 임대기간에 그 주택에 1년간 실제 거주한 것으로 보아 제154조 제1항의 거주기간을 계산한다.(2022. 2. 15. 신설)(소득령 §155의3 ①)

① 1주택의 소유자가 주택을 취득한 후 임차인과 체결한 해당 주택에 대한 직전 임대차계약 대비 임대보증금 또는 임대료의 증가율이 100분의 5를 초과하지 않는 임대차계약(이하 "상생임대차계약"이라 한다)을 2021년 12월 20일부터 2022년 12월 31일까지의 기간 중에 체결(계약금을 지급받은 사실이 확인되는 경우로 한정한다)하고 상생임대차계약에 따라 임대한 기간이 2년 이상일 것(2022. 2. 15. 신설)(소득령 §155의3 ① 1호)
② 상생임대차계약에 따른 임대개시일 당시 1주택을 소유한 1세대가 임대하는 주택일 것 (2022. 2. 15. 신설)(소득령 §155의3 ① 2호)
③ 상생임대차계약에 따른 임대개시일 당시 그 주택 및 이에 부수되는 토지의 기준시가의 합계액이 9억 원을 초과하지 않을 것(2022. 2. 15. 신설)(소득령 §155의3 ① 3호)
④ 제1호에 따른 직전 임대차계약에 따라 임대한 기간이 1년 6개월 이상일 것(2022. 2. 15. 신설)(소득령 §155의3 ① 4호)

2) 임대료 증가율 계산

상생임대차계약을 체결할 때 임대보증금과 월임대료를 서로 전환하는 경우에는 「민간임대주택에 관한 특별법」 제44조 제4항에서 정하는 기준에 따라 임대보증금 또는 임대료의 증가율을 계산한다.(2022. 2. 15. 신설)(소득령 §155의3 ②)

3) 임대기간

제1항 제1호에 따른 임대기간은 월력에 따라 계산하며, 1개월 미만인 경우에는 1개월로 본다.(2022. 2. 15. 신설)(소득령 §155의3 ③)

4) 특례적용신고서 제출

제1항에 따른 거주기간 합산을 적용받으려는 자는 법 제105조 또는 제110조에 따른 양도소득세 과세표준 신고기한까지 기획재정부령으로 정하는 상생임대주택에 대한 특례적용신고서에 해당 주택에 관한 직전 임대차계약서 및 상생임대차계약서를 첨부하여 납세지 관할 세무서장에게 제출해야 한다. 이 경우 납세지 관할 세무서장은 「전자정부법」 제36조 제1항에 따른 행정정보의 공동이용을 통하여 해당 주택의 토지·건물 등기사항증명서를 확인해야 한다.(2022. 2. 15. 신설)(소득령 §155의3 ④)

상생임대주택에 대한 1세대 1주택의 특례

1. 특례 : 1년간 실제 거주한 것으로 본다.
2. 요건
   ① 1주택의 소유자가
   ② 주택을 취득한 후 임차인과 체결한 직전 임대차계약 대비 임대보증금 또는 임대료의 증가율이 100분의 5를 초과하지 않는 임대차계약
      (계약금을 지급받은 사실이 확인되는 경우로 한정한다)
   ③ 2021년 12월 20일부터 2022년 12월 31일까지의 기간 중에 체결
   ④ 상생임대차계약에 따라 임대한 기간이 2년 이상일 것
   ⑤ 상생임대차계약에 따른 임대개시일 당시 1주택을 소유한 1세대가 임대하는 주택일 것
   ⑥ 기준시가 9억 원을 초과하지 않을 것(2022. 2. 15. 신설)
   ⑦ 직전 임대차계약에 따라 임대한 기간이 1년 6개월 이상일 것

---

② 겸용주택인 경우

1세대 1주택 비과세 규정[소득법 제89조 제1항 제3호]을 적용할 때 하나의 건물이 주택과 주택 외의 부분으로 복합되어 있는 경우와 주택에 딸린 토지에 주택 외의 건물이 있는 경우에는

그 전부를 주택으로 본다. 다만, 주택의 연면적이 주택 외 부분의 연면적보다 적거나 같을 때에는 주택 외의 부분은 주택으로 보지 아니하며 주택에 딸린 토지는 전체 토지면적에 주택의 연면적이 건물의 연면적에서 차지하는 비율을 곱하여 계산한다.(2010. 2. 18. 개정)(소득령 §154 ③, ④)

(1) 겸용주택의 주택과 그에 딸린 토지면적 계산

(1) 주택의 정착면적 = 건물전체 정착면적 × $\dfrac{\text{주택부분 연면적}}{\text{건물전체 연면적}}$

(2) 주택에 딸린 토지면적 = 건물에 딸린 전체토지면적 × $\dfrac{\text{주택부분 연면적}}{\text{건물전체 연면적}}$

(2) 비과세요건을 충족한 겸용주택에 딸린 토지면적 계산

(사례 : 건물정착면적 150㎡, 건물에 딸린 전체 토지면적 800㎡, 도시지역 소재)

구 분	주택 〉기타건물	주택 ≤ 기타건물
건물 정착면적	80㎡ 〉70㎡	70㎡ ≤ 80㎡
주택에 딸린 토지면적	800㎡ (800 = 800 × 150/150)	373㎡ (373 = 800 × 70/150)
비과세되는 주택에 딸린 토지면적	750㎡ (750 = 150 × 5배)	350㎡ (350 = 70 × 5배)

③ 주택과 부수토지

(1) 주택과 부수토지 비과세

1세대 1주택 비과세 규정[소득법 제89조 제1항 제3호]에 해당하는 주택과 이에 딸린 토지로서 건물이 정착된 면적에 지역별로 다음[아래 1), 2)]의 대통령령으로 정하는 다음의 배율을 곱하여 산정한 면적 이내의 토지(이하 이 조에서 "주택부수토지"라 한다)의 양도로 발생하는 소득은 비과세 대상이다.(2014. 2. 21. 개정, 2020. 2. 11. 개정)(소득령 §154 ⑦)

1) 「국토의 계획 및 이용에 관한 법률」 제6조 제1호에 따른 도시지역 내의 토지

다음 각 항목에 따른 배율(2012. 2. 2. 개정, 2020. 2. 11. 개정)(소득령 §154 ⑦ 1호)

① 「수도권정비계획법」제2조 제1호에 따른 수도권(이하 이 호에서 "수도권"이라 한다) 내의 토지 중 주거지역·상업지역 및 공업지역 내의 토지 : 3배

② 수도권 내의 토지 중 녹지지역 내의 토지 : 5배

③ 수도권 밖의 토지: 5배

2021. 12. 31. 이전 양도분	2022. 1. 1. 이후 양도분
「국토의 계획 및 이용에 관한 법률」제6조 제1호에 따른 도시지역 내의 토지 : 5배	1) 「수도권정비계획법」제2조 제1호에 따른 수도권 내의 토지 중 주거지역·상업지역 및 공업 지역 내의 토지 : 3배 2) 수도권 내의 토지 중 녹지지역 내의 토지 : 5배 3) 수도권 밖의 토지 : 5배

2) 그 밖의 토지: 10배(2012. 2. 2. 개정)(소득령 §154 ⑦ 2호)

(2) 부수토지 사례

1) 주택에 딸린 토지로 보는 해석 사례(소득세 집행기준 89-154-25)

구 분	주택에 딸린 토지로 보는 경우
한 울타리 내 여러 필지	필지 수에 불구하고 사실상 주택과 경제적 일체를 이루는 경우
같은 세대원이 소유한 주택에 딸린 토지	주택과 그에 딸린 토지를 같은 세대원이 각각 소유한 경우
매매계약체결 후 주택을 멸실한 경우	매매계약 체결 후 양도일 전에 매매계약조건에 따라 주택을 멸실한 경우
환지청산금	1세대 1주택 비과세 요건(고가주택 제외)을 갖춘 조합원이 조합으로부터 환지청산금을 지급받는 경우
전용 사도	해당 토지가 양도 주택에만 전용으로 사용되는 별도 필지의 도로

2) 주택에 딸린 토지로 보지 않는 해석 사례(소득세 집행기준 89-154-26)

구 분	주택에 딸린 토지로 보지 않는 경우
울타리 경계 밖에 있는 토지	담장 또는 울타리 경계 밖에 있는 토지
타인이 소유한 주택에 딸린 토지	같은 세대원이 아닌 자가 소유한 주택에 딸린 토지
주택 양도 후 주택에 딸린 토지가 수용되는 경우	주택을 제3자에게 먼저 양도한 후 나중에 수용되는 주택에 딸린 토지
공동으로 사용하는 사도	다른 세대도 공동으로 사용하는 사도

❹ 1세대 1주택 판정시 주택 수에서 제외되는 주택

| 1세대 1주택 판정시 주택 수에서 제외되는 주택(소득세 집행기준 89 - 154 - 14) |

구 분	1세대 1주택	적용 조문
주택신축판매업자의 재고주택	제외	소득법 제19조
부동산매매업자의 재고주택	제외	소득법 제19조
장기임대주택	제외	조특법 제97조
신축임대주택	제외	조특법 제97조의2
지방미분양주택	제외	조특법 제98조의2
미분양주택	제외	조특법 제98조의3
신축감면주택	포함[1]	조특법 제99조, 제99조의3
농어촌주택	제외	조특법 제99조의4

1) 2007. 12. 31. 이전에 신축감면주택 외 일반주택을 양도하는 경우 신축감면주택을 거주자의 주택으로 보지 아니하는 것임.

❺ 같은 날 2 이상의 주택 양도할 때 양도순서, 부수토지의 분할 양도의 경우

(1) 같은날 2 이상의 주택 양도할 때 양도순서

1세대 1주택 비과세 규정[소득법 제89조 제1항 제3호]을 적용함에 있어서 2개 이상의 주택을 같은 날에 양도하는 경우에는 당해 거주자가 선택하는 순서에 따라 주택을 양도한 것으로 본다.(2005. 12. 31. 개정)(소득령 §154 ⑨)

(2) 부수토지를 분할하여 양도하는 경우

① 부수토지를 분할하여 양도하는 경우

1세대 1주택 비과세 규정[소득령 제154조 제1항]을 적용할 때 주택에 부수되는 토지를 분할하여 양도(지분으로 양도하는 경우를 포함한다. 다만, 1세대 1주택 비과세 규정인 소득령 제154조 제1항의 본문에 해당하는 주택과 그 부수토지를 함께 지분으로 양도하는 경우를 제외한다)하는 경우에 그 양도하는 부분의 토지는 1세대 1주택 비과세 규정(소득법 §89 ① 3호 가목)에 따른 1세대 1주택에 부수되는 토지로 보지 아니한다.(소득칙 §72 ②)

② 1주택을 2 이상의 주택으로 분할하여 양도한 경우

1주택을 2 이상의 주택으로 분할하여 양도(1세대 1주택 비과세 규정인 소득령 제154조 제1항 본문에 해당하는 주택을 지분으로 양도하는 경우를 제외한다)한 경우에는 먼저 양도하는 부분의 주택은 그 1세대 1주택으로 보지 아니한다. 이 경우 주택 및 그 부수토지의 일부가 「공익사업을 위한 토지 등의 취득 및 보상에 관한 법률」에 의한 협의매수·수용 및 그 밖의 법률에 따라 수용되는 경우의 해당 주택(그 부수토지를 포함한다)과 그 양도일 또는 수용일부터 5년 이내에 양도하는 잔존토지 및 잔존주택(그 부수토지를 포함한다)은 그러하지 아니하다.(2014. 3. 14. 개정)(소득칙 §72 ②)

⑥ 다가구주택

1세대 1주택 비과세 규정을 적용할 때 「건축법 시행령」 별표 1 제1호 다목에 해당하는 다가구주택은 한 가구가 독립하여 거주할 수 있도록 구획된 부분을 각각 하나의 주택으로 본다. 다만, 해당 다가구주택을 구획된 부분별로 양도하지 아니하고 하나의 매매단위로 하여 양도하는 경우에는 그 전체를 하나의 주택으로 본다.(2015. 2. 3. 개정)(소득령 §155 ⑮)

> ●●●●
>
> 해석사례 등
>
> 1. 다가구주택의 지분을 1/2 보유하다가 본인 지분만 양도하는 경우
>   다가구주택의 지분을 1/2 보유하다가 본인 지분만 양도하는 경우 1세대 1주택 비과세 적용시 단독주택의 양도로 보지 않음.(사전재산 2017-89, 2017. 3. 30.)
>
> 2. 부담부증여하는 다가구주택의 주택수 계산
>   부담부증여하는 다가구주택은 공동주택에 해당함.(서면부동산 2020-4396, 2021. 7. 20.)

제3절 조합원입주권과 분양권이 있는 경우 1세대 1주택 비과세 판단

1세대가 주택(주택부수토지를 포함한다. 이하 이 조에서 같다)과 조합원입주권 또는 분양권[3]을 보유하다가 그 주택을 양도하는 경우에는 1세대 1주택이 아니므로 비과세 규정이 적용되지 않는다. 다만[4], 「도시 및 주거환경정비법」에 따른 재건축사업 또는 재개발사업, 「빈집 및 소규모주택 정비에 관한 특례법」에 따른 자율주택정비사업, 가로주택정비사업, 소규모재건축사업 또는 소규모재개발사업의 시행기간 중 거주를 위하여 주택을 취득하는 경우나 그 밖의 부득이한 사유로서 대통령령으로 정하는 다음[아래 ❶ ❷] 경우에는 그러하지 아니하다.(2017. 2. 8. 개정, 2020. 8. 18. 개정, 2021. 12. 8. 단서개정)(소득법 §89 ②)

여기서 자율주택정비사업, 가로주택정비사업 및 소규모재개발사업을 시행하는 정비사업조합의 조합원입주권은 2022년 1월 1일 이후 취득하는 분부터 조합원입주권의 정의에 추가된다.

| 자율주택정비사업, 가로주택정비사업 및 소규모재개발사업을 시행하는 정비사업조합의 조합원의 조합원입주권 포함 여부 |

구 분	자율주택정비사업, 가로주택정비사업 및 소규모재개발사업을 시행하는 정비사업조합의 조합원의 조합원입주권	
	2021년 12월 31일까지 취득분	2022년 1월 1일 이후 취득분
소득법 제88조 제9호의 조합원입주권에 포함여부	미포함	포함

| 1세대 1주택 비과세 판단 시 분양권의 주택 수 포함 여부 |

2020. 12. 31. 이전 취득한 분양권	2021. 1. 1. 이후 취득한 분양권
주택 수 불포함	주택 수 포함

---

3) 분양권의 경우에는 2021년 1월 1일 이후 공급계약, 매매 또는 증여 등의 방법으로 취득한 것으로서 2021년 1년 1일 이후 양도하는 주택분부터 보유하고 있는 분양권을 주택 수에 포함하여 계산한다.

4) 단서조항에서 자율주택정비사업, 가로주택정비사업, 소규모재개발사업은 2022년 1월 1일 이후 취득하는 조합원입주권부터 적용한다.

위 본문에서 대통령령으로 정하는 경우란 소득세법 시행령 제156조의2(주택과 조합원입주권을 소유한 경우) 및 제156조의3(주택과 분양권을 소유한 경우)을 말한다. 이는 부득이한 사유로서 예외적으로 비과세가 되는 경우를 의미한다. 주택과 조합원입주권은 아래 ❶에서 주택과 분양권을 소유한 경우의 1세대 1주택의 특례는 뒤의 ❷에서 서술하였다.

❶ 주택과 조합원입주권을 소유한 경우 1세대 1주택의 특례

위 본문에서 대통령령으로 정하는 경우란 소득세법 시행령 제156조의2(주택과 조합원입주권을 소유한 경우) 및 제156조의3(주택과 분양권을 소유한 경우) 다음과 같다. 이는 부득이한 사유로서 예외적으로 비과세가 되는 경우를 의미한다. 주택과 분양권을 소유한 경우의 1세대 1주택의 특례는 뒤의 ❷에서 기술하였다.

1세대가 1주택과 동시에 조합원입주권 또는 분양권을 보유하고 있는 경우에는 1세대 1주택이 아니므로 비과세가 적용되지 않는다. 하지만 다음[아래 (1)~(9)]의 경우에는 예외적으로 비과세 적용이 가능하다.(2021. 2. 17. 개정)(소득령 §156의2 ②)

(1) 일시적 1세대 1주택과 1조합원입주권(3년 이내 양도)

국내에 1주택을 소유한 1세대가 그 주택(이하 이 항에서 "종전의 주택"이라 한다)을 양도하기 전에 조합원입주권을 취득함으로써 일시적으로 1주택과 1조합원입주권을 소유하게 된 경우 종전의 주택을 취득한 날부터 1년 이상이 지난 후에 조합원입주권을 취득하고 그 조합원입주권을 취득한 날부터 3년 이내에 종전의 주택을 양도하는 경우(3년 이내에 양도하지 못하는 경우로서 기획재정부령으로 정하는 사유에 해당하는 경우를 포함한다)에는 이를 1세대 1주택으로 보아 1세대 1주택 비과세 규정[소득령 제154조 제1항]을 적용한다. 이 경우 1세대 1주택 비과세 규정인 소득령 제154조 제1항 제1호, 제2호 가목 및 제3호에 해당하는 경우에는 종전의 주택을 취득한 날부터 1년 이상이 지난 후 조합원입주권을 취득하는 요건을 적용하지 아니한다.(2013. 2. 15. 후단신설)(소득령 §156의2 ③)

일시적 1세대 1주택과 1조합원입주권

CASE 1 : 신규 조합원입주권 취득 후 3년 이내 종전주택을 양도하는 경우

A주택 취득 (종전주택)	B조합원입주권 취득	A주택 양도 (종전주택)
① 종전의 주택(A) 취득 후 1년 지난 후 B조합원입주권 취득	② B취득 후 3년 이내 종전주택(A) 양도시 비과세	

종전의 주택을 취득한 날부터 1년 이상이 지난 후 조합원입주권을 취득하는 요건을 적용하지 아니하여도 되는 경우

다음에 해당하는 경우에는 종전의 주택을 취득한 날부터 1년 이상이 지난 후 조합원입주권을 취득하는 요건을 적용하지 아니한다.

1. 민간건설임대주택 또는 공공건설임대주택에 5년 이상 거주한 경우
   해당 건설임대주택의 임차일부터 해당 주택의 양도일까지의 기간 중 세대전원이 거주한 기간이 5년 이상인 경우(소득령 §154 ① 1호)

2. 협의매수ㆍ수용되는 경우
   법률에 의하여 수용되는 경우로서 수용일부터 5년 이내에 양도하는 그 잔존주택 및 그 부수토지를 포함한다.(소득령 §154 ① 2호 가목)

3. 취학 등 부득이한 사유로 양도하는 경우
   1년 이상 거주한 주택을 기획재정부령으로 정하는 취학, 근무상의 형편, 질병의 요양, 그 밖에 부득이한 사유로 양도하는 경우(소득령 §154 ① 3호)

3년 이내에 양도하지 못하는 경우로서 기획재정부령으로 정하는 사유

소득령 제156조의2 제3항 전단 및 제156조의3 제2항 전단에서 "3년 이내에 양도하지 못하는 경우로서 기획재정부령으로 정하는 사유에 해당하는 경우"란 각각 조합원입주권 또는 분양권을 취득한 날부터 3년이 되는 날 현재 다음 각 호의 어느 하나에 해당하는 경우로서 해당 각 호[아래 1~3]의 어느 하나의 방법에 따라 양도된 경우를 말한다.(2012. 6. 29. 개정, 2021. 3. 16. 개정)(소득칙 §75 ①)

1. 한국자산관리공사에 매각을 의뢰한 경우(2005. 12. 31. 신설)(소득칙 §75 ① 1호)
2. 법원에 경매를 신청한 경우(2005. 12. 31. 신설)(소득칙 §75 ① 2호)
3. 「국세징수법」에 따른 공매가 진행 중인 경우(2005. 12. 31. 신설)(소득칙 §75 ① 3호)

관련 해석사례

1. 1주택자와 1조합원입주권자가 혼인 후 조합원입주권을 취득하고 종전 주택 양도 시 비과세 여부

   1주택 보유자(乙)가 1조합원입주권 소유자(甲)와 혼인하고 배우자(甲)가 1조합원입주권을 취득한 후 혼인 전부터 소유한 1주택을 양도하는 경우 1세대 1주택 특례 적용 대상에 해당하지 않음.(사전법령해석재산 2018-678, 2019. 11. 29.)

(2) 일시적 1세대 1주택과 1조합원입주권에서 3년이 지나 양도하는 종전주택

국내에 1주택을 소유한 1세대가 그 주택(이하 이 항에서 "종전주택"이라 한다)을 양도하기 전에 조합원입주권을 취득함으로써 일시적으로 1주택과 1조합원입주권을 소유하게 된 경우 종전주택을 취득한 날부터 1년이 지난 후에 조합원입주권을 취득하고 그 조합원입주권을 취득한 날부터 3년이 지나 종전주택을 양도하는 경우로서 다음 각 호의 요건을 모두 갖춘 때에는 이를 1세대 1주택으로 보아 제154조 제1항을 적용한다. 이 경우 제154조 제1항 제1호, 같은 항 제2호 가목 및 같은 항 제3호에 해당하는 경우에는 종전주택을 취득한 날부터 1년이 지난 후 조합원입주권을 취득하는 요건을 적용하지 않는다.(2012. 6. 29. 개정, 2022. 2. 15. 개정)(소득령 §156의2 ④)

이 중에서 종전주택을 취득한 날부터 1년이 지난 후에 조합원입주권을 취득해야 한다는 규정은 2022년 2월 15일에 시행령 개정으로 새로 추가된 내용이다. 종전규정에는 이 내용이 없다.

법 시행일인 2022년 2월 15일 전에 취득한 조합원입주권은 종전규정에 따른다.

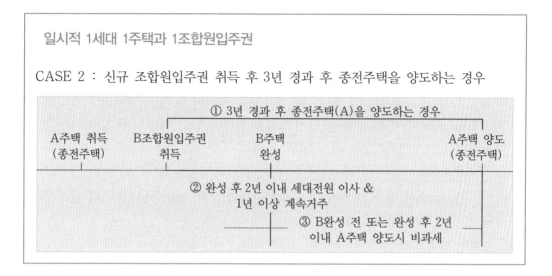

일시적 1세대 1주택과 1조합원입주권

CASE 2 : 신규 조합원입주권 취득 후 3년 경과 후 종전주택을 양도하는 경우

| 3년이 지나 양도하는 경우 신규 조합원입주권 취득시기 요건 |

구 분	2022년 2월 14일 이전에 취득하는 신규 조합원입주권	2022년 2월 15일 이후에 취득하는 신규 조합원입주권
1세대 1주택 비과세 특례 적용 요건	종전규정에 따른다. 1. 취득시기관련 내용 없음	1. 종전주택을 취득한 날부터 1년이 지난 후에 조합원입주권을 취득해야 함.

1) 재개발사업, 재건축사업 또는 소규모재건축사업 등[5]의 관리처분계획 등에 따라 취득하는 주택이 완성된 후 2년 이내에 그 주택으로 세대전원이 이사(기획재정부령이 정하는 취학, 근무상의 형편, 질병의 요양 그 밖의 부득이한 사유로 세대의 구성원 중 일부가 이사하지 못하는 경우를 포함한다)하여 1년 이상 계속하여 거주할 것(2018. 2. 9. 개정, 2022. 2. 15. 개정)(소득령 §156의2 ④ 1호)

---

5) 소규모재건축사업 중에서 자율주택정비사업, 가로주택정비사업, 소규모재개발사업은 2022년 1월 1일 이후 취득하는 조합원입주권부터 적용한다.

취학, 근무상의 형편, 질병의 요양 그 밖의 부득이한 사유

소득령 제156조의2 제4항 제1호, 제2호, 제156조의3 제3항 제1호에서 "기획재정부령으로 정하는 취학, 근무상의 형편, 질병의 요양, 그 밖에 부득이한 사유"란 세대의 구성원 중 일부 또는 세대전원이 다음 각 호[아래 1~4]의 어느 하나에 해당하는 사유로 다른 시(특별시, 광역시, 특별자치시 및 「제주특별자치도 설치 및 국제자유도시 조성을 위한 특별법」 제10조 제2항에 따라 설치된 행정시를 포함한다) · 군으로 주거를 이전하는 경우(광역시지역 안에서 구지역과 읍 · 면지역 간에 주거를 이전하는 경우와 특별자치시, 「지방자치법」 제7조 제2항에 따라 설치된 도농복합형태의 시지역 및 「제주특별자치도 설치 및 국제자유도시 조성을 위한 특별법」 제10조 제2항에 따라 설치된 행정시 안에서 동지역과 읍 · 면지역 간에 주거를 이전하는 경우를 포함한다)를 말한다.(2020. 3. 13. 개정, 2021. 3. 16. 개정)(소득칙 §75의2)(소득칙 §71 ③)

1. 「초 · 중등교육법」에 따른 학교(초등학교 및 중학교를 제외한다) 및 「고등교육법」에 따른 학교에의 취학(2014. 3. 14. 개정)(소득칙 §71 ③ 1호)
2. 직장의 변경이나 전근 등 근무상의 형편(1996. 3. 30. 개정)(소득칙 §71 ③ 2호)
3. 1년 이상의 치료나 요양을 필요로 하는 질병의 치료 또는 요양(1996. 3. 30. 개정)(소득칙 §71 ③ 3호)
4. 「학교폭력예방 및 대책에 관한 법률」에 따른 학교폭력으로 인한 전학(같은 법에 따른 학교폭력대책자치위원회가 피해학생에게 전학이 필요하다고 인정하는 경우에 한한다)(2016. 3. 16. 신설)(소득칙 §71 ③ 4호)

2) 재개발사업, 재건축사업 또는 소규모재건축사업 등[6]의 관리처분계획 등에 따라 취득하는 주택이 완성되기 전 또는 완성된 후 2년 이내에 종전의 주택을 양도할 것(2018. 2. 9. 개정, 2022. 2. 15. 개정)(소득령 §156의2 ④ 2호)

(3) 대체주택을 양도하는 경우

국내에 1주택을 소유한 1세대가 그 주택에 대한 재개발사업, 재건축사업 또는 소규모재건축사업 등[7]의 시행기간 동안 거주하기 위하여 다른 주택(이하 이 항에서 "대체주택"이

---

6) 소규모재건축사업 중에서 자율주택정비사업, 가로주택정비사업, 소규모재개발사업은 2022년 1월 1일 이후 취득하는 조합원입주권부터 적용한다.
7) 6)과 동일

라 한다)을 취득한 경우로서 다음 각 호의 요건을 모두 갖추어 대체주택을 양도하는 때에는 이를 1세대 1주택으로 보아 제154조 제1항을 적용한다. 이 경우 제154조 제1항의 보유기간 및 거주기간의 제한을 받지 않는다.(2018. 2. 9. 개정, 2022. 2. 15. 개정)(소득령 §156의2 ⑤)

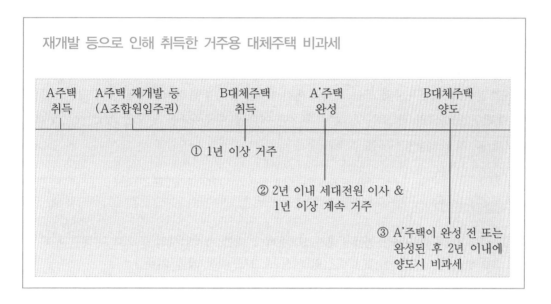

재개발 등으로 인해 취득한 거주용 대체주택 비과세

1) 대체주택에 1년 이상 거주

재개발사업, 재건축사업 또는 소규모재건축사업 등의 사업시행인가일 이후 대체주택을 취득하여 1년 이상 거주할 것(2018. 2. 9. 개정, 2022. 2. 15. 개정)(소득령 §156의2 ⑤ 1호)

2) 재개발 등으로 취득하는 주택이 완성된 후 2년 이내 세대전원이 이사하고 1년 이상 계속 거주

재개발사업, 재건축사업 또는 소규모재건축사업 등[8]의 관리처분계획 등에 따라 취득하는 주택이 완성된 후 2년 이내에 그 주택으로 세대전원이 이사(기획재정부령으로 정하는 취학, 근무상의 형편, 질병의 요양, 그 밖에 부득이한 사유로 세대원 중 일부가 이사하지 못하는 경우를 포함한다)하여 1년 이상 계속하여 거주할 것. 다만, 주택이 완성된 후 2년 이내에 취학 또는 근무상의 형편으로 1년 이상 계속하여 국외에 거주할 필요가 있어 세대전원이 출국하는 경우에는 출국사유가 해소(출국한 후 3년 이내에 해소되는 경우만 해당한다)되어 입국한 후 1년 이상 계속하여 거주해야 한다.(2018. 2. 9. 개정, 2022. 2. 15. 개정)(소득령

---

8) 6)과 동일

§156의2 ⑤ 2호)

요건을 충족하지 못하게 된 때에는 그 사유가 발생한 날이 속하는 달의 말일부터 2개월 이내에 주택 양도당시 제5항을 적용받지 아니할 경우에 납부하였을 세액을 양도소득세로 신고·납부하여야 한다.(2013. 2. 15. 개정)(소득령 §156의2 ⑬)

3) 주택 완성 전 또는 완성된 후 2년 이내에 대체주택을 양도할 것

재개발사업, 재건축사업 또는 소규모재건축사업 등[9]의 관리처분계획 등에 따라 취득하는 주택이 완성되기 전 또는 완성된 후 2년 이내에 대체주택을 양도할 것(2018. 2. 9. 개정, 2022. 2. 15. 개정)(소득령 §156의2 ⑤ 3호)

●●●●

요건 요약

1. 국내에 1주택을 소유한 1세대가 그 주택에 대한 재개발사업 등으로 취득한 주택
   ① 완성된 후 2년 이내 세대전원 이사 & 1년 이상 계속 거주

2. 시행기간 동안 거주하기 위해 취득한 대체주택
   ① 대체주택에 1년 이상 거주
   ② 재개발 등으로 인한 주택이 완성되기 전 또는 완성된 후 2년 이내에 대체주택을 양도

●●●●

관련 예규·판례

1. 소득령 제156조의2 제5항에 따른 대체주택 비과세 특례 적용 여부
   조정대상지역 내의 A주택과 농어촌주택(B주택)을 보유한 상태에서 A주택에 대한 재건축사업의 시행기간 동안 조정대상지역 내 C주택을 취득하고, 이후 B주택을 먼저 양도하고 A주택의 재건축사업이 완공된 후 2년 내 거주 중이던 C주택을 양도하는 경우, 해당 C주택은 '대체주택'에 해당하지 않는 것임.(서면법령해석재산 2020-787, 2021. 1. 8.)

2. 재건축 대상 주택 취득당시 조특법 제99조의2에 따른 감면주택을 보유한 경우 대체

---

9) 6)과 동일

주택에 대해서 1세대 1주택 특례 적용이 가능한지 여부

재건축 대상 주택 취득당시 조특법 제99조의2에 따른 감면주택을 보유한 경우 소득령 제156조의2 제5항에 따른 법정요건을 갖춘 대체주택에 대해서 1세대 1주택 특례 적용이 가능함.(서면법령해석재산 2019-2449, 2020. 12. 30.)

3. 상속주택과 일반주택 보유 중 일반주택의 대체주택 비과세 특례 적용 여부

상속주택과 일반주택을 각각 1개씩 소유하고 있는 1세대가 일반주택의 주택재건축사업 시행기간 동안 거주하기 위하여 다른 주택을 취득한 경우에는 대체주택 비과세 특례가 적용되는 것임.(서면부동산 2020-1122, 2020. 9. 28.)

4. 장기임대주택과 조합원입주권을 보유한 경우 대체주택 양도하는 경우 특례적용 여부

장기임대주택과 조합원입주권을 소유한 1세대가 대체주택(「소득세법 시행령」 제156조의2 제5항의 대체주택을 말함)을 양도하는 경우에는 같은 영 제155조 제19항 및 같은 영 제156조의2 제5항의 요건을 모두 충족하는 경우에 한하여 1세대 1주택 특례를 적용받을 수 있는 것임.(서면부동산 2018-3778, 2019. 6. 11.)

(4) 상속받은 조합원입주권과 그 밖의 일반주택

상속받은 조합원입주권[피상속인이 상속개시 당시 주택 또는 분양권을 소유하지 않은 경우의 상속받은 조합원입주권만 해당하며, 피상속인이 상속개시 당시 2 이상의 조합원입주권을 소유한 경우에는 다음 각 호[아래 1)~3)]의 순위에 따른 1조합원입주권만 해당하고, 공동상속조합원입주권(상속으로 여러 사람이 공동으로 소유하는 1조합원입주권을 말하며, 이하 이 조에서 같다)의 경우에는 제7항 제3호에 해당하는 사람이 그 공동상속조합원입주권을 소유한 것으로 본다]과 그 밖의 주택(상속개시 당시 보유한 주택 또는 상속개시 당시 보유한 조합원입주권이나 분양권에 의하여 사업시행 완료 후 취득한 신축주택만 해당하며, 상속개시일부터 소급하여 2년 이내에 피상속인으로부터 증여받은 주택 또는 조합원입주권이나 분양권에 의하여 사업시행 완료 후 취득한 신축주택은 제외한다. 이하 이 항에서 "일반주택"이라 한다)을 국내에 각각 1개씩 소유하고 있는 1세대가 일반주택을 양도하는 경우에는 국내에 1개의 주택을 소유하고 있는 것으로 보아 제154조 제1항을 적용한다.

다만, 상속인과 피상속인이 상속개시 당시 1세대인 경우에는 1주택을 보유하고 1세대를 구성하는 자가 직계존속(배우자의 직계존속을 포함하며, 세대를 합친 날 현재 직계존속 중 어느 한 사람 또는 모두가 60세 이상으로서 1주택을 보유하고 있는 경우만 해당한다)을 동거봉양하기 위하여 세대를 합침에 따라 2주택을 보유하게 되는 경우로써 합치기 이전부터 보유하고

있었던 주택이 조합원입주권으로 전환된 경우에만 상속받은 조합원입주권으로 본다.(이하 제7항 제2호에서 같다)(2018. 2. 13. 개정, 2020. 2. 11. 개정, 2021. 2. 17. 개정)(소득령 §156의2 ⑥)

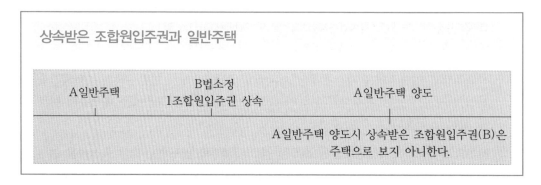

상속받은 조합원입주권과 일반주택

A일반주택 B법소정 1조합원입주권 상속 A일반주택 양도

A일반주택 양도시 상속받은 조합원입주권(B)은 주택으로 보지 아니한다.

1) 피상속인이 소유한 기간(주택 소유기간과 조합원입주권 소유기간을 합한 기간을 말한다. 이하 이 항에서 같다)이 가장 긴 1조합원입주권(2005. 12. 31. 신설)(소득령 §156의2 ⑥ 1호)

2) 피상속인이 소유한 기간이 같은 조합원입주권이 2 이상일 경우에는 피상속인이 거주한 기간(주택에 거주한 기간을 말한다. 이하 이 항에서 같다)이 가장 긴 1조합원입주권(2005. 12. 31. 신설)(소득령 §156의2 ⑥ 2호)

3) 피상속인이 소유한 기간 및 피상속인이 거주한 기간이 모두 같은 조합원입주권이 2 이상일 경우에는 상속인이 선택하는 1조합원입주권(2005. 12. 31. 신설)(소득령 §156의2 ⑥ 3호)

●●●●

피상속인이 상속개시 당시 주택은 소유하지 않고 조합원입주권과 분양권만 소유한 경우

피상속인이 상속개시 당시 주택은 소유하지 않고 조합원입주권과 분양권만 소유한 경우에는 상속인이 조합원입주권 또는 분양권 중 하나에 대해서만 선택하여 상속받은 것으로 보아 소득령 제156조의2 제6항을 적용할 수 있다. 이 경우 피상속인이 상속개시 당시 분양권 또는 조합원입주권을 소유하고 있지 않은 경우여야 한다는 요건은 적용하지 않는다.(2021. 2. 17. 신설)(소득령 §156의2 ⑮)

이는 2021년 신설된 항목으로 2021년 1월 1일 이후 양도하는 주택분부터 적용되며 분양권의 경우 2021년 1월 1일 이후 취득한 분양권만 대상이다.

| 2020년 12월 31일 이전 양도하는 일반주택의 비과세 판단시 |

구분	상속주택	일반주택
요건	다음 중 어느 하나에 해당하는 경우 1. 상속받은 주택 2. 조합원입주권을 상속받아 사업시행 완료 후 취득한 신축주택	다음 중 어느 하나에 해당하는 경우 1. 상속개시 당시 보유한 주택 2. 상속개시 당시 보유한 조합원입주권에 의하여 사업시행 완료 후 취득한 신축주택 단, 상속개시일부터 소급하여 2년 이내에 피상속인으로부터 증여받은 주택 또는 증여받은 조합원입주권에 의하여 사업시행 완료 후 취득한 신축주택은 제외한다.

| 2021년 1월 1일 이후 양도하는 일반주택의 비과세 판단시 |

구분	상속주택	일반주택
요건	다음 중 어느 하나에 해당하는 경우 1. 상속받은 주택 2. 조합원입주권 또는 분양권을 상속받아 사업시행 완료 후 취득한 신축주택 3. 상속받은 분양권 (피상속인이 상속개시 당시 주택 또는 조합원입주권을 소유하지 않은 경우의 분양권) 4. 조합원입주권 (피상속인이 상속개시 당시 주택 또는 분양권을 소유하지 않은 경우의 상속받은 조합원입주권)	다음 중 어느 하나에 해당하는 경우 1. 상속개시 당시 보유한 주택 2. 상속개시 당시 보유한 조합원입주권에 의하여 사업시행 완료 후 취득한 신축주택 3. 2021년 1월 1일 이후 취득한 분양권으로서 상속개시 당시 보유한 분양권에 의하여 사업시행 완료 후 취득한 신축주택 단, 상속개시일부터 소급하여 2년 이내에 피상속인으로부터 증여받은 주택 또는 증여받은 조합원입주권 및 2021년 1월 1일 이후에 취득한 분양권에 의하여 사업시행 완료 후 취득한 신축주택은 제외한다.
* 분양권은 2021년 1월 1일 이후 취득한 것에 한한다.		

| 증여받은 주택에 따라 달라지는 상속주택과 일반주택(소득령 §155 ②) |

법소정 상속주택과 일반 주택이 있을 때 상속 개시일로 부터 2년 이내 증여받은 주택(조합원입주권 또는 분양권으로 신축한 주택 포함)은 일반주택으로 보지 아니한다.

2018.2.12. 이전 증여받은 주택 (조합원입주권으로 취득한 신축주택 포함)	2018. 2. 13. 이후 증여받은 주택(조합원입주권 또는 분양권[1]으로 취득한 신축주택 포함)	
	상속개시일로부터 2년 전 증여받은 분	상속개시일로부터 2년 이내 증여받은 분
일반주택으로 본다.	일반주택으로 본다.	일반주택으로 보지 않는다.

1) 2021년 1월 1일 이후 취득한 분양권부터 적용한다.

(5) 상속받은 주택과 일시적 1세대 1주택 및 1조합원입주권 비과세

제1호[아래 1)]의 주택, 제2호[아래 2)]의 조합원입주권 또는 제4호[아래 4)]의 분양권과 상속 외의 원인으로 취득한 주택(이하 이 항에서 "일반주택"라 한다) 및 상속 외의 원인으로 취득한 조합원입주권을 국내에 각각 1개씩 소유하고 있는 1세대가 일반주택을 양도하는 경우에는 국내에 일반주택과 상속 외의 원인으로 취득한 조합원입주권을 소유하고 있는 것으로 보아 제3항[위 (1)]부터 제5항[위 (3)]까지의 규정을 적용한다.

이 경우 제3항[위 (1)] 및 제4항[위 (2)]의 규정을 적용받는 일반주택은 상속개시 당시 보유한 주택(상속개시일부터 소급하여 2년 이내에 피상속인으로부터 증여받은 주택 또는 조합원입주권이나 분양권에 의하여 사업시행 완료 후 취득한 신축주택은 제외한다)으로 한정한다.(2018. 2. 13. 후단개정, 2021. 2. 17. 개정)(소득령 §156의2 ⑦)

즉, 상속주택의 요건을 충족했다면 나머지 일반주택에 대해 일시적 1세대 2주택 비과세 규정을 적용할 수 있다. 2021년 세법개정으로 제4호[아래 4)]의 분양권이 추가되었다. 분양권의 경우 2021년 1월 1일 이후 새로 취득하는 분부터 적용한다.

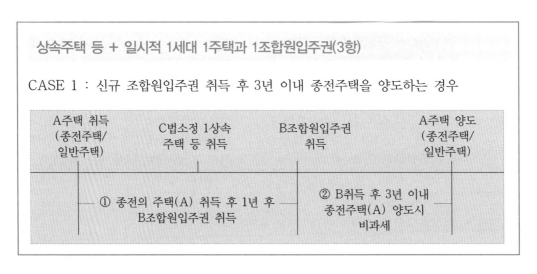

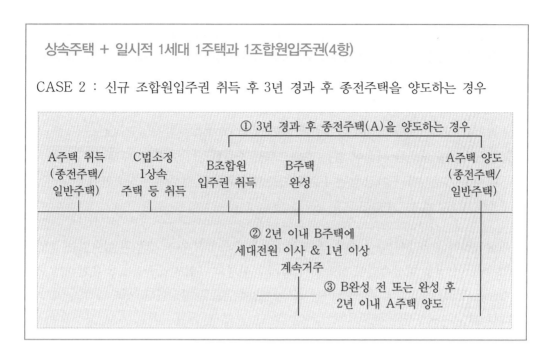

상속주택 + 일시적 1세대 1주택과 1조합원입주권(4항)

CASE 2 : 신규 조합원입주권 취득 후 3년 경과 후 종전주택을 양도하는 경우

① 3년 경과 후 종전주택(A)을 양도하는 경우

A주택 취득
(종전주택/
일반주택)

C법소정
1상속
주택 등 취득

B조합원
입주권 취득

B주택
완성

A주택 양도
(종전주택/
일반주택)

② 2년 이내 B주택에
세대전원 이사 & 1년 이상
계속거주

③ B완성 전 또는 완성 후
2년 이내 A주택 양도

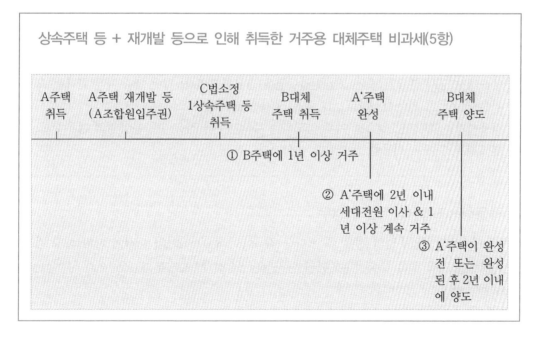

상속주택 등 + 재개발 등으로 인해 취득한 거주용 대체주택 비과세(5항)

A주택
취득

A주택 재개발 등
(A조합원입주권)

C법소정
1상속주택 등
취득

B대체
주택 취득

A'주택
완성

B대체
주택 양도

① B주택에 1년 이상 거주

② A'주택에 2년 이내
세대전원 이사 & 1
년 이상 계속 거주

③ A'주택이 완성
전 또는 완성
된 후 2년 이내
에 양도

1) 상속받은 주택. 이 경우 피상속인이 상속개시 당시 2 이상의 주택을 소유한 경우에는 상속 주택과 일반주택이 있는 경우 1세대 1주택 비과세특례규정[소득령 제155조 제2항] 각 호 [아래 ①~④]의 순위에 따른 1주택에 한한다.(2005. 12. 31. 신설)(소득령 §156의2 ⑦ 1호)

① 피상속인이 소유한 기간이 가장 긴 1주택(1997. 12. 31. 개정)(소득령 §155 ② 1호)

② 피상속인이 소유한 기간이 같은 주택이 2 이상일 경우에는 피상속인이 거주한 기간이 가장 긴 1주택(1997. 12. 31. 개정)(소득령 §155 ② 2호)

③ 피상속인이 소유한 기간 및 거주한 기간이 모두 같은 주택이 2 이상일 경우에는 피상속인이 상속개시당시 거주한 1주택(1997. 12. 31. 개정)(소득령 §155 ② 2호)

④ 피상속인이 거주한 사실이 없는 주택으로서 소유한 기간이 같은 주택이 2 이상일 경우에는 기준시가가 가장 높은 1주택(기준시가가 같은 경우에는 상속인이 선택하는 1주택)(1997. 12. 31. 개정)(소득령 §155 ② 2호)

2) 피상속인이 상속개시 당시 주택 또는 분양권을 소유하지 않은 경우의 상속받은 조합원입주권. 이 경우 피상속인이 상속개시 당시 2 이상의 조합원입주권을 소유한 경우에는 제6항[위 (4)] 각 호의 순위에 따른 1조합원입주권으로 한정한다.(2005. 12. 31. 신설, 2021. 2. 17. 개정)(소득령 §156의2 ⑦ 2호)

> 피상속인이 상속개시 낭시 주택은 소유하지 않고 조합원입주권과 분양권만 소유한 경우에는 상속인이 조합원입주권 또는 분양권 중 하나에 대해서만 선택하여 상속받은 것으로 보아 소득령 제156조의2 제7항 제2호를 적용할 수 있다. 이 경우 피상속인이 상속개시 당시 분양권 또는 조합원입주권을 소유하고 있지 않은 경우여야 한다는 요건은 적용하지 않는다.(2021. 2. 17. 신설)(소득령 §156의2 ⑮)
> 적용시기는 2021년 1월 1일 이후 양도하는 주택분부터 적용되며 분양권의 경우 2021년 1월 1일 이후 취득한 분양권만 대상이다.

3) 공동상속조합원입주권의 경우

공동상속조합원입주권의 경우 에는 다음 각 목[아래 ①~③]의 순서에 따라 해당 각 목에 해당하는 사람이 그 공동상속조합원입주권을 소유한 것으로 본다.(2020. 2. 11. 신설)(소득령 §156의2 ⑦ 3호)

① 상속지분이 가장 큰 상속인

② 해당 공동상속조합원입주권의 재개발사업, 재건축사업 또는 소규모재건축사업 등[10]

---

10) 소규모재건축사업 중에서 자율주택정비사업, 가로주택정비사업, 소규모재개발사업은 2022년 1월 1일 이후 취득하는 조합원입주권부터 적용한다.

의 관리처분계획 등의 인가일(인가일 전에 주택이 철거되는 경우에는 기존 주택의 철거일) 현재 피상속인이 보유하고 있었던 주택에 거주했던 자(2022. 2. 15. 개정)(소득령 §156의2 ⑦ 3호 나목)

③ 최연장자

4) 상속받은 분양권

피상속인의 상속개시 당시 주택 또는 조합원입주권을 소유하지 않은 경우의 상속받은 분양권. 이 경우 피상속인이 상속개시 당시 2 이상의 분양권을 소유한 경우에는 제156조의3 제4항 각 호[아래 ①, ②]의 순위에 따른 1분양권으로 한정한다.(2021. 2. 17. 신설)(소득령 §156 의2 ⑦ 4호)

이는 신설된 규정으로 2021년 1월 1일 이후 양도하는 주택분부터 적용되며 2021년 1월 1일 이후 취득한 분양권만 대상이다.

① 피상속인이 소유한 기간이 가장 긴 1분양권(2021. 2. 17. 신설)(소득령 §156의3 ④ 1호)
② 피상속인이 소유한 기간이 같은 분양권이 2 이상일 경우에는 상속인이 선택하는 1분양권(2021. 2. 17. 신설)(소득령 §156의3 ④ 2호)

> 피상속인이 상속개시 당시 주택은 소유하지 않고 조합원입주권과 분양권만 소유한 경우에는 상속인이 조합원입주권 또는 분양권 중 하나에 대해서만 선택하여 상속받은 것으로 보아 소득령 제156조의2 제7항 제4호를 적용할 수 있다. 이 경우 피상속인이 상속개시 당시 분양권 또는 조합원입주권을 소유하고 있지 않은 경우여야 한다는 요건은 적용하지 않는다.(2021. 2. 17. 신설)(소득령 §156의2 ⑮)
> 적용시기는 2021년 1월 1일 이후 양도하는 주택분부터 적용되며 분양권의 경우 2021년 1월 1일 이후 취득한 분양권만 대상이다.

5) 공동상속분양권

공동상속분양권(상속으로 여러 사람이 공동으로 소유하는 1분양권을 말하며, 이하 같다)의 경우에는 다음 각 목[아래 ①, ②]의 순서에 따라 해당 각 목에 해당하는 사람이 그 공동상속분양권을 소유한 것으로 본다.(2021. 2. 17. 신설)(소득령 §156의2 ⑦ 5호)

① 상속지분이 가장 큰 상속인(2021. 2. 17. 신설)(소득령 §156의2 ⑦ 5호 가목)

② 최연장자(2021. 2. 17. 신설)(소득령 §156의2 ⑦ 5호 나목)

(6) 동거봉양으로 인한 조합원입주권

제1호[아래 1)]에 해당하는 자가 제2호[아래 2)]에 해당하는 자를 동거봉양하기 위하여 세대를 합침으로써 1세대가 1주택과 1조합원입주권, 1주택과 2조합원입주권, 2주택과 1조합원입주권 또는 2주택과 2조합원입주권 등을 소유하게 되는 경우 합친 날부터 10년 이내에 먼저 양도하는 주택(이하 "최초양도주택"이라 한다)이 제3호[아래 3)], 제4호[아래 4)] 또는 제5호[아래 5)]에 따른 주택 중 어느 하나에 해당하는 경우에는 이를 1세대 1주택으로 보아 1세대 1주택 비과세 규정[제154조 제1항]을 적용한다.(2018. 2. 13. 개정, 2021. 2. 17. 개정)(소득령 §156의2 ⑧)

1분양권은 2021년 개정으로 새로 추가된 내용으로 2021년 1월 1일 이후 양도하는 주택분부터 적용되며 2021년 1월 1일 이후 취득한 분양권만 대상이고 2020년 12월 31일 이전에 취득한 분양권은 대상이 아니다.

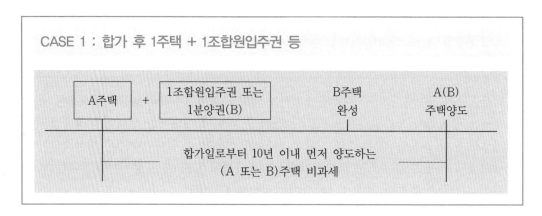

1) 다음 각 목[아래 ①~③]의 어느 하나를 소유하고 1세대를 구성하는 자(2005. 12. 31. 신설)(소득령 §156의2 ⑧ 1호)

① 1주택(2005. 12. 31. 신설)(소득령 §156의2 ⑧ 1호 가목)
② 1조합원입주권 또는 1분양권(2005. 12. 31. 신설, 2021. 2. 17. 개정)(소득령 §156의2 ⑧ 1호 나목)
③ 1주택과 1조합원입주권 또는 1분양권(2005. 12. 31. 신설, 2021. 2. 17. 개정)(소득령 §156의2 ⑧ 1호 다목)

2) 다음 각 목[아래 ①~③]의 어느 하나를 소유하고 있는 60세 이상의 직계존속(배우자의

직계존속을 포함하며, 직계존속 중 어느 한 사람이 60세 미만인 경우를 포함한다)(2012. 2. 2. 개정)(소득령 §156의2 ⑧ 2호)

① 1주택(2005. 12. 31. 신설)(소득령 §156의2 ⑧ 2호 가목)

② 1조합원입주권 또는 1분양권(2005. 12. 31. 신설, 2021. 2. 17. 개정)(소득령 §156의2 ⑧ 2호 나목)

③ 1주택과 1조합원입주권 또는 1분양권(2005. 12. 31. 신설, 2021. 2. 17. 개정)(소득령 §156의2 ⑧ 2호 다목)

1분양권은 2021년 개정으로 새로 추가된 내용으로 2021년 1월 1일 이후 양도하는 주택분부터 적용되며 2021년 1월 1일 이후 취득한 분양권만 대상이고 2020년 12월 31일 이전에 취득한 분양권은 대상이 아니다.

3) 합친 날 이전에 제1호 가목[위 1)의 ①] 또는 제2호 가목[위 2)의 ①]에 해당하는 자가 소유하던 주택(2005. 12. 31. 신설)(소득령 §156의2 ⑧ 3호)

4) 합친 날 이전에 제1호 다목[위 1)의 ③] 또는 제2호 다목[위 2)의 ③]에 해당하는 자가 소유하던 주택. 다만, 다음[아래 ①~③] 각 목의 어느 하나의 요건을 갖춘 경우로 한정한다.(2005. 12. 31. 신설, 2021. 2. 17. 개정)(소득령 §156의2 ⑧ 4호)

① 최초로 취득한 조합원입주권인 경우

합친 날 이전에 소유하던 조합원입주권(합친 날 이전에 최초양도주택을 소유하던 자가 소유하던 조합원입주권을 말한다. 이하 이 항에서 "합가 전 조합원입주권"이라 한다)이 관리처분계획 등의 인가로 인하여 최초 취득된 것(이하 제9항에서 "최초 조합원입주권"이라 한다)인 경우에는 최초양도주택이 그 재개발사업, 재건축사업 또는 소규모재건축사업 등[11]의 시행기간 중 거주하기 위하여 사업시행계획 인가일 이후 취득된 것으로서 취득 후 1년 이상 거주하였을 것(2018. 2. 9. 개정, 2022. 2. 15. 개정)(소득령 §156의2 ⑧ 4호 가목)

② 승계취득한 조합원입주권인 경우

합가 전 조합원입주권이 매매 등으로 승계취득된 것인 경우에는 최초양도주택이 합가 전 조합원입주권을 취득하기 전부터 소유하던 것일 것(2005. 12. 31. 신설)(소득령 §156의2 ⑧ 4호 나목)

---

11) 소규모재건축사업 중에서 자율주택정비사업, 가로주택정비사업, 소규모재개발사업은 2022년 1월 1일 이후 취득하는 조합원입주권부터 적용한다.

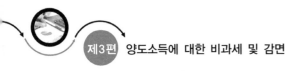
③ 합가 전 취득한 분양권인 경우

합친 날 이전 취득한 분양권으로서 최초양도주택이 합친 날 이전 분양권을 취득하기 전부터 소유하던 것일 것(2021. 2. 17. 신설)(소득령 §156의2 ⑧ 4호 다목)

5) 관리처분계획 등 또는 사업시행 완료에 따라 합친 날 이후에 취득하는 주택

합친 날 이전에 제1호 나목 또는 제2호 나목에 해당하는 자가 소유하던 1조합원입주권 또는 1분양권에 의하여 재개발사업, 재건축사업 또는 소규모재건축사업 등[12]의 관리처분계획 등 또는 사업시행 완료에 따라 합친 날 이후에 취득하는 주택(2018. 2. 9. 개정, 2021. 2. 17. 개정, 2022. 2. 15. 개정)(소득령 §156의2 ⑧ 5호)

| 동거봉양합가로 인한 유형 10가지 |

번호	합가 전		합가 후
	직계비속[13]	직계존속[14]	
1	1주택	1주택	2주택
2	1주택	1조합원입주권 또는 1분양권	1주택 1조합원입주권 등
3	1조합원입주권 또는 1분양권	1주택	
4	1주택	1주택과 1조합원입주권 또는 1분양권	2주택 1조합원입주권 등
5	1주택과 1조합원입주권 또는 1분양권	1주택	
7	1조합원입주권 또는 1분양권	1주택과 1조합원입주권 또는 1분양권	1주택 2조합원입주권 등
8	1주택과 1조합원입주권 또는 1분양권	1조합원입주권 또는 1분양권	
9	1주택과 1조합원입주권 또는 1분양권	1주택과 1조합원입주권 또는 1분양권	2주택 2조합원입주권 등
10	1조합원입주권 또는 1분양권	1조합원입주권 또는 1분양권	2조합원입주권 등

---

12) 11)과 동일
13) 1세대가 보유한 주택 등
14) 60세 이상의 직계존속이 보유한 주택 등

(7) 혼인으로 인한 주택과 조합원입주권

제1호[아래 1)]에 해당하는 자가 제1호[아래 1)]에 해당하는 다른 자와 혼인함으로써 1세대가 1주택과 1조합원입주권, 1주택과 2조합원입주권, 2주택과 1조합원입주권 또는 2주택과 2조합원입주권 등을 소유하게 되는 경우 혼인한 날부터 5년 이내에 먼저 양도하는 주택(이하 이 항에서 "최초양도주택"이라 한다)이 제2호[아래 2)], 제3호[아래 3)] 또는 제4호[아래 4)]에 따른 주택 중 어느 하나에 해당하는 경우에는 이를 1세대 1주택으로 보아 비과세규정(§154 ①)을 적용한다.(2018. 2. 13. 개정, 2021. 2. 17. 개정)(소득령 §156의2 ⑨)

다음 각 호의 분양권은 2021년 개정으로 새로 추가된 내용으로 2021년 1월 1일 이후 양도하는 주택분부터 적용되며 2021년 1월 1일 이후 취득한 분양권만 대상이고 2020년 12월 31일 이전에 취득한 분양권은 대상이 아니다.

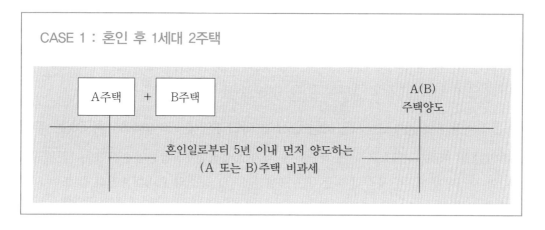

1) 다음[아래 ①~③] 각 목의 어느 하나를 소유하는 자(2005. 12. 31. 신설)(소득령 §156의2 ⑨ 1호)

　① 1주택(2005. 12. 31. 신설)(소득령 §156의2 ⑨ 1호 가목)

　② 1조합원입주권 또는 1분양권(2005. 12. 31. 신설, 2021. 2. 17. 개정)(소득령 §156의2 ⑨ 1호 나목)

　③ 1주택과 1조합원입주권 또는 1분양권(2005. 12. 31. 신설, 2021. 2. 17. 개정)(소득령 §156의2 ⑨ 1호 다목)

2) 혼인한 날 이전에 제1호 가목[위 1)의 ①]에 해당하는 자가 소유하던 주택(2005. 12. 31. 신설)(소득령 §156의2 ⑨ 2호)

3) 혼인한 날 이전에 제1호 다목[위 1)의 ③]에 해당하는 자가 소유하던 주택. 다만, 다음[아래 ①~③] 각 목의 어느 하나의 요건을 갖춘 경우로 한정한다.(2005. 12. 31. 신설, 2021.

2. 17. 개정)(소득령 §156의2 ⑨ 3호)

① 최초로 취득한 조합원입주권인 경우

혼인한 날 이전에 소유하던 조합원입주권(혼인한 날 이전에 최초양도주택을 소유하던 자가 소유하던 조합원입주권을 말한다. 이하 이 항에서 "혼인 전 조합원입주권"이라 한다)이 최초 조합원입주권인 경우에는 최초양도주택이 그 재개발사업, 재건축사업 또는 소규모재건축사업 등[15]의 시행기간 중 거주하기 위하여 사업시행계획 인가일 이후 취득된 것으로서 취득 후 1년 이상 거주하였을 것(2018. 2. 9. 개정, 2022. 2. 15. 개정)(소득령 §156의2 ⑨ 3호 가목)

② 승계취득한 조합원입주권인 경우

혼인 전 조합원입주권이 매매 등으로 승계취득된 것인 경우에는 최초양도주택이 혼인 전 조합원입주권을 취득하기 전부터 소유하던 것일 것(2005. 12. 31. 신설)(소득령 §156의2 ⑨ 3호 나목)

③ 혼인 전 취득한 분양권인 경우

혼인한 날 이전에 취득한 분양권으로서 최초양도주택이 혼인한 날 이전에 분양권을 취득하기 전부터 소유하던 것일 것(2021. 2. 17. 신설)(소득령 §156의2 ⑨ 3호 다목)

4) 관리처분계획 등 또는 사업시행 완료에 따라 혼인한 날 이후에 취득하는 주택

혼인한 날 이전에 제1호 나목에 해당하는 자가 소유하던 1조합원입주권 또는 1분양권에 의하여 재개발사업, 재건축사업 또는 소규모재건축사업 등[16]의 관리처분계획 등 또는 사업시행 완료에 따라 혼인한 날 이후에 취득하는 주택(2018. 2. 9. 개정, 2021. 2. 17. 개정, 2022. 2. 15 개정)(소득령 §156의2 ⑨ 4호)

| 혼인으로 인한 유형 6가지 |

번호	혼인 전		혼인 후
	배우자1	배우자2	
1	1주택	1주택	2주택
2	1주택	1조합원입주권 또는 1분양권	1주택 1조합원입주권 등

---

15) 소규모재건축사업 중에서 자율주택정비사업, 가로주택정비사업, 소규모재개발사업은 2022년 1월 1일 이후 취득하는 조합원입주권부터 적용한다.

16) 단서조항에서 자율주택정비사업, 가로주택정비사업, 소규모재개발사업은 2022년 1월 1일 이후 취득하는 조합원입주권부터 적용한다.

번호	혼인 전		혼인 후
	배우자1	배우자2	
3	1주택	1주택과 1조합원입주권 또는 1분양권	2주택 1조합원입주권 등
4	1조합원입주권 또는 1분양권	1조합원입주권 또는 1분양권	2조합원입주권 등
5	1조합원입주권 또는 1분양권	1주택과 1조합원입주권 또는 1분양권	1주택 2조합원입주권 등
6	1주택과 1조합원입주권 또는 1분양권	1주택과 1조합원입주권 또는 1분양권	2주택 2조합원입주권 등

(8) 문화재주택과 조합원입주권

「문화재보호법」 제2조 제2항에 따른 지정문화재 및 같은 법 제53조 제1항에 따른 국가등록문화재[제155조 제6항 제1호]에 해당하는 주택과 그 밖의 주택(이하 이 항에서 "일반주택"이라 한다) 및 조합원입주권을 국내에 각각 1개씩 소유하고 있는 1세대가 일반주택을 양도하는 경우에는 국내에 일반주택과 조합원입주권을 소유하고 있는 것으로 보아 제3항[위 (1)] 내지 제5항[위 (3)]의 규정을 적용한다.(2005. 12. 31. 신설)(소득령 §156의2 ⑩)

(9) 농어촌주택과 조합원입주권

소득령 제155조 제7항의 규정에 따른 농어촌주택 중 동항 제2호의 이농주택과 그 밖의 주택(이하 이 조에서 "일반주택"이라 한다) 및 조합원입주권을 국내에 각각 1개씩 소유하고 있는 1세대가 일반주택을 양도하는 경우에는 국내에 일반주택과 조합원입주권을 소유하고 있는 것으로 보아 제3항[위 (1)] 내지 제5항[위 (2)]의 규정을 적용한다.(2005. 12. 31. 신설)(소득령 §156의2 ⑪)

❷ 주택과 분양권을 소유한 경우 1세대 1주택의 특례

(1) 1세대 1주택과 1조합원입주권 또는 분양권

1세대가 주택(주택부수토지를 포함한다. 이하 이 조에서 같다)과 조합원입주권 또는 분양권을 보유하다가 그 주택을 양도하는 경우에는 1세대 1주택이 아니므로 비과세 규정이 적용되지 않는다. 다만[17], 「도시 및 주거환경정비법」에 따른 재건축사업 또는 재개발사업, 「빈집 및 소규모주택 정비에 관한 특례법」에 따른 자율주택정비사업, 가로주택정비사업, 소규모재건축사업 또는 소규모재개발사업의 시행기간 중 거주를 위하여 주택을 취득하는 경우나 그 밖의 부득이한 사유로서 대통령령으로 정하는 경우에는 그러하지 아니하다.(2017. 2. 8. 개정, 2020. 8. 18. 개정, 2021. 12. 8. 단서개정)(소득법 §89 ②)

위 단서 "대통령령으로 정하는 경우"란 1세대가 주택과 분양권을 보유하다가 그 주택을 양도하는 경우로서 제2항[아래 (2)]부터 제8항[아래 (8)]까지의 규정에 해당하는 경우를 말한다.(2021. 2. 17. 신설)(소득령 §156의3 ①)

분양권의 경우 2021년 신설된 규정으로 2021년 1월 1일 이후 양도하는 주택분부터 적용되며 2021년 1월 1일 이후 취득한 분양권만 대상이다.

2021년 1월 1일 이후 양도분부터 2021년 1월 1일 이후 새로 취득하는 분양권은 1세대 1주택 비과세 판단시 주택 수에 포함한다.

│1세대 1주택 비과세 판단 시 분양권의 주택 수 포함 여부│

2020. 12. 31. 이전 취득한 분양권	2021. 1. 1. 이후 취득한 분양권
주택 수 불포함	주택 수 포함

(2) 일시적 1세대 1주택과 1분양권(분양권을 취득한 날부터 3년 이내에 종전주택을 양도하는 경우)

국내에 1주택을 소유한 1세대가 그 주택(이하 이 항에서 "종전주택"이라 한다)을 양도하기 전에 분양권을 취득함으로써 일시적으로 1주택과 1분양권을 소유하게 된 경우 종전주택을 취득한 날부터 1년 이상이 지난 후에 분양권을 취득하고 그 분양권을 취득한 날부터 3년 이내에 종전주택을 양도하는 경우(3년 이내에 양도하지 못하는 경우로서 기획재정부령으로 정하는 사유에 해당하는 경우를 포함한다)에는 이를 1세대 1주택으로 보아 제154조 제1항을 적용한다. 이 경우 같은 항 제1호, 제2호 가목 및 제3호에 해당하는 경우에는 종전주택을 취득한 날부터 1년 이상이 지난 후 분양권을 취득하는 요건을 적용하지 않는다.(2021. 2. 17. 신설)(소득령 §156의3 ②)

이는 2021년 신설된 규정으로 2021년 1월 1일 이후 양도하는 주택분부터 적용되며 2021

---

17) 16)과 동일

년 1월 1일 이후 취득한 분양권만 대상이다.

일시적 1세대 1주택과 1분양권

CASE 1 : 신규 분양권 취득 후 3년 이내 종전주택을 양도하는 경우

A주택 취득 (종전주택)	B분양권 취득	A주택 양도 (종전주택)
① 종전의 주택(A) 취득 후 1년 후 B분양권 취득		② B취득 후 3년 이내 종전주택(A) 양도

---

(3) 일시적 1세대 1주택과 1분양권

(분양권을 취득한 날부터 3년이 지나 종전주택을 양도하는 경우)

국내에 1주택을 소유한 1세대가 그 주택(이하 이 항에서 "종전주택"이라 한다)을 양도하기 전에 분양권을 취득함으로써 일시적으로 1주택과 1분양권을 소유하게 된 경우 종전주택을 취득한 날부터 1년이 지난 후에 분양권을 취득하고 그 분양권을 취득한 날부터 3년이 지나 종전주택을 양도하는 경우로서 다음 각 호[아래 1), 2)]의 요건을 모두 갖춘 때에는 이를 1세대 1주택으로 보아 제154조 제1항을 적용한다. 이 경우 제154조 제1항 제1호, 같은 항 제2호 가목 및 같은 항 제3호에 해당하는 경우에는 종전주택을 취득한 날부터 1년이 지난 후 분양권을 취득하는 요건을 적용하지 않는다.(2021. 2. 17. 신설, 2022. 2. 15. 개정)(소득령 §156의3 ③)

이 규정은 2021년 신설된 규정으로 2021년 1월 1일 이후 양도하는 주택분부터 적용되며, 2021년 1월 1일 이후 취득한 분양권만 대상이다.

이 중에서 종전주택을 취득한 날부터 1년이 지난 후에 분양권을 취득해야 한다는 규정은 2022년 2월 15일에 시행령 개정으로 새로 추가된 내용이다. 종전규정에는 이 내용이 없다.

법 시행일인 2022년 2월 15일 전에 취득한 분양권은 종전규정에 따른다.

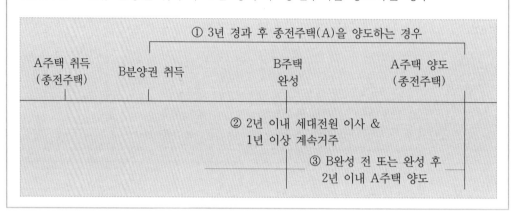

일시적 1세대 1주택과 1분양권

CASE 2 : 신규 분양권 취득 후 3년 경과 후 종전주택을 양도하는 경우

| 3년이 지나 양도하는 경우 신규 분양권의 취득시기 요건 |

구 분	2022년 2월 14일 이전에 취득하는 신규 분양권	2022년 2월 15일 이후에 취득하는 신규 분양권
1세대 1주택 비과세 특례적용 요건	종전규정에 따른다. 1. 취득시기관련 내용 없음.	1. 종전주택을 취득한 날부터 1년이 지난 후에 분양권을 취득해야 함.

1) 2주택 완성 후 2년 이내 세대전원이 이사하여 1년 이상 계속 거주

분양권에 따라 취득하는 주택이 완성된 후 2년 이내에 그 주택으로 세대전원이 이사(기획재정부령으로 정하는 취학, 근무상의 형편, 질병의 요양, 그 밖의 부득이한 사유로 세대의 구성원 중 일부가 이사하지 못하는 경우를 포함한다)하여 1년 이상 계속하여 거주할 것 (2021. 2. 17. 신설)(소득령 §156의3 ③ 1호)

> **요건 미충족 시 납부**
>
> 1세대(제5항·제7항 또는 제8항에 따라 제3항을 적용받은 1세대를 포함한다)가 제3항 제1호의 요건을 갖추지 못하게 된 때에는 그 사유가 발생한 날이 속하는 달의 말일부터 2개월 이내에 주택 양도 당시 같은 항을 적용받지 않을 경우에 납부했을 세액을 양도소득세로 신고·납부해야 한다.(2021. 2. 17. 신설)(소득령 §156의3 ⑩)

2) 2년 이내 종전주택 양도

분양권에 따라 취득하는 주택이 완성되기 전 또는 완성된 후 2년 이내에 종전의 주택을 양도할 것(2021. 2. 17. 신설)(소득령 §156의3 ③ 2호)

(4) 상속받은 분양권과 일반주택

상속받은 분양권[피상속인이 상속개시 당시 주택 또는 조합원입주권을 소유하지 않은 경우의 상속받은 분양권만 해당하며, 피상속인이 상속개시 당시 2 이상의 분양권을 소유한 경우에는 다음 각 호[아래 1), 2)]의 순위에 따른 1분양권만 해당하고, 공동상속분양권의 경우에는 제5항[아래 (5)] 제5호에 해당하는 사람이 그 공동상속분양권을 소유한 것으로 본다]과 그 밖의 주택(상속개시 당시 보유한 주택 또는 상속개시 당시 보유한 조합원입주권 또는 분양권에 의하여 사업시행 완료 후 취득한 신축주택만 해당하며, 상속개시일부터 소급하여 2년 이내에 피상속인으로부터 증여받은 주택 또는 조합원입주권이나 분양권에 의하여 사업시행 완료 후 취득한 신축주택은 제외한다. 이하 이 항에서 "일반주택"이라 한다)을 국내에 각각 1개씩 소유하고 있는 1세대가 일반주택을 양도하는 경우에는 국내에 1개의 주택을 소유하고 있는 것으로 보아 제154조 제1항을 적용한다. 다만, 상속인과 피상속인이 상속개시 당시 1세대인 경우에는 1주택을 보유하고 1세대를 구성하는 자가 직계존속(배우자의 직계존속을 포함하며, 세대를 합친 날 현재 직계존속 중 어느 한 사람 또는 모두가 60세 이상으로서 1주택을 보유하고 있는 경우만 해당한다)을 동거봉양하기 위해 세대를 합침에 따라 2주택을 보유하게 되는 경우로써 합치기 이전부터 보유하고 있었던 분양권만 상속받은 분양권으로 본다(이하 제5항 제4호에서 같다).(2021. 2. 17. 신설)(소득령 §156의3 ④)

이는 2021년 신설된 규정으로 2021년 1월1일 이후 양도하는 주택분부터 적용되며 2021년 1월1일 이후 취득한 분양권만 대상이다.

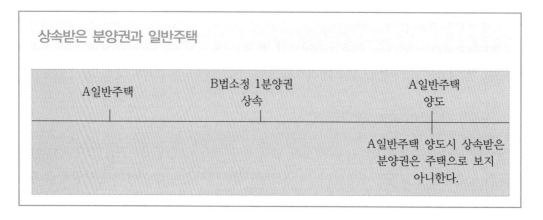

1) 피상속인이 소유한 기간이 가장 긴 1분양권(2021. 2. 17. 신설)(소득령 §156의3 ④ 1호)

2) 피상속인이 소유한 기간이 같은 분양권이 2 이상일 경우에는 상속인이 선택하는 1분양권(2021. 2. 17. 신설)(소득령 §156의3 ④ 2호)

> **피상속인이 상속개시 당시 주택은 소유하지 않고 조합원입주권과 분양권만 소유한 경우**
>
> 피상속인이 상속개시 당시 주택은 소유하지 않고 조합원입주권과 분양권만 소유한 경우에는 상속인이 조합원입주권 또는 분양권 중 하나에 대해서만 선택하여 상속받은 것으로 보아 제4항을 적용할 수 있다. 이 경우 피상속인이 상속개시 당시 조합원입주권 또는 분양권을 소유하고 있지 않은 경우여야 한다는 요건은 적용하지 않는다.(2021. 2. 17. 신설)(소득령 §156의3 ⑫)
> 이는 2021년 신설된 규정으로 2021년 1월 1일 이후 양도하는 주택분부터 적용된다.

(5) 조합원입주권(분양권)과 일반주택(분양권)

제1호[아래 1)]의 주택, 제2호[아래 2)]의 조합원입주권 또는 제4호[아래 4)]의 분양권과 상속 외의 원인으로 취득한 주택(이하 이 항에서 "일반주택"이라 한다) 및 상속 외의 원인으로 취득한 분양권을 국내에 각각 1개씩 소유하고 있는 1세대가 일반주택을 양도하는 경우에는 국내에 일반주택과 상속 외의 원인으로 취득한 분양권을 소유하고 있는 것으로 보아 제2항 및 제3항을 적용한다. 이 경우 제2항 및 제3항을 적용받는 일반주택은 상속개시 당시 보유한 주택(상속개시일부터 소급하여 2년 이내에 피상속인으로부터 증여받은 주택 또는 조합원입주권이나 분양권에 의하여 사업시행 완료 후 취득한 신축주택은 제외한다) 으로 한정한다.(2021. 2. 17. 신설)(소득령 §156의3 ⑤)

이는 2021년 신설된 규정으로 2021년 1월 1일 이후 양도하는 주택분부터 적용되며 2021년 1월 1일 이후 취득한 분양권만 대상이다.

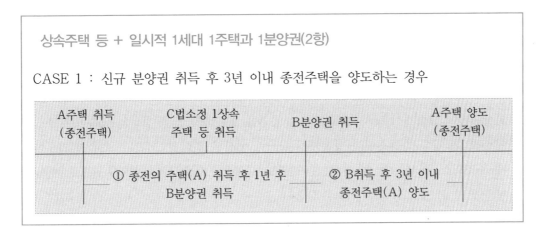

상속주택 등 + 일시적 1세대 1주택과 1분양권(2항)

CASE 1 : 신규 분양권 취득 후 3년 이내 종전주택을 양도하는 경우

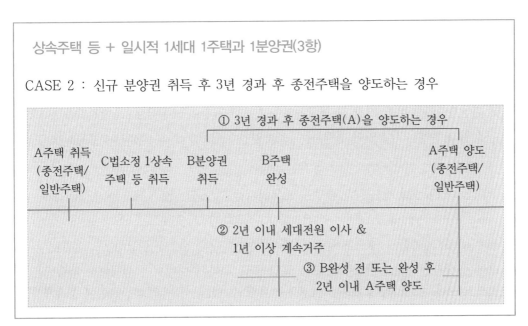

상속주택 등 + 일시적 1세대 1주택과 1분양권(3항)

CASE 2 : 신규 분양권 취득 후 3년 경과 후 종전주택을 양도하는 경우

1) 상속받은 주택. 이 경우 피상속인이 상속개시 당시 2 이상의 주택을 소유한 경우에는 제155조 제2항 각 호[아래 ①~④]의 순위에 따른 1주택으로 한정한다.(2021. 2. 17. 신설) (소득령 §156의3 ⑤ 1호)

① 피상속인이 소유한 기간이 가장 긴 1주택(1997. 12. 31. 개정)(소득령 §155 ② 1호)

② 피상속인이 소유한 기간이 같은 주택이 2 이상일 경우에는 피상속인이 거주한 기간이 가장 긴 1주택(1997. 12. 31. 개정)(소득령 §155 ② 2호)

③ 피상속인이 소유한 기간 및 거주한 기간이 모두 같은 주택이 2 이상일 경우에는 피상속인이 상속개시당시 거주한 1주택(1997. 12. 31. 개정)(소득령 §155 ② 3호)

④ 피상속인이 거주한 사실이 없는 주택으로서 소유한 기간이 같은 주택이 2 이상일 경우에는 기준시가가 가장 높은 1주택(기준시가가 같은 경우에는 상속인이 선택하는 1주택)(1997. 12. 31. 개정)(소득령 §155 ② 4호)

2) 피상속인이 상속개시 당시 주택 또는 분양권을 소유하지 않은 경우의 상속받은 조합원입주권. 이 경우 피상속인이 상속개시 당시 2 이상의 조합원입주권을 소유한 경우에는 제156조의2 제6항 각 호[아래 ①~③]의 순위에 따른 1조합원입주권으로 한정한다.(2021. 2. 17. 신설)(소득령 §156의3 ⑤ 2호)

① 피상속인이 소유한 기간(주택 소유기간과 조합원입주권 소유기간을 합한 기간을 말한다. 이하 이 항에서 같다)이 가장 긴 1조합원입주권(2005. 12. 31. 신설)(소득령 §156의2 ⑥ 1호)

② 피상속인이 소유한 기간이 같은 조합원입주권이 2 이상일 경우에는 피상속인이 거주한 기간(주택에 거주한 기간을 말한다. 이하 이 항에서 같다)이 가장 긴 1조합원입주권(2005. 12. 31. 신설)(소득령 §156의2 ⑥ 2호)

③ 피상속인이 소유한 기간 및 피상속인이 거주한 기간이 모두 같은 조합원입주권이 2 이상일 경우에는 상속인이 선택하는 1조합원입주권(2005. 12. 31. 신설)(소득령 §156의2 ⑥ 3호)

피상속인이 상속개시 당시 주택은 소유하지 않고 조합원입주권과 분양권만 소유한 경우

피상속인이 상속개시 당시 주택은 소유하지 않고 조합원입주권과 분양권만 소유한 경우에는 상속인이 조합원입주권 또는 분양권 중 하나에 대해서만 선택하여 상속받은 것으로 보아 제5항 제2호 또는 제4호를 적용할 수 있다. 이 경우 피상속인이 상속개시 당시 조합원입주권 또는 분양권을 소유하고 있지 않은 경우여야 한다는 요건은 적용하지 않는다.(2021. 2. 17. 신설)(소득령 §156의3 ⑫)

이는 2021년 신설된 규정으로 2021년 1월 1일 이후 양도하는 주택분부터 적용된다.

3) 공동상속조합원입주권의 경우에는 다음 각 목[아래 ①~③]의 순서에 따라 해당 각 목
에 해당하는 사람이 그 공동상속조합원입주권을 소유한 것으로 본다.(2021. 2. 17. 신설)(소
득령 §156의3 ⑤ 3호)

① 상속지분이 가장 큰 상속인(2021. 2. 17. 신설)(소득령 §156의3 ⑤ 3호 가목)

② 해당 공동상속조합원입주권의 재개발사업, 재건축사업 또는 소규모재건축사업 등[18]
의 관리처분계획 등의 인가일(인가일 전에 주택이 철거되는 경우에는 기존 주택의 철
거일을 말한다) 현재 피상속인이 보유하고 있었던 주택에 거주했던 자(2021. 2. 17. 신설,
2022. 2. 15. 개정)(소득령 §156의3 ⑤ 3호 나목)

③ 최연장자(2021. 2. 17. 신설)(소득령 §156의3 ⑤ 3호 다목)

4) 피상속인이 상속개시 당시 주택 또는 조합원입주권을 소유하지 않은 경우의 상속받은 분
양권. 이 경우 피상속인이 상속개시 당시 2 이상의 분양권을 소유한 경우에는 제4항[위
(4)] 각 호의 순위에 따른 1분양권으로 한정한다.(2021. 2. 17. 신설)(소득령 §156의3 ⑤ 4호)

피상속인이 상속개시 당시 주택은 소유하지 않고 조합원입주권과 분양권만 소유한 경우

피상속인이 상속개시 당시 주택은 소유하지 않고 조합원입주권과 분양권만 소유한 경우에는 상속인이 조합원입주권 또는 분양권 중 하나에 대해서만 선택하여 상속받은 것으로 보아 제5항 제2호 또는 제4호를 적용할 수 있다. 이 경우 피상속인이 상속개시 당시 조합원입주권 또는 분양권을 소유하고 있지 않은 경우여야 한다는 요건은 적용하지 않는다.(2021. 2. 17. 신설)(소득령 §156의3 ⑫)
이는 2021년 신설된 규정으로 2021년 1월 1일 이후 양도하는 주택분부터 적용된다.

5) 공동상속분양권의 경우에는 다음 각 목의[아래 ①, ②] 순서에 따라 해당 각 목에 해당하
는 사람이 그 공동상속분양권을 소유한 것으로 본다.(2021. 2. 17. 신설)(소득령 §156의3 ⑤ 5호)

① 상속지분이 가장 큰 상속인(2021. 2. 17. 신설)(소득령 §156의3 ⑤ 5호 가목)

② 최연장자(2021. 2. 17. 신설)(소득령 §156의3 ⑤ 5호 나목)

---

18) 소규모재건축사업 중에서 자율주택정비사업, 가로주택정비사업, 소규모재개발사업은 2022년 1월 1일 이후
취득하는 조합원입주권부터 적용한다.

(6) 동거봉양 합가 및 혼인으로 주택과 분양권

1주택 또는 1분양권 이상을 보유한 자가 1주택 또는 1분양권 이상을 보유한 자를 동거봉양하기 위해 세대를 합친 경우 또는 1주택 1분양권 이상을 보유한 자가 1주택 또는 1분양권 이상을 보유한 자와 혼인한 경우로써 1세대가 1주택과 1분양권, 1주택과 2분양권, 2주택과 1분양권 또는 2주택과 2분양권 등을 소유하게 되는 경우는 제156조의2 제8항 또는 제9항에 따른다.(2021. 2. 17. 신설)(소득령 §156의3 ⑥)

이는 2021년 신설된 규정으로 2021년 1월 1일 이후 양도하는 주택분부터 적용되며 2021년 1월 1일 이후 취득한 분양권만 대상이다.

| 동거봉양합가 또는 혼인으로 인한 분양권 유형 8가지 |

번호	합가 전(혼인 전)		합가 후(혼인 후)
1	1주택	1분양권	1주택 1분양권
2	1분양권	1주택	
3	1주택	1주택과 1분양권	2주택 1분양권
4	1주택과 1분양권	1주택	
5	1분양권	1주택과 1분양권	1주택 2분양권
6	1주택과 1분양권	1분양권	
7	1주택과 1분양권	1주택과 분양권	2주택 2분양권 등
8	1분양권	1분양권	2분양권

(7) 지정문화재 및 국가등록문화재 주택과 일반주택 및 분양권

「문화재보호법」 제2조 제3항에 따른 지정문화재 및 같은 법 제53조 제1항에 따른 국가등록문화재 주택과 그 밖의 주택(이하 이 항에서 "일반주택"이라 한다) 및 분양권을 국내에 각각 1개씩 소유하고 있는 1세대가 일반주택을 양도하는 경우에는 국내에 일반주택과 분양권을 소유하고 있는 것으로 보아 제2항[위 (2)] 또는 제3항[위 (3)]을 적용한다.(2021. 2. 17. 신설)(소득령 §156의3 ⑦)

이는 2021년 신설된 규정으로 2021년 1월 1일 이후 양도하는 주택분부터 적용되며, 2021년 1월 1일 이후 취득한 분양권만 대상이다.

(8) 이농주택과 일반주택 및 분양권

제155조 제7항에 따른 농어촌주택 중 같은 항 제2호의 이농주택과 그 밖의 주택(이하 이 조에서 "일반주택"이라 한다) 및 분양권을 국내에 각각 1개씩 소유하고 있는 1세대가 일반주택을 양도하는 경우에는 국내에 일반주택과 분양권을 소유하고 있는 것으로 보아 제2항[위 (2)] 또는 제3항[위 (3)]을 적용한다.(2021. 2. 17. 신설)(소득령 §156의3 ⑧)

이는 2021년 신설된 규정으로 2021년 1월 1일 이후 양도하는 주택분부터 적용되며 2021년 1월 1일 이후 취득한 분양권만 대상이다.

(9) 제출서류

제2항[위 (2)]부터 제8항[위 (8)]까지의 규정을 적용받으려는 자는 기획재정부령으로 정하는 분양권 소유자 1세대 1주택 특례적용신고서에 다음 각 호[아래 1)~3)]의 서류를 첨부하여 법 제105조 또는 법 제110조에 따른 양도소득세 과세표준 신고기한까지 납세지 관할 세무서장에게 제출해야 한다.(2021. 2. 17. 신설)(소득령 §156의3 ⑨)

1) 주민등록증 사본(제11항에 따라 주민등록표를 확인할 수 없는 경우로 한정한다)(2021. 2. 17. 신설)(소득령 §156의3 ⑨ 1호)
2) 주택 공급계약서(2021. 2. 17. 신설)(소득령 §156의3 ⑨ 2호)
3) 그 밖에 기획재정부령으로 정하는 서류(2021. 2. 17. 신설)(소득령 §156의3 ⑨ 3호)

제2장

1세대 1주택의 특례

 제1절 **일시적 1세대 2주택 비과세**

❶ 신규주택 취득으로 인한 일시적 1세대 2주택 비과세

국내에 1주택을 소유한 1세대가 그 주택(이하 이 항에서 "종전의 주택"이라 한다)을 양도하기 전에 다른 주택(이하 이 조에서 "신규 주택"이라 한다)을 취득(자기가 건설하여 취득한 경우를 포함한다)함으로써 일시적으로 2주택이 된 경우 종전의 주택을 취득한 날부터 1년 이상이 지난 후 신규 주택을 취득하고 다음 각 호[아래 (1), (2)]에 따라 종전의 주택을 양도하는 경우(제18항에 따른 사유에 해당하는 경우를 포함한다)에는 이를 1세대 1주택으로 보아 1세대 1주택 비과세 규정[제154조 제1항]을 적용한다. 이 경우 1세대 1주택 비과세 규정인 소득령 제154조 제1항 제1호, 제2호 가목 및 제3호의 어느 하나에 해당하는 경우에는 종전의 주택을 취득한 날부터 1년 이상이 지난 후 다른 주택을 취득하는 요건을 적용하지 않으며, 종전의 주택 및 그 부수토지의 일부가 1세대 1주택 비과세 규정인 소득령 제154조 제1항 제2호 가목에 따라 협의매수되거나 수용되는 경우로서 해당 잔존하는 주택 및 그 부수토지를 그 양도일 또는 수용일부터 5년 이내에 양도하는 때에는 해당 잔존하는 주택 및 그 부수토지의 양도는 종전의 주택 및 그 부수토지의 양도 또는 수용에 포함되는 것으로 본다.(2018. 10. 23. 개정, 2020. 2. 11. 개정)(소득령 §155 ①)

(1) 신규 주택을 취득한 날부터 3년 이내에 종전의 주택을 양도하는 경우(2020. 2. 11. 신설)
(소득령 §155 ① 1호)

(2) 종전의 주택이 조정대상지역에 있는 상태에서 조정대상지역에 있는 신규 주택을 취득[조정대상지역의 공고가 있은 날 이전에 신규 주택(신규 주택을 취득할 수 있는 권리를 포함한다. 이하 이 항에서 같다)을 취득하거나 신규 주택을 취득하기 위해 매매계약을 체결하고 계약금을 지급한 사실이 증명서류에 의해 확인되는 경우는 제

외한다]하는 경우에는 다음 각 목의 요건을 모두 충족한 경우. 다만, 신규 주택의 취득일 현재 기존 임차인이 거주하고 있는 것이 임대차계약서 등 명백한 증명서류에 의해 확인되고 그 임대차기간이 끝나는 날이 신규 주택의 취득일부터 1년 후인 경우에는 다음 각 목의 기간을 전 소유자와 임차인 간의 임대차계약 종료일까지로 하되, 신규 주택의 취득일부터 최대 2년을 한도로 하고, 신규 주택 취득일 이후 갱신한 임대차계약은 인정하지 않는다.(2020. 2. 11. 신설)(소득령 §155 ① 2호)

1) 신규 주택의 취득일로부터 1년 이내에 그 주택으로 세대전원이 이사(기획재정부령으로 정하는 취학, 근무상의 형편, 질병의 요양 그 밖의 부득이한 사유로 세대의 구성원 중 일부가 이사하지 못하는 경우를 포함한다)하고 「주민등록법」 제16조에 따라 전입신고를 마친 경우(2020. 2. 11. 신설)(소득령 §155 ① 가목)

2) 신규 주택의 취득일부터 1년 이내에 종전의 주택을 양도하는 경우(2020. 2. 11. 신설)(소득령 §155 ① 나목)

| 일시적 1세대 2주택 비과세 종전주택 처분기한(소득령 §155 ①) |

종전주택	신규주택	비과세 요건
조정지역	조정지역	1년 이내[1] 종전주택을 양도하고 신규주택에 이주 및 전입신고
조정지역	비조정지역	3년 이내 종전주택 양도
비조정지역	조정지역	
비조정지역	비조정지역	

1) 신규주택 취득일에 따른 종전주택 양도기간
종전주택이 조정대상지역에 있는 상태에서 조정대상지역 소재한 신규주택을 취득하는 경우 다음에 따른다.
① 2018년 9월 13일 이전에 신규주택 취득(매매계약하고 계약금 지급한 것 포함) : 종전주택을 3년 이내 양도
② 2018년 9월 14일 이후부터 2019년 12월 16일 이내 신규주택 취득(매매계약하고 계약금 지급한 것 포함) : 종전주택을 2년 이내 양도
③ 2019년 12월 17일 이후 신규주택 취득 : 1년 이내 종전주택 양도 & 이주 등

* 종전주택이 없는 상태에서 신규주택(분양권 포함)을 계약한 경우에는(기획재정부 재산세제과-512, 2021. 5. 25.)의 별첨 「세부 집행원칙」을 참고.

【별첨】 세부 집행원칙 (조정대상지역 내 일시적 2주택)(기획재정부 재산세제과−512, 2021. 5. 25.)

1) 종전주택이 없는 상태에서 신규주택(분양권 포함)을 계약한 경우는 다음과 같다.

※ 분양권이 2개였던 경우도 이에 해당됨

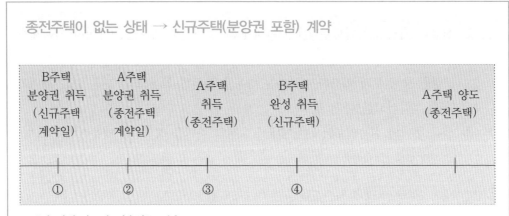

☞ 3년 이내 양노가 적용되는 경우
　다음 중 어느 하나에 해당하는 경우 신규주택 취득일로부터 3년 이내 종전주택을 양도해야 하고 그 외의 경우에는 1년 이내 양도해야 한다.
　1) 종전주택이 종전주택 취득일(③)에 조정지역에 위치하지 않거나
　2) 종전주택이 신규주택 취득일(④)에 조정지역에 위치하지 않거나
　3) 신규주택(분양권 포함)이 신규주택(분양권 포함)의 계약일(①)에 조정지역에 위치하지 않거나
　4) 신규주택(분양권 포함)이 신규주택(분양권 포함) 취득일(④)에 조정지역에 위치하지 않는 경우

2) (적용 대상) 종전주택이 "종전주택 취득일 and 신규주택 취득일"에 조정지역 내에 위치하고, 신규주택(분양권 포함)이 신규주택(분양권 포함)의 "계약일 and 취득일"에 조정지역 내 위치

※ 종전주택이 "종전주택 취득일 또는 신규주택 취득일"에 조정지역 내에 위치하지 않거나, 신규주택(분양권 포함)이 신규주택(분양권 포함)의 "계약일 또는 취득일"에 조정지역 내에 위치하지 아니한 경우 → 3년 적용

3) (적용 방법) "종전주택 취득시점"을 기준으로 일시적 2주택 허용기간 판정

관련 예규 · 판례

1. 신규주택 취득일과 임대차계약기간 시작일이 동일한 경우 소득령 제155조 제1항 제2 호 단서 적용 여부

조정대상지역에 종전의 주택을 보유한 1세대가 조정대상지역에 있는 신규주택을 취득하는 경우로서 신규주택의 취득일과 전 소유자와 임차인 간의 임대차계약기간 시작일(입주일자)이 동일한 경우에도 「소득세법 시행령」 제155조 제1항 제2호 단 서 적용가능(사전법령해석재산 2020-609, 2020. 10. 12.)

2. 신규주택 취득계약기간 중 종전주택 소재지가 조정대상지역으로 지정된 경우 일시적 2주택 허용기간

신규주택의 취득계약 체결일과 잔금청산일 사이에 종전주택 소재지가 조정대상지 역으로 새로 지정된 경우 일시적 2주택 특례대상의 2주택 종전주택 처분기한은 신 규주택 취득일부터 3년 이내임(기획재정부 재산-825, 2020. 9. 22.)

3. 혼인합가 특례와 일시적 2주택 특례 중복적용 여부

1주택자(A주택)와 1주택자(B주택)가 혼인한 후 다시 1주택(C주택)을 추가로 취 득하여 1세대 3주택이 된 상태에서 B주택 양도 시, A · B주택 간 혼인합가 특례, B · C주택 간 일시적 2주택 특례를 중첩적용하여 양도하는 B주택은 1세대 1주택 특례 적용 가능함(사전법령해석재산 2019-737, 2020. 6. 22.)

4. 「소득세법 시행령」 제155조 제1항, 제2항, 제20항을 중복하여 적용할 수 있는지 여부

「소득세법 시행령」 제155조 제1항, 제2항, 제20항의 특례를 중복적용할 수 없음. 「소득세법 시행령」 제155조 제20항의 장기임대주택(D, E주택)과 거주주택(A주 택)을 보유한 1세대가 「소득세법 시행령」 제155조 제2항의 상속주택(B주택)을 상 속받고, A주택을 취득한 날부터 1년 이상이 지난 후 다른 주택(C주택)을 취득한 경우로 C주택을 취득한 날부터 3년 이내에 A주택을 양도하는 경우 같은 영 제154 조 제1항을 적용할 수 없는 것임(기획재정부 재산-30, 2022. 1. 6.)

5. 전 소유자가 임차인으로 거주하는 조건으로 신규주택을 취득한 경우 전입신고 기간 등

전 소유자가 임차인으로 전환하여 거주하는 조건으로 신규주택을 취득한 경우에는 「소득세법 시행령」 제155조 제1항 제2호 단서를 적용하지 않는 것임(서면부동산 2021 -3992, 2021. 9. 29.)

6. 배우자에게 조정대상지역 내 분양권 증여 시 일시적 2주택 보유 허용기간

조정대상지역에 종전의 주택을 보유한 1세대(A주택)가 2018년 9월 13일 이전에 조

정대상지역에 있는 신규 분양권(B분양권)을 취득하고 2019년 12월 17일 이후 같은 세대인 배우자에게 증여하는 경우, 일시적 2주택 보유 허용기간은 3년임(서면부동산 2021-852, 2021. 4. 28.)

7. 일시적 2주택 허용기간 판단시 경매로 취득한 신규주택의 매매계약 체결일

소득령 제155조 제1항 제2호 대괄호 부분을 적용함에 있어, 경매로 취득한 신규주택은 매각허가결정일을 매매계약 체결일로 봄(서면법령해석재산 2021-4728, 2021. 12. 20.)

❷ 종전의 주택을 취득한 날부터 1년 이상이 지난 후 다른 주택을 취득하는 요건을 적용하지 아니하는 경우

다음[아래 (1)~(4)]의 각 항목의 어느 하나에 해당하는 경우에는 종전의 주택을 취득한 날부터 1년 이상이 지난 후 다른 주택을 취득하는 요건을 적용하지 아니한다.

(1) 민간건설임대주택, 공공건설임대주택, 공공매입임대주택

「민간임대주택에 관한 특별법」에 따른 민간건설임대주택이나 「공공주택 특별법」에 따른 공공건설임대주택 또는 공공매입임대주택을 취득하여 양도하는 경우로서 해당 임대주택의 임차일부터 양도일까지의 기간 중 세대전원이 거주(기획재정부령으로 정하는 취학, 근무상의 형편, 질병의 요양, 그 밖에 부득이한 사유로 세대의 구성원 중 일부가 거주하지 못하는 경우를 포함한다)한 기간이 5년 이상인 경우(2015. 12. 28. 개정, 2022. 2. 15. 개정)(소득령 §154 ① 1호)

이 중에서 공공매입임대주택은 2022년 2월 15일 이후 양도하는 분부터 적용한다.

(2) 주택 및 그 부수토지(사업인정 고시일 전에 취득한 주택 및 그 부수토지에 한한다)의 전부 또는 일부가 「공익사업을 위한 토지 등의 취득 및 보상에 관한 법률」에 의한 협의매수·수용 및 그 밖의 법률에 의하여 수용되는 경우(2006. 2. 9. 개정)(소득령 §154 ① 2호 가목)

종전의 주택 및 그 부수토지의 일부가 1세대 1주택 비과세 규정인 소득령 제154조 제1항 제2호 가목에 따라 협의매수되거나 수용되는 경우로서 해당 잔존하는 주택 및 그 부수토지를 그 양도일 또는 수용일부터 5년 이내에 양도하는 때에는 해당 잔존하는 주택 및 그 부수토지의 양도는 종전의 주택 및 그 부수토지의 양도 또는 수용에

포함되는 것으로 본다.(소득령 §155 ①)

(3) 1년 이상 거주한 주택을 기획재정부령으로 정하는 취학, 근무상의 형편, 질병의 요양, 그 밖에 부득이한 사유로 양도하는 경우(2014. 2. 21. 개정)(소득령 §154 ① 3호)

(4) 수도권 밖으로 법인, 공공기관의 이전으로 인해 취득하는 경우

위의 소득령 제155조 제1항을 적용할 때 수도권에 소재한 법인 또는 「국가균형발전 특별법」 제2조 제10호에 따른 공공기관이 수도권 밖의 지역으로 이전하는 경우로서 법인의 임원과 사용인 및 공공기관의 종사자가 구성하는 1세대가 취득하는 다른 주택이 해당 공공기관 또는 법인이 이전한 시(특별자치시 · 광역시 및 「제주특별자치도 설치 및 국제자유도시 조성을 위한 특별법」 제10조 제2항에 따라 설치된 행정시를 포함한다. 이하 이 항에서 같다) · 군 또는 이와 연접한 시 · 군의 지역에 소재하는 경우에는 제1항 중 "3년"을 "5년"으로 본다. 이 경우 해당 1세대에 대해서는 종전의 주택을 취득한 날부터 1년 이상이 지난 후 다른 주택을 취득하는 요건을 적용하지 아니한다.(2021. 6. 8. 개정)(소득령 §155 ⑯)

❸ 관련 예규 · 판례

(1) 공동명의 임대주택의 경우에도 장기임대주택특례와 일시적 2주택 특례의 중첩적용이 가능한지

공동명의 임대주택의 경우에도 1세대 1주택 비과세 판정시, 장기임대주택 특례와 일시적 2주택 특례의 중첩적용이 가능한 것임.(사전법령해석재산 2020-317, 2020. 11. 30.)

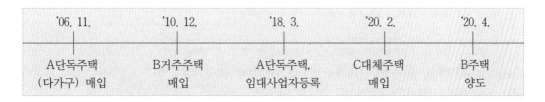

(2) 일반주택(A)과 상속주택(B)을 순차로 취득한 다음 다른 일반주택(C)을 추가 취득 후 3년 내 일반주택(A) 양도시 1세대 1주택 비과세 여부

일반주택(A)과 상속주택(B)을 순차로 취득한 다음 다른 일반주택(C)을 추가 취득 후

3년 내 일반주택(A) 양도시 1세대 1주택으로 보아 「소득세법 시행령」 제154조 제1항 적용함.(사전법령해석재산 2019 - 374, 2019. 10. 21.)

→ 비과세 가능하다.

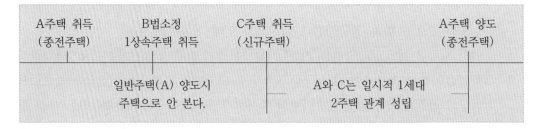

(3) 일시적 2주택자에 대한 1세대 1주택 특례의 적용과 관련하여 청구인이 종전 주택 취득일로부터 1년 이상 지난 후 다른 주택을 취득하였는지 여부

주택재개발정비구역의 사업시행인가일과 관리처분계획인가일 모두 청구인이 쟁점구주택을 취득한 20xx. x. x. 이전이므로 청구인이 취득한 것은 부동산을 취득할 수 있는 권리에 해당하는 것으로 보이고, 조합원입주권이 포함된다는 법문규성이 없으므로 「소득세법 시행령」 제154조 제8항 제1호를 근거로 거주·보유기간을 통산하여야 한다는 청구인의 주장을 인용하기에 무리라고 판단되는 점, 청구인이 주택 재건축·재개발 사업시행 중에 거주목적으로 다른 주택을 취득한 것이 아닌 바, 「소득세법」 제89조 제2항 단서 규정의 적용여지도 없는 점 등을 종합하면 처분청에서 위 시행령 규정상의 '종전주택'의 취득일을 사용승인일로 보아 양도소득세를 과세한 이 건 처분은 달리 잘못이 없음.(조심 2018부4068, 2019. 7. 19.)

(4) 일반주택과 신규주택 및 장기임대주택을 보유한 상태에서 일반주택을 양도하는 경우 1세대 1주택 특례 적용 여부

A주택을 취득한 날로부터 1년 이상이 지난 후에 조정대상지역이 아닌 지역에 소재하는 B주택을 취득하고, B주택을 취득한 날부터 3년 이내에 A주택을 양도하는 경우로서 A주택과 그 밖의 보유 중인 임대주택(C·D)이 각각 「소득세법 시행령」 제155조 제20항의 거주주택 및 장기임대주택 요건을 갖춘 경우에는 이를 1세대 1주택으로 봄.(사전법령해석재산 2021 - 63, 2021. 2. 1.)

(5) 일시적 2주택 상태에서 신규주택이 조합원입주권으로 전환된 경우 종전주택 양도 시 1세대 1주택 특례 적용 여부

국내에 1주택(A주택)을 소유한 1세대가 그 주택을 양도하기 전에 A주택을 취득한 날부터 1년 이상이 지난 후 다른 주택(B주택)을 취득함으로써 일시적으로 2주택이 된 상태에서 다른 주택이 조합원입주권으로 전환된 경우 종전주택 양도 시 「소득세법 시행령」 제155조 제1항 특례대상에 해당함.(사전법령해석재산 2018-620, 2019. 9. 19.)

(6) 장기임대주택 특례와 일시적 2주택 중첩 적용 여부

거주주택(A)과 장기임대주택(B), 대체주택(C)을 보유하던 중 거주주택(A)을 양도할 때 대체주택(C)과 일시적 1세대 2주택 비과세가 가능한지 여부(사전해석 2019-694)

→ 가능하다.

A주택 취득 (종전주택)	B장기임대주택	C주택 취득 (신규주택)		A주택 양도 (종전주택)
	일반주택(A) 양도시 주택으로 안 본다.		A와 C는 일시적 1세대 2주택 관계 성립	

(7) 2주택 상태에서 신규주택을 취득하고 세대분리한 경우 일시적 2주택 특례대상 여부

A주택을 소유한 갑세대가 B주택을 소유한 을세대와 합가하여 1세대(갑·을세대)가 2주택(A, B)을 소유하다 C주택을 취득하고 같은 날 갑세대와 을세대가 별도세대로 분리하여 양도하는 A주택이 「소득세법 시행령」 제155조 제1항 요건 충족시 1세대 1주택 특례 대상에 해당하나, 독립된 별도세대에 해당하는지 여부는 사실판단할 사항임.(사전법령해석재산 2019-497, 2019. 10. 18.)

(8) 신규주택 취득계약기간 중 종전주택 소재지가 조정대상지역으로 지정된 경우 일시적 2주택 허용기간은?

신규주택의 취득계약 체결일과 잔금청산일 사이에 종전주택 소재지가 조정대상지역으로 새로 지정된 경우 일시적 2주택 특례대상의 2주택 종전주택 처분기한은 신규주택 취득일부터 3년 이내임.(서면법령해석재산 2020 - 1808, 2020. 9. 24.)

(9) 장기임대주택, 상속주택, 대체주택을 보유한 경우 비과세 특례 적용

「소득세법 시행령」 제155조 제20항의 장기임대주택(D, E주택)과 거주주택(A주택)을 보유한 1세대가 「소득세법 시행령」 제155조 제2항의 상속주택(B주택)을 상속받고, A주택을 취득한 날부터 1년 이상이 지난 후 다른 주택(C주택)을 취득한 경우로 C주택을 취득한 날부터 3년 이내에 A주택을 양도하는 경우 같은 영 제154조 제1항을 적용할 수 없는 것임.(서면부동산 2020 - 1891, 2020. 8. 28.)

(10) 신주택 취득 후 동일 세대원에게 종전주택을 양도하는 경우

신주택 취득 후 동일 세대원에게 종전주택을 양도하는 경우에는 일시적 2주택 특례규정을 적용할 수 없음.

신주택 취득 후 동일 세대원에게 종전주택을 양도하는 경우는 신주택의 취득을 대체주택의 취득으로 볼 수 없을 뿐만 아니라 종전주택 양도 후에도 당해 세대는 2주택을 보유하고 있는 것이므로 일시적 2주택에 대한 특례규정을 적용할 수 없고 종전주택을 보유하게 된 자녀가 동일세대원이 아니라는 사실을 인정하기 어려움.(서울고법 2013누2589, 2013. 7. 31.)

(11) 지역주택조합 가입계약을 소득령 제155조 제1항 제2호의 신규주택을 취득하기 위한 매매계약으로 볼 수 있는지 여부

조정대상지역의 공고가 있는 날 이전에 지역주택조합의 조합가입계약 체결 및 계약금을 납부한 후 신규주택을 취득한 경우는 「소득세법 시행령」 제155조 제1항 제2호의 "신규주택을 취득하기 위해 매매계약을 체결하고 계약금을 지급한 경우에 해당하지 아니하는 것임.(사전재산 2021 - 120, 2021. 5. 28.)

(12) 승계 취득한 조합원입주권 2개가 순차로 완성되어 일시적 2주택이 된 경우 비과세 여부

A, B 조합원입주권을 승계 취득한 후, A, B 조합원입주권이 순차로 완공되어 일시적 2주택이 된 상태에서 A주택을 양도하는 경우 일시적 2주택 특례 및 주택과 조합원입주권을 소유한 경우 1세대 1주택 특례 규정인 소득세법 시행령 제155조 제1항 및 같은 법 시행령 제156조의2 제3,4항을 적용할 수 없는 것임.(서면부동산 2021 - 2376, 2021. 9. 3.)

(사실관계)

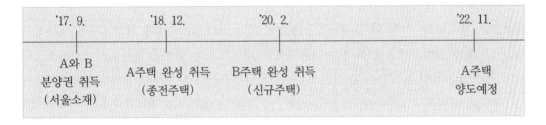

(13) 종전주택 분양권 및 신규주택 분양권을 각각 2018. 9. 13. 이전에 취득하고, 종전주택을 2018. 9. 14. 이후에 취득한 경우 일시적 2주택 허용기간

조정대상지역에 소재한 종전주택 분양권과 신규주택 분양권을 각각 2018. 9. 13. 이전에 취득하고, 종전주택의 취득일이 2018. 9. 14.~2019. 12. 16. 사이인 경우 일시적 2주택 허용 기간은 2년을 적용하는 것임.(기준법령해석재산 2020-221, 2021. 5. 26.)

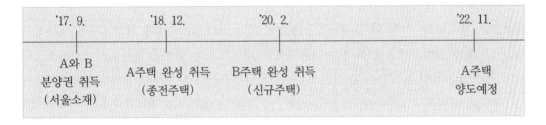

(14) 지역주택조합 조합원이 종전주택을 양도하는 경우 일시적 2주택 허용기간

종전주택이 없는 상태에서 신규주택을 취득하기 위하여 지역주택조합 조합원 지위를 취득한 경우로서 지역주택조합 조합원 지위가 조정대상지역의 공고가 있은 날 이전에 사업계획승인되어 신규주택을 취득할 수 있는 권리에 해당하는 경우 일시적 2주택 허용기간은 3년을 적용하는 것임.(서면부동산 2021-4599, 2022. 2. 9.)

(15) 신규주택에 전입 후 단기간 내 퇴거한 경우 일시적 2주택 전입요건을 충족한 것으로 보는지

주민등록법 제16조에 따라 전입신고를 마쳤는지는 전입신고 당시 30일 이상 거주할 목적이 있었는지 여부 등을 종합적으로 고려하여 사실판단할 사항임.(사전법령해석재산 2021-1005, 2021. 8. 12.)

제2절 상속받은 주택과 그 밖의 일반주택

상속받은 주택[조합원입주권 또는 분양권을 상속받아 사업시행 완료 후 취득한 신축주택을 포함하며, 피상속인이 상속개시 당시 2 이상의 주택{상속받은 1주택이 「도시 및 주거환경정비법」에 따른 재개발사업(이하 "재개발사업"이라 한다), 재건축사업(이하 "재건축사업"이라 한다) 또는 「빈집 및 소규모주택 정비에 관한 특례법」에 따른 소규모재건축사업, 소규모재개발사업, 가로주택정비사업, 자율주택정비사업(이하 "소규모재건축사업 등"이라 한다)의 시행으로 2 이상의 주택이 된 경우를 포함한다}을 소유한 경우에는 다음 각호[아래 ❶ (1)~(4)]의 순위에 따른 1주택을 말한다]과 그밖의 주택(상속개시 당시 보유한 주택 또는 상속개시 당시 보유한 조합원입주권이나 분양권에 의하여 사업시행 완료 후 취득한 신축주택만 해당하며, 상속개시일부터 소급하여 2년 이내에 피상속인으로부터 증여받은 주택 또는 증여받은 조합원입주권이나 분양권에 의하여 사업시행 완료 후 취득한 신축주택은 제외한다. 이하 이 항에서 "일반주택"이라 한다)을 국내에 각각 1개씩 소유하고 있는 1세대가 일반주택을 양도하는 경우에는 국내에 1개의 주택을 소유하고 있는 것으로 보아 제154조 제1항을 적용한다. 다만, 상속인과 피상속인이 상속개시 당시 1세대인 경우에는 1주택을 보유하고 1세대를 구성하는 자가 직계존속(배우자의 직계존속을 포함하며, 세대를 합친 날 현재 직계존속 중 어느 한 사람 또는 모두가 60세 이상으로서 1주택을 보유하고 있는 경우만 해당한다)을 동거봉양하기 위하여 세대를 합침에 따라 2주택을 보유하게 되는 경우로서 합치기 이전부터 보유하고 있었던 주택만 상속받은 주택으로 본다.(이하 제3항, 제7항 제1호, 제156조의2 제7항 제1호 및 제156조의3 제5항 제1호에서 같다)(2018. 2. 13. 개정, 2020. 2. 11. 개정, 2021. 2. 17. 개정, 2022. 2. 15. 개정)(소득령 §155 ②)

소규모재건축사업 중에서 소규모재개발사업, 가로주택정비사업, 자율주택정비사업은 2022년 2월 15일 이후 양도하는 분부터 적용한다.

분양권은 2021. 1. 1. 이후 취득한 분양권부터 적용한다.

---●●●●

상속주택 관련 규정

1. 1세대 1주택 비과세 규정
   법소정 1상속주택 + 일반주택을 보유한 경우 : 일반주택을 양도하면 1세대 1주택 비과세 규정 적용

2. 조정대상지역 내 2주택 이상 양도
   1) 법소정 1상속주택을 양도하면 양도세 중과배제 및 장특공제 대상
   2) 법소정 1상속주택 + 일반주택을 보유한 경우(2주택) : 일반주택을 양도할 때 유일한 1주택으로 중과배제, 장특공제 적용

관련 해석사례

1. 상속주택 지분 일부 배우자에게 증여 시 소득령 제155조 제2항에 따른 상속주택 특례 적용 가능 여부

   상속받은 주택과 그 밖의 주택을 국내에 각각 1개씩 소유하고 있는 1세대가 일반주택을 양도하는 경우에는 국내에 1개의 주택을 소유하고 있는 것으로 보아 「소득세법 시행령」 제154조 제1항을 적용하는 것이나, 상속받은 주택을 동일 세대 내 다른 세대원에게 증여하고 일반주택을 양도하는 경우에는 그러하지 아니하는 것임.(사전법령해석재산 2020 – 366, 2020. 6. 10.)

---

❶ 상속받은 주택

상속받은 주택[조합원입주권 또는 분양권을 상속받아 사업시행 완료 후 취득한 신축주택을 포함하며, 피상속인이 상속개시 당시 2 이상의 주택{상속받은 1주택이 「도시 및 주거환경정비법」에 따른 재개발사업(이하 "재개발사업"이라 한다), 재건축사업(이하 "재건축사업"이라 한다) 또는 「빈집 및 소규모주택 정비에 관한 특례법」에 따른 소규모재건축사업, 소규모재개발사업, 가로주택정비사업, 자율주택정비사업(이하 "소규모재건축사업 등"이라 한다)의 시행으로 2 이상의 주택이 된 경우를 포함한다}을 소유한 경우에는 다음 각호의 순위에 따른 1주택을 말한다](2021. 2. 17. 개정, 2022. 2. 15. 개정)(소득령 §155 ②)

이 중에서 소규모재개발사업, 가로주택정비사업, 자율주택정비사업은 2022년 2월 15일 이후 양도하는 분부터 적용한다.

분양권의 경우 2021년 1월 1일 이후 취득한 분양권부터 적용한다.

(1) 피상속인이 소유한 기간이 가장 긴 1주택(1997. 12. 31. 개정)(소득령 §155 ② 1호)

(2) 피상속인이 소유한 기간이 같은 주택이 2 이상일 경우에는 피상속인이 거주한 기간이 가장 긴 1주택(1997. 12. 31. 개정)(소득령 §155 ② 2호)

(3) 피상속인이 소유한 기간 및 거주한 기간이 모두 같은 주택이 2 이상일 경우에는 피상속인이 상속개시당시 거주한 1주택(1997. 12. 31. 개정)(소득령 §155 ② 3호)

(4) 피상속인이 거주한 사실이 없는 주택으로서 소유한 기간이 같은 주택이 2 이상일 경우에는 기준시가가 가장 높은 1주택(기준시가가 같은 경우에는 상속인이 선택하는 1주택)(1997. 12. 31. 개정)(소득령 §155 ② 4호)

상속인과 피상속인이 상속개시 당시 동일 세대인 경우

동거봉양(60세 이상)을 위한 합가로 2주택이 된 경우 합치기 이전부터 보유하고 있던 주택만 법소정 1상속주택으로 본다.

| 2020년 12월 31일 이전 양도하는 주택의 비과세 판단시 |

구분	상속주택	일반주택
요건	1. 상속받은 주택 2. 조합원입주권을 상속받아 사업시행 완료 후 취득한 신축주택 포함)	1. 상속개시 당시 보유한 주택 2. 상속개시 당시 보유한 조합원입주권에 의하여 사업시행 완료 후 취득한 신축주택 단, 상속개시일부터 소급하여 2년 이내에 피상속인으로부터 증여받은 주택 또는 증여받은 조합원입주권에 의하여 사업시행 완료 후 취득한 신축주택은 제외한다.

| 2021년 1월 1일 이후 양도하는 일반주택의 비과세 판단시 |

구분	상속주택	일반주택
요건	다음 중 어느 하나에 해당하는 경우 1. 상속받은 주택 2. 조합원입주권 또는 분양권을 상속받아 사업시행 완료 후 취득한 신축주택 3. 상속받은 분양권	다음 중 어느 하나에 해당하는 경우 1. 상속개시 당시 보유한 주택 2. 상속개시 당시 보유한 조합원입주권에 의하여 사업시행 완료 후 취득한 신축주택 3. 2021년 1월 1일 이후 취득한 분양권으로

구분	상속주택	일반주택
	(피상속인이 상속개시 당시 주택 또는 조합원입주권을 소유하지 않은 경우의 분양권) 4. 조합원입주권 (피상속인이 상속개시 당시 주택 또는 분양권을 소유하지 않은 경우의 상속받은 조합원입주권)	서 상속개시 당시 보유한 분양권에 의하여 사업시행 완료 후 취득한 신축주택 단, 상속개시일부터 소급하여 2년 이내에 피상속인으로부터 증여받은 주택 또는 증여받은 조합원입주권 및 2021년 1월 1일 이후에 취득한 분양권에 의하여 사업시행 완료 후 취득한 신축주택은 제외한다.
* 분양권은 2021년 1월 1일 이후 취득한 것에 한한다.		

2 일반주택

그밖의 주택[상속개시 당시 보유한 주택 또는 상속개시 당시 보유한 조합원입주권이나 분양권에 의하여 사업시행 완료 후 취득한 신축주택만 해당하며, 상속개시일부터 소급하여 2년 이내에 피상속인으로부터 증여받은 주택 또는 증여받은 조합원입주권이나 분양권에 의하여 사업시행 완료 후 취득한 신축주택은 제외한다. 이하 이 항에서 "일반주택"이라 한다]을 의미한다.(2020. 2. 11. 개정, 2021. 2. 17. 개정, 2022. 2. 15. 개정)(소득령 §155 ②)

2021년 1월 1일 이후 양도하는 주택분부터 분양권을 포함하며, 분양권의 경우 2021년 1월 1일 이후 취득한 분양권부터 적용한다.

| 증여받은 주택에 따라 달라지는 상속주택과 일반주택(소득령 §155 ②) |

법소정 상속주택과 일반 주택이 있을 때 상속개시일로부터 2년 이내 증여받은 주택(조합원입주권 또는 분양권으로 신축한 주택 포함)은 일반주택으로 보지 아니한다.

2018. 2. 12. 이전 증여받은 주택 (조합원입주권으로 취득한 신축주택 포함)	2018. 2. 13. 이후 증여받은 주택(조합원입주권 또는 분양권[1]으로 취득한 신축주택 포함)	
	상속개시일로부터 2년 전 증여받은 분	상속개시일로부터 2년 이내 증여받은 분
일반주택으로 본다.	일반주택으로 본다.	일반주택으로 보지 않는다.

1) 2021년 1월 1일 이후 취득한 분양권부터 적용한다.

제3절 공동상속주택

　　1세대 1주택 비과세 규정[소득령 제154조 제1항]을 적용할 때 공동상속주택[상속으로 여러 사람이 공동으로 소유하는 1주택을 말하며, 피상속인이 상속개시 당시 2주택(상속받은 1주택이 재개발사업, 재건축사업 또는 소규모재건축사업 등의 시행으로 2 이상의 주택이 된 경우를 포함한다)을 소유한 경우에는 제2절의 상속받은 주택과 그 밖의 일반주택 규정(소득령 §155 ②) 각 호의 순위에 따른 1주택을 말한다] 외의 다른 주택을 양도하는 때에는 해당 공동상속주택은 해당 거주자의 주택으로 보지 아니한다. 다만, 상속지분이 가장 큰 상속인의 경우에는 그러하지 아니하며, 상속지분이 가장 큰 상속인이 2명 이상인 경우에는 그 2명 이상의 사람 중 다음[아래 1. 2.] 각 호의 순서에 따라 해당 각 호에 해당하는 사람이 그 공동상속주택을 소유한 것으로 본다.(2017. 2. 3. 개정, 2020. 2. 11. 개정, 2022. 2. 15. 개정)(소득령 §155 ③)

　　1. 당해 주택에 거주하는 자(1994. 12. 31. 개정)(소득령 §155 ③ 1호)
　　2. 최연장자(1994. 12. 31. 개정)(소득령 §155 ③ 3호)

| 상속주택의 판정 순서 |

상속개시당시 피상속인이 2주택 이상 보유한 경우	공동상속주택
1. 피상속인이 소유한 기간이 가장 긴 1주택 2. 피상속인이 거주한 기간이 가장 긴 1주택 3. 피상속인이 상속개시당시 거주한 1주택 4. 기준시가가 가장 높은 1주택(기준시가가 같은 경우는 상속인이 선택)	1. 상속인 중 상속지분이 가장 큰 상속인 2. 상속인 중 해당 상속주택에 거주하는 상속인 3. 상속인 중 최연장자

공동상속주택(1세대 1주택 비과세 규정)

법소정 1공동상속주택 + 일반주택을 보유한 경우:
일반주택을 양도할 때 법소정 1공동상속주택은 거주자의 주택으로 보지 아니한다.
공동상속주택이 2 이상이면 그중 순위에 따른 1주택만 법소정 1공동상속주택이 된다.

| 공동상속주택의 1주택 비과세 규정과 다주택 중과 규정의 차이점 |

구 분	1세대 1주택 비과세 주택 수 산정시	다주택자 중과세 주택 수 산정시
여러 채의 공동상속 주택이 있는 경우	소수지분으로 받은 상속주택이 여러 채인 경우 그 중 법소정 1채의 상속주택만 일반주택을 양도할 때 주택으로 안본다. 그외 나머지 상속주택은 소수지분자라 할지라도 보통의 주택과 같이 주택 수에 포함한다.	상속지분이 가장 큰 자의 주택으로 본다. 즉, 소수지분으로 상속받은 주택은 모두 중과세 판단할 때 주택 수에 포함시키지 않는다.

제4절 협의분할이 안되어 등기되지 않은 상속주택이 있는 경우

상속주택과 일반주택이 있는 경우 1세대 1주택 비과세특례규정[소득령 제155조 제2항(위 2절)] 및 제3항(위 3절)]을 적용할 때 상속주택 외의 주택을 양도할 때까지 상속주택을 「민법」 제1013조에 따라 협의분할하여 등기하지 아니한 경우에는 같은 법 제1009조 및 제1010조에 따른 상속분에 따라 해당 상속주택을 소유하는 것으로 본다. 다만, 상속주택 외의 주택을 양도한 이후 「국세기본법」 제26조의2에 따른 국세 부과의 제척기간 내에 상속주택을 협의분할하여 등기한 경우로서 등기 전 상속주택과 일반주택이 있는 경우 1세대 1주택 비과세특례규정[소득령 제155조 제2항(위 2절)] 및 제3항(위 3절)]에 따라 1세대 1주택 비과세 규정[소득령 제154조 제1항]을 적용받았다가 등기 후 같은 항의 적용을 받지 못하여 양도소득세를 추가 납부하여야 할 자는 그 등기일이 속하는 달의 말일부터 2개월 이내에 다음 계산식에 따라 계산한 금액을 양도소득세로 신고·납부하여야 한다.(2017. 2. 3 항번개정)(소득령 §155 ⑲)

> 납부할 양도소득세 = 일반주택 양도 당시 상속주택과 일반주택이 있는 경우 1세대 1주택 비과세특례규정[소득령 제155조 제2항 및 제3항]을 적용하지 아니하였을 경우에 납부하였을 세액 − 일반주택 양도 당시 제2항 또는 제3항을 적용받아 납부한 세액

제5절 동거봉양 합가로 인한 1세대 2주택

주택을 보유하고 1세대를 구성하는 자가 1주택을 보유하고 있는 60세 이상의 직계존속(다음 각 호[아래 1.~3.]의 사람을 포함하며, 이하 이 조에서 같다)을 동거봉양하기 위하여 세대를 합침으로써 1세대가 2주택을 보유하게 되는 경우 합친 날부터 10년 이내에 먼저 양도하는 주택은 이를 1세대 1주택으로 보아 1세대 1주택 비과세 규정[소득령 제154조 제1항]을 적용한다.(2019. 2. 12. 개정)(소득령 §155 ④)

1. 배우자의 직계존속으로서 60세 이상인 사람(2019. 2. 12. 신설)(소득령 §155 ④ 1호)

2. 직계존속(배우자의 직계존속을 포함한다) 중 어느 한 사람이 60세 미만인 경우 (2019. 2. 12. 신설)(소득령 §155 ④ 2호)

3. 「국민건강보험법 시행령」 별표 2 제3호 가목 3), 같은 호 나목 2) 또는 같은 호 마목에 따른 요양급여를 받는 60세 미만의 직계존속(배우자의 직계존속을 포함한다)으로서 기획재정부령으로 정하는 사람(2019. 2. 12. 신설)(소득령 §155 ④ 3호)

위에서 "기획재정부령으로 정하는 사람"이란 「국민건강보험법 시행령」 제19조 제1항에 따라 보건복지부장관이 정하여 고시하는 기준에 따라 중증질환자, 희귀난치성질환자 또는 결핵환자 산정특례 대상자로 등록되거나 재등록된 자를 말한다.(2019. 3. 20. 개정)(소득칙 §61의4)

CASE : 1세대 1주택 직계비속 + 1주택 보유 직계존속

합가 전

직계비속	직계존속
1세대 1주택(A)	1주택(B)

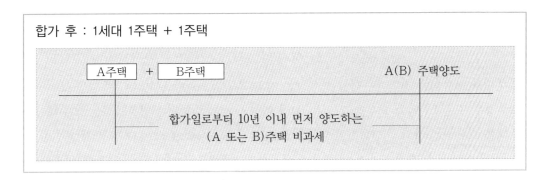

합가 후 : 1세대 1주택 + 1주택
A주택 + B주택   A(B) 주택양도
합가일로부터 10년 이내 먼저 양도하는 (A 또는 B)주택 비과세

| 직계존속의 나이 개정 내용 |

구 분	직계존속 나이 개정 내용
2009.2.3. 이전 합가하는 분부터	남자 60세 이상, 여자 55세 이상
2009.2.4. 이후 합가하는 분부터	남자·여자 60세 이상
2012.2.2. 이후 합가하는 분부터	남자·여자 중 어느 한 사람이 60세 이상

4. 해석사례 등

1) 동거봉양을 위한 일시적 1세대 3주택 비과세 특례규정 해당 여부

비과세 특례규정의 문언에 따르면, "1주택을 보유하고 있는 60세 이상의 직계존속을 동거봉양하기 위하여 세대를 합침으로써 1세대가 2주택을 보유하게 된 경우"라고 규정하고 있으므로, 그 문언대로의 해석상 1주택을 보유하고 있는 직계존속을 봉양하기 위해 세대를 합침으로써 2주택자가 된 경우에 적용되는 것임.(서울고법 2020누34935, 2020. 9. 23.)

제6절 혼인으로 인한 1세대 2주택

1주택을 보유하는 자가 1주택을 보유하는 자와 혼인함으로써 1세대가 2주택을 보유하게 되는 경우 또는 1주택을 보유하고 있는 60세 이상의 직계존속을 동거봉양하는 무주택자가 1주택을 보유하는 자와 혼인함으로써 1세대가 2주택을 보유하게 되는 경우 각각 혼인한 날부터 5년 이내에 먼저 양도하는 주택은 이를 1세대 1주택으로 보아 1세대 1주택 비과세 규정[제154조 제1항]을 적용한다.(2012. 2. 2. 개정)(소득령 §155 ⑤)

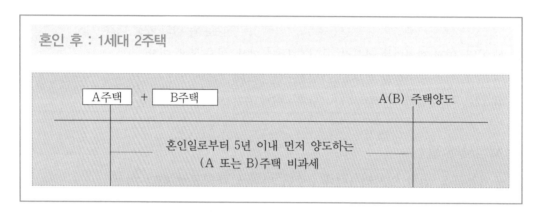

해석사례 등

1. 일시적 2주택 비과세 특례적용 여부

1주택을 보유한 자가 사실혼 관계에 있는 자와 새로운 주택을 공동명의로 취득한 후 법률혼관계가 성립된 경우로서 B주택을 취득한 날로부터 3년이 지나 A주택을 양도하는 경우에는 혼인합가 특례 또는 일시적 2주택 비과세 특례를 적용할 수 없음. (사전재산 2021 – 951, 2021. 8. 31.)

2. 혼인합가 특례와 일시적 2주택 특례 중복적용 여부

1주택자(A주택)와 1주택자(B주택)가 혼인한 후 다시 1주택(C주택)을 추가로 취득하여 1세대 3주택이 된 상태에서 B주택 양도 시, A · B주택 간 혼인합가 특례, B · C주택 간 일시적 2주택 특례를 중첩 적용하여 양도하는 B주택은 1세대 1주택 특례 적용 가능함.(사전재산 2019 – 737, 2020. 6. 22.)

제7절 문화재보호법에 따른 주택

「문화재보호법」 제2조 제3항에 따른 지정문화재 및 같은 법 제53조 제1항에 따른 국가등록문화재에 해당하는 주택과 그 밖의 주택(이하 이 항에서 "일반주택"이라 한다)을 국내에 각각 1개씩 소유하고 있는 1세대가 일반주택을 양도하는 경우에는 국내에 1개의 주택을 소유하고 있는 것으로 보아 1세대 1주택 비과세 규정[제154조 제1항]을 적용한다.(2019. 12. 31. 개정, 2020. 5. 26. 개정)(소득령 §155 ⑥ 1호)

제8절 수도권 밖 상속주택, 이농주택, 귀농주택

다음 각 호[아래 ❶ ~ ❸]의 어느 하나에 해당하는 주택으로서 수도권 밖의 지역 중 읍지역(도시지역 안의 지역을 제외한다) 또는 면지역에 소재하는 주택(이하 이 조에서 "농어촌주택"이라 한다)과 그 외의 주택(이하 이 항 및 제11항부터 제13항까지에서 "일반주택"이라 한다)을 국내에 각각 1개씩 소유하고 있는 1세대가 일반주택을 양도하는 경우에는 국내에 1개의 주택을 소유하고 있는 것으로 보아 제154조 제1항을 적용한다. 다만, 제3호[아래 ❸]의 주택에 대해서는 그 주택을 취득한 날부터 5년 이내에 일반주택을 양도하는 경우에 한정하여 적용한다.(2016. 2. 17. 개정, 2021. 2. 17. 개정)(소득령 §155 ⑦)

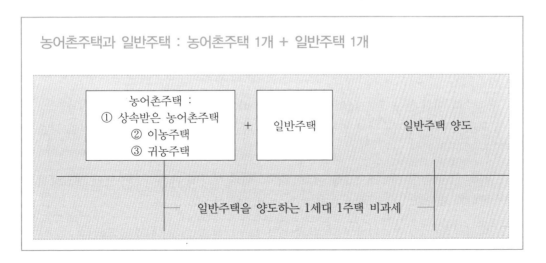

① 상속받은 주택(피상속인이 취득 후 5년 이상 거주한 사실이 있는 경우에 한한다)
(1994. 12. 31. 개정)(소득령 §155 ⑦ 1호)

② 이농인(어업에서 떠난 자를 포함한다. 이하 이 조에서 같다)이 취득일 후 5년
이상 거주한 사실이 있는 이농주택
(1994. 12. 31. 개정)(소득령 §155 ⑦ 2호)

> **이농주택**
>
> "이농주택"이라 함은 영농 또는 영어에 종사하던 자가 전업으로 인하여 다른 시(「제주특별자치도 설치 및 국제자유도시 조성을 위한 특별법」 제10조 제2항에 따라 설치된 행정시를 포함한다)·구(특별시 및 광역시의 구를 말한다)·읍·면으로 전출함으로써 거주자 및 그 배우자와 생계를 같이 하는 가족 전부 또는 일부가 거주하지 못하게 되는 주택으로서 이농인이 소유하고 있는 주택을 말한다.(2016. 1. 22. 개정)(소득령 §155 ⑨)

③ 영농 또는 영어의 목적으로 취득한 귀농주택
(1994. 12. 31. 개정)(소득령 §155 ⑦ 3호)

> **귀농주택이라 함은 다음과 같다.**
>
> "귀농주택"이란 영농 또는 영어에 종사하고자 하는 자가 취득(귀농 이전에 취득한 것을 포함한다)하여 거주하고 있는 주택으로서 다음 각 호[아래 1.~5.]의 요건을 갖춘 것을 말한다.(2016. 2. 17. 개정)(소득령 §155 ⑩)
>
> 1. 취득 당시에 법 제89조 제1항 제3호 각 목 외의 부분에 따른 고가주택에 해당하지 아니할 것(2002. 12. 30. 개정, 2022. 2. 15. 개정)(소득령 §155 ⑩ 2호)
>
> 2. 대지면적이 660제곱미터 이내일 것(1994. 12. 31. 개정)(소득령 §155 ⑩ 3호)
>
> 3. 영농 또는 영어의 목적으로 취득하는 것으로서 다음 각 목[아래 1)~3)]의 어느

하나에 해당할 것(2007. 2. 28. 개정)(소득령 §155 ⑩ 4호)

1) 1,000제곱미터 이상의 농지를 소유하는 자가 해당 농지소재지(제153조 제3항에 따른 농지소재지를 말한다. 이하 이 조에서 같다)에 있는 주택을 취득하는 것일 것(2016. 3. 31. 개정)(소득령 §155 ⑩ 4호 가목)

2) 1,000제곱미터 이상의 농지를 소유하기 전 1년 이내에 해당 농지소재지에 있는 주택을 취득하는 것일 것(2016. 3. 31. 신설)(소득령 §155 ⑩ 4호 나목)

3) 다음의 어느 하나에 해당하는 어업인이 취득하는 것일 것(2016. 3. 31. 목번개정)

① 「수산업법」에 따른 신고·허가·면허 어업자 및 「양식산업발전법」에 따른 허가·면허 양식업자(같은 법 제10조 제1항 제7호의 내수면양식업 및 제43조 제1항 제2호의 육상 등 내수양식업을 경영하는 자는 제외한다)(2021. 3. 16. 개정)(소득칙 §73 ③ 1호)

② 제1호의 자에게 고용된 어업종사자(1995. 5. 3. 개정)(소득칙 §73 ③ 2호)(소득령 §155 ⑩ 4호 다목)

4. 세대전원이 이사(기획재정부령으로 정하는 취학, 근무상의 형편, 질병의 요양, 그 밖에 부득이한 사유로 세대의 구성원 중 일부가 이사하지 못하는 경우를 포함한다)하여 거주할 것(2014. 2. 21. 신설)(소득령 §155 ⑩ 5호)

④ 귀농으로 인하여 세대전원이 농어촌주택으로 이사하는 경우

귀농으로 인하여 세대전원이 농어촌주택으로 이사하는 경우에는 귀농 후 최초로 양도하는 1개의 일반주택에 한하여 수도권 밖 상속주택, 이농주택, 귀농주택 규정[소득령 제155조 제7항, (위 제8절)]의 본문의 규정을 적용한다.(1994. 12. 31. 개정)(소득령 §155 ⑪)

⑤ 사후관리

수도권 밖 상속주택, 이농주택, 귀농주택 규정[소득령 제155조 제7항, (위 제8절)]을 적용받은 귀농주택 소유자가 귀농일[귀농주택에 주민등록을 이전하여 거주를 개시한 날을 말하며, 귀농주택 중 1,000제곱미터 이상의 농지를 소유하기 전 1년 이내에 해당 농지소재지에 있는 주택 규정(소득령 §155 ⑩ 4호 나목)에 따라 주택을 취득한 후 해당 농지를 취득하는 경우에는 귀농주택에 주민등록을 이전하여 거주를 개시한 후 농지를 취득한 날을 말한다)]

부터 계속하여 3년 이상 영농 또는 영어에 종사하지 아니하거나 그 기간 동안 해당 주택에 거주하지 아니한 경우 그 양도한 일반주택은 1세대 1주택으로 보지 아니하며, 해당 귀농주택 소유자는 3년 이상 영농 또는 영어에 종사하지 아니하거나 그 기간 동안 해당 주택에 거주하지 아니하는 사유가 발생한 날이 속하는 달의 말일부터 2개월 이내에 다음 계산식에 따라 계산한 금액을 양도소득세로 신고·납부하여야 한다. 이 경우 3년의 기간을 계산함에 있어 그 기간 중에 상속이 개시된 때에는 피상속인의 영농 또는 영어의 기간과 상속인의 영농 또는 영어의 기간을 통산한다.(2016. 3. 31. 개정)(소득령 §155 ⑫)

> 납부할 양도소득세 = 일반주택 양도 당시 제7항[위 제8절]을 적용하지 아니하였을 경우에 납부하였을 세액 − 일반주택 양도 당시 제7항[위 제8절]을 적용받아 납부한 세액

⑥ 입증서류 제출

수도권 밖 상속주택, 이농주택, 귀농주택 규정[소득령 제155조 제7항, (위 제8절)]을 적용받으려는 자는 기획재정부령으로 정하는 1세대 1주택 특례적용신고서를 법 제105조 또는 법 제110조에 따른 양도소득세 과세표준신고기한 내에 기획재정부령으로 정하는 다음의 서류와 함께 제출하여야 한다.(2018. 2. 13. 개정)(소득령 §155 ⑬)

> **입증서류의 제출**
>
> 기획재정부령으로 정하는 서류라 함은 다음과 같다.(소득칙 §73 ④)
>
> 1. 제3항에 규정하는 어업인임을 입증할 수 있는 서류(해당자에 한한다)(1995. 5. 3. 개정)
> 2. 농지원부 사본(해당하는 경우만 제출한다)(2011. 12. 28. 개정)

제9절 **수도권 밖 취학, 근무상의 형편, 질병의 요양, 그 밖에 부득이한 사유의 주택**

기획재정부령으로 정하는 취학, 근무상의 형편, 질병의 요양, 그 밖에 부득이한 사유(이하 이 항에서 "부득이한 사유"라 한다)로 취득한 수도권 밖에 소재하는 주택과 그 밖의 주택(이하 이 항에서 "일반주택"이라 한다)을 국내에 각각 1개씩 소유하고 있는 1세대가 부득이한 사유가 해소된 날부터 3년 이내에 일반주택을 양도하는 경우에는 국내에 1개의 주택을 소유하고 있는 것으로 보아 1세대 1주택 비과세 규정[소득령 제154조 제1항]을 적용한다.(2012. 2. 2. 개정)(소득령 §155 ⑧)

> **기획재정부령으로 정하는 취학, 근무상의 형편, 질병의 요양, 그 밖에 부득이한 사유란**
>
> 1세대 1주택 비과세 규정인 소득령 제154조 제1항 제1호 및 제3호, 영 제155조 제1항 제2호 가목, 영 제155조 제8항 및 제10항 제5호, 영 제156조의2 제4항 제1호 및 제5항 제2호에서 "기획재정부령으로 정하는 취학, 근무상의 형편, 질병의 요양, 그 밖에 부득이한 사유"란 세대전원이 다음 각 호의 어느 하나에 해당하는 사유로 다른 시(특별시, 광역시, 특별자치시 및 「제주특별자치도 설치 및 국제자유도시 조성을 위한 특별법」 제15조 제2항에 따라 설치된 행정시를 포함한다)·군으로 주거를 이전하는 경우(광역시지역 안에서 구지역과 읍·면지역 간에 주거를 이전하는 경우와 특별자치시, 「지방자치법」 제7조 제2항에 따라 설치된 도농복합형태의 시지역 및 「제주특별자치도 설치 및 국제자유도시 조성을 위한 특별법」 제15조 제2항에 따라 설치된 행정시 안에서 동지역과 읍·면지역 간에 주거를 이전하는 경우를 포함한다)를 말한다.(2019. 3. 20. 개정, 2020. 3. 개정)(소득칙 §71 ③)
>
> 1. 「초·중등교육법」에 따른 학교(초등학교 및 중학교를 제외한다) 및 「고등교육법」에 따른 학교에의 취학(2014. 3. 14. 개정)
> 2. 직장의 변경이나 전근 등 근무상의 형편(1996. 3. 30. 개정)
> 3. 1년 이상의 치료나 요양을 필요로 하는 질병의 치료 또는 요양(1996. 3. 30. 개정)
> 4. 「학교폭력예방 및 대책에 관한 법률」에 따른 학교폭력으로 인한 전학(같은 법에 따른 학교폭력대책자치위원회가 피해학생에게 전학이 필요하다고 인정하는 경우에 한한다)(2016. 3. 16. 신설)

위의 규정[위의 1.~4.]에 해당하는지의 확인은 재학증명서, 재직증명서, 요양증명서 등 해당 사실을 증명하는 서류와 주민등록표등본에 의하고 제3항 각 호[위의 1.~4.]의 사유가 발생한 당사자 외의 세대원 중 일부가 취학, 근무 또는 사업상의 형편 등으로 당사자와 함께 주거를 이전하지 못하는 경우에도 세대전원이 주거를 이전한 것으로 본다.(1996. 3. 30. 개정, 2020. 3. 개정)(소득칙 §71 ⑤)

제10절 다가구주택

1세대 1주택 비과세 규정[소득령 제154조 제1항]을 적용할 때 「건축법 시행령」 별표 1 제1호 다목에 해당하는 다가구주택은 한 가구가 독립하여 거주할 수 있도록 구획된 부분을 각각 하나의 주택으로 본다. 다만, 해당 다가구주택을 구획된 부분별로 양도하지 아니하고 하나의 매매단위로 하여 양도하는 경우에는 그 전체를 하나의 주택으로 본다.(2015. 2. 3. 개정)(소득령 §155 ⑮)

「건축법 시행령」 별표 1 제1호 다목에 해당하는 다가구주택

다가구주택: 다음의 요건을 모두 갖춘 주택으로서 공동주택에 해당하지 아니하는 것을 말한다.(건축법 시행령 별표 1 1호 다목)
1. 주택으로 쓰는 층수(지하층은 제외한다)가 3개 층 이하일 것. 다만, 1층의 전부 또는 일부를 필로티 구조로 하여 주차장으로 사용하고 나머지 부분을 주택 외의 용도로 쓰는 경우에는 해당 층을 주택의 층수에서 제외한다.
2. 1개 동의 주택으로 쓰이는 바닥면적(부설 주차장 면적은 제외한다. 이하 같다)의 합계가 660제곱미터 이하일 것
3. 19세대(대지 내 동별 세대수를 합한 세대를 말한다) 이하가 거주할 수 있을 것

주택 임대사업자의 거주용 자가 주택 1세대 1주택 비과세

(1) 거주주택 1세대 1주택 비과세

소득세법 시행령 제167조의3 제1항 제2호에 따른 주택{같은 호 가목 및 다목에 해당하는 주택의 경우에는 해당 목의 단서에서 정하는 기한의 제한은 적용하지 않되, 2020년 7월 10일 이전에 「민간임대주택에 관한 특별법」 제5조에 따른 임대사업자등록 신청(임대할 주택을 추가하기 위해 등록사항의 변경 신고를 한 경우를 포함한다)을 한 주택으로 한정하며, 같은 호 마목에 해당하는 주택의 경우에는 같은 목 1)에 따른 주택[같은 목 2) 및 3)에 해당하지 않는 경우로 한정한다]을 포함한다. 이하 이 조에서 "장기임대주택"이라 한다} 또는 같은 항 제8호의2에 해당하는 주택(이하 "장기어린이집"이라 한다)과 그 밖의 1주택을 국내에 소유하고 있는 1세대가 각각 제1호[아래 1)]와 제2호[아래 2)] 또는 제1호와 제3호[아래 3)]의 요건을 충족하고 해당 1주택(이하 이 조에서 "거주주택"이라 한다)을 양도하는 경우(장기임대주택을 보유하고 있는 경우에는 생애 한 차례만 거주주택을 최초로 양도하는 경우에 한정한다)에는 국내에 1개의 주택을 소유하고 있는 것으로 보아 제154조 제1항을 적용한다. 이 경우 해당 거주주택을 「민간임대주택에 관한 특별법」 제5조에 따라 민간임대주택으로 등록하였거나 「영유아보육법」 제13조 제1항에 따른 인가를 받거나 같은 법 제24조 제2항에 따른 위탁을 받아 어린이집으로 사용한 사실이 있고 그 보유기간 중에 양도한 다른 거주주택(양도한 다른 거주주택이 둘 이상인 경우에는 가장 나중에 양도한 거주주택을 말한다. 이하 "직전거주주택"이라 한다)이 있는 거주주택(민간임대주택으로 등록한 사실이 있는 주택인 경우에는 1주택 외의 주택을 모두 양도한 후 1주택을 보유하게 된 경우로 한정한다. 이하 이 항에서 "직전거주주택보유주택"이라 한다)인 경우에는 직전거주주택의 양도일 후의 기간분에 대해서만 국내에 1개의 주택을 소유하고 있는 것으로 보아 제154조 제1항을 적용한다.(2019. 2. 12. 개정, 2020. 2. 11. 개정, 2020. 10. 7. 개정, 2021. 2. 17. 개정, 2022. 2. 15. 개정)(소득령 §155 ⑳)

1) 거주주택

거주주택은 보유기간 중 거주기간(직전거주주택보유주택의 경우에는 소득세법에 따른 사업자등록과 「민간임대주택에 관한 특별법」 제5조에 따른 임대사업자등록을 한 날, 「영유아보육법」 제13조 제1항에 따른 인가를 받은 날 또는 같은 법 제24조 제2항에 따른 위탁의 계약서상 운영개시일 이후의 거주기간을 말한다)이 2년 이상일 것(2019. 2. 12. 개정, 2022. 2. 15. 개정)(소득령 §155 ⑳ 1호)

2) 장기임대주택 요건

장기임대주택을 양도일 현재 소득세법에 따라 사업자등록을 하고, 「민간임대주택에 관한 특별법」 제5조에 따라 민간임대주택으로 등록하여 임대하고 있으며, 임대보증금 또는 임대료(이하 이 호에서 "임대료 등"이라 한다)의 증가율이 100분의 5를 초과하지 않을 것. 이 경우 임대료 등의 증액 청구는 임대차계약의 체결 또는 약정한 임대료 등의 증액이 있은 후 1년 이내에는 하지 못하고, 임대사업자가 임대료 등의 증액을 청구하면서 임대보증금과 월임대료를 상호 간에 전환하는 경우에는 「민간임대주택에 관한 특별법」 제44조 제4항의 전환 규정을 준용한다.(2019. 2. 12. 개정, 2020. 2. 11. 개정 및 후단신설)(소득령 §155 ⑳ 2호)

임대료 등 5% 초과 요건은 2019년 2월 12일 이후 주택 임대차계약을 체결하거나 기존 계약을 갱신하는 분부터 적용한다.

거주주택 비과세 적용시 인정되는 장기임대주택은 소득령 제167조의3 제1항 제2호에 따른 임대주택을 의미한다. 단, 가목과 다목에 따른 임대주택은 2020년 7월 10일까지 임대 등록신청한 주택에 한정한다. 가목과 다목은 장기임대주택과 단기임대주택을 포함하는 개념이다. 이에 따라 2020년 7월 10일 이전까지 임대등록 신청한 주택은 장·단기 모두 거주주택 외 임대주택에 해당한다.

하지만 2020년 7월 11일 이후에는 더 이상 가, 다목에 의한 임대사업자는 인정이 안된다. 장기일반민간매입임대주택인 경우 마목에 따라 임대사업자로 인정받을 수 있다. 마목에 해당하는 주택의 경우에는 같은 목 1)에 따른 주택[같은 목 2) 및 3)에 해당하지 않는 경우로 한정한다]을 포함한다.

소득령 제167조의3 제1항 마목

「민간임대주택에 관한 특별법」제2조 제3호에 따른 민간매입임대주택 중 장기일반민간임대주택 등으로 10년 이상 임대하는 주택으로서 해당 주택 및 이에 부수되는 토지의 기준시가의 합계액이 해당 주택의 임대개시일 당시 6억 원(수도권 밖의 지역인 경우에는 3억 원)을 초과하지 않고 임대료 등의 증가율이 100분의 5를 초과하지 않는 주택(임대료 등의 증액 청구는 임대차계약의 체결 또는 약정한 임대료 등의 증액이 있은 후 1년 이내에는 하지 못하고, 임대사업자가 임대료 등의 증액을 청구하면서 임대보증금과 월임대료를 상호 간에 전환하는 경우에는 「민간임대주택에 관한 특별법」제44조 제4항의 전환 규정을 준용한다). 다만, 다음[아래 1)~3)]의 어느 하나에 해당하는 주택은 제외한다.(2019. 2. 12. 개정, 2020. 2. 11. 개정, 2020. 10. 7. 개정)(소득령 §167의3 ① 2호 마목)

5% 초과 요건은 2019년 2월 12일 이후 주택 임대차계약을 체결하거나 기존 계약을 갱신하는 분부터 적용한다.

1) 1세대가 국내에 1주택 이상을 보유한 상태에서 새로 취득한 조정대상지역에 있는 「민간임대주택에 관한 특별법」제2조 제5호에 따른 장기일반민간임대주택[조정대상지역의 공고가 있은 날 이전에 주택(주택을 취득할 수 있는 권리를 포함한다)을 취득하거나 주택(주택을 취득할 수 있는 권리를 포함한다)을 취득하기 위해 매매계약을 체결하고 계약금을 지급한 사실이 증빙서류에 의해 확인되는 경우는 제외한다](2020. 10. 7. 신설)[소득령 §167의3 ① 2호 마목 1)]
   임대료 등 5% 초과 요건은 2019년 2월 12일 이후 주택 임대차계약을 체결하거나 기존 계약을 갱신하는 분부터 적용한다.

2) 2020년 7월 11일 이후 「민간임대주택에 관한 특별법」제5조에 따른 임대사업자등록 신청(임대할 주택을 추가하기 위해 등록사항의 변경 신고를 한 경우를 포함한다)을 한 종전의 「민간임대주택에 관한 특별법」제2조 제5호에 따른 장기일반민간임대주택 중 아파트를 임대하는 민간매입임대주택(2020. 10. 7. 신설)[소득령 §167의3 ① 2호 마목 2)]

3) 종전의 「민간임대주택에 관한 특별법」제5조에 따라 등록을 한 같은 법 제2조 제6호에 따른 단기민간임대주택을 같은 법 제5조 제3항에 따라 2020년 7월 11일 이후 장기일반민간임대주택 등으로 변경 신고한 주택(2020. 10. 7. 신설)[소득령 §167의3 ① 2호 마목 3)]

거주주택 비과세 규정에서 인정되는 장기임대주택은 다음과 같다.

① 소득령 제167조의3 제1항 제2호

| 거주주택 비과세 규정에서 임대주택의 요건 요약표(소득령 §155 ⑳, ㉓) |

구 분	소득령 제167조의3 제1항 제2호						
	가목	나목	다목	라목	마목	바목	사목
유형	매입임대 (장기/단기)	매입임대	건설임대 (장기/단기)	미분양 매입임대	매입임대 (장기)	건설임대 (장기)	가목, 다목~마목의 임대주택의 자진말소일로부터 1년 이내 양도하는 주택 (단 임대기간요건 외 다른 요건은 갖추어야 한다)
호수	1호	2호	2호	5호	1호	2호	
세법상 의무임대 기간	5년 이상	5년 이상	5년 이상	5년 이상	8년/10년 2020. 8. 18. 이후 임대등록 신청 분부터는 10년	8년/10년	
등록말소	1. 가목, 다목~마목의 경우 민특법상 자진·자동말소후 5년 이내 거주주택을 양도하는 경우 임대기간요건을 갖춘 것으로 본다.[1] 2. 가목, 다목~마목의 경우 민특법에 따라 자진·자동등록말소된 경우 임대기간요건을 갖춘 것으로 보아 이미 비과세받은 것은 추징하지 않는다. *1) 적용 대상 : 아파트 장기일반민간매입임대주택과 단기임대만 해당한다.						
면적요건	–	국민주택 규모 이하	대지 298㎡ +주택 149㎡ 이하	대지 298㎡ +주택 149㎡ 이하	–	대지 298㎡ +주택 149㎡ 이하	
기준시가	임대개시당시 기준시가 6억 원 (수도권밖 3억 원)	취득당시 기준시가 3억 원 이하	임대개시당시 6억 원 이하	취득당시 기준시가 3억 원 이하	임대개시당시 기준시가 6억 원 (수도권밖 3억 원)	임대개시당시 6억 원 이하	
임대료	5% 요건		5% 요건		5% 요건	5% 요건	
	5% 초과 요건은 2019년 2월 12일 이후 주택 임대차계약을 체결하거나 기존 계약을 갱신하는 분부터 적용한다.						

거주주택 외 임대주택 인정 등록기한	구분	거주주택 외 임대주택 등록기한 요건	
	가목	2020. 7. 10.까지 임대 등록신청한 주택에 한한다.	
	나목	2003. 10. 29. 이전에 등록한 주택	
	다목	2020. 7. 10.까지 임대 등록신청한 주택에 한한다.	
	라목	2008. 6. 11.~ 2009. 6. 30. 분양계약과 계약금 납부	
	마목	2021. 2. 16. 이전 거주주택 양도분까지	2018. 9. 14. 이후 1주택 이상을 보유한 상태에서 새로이 조정대상지역 내 취득한 주택은 임대주택에서 제외한다.

구 분	소득령 제167조의3 제1항 제2호						
	가목	나목	다목	라목	마목	바목	사목

구분	거주주택 외 임대주택 등록기한 요건	
마목	2021. 2. 17. 이후 거주주택 양도분부터	마목에 따라 등록한 임대주택은 인정된다. 2018. 9. 14. 이후 1주택 이상을 보유한 상태에서 새로이 조정대상지역 내 취득한 주택도 임대주택으로 인정한다. 단, 다음 중 어느 하나인 경우는 제외한다. 1. 2020. 7. 11. 이후 등록신청 한 아파트 2. 2020. 7. 11. 이후 단기에서 장기로 변경신고한 주택
바목		–

② 가목, 다목에 따른 매입임대주택(단기/장기)

단기 매입, 건설 임대사업자는 2020년 7월 10일 이전까지 임대등록을 한 주택에 한하여 거주주택 외 임대주택으로 인정되어 거주주택 양도시 비과세가 가능하다.

| 소득령 제167조의3 제2항 제2호 가목, 다목에 따른 매입임대주택(단기/장기) |

구 분	임대등록 신청일	
	2020년 7월 10일 이전	2020년 7월 11일 이후
거주주택 외 임대주택 해당 여부	해당됨	해당 안됨

③ 장기일반매입임대주택(마목)

마목의 경우 거주주택의 양도일을 기준으로 임대주택요건이 달라진다.

첫째, 2021년 2월 16일 이전에 거주주택을 양도하는 경우에는 마목에 따른 임대주택은 2018년 9월 13일 이전 취득한 주택과 2018년 9월 14일 이후 취득한 주택 중에 1세대 1주택 이상을 보유한 상태에서 새로이 조정대상지역에서 취득한 주택을 제외한 주택은 마목에 따른 임대사업자에 해당된다.

둘째, 2021년 2월 17일 이후에 거주주택을 양도하는 경우에는 임대주택의 취득일과 관계없이 마목에 따른 거주주택 외 임대주택으로 인정된다. 단, 2020년 7월 11일 이후 임대등록신청한 아파트와 2020년 7월 11일 이후 단기에서 장기임대로 변경신고한 것을 제외한 주택은 인정 안된다.

| 소득령 제167조의3 제2항 제2호 마목에 따른 장기일반민간매입임대주택 해당 여부 |

구 분	2021. 2. 16. 이전에 거주주택을 양도하는 경우		2021. 2. 17. 이후에 거주주택을 양도하는 경우
	2018. 9. 13. 이전 취득분	2018. 9. 14. 이후 취득분	
거주주택 외 임대주택 해당 여부	해당됨	해당됨[1]	해당됨[2]

1) 단, 2018. 9. 14. 이후에 1세대 1주택 이상을 보유한 상태에서 새로 조정지역에서 취득한 주택은 제외한다.
2) 단, 2020. 7. 11. 이후 임대등록신청 한 아파트와 2020. 7. 11. 이후 단기에서 장기로 변경 신고한 주택은 제외한다. 특징은 2018. 9. 14. 이후 조정대상지역 내 취득한 주택도 임대주택으로 인정된다.

| 거주주택비과세 특례의 의무임대기간 요건 |

구 분	가목, 다목(단기/장기)	마목, 바목(장기매입·건설임대)	
임대등록기간	2020. 7. 10. 이전 임대등록 신청분만 인정	2020. 8. 17. 이전에 임대등록 신청한 주택	2020. 8. 18. 이후에 임대등록 신청한 주택
	5년 이상	8년 이상	10년 이상
세법상 의무임대기간	① 자진(민특법상 의무임대기간 1/2 이상 임대 후), 자동등록말소 후 5년 이내 거주주택을 양도하는 경우 의무임대기간 요건을 갖춘 것으로 본다. ② 2호 이상 임대하는 경우에는 최초로 등록이 말소되는 주택의 말소일을 기산일로 하여 5년을 계산한다. ③ 자진·자동말소의 경우 이미 거주주택 비과세된 것은 추징하지 않는다.		

3) 장기어린이집

양도일 현재 법 제168조에 따라 고유번호를 부여받고, 장기어린이집을 운영하고 있을 것 (2018. 2. 13. 신설, 2022. 2. 15. 개정)(소득령 §155 ⑳ 3호)

장기어린이집

장기어린이집의 요건은 다음과 같다.
1. 1세대의 구성원이 관할 지자체의 인가를 받고 세무서에 고유번호 부여받을 것
2. 고유번호 부여받은 후 5년 이상 의무사용
3. 어린이집으로 사용하지 아니하게 된 날부터 6개월 이내 양도한 주택

4) 주택 임대사업자의 거주용 자가 주택 1세대 1주택 비과세 요건

구 분	요 건
1. 양도하는 주택(거주주택) 외 나머지 주택 요건	1) 관할 시·군·구에 민간임대사업등록 2) 세무서에 임대사업자등록 3) 소득령 제167조의3 제1항 제2호에 따른 임대주택 　　같은 조 제1항 제8호의2(장기어린이집) 4) 5년 이상 임대 5) 임대료 등의 증가율이 100분의 5를 초과하지 않을 것 위 임대주택은 아래 거주주택 양도 시 주택 수에서 제외하고 1세대 1주택 비과세 규정을 적용한다.
2. 양도하는 거주주택 요건	1) 위 요건 갖춘 임대주택(장기어린이집) 외 유일한 1주택으로 2) 2년 이상 보유 3) 보유기간 중 2년 이상 거주한 후 양도하는 경우* 4) 장기임대주택을 보유하고 있는 경우에는 생애 한 차례만 거주주택을 최초로 양도하는 경우에 한정한다. 5) 민특법에 따라 임대주택이 자진·자동말소되는 경우 말소일로부터 5년 이내 양도하는 거주주택(임대주택 중 아파트 장기매입임대와 단기임대주택에 한한다)

* 거주주택 : 보유기간 중 거주기간(직전거주주택보유주택의 경우에는 소득세법에 따른 사업자등록과 「민간임대주택에 관한 특별법」 제5조에 따른 임대사업자등록을 한 날, 「영유아보육법」 제13조 제1항에 따른 인가를 받은 날 또는 같은 법 제24조 제2항에 따른 위탁의 계약서상 운영개시일 이후의 거주기간을 말한다)이 2년 이상일 것(소득령 §155 ⑳ 1호)

유 형	거주요건
거주주택	2년 거주
직전거주주택보유주택(두 번째 주택)	임대사업등록일 이후 의무임대기간 채우고 2년 거주해야 함.

① 임대기간 5년의 기산점은 임대사업자 등록하고 실제 임대한 날이다.

② 거주주택 이외에 임대사업등록한 주택의 의무임대기간 충족 전에 거주주택을 양도해도 비과세특례가 적용된다. 사후관리 후 거주주택양도 후 거주주택 외 임대주택은 의무임대기간 5년을 충족해야 한다.

③ 5년 임대요건 미충족 시 추징한다.(단, 공익수용, 상속인 경우는 예외로 함)

▶▶ [참고] 용어 정리

구 분	내 용
① 거주주택	의무임대(사용)기간 등 요건 갖춘 장기임대주택 또는 장기어린이집(B, C, D주택)과 그 밖의 1주택(A주택)을 국내에 소유하고 있는 1세대가 2년 거주 요건을 충족한 해당 그 밖의 1주택(A주택) A주택 : 거주주택　　　B+C+D : 요건 갖춘 임대주택
② 직전거주주택	해당 거주주택(B)이 「민간임대주택에 관한 특별법」 제5조에 따라 민간임대주택으로 등록하였거나 「영유아보육법」 제13조 제1항에 따른 인가를 받아 어린이집으로 사용한 사실이 있고 그 보유기간 중에 양도한 다른 거주주택(A)(양도한 다른 거주주택이 둘 이상인 경우에는 가장 나중에 양도한 거주주택을 말한다)을 직전거주주택이라 한다. 즉, 이미 양도한 거주주택이었던 A를 직전거주주택이라 한다. A주택 이미 양도: 직전거주주택　　B주택 이번에 양도: 거주주택　　C+D: 요건 갖춘 임대주택
③ 직전거주주택 보유주택	직전거주주택(A)이 있는 거주주택(B)을 직전거주주택보유주택이라 한다. 즉, 위 A가 있는 B를 직전거주주택보유주택이라 한다. A주택 이미 양도: 직전거주주택　　B주택 이번에 양도 : 직전거주주택 보유주택　　C+D : 요건 갖춘 임대주택

(2) 장기임대주택(장기어린이집) 임대기간(운영기간)요건 충족 전에 양도하는 거주주택 비과세

1세대가 장기임대주택의 임대기간요건(이하 이 조에서 "임대기간요건"이라 한다) 또는 장기어린이집의 운영기간요건(이하 이 조에서 "운영기간요건"이라 한다)을 충족하기 전에 거주주택을 양도하는 경우에도 해당 임대주택 또는 어린이집을 장기임대주택 또는 장기어린이집으로 보아 거주주택 1세대 1주택 비과세 규정[제20항, 위 (1)]을 적용한다.(2018. 2. 13. 개정)(소득령 §155 ㉑)

(3) 직전거주보유주택인 경우 직전거주주택의 양도일 이후 기간분만 비과세

1세대 1주택 비과세 규정[소득령 제154조 제1항]에 따른 1세대 1주택이 다음 [아래 1), 2)]의 요건에 모두 해당하는 경우에는 거주주택 1세대 1주택 비과세 특례 규정[소득령 제

155조 제20항] 각 호 외의 부분 후단에 따른 직전거주주택의 양도일 후의 기간분에 대해서만 국내에 1주택을 보유한 것으로 보아 1세대 1주택 비과세 규정[소득령 제154조 제1항]을 적용한다.(2017. 2. 3. 개정)(소득령 §154 ⑩)

1) 「민간임대주택에 관한 특별법」 제5조에 따라 임대주택으로 등록하거나 「영유아보육법」 제12조 또는 제13조에 따른 어린이집으로 설치·운영된 사실이 있을 것(2018. 2. 13. 개정)(소득령 §154 ⑩ 1호)

2) 해당 주택이 거주주택 1세대 1주택 비과세 특례 규정[소득령 제155조 제20항] 각 호 외의 부분 후단에 따른 직전거주주택보유주택일 것(2019. 2. 12. 개정)(소득령 §154 ⑩ 2호)

(4) 사후관리

1세대가 장기임대주택(장기어린이집) 임대기간(운영기간)요건 충족 전에 양도하여 비과세 적용(제21항)을 받은 후에 임대기간요건 또는 운영기간요건을 충족하지 못하게 된(장기임대주택의 임대의무호수를 임대하지 않은 기간이 6개월을 지난 경우를 포함한다) 때에는 그 사유가 발생한 날이 속하는 달의 말일부터 2개월 이내에 제1호의 계산식에 따라 계산한 금액을 양도소득세로 신고·납부해야 한다. 이 경우 제2호의 임대기간요건 및 운영기간요건 산정특례에 해당하는 경우에는 해당 규정에 따른다.(2018. 2. 13. 개정, 2020. 2. 11. 개정)(소득령 §155 ㉒)

1) 납부할 양도소득세 계산식(2018. 2. 13. 개정)(소득령 §155 ㉒ 1호)

> 납부할 양도소득세 = 거주주택 양도 당시 해당 임대주택 또는 어린이집을 장기임대주택 또는 장기어린이집으로 보지 아니할 경우에 납부했을 세액 − 거주주택 양도 당시 제20항을 적용받아 납부한 세액

2) 임대기간요건 및 운영기간요건 산정특례(2018. 2. 13. 개정)(소득령 §155 ㉒ 2호)

① 「공익사업을 위한 토지 등의 취득 및 보상에 관한 법률」에 따른 수용 등 기획재정부령으로 정하는 부득이한 사유로 해당 임대기간요건 또는 운영기간요건을 충족하지 못하게 되거나 임대의무호수를 임대하지 않게 된 때에는 해당 임대주택을 계속 임대하거나 해당 어린이집을 계속 운영하는 것으로 본다.(2018. 2. 13. 개정)(소득령 §155 ㉒ 2호 가목)

② 재건축사업, 재개발사업 또는 소규모재건축사업 등의 사유가 있는 경우에는 어린이집을 운영하지 않은 기간 또는 임대의무호수를 임대하지 않은 기간을 계산할 때 해당 주택의 「도시 및 주거환경정비법」 제74조에 따른 관리처분계획(소규모재건축사업 등의 경우에는 「빈집 및 소규모주택 정비에 관한 특례법」 제29조에 따른 사업시행계획을 말한다. 이하 "관리처분계획 등"이라 한다) 인가일 전 6개월부터 준공일 후 6개월까지의 기간은 포함하지 않는다.(2018. 2. 13. 개정)(소득령 §155 ㉒ 2호 나목)

③ 리모델링 사유가 있는 경우
「주택법」 제2조에 따른 리모델링 사유가 있는 경우에는 임대의무호수를 임대하지 아니한 기간을 계산할 때 해당 주택이 같은 법 제15조에 따른 사업계획의 승인일 또는 같은법 제66조에 따른 리모델링의 허가일 전 6개월부터 준공일 후 6개월까지의 기간은 포함하지 않는다.(2020. 2. 12. 신설)(소득령 §155 ㉒ 2호 다목)

④ 제167조의3 제1항 제2호 가목 및 다목부터 마목까지의 규정에 해당하는 장기임대주택(법률 제17482호 민간임대주택에 관한 특별법 일부개정법률 부칙 제5조 제1항이 적용되는 주택으로 한정한다)이 다음[아래 ⅰ), ⅱ)]의 어느 하나에 해당하여 등록이 말소되고 제167조의3 제1항 제2호 가목 및 다목부터 마목까지의 규정에서 정한 임대기간요건을 갖추지 못하게 된 때에는 그 등록이 말소된 날에 해당 임대기간요건을 갖춘 것으로 본다.(2020. 10. 7. 신설)(소득령 §155 ㉒ 2호 라목)

ⅰ) 「민간임대주택에 관한 특별법」 제6조 제1항 제11호에 따라 임대사업자의 임대의무기간 내 등록 말소 신청으로 등록이 말소된 경우(같은 법 제43조에 따른 임대의무기간의 2분의 1 이상을 임대한 경우로 한정한다)[소득령 §155 ㉒ 2호 라목 1)]

ⅱ) 「민간임대주택에 관한 특별법」 제6조 제5항에 따라 임대의무기간이 종료한 날 등록이 말소된 경우[소득령 §155 ㉒ 2호 라목 2)]

⑤ 재개발사업, 재건축사업 또는 소규모재건축사업 등으로 임대 중이던 당초의 장기임대주택이 멸실되어 새로 취득하거나 「주택법」 제2조에 따른 리모델링으로 새로 취득한 주택이 다음[아래 ⅰ), ⅱ)]의 어느 하나의 경우에 해당하여 해당 임대기간요건을 갖추지 못하게 된 때에는 당초 주택(재건축 등으로 새로 취득하기 전의 주택을 말하며, 이하 이 목에서 같다)에 대한 등록이 말소된 날 해당 임대기간요건을 갖춘 것으로 본다. 다만, 임대의무호수를 임대하지 않은 기간(이 항 각 호 외의 부분에 따라 계산한 기간을 말한다)이 6개월을 지난 경우는 임대기간요건을 갖춘 것으로 보지 않는다.(2020.

10. 7. 신설)(소득령 §155 ㉒ 2호 마목)

ⅰ) 새로 취득한 주택에 대해 2020년 7월 11일 이후 종전의 「민간임대주택에 관한 특별법」 제2조 제5호에 따른 장기일반민간임대주택 중 아파트를 임대하는 민간매입임대주택이나 같은 조 제6호에 따른 단기민간임대주택으로 종전의 「민간임대주택에 관한 특별법」 제5조에 따른 임대사업자등록 신청(임대할 주택을 추가하기 위해 등록사항의 변경 신고를 한 경우를 포함한다. 이하 이 목에서 같다)을 한 경우[소득령 §155 ㉒ 2호 마목 1)]

ⅱ) 새로 취득한 주택이 아파트(당초 주택이 단기민간임대주택으로 등록되어 있었던 경우에는 모든 주택을 말한다)인 경우로서 「민간임대주택에 관한 특별법」 제5조에 따른 임대사업자등록 신청을 하지 않은 경우[소득령 §155 ㉒ 2호 마목 2)]

(5) 임대등록 자진말소 및 자동말소의 경우

제167조의3 제1항 제2호 가목 및 다목부터 마목까지의 규정에 해당하는 장기임대주택이 다음[아래 1), 2)] 각 호의 어느 하나에 해당하여 등록이 말소된 경우에는 해당 등록이 말소된 이후(장기임대주택을 2호 이상 임대하는 경우에는 최초로 등록이 말소되는 장기임대주택의 등록 말소 이후를 말한다) 5년 이내에 거주주택을 양도하는 경우에 한정하여 임대기간요건을 갖춘 것으로 보아 거주주택 비과세 특례 규정을 적용한다.(2020. 10. 7. 신설)(소득령 §155 ㉓)

1) 자진말소

「민간임대주택에 관한 특별법」 제6조 제1항 제11호에 따라 임대사업자의 임대의무기간 내 등록 말소 신청으로 등록이 말소된 경우(같은 법 제43조에 따른 임대의무기간의 2분의 1 이상을 임대한 경우에 한정한다)(2020. 10. 7. 신설)(소득령 §155 ㉓ 1호)

2) 자동말소

「민간임대주택에 관한 특별법」 제6조 제5항에 따라 임대의무기간이 종료한 날 등록이 말소된 경우(2020. 10. 7. 신설)(소득령 §155 ㉓ 2호)

| 자진말소/자동말소에 따른 거주주택 비과세 특례 요건(소득령 §155 ㉓) |

유형	소득령 167조의3 ① 2호					
	가목	나목	다목	라목	마목	바목
자동말소 및 자진말소	① 5년 이내 거주주택을 양도시 또는 ② 이미 거주주택 비과세를 받은 경우 → 임대기간요건을 갖춘 것으로 본다.	－	① 5년 이내 거주주택을 양도시 또는 ② 이미 거주주택 비과세를 받은 경우 → 임대기간요건을 갖춘 것으로 본다.		－	
적용시기	2020년 8월 18일 이후 말소된 주택부터 적용한다. * 아파트 장기일반민간매입임대주택과 단기임대만 적용한다. * 장기임대주택을 2호 이상 임대하는 경우에는 최초로 등록이 말소되는 장기임대주택의 등록말소 이후를 말한다. * 자진말소의 경우 민특법상 임대의무기간의 2분의 1 이상을 임대한 경우에 한정한다.					

관련 예규 및 해석사례

1. 소득세법 시행령 제155조 제23항에 따라 장기임대주택이 자진말소 또는 자동말소 후 5년 이내 다음이 가능한지?(기획재정부 재산-151, 2022. 1. 24.)

   (질의1) 장기임대주택에 전입·거주하여 장기임대주택을 임대하고 있지 않는 상태에서 거주주택을 양도하는 경우, 소득령 제155조 제20항(이하 "쟁점특례")이 적용 가능한지 여부?

   (답 변) 쟁점특례 적용 가능

   (질의2) 거주주택 양도일까지 장기임대주택의 임대료 증액상한(5%)을 준수하지 않아도 쟁점특례가 적용 가능한지 여부?

   (답 변) 쟁점특례 적용 가능

   (질의3) 거주주택 양도일까지 장기임대주택의 세무서 사업자등록을 유지하지 않은 경우 쟁점특례가 적용가능한지 여부?

   (답 변) 쟁점특례 적용 가능

2. 임대등록이 자동말소된 임대주택 양도 후 거주주택 양도시 소득령 제155조 제20항 특례적용 여부

「소득세법 시행령」 제155조 제20항에 따른 1세대 1주택 특례규정은 해당 규정상 요건을 갖춘 장기임대주택과 거주주택을 소유하는 1세대가 해당 거주주택을 양도하는 경우에 적용되는 것으로서, 거주주택을 양도하기에 앞서 장기임대주택을 먼저 양도한 경우는 위 「소득세법 시행령」 제155조 제20항에 따른 1세대 1주택 특례 적용대상에 해당하지 않는 것임.(사전법령해석재산 2021-0673, 2021. 11. 19.)

3. 임대주택 2채가 자동말소되고, 먼저 말소된 주택을 거주주택 전환 시 1세대 1주택 특례 적용기간

3채(A,B,C)의 장기임대주택 중 1채(B)가 자동말소되어 거주주택으로 전환한 경우로서, 이후 다시 1채(A)의 장기임대주택이 자동말소된 경우에는 해당 임대주택(A)의 등록이 말소된 이후 5년 이내에 거주주택(B)을 양도하는 경우에 한정하여 임대기간요건을 갖춘 것으로 봄.(서면법령해석재산 2020-5916, 2021. 10. 28.)

(6) 제출서류

주택 임대사업자의 거주용 자가 주택 1세대 1주택 비과세 규정(제20항)을 적용받으려는 자는 거주주택을 양도하는 날이 속하는 과세기간의 과세표준신고서와 기획재정부령으로 정하는 신고서에 다음 각 호의 서류를 첨부하여 납세지 관할 세무서장에게 제출해야 한다.(2017. 2. 3. 개정)(소득령 §155 ㉔)

① 「영유아보육법」 제24조에 따라 어린이집 운영을 위탁받은 경우 국공립어린이집의 위탁계약증서 사본(2022. 2. 15. 신설)(소득령 §155 ㉔ 1호)

② 장기임대주택의 임대차계약서 사본(2011. 10. 14. 신설)(소득령 §155 ㉔ 2호)

③ 임차인의 주민등록표 등본 또는 그 사본. 이 경우 「주민등록법」 제29조 제1항에 따라 열람한 주민등록 전입세대의 열람내역 제출로 갈음할 수 있다.(2011. 10. 14. 신설, 2020. 2. 11. 후단신설)(소득령 §155 ㉔ 3호)

④ 그 밖에 기획재정부령으로 정하는 서류(2011. 10. 14. 신설)(소득령 §155 ㉔ 4호)

(7) 거주주택 비과세 생애 1회만 적용

1) 개정 내용

주택임대사업자 거주주택 양도세 비과세 요건 강화 등(소득령 §154 ⑩, §155 ⑳)

① 거주주택의 거주요건 명확화(소득령 §155 ⑳ 1호)

종전의 2년 이상 거주에서 "보유기간 중" 2년 이상 거주로 보다 명확하게 개정되었다. 해당 주택을 보유하지 않고 임차해서 거주한 기간은 거주기간에서 제외한다.

② 장기임대주택 보유의 경우는 최초 거주주택에 대해서만 비과세(생애 1회로 제한)

장기임대주택을 보유하고 있는 경우에는 생애 한 차례만 거주주택을 최초로 양도하는 경우에 한정하여 국내에 1개의 주택을 소유하고 있는 것으로 보아 1세대 1주택 비과세 규정을 적용한다.(소득령 §155 ⑳ 본문)

종전 규정	현행 규정(2019. 2. 12. 개정)
거주주택에 대해서는 횟수 제한 없이 1세대 1주택 비과세 규정을 적용한다.	장기임대주택을 보유하고 있는 경우에는 생애 한 차례만 거주주택을 최초로 양도히는 경우에 한정하여 국내에 1개의 주택을 소유하고 있는 것으로 보아 1세대 1주택 비과세 규정을 적용한다. 단, 어린이집을 보유한 경우는 종전과 같이 횟수 제한없이 비과세 적용한다.

| 일자기준으로 구분한 거주주택 비과세 횟수 제한 여부 |

2019.2.12. 당시 거주하고 있는 주택	거주주택 취득일	
	2019. 2. 11. 이전[1]	2019. 2. 12. 이후
횟수제한 없음.	횟수제한 없음.	생애 1회만 비과세 적용

1) 2019. 2. 11. 이전에 매매계약을 체결하고 계약금 지급한 주택 포함

③ 마지막 남은 1주택의 경우 직전거주주택의 양도일 후의 기간분에 대해서만 비과세

해당 거주주택을 「민간임대주택에 관한 특별법」 제5조에 따라 민간임대주택으로 등록하였거나 「영유아보육법」 제13조 제1항에 따른 인가를 받거나 같은 법 제24조 제2항에 따른 위탁을 받아 어린이집으로 사용한 사실이 있고 그 보유기간 중에 양도한 다른 거주주택(양도한 다른 거주주택이 둘 이상인 경우에는 가장 나중에 양도한 거주주택을 말한다. 이하 "직전거주주택"이라 한다)이 있는 거주주택(민간임대주택으로 등록한 사실이 있는 주택인 경우에는 1주택 외의 주택을 모두 양도한 후 1주택을 보유하게 된 경우로 한정한다. 이하 이 항에서 "직전거주주택보유주택"이라 한다)인 경우에는 직전거주주택의 양도일 후의 기간분에 대해서만 국내에 1개의 주택을 소유하고 있는 것으로 보아 거주주택 1세대 1주택 비과세규정[제154조 제1항]을 적용한다.(2019. 2. 12. 개정, 2021. 2. 17. 개정, 2022. 2. 15. 개정)(소득령 §155 ⑳ 본문)

종전 규정	현행 규정(2019. 2. 12. 개정)
☐ 직전거주주택보유주택	☐ 직전거주주택보유주택 요건 추가
〈추 가〉	(민간임대주택으로 등록한 사실이 있는 주택인 경우에는 1주택 외의 주택을 모두 양도한 후 1주택을 보유하게 된 경우에 한정한다)

④ 생애 1회 제한 관련 문답사례

▶▶ [참고] 주택 임대사업자 거주주택 양도세 비과세 요건 강화 등(소득령 §154 ⑩, §155 ⑳) 개정세법 기획재정부 문답 사례(출처 : 기획재정부 2019. 1. 11.)

● ● ●

1. 주택임대사업자 거주주택 양도세 비과세 요건 강화 시 개정 전후 사례비교

〈개정 전〉
○ 장기임대주택을 보유한 임대사업자가 2년 이상 본인이 거주한 주택 양도시 1세대 1주택으로 보아 비과세된다.(횟수 제한 없음)
○ 임대주택을 거주주택으로 전환한 경우는 기존 거주주택 양도 후 발생한 양도차익에 대해서 비과세된다.

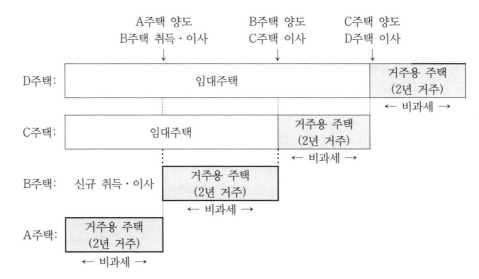

〈개정 후〉

○ 최초 거주주택을 양도하는 경우만 비과세가 허용된다.(1회)

  * 시행시기: 영 시행일(2019. 2. 12.) 이후 신규 취득하는 분부터 적용하되, 시행일 당시에 거주하고 있는 주택(시행일 이전에 거주주택을 취득하기 위해 계약금을 지불한 경우도 포함)은 종전 규정 적용한다.

○ 임대주택을 거주주택으로 전환한 경우도 전체 양도차익에 대해 과세 전환된다.

○ 다만, 최종적으로 임대주택 1채만 보유하게 된 후 거주주택으로 전환 시 직전거주 주택 양도 후 양도차익분에 대해서 비과세된다.

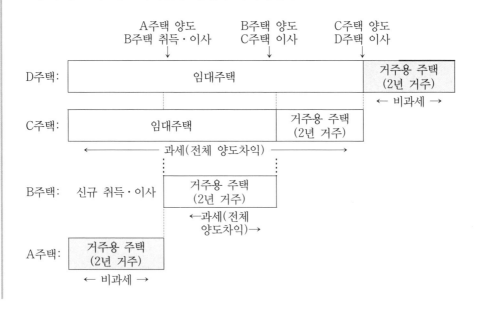

2. 앞으로 장기임대주택 보유자의 거주주택에 대한 비과세는 생애 1회만 가능한지?

  ○ 생애 1회만 가능하다.

  ○ 다만, 영 시행일(2019. 2. 12.) 현재 거주하고 있는 주택이나 영 시행일 이전에 매매계약을 체결하고 계약금까지 납입한 신규취득 주택은 비과세 혜택*을 받을 수 있다.

     * 장기임대주택을 보유한 세대가 시행일 이전에 이사 목적으로 신규주택 취득 계약을 체결한 경우: 현재 거주 중인 주택 + 계약한 신규주택까지 비과세된다.

3. 기존에 거주주택 비과세를 받은 적이 있어도 시행일 이후 취득한 거주주택에 대해 한번 더 거주주택 비과세를 받을 수 있는지?

  ○ 장기임대주택 보유자의 거주주택에 대한 비과세는 생애 1회만 가능하므로, 기존에 거주주택 비과세를 받은 적이 있는 분들이 영 시행일 이후 취득한 주택은 비과세 혜택을 받을 수 없다.

4. 종전에 보유하고 있던 장기임대주택을 거주주택으로 전환(이사)한 후 양도하는 경우는?

  ○ 종전에 보유한 주택은 종전 규정을 따른다. 즉, 현행 규정대로 직전에 거주한 주택을 양도한 날로부터의 양도차익분에 대해 비과세가 가능하다.

    – 그러나 시행일(2019. 2. 12.) 이후 취득한 장기임대주택을 거주주택으로 전환(이사)한 경우는 과세로 전환된다.

5. 거주주택을 보유한 상태에서 장기임대주택을 모두 처분하여 1주택만 남은 경우 1세대 1주택 비과세 특례 적용은 어떻게 되는지?

  ○ 1세대 1주택 비과세 요건을 충족하면 비과세된다. 즉, 마지막 임대주택을 처분한 후 2년 보유* 시 비과세가 가능하다.

     * 조정대상지역 내 취득한 주택의 경우 2년 보유기간 중 2년 거주 필요하다.

(8) 직전거주보유주택의 양도소득금액 계산

직전거주주택 양도일 전·후 양도차익은 기준시가에 따라 안분한다.

▶▶ [참고] 직전거주주택보유주택의 의의(종전 규정)

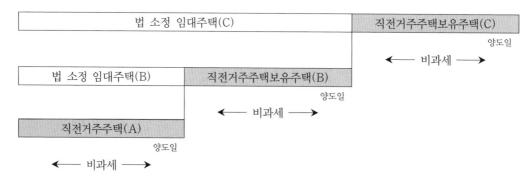

※ 직전거주주택보유주택(B) 양도 시: 직전거주주택(A) 양도일 이후 시점부터 B주택 양도일까지의 양도차익에 대해서만 1세대 1주택 비과세

1) 직전거주보유주택의 양도소득금액 계산

소득령 제154조 제10항에 따른 1세대 1주택 및 소득령 제155조 제20항 각 호 외의 부분 후단에 따른 직전거주주택보유주택(이하 이 조에서 직전거주주택보유주택 등이라 한다)의 양도소득금액은 다음 계산식에 따라 계산한 금액으로 한다.(소득령 §161 ①)(2017. 2. 3. 개정)

$$*\text{소득법 제95조 제1항에 따른 양도소득금액} \times \frac{\text{직전거주주택의 양도 당시 직전거주주택보유주택 등의 기준시가} - \text{직전거주주택보유주택 등의 취득 당시의 기준시가}}{\text{직전거주주택보유주택 등의 양도 당시의 기준시가} - \text{직전거주주택보유주택 등의 취득 당시의 기준시가}}$$

* 양도소득금액은 「소득세법」 제94조에 따른 양도소득의 총수입금액(이하 "양도가액"이라 한다)에서 「소득세법」 제97조에 따른 필요경비를 공제하고, 그 금액(이하 "양도차익"이라 한다)에서 장기보유특별공제액을 공제한 금액으로 한다. 장기보유특별공제율은 최대 15년 30%를 적용한다.(소득법 §95 ①)

2) 고가주택

위의 직전거주보유주택의 양도소득금액 계산[소득령 제161조 제1항{위 1)}]에도 불구하고 직전거주주택보유주택 등이 법 제89조 제1항 제3호 각 목 외의 부분에 따른 고가주택인 경우 직전거주주택보유주택 등의 양도소득금액은 다음 각 호[아래 ①, ②]의 계산식에 따

라 계산한 금액을 합산한 금액으로 한다.(2013. 2. 15. 개정, 2022. 2. 15. 개정)(소득령 §161 ②)

① 직전거주주택 양도일 이전 보유기간분 양도소득금액

$$
\text{소득법 제95조 제1항에 따른 양도소득금액} \times \frac{\text{직전거주주택의 양도 당시 직전거주주택보유주택 등의 기준시가} - \text{직전거주주택보유주택 등의 취득 당시의 기준시가}}{\text{직전거주주택보유주택 등의 양도 당시의 기준시가} - \text{직전거주주택보유주택 등의 취득 당시의 기준시가}}
$$

장기보유특별공제액은 최대 15년, 30%까지 적용한다.

② 직전거주주택 양도일 이후 보유기간분 양도소득금액

$$
\text{소득법 제95조 제1항에 따른 양도소득금액} \times \frac{\text{직전거주주택보유주택 등의 양도당시의 기준시가} - \text{직전거주주택 양도당시 직전거주주택 보유주택 등의 기준시가}}{\text{직전거주주택보유주택 등의 양도 당시의 기준시가} - \text{직전거주주택보유주택 등의 취득당시의 기준시가}} \times \frac{\text{양도가액} - 12\text{억}[19]\text{원}}{\text{양도가액}}
$$

장기보유특별공제액은 최대 10년 80%까지 적용할 수 있다.

3) 한도액

소득령 제161조 제1항[위 ①]에 따라 계산한 직전거주주택보유주택 등의 양도소득금액이 소득법 제95 제1항에 따른 양도소득금액을 초과하는 경우에는 각각 그 초과하는 금액은 없는 것으로 한다.(소득령 §161 ③)(2013. 2. 15. 개정)

(9) 관련 최신 예규·판례

1) 임대주택을 공동소유한 경우 거주주택 비과세 특례 적용 여부

「소득세법 시행령」 제155조 제20항을 적용받는 장기임대주택의 호수계산은 세대단위로 판단하여 1호 이상이면 되는 것임.(서면부동산 2020-3726, 2020. 8. 31)

---

19) 2021년 12월 7일 이전 양도분은 9억 원 차감

2) 장기임대주택 특례와 일시적 2주택 특례의 중첩적용 가능 여부 등

거주주택과 임대주택을 보유하는 1세대가 대체주택을 취득한 경우, 거주주택과 임대주택은 소득령 제155조 제20항의 장기임대주택특례 적용이 가능하며, 거주주택과 대체주택은 소득령 제155조 제1항의 일시적 2주택 특례의 중첩 적용이 가능함.(사전법령해석재산 2020-1038, 2020. 12. 29.)

3) 장기임대주택이 조합원입주권으로 전환된 후 거주주택 양도 시 비과세 특례규정 적용 여부

장기임대주택이 「도시 및 주거환경 정비법」 제48조에 따른 관리처분계획의 인가로 인하여 취득한 입주자로 선정된 지위(조합원입주권)로 전환된 이후 거주주택을 양도하는 경우에도 1세대 1주택 비과세 특례규정을 적용하는 것입니다.(서면부동산 2017-313, 2017. 7. 19.)

4) 장기임대주택 보유 시 거주주택 특례와 관련한 거주주택의 거주기간 계산

「소득세법 시행령」 제155조 제19항에 따른 장기임대주택 보유 시 거주주택 특례를 적용할 때 거주주택의 거주기간은 보유기간 중 거주기간을 통산하는 것임.(서면부동산 2015-2133, 2015. 11. 17.)

5) 신축판매용 주택을 장기임대주택으로 등록하는 경우 양도소득세 과세특례 등

판매 목적 신축주택이 장기간 분양되지 않아 임대사업으로 전환하고 상당한 기간 임대하는 경우 그 실질에 따라 주택으로 볼 수 있고, 해당 주택을 장기임대주택으로 등록한 경우, 그 외의 주택을 양도할 때는 「소득세법 시행령」 제155조 제19항에 따른 거주주택 특례를 적용할 수 있음.(서면부동산 2015-362, 2015. 7. 22.)

6) 상속주택을 거주주택으로 하여 장기임대주택 과세특례 적용 시 거주기간 계산

상속주택을 거주주택으로 하여 장기임대주택 과세특례 적용 시 양도주택에 대한 거주기간의 계산은 해당 양도주택에서 피상속인과 함께하였던 거주기간과 상속인의 거주기간을 통산하는 것임.(서면부동산 2016-3992, 2016. 9. 1.)

7) 양도소득세 비과세 대상 자산에서 발생한 양도차손을 다른 양도자산의 양도소득금액에서 차감할 수 있는지 여부

쟁점아파트는 일시적 1세대 2주택으로 비과세 대상에 해당하므로 쟁점아파트에서 발생한 양도차손을 다른 양도자산의 양도소득 금액에서 차감할 수 없음.(조심 2013구 2727, 2013. 8. 21.)

8) 공동소유 장기임대주택과 거주주택을 보유하는 1세대가 거주주택 양도 시 특례 적용 여부

별도 세대원과 각 1/2씩 공동으로 소유하는 장기임대주택 8호와 같은 영 제155조 제20항의 거주주택을 보유하는 1세대가 당해 거주주택을 양도하는 경우에는 1세대 1주택 특례를 적용받을 수 있는 것임.(사전법령해석재산 2019-410, 2019. 9. 6.)

9) 다가구주택을 임대주택으로 등록한 후 거주 주택을 양도하는 경우

① 「소득세법 시행령」 제167조의3 제1항 제2호 각 목에 따른 주택(장기임대주택)과 그 밖의 1주택을 국내에 소유하고 있는 1세대가 같은 영 제155조 제19항 각 호의 요건을 모두 충족하는 해당 1주택(거주 주택)을 양도하는 경우에는 국내에 1개의 주택을 소유하고 있는 것으로 보아 같은 영 제154조 제1항에 따른 1세대 1주택 비과세 규정을 적용하는 것이다.

② 이 경우 다가구주택(「건축법 시행령」 별표 1 제1호 다목에 해당하는 것)은 한 가구가 독립하여 거주할 수 있도록 구획된 부분을 각각 하나의 주택으로 보아 주택 규모 및 기준시가 요건 등을 적용하여 장기임대주택 해당 여부를 판단하는 것이다.(부동산거래관리-49, 2012. 1. 25.)

10) 조세특례제한법 제99조의2에 해당하는 주택을 보유하고, 1세대 3주택자가 양도하는 주택이 고가주택에 해당하는 경우 세율 및 장기보유특별공제 적용

[요지]

「조세특례제한법」 제99조의2를 적용받는 주택을 보유하고, 일반주택을 양도할 때 양도주택이 고가주택에 해당하고, 1세대 3주택자인 경우 고가주택에 해당하는 부분에 대해서는 중과세율 적용되고 장특공제 배제됨.(서면-2018-부동산-3457)(부동산납세과-138, 2019. 2. 14.)

[회신]

조세특례제한법 제99조의2에 해당하는 주택(B주택)은 소득세법 제89조 제1항 제3호를 적용할 때 해당 거주자의 소유주택으로 보지 아니하는 것이나, 양도하는 주택(A주택)이 고가주택인 경우에는 소득세법 제89조 제1항 제3호 단서 규정에 의해 1세대 1주택 비과세 규정을 적용할 수 없으며, 소득세법 제104조 제7항 제3호의 세율을 적용하는 것임.

11) 농어촌주택, 장기임대주택, 거주주택, 일반주택을 소유하는 1세대가 양도하는 거주주택의 비과세 여부

소득령 제155조 제20항에 따른 거주주택, 장기임대주택과 조특법 제99조의4에 따른 농어촌주택을 취득한 1세대가 1개의 일반주택을 추가로 취득하여 4주택 상태에서 일반주택 취득일로부터 3년 이내에 거주주택을 양도하는 경우 1세대 1주택 비과세 적용.(사전법령해석재산 2016-198, 2017. 7. 10.)

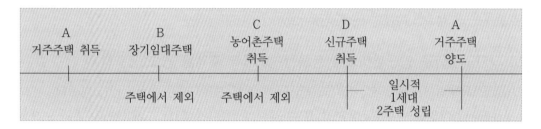

12) 1세대 4주택 이상인 경우 장기임대주택 및 일시적 2주택 특례와 상속주택 특례 중복적용 여부

쟁점주택은 4층과 5층이 각각 독립된 가구로서, 5층만 장기임대주택으로 등록되어 임차 중이고, 4층은 임차인이 아닌 소유주(공동소유주 중 1인)가 직접 사용하고 있는 바, 쟁점주택의 전부가 임차되고 있지 아니한 이상, 쟁점주택 전부를 임대주택으로 보기 곤란한 점, 다가구주택을 1주택으로 보는 소득세법 시행령 제155조 제15항은 특례규정으로, 해당 요건을 충족(해당 주택을 양도하는 경우)하여야 적용이 가능한데, 이 건은 보유단계(다른 주택을 양도하는 경우)에서 판정하여야 하므로, 원칙에 따라 독립·구획된 부분을 각각 하나의 주택으로 보아야 하는 점 등에 비추어 처분청이 쟁점주택의 4층을 장기임대주택으로 보지 않은 이 건 처분에는 달리 잘못이 없는 것으로 판단됨.(조심 2019중2500, 2019. 10. 29.)

13) 쟁점주택의 전부가 장기임대주택에 해당하는지 여부

쟁점주택은 4층과 5층이 각각 독립된 가구로서, 5층만 장기임대주택으로 등록되어 임차 중이고, 4층은 임차인이 아닌 소유주(공동소유주 중 1인)가 직접 사용하고 있는 바, 쟁점주택의 전부가 임차되고 있지 아니한 이상, 쟁점주택 전부를 임대주택으로 보기 곤란한 점, 다가구주택을 1주택으로 보는 소득세법 시행령 제155조 제15항은 특례규정으로, 해당 요건을 충족(해당 주택을 양도하는 경우)하여야 적용이 가능한데, 이 건은 보유단계(다른 주택을 양도하는 경우)에서 판정하여야 하므로, 원칙에 따라 독립·구획된 부분을 각각 하나의 주택으로 보아야 하는 점 등에 비추어 처분청이 쟁점주택의 4층을 장기임대주택으로 보지 않은 이 건 처분에는 달리 잘못이 없는 것으로 판단됨.(조심 2019중2500, 2019. 10. 29.)

14) 거주주택과 임대주택을 순차로 양도한 경우 각 주택양도에 대한 양도소득세 신고 방법

소득령 제155조 제20항 특례 요건이 충족된 경우 거주주택은 비과세 1세대 1주택으로 취급되며, 이후 양도하는 임대주택 양도차익은 거주주택 양도일 이후분에 한해 1세대 1주택 취급됨.(사전법령해석재산 2019 – 201, 2019. 9. 23.)

[사례]
A주택은 1세대 1주택 비과세, B주택은 「소득세법 시행령」 제155조 제20항 특례 요건을 충족한 것으로 전제함.

(질의내용)
○거주주택(B주택)과 임대주택(A주택)을 보유하다가 거주주택을 먼저 양도한 다음에 임대주택을 양도하는 경우 양도소득세 신고방법

(A방법)
① 거주주택: 「소득세법 시행령」 제155조 제20항을 적용하여 1세대 1주택으로 보아 양도소득세 과세
② 임대주택: 거주주택 양도일 이후의 기간분만 비과세

(B방법)
① 거주주택: 「소득세법 시행령」 제155조 제20항을 적용하지 않되, 같은 영 제167조의 10 제1항 제10호를 적용하여 일반세율 및 장기보유특별공제 적용
② 임대주택: 전체 보유기간에 1세대 1주택 비과세 적용

[회신]
위 사전답변 신청의 사실관계와 같이, 「소득세법 시행령」 제155조 제20항에 따른 특례 요건을 갖추어 같은 항 제1호의 거주주택을 양도하는 경우에는 국내에 1개의 주택을 소유하고 있는 것으로 보아 같은 법 같은 영 제154조 제1항을 적용하는 것으로, 귀 질의의 경우에는 "A방법"에 따라 신고 · 납부하는 것임.

15) 「임대주택법」 제6조에 따른 임대사업자등록을 하지 아니한 경우 「소득세법 시행령」 제155조 제19항에 따른 1세대 1주택 비과세 특례를 적용할 수 있는지 여부

「소득세법 시행령」 제155조 제19항 제2호에서 거주주택의 양도에 대하여 1세대 1주택의 비과세 특례를 적용받을 수 있는 장기임대주택의 요건으로 "양도일 현재 법 제168조에 따른 사업자등록을 하고, 「임대주택법」 제6조에 따라 임대주택으로 등록하여 임대하고 있을 것"이라고 규정하고 있는바, 쟁점임대주택은 쟁점거주주택의 양도일 현재 「임대주택법」 제6조에 따른 임대사업자등록이 되어 있지 아니하여 「소득세법 시행령」 제155조 제19항 제2호의 장기임대주택 요건을 충족하지 아니하므로, 처분청이 쟁점거주주택의 양도에 대하여 1세대 1주택 비과세 특례를 적용하여 달라는 청구인의 경정청구를 거부한 이 건 처분은 달리 잘못이 없다고 판단됨.(조심 2019중512, 2019. 5. 8.)

16) 직전거주주택보유주택 양도 시 장기보유특별공제 적용방법

거주주택인 A주택과 「소득세법 시행령」 제155조 제20항에 따른 장기임대주택인 B, C주택을 보유하던 중 A주택을 양도하여 같은 조 같은 항에 의해 1세대 1주택 특례를 적용받은 다음, B주택으로 주거를 이전하여 2년 이상 거주 후 B주택을 양도하는 경우로서 B주택이 같은 조 같은 항에서 규정하는 직전거주주택보유주택에 해당하고 양도소득세 비과세대상에서 제외되는 고가주택인 경우 B주택의 소득금액은 「소득세법 시행령」 제161조 제2항에 따라 계산하는 것이고, 이때 장기보유특별공제액은 B주택의 취득일부터 양도일까지의 보유기간을 기준으로 같은 영 같은 조 제4항에 따라 계산하는 것임.(서면법령해석재산 2017-1577, 2019. 1. 31.)

17) 혼인 전 취득한 주택에 대한 장기임대주택 특례(소득령 §155 ⑳)의 거주주택 거주기간 판정방법

「소득세법 시행령」 제155조 제20항 제1호의 거주주택 판정 시 혼인 전 취득한 주택의 경우 해당 주택을 보유하면서 혼인 전 거주한 기간과 혼인 후 배우자와 함께 거주한 기간을 통산하는 것임.(사전법령해석재산 2019-660, 2019. 12. 30)

18) 감면주택과 장기임대주택을 보유한 1세대가 거주주택 양도 시 비과세 여부

「조세특례제한법」 제99조의2 제1항에 해당하는 감면대상 주택과 「소득세법 시행령」 제155조 제20항 각 호의 요건을 충족한 장기임대주택 및 거주주택을 소유한 1세대가 거주주택을 양도하는 경우 1세대 1주택 특례가 적용됨.(사전법령해석재산 2019-398, 2019. 8. 21)

19) 조합원입주권 양도시 장기임대주택을 보유하는 경우 1세대 1주택 비과세 불가함

주택에 대해서만 규정된 임대주택 비과세특례규정을 조합원입주권에 유추하여 적용하거나 입주권 비과세 특례규정의 주택의 범위에 '조합원입주권과 장기임대주택을 보유하는 경우의 장기임대주택'을 제외하는 것은 엄격해석의 원칙, 조세공평의 원칙에 반함.(서울행법 2020구단50150, 2020. 8. 25.)

20) 거주주택+장기임대주택+신규주택+상속주택 보유시 거주주택 비과세 여부?

거주주택(A)을 양도할 때 비과세가 되는지?

→ A주택은 일시적 1세대 2주택 비과세 대상이 아니다.(사전 2019-624)

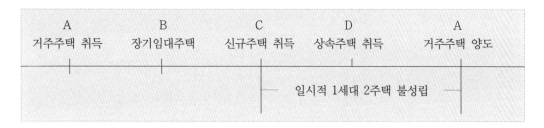

21) 자동 말소된 장기임대주택 중 일부 먼저 양도 후 거주주택 양도시 거주주택 특례 적용 여부

장기임대주택이 말소된 이후 그 장기임대주택 중 일부를 양도하고 남은 장기임대주택과 거주주택을 보유한 상태에서 거주주택을 양도하는 경우 임대기간요건을 갖춘 것으로 보아 거주주택 특례 적용(사전재산 2021-710, 2021. 6. 30.)

22) 동일세대원으로부터 부담부 증여로 취득한 거주주택의 거주기간 계산방법

동일세대원으로부터 부담부 증여로 취득한 거주주택의 양도로 보는 채무승계액 부분의 거주기간은 증여받은 날 이후부터 계산(서면법령해석재산 2020-2718, 2021. 5. 17.)

23) 임대주택이 재건축사업으로 인해 2020. 8. 18. 전 이미 멸실되어 임대사업자 등록이 말소된 경우 「소득세법 시행령」 제155조 제23항 적용 여부

「소득세법 시행령」 제155조 제23항에 따른 장기임대주택은 「민간임대주택에 관한 특별법」 (2020. 8. 18. 법률 제17482호로 개정된 것) 부칙 제5조 제1항이 적용되는 주택에 한정하는 것으로, 임대주택이 재건축사업으로 인해 2020. 8. 18. 전 이미 멸실되어 임대사업자 등록이

말소된 경우는 이에 해당하지 않는 것임.(서면재산 2020-3660, 2021. 5. 13.)

24) 거주주택 양도일 현재 장기임대주택 일부 공실인 경우 거주주택 특례 요건 충족 여부

거주주택 양도일 현재 장기임대주택 중 일부 공실이 발생한 경우에도 그 공실이 자가거주 등 임대 이외의 목적으로 사용되는 것이 아닌 한 임대사업을 계속하고 있는 것으로 보아 거주주택 비과세 특례가 적용되며 이는 사실판단 사항이다. 또한 거주주택 특례 적용 이후 장기임대주택 중 일부가 소득령 제155조 제20항 제2호 각 목에 해당하지 않는 사유로 6개월 이상 공실이 발생한 경우, 사후관리규정 위반에 해당하지 않음.(기획재정부 재산-213, 2021. 3. 15.)

제3장

양도소득세 비과세 또는 감면의 배제 등

❶ 미등기양도자산 비과세 적용배제

미등기양도자산에 대하여는 이 법 또는 이 법 외의 법률 중 양도소득에 대한 소득세의 비과세에 관한 규정을 적용하지 아니한다.(2010. 12. 27. 개정)

"미등기양도자산"이란 소득세법 제94조 제1항 제1호(토지 및 건물) 및 제2호[부동산에 관한 권리(부동산을 취득할 수 있는 권리, 지상권, 전세권과 등기된 부동산임차권)]에서 규정하는 자산을 취득한 자가 그 자산 취득에 관한 등기를 하지 아니하고 양도하는 것을 말한다. 다만, 대통령령으로 정하는 다음의 자산은 제외한다.(2009. 12. 31. 개정)(소득법 §91 ①)(2009. 12. 31. 개정)(소득법 §104 ③)

미등기양도자산에서 제외되는 자산은 다음과 같다.(소득령 §168 ①)

(1) 장기할부조건으로 취득한 자산

　　장기할부조건으로 취득한 자산으로서 그 계약조건에 의하여 양도당시 그 자산의 취득에 관한 등기가 불가능한 자산(1994. 12. 31. 개정)(소득령 §168 ① 1호)

(2) 법률 등으로 등기가 불가능한 자산

　　법률의 규정 또는 법원의 결정에 의하여 양도당시 그 자산의 취득에 관한 등기가 불가능한 자산(1994. 12. 31. 개정)(소득령 §168 ① 2호)

(3) 농지의 교환 또는 분합, 환지 토지

　　농지의 교환 또는 분합, 환지 등 법률에 규정하는 토지(2006. 2. 9. 개정)(소득령 §168 ① 3호)

(4) 건축허가를 받지 아니하여 등기가 불가능한 자산

　　1세대 1주택 비과세 규정[소득법 제89조 제1항 제3호] 각 목의 어느 하나에 해당하는 주택으로서 「건축법」에 따른 건축허가를 받지 아니하여 등기가 불가능한 자산(2014. 2. 21. 개정)(소득령 §168 ① 5호)

(5) 삭제(2018. 2. 13)(소득령 §168 ① 5호)

(6) 「도시개발법」에 따른 도시개발사업이 종료되지 아니하여 토지 취득등기를 하지 아니하고 양도하는 토지(2010. 2. 18. 신설)(소득령 §168 ① 6호)

(7) 건설사업자가 「도시개발법」에 따라 공사용역 대가로 취득한 체비지를 토지구획환지처분공고 전에 양도하는 토지(2010. 2. 18. 신설, 2020. 2. 18. 개정)(소득령 §168 ① 7호)

② 실거래가액과 다른 계약서 비과세 또는 감면 배제

소득세법 제94조 제1항 제1호(토지 및 건물) 및 제2호[부동산에 관한 권리(부동산을 취득할 수 있는 권리, 지상권, 전세권과 등기된 부동산임차권)]의 자산을 매매하는 거래당사자가 매매계약서의 거래가액을 실지거래가액과 다르게 적은 경우에는 해당 자산에 대하여 이 법 또는 이 법 외의 법률에 따른 양도소득세의 비과세 또는 감면에 관한 규정을 적용할 때 비과세 또는 감면받았거나 받을 세액에서 다음[아래 (1), (2)] 각 호의 구분에 따른 금액을 뺀다.(2010. 12. 27. 개정)(소득법 §91 ②)

(1) 소득세법 또는 소득세법 외의 법률에 따라 양도소득세의 비과세에 관한 규정을 적용받을 경우

비과세에 관한 규정을 적용하지 아니하였을 경우의 양도소득 산출세액과 매매계약서의 거래가액과 실지거래가액과의 차액 중 적은 금액(2010. 12. 27. 개정)(소득법 §91 ② 1호)

(2) 이 법 또는 이 법 외의 법률에 따라 양도소득세의 감면에 관한 규정을 적용받았거나 받을 경우

감면에 관한 규정을 적용받았거나 받을 경우의 해당 감면세액과 매매계약서의 거래가액과 실지거래가액과의 차액 중 적은 금액(2010. 12. 27. 개정)(소득법 §91 ② 2호)

③ 미등기양도자산 관련 예규

(1) 잔금의 일부를 납부하지 않고 양도한 자산

아파트 분양대금의 불입금액 전부를 납부하지 않았으나, 사회통념상 거의 지급되었다고 볼만한 정도이고 미불입된 분양대금을 불입하게 되면 언제든지 등기가 가능한 사실이 확인되는 경우에는 미등기 양도자산에 해당된다.(대법원 2007두21778, 2008. 1. 17.)

(2) 미등기주택에 딸린 토지의 비과세 여부

미등기주택에 딸린 토지로서 비과세요건을 갖추었고 등기가 된 경우 토지의 양도소득은 1세대 1주택 비과세를 적용받을 수 있다.(재산 46014-1090, 2000. 9. 6.)

(3) 명의신탁 부동산을 소유권환원등기 없이 양도하는 경우

명의신탁 부동산을 소유권환원등기 없이 양도하는 경우 미등기 양도자산에 해당되지 아니한다.(재산세과-766, 2009. 4. 17.)

(4) 준공된 재건축아파트를 이전고시 전에 양도하는 경우

준공된 재건축아파트를 이전고시 전에 양도하는 경우에는 법률의 규정 또는 법원의 결정에 의하여 양도당시 그 자산의 취득에 관한 등기가 불가능한 자산에 해당하므로 미등기 양도자산으로 보지 아니한다.(부동산거래관리과-10, 2010. 1. 5.)

(5) 신축건물의 사용승인 전에 사실상 사용 중인 건물을 양도하는 경우

신축건물의 사용승인 전에 사실상 사용하거나 가사용승인을 받은 상태로 건물을 양도하는 경우에는 그 자산의 취득에 관한 등기가 불가능한 자산에 해당하여 미등기 양도자산으로 보지 아니한다.(재일 46014-1027, 1994. 4. 15.)

제**4**장

양도소득 과세표준과 세액의 계산

제**1**절　양도소득과세표준의 계산

❶ 구분계산

거주자의 양도소득에 대한 과세표준(이하 "양도소득과세표준"이라 한다)은 종합소득 및 퇴직소득에 대한 과세표준과 구분하여 계산한다.

2023년 1월 1일 이후 양도분부터는 종합소득, 퇴직소득 및 금융투자소득에 대한 과세표준과 구분하여 계산한다.(2006. 12. 30. 개정, 2020. 12. 29. 개정)(소득법 §92 ①)

❷ 양도소득 과세표준

양도소득과세표준은 소득세법 제94조부터 제99조까지, 제99조의2, 제100조부터 제102조까지 및 제118조에 따라 계산한 양도소득금액에서 제103조에 따른 양도소득기본공제를 한 금액으로 한다.(2009. 12. 31. 개정)(소득법 §92 ②)

양도소득 과세표준 ＝ 양도소득금액 － 양도소득기본공제

제**2**절　양도소득세액계산의 순서

양도소득세는 이 법에 특별한 규정이 있는 경우를 제외하고는 다음 각 호[아래 ❶ ~ ❸]에 따라 계산한다.(2007. 12. 31. 개정)

| 양도소득과세표준과 세액의 계산 |

- 양도차익 = 양도가액 − 취득가액 등 필요경비
- 양도소득금액 = 양도차익 − 장기보유특별공제액
- 양도소득 과세표준 = 양도소득금액 − 기본공제
- 양도소득 산출세액 = 양도소득 과세표준 x 세율 − 누진공제

❶ 양도소득 산출세액

소득세법 제92조 제2항에 따른 양도소득과세표준에 제104조에 따른 세율을 적용하여 양도소득산출세액을 계산한다.(2009. 12. 31. 개정)(소득법 §93 1호)

양도소득 산출세액 = 양도소득과세표준 × 세율

❷ 양도소득 결정세액

제1호[위 ❶]에 따라 계산한 산출세액에서 제90조에 따라 감면되는 세액이 있는 때에는 이를 공제하여 양도소득 결정세액을 계산한다.(2009. 12. 31. 개정)(소득법 §93 2호)

양도소득 결정세액 = 양도소득 산출세액 − 세액공제

❸ 양도소득 총결정세액

제2호에 따라 계산한 결정세액에 제114조의2 및 「국세기본법」 제47조의2부터 제47조의4까지의 규정에 따른 가산세를 더하여 양도소득 총결정세액을 계산한다. 2022년 12월 31일 양도분까지는 종전규정에 따라 제115조에 따른 가산세도 더하여 양도소득 총결정세액을 계산한다.(2017. 12. 19. 개정, 2020. 12. 29. 개정)(소득법 §93 3호)

양도소득 총결정세액 = 결정세액 + 가산세

제**4**편

양도소득 과세표준과
세액의 계산

양도소득의 범위 　제1장

양도소득금액 　제2장

양도가액 　제3장

필요경비 　제4장

필요경비 계산 특례 　제5장

양도 또는 취득의 시기 　제6장

기준시가의 산정 　제7장

기준시가의 재산정 및 고시 신청 　제8장

양도차익의 산정 　제9장

양도소득의 부당행위계산 　제10장

양도소득금액의 구분계산 　제11장

제1장

양도소득의 범위

❶ 양도소득

양도소득은 해당 과세기간에 발생한 다음의 소득으로 한다.(2009. 12. 31. 개정)(소득법 §94 ①)

(1) 토지 및 건물의 양도소득

토지[「공간정보의 구축 및 관리 등에 관한 법률」에 따라 지적공부(地籍公簿)에 등록하여야 할 지목에 해당하는 것을 말한다] 또는 건물(건물에 부속된 시설물과 구축물을 포함한다)의 양도로 발생하는 소득(2014. 6. 3. 개정)(소득법 §94 ① 1호)

(2) 부동산에 관한 권리의 양도소득

다음[아래 ①~③] 어느 하나에 해당하는 부동산에 관한 권리의 양도로 발생하는 소득(2009. 12. 31. 개정)(소득법 §94 ① 2호)

① 부동산을 취득할 수 있는 권리(건물이 완성되는 때에 그 건물과 이에 딸린 토지를 취득할 수 있는 권리를 포함한다)(2009. 12. 31. 개정)(소득법 §94 ① 2호 가목)
② 지상권(2000. 12. 29. 개정)(소득법 §94 ① 2호 나목)
③ 전세권과 등기된 부동산임차권(2000. 12. 29. 개정)(소득법 §94 ① 2호 다목)

(3) 주식 등의 양도로 발생하는 소득

다음 각 목[아래 1)~3)]의 어느 하나에 해당하는 주식 등을 2022년 12월 31일까지 양도하므로써 발생하는 소득은 종전 규정에 따라 양도소득으로 본다. 이 규정은 2023년 1월 1일부로 삭제된다.(2016. 12. 20. 개정, 2020. 12. 2. 9 삭제)(소득법 §94 ① 3호)

1) 주권상장법인의 주식 등으로서 다음의 어느 하나[아래 ①, ②]에 해당하는 주식 등(2017.

12. 19. 개정, 2020. 12. 2. 9 삭제)(소득법 §94 ① 3호 가목)

① 소유주식의 비율·시가총액 등을 고려하여 대통령령으로 정하는 주권상장법인의 대주주가 양도하는 주식 등

② ①에 따른 대주주에 해당하지 아니하는 자가 「자본시장과 금융투자업에 관한 법률」에 따른 증권시장(이하 "증권시장"이라 한다)에서의 거래에 의하지 아니하고 양도하는 주식 등. 다만, 「상법」 제360조의2 및 제360조의15에 따른 주식의 포괄적 교환·이전 또는 같은 법 제360조의5 및 제360조의22에 따른 주식의 포괄적 교환·이전에 대한 주식매수청구권 행사로 양도하는 주식 등은 제외한다.(2017. 12. 19 단서신설)

2) 주권비상장법인의 주식 등. 다만, 소유주식의 비율·시가총액 등을 고려하여 대통령령으로 정하는 주권비상장법인의 대주주에 해당하지 아니하는 자가 「자본시장과 금융투자업에 관한 법률」 제283조에 따라 설립된 한국금융투자협회가 행하는 같은 법 제286조 제1항 제5호에 따른 장외매매거래에 의하여 양도하는 대통령령으로 정하는 중소기업(이하 이 장에서 "중소기업"이라 한다) 및 대통령령으로 정하는 중견기업의 주식 등은 제외한다.(2017. 12. 19 단서신설, 2020. 12. 2. 9 삭제)(소득법 §94 ① 3호 나목)

3) 외국법인이 발행하였거나 외국에 있는 시장에 상장된 주식 등으로서 대통령령으로 정하는 것(2019. 12. 31. 신설, 2020. 12. 2. 9 삭제)(소득법 §94 ① 3호 다목)

(4) 기타자산 양도소득

다음 각 목[아래 1)~ 4)] 중 어느 하나에 해당하는 자산(이하 이 장에서 "기타자산"이라 한다)의 양도로 발생하는 소득(2009. 12. 31. 개정)(소득법 §94 ① 4호)

1) 사업용고정자산과 함께 양도하는 영업권

사업용고정자산[토지 및 건물(제1호) 및 부동산에 관한 권리(제2호)를 말한다]과 함께 양도하는 영업권(영업권을 별도로 평가하지 아니하였으나 사회통념상 자산에 포함되어 함께 양도된 것으로 인정되는 영업권과 행정관청으로부터 인가·허가·면허 등을 받음으로써 얻는 경제적 이익을 포함한다)(2009. 12. 31. 개정)(소득법 §94 ① 4호 가목)

2) 시설물이용권

이용권·회원권 및 그 밖에 그 명칭과 관계없이 시설물을 배타적으로 이용하거나 일반이

용자보다 유리한 조건으로 이용할 수 있도록 약정한 단체의 구성원이 된 자에게 부여되는 시설물이용권(법인의 주식 등을 소유하는 것만으로 시설물을 배타적으로 이용하거나 일반 이용자보다 유리한 조건으로 시설물이용권을 부여받게 되는 경우 그 주식 등을 포함한다)(2009. 12. 31. 개정)(소득법 §94 ① 4호 나목)

3) 부동산과다법인의 과점주주가 다른 과점주주 등에게 양도하는 경우

법인의 자산총액 중 다음[아래 ①, ②)]의 합계액이 차지하는 비율이 100분의 50 이상인 법인의 과점주주(주주 1인과 기타주주가 소유하고 있는 주식의 비율이 50/100 초과인 경우를 말하며, 이하 이 장에서 "과점주주"라 한다)가 그 법인의 주식 등의[20] 100분의 50 이상을 해당 과점주주 외의 자에게 양도하는 경우(과점주주가 다른 과점주주에게 양도한 후 양수한 과점주주가 과점주주 외의 자에게 다시 양도하는 경우로서 대통령령으로 정하는 경우를 포함한다)에 해당 주식 등(2018. 12. 31. 개정)(소득법 §94 ① 4호 다목)(2020. 2. 11. 개정)(소득령 §158 ①)

① 토지, 건물 및 부동산을 취득할 수 있는 권리에 따른 자산(이하 이 조에서 "부동산 등"이라 한다)의 가액

② 해당 법인이 보유한 다른 법인의 주식가액에 그 다른 법인의 부동산 등 보유비율을 곱하여 산출한 가액. 이 경우 다른 법인의 범위 및 부동산 등 보유비율의 계산방법 등은 대통령령으로 정한다.

4) 골프장업 등의 사업을 영위하는 법인 주식

「체육시설의 설치·이용에 관한 법률」에 따른 골프장업·스키장업 등 체육시설업, 「관광진흥법」에 따른 관광사업 중 휴양시설관련업 및 부동산업·부동산개발업으로서 기획재정부령으로 정하는 사업을 하는 법인으로서 자산총액 중 위의 다. 1) 및 2)의 합계액이 차지하는 비율이 100분의 80 이상인 법인의 주식 등(2016. 12. 20. 신설)(소득법 §94 ① 4호 라목)

(5) 신탁수익권

신탁의 이익을 받을 권리(「자본시장과 금융투자업에 관한 법률」 제110조에 따른 수익증권 및 같은 법 제189조에 따른 투자신탁의 수익권 등 대통령령으로 정하는 수익권은 제외하며, 이하 "신탁 수익권"이라 한다)의 양도로 발생하는 소득. 다만, 신탁 수익권의 양도를

---

20) 과점주주 외의 자에게 양도하는 경우는 시행일인 2019. 1. 1. 이후 과점주주 간 양도하는 분부터 적용한다.

통하여 신탁재산에 대한 지배·통제권이 사실상 이전되는 경우는 신탁재산 자체의 양도로 본다(2020. 12. 29. 신설)(소득법 §94 ① 6호)

[적용시기] 2021년 1월 1일 이후 양도하는 분부터 적용한다.

(6) 금융투자소득

제87조의6 제1항 제1호 및 이 조 제1항 제4호에 모두 해당되는 경우에는 이 조 제1항 제4호를 적용한다.(2009. 12. 31. 개정, 2020. 12. 29. 개정)(소득법 §94 ②)

제2장

양도소득금액

 양도소득금액

양도소득금액은 제94조에 따른 양도소득의 총수입금액(이하 "양도가액"이라 한다)에서 제97조에 따른 필요경비를 공제하고, 그 금액(이하 "양도차익"이라 한다)에서 장기보유특별공제액을 공제한 금액으로 한다.(2009. 12. 31. 개정)(소득법 §95 ①)

양도소득금액 = 양도차익(양도소득 총수입금액 - 필요경비) - 장기보유특별공제

② 장기보유특별공제

제1항[위 ❶]에서 "장기보유특별공제액"이란 제94조 제1항 제1호(토지 및 건물)에 따른 자산(제104조 제3항에 따른 미등기양도자산과 같은 조 제7항 각 호에 따른 자산은 제외한다)으로서 보유기간이 3년 이상인 것 및 제94조 제1항 제2호 가목(부동산을 취득할 수 있는 권리)에 따른 자산 중 조합원입주권(조합원으로부터 취득한 것은 제외한다)에 대하여 그 자산의 양도차익(조합원입주권을 양도하는 경우에는 「도시 및 주거환경정비법」 제74조에 따른 관리처분계획 인가 및 「빈집 및 소규모주택 정비에 관한 특례법」 제29조에 따른 사업시행계획인가 전 토지분 또는 건물분의 양도차익으로 한정한다)에 다음 표1에 따른 보유기간별 공제율을 곱하여 계산한 금액을 말한다.

다만, 대통령령으로 정하는 1세대 1주택(이에 딸린 토지를 포함한다)에 해당하는 자산의 경우에는 그 자산의 양도차익에 다음 표 2에 따른 보유기간별 공제율을 곱하여 계산한 금액과 거주기간별 공제율을 곱하여 계산한 금액을 합산한 것을 말한다.(2017. 12. 19. 개정. 2020. 8. 18. 개정)(소득법 §95 ②)

위에서 "대통령령으로 정하는 1세대 1주택"이란 1세대가 양도일 현재 국내에 1주택(제155조·제155조의2·제156조의2·제156조의3 및 그 밖의 규정에 따라 1세대 1주택으로 보는 주택을 포함한다)을 보유하고 보유기간 중 거주기간이 2년 이상인 것을 말한다. 이 경우 해당 1주택이 제155조 제3항 각 호 외의 부분 본문에 따른 공동상속주택인 경우 거주기간은 같은 항 각 호 외의 부분 단서에 따라 공동상속주택을 소유한 것으로 보는 사람이 거주한 기간으로 판단한다.(2018. 10. 23. 개정, 2021. 2. 17. 개정)(소득령 §159의4)

(1) 장기보유특별공제 대상

1) 장기보유특별공제 대상

장기보유특별공제 적용 대상은 다음과 같다.

① 토지 및 건물(미등기양도자산은 제외)로서 보유기간이 3년 이상인 것
② 부동산을 취득할 수 있는 권리 중 조합원입주권(조합원으로부터 취득한 것은 제외)에 대하여 적용한다.(소득법 §95 ②)

조합원입주권의 장기보유특별공제

장기보유특별공제대상 '조합원입주권'이란 관리처분계획의 인가로 인하여 취득한 입주자로 선정된 지위(조합원입주권을 양도하는 경우에는 「도시 및 주거환경정비법」제74조에 따른 관리처분계획인가 및 「빈집 및 소규모주택 정비에 관한 특례법」제29조에 따른 사업시행계획인가 전 토지분 또는 건물분의 양도차익으로 한정하며)를 말한다.(소득법 §95 ②)

$$\text{장기보유특별공제액} = \text{자산의 양도차익} \times \text{보유기간별 공제율}$$

* 조합원입주권을 양도하는 경우에는 「도시 및 주거환경 정비법」에 따른 관리처분계획인가 전 토지 또는 건물분의 양도차익으로 한정한다. 이처럼 조합원입주권에 대해서 장기보유특별공제를 할 때 보유기간의 계산은 기존 주택의 취득일부터 관리처분계획인가일까지의 기간으로 한다(소득령 §166 ⑤)

---

2) 장기보유특별공제율

| 표1] 장기보유특별공제율 |

보유기간	공제율
3년 이상 4년 미만	6%
4년 이상 5년 미만	8%
5년 이상 6년 미만	10%
6년 이상 7년 미만	12%
7년 이상 8년 미만	14%
8년 이상 9년 미만	16%
9년 이상 10년 미만	18%
10년 이상 11년 미만	20%
11년 이상 12년 미만	22%
12년 이상 13년 미만	24%
13년 이상 14년 미만	26%
14년 이상 15년 미만	28%
15년 이상	30%

| 표2] 1세대 1주택의 경우 장기보유특별공제율(2020. 8. 18. 개정)(소득법 95조 제2항 표2) |

보유기간	공제율	거주기간	공제율
3년 이상 4년 미만	100분의 12	2년 이상 3년 미만 (보유기간 3년 이상에 한정함)	100분의 8
		3년 이상 4년 미만	100분의 12
4년 이상 5년 미만	100분의 16	4년 이상 5년 미만	100분의 16
5년 이상 6년 미만	100분의 20	5년 이상 6년 미만	100분의 20
6년 이상 7년 미만	100분의 24	6년 이상 7년 미만	100분의 24
7년 이상 8년 미만	100분의 28	7년 이상 8년 미만	100분의 28
8년 이상 9년 미만	100분의 32	8년 이상 9년 미만	100분의 32
9년 이상 10년 미만	100분의 36	9년 이상 10년 미만	100분의 36
10년 이상	100분의 40	10년 이상	100분의 40

적용시기) 2021년 1월 1일 이후 양도분부터 적용한다.

| 1세대 1주택의 장기보유특별공제율 최대 10년(80%) 표2] 적용 요건 |

양도일		
19.12.31. 이전	20.1.1.~ 20.12.31.	21.1.1. 이후
① 1세대 1주택	① 1세대 1주택[1] ② 2년 이상 거주	① 1세대 1주택[1] ② 최소 2년 이상 거주 * 보유기간(40%) + 거주기간(40%) 장특공제

*2년 미만 거주시 표1] 최대 15년 30%의 장특공제를 적용한다.

1) 일시적 1세대 2주택(제155조·제155조의2·제156조의2·제156조의3 및 그 밖의 규정에 따라 1세대 1주택으로 보는 주택을 포함)을 포함한다.

관련 예규·판례

1. **1세대 1주택 비과세 및 '표2'에 따른 장기보유특별공제 적용 시 보유기간 기산일**
   2021. 1. 1. 현재 1주택을 보유한 경우로서 해당 1세대 1주택 보유 상태를 유지하다 그 주택을 양도하는 경우 「소득세법 시행령」 제154조 제5항 및 같은 영 제159조의4에 따른 보유기간은 양도하는 낭해 주택의 취득일부터 기산하는 것임.(사전법령해석재산 2020-675, 2020. 12. 29.)

2. **1세대 1주택 고가주택의 장기보유특별공제 적용 시 보유기간 및 거주기간의 기산일**
   「소득세법」 제95조 제2항 장기보유특별공제율 적용을 위한 보유기간은 같은 법 제95조 제4항에 따라 주택의 취득일부터 기산하는 것이며, 같은 법 시행령 제159조의3(현행 제159조의4)에 따른 거주기간은 주택의 취득일 이후 실제 거주한 기간에 따르는 것임.(서면법령해석재산 2020-1806, 2020. 6. 8)

3. **동일세대원 상속주택에 대한 장기보유특별공제 [표2] 적용 시 보유·거주기간 통산 여부**
   동일세대원으로부터 상속받은 1세대 1주택(고가주택)의 장기보유특별공제 적용 시, 소득법 §95 ② [표2] 적용 대상 여부를 판정함에 있어, 피상속인과 상속인이 동일세대원으로서 보유기간·거주기간을 통산함.(사전법령해석재산 2021-202, 2021. 8. 24.)

4. **재건축 후 신주택에서 거주하지 않은 경우 1세대 1주택 장기보유특별공제 적용 여부**
   기존주택에서는 2년 이상 거주했으나 신축주택에서는 2년 이상 거주하지 않은 경우에는 청산금납부분 양도차익에 대해 「소득세법」 제95조 제2항 [표2]에 따른 보유기간별 공제율을 적용하지 아니하는 것임.(사전법령해석재산 2020-386, 2020. 11. 23.)

3) 장기보유특별공제 제외 대상

다음의 미등기양도자산과 조정대상지역 내 다주택자 양도는 장기보유특별공제 대상에서 제외한다.

① 미등기 양도자산

"미등기양도자산"이란 제94조 제1항 제1호(토지 및 건물) 및 제2호(부동산을 취득할 수 있는 권리, 지상권, 전세권과 등기된 부동산임차권)에서 규정하는 자산을 취득한 자가 그 자산 취득에 관한 등기를 하지 아니하고 양도하는 것을 말한다. 다만, 대통령령으로 정하는 자산은 제외한다.(2009. 12. 31. 개정)(소득법 §104 ③)

미등기자산에서 제외되는 대통령령으로 정하는 자산이란 다음 각 호[아래 ⅰ)~ⅵ)]의 것을 말한다.(2010. 2. 18. 개정)(소득령 §168 ①)

ⅰ) 장기할부조건으로 취득한 자산으로서 등기가 불가능한 자산

장기할부조건으로 취득한 자산으로서 그 계약조건에 의하여 양도당시 그 자산의 취득에 관한 등기가 불가능한 자산(1994. 12. 31. 개정)(소득령 §168 ① 1호)

ⅱ) 법률 등으로 등기가 불가능한 자산

법률의 규정 또는 법원의 결정에 의하여 양도당시 그 자산의 취득에 관한 등기가 불가능한 자산(1994. 12. 31. 개정)(소득령 §168 ① 2호)

ⅲ) 농지의 교환·분합, 자경농지, 대토 농지의 경우

소득세법 제89조 제1항 제2호[아래 가.], 「조세특례제한법」 제69조 제1항[아래 나.] 및 제70조 제1항[아래 다.]에 규정하는 토지(2006. 2. 9. 개정)(소득령 §168 ① 3호)

가. 농지의 교환 또는 분합(分合)

대통령령으로 정하는 경우에 해당하는 농지의 교환 또는 분합(分合)으로 인하여 발생하는 소득(2009. 12. 31. 개정)(소득법 §89 ① 2호)

나. 8년 재촌 자경 농지

농지 소재지에 거주하는 대통령령으로 정하는 거주자가 8년 이상[대통령령으로 정하는 경영이양 직접지불보조금의 지급대상이 되는 농지를 「한국농어촌공사 및 농지관리기금법」에 따른 한국농어촌공사 또는 농업을 주업으로 하는 법인으로서 대통령령으로 정하는 법인(이하 이 조에서 "농업법인"이라 한다)에 2023년

12월 31일까지 양도하는 경우에는 3년 이상] 대통령령으로 정하는 방법으로 직접 경작한 토지 중 대통령령으로 정하는 토지의 양도로 인하여 발생하는 소득에 대해서는 양도소득세의 100분의 100에 상당하는 세액을 감면한다. 다만, 해당 토지가 주거지역 등에 편입되거나 「도시개발법」 또는 그 밖의 법률에 따라 환지처분 전에 농지 외의 토지로 환지예정지 지정을 받은 경우에는 주거지역 등에 편입되거나, 환지예정지 지정을 받은 날까지 발생한 소득으로서 대통령령으로 정하는 소득에 대해서만 양도소득세의 100분의 100에 상당하는 세액을 감면한다.(2018. 12. 24. 개정, 2021. 12. 28. 개정)(조특법 §69 ①)

다. 대토 농지

농지 소재지에 거주하는 대통령령으로 정하는 거주자가 대통령령으로 정하는 방법으로 직접 경작한 토지를 경작상의 필요에 의하여 대통령령으로 정하는 경우에 해당하는 농지로 대토(代土)함으로써 발생하는 소득에 대해서는 양도소득세의 100분의 100에 상당하는 세액을 감면한다. 다만, 해당 토지가 주거지역 등에 편입되거나 「도시개발법」 또는 그 밖의 법률에 따라 환지처분 전에 농지 외의 토지로 환지예정지 지정을 받은 경우에는 주거지역 등에 편입되거나, 환지예정지 지정을 받은 날까지 발생한 소득으로서 대통령령으로 정하는 소득에 대해서만 양도소득세를 감면한다.(2016. 12. 20. 단서개정)(조특법 §70 ①)

iv) 법 제89조 제1항 제3호 각 목의 어느 하나에 해당하는 주택으로서 「건축법」에 따른 건축허가를 받지 아니하여 등기가 불가능한 자산(2014. 2. 21. 개정)(소득령 §168 ① 4호)

ⅴ) 도시개발사업이 종료되지 아니한 토지

「도시개발법」에 따른 도시개발사업이 종료되지 아니하여 토지 취득등기를 하지 아니하고 양도하는 토지(2010. 2. 18. 신설)(소득령 §168 ① 6호)

ⅵ) 체비지

건설사업자가 「도시개발법」에 따라 공사용역 대가로 취득한 체비지를 토지구획환지처분공고 전에 양도하는 토지(2010. 2. 18. 신설, 2020. 2. 18. 개정)(소득령 §168 ① 7호)

② 다주택자의 조정대상지역 내 주택 양도

다음 각 호[아래 ⅰ)~iv)]의 어느 하나에 해당하는 주택(이에 딸린 토지를 포함한다. 이하 이 항에서 같다)을 양도하는 경우 장기보유특별공제대상에서 제외한다.(2017. 12. 19. 신

설, 2020. 8. 18. 개정)(소득법 §104 ⑦)

ⅰ) 조정대상지역에 있는 1세대 2주택에 해당하는 주택

「주택법」 제63조의2 제1항 제1호에 따른 조정대상지역(이하 이 조에서 "조정대상지역"이라 한다)에 있는 주택으로서 대통령령으로 정하는 1세대 2주택에 해당하는 주택(2017. 12. 19. 신설, 2020. 8. 18. 개정)(소득법 §104 ⑦ 1호)

ⅱ) 조정대상지역에 있는 1세대 1주택 + 1조합원입주권 또는 분양권을 보유한 주택

조정대상지역에 있는 주택으로서 1세대가 1주택과 조합원입주권 또는 분양권을 1개 보유한 경우의 해당 주택. 다만, 대통령령으로 정하는 장기임대주택 등은 제외한다.(2017. 12. 19. 신설, 2020. 8. 18. 개정)(소득법 §104 ⑦ 2호)

[적용시기] 2021년 1월 1일 이후 공급계약, 매매 또는 증여 등의 방법으로 취득한 분양권부터 적용한다.

ⅲ) 조정대상지역에 있는 1세대 3주택에 해당하는 주택

조정대상지역에 있는 주택으로서 대통령령으로 정하는 1세대 3주택 이상에 해당하는 주택(2017. 12. 19. 신설)(소득법 §104 ⑦ 3호)

ⅳ) 조정대상지역에 있는 주택으로서 1세대가 주택과 조합원입주권 또는 분양권의 합이 3 이상인 경우 해당 주택

조정대상지역에 있는 주택으로서 1세대가 주택과 조합원입주권 또는 분양권을 보유한 경우로서 그 수의 합이 3 이상인 경우 해당 주택. 다만, 대통령령으로 정하는 장기임대주택 등은 제외한다.(2017. 12. 19. 신설, 2020. 8. 18. 개정)(소득법 §104 ⑦ 4호)

[적용시기] 2021년 1월 1일 이후 공급계약, 매매 또는 증여 등의 방법으로 취득한 분양권부터 적용한다.

(2) 1세대 1주택의 장기보유특별공제

대통령령으로 정하는 1세대 1주택(이에 딸린 토지를 포함한다)에 해당하는 자산의 경우에는 그 자산의 양도차익에 다음 표 2에 따른 보유기간별 공제율을 곱하여 계산한 금액을 말한다.(2017. 12. 19. 개정)(소득법 §95 ②)

위에서 "대통령령으로 정하는 1세대 1주택"이란 1세대가 양도일 현재 국내에 1주택(제155조·제155조의2·제156조의2·제156조의3 및 그 밖의 규정에 따라 1세대 1주택으로 보는 주택을 포함한다)을 보유하고 보유기간 중 거주기간이 2년 이상인 것을 말한다. 이 경우

해당 1주택이 제155조 제3항 각 호 외의 부분 본문에 따른 공동상속주택인 경우 거주기간은 같은 항 각 호 외의 부분 단서에 따라 공동상속주택을 소유한 것으로 보는 사람이 거주한 기간으로 판단한다.(2018. 10. 23. 개정, 2021. 2. 17. 개정)(소득령 §159의4)

관련 예규 · 판례

1. **1세대 1주택 비과세 및 '표2'에 따른 장기보유특별공제 적용 시 보유기간 기산일**
   2021. 1. 1. 현재 1주택을 보유한 경우로서 해당 1세대 1주택 보유 상태를 유지하다 그 주택을 양도하는 경우 「소득세법 시행령」 제154조 제5항 및 같은 영 제159조의3(현행 제159조의4)에 따른 보유기간은 양도하는 당해 주택의 취득일부터 기산하는 것임.(사전법령해석재산 2020 – 675, 2020. 12. 29)

2. **거주자에서 비거주자로 다시 거주자가 된 상태에서 1세대 1주택 양도 시 장기보유특별공제액 계산방법**
   거주자가 비거주자가 되었다가 다시 거주자가 되어 1세대 1주택을 양도하는 경우 주택의 전체보유기간에 대한 표1에 따른 공제율과 거주자로서 보유기간에 대한 표2에 따른 공제율 중 큰 공제율을 적용하는 것임.(사전법령해석재산 2017 – 679, 2019. 11. 29)

---

③ 비과세 대상에서 제외되는 고가주택(조합원입주권)의 장기보유특별공제 계산방법

소득세법 제89조 제1항 제3호에 따라 양도소득의 비과세대상에서 제외되는 고가주택(이에 딸린 토지를 포함한다) 및 같은 항 제4호 각 목 외의 부분 단서에 따라 양도소득의 비과세대상에서 제외되는 조합원입주권에 해당하는 자산의 양도차익 및 장기보유특별공제액은 1항[위 (1)]에도 불구하고 다음에 따라 계산한 금액으로 한다.(2019. 12. 31. 개정)(소득법 §95 ③)

소득세법 제95조 제3항에 따른 고가주택(하나의 건물이 주택과 주택 외의 부분으로 복합되어 있는 경우와 주택에 딸린 토지에 주택 외의 건물이 있는 경우에는 주택 외의 부분은 주택으로 보지 않는다)에 해당하는 자산의 양도차익 및 장기보유특별공제액은 다음 각 호[아래 ①, ②]의 산식으로 계산한 금액으로 한다. 이 경우 해당 주택 또는 이에 부수되는 토지가 그 보유기간이 다르거나 미등기양도자산에 해당하거나 일부만 양도하는 때에는 12

억 원[21]에 해당 주택 또는 이에 부수되는 토지의 양도가액이 그 주택과 이에 부수되는 토지의 양도가액의 합계액에서 차지하는 비율을 곱하여 안분계산한다.(2009. 2. 4. 개정, 2020. 2. 11. 개정, 2022. 2. 15. 후단개정)(소득령 §160 ①)

① 고가주택에 해당하는 자산에 적용할 양도차익

$$법 제95조 제1항에 따른 양도차익 \times \frac{양도가액 - 12억 원}{양도가액}$$

② 고가주택에 해당하는 자산에 적용할 장기보유특별공제액

$$법 제95조 제2항에 따른 장기보유특별공제액 \times \frac{양도가액 - 12억 원}{양도가액}$$

현 행	개 정
① 법 제95조 제3항에 따른 <u>고가주택</u>에 해당하는 자산의 양도차익 및 장기보유특별공제액은 다음 각 호의 산식으로 계산한 금액으로 한다.	① 법 제95조 제3항에 따른 <u>고가주택(하나의 건물이 주택과 주택 외의 부분으로 복합되어 있는 경우와 주택에 딸린 토지에 주택 외의 건물이 있는 경우에는 주택 외의 부분은 주택으로 보지 아니한다)</u>에 해당하는 자산의 양도차익 및 장기보유특별공제액은 다음 각 호의 산식으로 계산한 금액으로 한다.

[적용시기] 2022년 1월 1일 이후 양도분부터 적용한다.

구 분	2021. 12. 31. 이전 양도분	2022. 1. 1. 이후 양도분부터
주택 > 기타건물	전부 주택으로 본다.	주택만 주택으로 본다. 효과 : 1. 12억 원 초과 금액 중 주택 부분만 비과세 적용 2. 주택 부분 : 10년 최대 80%, 　상가 부분 : 15년 최대 30%
주택 ≤ 기타건물	주택만 주택으로 본다.	좌동

---

21) 2021년 12월 7일 이전 양도분은 9억 원 적용

▶▶ [참고] 기재부 2019년 세법개정안 문답자료(2019. 7. 25.)

① 고가 겸용주택 과세 합리화로 인한 효과는?

1세대 1주택 고가 겸용주택의 경우 주택외 부분도 주택으로 간주하여 최대 80% 장기보유특별공제 적용하는 것을 배제

ㅇ 주택 외 부분은 일반 부동산의 장기보유특별공제를 적용

* 연 2%, 최대 15년 30%

② 개정 전후 겸용주택 양도소득세 과세 사례 비교

사례 : 겸용주택으로서 주택 면적은 100㎡이며 기타건물의 면적은 50㎡이다. 1세대 1주택 비과세 요건 갖춘 주택으로 가정한다. 양도차익 21억, 보유기간 15년, 거주기간 15년이다. 양도일이 2021년인 경우와 2022년인 경우의 양도세를 비교해보면 다음과 같다.

양도일	2021년 12월 8일 이후 ~2021년 12월 31일 이전 양도	2022년 이후 양도분	
		주택분	기타건물분
양도차익	2,100,000,000	(21억×100/150＝) 1,400,000,000	(21억×50/150＝) 700,000,000
과세대상 양도차익	(21억×(21억－12억)/21억＝) 900,000,000	(14억×(14억－12억)/ 14억＝) 200,000,000	700,000,000
장특공제	(900,000,000×80%＝) 720,000,000	(200,000,000×80%＝) 160,000,000	(700,000,000×30%＝) 210,000,000
양도소득금액	180,000,000	40,000,000	490,000,000
		530,000,000	
기본공제	2,500,000	2,500,000	
과세표준	177,500,000	527,500,000	
세율	38%	42%	
산출세액	48,050,000	186,150,000	

④ 보유기간

제2항[위 (2)]에서 규정하는 자산의 보유기간은 그 자산의 취득일부터 양도일까지로 한다. 다만, 이월과세대상 및 부당행위계산대상(소득법 §97의2 ①)의 경우에는 증여한 배우자 또는 직계존비속이 해당 자산을 취득한 날부터 기산(起算)하고, 같은 조 제4항 제1호에 따른 가업상속공제가 적용된 비율에 해당하는 자산의 경우에는 피상속인이 해당 자산을 취득한 날부터 기산한다.(2016. 12. 20. 단서개정)(소득법 §95 ④)

| 장기보유특별공제를 위한 보유기간 계산 기준일(소득세 집행기준 95 - 159의3 - 5) |

취득유형		기준일
상속받은 부동산		상속개시일
증여받은 부동산		증여등기일
재산분할 부동산		이혼 전 배우자의 취득한 날
이월과세대상 부동산		당초 증여자가 취득한 날
부당행위계산 대상 부동산		당초 증여자가 취득한 날
가업상속공제 적용 대상 자산		당초 피상속인이 취득한 날
도시 및 주거환경정비법에 따른 재개발·재건축	원조합원	종전주택을 취득한 날
	승계조합원	신축완성주택의 취득시기(사용승인서교부일 등)

제3장

양도가액

① 양도가액

자산의 양도가액은 그 자산의 양도당시의 양도자와 양수자 간에 실지거래가액에 따른다.(2016. 12. 20. 개정)(소득법 §96 ①)

② 특수한 경우의 양도가액

위의 양도가액[소득법 제96조 제1항 (위 ①)]을 적용할 때 거주자가 제94조 제1항 각 호의 자산(토지 및 건물, 부동산에 관한 권리, 주식 등, 기타자산, 파생상품)을 양도하는 경우로서 다음[아래 (1), (2)] 각 호의 어느 하나에 해당하는 경우에는 그 가액을 해당 자산의 양도당시의 실지거래가액으로 본다.(2016. 12. 20. 개정)(소득법 §96 ③)

(1) 특수관계인에 해당하는 법인에 양도한 경우

「법인세법」제2조 제12호에 따른 특수관계인에 해당하는 법인(외국법인을 포함하며, 이하 이 항에서 "특수관계법인"이라 한다)에 양도한 경우로서 같은 법 제67조에 따라 해당 거주자의 상여·배당 등으로 처분된 금액이 있는 경우에는 같은 법 제52조에 따른 시가 (2018. 12. 31. 개정)(소득법 §96 ③ 1호)

(2) 특수관계법인 외의 자에게 자산을 시가보다 높은 가격으로 양도한 경우

특수관계법인 외의 자에게 자산을 시가보다 높은 가격으로 양도한 경우로서 「상속세 및 증여세법」제35조에 따라 해당 거주자의 증여재산가액으로 하는 금액이 있는 경우에는 그 양도가액에서 증여재산가액을 뺀 금액(2016. 12. 20. 개정)(소득법 §96 ③ 2호)

③ 부담부증여의 양도가액

(1) 부담부증여의 양도차익 계산

부담부증여의 경우 양도로 보는 부분에 대한 양도차익을 계산할 때 그 취득가액 및 양도가액은 다음[아래 1), 2)] 각 호에 따른다.(2017. 2. 3. 개정, 2020. 2. 11. 개정)(소득령 §159 ①)

1) 취득가액: 다음 계산식에 따른 금액(2017. 2. 3. 개정, 2020. 2. 11. 개정)(소득령 §159 ① 1호)

$$\text{취득가액} = A \times \frac{B}{C}$$

A : 소득법 제97조 제1항 제1호에 따른 가액(제2호에 따른 양도가액을 「상속세 및 증여세법」 제61조 제1항, 제2항 및 제5항에 따라 기준시가로 산정한 경우에는 취득가액도 기준시가로 산정한다)
B : 채무액
C : 증여가액

2) 양도가액: 다음 계산식에 따른 금액(2017. 2. 3. 개정)(소득령 §159 ① 2호)

$$\text{양도가액} = A \times \frac{B}{C}$$

A : 「상속세 및 증여세법」 제60조부터 제66조까지의 규정에 따라 평가한 가액
B : 채무액
C : 증여가액

(2) 양도세 과세대상 자산과 과세대상이 아닌 자산을 함께 부담부증여한 경우

위의 부담부증여에 대한 취득가액과 양도가액을 계산할 때 양도소득세 과세대상에 해당하는 자산과 해당하지 아니하는 자산을 함께 부담부증여하는 경우로서 증여자의 채무를 수증자가 인수하는 경우 채무액은 다음 계산식에 따라 계산한다.(2017. 2. 3. 개정)(소득령 §159 ②)

$$채무액 = A \times \frac{B}{C}$$

A : 총 채무액
B : 양도소득세 과세대상 자산가액
C : 총 증여 자산가액

4 지하수개발·이용권 등의 양도가액

토사석의 채취허가에 따른 권리와 지하수의 개발·이용권(이하 이 조에서 "지하수개발·이용권 등"이라 한다)을 소득법 제94조 제1항 제1호에 따른 토지 또는 건물(이하 이 조에서 "토지 등"이라 한다)과 함께 양도하는 경우로서 지하수개발·이용권 등과 토지 등의 취득가액 또는 양도가액을 구별할 수 없는 때에는 다음과 같이 취득가액 또는 양도가액을 계산한다. 이 경우 "임목"은 "지하수개발·이용권 등"으로, "임지"는 "토지 등"으로 본다.(2017. 2. 3. 개정)

(1) 임지, 임목의 취득가액 또는 양도가액

임지의 임목을 벌채 또는 양도하는 사업의 수입금액을 계산하는 경우, 임목을 임지(林地)와 함께 양도한 경우에 그 임지의 양도로 발생하는 소득은 총수입금액 계산시 산입하지 아니한다. 이 경우 임목과 임지의 취득가액 또는 양도가액을 구분할 수 없는 때에는 다음 [아래 1), 2)] 각 호의 기준에 따라 취득가액 또는 양도가액을 계산한다.(2007. 2. 28. 신설)(소득령 §51 ⑧)

1) 임목에 대하여는 「지방세법 시행령」 제4조 제1항 제5호에 따른 시가표준액(2013. 2. 15. 개정)(소득령 §51 ⑧ 1호)

2) 임지에 대하여는 총취득가액 또는 총양도가액에서 제1호[위의 1)]에 따라 계산한 임목의 취득가액 또는 양도가액을 뺀 금액. 이 경우 빼고 남은 금액이 없는 때에는 임지의 취득가액 또는 양도가액은 없는 것으로 본다.(2013. 2. 15. 개정)(소득령 §51 ⑧ 2호)

제4장

필요경비

제1절 필요경비

거주자의 양도차익을 계산할 때 양도가액에서 공제할 필요경비는 다음 각 호[아래 ❶, ❷]에 규정하는 것으로 한다.(2009. 12. 31. 개정)(소득법 §97 ①)

❶ 취득가액

취득가액(「지적재조사에 관한 특별법」 제18조에 따른 경계의 확정으로 지적공부상의 면적이 증가되어 같은 법 제20조에 따라 징수한 조정금은 제외한다). 다만, 가목[아래 (1)]의 실지거래가액을 확인할 수 없는 경우에 한정하여 나목[아래 (2)]의 금액을 적용한다.(2018. 12. 31. 개정)(소득법 §97 ① 1호)

(1) 실거래가액

제94조 제1항 각 호의 자산(토지 및 건물, 부동산에 관한 권리, 주식 등, 기타자산, 파생상품)의 취득에 든 실지거래가액은 다음 각 호[아래 1)~ 4)]의 금액을 합한 것으로 한다.(2017. 2. 3. 개정)(소득법 §97 ① 가목)(소득령 §163 ①)

1) 매입가액 및 부대비용

소득령 제89조 제1항을 준용하여 계산한 취득원가(아래 ①~③)에 상당하는 가액(제89조 제2항 제1호에 따른 현재가치할인차금과 「부가가치세법」 제10조 제1항 및 제6항에 따라 납부하였거나 납부할 부가가치세를 포함하되 부당행위계산에 의한 시가초과액을 제외한다)(2018. 2. 13. 개정)(소득령 §163 ① 1호)

① **자산의 취득가액은 다음 각 호[아래 ⅰ)~ ⅲ)]의 금액에 따른다.**

(2015. 2. 3. 개정)(소득령 §89 ①)

ⅰ) 매입한 자산

타인으로부터 매입한 자산은 매입가액에 취득세·등록면허세 기타 부대비용을 가산한 금액(2015. 2. 3. 개정)(소득령 §89 ① 1호)

ⅱ) 자가건설한 자산

자기가 행한 제조·생산 또는 건설 등에 의하여 취득한 자산은 원재료비·노무비·운임·하역비·보험료·수수료·공과금(취득세와 등록면허세를 포함한다)·설치비 기타 부대비용의 합계액(2015. 2. 3. 개정)(소득령 §89 ① 2호)

ⅲ) 기타의 자산

제1호[위의 ⅰ)] 및 제2호[위의 ⅱ)]의 자산으로서 그 취득가액이 불분명한 자산과 제1호[위의 ⅰ)] 및 제2호[위의 ⅱ)]의 자산 외의 자산은 해당 자산의 취득 당시의 기획재정부령이 정하는 시가에 취득세·등록면허세 기타 부대비용을 가산한 금액(2015. 2. 3. 개정)(소득령 §89 ① 3호)

●●●●

관련 예규·판례

1. 쟁점부동산의 소급감정가액을 취득가액으로 인정할 수 있는지

쟁점소급감정가액은 상속개시일부터 약 1년 3개월이 경과된 시점에서 소급하여 감정한 가액으로 상증세법 시행령 제49조 제1항에서 규정하는 평가기준일 전후 6개월 이내의 기간 중 평가한 감정가액이 있는 경우에 해당하지 아니하는 점, 처분청이 쟁점소급감정가액이 아닌 쟁점부동산에 대한 상속세 결정가액을 취득가액으로 하여 이 건 양도소득세를 부과한 처분은 잘못이 없음.(조심 2019서4224, 2019. 12. 26.)

② **취득가액에서 제외되는 경우**

자산의 취득가액 규정[소득령 제89조 제1항(위의 ①)]에 의한 취득가액은 다음 각 호[아래 ⅰ)~ ⅲ)]의 금액을 포함하지 아니하는 것으로 한다.(1998. 12. 31. 개정)(소득령 §89 ②)

ⅰ) 현재가치할인차금

사업자가 자산을 장기할부조건으로 매입하는 경우에 발생한 채무를 기업회계기준에

따라 현재가치로 평가하여 현재가치할인차금으로 계상한 경우에 있어서의 당해 현재가치할인차금(1998. 12. 31. 개정)(소득령 §89 ② 1호)

ⅱ) 연지급수입 지급이자

기획재정부령이 정하는 연지급수입의 경우에 자산의 취득가액 규정[소득령 제89조 제1항(위의 ①)]의 취득가액과 구분하여 지급이자로 계상한 금액(2008. 2. 29. 직제개정)(소득령 §89 ② 2호)

ⅲ) 부당행위계산 시가초과액

다음의 규정에 의한 시가초과액(1998. 12. 31. 신설)(소득령 §89 ② 3호)

조세 부담을 부당하게 감소시킨 것으로 인정되는 다음의 해당하는 경우로 한다. 다만, 시가와 거래가액의 차액이 3억 원 이상이거나 시가의 100분의 5에 상당하는 금액 이상인 경우만 해당한다.(2010. 2. 18. 개정)(소득령 §98 ② 1호)

● ● ● ●

조세부담을 부당하게 감소시킨 것으로 인정되는 경우란

특수관계인으로부터 시가보다 높은 가격으로 자산을 매입하거나 특수관계인에게 시가보다 낮은 가격으로 자산을 양도한 경우(소득령 §98 ② 1호)

③ 자산재평가의 경우

자산의 취득가액 규정[소득령 제89조 제1항, (위의 ①)]을 적용함에 있어서 「자산재평가법」에 의하여 재평가를 한 때에는 그 재평가액을, 자본적지출에 상당하는 금액이 있는 때에는 그 금액을 가산한 금액을 취득가액으로 한다.(2005. 2. 19. 법명개정)(소득령 §89 ③)

2) 소송비용 · 화해비용 등

취득에 관한 쟁송이 있는 자산에 대하여 그 소유권 등을 확보하기 위하여 직접 소요된 소송비용·화해비용 등의 금액으로서 그 지출한 연도의 각 소득금액의 계산에 있어서 필요경비에 산입된 것을 제외한 금액(1994. 12. 31. 개정)(소득령 §163 ① 2호)

3) 이자상당액

매입가액 및 부대비용 규정[소득령 제163조 제1항 제1호, {위 ❶}]을 적용할 때 당사자

약정에 의한 대금지급방법에 따라 취득원가에 이자상당액을 가산하여 거래가액을 확정하는 경우 당해 이자상당액은 취득원가에 포함한다. 다만, 당초 약정에 의한 거래가액의 지급기일의 지연으로 인하여 추가로 발생하는 이자상당액은 취득원가에 포함하지 아니한다.(2012. 2. 2. 개정)(소득령 §163 ① 3호)

4) 합병으로 취득한 주식의 경우

매입가액 및 부대비용 규정[소득령 제163조 제1항 제1호, {위 ❶}]을 적용할 때 합병으로 인하여 소멸한 법인의 주주가 합병 후 존속하거나 합병으로 신설되는 법인(이하 이 호에서 "합병법인"이라 한다)으로부터 교부받은 주식의 1주당 취득원가에 상당하는 가액은 합병 당시 해당 주주가 보유하던 피합병법인의 주식을 취득하는 데 든 총금액(「법인세법」 제16조 제1항 제5호의 금액은 더하고 같은 호의 합병대가 중 금전이나 그 밖의 재산가액의 합계액은 뺀 금액으로 한다)을 합병으로 교부받은 주식수로 나누어 계산한 가액으로 한다.(2012. 2. 2. 신설)(소득령 §163 ① 4호)

5) 분할신설법인 또는 분할합병의 상대방 법인으로부터 분할 또는 분할합병으로 인하여 취득하는 주식의 경우

매입가액 및 부대비용 규정[소득령 제163조 제1항 제1호, {위 ❶.}]을 적용할 때 분할법인 또는 소멸한 분할합병의 상대방 법인의 주주가 분할신설법인 또는 분할합병의 상대방 법인으로부터 분할 또는 분할합병으로 인하여 취득하는 주식의 1주당 취득원가에 상당하는 가액은 분할 또는 분할합병 당시의 해당 주주가 보유하던 분할법인 또는 소멸한 분할합병의 상대방 법인의 주식을 취득하는 데 소요된 총금액(「법인세법」 제16조 제1항 제6호의 금액은 더하고 같은 호의 분할대가 중 금전이나 그 밖의 재산가액의 합계액은 뺀 금액으로 한다)을 분할로 인하여 취득하는 주식수로 나누어 계산한 가액으로 한다.(2020. 2. 11. 신설)(소득령 §163 ① 5호)

6) 상속 또는 증여받은 자산의 취득가액

상속 또는 증여(법 제88조 제1호 각 목 외의 부분 후단에 따른 부담부증여의 채무액에 해당하는 부분도 포함하되, 「상속세 및 증여세법」 제34조부터 제39조까지, 제39조의2, 제39조의3, 제40조, 제41조의2부터 제41조의5까지, 제42조, 제42조의2 및 제42조의3에 따른 증여는 제외한다)받은 자산에 대하여 법 제97조 제1항 제1호 가목을 적용할 때에는 상속개시일 또는 증여일 현재 「상속세 및 증여세법」 제60조부터 제66조까지의 규정에 따라 평가한 가액(같은 법 제76조에 따라 세무서장 등이 결정·경정한 가액이 있는 경우 그 결정·경정한 가액으로 한다)을 취득당시의 실지거래가액으로 본다. 다만, 다음 각 호[아래 ①, ②]의 어느 하나에 해당하는 경우에는 각 호의 구분에 따라 계산한 금액으로 한다.(2017. 2. 3. 개정, 2020. 2. 11. 개정, 2021. 2. 17. 개정)(소득령 §163 ⑨)

① 「부동산 가격공시에 관한 법률」에 따라 1990년 8월 30일 개별공시지가가 고시되기 전에 상속 또는 증여받은 토지의 경우에는 상속개시일 또는 증여일 현재 「상속세 및 증여세법」 제60조 내지 제66조의 규정에 의하여 평가한 가액과 제164조 제4항의 규정에 의한 가액 중 많은 금액(2016. 8. 31. 개정)(소득령 §163 ⑨ 1호)

② 「상속세 및 증여세법」 제61조 제1항 제2호 내지 제4호의 규정에 의한 건물의 기준시가가 고시되기 전의 상속 또는 증여받은 건물의 경우에는 상속개시일 또는 증여일 현재 「상속세 및 증여세법」 제60조 내지 제66조의 규정에 의하여 평가한 가액과 제164조 제5항 내지 제7항의 규정에 의한 가액 중 많은 금액(2005. 8. 5. 개정)(소득령 §163 ⑨ 2호)

(2) 실거래가액을 확인할 수 없는 경우

실지거래가액을 확인할 수 없는 경우에 한하여 다음을 적용한다.

대통령령으로 정하는 매매사례가액, 감정가액 또는 환산취득가액을 순차적으로 적용한 금액(2019. 12. 31. 개정)(소득법 §97 ① 나목)

1) 환산한 가액

환산한 가액이란 다음 각 호[아래 ①, ②]의 방법에 따라 환산한 가액을 말한다.(2010. 2. 18. 개정, 2020. 2. 11. 개정)(소득령 §176의2 ②)(소득령 §163 ⑫)

① 주식, 기타자산의 환산취득가액

주식 등[제94조 제1항 제3호]이나 기타자산[제94조 제1항 제4호]의 경우에는 다음 산식에 의하여 계산한 가액(2003. 12. 30. 개정)(소득령 §176의2 ② 1호)

$$\text{양도 당시의 실지거래가액, 제3항 제1호의 매매사례가액 또는 동항 제2호의 감정가액} \times \frac{\text{취득 당시의 기준시가}}{\text{양도 당시의 기준시가}}$$

② 토지 · 건물 및 부동산을 취득할 수 있는 권리의 환산취득가액

법 제94조 제1항 제1호 및 제2호 가목에 따른 토지 · 건물 및 부동산을 취득할 수 있는 권리의 경우에는 다음 계산식에 따른 금액. 이 경우 「부동산 가격공시에 관한 법률」에 따른 개별주택가격 및 공동주택가격(이들에 부수되는 토지의 가격을 포함한다)이 최초로 공시되기 이전에 취득한 주택과 부수토지를 함께 양도하는 경우에는 다음 계산식 중 취득당시의 기준시가를 제164조 제7항에 따라 계산한 가액으로 한다.(2017. 2. 3. 개정, 2022. 2. 15. 개정) (소득령 §176의2 ② 2호)

ⅰ) 토지 등의 환산취득가액

$$\text{양도 당시의 실지거래가액, 제3항 제1호의 매매사례가액 또는 동항 제2호의 감정가액} \times \frac{\text{취득 당시의 기준시가}}{\text{양도 당시의 기준시가(제164조 제8항의 규정에 해당하는 경우에는 동항의 규정에 의한 양도 당시의 기준시가)}}$$

ⅱ) 최초공시 전 취득한 주택과 부수토지의 취득당시 기준시가

위[ⅰ)]의 환산취득가액을 계산할 때 「부동산 가격공시에 관한 법률」에 따른 개별주택가격 및 공동주택가격(이들에 부수되는 토지를 포함한다)이 공시되기 전에 취득한 주택의 취득당시의 기준시가는 다음 산식에 의하여 계산한 가액으로 한다. 이 경우 당해 주택에 대하여 국토교통부장관이 최초로 공시한 주택가격 공시당시 또는 취득당시의 기준시가[소득법 제99조 제1항 제1호 나목의 가액]이 없는 경우에는 소득령 제164조 제5항의 규정을 준용하여 계산한 가액에 의한다.(2016. 8. 31. 개정)(소득령 §164 ⑦)

> **최초공시 전 취득한 주택 등 취득당시 기준시가**
>
> 국토교통부장관이 당해 주택에 대하여 최초로 공시한 주택가격×취득당시의 토지 개별공시지가가액과 건물(다목 및 라목에 해당하는 건물은 제외한다)의 신축가격, 구조, 용도, 위치, 신축연도 등을 고려하여 매년 1회 이상 국세청장이 산정·고시하는 가액의 합계액/당해 주택에 대하여 국토교통부장관이 최초로 공시한 주택가격 공시당시의 토지 개별공시지가가액과 건물(다목 및 라목에 해당하는 건물은 제외한다)의 신축가격, 구조, 용도, 위치, 신축연도 등을 고려하여 매년 1회 이상 국세청장이 산정·고시하는 가액의 합계액(취득당시의 가액과 최초로 공시한 주택가격 공시당시의 가액

이 동일한 경우에는 소득령 제167조 제8항의 규정을 준용한다.

●●●●

환산가액 적용에 따른 가산세

거주자가 건물을 신축 또는 증축(증축의 경우 바닥면적 합계가 85제곱미터를 초과하는 경우에 한정한다)하고 그 건물의 취득일 또는 증축일부터 5년 이내에 해당 건물을 양도하는 경우로서 제97조 제1항 제1호 나목에 따른 감정가액 또는 환산취득가액을 그 취득가액으로 하는 경우에는 해당 건물의 감정가액(증축의 경우 증축한 부분에 한정한다) 또는 환산취득가액(증축의 경우 증축한 부분에 한정한다)의 100분의 5에 해당하는 금액을 제93조 제2호에 따른 양도소득 결정세액에 더한다.(2019. 12. 31. 개정)(소득법 §114의2 ①, ②)

고가주택의 환산가액 적용에 대한 가산세 적용방법

고가주택에 대한 환산가액 적용에 따른 가산세는 환산가액 9억 원 이하 비과세되는 부분을 포함한 전체금액에 대해 100분의 5에 해당하는 금액으로 하는 것임.(기획재정부 재산-939, 2018. 11. 1)

| 취득가액 등 필요경비 계산 방법 |

구 분	취득가액 등 필요경비	
원칙	실지거래가액	자본적지출액+양도비 등
실지거래가액을 확인할 수 없는 경우	다음 순서로 적용한다. ① 매매사례가액 ② 감정가액 ③ 환산취득가액	취득당시 기준시가의 3% (개산공제)
	• 환산취득가액으로 하는 경우 : 다음 중 큰 금액으로 한다. 　① 환산취득가액+개산공제(기준시가의 3%) 　② 자본적지출액+양도비 등	

2) 추계결정 또는 경정하는 경우

양도가액 또는 취득가액을 추계결정 또는 경정하는 경우에는 다음 각 호[아래 ①~ ④]의 방법을 순차적으로 적용[신주인수권의 경우에는 제3호(아래 ③)를 적용하지 않는다]하여 산정한 가액에 따른다. 다만, 제1호[아래 ①]에 따른 매매사례가액 또는 제2호[아래 ②]에 따른 감정가액이 제98조 제1항에 따른 특수관계인과의 거래에 따른 가액 등으로서 객관적으로 부당하다고 인정되는 경우에는 해당 가액을 적용하지 않는다.(2013. 2. 15. 개정, 2020. 2. 11. 개정)(소득령 §176의2 ③)

① 양도일 또는 취득일 전후 각 3개월 이내에 해당 자산(주권상장법인의 주식 등은 제외한다)과 동일성 또는 유사성이 있는 자산의 매매사례가 있는 경우 그 가액(2009. 2. 4. 개정)(소득령 §176의2 ③ 1호)

② 양도일 또는 취득일 전후 각 3개월 이내에 해당 자산(주식 등을 제외한다)에 대하여 둘 이상의 감정평가법인 등이 평가한 것으로서 신빙성이 있는 것으로 인정되는 감정가액(감정평가기준일이 양도일 또는 취득일 전후 각 3개월 이내인 것에 한정한다)이 있는 경우에는 그 감정가액의 평균액. 다만, 기준시가가 10억 원 이하인 자산(주식 등은 제외한다)의 경우에는 양도일 또는 취득일 전후 각 3개월 이내에 하나의 감정평가법인 등이 평가한 것으로서 신빙성이 있는 것으로 인정되는 경우 그 감정가액(감정평가기준일이 양도일 또는 취득일 전후 각 3개월 이내인 것에 한정한다)으로 한다.(2015. 2. 3. 개정, 2020. 2. 11. 단서신설, 2022. 1. 21. 개정)(소득령 §176의2 ③ 2호)

③ 환산한 취득가액(1999. 12. 31. 신설)(소득령 §176의2 ③ 3호)

④ 기준시가(1999. 12. 31. 신설)(소득령 §176의2 ③ 4호)

3) 의제취득일 전 취득한 자산

의제취득일 전에 취득한 자산(상속 또는 증여받은 자산을 포함한다)에 대하여 매매사례가액, 환산가액, 기준시가의 규정을 적용할 때에 의제취득일 현재의 취득가액은 다음 각 호[아래 ①, ②]의 가액 중 많은 것으로 한다.(2009. 2. 4. 개정)(소득령 §176의2 ④)

① 의제취득일 현재 매매사례가액, 감정가액, 환산취득가액, 기준시가의 가액(1999. 12. 31. 신설)(소득령 §176의2 ④ 1호)

② 취득 당시 실지거래가액이나 매매사례가액, 감정가액이 확인되는 경우로서 해당 자산의 실지거래가액이나 매매사례가액, 감정가액에 따른 가액과 그 가액에 취득일부터

의제취득일의 직전일까지의 보유기간 동안의 생산자물가상승률을 곱하여 계산한 금액을 합산한 가액(2009. 2. 4. 개정)(소득령 §176의2 ④ 2호)

❷ 자본적지출액

자본적지출액이란 다음 각 호[아래 (1)~(7)]의 어느 하나에 해당하는 것으로서 소득법 제160조의2 제2항에 따른 증명서류를 수취·보관하거나 실제 지출사실이 금융거래 증명서류에 의하여 확인되는 경우를 말한다.(2018. 2. 13. 개정)(소득법 §97 ① 2호)(소득령 §163 ③)

* 소득법 제160조의2 제2항(경비 등의 지출증명 수취 및 보관)
　적격증빙 : 현금영수증, 신용카드매출전표, 세금계산서, 계산서

(1) 자본적 지출액(2000. 12. 29. 개정)(소득령 §163 ③ 1호)

"자본적 지출"이라 함은 자산의 내용연수를 연장시키거나 당해 자산의 가치를 현실적으로 증가시키기 위하여 지출한 수선비를 말하며, 다음 각 호의 규정하는 것에 대한 지출을 포함하는 것으로 한다.(1998. 12. 31. 신설)(소득령 §67 ②)

1) 본래의 용도를 변경하기 위한 개조(1998. 12. 31. 신설)(소득령 §67 ② 1호)
2) 엘리베이터 또는 냉난방장치의 설치(1998. 12. 31. 신설)(소득령 §67 ② 2호)
3) 빌딩 등의 피난시설 등의 설치(1998. 12. 31. 신설)(소득령 §67 ② 3호)
4) 재해 등으로 인하여 건물·기계·설비 등이 멸실 또는 훼손되어 당해 자산의 본래 용도로의 이용가치가 없는 것의 복구(1998. 12. 31. 신설)(소득령 §67 ② 4호)
5) 기타 개량·확장·증설 등 제1호[위 1)] 내지 제4호[위 4)]와 유사한 성질의 것(1998. 12. 31. 신설)(소득령 §67 ② 5호)

(2) 소유권확보 소송비용

양도자산을 취득한 후 쟁송이 있는 경우에 그 소유권을 확보하기 위하여 직접 소요된 소송비용·화해비용 등의 금액으로서 그 지출한 연도의 각 소득금액의 계산에 있어서 필요경비에 산입된 것을 제외한 금액(2000. 12. 29. 개정)(소득령 §163 ③ 2호)

(3) 보상금 증액 관련 직접 소송비용 등

「공익사업을 위한 토지 등의 취득 및 보상에 관한 법률」이나 그 밖의 법률에 따라 토지

등이 협의 매수 또는 수용되는 경우로서 그 보상금의 증액과 관련하여 직접 소요된 소송비용·화해비용 등의 금액으로서 그 지출한 연도의 각 소득금액의 계산에 있어서 필요경비에 산입된 것을 제외한 금액. 이 경우 증액보상금을 한도로 한다.(2015. 2. 3. 신설)(소득령 §163 ③ 2호의2)

(4) 용도변경·개량 또는 이용편의를 위하여 지출한 비용

양도자산의 용도변경·개량 또는 이용편의를 위하여 지출한 비용(재해·노후화 등 부득이한 사유로 인하여 건물을 재건축한 경우 그 철거비용을 포함한다)(2000. 12. 29. 개정, 2020. 2. 11. 개정)(소득령 §163 ③ 3호)

(5) 개발부담금

「개발이익환수에 관한 법률」에 따른 개발부담금(개발부담금의 납부의무자와 양도자가 서로 다른 경우에는 양도자에게 사실상 배분될 개발부담금상당액을 말한다)(2006. 9. 22. 신설)(소득령 §163 ③ 3호의2)

(6) 재건축부담금

「재건축초과이익 환수에 관한 법률」에 따른 재건축부담금(재건축부담금의 납부의무자와 양도자가 서로 다른 경우에는 양도자에게 사실상 배분될 재건축부담금상당액을 말한다)(2006. 9. 22. 신설)(소득령 §163 ③ 3호의3)

(7) 기타

자본적지출액, 용도변경·개량 또는 이용편의를 위하여 지출한 비용 및 개발부담금, 재건축부담금[소득령 제163조 3항 1호, 3호, 3호의2, 3호의3]에 준하는 비용으로서 다음의 비용(2008. 2. 29 직제개정)(소득령 §163 ③ 4호)

1) 「하천법」·「댐건설 및 주변지역지원 등에 관한 법률」 그 밖의 법률에 따라 시행하는 사업으로 인하여 해당 사업구역 내의 토지소유자가 부담한 수익자부담금 등의 사업비용(2006. 9. 27. 개정)(소득칙 §79 ① 1호)

2) 토지이용의 편의를 위하여 지출한 장애철거비용(1995. 5. 3. 개정)(소득칙 §79 ① 2호)

3) 토지이용의 편의를 위하여 해당 토지 또는 해당 토지에 인접한 타인 소유의 토지에

도로를 신설한 경우의 그 시설비(2011. 3. 28. 개정)(소득칙 §79 ① 3호)

4) 토지이용의 편의를 위하여 해당 토지에 도로를 신설하여 국가 또는 지방자치단체에 이를 무상으로 공여한 경우의 그 도로로 된 토지의 취득당시 가액(2012. 2. 28. 개정)(소득칙 §79 ① 4호)

5) 사방사업에 소요된 비용(1995. 5. 3. 개정)(소득칙 §79 ① 5호)

6) 위 제1호[위 1)] 내지 제5호[위 5)]의 비용과 유사한 비용(1995. 5. 3. 개정)(소득칙 §79 ① 6호)

❸ 양도비용

양도비용은 다음[아래 (1), (2)] 각 호의 어느 하나에 해당하는 것으로서 적격 증명서류(세금계산서, 계산서, 신용카드 등)를 수취·보관하거나 실제 지출사실이 금융거래 증명서류에 의하여 확인되는 경우를 말한다.(2018. 2. 13. 개정)(소득령 §163 ⑤)

(1) 직접지출 양도비용

자산을 양도하기 위하여 직접 지출한 비용으로서 다음[아래 ①~⑤] 각 목의 비용(2009. 2. 4. 개정)(소득령 §163 ⑤ 1호)

① 「증권거래세법」에 따라 납부한 증권거래세(2009. 2. 4. 신설)(소득령 §163 ⑤ 1호 가목)

② 양도소득세과세표준 신고서 작성비용 및 계약서 작성비용(2009. 2. 4. 신설)(소득령 §163 ⑤ 1호 나목)

③ 공증비용, 인지대 및 소개비(2009. 2. 4. 신설)(소득령 §163 ⑤ 1호 다목)

④ 매매계약에 따른 인도의무를 이행하기 위하여 양도자가 지출하는 명도비용(2018. 2. 13. 신설)(소득령 §163 ⑤ 1호 라목)

⑤ 가목부터 라목[위 ①~④]까지의 비용과 유사한 비용으로서 소득세법 제88조 제3호에 따른 주식 등을 양도하기 위해 직접 지출한 비용으로서 다음 각 호[아래 ⅰ], ⅱ)]의 비용을 말한다.(2018. 2. 13. 개정, 2021. 3. 16. 개정)(소득령 §163 ⑤ 1호 마목)
ⅰ) 「자본시장과 금융투자업에 관한 법률」 제58조에 따른 수수료로서 다음 각 목의

어느 하나에 해당하는 비용(2019. 3. 20. 신설)(소득칙 §79 ② 1호)

가. 위탁매매수수료(2019. 3. 20. 신설)(소득칙 §79 ② 1호 가목)

나. 「자본시장과 금융투자업에 관한 법률」 제6조 제8항에 따른 투자일임업을 영위하는 같은 법 제8조 제3항의 투자중개업자가 투자중개업무와 투자일임업무를 결합한 자산관리계좌를 운용해 부과하는 투자일임수수료 중 다음의 요건을 모두 갖춘 위탁매매수수료에 상당하는 비용(2019. 3. 20. 신설)(소득칙 §79 ② 1호 나목)

ㄱ. 전체 투자일임수수료를 초과하지 않을 것

ㄴ. 주식 등을 온라인으로 직접 거래하는 경우에 부과하는 위탁매매수수료를 초과하지 않을 것

ㄷ. 부과기준이 약관 및 계약서에 적혀 있을 것

ⅱ) 「농어촌특별세법」 제5조 제1항 제5호에 따라 납부한 농어촌특별세(2019. 3. 20. 신설)(소득칙 §79 ② 2호)

(2) 국민주택채권 매각차손

자산을 취득함에 있어서 법령 등의 규정에 따라 매입한 국민주택채권 및 토지개발채권을 만기 전에 양도함으로써 발생하는 매각차손. 이 경우 기획재정부령으로 정하는 금융기관(이하 이 호에서 "금융기관"이라 한다) 외의 자에게 양도한 경우에는 동일한 날에 금융기관에 양도하였을 경우 발생하는 매각차손을 한도로 한다.(2008. 2. 29. 직제개정)(소득령 §163 ⑤ 2호)

제2절 사업의 필요경비에 산입한 감가상각비 공제

필요경비를 계산할 때 양도자산 보유기간에 그 자산에 대한 감가상각비로서 각 과세기간의 사업소득금액을 계산하는 경우 필요경비에 산입하였거나 산입할 금액이 있을 때에는 이를 필요경비의 금액에서 공제한 금액을 그 취득가액으로 한다.(2010. 12. 27. 개정)(소득법 §97 ③)

제3절 실거래가액이 확인되는 경우

　　필요경비의 취득가액 중 실거래가액 규정[소득법 제97조 제1항 제1호 가목]을 적용할 때 토지 및 건물, 부동산에 관한 권리 자산을 양도한 거주자가 그 자산 취득시 「부동산 거래신고 등에 관한 법률」 제3조 제1항에 따른 부동산의 실제거래가격을 기획재정부령으로 정하는 방법에 의하여 확인하는 방법으로 실지거래가액을 확인한 사실이 있는 경우에는 이를 그 거주자의 취득 당시의 실지거래가액으로 본다. 다만, 다음 각 호[아래 1. 2.]의 어느 하나에 해당하는 경우에는 그러하지 아니하다.(2017. 12. 19. 개정)(소득법 §97 ⑦)

1. 해당 자산에 대한 전 소유자의 양도가액이 양도소득과세표준과 세액의 결정·경정되는 경우(2007. 12. 31. 신설)(소득법 §97 ⑦ 1호)
2. 전 소유자의 해당 자산에 대한 양도소득세가 비과세되는 경우로서 실지거래가액보다 높은 가액으로 거래한 것으로 확인한 경우(2007. 12. 31. 신설)(소득법 §97 ⑦ 2호)

필요경비 계산 특례

① 배우자, 직계존비속으로부터 증여받은 자산 이월과세

거주자가 양도일부터 소급하여 5년 이내에 그 배우자(양도 당시 혼인관계가 소멸된 경우를 포함하되, 사망으로 혼인관계가 소멸된 경우는 제외한다. 이하 이 항에서 같다) 또는 직계존비속으로부터 증여받은 토지 및 건물[소득법 제94조 제1항 제1호, {아래 ❷ (1)}]이나 부동산을 취득할 수 있는 권리, 특정시설물이용권[아래 ❷ (2), (3)]의 양도차익을 계산할 때 양도가액에서 공제할 필요경비는 필요경비 규정[소득법 제97조 제2항]에 따르되, 취득가액은 그 배우자 또는 직계존비속의 취득 당시의 취득가액으로 한다. 이 경우 거주자가 증여받은 자산에 대하여 납부하였거나 납부할 증여세 상당액이 있는 경우에는 필요경비 규정[소득법 제97조 제2항]에도 불구하고 필요경비에 산입한다.(2017. 12. 19. 개정)(소득법 §97의2 ①)

② 이월과세 대상자산

다음[아래 (1)~(3)] 중 어느하나의 자산은 배우자, 직계존비속으로부터 증여받은 자산 이월과세 대상자산에 해당한다.

(1) 토지[「공간정보의 구축 및 관리 등에 관한 법률」에 따라 지적공부(地籍公簿)에 등록하여야 할 지목에 해당하는 것을 말한다] 또는 건물(건물에 부속된 시설물과 구축물을 포함한다)의 양도로 발생하는 소득(2014. 6. 3. 개정)(소득법 §94 ① 1호)

(2) 부동산을 취득할 수 있는 권리(건물이 완성되는 때에 그 건물과 이에 딸린 토지를 취득할 수 있는 권리를 포함한다)(2019. 2. 12. 개정)(소득령 §163의2 ①)(소득법 §94 ① 1호 가목)
[적용시기] 영 시행일(2019년 2월 12일) 이후 양도하는 분부터 적용한다.

(3) 특정시설물이용권

이용권·회원권 및 그 밖에 그 명칭과 관계없이 시설물을 배타적으로 이용하거나 일반이용자보다 유리한 조건으로 이용할 수 있도록 약정한 단체의 구성원이 된 자에게 부여되는 시설물이용권(법인의 주식 등을 소유하는 것만으로 시설물을 배타적으로 이용하거나 일반이용자보다 유리한 조건으로 시설물이용권을 부여받게 되는 경우 그 주식 등을 포함한다)(2009. 12. 31. 개정)(소득령 §163의2 ①)(소득법 §94 ④ 나목)

❸ 배우자 등 이월과세의 예외

다음 각 호[아래 (1)~(3)]의 어느 하나에 해당하는 경우에는 배우자, 직계존비속으로 증여받은 자산 이월과세를 적용하지 아니한다.(2014. 1. 1. 신설)(소득법 §97의2 ②)

(1) 협의매수 또는 수용된 경우

사업인정고시일부터 소급하여 2년 이전에 증여받은 경우로서 「공익사업을 위한 토지 등의 취득 및 보상에 관한 법률」이나 그 밖의 법률에 따라 협의매수 또는 수용된 경우(2014. 1. 1. 신설)(소득법 §97의2 ② 1호)

(2) 1세대 1주택 비과세 주택

배우자 등 이월과세를 적용할 경우 1세대 1주택 비과세 규정[소득법 제89조 제1항 제3호] 각 목의 주택[같은 호에 따라 양도소득의 비과세대상에서 제외되는 고가주택(이에 딸린 토지를 포함한다)을 포함한다]의 양도에 해당하게 되는 경우(2015. 12. 15. 개정)(소득법 §97의2 ② 2호)

(3) 이월과세 적용하지 않은 양도소득 결정세액보다 적은 경우

배우자 등 이월과세를 적용하여 계산한 양도소득 결정세액이 이월과세를 적용하지 아니하고 계산한 양도소득 결정세액보다 적은 경우(2016. 12. 20. 신설)(소득법 §97의2 ② 3호)

4 5년 연수의 계산

배우자 등 이월과세에서 규정하는 연수는 등기부에 기재된 소유기간에 따른다.(2014. 1. 1. 신설)(소득법 §97의2 ③)

관련 예규·판례

직계존속(증여자) 사망시 양도소득세 이월과세 적용 여부

양도 당시 직계존속(증여자) 사망시에도 「소득세법」 제97조의2에 따른 양도소득세 필요경비 계산 특례가 적용됨.(기획재정부 재산-669, 2019. 10. 1.)

5 가업상속공제 적용된 자산의 필요경비

「상속세 및 증여세법」 제18조 제2항 제1호에 따른 공제(이하 이 항에서 "가업상속공제" 라 한다)가 적용된 자산의 양도차익을 계산할 때 양도가액에서 공제할 필요경비는 제97조 제2항에 따른다. 다만, 취득가액은 다음 각 호[아래 (1), (2)]의 금액을 합한 금액으로 한 다.(2014. 1. 1. 신설)(소득법 §97의2 ④)

(1) 피상속인의 취득가액(제97조 제1항 제1호에 따른 금액) × 해당 자산가액 중 가업상 속공제가 적용된 비율(이하 이 조에서 "가업상속공제적용률"이라 한다)(2017. 12. 19. 개정)(소득법 §97의2 ④ 1호)

(2) 상속개시일 현재 해당 자산가액 × (1 - 가업상속공제적용률)(2014. 1. 1. 신설)(소득법 §97의2 ④ 2호)

가업상속공제재산에 대한 양도소득세 이월과세(소득세 집행기준 97의2-0-1)

가업상속공제는 상속 단계에서 과도한 상속세의 부담을 경감하려는 취지의 제도이나 상속인이 양도할 경우 피상속인의 보유기간 동안의 자본이득에 대한 양도소득세까지 과세되지 아니하여 과세형평성을 저해하는 문제가 있으므로, 가업상속공제가 적용된 자산부분에 대해서는 피상속인의 취득가액을 적용하여 양도차익을 계산하도록 함. (2014. 1. 1. 이후 상속받아 양도하는 분부터 적용)*

취득가액 계산(=①+②)
① 피상속인의 취득가액 × 가업상속공제율
② 상속개시일 현재 해당 자산가액 × (1-가업상속공제적용률)

* 가업상속공제적용률 = $\dfrac{\text{가업상속공제금액}}{\text{가업상속재산가액}}$

⑥ 증여세상당액과 가업상속공제적용률

배우자 또는 직계존비속으로부터 증여받은 자산에 대한 이월과세 규정과 가업상속공제 적용된 자산의 필요경비 규정[소득법 제97조의2 제1항부터 제4항까지]의 규정을 적용할 때 증여세 상당액의 계산과 가업상속공제적용률의 계산방법 등은 다음과 같다.(2014. 1. 1. 신설)(소득법 §97의2 ⑤)

(1) 증여세 상당액의 계산

증여세 상당액은 제1호[아래 ①]에 따른 증여세 산출세액에 제2호[아래 ②]에 따른 자산 가액이 제3호[아래 ③]에 따른 증여세 과세가액에서 차지하는 비율을 곱하여 계산한 금액 으로 한다. 이 경우 필요경비로 산입되는 증여세 상당액은 양도가액에서 필요경비[소득법 제97조 제1항 및 제2항의 금액]를 공제한 잔액 즉 양도차익을 한도로 한다.(2014. 2. 21. 신설) (소득령 §163의2 ②)

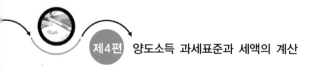

| 이월과세 적용시 수증자가 부담한 증여세 |

$$\text{이월과세대상 자산에 대한 증여세 산출세액} = \text{증여받은 자산에 대한 증여세 산출세액} \times \frac{\text{이월과세대상 증여세 과세가액}}{\text{증여세 과세가액의 합계액}}$$

사 례

- 2016년 1월: 갑은 배우자로부터 부동산과 주식을 증여받음(부동산 : 5억 원, 주식 : 3억 원, 증여세 산출세액: 90백만 원)
- 2018년 7월 : 증여받은 부동산 양도(양도차익 : 4억 원)
- 필요경비 산입되는 증여세 산출세액 : 56,250천 원(= 90백만 원 × 5억 원 / 8억 원)

① 거주자가 그 배우자 또는 직계존비속으로부터 증여받은 자산에 대한 증여세 산출세액(「상속세 및 증여세법」 제56조에 따른 증여세 산출세액을 말한다)(2014. 2. 21. 신설)(소득령 §163의2 ② 1호)

② 배우자 등 이월과세 양도소득의 필요경비 계산 특례 규정[소득법 제97조의2 제1항]에 따라 양도한 해당 자산가액(증여세가 과세된 증여세 과세가액을 말한다)(2014. 2. 21. 신설)(소득령 §163의2 ② 2호)

③ 「상속세 및 증여세법」 제47조에 따른 증여세 과세가액(2014. 2. 21. 신설)(소득령 §163의2 ② 3호)

(2) 가업상속공제적용률의 계산

가업상속공제가 적용된 자산의 양도차익 계산규정[소득법 제97조의2 제4항]을 적용할 때 가업상속공제적용률은 「상속세 및 증여세법」 제18조 제2항 제1호에 따라 상속세 과세가액에서 공제한 금액을 같은 항 제1호에 따른 가업상속 재산가액으로 나눈 비율로 하고, 가업상속공제가 적용된 자산별 가업상속공제금액은 가업상속공제금액을 상속 개시 당시의 해당 자산별 평가액을 기준으로 안분하여 계산한다.(2016. 2. 17. 개정)(소득령 §163의2 ③)

$$\text{가업상속공제적용률} = \text{상속세 과세가액} \div \text{가업상속 재산가액}$$

제6장

양도 또는 취득의 시기

자산의 양도차익을 계산할 때 그 취득시기 및 양도시기는 대금을 청산한 날이 분명하지 아니한 경우 등 대통령령으로 정하는 경우를 제외하고는 해당 자산의 대금을 청산한 날로 한다. 이 경우 자산의 대금에는 해당 자산의 양도에 대한 양도소득세 및 양도소득세의 부가세액을 양수자가 부담하기로 약정한 경우에는 해당 양도소득세 및 양도소득세의 부가세액은 제외한다.(2010. 12. 27. 개정)(소득법 §98)

❶ 대금청산일이 불분명한 경우

양도 또는 취득의 시기규정[소득법 제98조] 전단에서 "대금을 청산한 날이 분명하지 아니한 경우 등 대통령령으로 정하는 경우"란 다음 각 호[아래 (1)~(10)]의 경우를 말한다.(2010. 12. 30. 개정)(소득령 §162 ①)

(1) 등기ㆍ등록접수일 또는 명의개서일

대금을 청산한 날이 분명하지 아니한 경우에는 등기부ㆍ등록부 또는 명부 등에 기재된 등기ㆍ등록접수일 또는 명의개서일(2001. 12. 31. 개정)(소득령 §162 ① 1호)

(2) 대금을 청산하기 전에 소유권이전등기한 경우

대금을 청산하기 전에 소유권이전등기(등록 및 명의의 개서를 포함한다)를 한 경우에는 등기부ㆍ등록부 또는 명부 등에 기재된 등기접수일(1994. 12. 31. 개정)(소득령 §162 ① 2호)

(3) 장기할부조건의 소유권이전등기의 경우

장기할부조건의 경우에는 소유권이전등기(등록 및 명의개서를 포함한다) 접수일ㆍ인도일 또는 사용수익일 중 빠른 날(2008. 2. 29 직제개정)(소득령 §162 ① 3호)

"장기할부조건"이라 함은 양도자산의 대금을 월부·연부 기타의 부불방법에 따라 수입하는 것 중 다음 각 호[아래 ①, ②]의 요건을 갖춘 것을 말한다.(2011. 3. 28. 개정)(소득칙 §78 ③)

① 계약금을 제외한 해당 자산의 양도대금을 2회 이상으로 분할하여 수입할 것(2011. 3. 28. 개정)(소득칙 §78 ③ 1호)
② 양도하는 자산의 소유권이전등기(등록 및 명의개서를 포함한다) 접수일·인도일 또는 사용수익일 중 빠른 날의 다음 날부터 최종 할부금의 지급기일까지의 기간이 1년 이상인 것(2000. 4. 3. 개정)(소득칙 §78 ③ 2호)

(4) 자가건설 건축물

자기가 건설한 건축물에 있어서는 「건축법」 제22조 제2항에 따른 사용승인서 교부일. 다만, 사용승인서 교부일 전에 사실상 사용하거나 같은 조 제3항 제2호에 따른 임시사용승인을 받은 경우에는 그 사실상의 사용일 또는 임시사용승인을 받은 날 중 빠른 날로 하고 건축 허가를 받지 아니하고 건축하는 건축물에 있어서는 그 사실상의 사용일로 한다.(2014. 2. 21. 개정)(소득령 §162 ① 4호)

(5) 상속 또는 증여에 의한 취득의 경우

상속 또는 증여에 의하여 취득한 자산에 대하여는 그 상속이 개시된 날 또는 증여를 받은 날(1994. 12. 31. 개정)(소득령 §162 ① 5호)

(6) 20년간 소유의 의사로 점유하여 등기한 경우

「민법」 제245조 제1항(20년간 소유의 의사로 평온, 공연하게 부동산을 점유하는 자는 등기함으로써 그 소유권을 취득한 경우)의 규정에 의하여 부동산의 소유권을 취득하는 경우에는 당해 부동산의 점유를 개시한 날(2005. 2. 19 법명개정)(소득령 §162 ① 6호)

(7) 공익사업을 위하여 수용되는 경우

「공익사업을 위한 토지 등의 취득 및 보상에 관한 법률」이나 그 밖의 법률에 따라 공익사업을 위하여 수용되는 경우에는 대금을 청산한 날, 수용의 개시일 또는 소유권이전등기접수일 중 빠른 날. 다만, 소유권에 관한 소송으로 보상금이 공탁된 경우에는 소유권 관련 소송 판결 확정일로 한다.(2015. 2. 3 단서신설)(소득령 §162 ① 7호)

(8) 완성 또는 확정되지 아니한 자산을 양도 또는 취득한 경우

완성 또는 확정되지 아니한 자산을 양도 또는 취득한 경우로서 해당 자산의 대금을 청산한 날까지 그 목적물이 완성 또는 확정되지 아니한 경우에는 그 목적물이 완성 또는 확정된 날. 이 경우 건설 중인 건물의 완성된 날에 관하여는 위의 자가건설 건축물 양도 및 취득시기 규정[소득령 제164조 제1항 제4호{위 (4)}]을 준용한다.(2010. 12. 30. 신설)(소득령 §162 ① 8호)

(9) 환지처분

「도시개발법」 또는 그 밖의 법률에 따른 환지처분으로 인하여 취득한 토지의 취득시기는 환지 전의 토지의 취득일. 다만, 교부받은 토지의 면적이 환지처분에 의한 권리면적보다 증가 또는 감소된 경우에는 그 증가 또는 감소된 면적의 토지에 대한 취득시기 또는 양도시기는 환지처분의 공고가 있은 날의 다음 날로 한다.(2010. 12. 30. 신설)(소득령 §162 ① 9호)

(10) 부동산 과다법인의 과점주주의 경우

부동산 등의 비율이 100분의 50 이상인 법인의 과점주주가 그 법인의 주식 등의 100분의 50 이상을 해당 과점주주 외의 자에게 양도하는 경우(과점주주가 다른 과점주주에게 양도한 후 양수한 과점주주가 과점주주 외의 자에게 다시 양도하는 경우(소득령 §158 ②) 자산의 양도시기는 주주 1인과 기타주주가 주식 등을 양도함으로써 해당 법인의 주식 등의 합계액의 100분의 50 이상이 양도되는 날. 이 경우 양도가액은 그들이 사실상 주식 등을 양도한 날의 양도가액에 의한다.(2010. 12. 30. 신설)(소득령 §162 ① 10호)

❷ 양도한 자산의 취득시기가 불분명한 경우

양도 또는 취득의 시기[소득법 제98조] 및 대금을 청산한 날이 분명하지 아니한 경우 등 대통령령으로 정하는 경우[소득령 제162조 제1항]을 적용할 때 양도한 자산의 취득시기가 분명하지 아니한 경우에는 먼저 취득한 자산을 먼저 양도한 것으로 본다.(2010. 12. 30. 개정)

(소득령 §162 ⑤)

| 주택의 양도 또는 취득시기 |

구 분	내 용
일반적인 경우	셋 중 빠른 날(① 대금청산일, ② 소유권이전등기일, ③ 사용수익일)
장기할부조건으로 취득한 경우	상동
자가 건설한 건축물인 경우	• 사용승인서 교부일 • 사용승인서 교부일 전에 사실상 사용, 임시사용승인을 받은 경우에는 사실상 사용일 또는 임시사용승인을 받은 날 중 빠른 날
상속 또는 증여 취득한 경우	• 상속 : 상속개시일, 증여 : 증여받은 날
공익사업에 수용되는 경우	• 대금을 청산한 날, 수용의 개시일, 소유권이전등기접수일 중 빠른 날
완성 또는 확정되지 않은 경우	• 대금을 청산한 날까지 목적물이 완성 또는 확정되지 않은 경우 그 목적물이 완성 또는 확정된 날 • 건설중인 건물의 완성된 날은 "자기가 건설한 건축물"의 양도 또는 취득시가와 동일

③ 의제취득일

(1) 토지, 건물

토지 및 건물[소득법 제94조 제1항]에 대해서는 1984. 12. 31. 이전에 취득한 것은 1985. 1. 1.에 취득한 것으로 본다.

(2) 부동산에 관한 권리, 기타자산, 주식 등

1) 부동산에 관한 권리 및 기타자산

부동산에 관한 권리[소득법 제94조 제1항 제2호] 및 기타자산[제4호]의 자산의 경우에는 1984년 12월 31일 이전에 취득한 경우 1985년 1월 1일에 취득한 것으로 본다.(2000. 12. 29. 개정)(소득령 §162 ⑦ 1호)

2) 주식 등

1985년 12월 31일 이전에 취득한 것으로서 「자본시장과 금융투자업에 관한 법률」에 따른 지분증권(같은 법 제4조 제1항 단서는 적용하지 않으며, 집합투자증권 등 기획재정부령으로 정하는 것은 제외한다), 같은 조 제8항의 증권예탁증권 중 지분증권과 관련된 권리가 표시된 것 및 출자지분의 자산의 경우에는 1986년 1월 1일에 취득한 것으로 본다.(2000. 12. 29. 개정, 2022. 2. 15. 개정)(소득령 §162 ⑦ 3호)

④ 양도가액의 수입시기

양도소득금액 규정[소득법 제95조]에 따른 양도가액의 수입시기에 관하여는 양도 또는 취득의 시기 규정[소득법 제98조(제6장)] 및 이 대금을 청산한 날이 분명하지 아니한 경우의 규정[소득령 제162조 제1항 (위 ❷ ❸)]을 준용한다.(2010. 12. 30. 개정)(소득령 §162 ⑧)

제7장

기준시가의 산정

 **기준시가**

양도차익의 산정[소득법 제100조] 및 양도소득과세표준과 세액의 결정·경정 및 통지[제114조 제7항]에 따른 기준시가는 다음 각 호[아래 (1)～(7)]에서 정하는 바에 따른다.(2016. 12. 20. 개정)(소득법 §99 ①)

(1) 소득법 제94조 제1항 제1호에 따른 토지 또는 건물의 기준시가
   (2009. 12. 31. 개정)(소득법 §99 ① 1호)

1) 토지

「부동산 가격공시에 관한 법률」에 따른 개별공시지가(이하 "개별공시지가"라 한다). 다만, 개별공시지가가 없는 토지의 가액은 납세지 관할 세무서장이 인근 유사토지의 개별공시지가를 고려하여 대통령령으로 정하는 방법에 따라 평가한 금액으로 하고, 지가(地價)가 급등하는 지역으로서 대통령령으로 정하는 지역의 경우에는 배율방법에 따라 평가한 가액으로 한다.(2016. 1. 19. 개정)(소득법 §99 ① 1호 가목)

위에서 "배율방법"이란 양도·취득당시의 개별공시지가에 대통령령으로 정하는 배율을 곱하여 계산한 금액에 따라 평가하는 방법을 말한다.(2009. 12. 31. 개정)(소득법 §99 ②)

"대통령령으로 정하는 배율"이란 국세청장이 양도·취득당시의 개별공시지가에 지역마다 그 지역에 있는 가격사정이 유사한 토지의 매매사례가액을 참작하여 고시하는 배율을 말한다.(2010. 2. 18. 개정)(소득령 §164 ⑫)

① 개별공시지가가 없는 토지의 경우

개별공시지가가 없는 토지의 경우 다음 각 호[아래 i)～ iv)]의 어느 하나에 해당하는 개별공시지가가 없는 토지와 지목·이용상황 등 지가형성요인이 유사한 인근토지를 표준지로 보고 「부동산 가격공시에 관한 법률」 제3조 제8항에 따른 비교표에 따라 납세지 관할 세무서장(납세지 관할세무서장과 해당 토지의 소재지를 관할하는 세무서장이 서로 다른 경우로서 납세지 관할세무서장의 요청이 있는 경우에는 그 토지의 소재지를 관할하는 세무서장)이 평가한 가액을 말한다. 이 경우 납세지 관할세무서장은 「지방세법」 제4조 제1항 단서에 따라 시장·군수가 산정한 가액을 평가한 가액으로 하거나 둘 이상의 감정평가법인 등에게 의뢰하여 그 토지에 대한 감정평가법인 등의 감정가액을 고려하여 평가할 수 있다.(2018. 2. 13. 후단개정 2020. 10. 8. 개정, 2022. 1. 21. 후단개정)(소득령 §164 ①)

  ⅰ) 「공간정보의 구축 및 관리 등에 관한 법률」에 의한 신규등록토지(2015. 6. 1. 개정)(소득령 §164 ① 1호)

  ⅱ) 「공간정보의 구축 및 관리 등에 관한 법률」에 의하여 분할 또는 합병된 토지(2015. 6. 1. 개정)(소득령 §164 ① 2호)

  ⅲ) 토지의 형질변경 또는 용도변경으로 인하여 「공간정보의 구축 및 관리 등에 관한 법률」상의 지목이 변경된 토지(2015. 6. 1. 개정)(소득령 §164 ① 3호)

  ⅳ) 개별공시지가의 결정·고시가 누락된 토지(국·공유지를 포함한다)(1997. 12. 31. 신설)(소득령 §164 ① 4호)

2) 건물

  건물{다목[아래 3) 오피스텔 및 상업용건물]} 및 라목[아래 4)]에 해당하는 건물은 제외한다)의 신축가격, 구조, 용도, 위치, 신축연도 등을 고려하여 매년 1회 이상 국세청장이 산정·고시하는 가액(2009. 12. 31. 개정)(소득법 §99 ① 1호 나목)

3) 오피스텔 및 상업용건물

  건물에 딸린 토지를 공유로 하고 건물을 구분 소유하는 것으로서 건물의 용도·면적 및 구분소유하는 건물의 수(數) 등을 고려하여 대통령령으로 정하는 오피스텔(이에 딸린 토지를 포함한다) 및 상업용 건물(이에 딸린 토지를 포함한다)에 대해서는 건물의 종류, 규모, 거래상황, 위치 등을 고려하여 매년 1회 이상 국세청장이 토지와 건물에 대하여 일괄하여 산정·고시하는 가액 (2019. 12. 31. 개정)(소득법 §99 ① 1호 다목)

  위에서 "대통령령으로 정하는 오피스텔(이에 딸린 토지를 포함한다) 및 상업용 건물(이에 딸린 토지를 포함한다)"이란 국세청장이 해당 건물의 용도·면적 및 구분소유하는 건물의 수(數) 등을 고려하여 지정하는 지역에 소재하는 오피스텔(이에 딸린 토지를 포함한다) 및 상업용 건물(이에 딸린 토지를 포함한다)을 말한다.(2020. 2. 11. 개정)(소득령 §164 ⑩)

4) 주택

「부동산 가격공시에 관한 법률」에 따른 개별주택가격 및 공동주택가격. 다만, 공동주택가격의 경우에 같은 법 제18조 제1항 단서에 따라 국세청장이 결정·고시한 공동주택가격이 있을 때에는 그 가격에 따르고, 개별주택가격 및 공동주택가격이 없는 주택의 가격은 납세지 관할세무서장이 인근 유사주택의 개별주택가격 및 공동주택가격을 고려하여 대통령령으로 정하는 방법에 따라 평가한 금액으로 한다.(2019. 12. 31. 단서개정)(소득법 §99 ① 1호 라목)

위에서 "대통령령으로 정하는 방법에 따라 평가한 금액"이란 다음 각 호[아래 ①, ②]에 따른 가액을 말한다. 이 경우 납세지 관할세무서장은 「지방세법」 제4조 제1항 단서에 따라 시장·군수가 산정한 가액을 평가한 가액으로 하거나 둘 이상의 감정평가법인 등에게 의뢰하여 해당 주택에 대한 감정평가법인 등의 감정가액을 고려하여 평가할 수 있다.(2018. 2. 13. 후단개정, 2022. 1. 21. 후단개정)(소득령 §164 ⑪)

① 개별주택가격이 없는 단독주택의 경우

「부동산 가격공시에 관한 법률」에 따른 개별주택가격이 없는 단독주택의 경우에는 당해 주택과 구조·용도·이용상황 등 이용가치가 유사한 인근주택을 표준주택으로 보고 같은 법 제16조 제6항에 따른 비준표에 따라 납세지 관할 세무서장(납세지 관할 세무서장과 당해 주택의 소재지를 관할하는 세무서장이 서로 다른 경우로서 납세지 관할 세무서장의 요청이 있는 경우에는 당해 주택의 소재지를 관할하는 세무서장)이 평가한 가액(2016. 8. 31. 개정)(소득령 §164 ⑪ 1호)

② 공동주택가격이 없는 공동주택의 경우

「부동산 가격공시에 관한 법률」에 따른 공동주택가격이 없는 공동주택의 경우에는 인근 유사공동주택의 거래가격·임대료 및 당해 공동주택과 유사한 이용가치를 지닌다고 인정되는 공동주택의 건설에 필요한 비용추정액 등을 종합적으로 참작하여 납세지 관할 세무서장(납세지 관할 세무서장과 당해 주택의 소재지를 관할하는 세무서장이 서로 다른 경우로서 납세지 관할 세무서장의 요청이 있는 경우에는 당해 주택의 소재지를 관할하는 세무서장)이 평가한 가액(2016. 8. 31. 개정)(소득령 §164 ⑪ 2호)

5) 기준시가 고시 전 취득 또는 양도한 경우

토지 및 건물의 기준시가{소득법 제99조 제1항 제1호 가목부터 라목까지[위 1)~4)]}의 규정을 적용함에 있어서 새로운 기준시가가 고시되기 전에 취득 또는 양도하는 경우에는

직전의 기준시가에 의한다.(2015. 2. 3. 개정)(소득령 §164 ③)

6) 1990년 8월 30일 개별공시지가 고시 전 취득한 토지

「부동산 가격공시에 관한 법률」에 따라 1990년 8월 30일 개별공시지가가 고시되기 전에 취득한 토지의 취득당시의 기준시가는 다음 산식에 의하여 계산한 가액으로 한다. 이 경우 다음 산식 중 시가표준액은 법률 제4995호로 개정되기 전의 「지방세법」상 시가표준액을 말한다.(2016. 8. 31. 개정)(소득령 §164 ④)

$$\text{1990년 1월 1일을 기준으로 한 개별공시지가} \times \frac{\text{취득 당시의 시가표준액}}{\text{1990년 8월 30일 현재의 시가표준액과 그 직전에 결정된 시가표준액의 합계액을 2로 나누어 계산한 가액}}$$

(2) 부동산에 관한 권리

소득법 제94조 제1항 제2호에 따른 부동산에 관한 권리의 기준시가는 다음과 같다.(2009. 12. 31. 개정)(소득법 §99 ① 2호)

1) 부동산을 취득할 수 있는 권리

양도자산의 종류, 규모, 거래상황 등을 고려하여 대통령령으로 정하는 방법에 따라 평가한 가액으로 한다.(2009. 12. 31. 개정)(소득법 §99 ① 2호 가목)

$$\text{부동산을 취득할 수 있는 권리} = \text{취득일 또는 양도일까지 납입한 금액} + \text{취득일 또는 양도일 현재의 프리미엄에 상당하는 금액}$$

2) 지상권 · 전세권 및 등기된 부동산임차권

권리의 남은 기간, 성질, 내용 및 거래상황 등을 고려하여 대통령령으로 정하는 방법에 따라 평가한 가액으로 한다.(2009. 12. 31. 개정)(소득법 §99 ① 2호 나목)

지상권의 가액은 지상권이 설정되어 있는 토지의 가액에 기획재정부령으로 정하는 율을 곱하여 계산한 금액을 해당 지상권의 잔존연수를 감안하여 기획재정부령으로 정하는 방법에 따라 환산한 가액으로 한다. 이 경우 그 잔존연수에 관하여는 「민법」 제280조 및 제281

조에 규정된 지상권의 존속기간을 준용한다.(2010. 2. 18. 개정)(상증법 §51 ①)

(3) 기타 자산

소득법 제94조 제1항 제4호에 따른 기타 자산양도자산의 종류, 규모, 거래상황 등을 고려하여 대통령령으로 정하는 방법에 따라 평가한 가액 (2009. 12. 31. 개정)(소득법 §99 ① 6호)

(4) 신탁수익권

소득법 제94조 제1항 제6호에 따른 신탁 수익권:「상속세 및 증여세법」제65조 제1항을 준용하여 평가한 가액. 이 경우 평가기준시기 및 평가액은 대통령령으로 정하는 바에 따른다.(2020. 12. 29. 신설)(소득법 §99 ① 8호)

❷ 특수한 경우의 기준시가

(1) 양도당시와 취득당시 기준시가가 같은 경우

과세대상 자산의 기준시가규정[소득법 제99조 제1항]에 따라 산정한 양도 당시의 기준시가와 취득 당시의 기준시가가 같은 경우 양도 당시의 기준시가는 다음과 같다. (2009. 12. 31. 개정)(소득법 §99 ③ 1호)

보유기간 중 새로운 기준시가가 고시되지 아니함으로써 토지 및 건물[소득법 제99조 제1항 제1호{위 ❶ (1)}]의 규정에 의한 양도당시의 기준시가와 취득당시의 기준시가가 동일한 경우에는 당해 토지 또는 건물의 보유기간과 양도일 전후 또는 취득일 전후의 기준시가의 상승률을 참작하여 기획재정부령이 정하는 방법에 의하여 계산한 가액을 양도당시의 기준시가로 한다.(2008. 2. 29 직제개정)(소득령 §164 ⑧)

1) "기획재정부령이 정하는 방법에 의하여 계산한 가액"이란 다음 각 호[아래 ①,②]의 가액을 말한다.(2017. 3. 10. 개정)(소득칙 §80 ①)

① 취득일이 속하는 연도의 다음 연도 말일 이전에 양도하는 경우

취득일이 속하는 연도의 다음 연도 말일 이전에 양도하는 경우에는 다음 각 목의 구분에 따른 산식에 의하여 계산한 가액. 다만, 다음[아래 ⅰ), ⅱ)] 각 목의 산식에 의하여 계산한 양도당시의 기준시가가 취득당시의 기준시가보다 적은 경우에는 취득당시의 기준시가를

양도당시의 기준시가로 한다.(2005. 8. 5. 개정)(소득칙 §80 ① 1호)

ⅰ) 양도일까지 새로운 기준시가가 고시되지 아니한 경우

양도일까지 새로운 기준시가가 고시(「부동산 가격공시에 관한 법률」에 따른 개별주택가격 및 공동주택가격의 공시를 포함한다. 이하 이 조에서 같다)되지 아니한 경우 : 양도당시의 기준시가 = 취득당시의 기준시가+(취득당시의 기준시가-전기의 기준시가)×[양도자산의 보유기간의 월수/기준시가 조정월수(100분의 100을 한도로 한다)](2017. 3. 10. 개정)(소득칙 §80 ① 1호 가목)

---

1. 전기의 기준시가가 없는 경우

양도일까지 새로운 기준시가가 고시되지 아니한 경우[소득칙 제80조 제1항 제1호 가목{위 (1)의 1), ①}]의 규정을 적용할 때 전기의 기준시가가 없는 경우에는 다음 각 호에 따른 가액을 전기의 기준시가로 본다.(2005. 8. 5. 개정)(소득칙 §80 ③)

(1) 토지(2000. 4. 3. 개정)(소득칙 §80 ③ 1호)

해당 토지와 지목·이용상황 등이 유사한 인근토지의 전기의 기준시가

(2) 소득법 제99조 제1항 제1호 나목의 건물(2001. 4. 30. 개정)(소득칙 §80 ③ 2호)

전기의 기준시가 = 국세청장이 해당 건물에 대하여 최초로 고시한 기준시가 × 해당 건물의 취득연도·신축연도·구조·내용연수 등을 고려하여 국세청장이 고시한 기준율

(3) 소득법 제99조 제1항 제1호 다목의 규정의 오피스텔 및 상업용 건물과 같은 호 라목의 주택(2005. 8. 5. 개정)(소득칙 §80 ③ 3호)

$$\text{전기의 기준시가} = \text{취득 당시의 기준시가} \times \frac{\text{전기의 소득법 제99조 제1항 제1호 가목의 가액과 동호 나목의 가액의 합계액}}{\text{취득 당시의 소득법 제99조 제1항 제1호 가목의 가액과 동호 나목의 가액의 합계액}}$$

ⅱ) 양도일부터 2월이 되는 날이 속하는 월의 말일까지 새로운 기준시가가 고시된 경우

양도일부터 2월이 되는 날이 속하는 월의 말일까지 새로운 기준시가가 고시된 경우로서 거주자가 다음 산식을 적용하여 법 제110조 제1항의 규정에 의한 신고를 하는 경우 : 양도당시의 기준시가 = 취득당시의 기준시가+(새로운 기준시가－취득당시의 기준시가)×(양도자산의 보유기간의 월수/기준시가 조정월수)(1999. 5. 7. 개정)(소득칙 §80 ① 1호 나목)

② 취득일이 속하는 연도의 다음 연도 말일 이전에 양도하는 경우 외의 경우

소득칙 제80조 제1항 제1호[위 ①] 외의 경우에는 당해 양도자산의 취득당시의 기준시가 (1998. 3. 21. 개정)(소득칙 §80 ① 2호)

2) 기준시가 조정월수, 전기의 기준시가

소득칙 제80조 제1항 제1호 각 목[위 ①의 ⅰ), ⅱ)]의 규정에 의한 "기준시가 조정월수"와 동호 가목의 규정에 의한 "전기의 기준시가"라 함은 다음 각 호[아래 ①, ②]와 같다.(1999. 5. 7. 개정)(소득칙 §80 ②)

① 기준시가 조정월수 : 제1항 제1호 가목[위 ①의 ⅰ)]의 경우에는 전기의 기준시가 결정일부터 취득당시의 기준시가 결정일 전일까지의 월수를 말하며, 동호 나목[위 ①의 ⅱ)]의 경우에는 취득당시의 기준시가 결정일부터 새로운 기준시가 결정일 전일까지의 월수를 말한다.(1999. 5. 7. 개정)(소득칙 §80 ② 1호)

② 전기의 기준시가 : 취득당시의 기준시가 결정일 전일의 당해 양도자산의 기준시가를 말한다.(1998. 3. 21. 개정)(소득칙 §80 ② 2호)

3) 1월 미만의 월수

소득칙 제80조 제1항[위 1), 2)] 및 제2항의 규정에 의한 기준시가의 조정월수 및 양도자산 보유기간의 월수를 계산함에 있어서 1월 미만의 일수는 1월로 한다.(2000. 4. 3. 개정)(소득칙 §80 ⑤)

(2) 기준시가 공시 전 취득한 토지 및 주택

「부동산 가격공시에 관한 법률」에 따라 개별공시지가, 개별주택가격 또는 공동주택가격이 공시 또는 고시되기 전에 취득한 토지 및 주택의 취득 당시의 기준시가(2016. 1. 19. 개정)(소득법 §99 ③ 2호)

(3) 기준시가 고시 전 취득한 건물(소득법 §99 ③ 3호)

소득법 제99조 제1항 제1호 나목에 따른 기준시가가 고시되기 전에 취득한 건물의 취득 당시의 기준시가는 다음 산식에 의하여 계산한 가액으로 한다.(2000. 12. 29. 개정, 2021. 1. 4. 개정)(소득법 §99 ③ 3호)(소득령 §164 ⑤)

국세청장이 당해 자산에 대하여 최초로 고시한 기준시가 ×
해당 건물의 취득연도·신축연도·구조·내용연수 등을 감안하여 국세청장이 고시한 기준율

(4) 기준시가 고시 전 취득한 공동주택·오피스텔 및 상업용건물

소득법 제99조 제1항 제1호 다목 또는 같은 호 라목 단서에 따른 기준시가가 고시되기 전에 취득한 오피스텔(이에 딸린 토지를 포함한다), 상업용 건물(이에 딸린 토지를 포함한다) 또는 공동주택의 취득당시의 기준시가는 다음 산식에 따라 계산한 가액으로 한다. 이 경우 해당 자산에 대하여 국세청장이 최초로 고시한 기준시가 고시당시 또는 취득당시의 법 제99조 제1항 제1호 나목의 가액이 없는 경우에는 제5항을 준용하여 계산한 가액에 따른다.(2005. 8. 5. 개정, 2020. 2. 11. 개정)(소득령 §164 ⑥)(소득법 §99 ③ 4호)

$$
\text{국세청장이 당해 자산에 대하여 최초로 고시한 기준시가} \times \frac{\text{취득 당시의 법 제99조 제1항 제1호 가목의 가액과 나목의 가액의 합계액}}{\substack{\text{당해 자산에 대하여 국세청장이 최초로 고시한 기준시가 고시한}\\ \text{당시의 법 제99조 제1항 제1호 가목의 가액과 나목의 가액의}\\ \text{합계액(취득 당시의 가액과 최초로 고시한 기준시가 고시 당시의}\\ \text{가액이 동일한 경우에는 제8항의 규정을 준용한다)}}}
$$

(5) 개별주택가격 및 공동주택가격 공시 전 취득한 주택의 취득당시 기준시가

「부동산 가격공시에 관한 법률」에 따른 개별주택가격 및 공동주택가격(이들에 부수되는 토지를 포함한다)이 공시되기 전에 취득한 주택의 취득당시의 기준시가는 다음 산식에 의하여 계산한 가액으로 한다. 이 경우 당해 주택에 대하여 국토교통부장관이 최초로 공시한 주택가격 공시당시 또는 취득당시의 법 제99조 제1항 제1호 나목[위 ❶ (1)의 2]의 가액이 없는 경우에는 소득령 제164조 제5항[위 ❷ (3)]의 규정을 준용하여 계산한 가액에 의

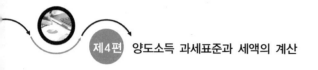

한다.(2016. 8. 31. 개정)(소득령 §164 ⑦)

$$국토교통부장관이 \atop 당해 주택에 대하여 \atop 최초로 공시한 \atop 주택가격 \times \frac{취득 \ 당시의 \ 법 \ 제99조 \ 제1항 \ 제1호 \ 가목의 \ 가액과 \atop 나목의 \ 가액의 \ 합계액}{당해 \ 주택에 \ 대하여 \ 국토교통부장관이 \ 최초로 \ 공시한 \ 주택가격 \atop 공시 \ 당시의 \ 소득법 \ 제99조 \ 제1항 \ 제1호 \ 가목의 \ 가액과 \ 나목의 \atop 가액의 \ 합계액(취득 \ 당시의 \ 가액과 \ 최초로 \ 공시한 \ 주택가격 \ 공시 \atop 당시의 \ 가액이 \ 동일한 \ 경우에는 \ 제8항의 \ 규정을 \ 준용한다)}$$

제8장

기준시가의 재산정 및 고시 신청

❶ 기준시가 재산정 신청

소득세법 제99조 제1항 제1호 다목에 따라 고시한 기준시가에 이의가 있는 소유자나 그 밖의 이해관계인은 기준시가 고시일부터 30일 이내에 서면으로 국세청장에게 재산정 및 고시를 신청할 수 있다.(2009. 12. 31. 개정)(소득법 §99의2 ①)

❷ 30일 내 처리결과 통지

국세청장은 제1항에 따른 신청기간이 끝난 날부터 30일 이내에 그 처리 결과를 신청인에게 서면으로 알려야 한다. 이 경우 국세청장은 신청 내용이 타당하다고 인정될 때에는 제99조 제1항 제1호 다목에 따라 기준시가를 다시 산정하여 고시하여야 한다.(2009. 12. 31. 개정)(소득법 §99의2 ②)

❸ 국세청장은 기준시가 산정·고시가 잘못되었거나 오기 또는 그 밖에 대통령령으로 정하는 명백한 오류를 발견한 경우에는 지체 없이 다시 산정하여 고시하여야 한다.(2009. 12. 31. 개정)(소득법 §99의2 ③)

❹ 재산정, 고시 신청 및 처리절차 등에 관하여 필요한 사항은 대통령령으로 정한다.(2005. 7. 13. 신설)(소득법 §99의2 ④)

양도차익의 산정

① 취득가액

양도차익을 계산할 때 양도가액을 실지거래가액(소득법 제96조 제3항에 따른 가액 및 소득법 제114조 제7항에 따라 매매사례가액·감정가액이 적용되는 경우 그 매매사례가액·감정가액 등을 포함한다)에 따를 때에는 취득가액도 실지거래가액(소득법 제97조 제7항에 따른 가액 및 소득법 제114조 제7항에 따라 매매사례가액·감정가액·환산취득가액이 적용되는 경우 그 매매사례가액·감정가액·환산취득가액 등을 포함한다)에 따르고, 양도가액을 기준시가에 따를 때에는 취득가액도 기준시가에 따른다.(2009. 12. 31. 개정)(소득법 §100 ①)

② 토지, 건물 가액의 구분이 불분명한 경우

양도차익의 산정 규정[소득법 제100조 제1항(위 ❶)]을 적용할 때 양도가액 또는 취득가액을 실지거래가액에 따라 산정하는 경우로서 토지와 건물 등을 함께 취득하거나 양도한 경우에는 이를 각각 구분하여 기장하되 토지와 건물 등의 가액 구분이 불분명할 때에는 취득 또는 양도 당시의 기준시가 등을 고려하여 「부가가치세법 시행령」 제64조에 따라 안분계산하며, 이를 적용함에 있어 「상속세 및 증여세법」 제62조 제1항에 따른 선박 등 그 밖의 유형재산에 대하여 「부가가치세법 시행령」 제64조 제2호 단서에 해당하는 장부가액이 없는 경우에는 「상속세 및 증여세법」 제62조 제1항에 따라 평가한 가액을 기준으로 한다. 이 경우 공통되는 취득가액과 양도비용은 해당 자산의 가액에 비례하여 안분계산한다.(2009. 12. 31. 개정)(소득법 §100 ②)(소득령 §166 ⑥)

양도차익 산정 시 토지와 건물 등 가액의 구분이 불분명한 경우
(소득세 집행기준 100－166－12)

토지와 건물을 함께 양도하여 전체 실지거래가액은 확인되나 자산별로 구분이 불분명한 경우1)에는 취득 또는 양도당시의 시가(감정평가액, 기준시가, 장부가액, 취득가액)를 순차적으로 적용한 가액으로 안분계산한다.

1) 토지와 건물을 함께 취득하거나 양도한 경우로서 납세자가 토지와 건물 등을 구분 기장하여 신고한 가액이 기준시가에 따른 안분가액과 30% 이상 차이가 나는 경우 토지와 건물 등의 가액 구분이 불분명한 경우로 본다.

$$\text{토지의 양도(취득)가액} = \text{토지·건물의 양도(취득)가액} \times \frac{\text{토지 양도(취득) 당시의 시가}}{\text{토지·건물의 양도(취득) 당시의 시가}}$$

사 례

－취득시: 실지거래가액 6억 원, 기준시가 3억 원(토지 2억 원, 건물 1억 원)
－양도시: 실지거래가액 10억 원, 기준시가 5억 원(토지 3억 원, 건물 2억 원)
　☞ 자산별 양도차익
　　1) 토지의 양도차익 2억 원
　　　= [10억 원 × 3억 원/(3억 원 + 2억 원)] － [6억 원× 2억 원/(2억 원 + 1억 원)]
　　2) 건물의 양도차익 2억 원
　　　= [10억 원 × 2억 원/(3억 원 + 2억 원)] － [6억 원 ×1억 원/(2억 원 + 1억 원)]

 구분가액과 안분계산한 가액이 30/100 이상 차이나는 경우

　양도차익의 산정 규정[소득법 제100조 제2항(위 ❷)]을 적용할 때 토지와 건물 등을 함께 취득하거나 양도한 경우로서 그 토지와 건물 등을 구분 기장한 가액이 같은 항에 따라 안분계산한 가액과 100분의 30 이상 차이가 있는 경우에는 토지와 건물 등의 가액 구분이 불분명한 때로 본다.(2015. 12. 15. 신설)(소득법 §100 ③)

④ 재개발사업, 재건축사업 또는 소규모재건축사업의 양도차익 계산

양도차익의 산정 규정[소득법 제100조(위 ❶~❸)]에 의하여 양도차익을 산정함에 있어서 재개발사업, 재건축사업 또는 소규모재건축사업 등[22)]을 시행하는 정비사업조합의 조합원이 당해 조합에 기존 건물과 그 부수토지를 제공(건물 또는 토지만을 제공한 경우를 포함한다)하고 취득한 입주자로 선정된 지위를 양도하는 경우 그 조합원의 양도차익은 다음 각 호의 산식에 의하여 계산한다.(2018. 2. 9. 개정, 2022. 2. 15. 개정)(소득령 §166 ①)

(1) 청산금을 납부한 경우(2010. 2. 18. 개정)

[양도가액 − (기존건물과 그 부수토지의 평가액 + 납부한 청산금) − 소득법 제97조 제1항 제2호 및 제3호에 따른 필요경비](이하 이 조에서 "관리처분계획인가후양도차익"이라 한다) + [(기존건물과 그 부수토지의 평가액 − 기존건물과 그 부수토지의 취득가액) − 소득법 제97조 제1항 제2호 및 제3호 또는 소득령 제163조 제6항에 따른 필요경비](이하 이 조에서 "관리처분계획인가전양도차익"이라 한다)(소득령 §166 ① 1호)

(2) 청산금을 지급받은 경우 다음 각 목의 금액을 합한 가액

(2013. 2. 15. 개정)(소득령 §166 ① 2호)

1) [양도가액 − (기존건물과 그 부수토지의 평가액 − 지급받은 청산금) − 소득법 제97조 제1항 제2호 및 제3호에 따른 필요경비] (2013. 2. 15. 개정)(소득령 §166 ① 2호 가목)

2) [(기존건물과 그 부수토지의 평가액 − 기존 건물과 그 부수토지의 취득가액 − 법 제97조 제1항 제2호 및 제3호 또는 제163조 제6항에 따른 필요경비)]×[(기존건물과 그 부수토지의 평가액 − 지급받은 청산금)÷기존건물과 그 부수토지의 평가액] (2013. 2. 15. 개정)(소득령 §166 ① 2호 나목)

---

22) 소규모재건축사업 중에서 자율주택정비사업, 가로주택정비사업, 소규모재개발사업은 2022년 1월 1일 이후 취득하는 조합원입주권부터 적용한다.

❺ 재건축 등으로 취득한 신축주택 및 그 부수토지 양도하는 경우 양도차익의 산정

양도차익의 산정 규정[소득법 제100조(위 ❶ ~ ❸)]에 따라 양도차익을 산정하는 경우 재개발사업, 재건축사업 또는 소규모재건축사업 등[23]을 시행하는 정비사업조합의 조합원이 해당 조합에 기존 건물과 그 부수토지를 제공하고 관리처분계획 등에 따라 취득한 신축주택 및 그 부수토지를 양도하는 경우 실지거래가액에 의한 양도차익은 다음 각 호[아래 (1), (2)]의 산식에 따라 계산한다.(2018. 2. 9. 개정, 2022. 2. 15. 개정)(소득령 §166 ②)

(1) 청산금을 납부한 경우(2007. 2. 28. 신설)(소득령 §166 ② 1호)

[관리처분계획인가후양도차익 × 납부한 청산금 ÷ (기존건물과 그 부수토지의 평가액 + 납부한 청산금)](이하 이 조에서 "청산금납부분양도차익"이라 한다) + {[관리처분계획인가후양도차익 × 기존건물과 그 부수토지의 평가액 ÷ (기존건물과 그 부수토지의 평가액 + 납부한 청산금)] + 관리처분계획인가전양도차익}(이하 이 조에서 "기존건물분양도차익"이라 한다)

(2) 청산금을 지급받는 경우

제1항 제2호[위 ❹ 의 (2)]에 따른 다음의 가액으로 한다.(2007. 2. 28. 신설)(소득령 §166 ② 2호)

1) [양도가액 - (기존건물과 그 부수토지의 평가액 - 지급받은 청산금) - 소득법 제97조 제1항 제2호 및 제3호에 따른 필요경비](2013. 2. 15. 개정)(소득령 §166 ① 2호 가목)

2) [(기존건물과 그 부수토지의 평가액 - 기존 건물과 그 부수토지의 취득가액 - 법 제97조 제1항 제2호 및 제3호 또는 제163조 제6항에 따른 필요경비)]×[(기존건물과 그 부수토지의 평가액 - 지급받은 청산금)÷기존건물과 그 부수토지의 평가액](2013. 2. 15. 개정)(소득령 §166 ① 2호 나목)

---

[23] 소규모재건축사업 중에서 자율주택정비사업, 가로주택정비사업, 소규모재개발사업은 2022년 1월 1일 이후 취득하는 조합원입주권부터 적용한다.

6 기존 건물과 그 부수토지의 취득가액을 확인할 수 없는 경우

제1항[위 ❹] 및 제2항[위 ❺]의 규정을 적용할 때 기존 건물과 그 부수토지의 취득가액을 확인할 수 없는 경우에는 다음 산식을 적용하여 계산한 가액에 따른다.(2007. 2. 28. 개정)(소득령 §166 ③)

$$
\text{기존 건물과 그 부수토지의 평가액} \times \frac{\text{취득일 현재 기존 건물과 그 부수토지의 법 제99조 제1항 제1호의 규정에 따른 기준시가}}{\text{관리처분계획 등 인가일 현재 기존 건물과 그 부수토지의 법 제99조 제1항 제1호의 규정에 따른 기준시가}}
$$

7 기존건물과 그 부수토지의 평가액

제1항[위 ❹] 내지 제3항[위 ❻]에서 기존건물과 그 부수토지의 평가액이란 다음 각 호[아래 (1), (2)]의 가액을 말한다.(2007. 2. 28. 개정)(소득령 §166 ④)

(1) 관리처분계획 등에 따라 정하여진 가격. 다만, 그 가격이 변경된 때에는 변경된 가격으로 한다.(2018. 2. 9. 개정)(소득령 §166 ④ 1호)

(2) 제1호[위 (1)]에 따른 가격이 없는 경우에는 제176조의2 제3항 제1호, 제2호 및 제4호의 방법을 순차로 적용하여 산정한 가액. 이 경우 제176조의2 제3항 제1호 및 제2호에서 "양도일 또는 취득일 전후"는 "관리처분계획 등 인가일 전후"로 본다.(2018. 2. 9. 개정)(소득령 §166 ④ 2호)

8 장기보유특별공제액을 공제하는 경우 그 보유기간

양도소득금액 관련 규정[소득법 제95조]에 따른 양도소득금액을 계산하기 위하여 제1항 및 제2항 제1호에 따른 양도차익에서 법 제95조 제2항에 따른 장기보유특별공제액을 공제하는 경우 그 보유기간의 계산은 다음 각 호[아래 (1), (2)]에 따른다.(2013. 2. 15. 개정)(소득령 §166 ⑤)

(1) 제1항 제1호의 관리처분계획인가 전 양도차익 및 제1항 제2호 나목에서 장기보유특별공제액을 공제하는 경우의 보유기간

기존 건물과 그 부수토지의 취득일부터 관리처분계획 등 인가일까지의 기간(2018. 2. 9. 개정)(소득령 §166 ⑤ 1호)

(2) 제2항 제1호에 따른 양도차익에서 장기보유특별공제액을 공제하는 경우의 보유기간 (2013. 2. 15. 개정)(소득령 §166 ⑤ 2호)

1) 청산금납부분 양도차익에서 장기보유특별공제액을 공제하는 경우의 보유기간

관리처분계획 등 인가일부터 신축주택과 그 부수토지의 양도일까지의 기간(2018. 2. 9. 개정)(소득령 §166 ⑤ 2호 가목)

2) 기존 건물분 양도차익에서 장기보유특별공제액을 공제하는 경우의 보유기간

기존 건물과 그 부수토지의 취득일부터 신축주택과 그 부수토지의 양도일까지의 기간(2013. 2. 15. 개정)(소득령 §166 ⑤ 2호 나목)

❾ 토지와 건물 등의 가액의 구분이 불분명한 경우

양도차익의 산정 규정[소득법 제100조 제2항(위 ❷)]을 적용함에 있어서 토지와 건물 등의 가액의 구분이 불분명한 때에는 「부가가치세법 시행령」 제64조에 따라 안분계산하며, 이를 적용함에 있어 「상속세 및 증여세법」 제62조 제1항에 따른 선박 등 그 밖의 유형재산에 대하여 「부가가치세법 시행령」 제64조 제2호 단서에 해당하는 장부가액이 없는 경우에는 「상속세 및 증여세법」 제62조 제1항에 따라 평가한 가액을 기준으로 한다.(2016. 3. 31. 개정) (소득령 §166 ⑥)

❿ 재개발 등으로 신축한 건물 및 부수토지를 기준시가로 양도차익을 계산하는 경우

양도차익의 산정 규정[소득법 제100조(위 ❶~❸)]의 규정에 의하여 양도차익을 산정함에 있어서 재개발사업, 재건축사업 또는 소규모재건축사업을 시행하는 정비사업조합의 조합원이 당해 조합에 기존건물과 그 부수토지를 제공하고 관리처분계획 등에 따라 취득한 신축건물 및 그 부수토지를 양도하는 경우 기준시가에 의한 양도차익은 다음 각 호[아래

(1)~(3)]의 구분에 따라 계산한 양도차익의 합계액(청산금을 수령한 경우에는 이에 상당하는 양도차익을 차감한다)으로 한다.(2018. 2. 9. 개정)(소득령 §166 ⑦)

(1) 기존건물과 그 부수토지의 취득일부터 관리처분계획 등 인가일 전일까지의 양도차익

기존건물과 그 부수토지의 취득일부터 관리처분계획 등 인가일 전일까지의 양도차익은 다음과 같이 계산한다.

관리처분계획 등 인가일 전일 현재의 기존건물과 그 부수토지의 기준시가(법 제99조 제1항 제1호의 규정에 의한 것을 말한다. 이하 이 항에서 같다) - 기존건물과 그 부수토지의 취득일 현재의 기존건물과 그 부수토지의 기준시가 - 기존건물과 그 부수토지의 필요경비(소득령 제163조 제6항의 규정에 의한 것을 말한다. 이하 이 항에서 같다)(2018. 2. 9. 개정)(소득령 §166 ⑦ 1호)

(2) 관리처분계획 등 인가일부터 신축건물의 준공일 전일까지의 양도차익

관리처분계획 등 인가일부터 신축건물의 준공일(소득령 제162조 제1항 제4호의 규정에 의한 취득일을 말한다) 전일까지의 양도차익은 다음과 같이 계산한다.

신축건물의 준공일 전일 현재의 기존 건물의 부수토지의 기준시가 - 관리처분계획 등 인가일

현재의 기존건물의 부수토지의 기준시가(2018. 2. 9. 개정)(소득령 §166 ⑦ 2호)

(3) 신축건물의 준공일부터 신축건물의 양도일까지의 양도차익

신축건물의 준공일부터 신축건물의 양도일까지의 양도차익은 다음과 같이 계산한다. 신축건물의 양도일 현재의 신축건물과 그 부수토지의 기준시가 - 신축건물의 준공일 현재의 신축건물과 그 부수토지의 기준시가(신축주택의 양도일 현재 소득법 제99조 제1항 제1호 다목 및 라목의 규정에 의한 기준시가가 있는 경우에는 소득령 제164조 제6항 및 제7항의 규정을 준용하여 계산한 기준시가) - 신축건물과 그 부수토지(기존건물의 부수토지보다 증가된 부분에 한한다)의 필요경비(소득령 §166 ⑦ 3호)

⑪ 환지예정지 등의 양도 또는 취득가액의 계산

(1) 양도 또는 취득가액을 기준시가에 의하는 경우

양도 또는 취득가액을 기준시가에 의하는 경우「도시개발법」또는「농어촌정비법」등에 의한 환지지구 내 토지의 양도 또는 취득가액의 계산은 다음 각 호[아래 1), 2)]의 산식에 의한다. 다만, 1984년 12월 31일 이전에 취득한 토지로서 취득일 전후를 불문하고 1984년 12월 31일 이전에 환지예정지로 지정된 토지의 경우에는 제2호[아래 2)]의 산식에 의한다.(2005. 3. 19. 법명개정)(소득칙 §77 ①)

1) 종전의 토지소유자가 환지예정지구 내의 토지 또는 환지처분된 토지를 양도한 경우(1995. 5. 3. 개정)(소득칙 §77 ① 1호)

① **양도가액**(1995. 5. 3. 개정)(소득칙 §77 ① 1호 가목)

환지예정(교부)면적 × 양도당시의 단위당 기준시가

② **취득가액**(1995. 5. 3. 개정)(소득칙 §77 ① 1호 나목)

종전토지의 면적 × 취득당시의 단위당 기준시가

2) 환지예정지구 내의 토지를 취득한 자가 당해 토지를 양도한 경우(1995. 5. 3. 개정)(소득칙 §77 ① 2호)

① **양도가액**(1995. 5. 3. 개정)(소득칙 §77 ① 2호 가목)

환지예정(교부)면적 × 양도당시의 단위당 기준시가

② **취득가액**(1995. 5. 3. 개정)(소득칙 §77 ① 2호 나목)

환지예정면적 × 취득당시의 단위당 기준시가

(2) 종전의 토지소유자가 환지청산금을 수령하는 경우

환지예정지 등의 양도 또는 취득가액의 계산시 양도 또는 취득가액을 기준시가에 의하는 경우[제1항{위 (1)}]의 규정을 적용함에 있어서 종전의 토지소유자가 환지청산금을 수령하는 경우의 양도 또는 취득가액의 계산은 다음 각 호[아래 1), 2)]의 산식에 의한다.(1995. 5. 3. 개정)(소득칙 §77 ②)

1) 환지시 청산금을 수령한 경우(1995. 5. 3. 개정)(소득칙 §77 ② 1호)

① **양도가액**(1995. 5. 3. 개정)(소득칙 §77 ② 1호 가목)

환지청산금에 상당하는 면적 × 환지청산금 수령시의 단위 당 기준시가

② **취득가액**(1995. 5. 3. 개정)(소득칙 §77조 ② 1호 나목)

$$(\text{종전토지의 면적} \times \text{취득 당시의 단위당 기준시가}) \times \frac{\text{환지 청산금액에 상당하는 면적}}{\text{권리면적}}$$

2) 환지예정지구의 토지 또는 환지처분된 토지를 양도한 경우(1995. 5. 3. 개정)(소득칙 §77 ② 2호)

① **양도가액**(1995. 5. 3. 개정)(소득칙 §77 ② 2호 가목)

환지예정(교부)면적 × 양도당시의 단위당 기준시가

② **취득가액**(1995. 5. 3. 개정)(소득칙 §77 ② 2호 나목)

$$\left(\text{종전토지의 면적} \times \begin{array}{c} \text{취득 당시의} \\ \text{단위당 기준시가} \end{array} \right) \times \frac{\text{권리면적}-\text{환지 청산금에 상당하는 면적}}{\text{권리면적}}$$

(3) 환지사업으로 인하여 감소되는 토지의 면적에 대한 가액

환지예정지 등의 양도 또는 취득가액의 계산시 양도 또는 취득가액을 기준시가에 의하는 경우[제1항{위 (1)}] 및 종전의 토지소유자가 환지청산금을 수령하는 경우[제2항{위 (2)}]에 환지사업으로 인하여 감소되는 토지의 면적에 대한 가액은 자본적지출로 계상하지 아니한다.(1995. 5. 3. 개정)(소득칙 §77 ③)

제10장

양도소득의 부당행위계산

❶ 부당행위계산

납세지 관할 세무서장 또는 지방국세청장은 양도소득이 있는 거주자의 행위 또는 계산이 그 거주자의 특수관계인과의 거래로 인하여 그 소득에 대한 조세 부담을 부당하게 감소시킨 것으로 인정되는 경우에는 그 거주자의 행위 또는 계산과 관계없이 해당 과세기간의 소득금액을 계산할 수 있다.(2012. 1. 1. 개정)(소득법 §101 ①)

(1) 조세의 부담을 부당하게 감소시킨 것으로 인정되는 경우

양도소득의 부당행위계산 규정[소득법 제101조 제1항]에서 "조세의 부담을 부당하게 감소시킨 것으로 인정되는 경우"란 다음[아래 1), 2)] 각 호의 어느 하나에 해당하는 때를 말한다. 다만, 시가와 거래가액의 차액이 3억 원 이상이거나 시가의 100분의 5에 상당하는 금액 이상인 경우로 한정한다.(2017. 2. 3. 개정)(소득령 §167 ③)

1) 특수관계인으로부터 시가보다 높은 가격으로 자산을 매입하거나 특수관계인에게 시가보다 낮은 가격으로 자산을 양도한 때(2012. 2. 2. 개정)(소득령 §167 ③ 1호)

2) 조세의 부담을 부당하게 감소시킨 것으로 인정되는 때
그 밖에 특수관계인과의 거래로 해당 연도의 양도가액 또는 필요경비의 계산시 조세의 부담을 부당하게 감소시킨 것으로 인정되는 때(2012. 2. 2. 개정)(소득령 §167 ③ 2호)

❷ 특수관계인에게 자산을 증여한 후 5년 이내 타인에게 양도하는 경우

거주자가 제1항[위 ❶]에서 규정하는 특수관계인(법 제97조의2 제1항을 적용받는 배우자 및 직계존비속의 경우[아래 (3)]는 제외한다)에게 자산을 증여한 후 그 자산을 증여받은 자가 그 증여일부터 5년 이내에 다시 타인에게 양도한 경우로서 제1호[아래 (1)]에 따

른 세액이 제2호[아래 (2)]에 따른 세액보다 적은 경우에는 증여자가 그 자산을 직접 양도한 것으로 본다. 다만, 양도소득이 해당 수증자에게 실질적으로 귀속된 경우에는 그러하지 아니하다.(2014. 1. 1. 개정)(소득법 §101 ②)

(1) 증여받은 자의 증여세(「상속세 및 증여세법」에 따른 산출세액에서 공제·감면세액을 뺀 세액을 말한다)와 양도소득세(이 법에 따른 산출세액에서 공제·감면세액을 뺀 결정세액을 말한다. 이하 제2호[아래 (2)]에서 같다)를 합한 세액(2009. 12. 31. 개정)(소득법 §101 ② 1호)

(2) 증여자가 직접 양도하는 경우로 보아 계산한 양도소득세(2009. 12. 31. 개정)(소득법 §101 ② 2호)

(3) 이 규정 적용 제외되는 배우자 등 이월과세
이 규정 적용 제외되는 배우자 등 이월과세 규정[소득법 제97조의2 제1항]을 적용받는 배우자 및 직계존비속의 경우는 다음과 같다.
거주자가 양도일부터 소급하여 5년 이내에 그 배우자(양도 당시 혼인관계가 소멸된 경우를 포함하되, 사망으로 혼인관계가 소멸된 경우는 제외한다. 이하 이 항에서 같다) 또는 직계존비속으로부터 증여받은 토지 및 건물[소득법 제94조 제1항 제1호]에 따른 자산이나 그 밖에 대통령령으로 정하는 자산(부동산을 취득할 수 있는 권리, 특정시설물이용권)의 양도차익을 계산할 때 양도가액에서 공제할 필요경비는 소득법 제97조 제2항에 따르되, 취득가액은 그 배우자 또는 직계존비속의 취득 당시 양도소득의 필요경비계산 규정[소득법 제97조 제1항 제1호]에 따른 금액으로 한다. 이 경우 거주자가 증여받은 자산에 대하여 납부하였거나 납부할 증여세 상당액이 있는 경우에는 양도소득 필요경비 규정[소득법 제97조 제2항]에도 불구하고 필요경비에 산입한다.(2017. 12. 19. 개정)(소득법 §97의2 ①)

③ 당초 증여받은 자산에 대한 증여세

제2항[위 ❷]에 따라 증여자에게 양도소득세가 과세되는 경우에는 당초 증여받은 자산에 대해서는 「상속세 및 증여세법」의 규정에도 불구하고 증여세를 부과하지 아니한다.(2009. 12. 31. 신설)(소득법 §101 ③)

④ 연수의 계산

제2항에 따른 연수의 계산에 관하여는 소득법 제97조의2 제3항을 준용한다.(2014. 1. 1. 개정)(소득법 §101 ④)

연수는 등기부에 기재된 소유기간에 따른다.(2014. 1. 1. 신설)(소득법 §97의2 ③)

⑤ 특수관계인의 범위

부당행위계산부인 규정 [제1항(위 ❶)]에 따른 특수관계인의 범위와 그 밖에 부당행위계산에 필요한 사항은 대통령령으로 정하는 다음[아래 (1)~(3)]으로 한다.(2012. 1. 1. 개정)(소득법 §101 ⑤)

(1) 혈족·인척 등 대통령령으로 정하는 친족관계

"혈족·인척 등 대통령령으로 정하는 친족관계"란 다음 각 호의 어느 하나에 해당하는 관계(이하 "친족관계"라 한다)를 말한다.(2012. 2. 2. 신설)(국기령 §1의2 ①)

1) 6촌 이내의 혈족(2012. 2. 2. 신설)(국기령 §1의2 ① 1호)
2) 4촌 이내의 인척(2012. 2. 2. 신설)(국기령 §1의2 ① 2호)
3) 배우자(사실상의 혼인관계에 있는 자를 포함한다)(2012. 2. 2. 신설)(국기령 §1의2 ① 3호)
4) 친생자로서 다른 사람에게 친양자 입양된 자 및 그 배우자·직계비속(2012. 2. 2. 신설)(국기령 §1의2 ① 4호)

(2) 임원·사용인 등 대통령령으로 정하는 경제적 연관관계

"임원·사용인 등 대통령령으로 정하는 경제적 연관관계"란 다음 각 호[아래 1)~3)]의 어느 하나에 해당하는 관계(이하 "경제적 연관관계"라 한다)를 말한다.(2012. 2. 2. 신설)(국기령 §1의2 ②)

1) 임원과 그 밖의 사용인(2012. 2. 2. 신설)(국기령 §1의2 ② 1호)
2) 본인의 금전이나 그 밖의 재산으로 생계를 유지하는 자(2012. 2. 2. 신설)(국기령 §1의2 ② 2호)

3) 제1호[위 1)] 및 제2호[위 2)]의 자와 생계를 함께하는 친족(2012. 2. 2. 신설)(국기령 §1의
2 ② 3호)

(3) 주주·출자자 등 대통령령으로 정하는 경영지배관계

"주주·출자자 등 대통령령으로 정하는 경영지배관계"란 다음에 따른 관계(이하 "경영
지배관계"라 한다)를 말한다.(2012. 2. 2. 신설)(국기령 §1의2 ③)

1) 본인이 개인인 경우(2012. 2. 2. 신설)(국기령 §1의2 ③ 1호)

① 본인이 직접 또는 그와 친족관계 또는 경제적 연관관계에 있는 자를 통하여 법인의
경영에 대하여 지배적인 영향력을 행사하고 있는 경우 그 법인(2012. 2. 2. 신설)(국기령
§1의2 ③ 1호 가목)

② 본인이 직접 또는 그와 친족관계, 경제적 연관관계 또는 가목의 관계에 있는 자를 통
하여 법인의 경영에 대하여 지배적인 영향력을 행사하고 있는 경우 그 법인(2012. 2.
2. 신설)(국기령 §1의2 ③ 1호 나목)

⑥ 토지 등을 시가를 초과하여 취득하거나 시가에 미달하게 양도하는 경우

소득령 제98조 제1항에 따른 특수관계인[위 ⑤]과의 거래에 있어서 토지 등을 시가를
초과하여 취득하거나 시가에 미달하게 양도함으로써 조세의 부담을 부당히 감소시킨 것으
로 인정되는 때에는 그 취득가액 또는 양도가액을 시가에 의하여 계산한다.(2012. 2. 2. 개정)
(소득령 §167 ④)

⑦ 시가의 평가

조세의 부담을 부당하게 감소시킨 것으로 인정되는 경우[제3항{위 ❶ (1)}] 및 토지 등을
시가를 초과하여 취득하거나 시가에 미달하게 양도하는 경우[제4항(위 ⑥)]를 적용할 때
시가는 「상속세 및 증여세법」 제60조부터 제66조까지와 같은 법 시행령 제49조, 제50조부터
제52조까지, 제52조의2, 제53조부터 제58조까지, 제58조의2부터 제58조의4까지, 제59조부터
제63조까지의 규정을 준용하여 평가한 가액에 따른다. 이 경우 「상속세 및 증여세법 시행령」

제49조 제1항 각 호 외의 부분 본문 중 "평가기준일 전후 6개월(증여재산의 경우에는 평가기준일 전 6개월부터 평가기준일 후 3개월까지로 한다) 이내의 기간"은 "양도일 또는 취득일 전후 각 3개월의 기간"으로 본다.(2019. 2. 12. 개정, 2021. 2. 17. 개정)(소득령 §167 ⑤)

⑧ 개인과 법인 간의 거래 시

개인과 법인 간에 재산을 양수 또는 양도하는 경우로서 그 대가가 「법인세법 시행령」 제89조의 규정에 의한 가액에 해당되어 당해 법인의 거래에 대하여 「법인세법」 제52조의 규정이 적용되지 아니하는 경우에는 법 제101조 제1항의 규정을 적용하지 아니한다. 다만, 거짓 그 밖의 부정한 방법으로 양도소득세를 감소시킨 것으로 인정되는 경우에는 그러하지 아니하다.(2005. 2. 19. 법명개정)(소득령 §167 ⑥)

양도소득금액의 구분계산

① 양도소득금액의 구분계산

양도소득금액은 다음 각 호[아래 (1)~(3)]의 소득별로 구분하여 계산한다. 이 경우 소득금액을 계산할 때 발생하는 결손금은 다른 호의 소득금액과 합산하지 아니한다.(2009. 12. 31. 개정)(소득법 §102 ①)

(1) 토지 및 건물, 부동산에 관한 권리의 양도, 기타자산

토지 및 건물, 부동산에 관한 권리의 양도, 기타자산[소득법 제94조 제1항 제1호·제2호 및 제4호]에 따른 소득(2009. 12. 31. 개정)(소득법 §102 ① 1호)

1) 토지 및 건물, 부동산에 관한 권리의 양도, 기타자산

토지 및 건물, 부동산에 관한 권리의 양도, 기타자산[소득법 제94조 제1항 제1호·제2호 및 제4호]에 따른 양도소득은 해당 과세기간에 발생한 다음 각 호[아래 ①~③]의 소득으로 한다.(2009. 12. 31. 개정)(소득법 §94 ①)

① 토지 및 건물

토지[「공간정보의 구축 및 관리 등에 관한 법률」에 따라 지적공부(地籍公簿)에 등록하여야 할 지목에 해당하는 것을 말한다] 또는 건물(건물에 부속된 시설물과 구축물을 포함한다)의 양도로 발생하는 소득(2014. 6. 3. 개정)(소득법 §94 ① 1호)

② 부동산에 관한 권리

다음 각 목[아래 ⅰ)~ⅲ)]의 어느 하나에 해당하는 부동산에 관한 권리의 양도로 발생하는 소득(2009. 12. 31. 개정)(소득법 §94 ① 2호)

ⅰ) 부동산을 취득할 수 있는 권리(건물이 완성되는 때에 그 건물과 이에 딸린 토지를 취득할 수 있는 권리를 포함한다)(2009. 12. 31. 개정)(소득법 §94 ① 2호 가목)

ii) 지상권(2000. 12. 29. 개정)(소득법 §94 ① 2호 나목)

iii) 전세권과 등기된 부동산임차권(2000. 12. 29. 개정)(소득법 §94 ① 2호 다목)

③ 기타자산

다음 각 목[아래 ⅰ)~ⅳ)]의 어느 하나에 해당하는 자산(이하 이 장에서 "기타자산"이라 한다)의 양도로 발생하는 소득(2009. 12. 31. 개정)(소득법 §94 ① 4호)

ⅰ) 사업용고정자산(토지 및 건물[위 ①] 및 부동산에 관한 권리[위 ②]를 말한다)과 함께 양도하는 영업권(영업권을 별도로 평가하지 아니하였으나 사회통념상 자산에 포함되어 함께 양도된 것으로 인정되는 영업권과 행정관청으로부터 인가·허가·면허 등을 받음으로써 얻는 경제적 이익을 포함한다)(2009. 12. 31. 개정)(소득법 §94 ① 4호 가목)

ⅱ) 이용권·회원권 및 그 밖에 그 명칭과 관계없이 시설물을 배타적으로 이용하거나 일반이용자보다 유리한 조건으로 이용할 수 있도록 약정한 단체의 구성원이 된 자에게 부여되는 시설물이용권(법인의 주식 등을 소유하는 것만으로 시설물을 배타적으로 이용하거나 일반이용자보다 유리한 조건으로 시설물이용권을 부여받게 되는 경우 그 주식 등을 포함한다)(2009. 12. 31. 개정)(소득법 §94 ① 4호 나목)

ⅲ) 법인의 자산총액 중 다음의 합계액이 차지하는 비율이 100분의 50 이상인 법인의 과점주주(소유 주식 등의 비율을 고려하여 대통령령으로 정하는 주주를 말하며, 이하 이 장에서 "과점주주"라 한다)가 그 법인의 주식 등의 100분의 50 이상을 해당 과점주주 외의 자에게 양도하는 경우(과점주주가 다른 과점주주에게 양도한 후 양수한 과점주주가 과점주주 외의 자에게 다시 양도하는 경우로서 대통령령으로 정하는 경우를 포함한다)에 해당 주식 등(2018. 12. 31. 개정)(소득법 §94 ① 4호 다목)

"소유 주식 등의 비율을 고려하여 대통령령으로 정하는 주주"란 법인의 주주 1인 및 기타주주가 소유하고 있는 주식 등의 합계액이 해당 법인의 주식 등의 합계액의 100분의 50을 초과하는 경우 그 주주 1인 및 기타주주(이하 "과점주주"라 한다)를 말한다.(2020. 2. 11. 개정)(소득령 §158 ①)

㉠ 토지 및 건물 [제1호(위 ①)] 및 부동산에 관한 권리[제2호(위 ②)]에 따른 자산 (이하 이 조에서 "부동산 등"이라 한다)의 가액

㉡ 해당 법인이 보유한 다른 법인의 주식가액에 그 다른 법인의 부동산 등 보유비율을 곱하여 산출한 가액. 이 경우 다른 법인의 범위 및 부동산등 보유비율의 계산 방법 등은 대통령령으로 정한다.

$$\text{다른 법인의 부동산 등 보유비율} = \frac{A + B + C}{D}$$

A: 다른 법인이 보유하고 있는 법 제94조 제1항 제1호의 자산가액
B: 다른 법인이 보유하고 있는 법 제94조 제1항 제2호의 자산가액
C: 다른 법인이 보유하고 있는 「국세기본법 시행령」 제1조의2 제3항 제2호 및 같은 조 제4항에 따른 경영지배관계인 법인이 발행한 주식가액에 그 경영지배관계 법인의 부동산 등 보유비율을 곱하여 산출한 가액
D: 다른 법인의 자산총액(2020. 2. 11. 개정)(소득령 제158조 제7항)

ⅳ) 대통령령으로 정하는 사업을 하는 법인으로서 자산총액 중 다목 1) 및 2)의 합계액 이 차지하는 비율이 100분의 80 이상인 법인의 주식 등(2016. 12. 20. 신설)(소득법 §94 ① 4호 라목)

(2) 신탁수익권의 양도로 인한 소득

신탁의 이익을 받을 권리(「자본시장과 금융투자업에 관한 법률」 제110조에 따른 수익증권 및 같은 법 제189조에 따른 투자신탁의 수익권 등 대통령령으로 정하는 수익권은 제외하며, 이하 "신탁 수익권"이라 한다)의 양도로 발생하는 소득. 다만, 신탁 수익권의 양도를 통하여 신탁재산에 대한 지배·통제권이 사실상 이전되는 경우는 신탁재산 자체의 양도로 본다(2020. 12. 29. 신설)(소득법 §102 ① 4호)(소득법 §94 ① 6호)

[적용시기] 2021년 1월 1일 이후 신탁 수익권을 양도하는 분부터 적용한다.

양도소득세 과세대상에서 제외되는 수익권

"투자신탁의 수익권 등 대통령령으로 정하는 수익권"이란 다음 각 호[아래 1)~4)] 의 수익권 또는 수익증권을 말한다.(2021. 2. 17. 신설)(소득령 §159의3)

1. 「자본시장과 금융투자업에 관한 법률」 제110조에 따른 수익권 또는 수익증권(2021. 2. 17. 신설)(소득령 §159의3 1호)
2. 「자본시장과 금융투자업에 관한 법률」 제189조에 따른 투자신탁의 수익권 또는 수익증권으로서 해당 수익권 또는 수익증권의 양도로 발생하는 소득이 법 제17조 제1항에 따른 배당소득으로 과세되는 수익권 또는 수익증권(2021. 2. 17. 신설)(소득령 §159의3 2호)
3. 신탁의 이익을 받을 권리에 대한 양도로 발생하는 소득이 법 제17조 제1항에 따른 배당소득으로 과세되는 수익권 또는 수익증권(2021. 2. 17. 신설)(소득령 §159의3 3호)
4. 위탁자의 채권자가 채권담보를 위하여 채권 원리금의 범위 내에서 선순위 수익자로서 참여하고 있는 경우 해당 수익권. 이 경우 법 제115조의2에 따른 신탁 수익자명부 변동상황명세서를 제출해야 한다.(2021. 2. 17. 신설)(소득령 §159의3 4호)

❷ 양도차손이 발생한 경우

양도소득 구분계산[소득법 제102조 제1항[위 ❶]]에 따라 양도소득금액을 계산할 때 양도차손이 발생한 자산이 있는 경우에는 소득법 제102조 제1항 각 호[위 ❶ (1)~(3)]별로 해당 자산 외의 다른 자산에서 발생한 양도소득금액에서 그 양도차손을 공제한다. 이 경우 공제방법은 양도소득금액의 세율 등을 고려하여 대통령령으로 정한다.(2009. 12. 31. 개정)(소득법 §102 ②)

(1) 양도차손은 다음 각 호[아래 1), 2)]의 자산의 양도소득금액에서 순차로 공제한다. (2003. 12. 30. 신설)(소득령 §167의2 ①)

　1) 양도차손이 발생한 자산과 같은 세율을 적용받는 자산의 양도소득금액(2003. 12. 30. 신설)(소득령 §167의2 ① 1호)

　2) 양도차손이 발생한 자산과 다른 세율을 적용받는 자산의 양도소득금액. 이 경우 다른 세율을 적용받는 자산의 양도소득금액이 2 이상인 경우에는 각 세율별 양도소득금액의 합계액에서 당해 양도소득금액이 차지하는 비율로 안분하여 공제한다.(2003. 12. 30. 신설)(소득령 §167의2 ① 2호)

(2) 양도소득세 감면규정[소득법 제90조 제1항]의 감면소득금액을 계산함에 있어서 제1

항[위 (1)]의 양도소득금액에 감면소득금액이 포함되어 있는 경우에는 순양도소득금액(감면소득금액을 제외한 부분을 말한다)과 감면소득금액이 차지하는 비율로 안분하여 당해 양도차손을 공제한 것으로 보아 감면소득금액에서 당해 양도차손 해당분을 공제한 금액을 양도소득세의 감면규정[소득법 제90조]의 규정에 의한 감면소득으로 본다.(2003. 12. 30. 신설)(소득령 §167의2 ②)

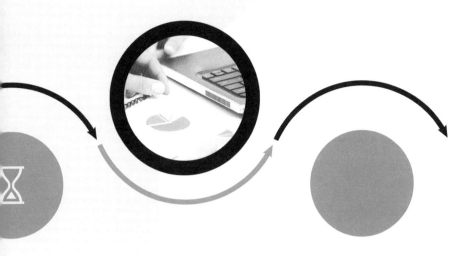

제5편

양도소득에 대한 세액의 계산

양도소득기본공제 제1장
양도소득세의 세율 제2장

제1장

양도소득기본공제

❶ 양도소득기본공제

양도소득이 있는 거주자에 대해서는 다음[아래 (1),(2)] 각 호의 소득별로 해당 과세기간의 양도소득금액에서 각각 연 250만 원을 공제한다.(2009. 12. 31. 개정)(소득법 §103 ①)

(1) 토지 및 건물, 부동산에 관한 권리, 기타자산

토지 및 건물, 부동산에 관한 권리, 기타자산[소득법 제94조 제1항 제1호·제2호 및 제4호에 따른 소득]. 다만, 소득법 제104조 제3항에 따른 미등기양도자산의 양도소득금액에 대해서는 그러하지 아니하다.(2009. 12. 31. 개정)(소득법 §103 ① 1호)

(2) 신탁수익권의 양도로 인한 소득

신탁의 이익을 받을 권리(「자본시장과 금융투자업에 관한 법률」 제110조에 따른 수익증권 및 같은 법 제189조에 따른 투자신탁의 수익권 등 대통령령으로 정하는 수익권은 제외하며, 이하 "신탁 수익권"이라 한다)의 양도로 발생하는 소득. 다만, 신탁 수익권의 양도를 통하여 신탁재산에 대한 지배·통제권이 사실상 이전되는 경우는 신탁재산 자체의 양도로 본다(2020. 12. 29. 신설)(소득법 §103 ① 4호)(소득법 §94 ① 6호)

[적용시기] 2021년 1월 1일 이후 신탁 수익권을 양도하는 분부터 적용한다.

❷ 감면소득이 있는 경우의 양도소득기본공제 순서

양도소득기본공제 규정[제1항(위 ❶)]을 적용할 때 양도소득금액 관련 규정[소득법 제95조]에 따른 양도소득금액에 이 법 또는 「조세특례제한법」이나 그 밖의 법률에 따른 감면소득금액이 있는 경우에는 그 감면소득금액 외의 양도소득금액에서 먼저 공제하고, 감면소득금액 외의 양도소득금액 중에서는 해당 과세기간에 먼저 양도한 자산의 양도소득금액에서부터 순서대로 공제한다.(2009. 12. 31. 개정)(소득법 §103 ②)

제2장

양도소득세의 세율

제1절 양도소득세의 세율

거주자의 양도소득세는 해당 과세기간의 양도소득과세표준에 다음 각 호[아래 ❶ ~ ❿]의 세율을 적용하여 계산한 금액(이하 "양도소득 산출세액"이라 한다)을 그 세액으로 한다. 이 경우 하나의 자산이 다음 각 호[아래 ❶ ~ ❿]에 따른 세율 중 둘 이상에 해당할 때에는 해당 세율을 적용하여 계산한 양도소득 산출세액 중 큰 것을 그 세액으로 한다.(2016. 12. 20. 후단개정)(소득법 §104 ①)

❶ 토지 및 건물, 부동산에 관한 권리, 기타자산

토지 및 건물, 부동산에 관한 권리, 기타자산[소득법 제94조 제1항 제1호·제2호 및 제4호]에 따른 자산은 다음의 세율(분양권의 경우에는 양도소득 과세표준의 100분의 60)을 적용한다.(2008. 12. 26. 개정, 2020. 8. 18. 개정)(소득법 §104 ① 1호)

| 적용세율: 소득법 제55조 제1항에 따른 세율(2020. 12. 29. 개정) |

양도소득 과세표준	세 율
1,200만 원 이하	6%
1,200만 원 초과 4,600만 원 이하	72만 원 + (1,200만 원을 초과하는 금액의 15%)
4,600만 원 초과 8,800만 원 이하	582만 원 + (4,600만 원을 초과하는 금액의 24%)
8,800만 원 초과 1억5천만 원 이하	1,590만 원 + (8,800만 원을 초과하는 금액의 35%)
1억5천만 원 초과 3억 원 이하	3,760만 원 + (1억5천만 원을 초과하는 금액의 38%)

| 다주택자 등 중과세율 |

구 분			양도소득세율
토지와 건물 및 부동산에 관한 권리	① 보유기간 2년 이상인 것	주택 및 조합원입주권 등	기본세율 (6~45%)
		분양권	60%
	② 보유기간 1년 이상 2년 미만인 것	주택, 조합원입주권, 분양권	60%
		일반	40%
	③ 보유기간 1년 미만인 것	주택, 조합원입주권, 분양권	70%
		일반	50%
	④ 비사업용토지		기본세율+10%
	⑤ 미등기양도자산		70%
	⑥ 2주택 상태에서 조정대상지역 내 주택 양도 시		기본세율+20%
	⑦ 3주택 상태에서 조정대상지역 내 주택 양도 시		기본세율+30%

② 토지 및 건물, 부동산에 관한 권리의 단기 양도세율(1년 이상 2년 미만 보유)

토지 및 건물, 부동산에 관한 권리[소득법 제94조 제1항 제1호 및 제2호]에서 규정하는 자산으로서 그 보유기간이 1년 이상 2년 미만인 것(2014. 1. 1. 개정, 2020. 8. 18. 개정)(소득법 §104 ① 2호)

[적용세율] 양도소득과세표준의 100분의 40[주택(이에 딸린 토지로서 대통령령으로 정하는 토지를 포함한다. 이하 이 항에서 같다), 조합원입주권 및 분양권의 경우에는 100분의 60]을 적용한다.

보유기간	자산구분	양도세율
1년 이상 2년 미만	일반	40%
	주택(이에 딸린 토지로서 대통령령으로 정하는 토지를 포함한다. 이하 이 항에서 같다), 조합원입주권 및 분양권	60% (중과세 대상인 경우 중과세율과 비교과세)

③ 토지 및 건물, 부동산에 관한 권리의 1년 미만 보유 양도세율

토지 및 건물, 부동산에 관한 권리[소득법 제94조 제1항 제1호 및 제2호]에 따른 자산으로서 그 보유기간이 1년 미만인 것(2014. 1. 1. 개정, 2020. 8. 18. 개정)(소득법 §104 ① 3호)

[적용세율] 양도소득 과세표준의 100분의 50(주택, 조합원입주권 및 분양권의 경우에는 100분의 70)을 적용한다.

보유기간	자산구분	양도세율
1년 미만 보유	일반	50%
	주택 및 조합원입주권 또는 분양권	70% (중과세 대상인 경우 중과세율과 비교과세)

| 인상된 양도소득세율 요약 |

구 분		2021. 5. 31. 이전 양도분				2021. 6. 1. 이후 양도분	
		주택 외 부동산	주택·입주권	분양권		주택·입주권	분양권
				비조정	조정지역		
보유기간	1년 미만	50%	40%	50%	50%	70%	70%
	2년 미만	40%	기본세율	40%		60%	60%
	2년 이상	기본세율		기본세율		기본세율	

보유기간

토지 및 건물의 1년 미만 보유 양도세율의 보유기간은 해당 자산의 취득일부터 양도일까지로 한다. 다만, 다음 각 호[아래 1. 2.]의 어느 하나에 해당하는 경우에는 각각 그 정한 날을 그 자산의 취득일로 본다.(2017. 12. 19. 개정, 2020. 12. 29. 개정)(소득법 §104 ②)

1. 상속받은 자산

  상속받은 자산은 피상속인이 그 자산을 취득한 날(2009. 12. 31. 개정)(소득법 §104 ② 1호)

2. 배우자 및 직계존비속으로부터 증여받은 자산

  배우자 및 직계존비속으로부터 증여받은 자산으로 이월과세가 적용되는 자산[소득법 제97조의2 제1항]에 해당하는 자산은 증여자가 그 자산을 취득한 날을 취득일로 본다.(2014. 1. 1. 개정)(소득법 §104 ② 2호)

④ 비사업용 토지 양도세율

소득법 제104조의3에 따른 비사업용 토지의 세율은 다음과 같다.(2017. 12. 19. 개정, 2020. 12. 29. 개정)(소득법 §104 ① 8호)

양도소득 과세표준	세 율
1,200만 원 이하	16%
1,200만 원 초과 4,600만 원 이하	192만 원 + (1,200만 원 초과액 × 25%)
4,600만 원 초과 8,800만 원 이하	1,042만 원 + (4,600만 원 초과액 × 34%)
8,800만 원 초과 1억5천만 원 이하	2,470만 원 + (8,800만 원 초과액 × 45%)
1억5천만 원 초과 3억 원 이하	5,260만 원 + (1억5천만 원 초과액 × 48%)
3억 원 초과 5억 원 이하	1억2,460만 원 + (3억 원 초과액 × 50%)
5억 원 초과 10억 원 이하	2억2,460만 원 + (5억 원 초과액 × 52%)
10억 원 초과	4억8,460만 원 + (10억 원 초과액 × 55%)

⑤ 비사업용토지 과다보유법인주식의 양도세율

과점주주 주식 및 부동산과다법인 주식[소득법 제94조 제1항 제4호 다목 및 라목에 따른 자산] 중 해당 법인의 자산총액 중 「법인세법」 제55조의2 제2항에 따른 비사업용토지의 가액이 차지하는 비율이 100분의 50 이상인 법인의 주식 등(2017. 12. 19. 개정, 2020. 12. 29. 개정) (소득법 §104 ① 9호)(소득령 §167의7)

양도소득 과세표준	세 율
1,200만 원 이하	16%
1,200만 원 초과 4,600만 원 이하	192만 원 + (1,200만 원 초과액 × 25%)

양도소득 과세표준	세 율
4,600만 원 초과 8,800만 원 이하	1,042만 원 + (4,600만 원 초과액 × 34%)
8,800만 원 초과 1억5천만 원 이하	2,470만 원 + (8,800만 원 초과액 × 45%)
1억5천만 원 초과 3억 원 이하	5,260만 원 + (1억5천만 원 초과액 × 48%)
3억 원 초과 5억 원 이하	1억2,460만 원 + (3억 원 초과액 × 50%)
5억 원 초과 10억 원 이하	2억2,460만 원 + (5억 원 초과액 × 52%)
10억 원 초과	4억8,460만 원 + (10억 원 초과액 × 55%)

6 미등기양도자산

양노소득과세표준의 100분의 70의 세율을 적용한다.(소득법 §104 ① 10호)

7 주식의 양도세율

주식 등[소득법 제94조 제1항 제3호 가목 및 나목에 따른 자산]의 세율은 다음과 같다. 현재 삭제된 규정으로 2022년 12월 31일 이전 양도분까지 적용한다.(2019. 12. 19. 개정, 2020. 12. 29. 삭제)(소득법 §104 ① 11호)

(1) 소유주식의 비율·시가총액 등을 고려하여 대통령령으로 정하는 대주주가 양도하는 주식 등(2017. 12. 19. 개정)(소득법 §104 ① 11호 가목)

1) 1년 미만 보유한 주식 등으로서 중소기업 외의 법인의 주식 등: 양도소득 과세표준의 100분의 30 세율을 적용한다.

2) 1)에 해당하지 아니하는 주식 등

양도소득 과세표준	세 율
3억 원 이하	20%
3억 원 초과	6천만 원 + (3억 원 초과액 × 25%)

소득법 제104조 제1항 제11호 가목 2)[위 ❼ (1), 2)](제94조 제1항 제3호 나목에 따른 중소기업의 주식 등에 한정한다)의 중소기업 3억 원 초과 25% 개정규정은 2020년 1월 1일부터 시행한다.

(2) 대주주가 아닌 자가 양도하는 주식 등(2017. 12. 19. 개정, 2020. 12. 29. 삭제) (소득법 §104 ① 11호 나목)

1) 중소기업의 주식 등: 양도소득 과세표준의 100분의 10
2) 1)에 해당하지 아니하는 주식 등: 양도소득 과세표준의 100분의 20

(3) 그 밖의 주식 등(2009. 12. 31. 개정, 2020. 12. 29. 삭제)(소득법 §104 ① 11호 다목)

[적용세율] 양도소득과세표준의 100분의 20의 세율을 적용한다.

❽ 제94조 제1항 제3호 다목에 따른 자산. 현재 삭제된 규정으로 2022년 12월 31일 이전 양도분까지 적용한다.
(2019. 12. 31. 신설, 2020. 12. 29. 삭제)(소득법 §104 ① 12호)

(1) 중소기업의 주식 등(2019. 12. 31. 신설, 2020. 12. 29. 삭제)

양도소득 과세표준의 100분의 10

(2) 그 밖의 주식 등(2019. 12. 31. 신설, 2020. 12. 29. 삭제)

양도소득 과세표준의 100분의 20
2020년 12월 29일 삭제된 규정으로 2023년 1월 1일 이후 양도분부터 시행한다. 2023년

1월 1일 전에 양도한 분에 대해서는 제104조 제6항의 개정규정에도 불구하고 종전의 규정에 따라 20%의 세율이 적용된다.

⑨ 파생상품 등의 양도세율

소득법 제94조 제1항 제5호에 따른 파생상품 등. 현재 삭제된 규정으로 2022년 12월 31일 이전 양도분까지 적용한다.(2014. 12. 23. 신설, 2020. 12. 29. 삭제)(소득법 §104 ① 13호)

[적용세율] 양도소득 과세표준의 100분의 20

2020년 12월 29일 삭제된 규정으로 2023년 1월 1일 이후 양도분부터 시행한다. 2023년 1월 1일 전에 양도한 분에 대해서는 제104조 제6항의 개정규정에도 불구하고 종전의 규정에 따라 20%의 세율이 적용된다.

> **파생상품의 세율 인하**
>
> 파생상품 등의 양도세율은 자본시장 육성 등을 위하여 필요한 경우 그 세율의 100분의 75의 범위에서 대통령령으로 정하는 바에 따라 인하할 수 있다.(2016. 12. 20. 신설)(소득법 §104 ⑥) 이에 따른 파생상품 등에 대한 양도소득세의 세율은 100분의 10으로 한다.(2018. 2. 13. 개정)(소득령 §167의9)

⑩ 제94조 제1항 제6호에 따른 신탁 수익권
(2020. 12. 29. 신설)(소득법 §104 ① 14호)

양도소득 과세표준	세 율
3억 원 이하	20%
3억 원 초과	6천만 원 + (3억 원 초과액 × 25%)

[적용시기] 2021년 1월 1일 이후 신탁 수익권을 양도하는 분부터 적용한다.

"미등기양도자산"[소득법 제104조 제1항 제10호(위 제1절 ❻)]이란 토지 또는 건물[소득법 제94조 제1항 제1호] 및 부동산에 관한 권리[소득법 제94조 제1항 제2호]에서 규정하는 자산을 취득한 자가 그 자산 취득에 관한 등기를 하지 아니하고 양도하는 것을 말한다. 다만, 다음[아래 ❶ ~ ❼]의 자산은 미등기양도자산에서 제외한다.(2010. 2. 18. 개정)(소득령 §168 ①)(소득법 §104 ③)

❶ 장기할부조건으로 취득한 자산

장기할부조건으로 취득한 자산으로서 그 계약조건에 의하여 양도당시 그 자산의 취득에 관한 등기가 불가능한 자산(1994. 12. 31. 개정)(소득령 §168 ① 1호)

❷ 등기가 불가능한 자산

법률의 규정 또는 법원의 결정에 의하여 양도당시 그 자산의 취득에 관한 등기가 불가능한 자산(1994. 12. 31. 개정)(소득령 §168 ① 2호)

❸ 농지의 교환 또는 분합 토지, 자경감면 토지, 대토감면 토지

농지의 교환 또는 분합하는 농지[소득법 제89조 제1항 제2호], 농지 중 8년 자경감면에 해당하는 토지[조특법 제69조 제1항] 및 농지 대토감면에 해당하는 토지[조특법 제70조 제1항]에 규정하는 토지(2006. 2. 9. 개정)(소득령 §168 ① 3호)

(1) 미등기양도자산에서 제외되는 농지

다음 각 호[아래 1)~4)]의 어느 하나에 해당하는 농지(제4항 각 호[아래 (2)]의 어느 하나에 해당하는 농지는 제외한다)를 교환 또는 분합하는 경우로서 교환 또는 분합하는 쌍방 토지가액의 차액이 가액이 큰 편의 4분의 1 이하인 경우를 말한다.(2010. 2. 18. 개정)

1) 국가 또는 지방자치단체가 시행하는 사업으로 인하여 교환 또는 분합하는 농지(1994.

12. 31. 개정)(소득령 §153 ① 1호)

2) 국가 또는 지방자치단체가 소유하는 토지와 교환 또는 분합하는 농지(1994. 12. 31. 개정)
(소득령 §153 ① 2호)

3) 경작상 필요에 의하여 교환하는 농지. 다만, 교환에 의하여 새로이 취득하는 농지를
3년 이상 농지소재지에 거주하면서 경작하는 경우에 한한다.(1994. 12. 31. 개정)(소득령
§153 ① 3호)

4) 「농어촌정비법」·「농지법」·「한국농어촌공사 및 농지관리기금법」 또는 「농업협동조
합법」에 의하여 교환 또는 분합하는 농지(2009. 6. 26. 개정)(소득령 §153 ① 3호)

(2) 미등기양도농지에서 제외되지 아니하는 토지

다음의 각 호[아래 1), 2)]에 해당하는 경우에는 미등기양도자산에서 제외되는 농지[위
❸ (1)]에 해당하지 아니한다.(2013. 2. 15. 개정)(소득령 §153 ④)

1) 양도일 현재 특별시·광역시(광역시에 있는 군을 제외한다)·특별자치시(특별자치
시에 있는 읍·면지역은 제외한다)·특별자치도(「제주특별자치도 설치 및 국제자유
도시 조성을 위한 특별법」 제10조 제2항에 따라 설치된 행정시의 읍·면지역은 제외
한다) 또는 시지역(「지방자치법」 제3조 제4항의 규정에 의한 도·농복합형태의 시의
읍·면지역을 제외한다)에 있는 농지 중 「국토의 계획 및 이용에 관한 법률」에 의한
주거지역·상업지역 또는 공업지역 안의 농지로서 이들 지역에 편입된 날부터 3년이
지난 농지. 다만, 다음[아래 ①, ②] 각 목의 어느 하나에 해당하는 경우는 제외한
다.(2016. 1. 22. 개정)(소득령 §153 ④ 1호)

① 사업지역 내의 토지소유자가 1천명 이상이거나 사업시행면적이 기획재정부령으로
정하는 규모 이상인 개발사업지역(사업인정고시일이 같은 하나의 사업시행지역을
말한다) 안에서 개발사업의 시행으로 인하여 「국토의 계획 및 이용에 관한 법률」
에 따른 주거지역·상업지역 또는 공업지역에 편입된 농지로서 사업시행자의 단
계적 사업시행 또는 보상지연으로 이들 지역에 편입된 날부터 3년이 지난 경우
(2008. 2. 29. 직제개정)(소득령 §153 ④ 1호 가목)

② 사업시행자가 국가, 지방자치단체, 그 밖에 기획재정부령으로 정하는 공공기관인
개발사업지역 안에서 개발사업의 시행으로 인하여 「국토의 계획 및 이용에 관한
법률」에 따른 주거지역·상업지역 또는 공업지역에 편입된 농지로서 기획재정부

령으로 정하는 부득이한 사유에 해당하는 경우(2008. 2. 29. 직제개정)(소득령 §153 ④ 1호 나목)

2) 당해 농지에 대하여 환지처분 이전에 농지 외의 토지로 환지예정지의 지정이 있는 경우로서 그 환지예정지 지정일부터 3년이 지난 농지(1995. 12. 30. 개정)(소득령 §153 ④ 2호)

❹ 무허가 1주택

다음 각 목[아래 (1), (2)]의 어느 하나에 해당하는 주택(주택 및 이에 딸린 토지의 양도 당시 실지거래가액의 합계액이 12억 원[24])과 이에 딸린 토지로서 건물이 정착된 면적에 지역별로 대통령령으로 정하는 배율을 곱하여 산정한 면적 이내의 토지(이하 이 조에서 "주택부수토지"라 한다)로서 「건축법」에 따른 건축허가를 받지 아니하여 등기가 불가능한 자산(2014. 2. 21. 개정)(소득령 §168 ① 4호)(2021. 12. 8. 개정)(소득법 §89 ① 3호)

(1) 1세대가 1주택을 보유하는 경우로서 대통령령으로 정하는 요건(2년보유 및 2년거주 등)을 충족하는 주택(2016. 12. 20. 개정)(소득법 §89 ① 3호 가목)

(2) 1세대가 1주택을 양도하기 전에 다른 주택을 대체취득하거나 상속, 동거봉양, 혼인 등으로 인하여 2주택 이상을 보유하는 경우로서 대통령령으로 정하는 주택(2014. 1. 1. 신설)(소득법 §89 ① 3호 나목)

❺ 삭제(2018. 2. 13)(소득법 §89 ① 5호)

❻ 「도시개발법」에 따른 도시개발사업이 종료되지 아니하여 토지 취득 등기를 하지 아니하고 양도하는 토지(2010. 2. 18. 신설)(소득령 §168 ① 6호)

❼ 건설사업자가 「도시개발법」에 따라 공사용역 대가로 취득한 체비지를 토지구획환지처분공고 전에 양도하는 토지
(2010. 2. 18. 신설, 2020. 2. 18. 개정)(소득령 §168 ① 7호)

---

24) 2021년 12월 7일 이전 양도분까지는 9억 원

제3절 지정지역의 토지 등

다음 각 호[아래 ❶ ❷]의 어느 하나에 해당하는 부동산을 양도하는 경우 제55조 제1항 [제3호(같은 호 단서에 해당하는 경우를 포함한다)의 경우에는 제1항 제8호]에 따른 세율에 100분의 10을 더한 세율을 적용한다. 이 경우 해당 부동산 보유기간이 2년 미만인 경우에는 제55조 제1항[제3호(같은 호 단서에 해당하는 경우를 포함한다)의 경우에는 제1항 제8호]에 따른 세율에 100분의 10을 더한 세율을 적용하여 계산한 양도소득 산출세액과 제1항 제2호 또는 제3호의 세율을 적용하여 계산한 양도소득 산출세액 중 큰 세액을 양도소득 산출세액으로 한다.(2019. 12. 31. 개정)(소득법 §104 ④)

❶ 지정지역 내의 비사업용토지

지정지역의 운영규정[소득법 제104조의2 제2항]에 따른 지정지역에 있는 부동산으로서 제104조의3에 따른 비사업용토지. 다만, 지정지역의 공고가 있은 날 이전에 토지를 양도하기 위하여 매매계약을 체결하고 계약금을 지급받은 사실이 증빙서류에 의하여 확인되는 경우는 제외한다.(2019. 12. 31 단서신설)(소득법 §104 ④ 3호)

❷ 부동산가격 급등지역 부동산

그 밖에 부동산가격이 급등하였거나 급등할 우려가 있어 부동산가격의 안정을 위하여 필요한 경우에 대통령령으로 정하는 부동산(2009. 5. 21. 개정)(소득법 §104 ④ 4호)

제4절 · 2 이상 양도하는 경우 양도소득 산출세액 계산 방법

해당 과세기간에 토지 또는 건물·부동산에 관한 권리[소득법 제94조 제1항 제1호·제2호] 및 기타자산[제4호]에서 규정한 자산을 둘 이상 양도하는 경우 양도소득 산출세액은 다음 각 호[아래 ①. ②]의 금액 중 큰 것(이 법 또는 다른 조세에 관한 법률에 따른 양도소득세 감면액이 있는 경우에는 해당 감면세액을 차감한 세액이 더 큰 경우의 산출세액을 말한다)으로 한다. 이 경우 제2호[아래 ②]의 금액을 계산할 때 비사업용토지[제1항 제8호(위 제1절 ❽)] 및 과점주주 주식 중 부동산 과다보유법인 주식[제9호(위 제1절 ❾)]의 자산은 동일한 자산으로 보고, 한 필지의 토지가 제104조의3에 따른 비사업용토지와 그 외의 토지로 구분되는 경우에는 각각을 별개의 자산으로 보아 양도소득 산출세액을 계산한다.(2019. 12. 31. 개정)(소득법 §104 ⑤)

▶▶ 양도소득산출세액은 다음과 같이 산출한다.

양도소득 산출세액 = MAX(①, ②)

① 누진세율 적용 산출세액

해당 과세기간의 양도소득과세표준 합계액에 대하여 일반누진세율(6%~45%) [소득법 제55조 제1항에 따른 세율]을 적용하여 계산한 양도소득 산출세액(2014. 12. 23. 신설)(소득법 §104 ⑤ 1호)

② 자산별 양도소득 산출세액의 합계액

제1항[아래 표1]의 1항]부터 제4항[아래 표1]의 4항]까지 및 제7항[아래 표1]의 7항]의 규정에 따라 계산한 자산별 양도소득 산출세액 합계액. 다만, 둘 이상의 자산에 대하여 제1항 각 호[아래 표1]의 1항 각 호], 제4항 각 호[아래 표1]의 4항 각 호] 및 제7항 각 호[아래 표1]의 7항 각 호]에 따른 세율 중 동일한 호의 세율이 적용되고, 그 적용세율이 둘 이상인 경우 해당 자산에 대해서는 각 자산의 양도소득과세표준을 합산한 것에 대하여 제1항[아래 표1]의 1항]·제4항[아래 표1]의 4항] 또는 제7항[아래 표1]의 7항]의 각 해당 호별 세율을 적용하여 산출한 세액 중에서 큰 산출세액의 합계액으로 한다.(2018. 12. 31 단서신설)(소득법 §104 ⑤ 2호)

▷ 위에서 양도소득세 감면액이 있는 경우에는 해당 감면세액을 차감한 세액이 더 큰 산출세액을 의미한다.

▶▶ 제1항 각 호, 제4항 각 호 및 제7항 각 호에 따른 세율은 다음과 같다.

구분	각 호
1항	1호 : 토지 및 건물, 부동산에 관한 권리, 기타자산(6~45%, 분양권은 60%) 2호 : 토지 및 건물, 부동산에 관한 권리의 단기 양도세율(1년 이상 2년 미만 보유) 　　　(일반 40%, 주택, 조합원입주권, 분양권은 60%) 3호 : 토지 및 건물, 부동산에 관한 권리의 1년 미만 보유(50%, 주택, 조합원입주권, 　　　분양권은 70%) 4호 : 조정지역 내 분양권(50%) 8·9호 : 비사업용토지 및 비사업용토지 과다보유법인주식 등(16~55%) 10호 : 미등기자산(70%)
4항	3호 : 지정지역 내 비사업용토지(26~65%)
7항	1호 : 조정지역 2주택(누진세율 + 20%p) 2호 : 조정지역 1주택+1조합원입주권(누진세율 + 20%p) 3호 : 조정지역 3주택(누진세율 + 30%p) 4호 : 조정지역 주택+조합원입주권의 합이 3 이상(누진세율 + 30%p)

제5절 조정대상지역 내 양도시 중과세율

다음 각 호[아래 1.~4.]의 어느 하나에 해당하는 주택(이에 딸린 토지를 포함한다. 이하 이 항에서 같다)을 양도하는 경우

일반누진세율(6%~45%)에 100분의 20(제3호[아래 3.] 및 제4호[아래 4.]의 경우 100분의 30)을 더한 세율을 적용한다. 이 경우 해당 주택 보유기간이 2년 미만인 경우에는 일반누진세율(6%~45%)[제55조 제1항]에 따른 세율에 100분의 20(제3호 및 제4호의 경우 100분의 30)을 더한 세율을 적용하여 계산한 양도소득 산출세액과 제1항 제2호[위 제1절 1. (2)] 또는 제3호[위 제1절 1. (3)]의 세율을 적용하여 계산한 양도소득 산출세액 중 큰 세액을 양도소득 산출세액으로 한다.(2017. 12. 19. 신설, 2020. 8. 18. 개정)(소득법 §104 ⑦)

1. 「주택법」 제63조의2 제1항 제1호에 따른 조정대상지역(이하 이 조에서 "조정대상지역"이라 한다)에 있는 주택으로서 대통령령으로 정하는 1세대 2주택에 해당하는 주택
(2017. 12. 19. 신설, 2020. 8. 18. 개정)(소득법 §104 ⑦ 1호)

2. 조정대상지역에 있는 주택으로서 1세대가 1주택과 조합원입주권 또는 분양권을 1개 보유한 경우의 해당 주택. 다만, 대통령령으로 정하는 장기임대주택 등은 제외한다.(2017. 12. 19. 신설, 2020. 8. 18. 개정)(소득법 §104 ⑦ 2호)

[적용시기] 2021년 1월 1일 이후 공급계약, 매매 또는 증여 등의 방법으로 취득한 분양권부터 적용한다.

3. 조정대상지역에 있는 주택으로서 대통령령으로 정하는 1세대 3주택 이상에 해당하는 주택(2017. 12. 19. 신설)(소득법 §104 ⑦ 3호)

4. 조정대상지역에 있는 주택으로서 1세대가 주택과 조합원입주권 또는 분양권을 보유한 경우로서 그 수의 합이 3 이상인 경우 해당 주택. 다만, 대통령령으로 정하는 장기임대주택 등은 제외한다.(2017. 12. 19. 신설, 2020. 8. 18. 개정)(소득법 §104 ⑦ 4호)

[적용시기] 2021년 1월 1일 이후 공급계약, 매매 또는 증여 등의 방법으로 취득한 분양권부터 적용한다.

| 다주택자 중과세율 인상 |

조정대상지역 내 다주택자 양도소득세율 인상

구분	2021. 5. 31. 이전 양도분	2021. 6. 1. 이후 양도분
2주택자	기본세율 + 10%p	기본세율 + 20%p
3주택자 이상	기본세율 + 20%p	기본세율 + 30%p

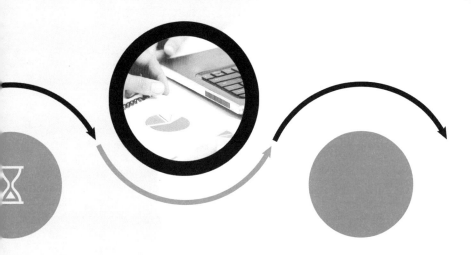

제6편

다주택자 관련 규정 종합편

다주택자 관련 규정 제1장

제1장

다주택자 관련 규정

제1절 조정대상 지역 구분

다주택자에 관련된 세법적용에서는 먼저 조정대상지역의 구분이 중요하다.

양도하는 자산이 조정대상지역에 소재하는지 여부에 따라서 적용하는 세율과 장기보유특별공제적용 등이 달라질 수 있다. 그리고 조정대상지역 공고일 전후로 적용이 달라지기도 한다. 주택법 제63조의2에 따른 조정대상지역 지정 현황과 공고일 및 해제일은 다음과 같다.

① 전국 조정대상지역 지정·해제 현황(2022년 3월 31일 현재)

① 서울특별시

지정지역		지정일자	해제일자
서울특별시	전 역(25개구)	2017. 9. 6.	

② 경기도

	지정지역	지정일자	해제일자
경기도	과천시, 광명시, 성남시, 하남시	2017. 9. 6.	
	화성시 동탄2(반송동·석우동, 동탄면 금곡리·목리·방교리·산척리·송리·신리·영천리·오산리·장지리·중리·청계리 일원에 지정된 택지개발지구에 한함)	2017. 9. 6.	
	화성시 전지역	2020. 6. 19.	
	고양시(삼송택지개발지구, 원흥·지축·향동 공공주택지구, 덕은·킨텍스(고양국제전시장)1단계·고양관광문화단지(한류월드) 도시개발구역은 제외)	2017. 9. 6.	2019. 11. 8.

281

지정지역			지정일자	해제일자
경기도		삼송택지개발지구, 원흥·지축·향동 공공주택지구, 덕은·킨텍스(고양국제전시장)1단계·고양관광문화단지(한류월드) 도시개발구역	2017. 9. 6.	
		고양시 전지역	2020. 6. 19. (재지정)	
	남양주시	남양주시(별내, 다산 제외)	2017. 9. 6.	2019. 11. 8.
		별내동, 다산동	2017. 9. 6.	
		남양주시(화도읍·수동면·조안면 제외)	2020. 6. 19. (재지정)	
	구리시		2018. 8. 28.	
	용인시	광교택지개발지구(용인시 수지구 상현동, 기흥구 영덕동 일원)	2018. 8. 28.	
		용인시 수지구·기흥구	2018. 12. 31.	
		용인시 처인구(포곡읍, 모현면, 백암면, 양지면 및 원삼면 가재월리·사암리·미평리·좌항리·맹리·누창리 제외)	2020. 6. 19.	
	수원시	광교택지개발지구(수원시 영통구 이의동·원천동·하동·매탄동, 팔달구 우만동, 장안구 연무동)	2018. 8. 28.	
		팔달구	2018. 12. 31.	
		영통구·권선구·장안구	2020. 2. 21.	
	안양시	동안구	2018. 8. 28.	
		만안구	2020. 2. 21.	
	의왕시		2020. 2. 21.	
	군포시, 부천시, 안산시, 시흥시, 오산시, 평택시, 광주시(초월읍, 곤지암읍, 도척면, 퇴촌면, 남종면 및 남한산성면 제외), 의정부시		2020. 6. 19.	
	안성시	안성시(일죽면, 죽산면 죽산리·용설리·장계리·매산리·장릉리·장원리·두현리 및 삼죽면 용월리·덕산리·율곡리·내장리·배태리 제외)	2020. 6. 19.	
		안성시 미양면·대덕면, 양성면, 고삼면, 보개면, 서운면, 금광면, 죽산면, 삼죽면	2020. 6. 19.	2020. 12. 18.

지정지역			지정일자	해제일자
경기도	양주시	양주시	2020. 6. 19.	
		양주시 백석읍, 남면, 광적면, 은현면	2020. 6. 19.	2020. 12. 18.
	김포시(통진읍, 대곶면, 월곶면, 하성면 제외)		2020. 11. 20.	
	파주시(문산읍, 파주읍, 법원읍, 조리읍, 월롱면, 탄현면, 광탄면, 파평면, 적성면, 군내면, 장단면, 진동면 및 진서면 제외)		2020. 12. 18.	
	동두천시(광암동, 걸산동, 안흥동, 상봉암동, 하봉암동, 탑동동 제외)		2021. 8. 30.	

③ 인천광역시

지정지역		지정일자	해제일자
인천광역시	전지역(중구, 동구, 미추홀구, 연수구, 남동구, 부평구, 계양구, 서구). 단, 강화군, 옹진군은 제외	2020. 6. 19.	
	중구 을왕동, 남북동, 덕교동, 무의동	2020. 6. 19.	2020. 12. 18.

④ 부산광역시

지정지역		지정일자	해제일자
부산광역시	기장군(일광면 제외)	2017. 9. 6.	2018. 8. 28.
	기장군(일광면)	2017. 9. 6.	2018. 12. 31.
	남구, 연제구	2017. 9. 6.	2018. 12. 31.
		2020. 11. 20.(재지정)	
	해운대구, 동래구, 수영구	2017. 9. 6.	2019. 11. 8.
		2020. 11. 20.(재지정)	
	부산진구	2017. 9. 6.	2018. 12. 31.
		2020. 12. 18.(재지정)	
	서구, 동구, 영도구, 산진구, 금정구, 북구, 강서구, 사상구, 사하구	2020. 12. 18.	

⑤ 대구광역시

지정지역		지정일자	해제일자
대구광역시	수성구	2020. 11. 20.	
	중구, 동구, 서구, 남구, 북구, 달서구, 달성군(가창면, 구지면, 하빈면, 논공읍, 옥포읍, 유가읍 및 현풍읍 제외)	2020. 12. 18.	

⑥ 광주광역시

지정지역		지정일자	해제일자
광주광역시	동구, 서구, 남구, 북구, 광산구	2020. 12. 18.	

⑦ 대전광역시

지정지역		지정일자	해제일자
대전광역시	전 지역(동구, 중구, 서구, 유성구, 대덕구)	2020. 6. 19.	

⑧ 울산광역시

지정지역		지정일자	해제일자
울산광역시	중구, 남구	2020. 12. 18.	

⑨ 세종특별자치시

지정지역		지정일자	해제일자
세종특별자치시	「신행정수도 후속대책을 위한 연기·공주지역 행정중심복합도시 건설을 위한 특별법」 제2조 제2호에 따른 예정지역 [*1)]	2017. 9. 6.	

*1) 건설교통부고시 제2006-418호에 따라 지정된 행정중심복합도시 건설 예정지역으로, 「신행정수도 후속대책을 위한 연기·공주지역 행정중심복합도시 건설을 위한 특별법」 제15조 제1호에 따라 해제된 지역을 포함.

[행정중심복합도시 건설예정지역]

세종특별자치시	반곡동, 소담동, 보람동, 대평동, 가람동, 한솔동, 나성동, 새롬동, 다정동, 어진동, 종촌동, 도담동, 고운동, 아름동**	
	연기면	산울리, 한별리, 해밀리, 누리리, 세종리
	연동면	용호리, 다솜리, 합강리
	금남면	집현리

ⅰ) 행정중심복합도시건설청고시 제2017-16호, 2017. 7. 4.

ⅱ) 행정중심복합도시건설청고시 제2017-21호, 2017. 10. 10. : ** 고운동, 아름동 추가고시

⑩ 충청북도

지정지역		지정일자	해제일자
충청북도	청주시(동 지역, 오창·오송읍만 지정)* [* 낭성면, 미원면, 가덕면, 남일면, 문의면, 남이면, 현도면, 강내면, 옥산면, 내수읍 및 북이면 제외]	2020. 6. 19.	

⑪ 충청남도

지정지역		지정일자	해제일자
충청남도	천안 동남구*1), 천안 서북구*2), 논산시*3), 공주시*4)	2020. 12. 18.	

*1) 목천읍, 풍세면, 광덕면, 북면, 성남면, 수신면, 병천면 및 동면 제외
*2) 성환읍, 성거읍, 직산읍 및 입장면 제외
*3) 강경읍, 연무읍, 성동면, 광석면, 노성면, 상월면, 부적면, 연산면, 벌곡면, 양촌면, 가야곡면, 은진면 및 채운면 제외
*4) 유구읍, 이인면, 탄천면, 계룡면, 반포면, 의당면, 정안면, 우성면, 사곡면 및 신풍면 제외

⑫ 전라북도

지정지역		지정일자	해제일자
전라북도	전주시 완산구, 전주시 덕진구	2020. 12. 18.	

⑬ 전라남도

지정지역		지정일자	해제일자
전라남도	여수시*1), 순천시*2), 광양시*3)	2020. 12. 18.	

*1) 돌산읍, 율촌면, 화양면, 남면, 화정면 및 삼산면 제외
*2) 승주읍, 황전면, 월등면, 주암면, 송광면, 외서면, 낙안면, 별량면 및 상사면 제외
*3) 봉강면, 옥룡면, 옥곡면, 진상면, 진월면 및 다압면 제외

⑭ 경상북도

지정지역		지정일자	해제일자
경상북도	포항시 남구*1), 경산시*2)	2020. 12. 18.	

*1) 구룡포읍, 연일읍, 오천읍, 대송면, 동해면, 장기면 및 호미곶면 제외
*2) 하양읍, 진량읍, 압량읍, 와촌면, 자인면, 용성면, 남산면 및 남천면 제외

⑮ 경상남도

	지정지역	지정일자	해제일자
경상남도	창원시 성산구	2020. 12. 18.	

제2절 다주택자, 주택임대사업자 주요 규정

다주택자에 관련된 주요 규정은 다음과 같다.

조정대상지역에서만 적용되는 규정이 있고, 그 밖의 지역에서도 적용되는 규정이 있다. 정확한 세액계산과 합리적인 의사결정을 위해서는 개별 조항의 정확한 이해와 조정대상지역의 구분이 중요하다. 비조정대상지역의 주택일지라도 주택임대사업자 관련 규정은 중요한 의미를 갖는다. 아래와 같이 주택임대사업자와 관련된 규정의 영향을 받는다. 의사결정의 관점에서 납세자와 주택의 상황에 따라서 다양한 해법이 도출될 수 있다.

주요규정

1. 다주택자 양도소득세 중과 및 장기보유특별공제 배제 규정
2. 예외적으로 중과 배제되는 주택임대사업자 등 관련 규정
3. 장기임대주택에 대한 장기보유특별공제 적용 특례(조특법 §97의4)
4. 장기일반민간임대주택 등의 장기보유특별공제 적용 특례(조특법 §97의3, 조특령 §97의3)
5. 농어촌주택 취득시 2주택자 양도소득세 중과 배제(조특법 §99의4)
6. 주택 임대사업자의 거주주택 1세대 1주택 비과세
7. 장기일반민간임대주택을 양도하는 경우 세액감면(조특법 §97의5, 조특령 §97의5)
8. 2019년 12월 16일 이전까지 민간임대주택사업자 등록한 경우 1세대 1주택 2년 거주요건 제한을 받지 않는 경우(소득령 §154 ① 4호, 삭제 2020. 2. 11. 개정)
9. 다주택자 종부세 중과세 및 합산배제 규정
10. 임대주택에 대한 각종 특례(2년 거주요건 배제 등)
11. 주택임대사업자와 임대소득세
12. 다주택자 취득세 중과

제3절 민간임대주택에 관한 특별법

❶ 민간임대주택에 관한 특별법

세법의 많은 부분에서 임대주택의 정의를 민간임대주택에 관한 특별법에 따른 임대주택일 것을 요구한다. 따라서 임대주택에 대한 정확한 판단이 중요하다.

❷ 등록 임대사업자 제도 변경

(1) 단기임대주택 및 아파트 장기일반매입임대주택 폐지

임대주택 중 단기(매입, 건설)임대주택 및 아파트 장기일반매입임대주택폐지의 개정된 민간임대주택법이 2020년 8월 18일 이후 시행되고 있다. 더 이상 임대 등록이 불가능하다. 하지만 단독주택, 다세대주택, 연립주택, 주거용 오피스텔 등 아파트 외 주택은 여전히 장기일반매입임대주택 등록이 가능하며 의무임대기간은 10년이다. 장기일반건설임대주택은 아파트를 포함한 모든 주택이 지금도 임대등록이 가능하다. 또한 기존의 단기(매입, 건설)임대주택 및 아파트 장기일반매입임대주택은 의무임대기간 종료 시 자동으로 등록 말소된다. 의무임대기간 전이라도 공적의무를 준수하고 세입자의 동의가 있는 경우 자진말소가 가능하다.

| 임대유형에 따른 분류 |

주택 구분		신규 등록 가능 여부		의무임대기간 경과 후 자동말소 여부
		매입임대	건설임대	자동말소
단기임대	단기	폐지	폐지	자동말소됨
장기임대	장기일반	허용 (다만, 아파트 등록 불가)	허용	자동말소 안됨 (단, 아파트 장기일반민간매입임대주택은 자동말소됨)
	공공지원	허용	허용	자동말소 안됨

[적용시기] 2020년 8월 18일부터 시행한다.

(2) 단기임대의 신규 등록 및 장기임대로의 유형 전환 불가

2020년 8월 18일 이후부터는 단기임대의 신규 등록 및 단기에서 장기임대로의 유형 전환이 불가능하다.

(3) 의무임대기간 연장

아파트 외 장기임대유형은 유지하되 2020년 8월 18일 이후 임대 등록하는 분부터는 의무기간이 8년에서 10년으로 연장되었다.

(4) 의무임대기간 경과 후 즉시 자동 등록 말소

폐지되는 단기 및 아파트 장기일반매입임대로 등록한 기존 주택은 임대의무기간(4년, 8년) 경과되는 즉시 자동 등록 말소한다.

법 시행일인 2020년 8월 18일 전에 의무임대기간 경과한 경우 2020년 8월 18일에 임대등록이 자동 말소된다.

(5) 임대의무기간 종료 전 자진말소 허용

임대의무기간 종료 전에도 자진말소 희망 시 공적의무를 준수한 적법 사업자와 임차인 동의가 있는 경우에 한해 자발적인 등록말소 허용하고 임대의무기간 미준수에 대한 과태료를 면제한다.

자진말소 및 자동말소는 폐지되는 단기임대주택(매입/건설)과 아파트 장기일반매입임대주택에만 해당된다. 그러므로 장기임대등록한 단독주택, 다중주택, 다세대주택, 연립주택, 오피스텔은 자진말소 및 자동말소 대상이 아니다.

(6) 보완조치로 해소된 규정과 아직 미해소된 규정

1) 보완조치에서 해소된 내용과 미해소된 내용들

관련 규정	해소	미해소
1. 임대소득에 대한 세액감면 30%, 75% : 의무임대기간 5년	○	
2. 종합부동산세 합산배제(종부령 §3 ① 1호) : 단기, 장기임대등록 & 5년 이상 의무임대(2018. 3. 31. 이전 등록분)	○	

관련 규정	해소	미해소
3. 양도세 중과 배제되는 소득령 제167조의3 제1항 제2호 가목, 다목 : 단기, 장기임대등록 & 5년 이상 의무임대	○	
4. 법인세 추가세율 적용배제 : 단기 4년, 5년 의무임대기간	○	
5. 임대등록 후 → 재건축 멸실, 등록말소 → 재등록 불가	○	
6. 임대등록 시 2년 거주요건 배제	○	
7. 거주주택 1세대 1주택 비과세 : 단기, 장기임대등록 & 임대주택 5년 의무임대	○	
8. 장특공제 70%(조특법 §97의3) : 10년 임대등록, 10년 의무임대		○
9. 장특공제 10%(조특법 §97의4) : 단기, 장기임대등록 & 6년 의무임대		○
10. 장기임대주택 세액공제 100%(조특법 §97의5) : 8년장기등록 & 10년 의무임대		○

2) 의무임대 기간 경과 후 자동 말소되는 경우 주의할 점

민특법과 세법상 의무임대기간 기산일이 서로 다름으로 인해 세법상 의무임대기간을 충족하지 못해 예상했던 혜택을 못 보는 경우가 발생할 수 있으니 주의해야 한다. 보완조치로 의무임대기간 종료 후 자동 등록 말소되더라도 세법에서 요구하는 의무임대기간을 충족한 것으로 보겠다는 간주규정이 있다면 문제가 없지만 이러한 간주 규정이 없는 조항들은 주의해야 한다.

① 민특법상 의무임대기간 기산일(민특령 제34조 제1항)

둘 중 늦은 날 : (1. 지자체 임대등록일, 2. 실제 임대개시일)

② 세법상 의무임대기간 기산일

셋 중 늦은 날 : (1. 지자체 임대등록일, 2. 세무서 사업자등록일, 3. 실제 임대개시일)

지자체 등록한 다음 날 세무서에 사업자등록한 경우에는 민특법상 의무임대기간 기산일은 지자체 임대등록일이다. 반면에 세법상 기산일은 늦은 날인 세무서에 사업자등록을 한 날이다. 하루가 모자라서 세법상 의무임대기간을 충족 못 시키는 논쟁의 여지가 있다. 이에 대한 보완이 필요하다.

(7) 2020년 7월 11일 이후 등록 분 등에 대한 세제지원 적용 배제

2020년 7월 11일 이후 민간임대주택법 개정에 따라 폐지되는 유형의 임대주택으로 등록하거나, 단기임대주택을 장기로 전환하는 경우 종부세, 양도세 등 관련 세제지원 적용 배제한다. 따라서 세제지원 보완조치의 내용도 적용되지 않는다.

❸ 임대사업자 등록

(1) 임대사업자 등록 조건

주택을 1호 이상 소유하고 있거나, 분양·매매·건설 등을 통해 주택을 소유할 예정인 자는 임대사업자 등록이 가능하다.

※ 오피스텔의 경우 전용면적이 85제곱미터 이하이면서 상하수도 시설이 갖추어진 전용 입식 부엌, 전용 수세식 화장실 및 목욕시설을 갖춘 주거용인 경우 등록이 가능하다.

(2) 등록 유의사항

① 주택만 등록 가능(고시원, 근린생활시설, 상가, 기숙사, 펜션 등 등록 불가)
　- 오피스텔(준주택) : 주거전용, 전용면적 85㎡ 이하, 전용 부엌, 화장실, 목욕시설 필요
② 임대주택 등록한 물건지에 사업자 거주 불가(단독주택은 주택 일체를 임대 등록)
　- 단독주택 중 다가구주택만 본인 거주하는 실을 제외하고 나머지 실 전체 등록 가능
③ 법원경매 낙찰 영수증, 조합원입주권은 등록 불가(소유권 등기 후 등록 가능)
④ 공동명의 소유한 경우 공동명의자로 사업자 등록(단독명의 보유시 별도로 각각 등록)
⑤ 주택임대사업자는 주소지 관할 지자체에 신청하는 것이 원칙이다. 예외로 신청자의 선택으로 임대주택소재지 관할 지자체에 신청이 가능하다.
⑥ 신축건물인 경우 소유권보존등기 이전에 주택임대사업자등록을 신청하면 건설임대주택이 되고, 이후에 등록신청하면 매입임대주택에 해당한다.
⑦ 건축법상 주택이 아닌 숙박시설은 주택임대사업자등록을 할 수 없다.
⑧ 건축물대장에 위반 건축물로 등재되어 있는 경우 주택임대사업자 등록이 불가하다.
⑨ 임대주택으로 이미 등록한 사업자가 추가로 임대등록을 하려는 경우 기존 임대등록증에 임대물건만 추가하는 형식으로 한다. 세무서에서 발급받은 사업자등록증은 정정할 필요는 없다.

⑩ 기존에 임대주택이 의무임대기간이 종료되어 자동말소가 된 경우, 단기와 아파트를 제외한 재임대등록이 가능하다.

⑪ 공동명의 주택은 반드시 공동명의로 임대등록을 해야 한다. 단독명의로 임대등록이 불가하다.

⑫ 공동명의 주택은 그중 1인을 선정하여 그 대표자의 주소지 관할 지자체에 등록 신청하면 된다.

⑬ 2020년 8월 18일 이후부터는 미성년자는 주택임대사업자 등록을 할 수 없다.

⑭ 2020년 8월 18일 이후부터는 단기임대주택과 아파트 장기일반민간매입임대주택은 등록 불가하다.

건축법 시행령 별표 1] 건축물의 종류

1. 단독주택
   가. 단독주택
   나. 다중주택
   1) 학생 또는 직장인 여러 사람이 거주할 수 있는 구조
   2) 독립된 거주 형태를 갖추지 아니한 것
   (각 실별 욕실은 있으나, 취사시설은 없는 것)
   3) 바닥면적 330제곱미터 이하, 3개 층 이하
   다. 다가구주택 : 3개 층 이하, 19세대 이하, 660제곱미터 이하

2. 공동주택
   가. 아파트 : 5개 층 이상인 주택
   나. 연립주택 : 바닥면적 660제곱미터 초과 & 4개 층 이하인 주택
   다. 다세대주택 : 바닥면적 660제곱미터 이하 & 4개 층 이하인 주택
   라. 기숙사

❹ 자진말소 및 자동말소 보완조치

(1) 양도세 중과배제 자동말소, 자진말소 규정(소득령 §167의3 ① 2호, ⑤)

유형	소득령 제167조의3 제1항 제2호					
	가목	나목	다목	라목	마목	바목
자동말소 (본문)	임대기간요건을 갖춘 것으로 본다.	–	임대기간요건을 갖춘 것으로 본다.			–
자진말소 (사목)	1년 이내 양도시 임대기간요건을 갖춘 것으로 본다.	–	1년 이내 양도시 임대기간요건을 갖춘 것으로 본다.			–
유일한 1주택 중과배제 후 추징 여부	– 자진말소의 경우 추징하지 않는다. – 임대주택이 재개발 등으로 멸실된 후 민특법에 따라 등록 불가한 경우 추징하지 않는다.		– 자진말소의 경우 추징하지 않는다. – 임대주택이 재개발 등으로 멸실된 후 민특법에 따라 등록 불가한 경우 추징하지 않는다.			
적용시기	2020년 8월 18일 이후 말소된 주택부터 적용한다. * 아파트 장기일반민간매입임대주택 과 단기임대만 적용한다. * 자진말소의 경우 민특법상 임대의무기간의 2분의 1 이상을 임대한 경우에 한정한다.					

(2) 거주주택 비과세 자동말소, 자진말소 규정(소득령 §155 ㉓)

유형	소득령 제167조의3 제1항 제2호					
	가목	나목	다목	라목	마목	바목
자동말소 및 자진말소	① 5년 이내 거주주택을 양도시 또는 ② 이미 거주주택 비과세를 받은 경우 → 임대기간요건을 갖춘 것으로 본다.	–	① 5년 이내 거주주택을 양도시 또는 ② 이미 거주주택 비과세를 받은 경우 → 임대기간요건을 갖춘 것으로 본다.			–
적용시기	2020년 8월 18일 이후 말소된 주택부터 적용한다. * 아파트 장기일반민간매입임대주택 과 단기임대만 적용한다. * 장기임대주택을 2호 이상 임대하는 경우에는 최초로 등록이 말소되는 장기임대주택의 등록 말소 이후를 말한다. * 자진말소의 경우 민특법상 임대의무기간의 2분의 1 이상을 임대한 경우에 한정한다.					

(3) 종합소득세

민특법에 따라 의무임대기간 경과하기 전에 자진·자동등록말소하는 경우 세법상 의무임대기간을 충족하지 못하더라도 그동안 감면받은 세액을 추징하지 않는다.

재개발사업·재건축사업,「빈집 및 소규모주택 정비에 관한 특례법」에 따른 소규모주택 정비사업으로 당초의 임대주택이 멸실되어 새로 취득하거나「주택법」에 따른 리모델링으로 새로 취득한 주택이 아파트(당초의 임대주택이 단기민간임대주택인 경우에는 모든 주택을 말한다)인 경우 감면받은 세액을 추징하지 않는다. 다만, 새로 취득한 주택의 준공일부터 6개월이 되는 날이 2020년 7월 10일 이전인 경우는 제외한다.(조특령 §96 ⑤)

(4) 종합부동산세

1) 자진말소 및 자동등록 말소되는 경우

① 자진말소

아파트 장기일반민간매입임대주택 또는 단기민간임대주택(매입, 건설)으로서 임차인의 동의를 얻어 임대의무기간 내 등록 말소를 신청하는 경우는 경감 받은 종부세를 추징하지 않는다.(종부령 §10 ③ 2호)

② 자동등록말소

아파트 장기일반민간매입임대주택 또는 단기민간임대주택(매입, 건설)으로서 의무임대기간 종료 후 자동등록 말소 되는 경우에는 경감 받은 종부세를 추징하지 않는다.(종부령 §10 ③ 2호)

2) 재개발 등인 경우

도정법에 따른 재개발사업·재건축사업,「빈집 및 소규모주택 정비에 관한 특례법」에 따른 소규모주택정비사업으로 당초의 합산배제 임대주택이 멸실되어 새로 취득하거나「주택법」에 따른 리모델링으로 새로 취득한 주택이 다음 각 목의 어느 하나에 해당하는 요건을 갖춘 경우에는 경감 받은 종부세를 추징하지 않는다. 다만, 새로 취득한 주택의 준공일 부터 6개월이 되는 날이 2020년 7월 10일 이전인 경우는 제외한다.(종부령 §10 ③ 3호)

① 새로 취득한 주택에 대하여 2020년 7월 11일 이후 아파트 장기일반민간매입임대주택 또는 단기민간(매입, 건설)임대주택으로 같은 법 제5조 제1항에 따라 등록 신청을 했을 것

② 새로 취득한 주택이 아파트(당초의 합산배제 임대주택이 단기민간임대주택인 경우에는 모든 주택을 말한다)인 경우로서 해당 주택에 대하여 임대사업자 등록을 하지 않았을 것

5 임대사업자 의무사항

임대사업자신고의 의무사항은 다음과 같다.

(1) 신고, 신청 의무

임대차계약 체결 변경시 임대차계약 신고

기 한	제출서류	신고처
계약체결·변경시부터 3개월 내	임대차계약 신고서 및 증빙서류	사업자 주민등록지 또는 주택 소재지 관할 지방자치단체, 시·군·구청

※ 근거법령 : 「민간임대주택에 관한 특별법」 제46조, 동법 시행령 제36조

(2) 다른 등록 임대사업자에게 주택 매각시 양도신고

단, 임대의무기간 내 매각하는 경우, 주택을 양수하는 등록 임대사업자가 포괄적으로 승계(양수도계약서에 명시)

제출서류	신고처
민간임대주택 양도신고서 및 증빙 서류	사업자 주민등록지 또는 주택 소재지 관할 지방자치단체, 시·군·구청

※ 근거법령 : 「민간임대주택에 관한 특별법」 제43조 제2~3항, 동법 시행규칙 제15조 제1항

(3) 임대의무기간 내 경제적 사정으로 임대를 계속할 수 없는 경우 양도 허가신청

경제적 사정	비 고
2년 연속 적자가 발생한 경우	임대의무기간이 8년 이상인 민간임대주택을 300호 또는 30세대 이상 등록한 임대사업자는 해당없음
2년 연속 부의 영업현금흐름이 발생한 경우	

경제적 사정	비 고
최근 12개월간 사업자의 민간임대주택 중 미임대주택이 20퍼센트 이상이고 동 기간 동안 특정 민간임대주택이 계속하여 임대되지 않은 경우	해당 사유가 발생한 주택에 한정하여 양도 가능
관계 법령에 따라 재개발, 재건축 등으로 민간임대주택의 철거가 예정되어 민간임대사업을 계속하기 곤란한 경우	해당 사유가 발생한 주택에 한정하여 양도 가능

※ 근거법령:「민간임대주택에 관한 특별법」제43조 제4항, 동법 시행령 제34조 제2항, 동법 시행규칙 제17조 제1항

제출서류	신고처
민간임대주택 양도 허가신청서	양도주택 소재지 관할 지방자치단체, 시군구청

(4) 임대의무기간 내 매각제한

임대의무기간		개시일	
단기	공공지원·장기일반	민간건설임대	민간매입임대
4년	10년	입주지정기간 개시일(입주지정기간을 정하지 않은 경우에는 사업자 등록 후 최초로 체결된 임대차계약서의 실제 임대개시일)	임대사업자 등록일(임대사업자 등록 후 임대가 개시된 경우, 임대차계약서의 실제 임대개시일)

단, 다른 등록사업자에게 지위를 포괄적으로 승계하는 경우 경제적 사정으로 임대를 계속할 수 없는 경우 양도 가능

※ 근거법령:「민간임대주택에 관한 특별법」제43조, 동법 시행령 제34조

(5) 임대의무기간 내 임대료 증액률 임대료의 5%로 제한

① 임대료의 5% 범위에서 주거비 물가지수, 인근 지역의 임대료 변동률, 임대주택 세대수 등을 고려

② 임대료 증액 청구는 임대차계약 또는 약정한 임대료의 증액이 있은 후 1년 이내에는 하지 못한다.

③ 보증금과 월임대료 전환시「주택임대차보호법」제7조의2에 따라 적용하는 비율 초과 불가

민간임대주택에 관한 특별법 개정사항(2019. 10. 24.)

1. 최초 임대료

임대사업자가 민간임대주택을 임대하는 경우에 최초 임대료(임대보증금과 월임대료를 포함한다. 이하 같다)는 장기일반민간임대주택 및 단기민간임대주택의 경우 임대사업자가 정하는 임대료. 다만, 제5조에 따른 민간임대주택 등록 당시 존속 중인 임대차계약(이하 "종전임대차계약"이라 한다)이 있는 경우에는 그 종전임대차계약에 따른 임대료(민특법 §44 ① 2호)(적용시기 : 개정내용은 2019. 10. 24.부터 시행한다)

④ 계산 방법

ⅰ) 임대료 인상률 = (변경 후 환산보증금 − 변경 전 환산보증금) ÷ 변경 전 환산보증금 × 100

ⅱ) 환산보증금 = 임대보증금 + (월임대료 × 12) ÷ 3.25%(2022년 1월 14일 기준)

| 각 법령별 5% 증액제한의 최초 임대료 기준 |

구분	5% 증액제한 최초 임대료 기준	
민특법	2019. 10. 23. 이전 임대등록한 경우	민간임대주택의 최초임대료는 임대사업자가 정한다.
	2019. 10. 24. 이후에 임대등록한 경우	임대사업자가 정하는 임대료. 다만, 민간임대주택 등록 당시 존속 중인 임대차계약이 있는 경우에는 그 종전임대차계약에 따른 임대료
소득령 제167조의3 제1항 제2호(가~사목)임대주택	2019. 2. 12. 이후 최초 체결하는 표준임대차계약에 따른 임대료	
거주주택 비과세 임대주택		
조특법 제97조의4 장특공제특례(10%)		
장특공제 특례 제97조의3 (50%, 70%)	임대등록 후 최초 체결하는 표준임대차계약에 따른 임대료	
장기임대주택 양도세100%감면		
종부세 합산배제임대주택	2019. 2. 12. 이후 최초 체결하는 표준임대차계약에 따른 임대료	

(6) 표준임대차계약서 사용

임대차계약 체결시, 임대료·계약기간, 임대보증금 보증, 선순위 담보권 등 권리관계 등을 표준임대차계약서를 사용하여 체결

※ 근거법령 :「민간임대주택에 관한 특별법」제47조 동법 시행규칙 제24호, 제25호 서식

(7) 설명 및 확인 의무

① 임대보증금에 대한 보증의 보증기간 등
② 민간임대주택의 선순위 담보권 등 권리관계에 관한 사항(등기부등본 제시)
③ 임대의무기간 중 남아있는 기간
④ 임대료 증액제한에 관한 사항

임대사업자가 임차인과 임대차계약을 체결하거나 변경하는 경우 위 사항이 포함된 표준임대차계약서를 임차인에게 내주고 임차인이 이해할 수 있도록 설명하여야 하며, 임차인은 서명 또는 기명날인의 방법으로 확인

※ 근거법령:「민간임대주택에 관한 특별법」제48조, 동법 시행령 제37조

(8) 임대사업자 준수사항, 의무사항 및 과태료(출처 : 렌트홈)

단계별	주요 의무사항	과태료
임대차 계약 시	1. 임대사업자 설명 의무 • 임대사업자는 임차인에게 임대의무기간, 임대료 증액 제한(5%), 임대주택 권리관계(선순위 담보권, 세금 체납 사실 등) 등에 대해 설명해야 한다. ※ 또한, 둘 이상 임대차계약이 존재하는 다가구주택 등은 선순위 임대보증금에 대해서도 설명해야 한다.(2020. 12. 10. 이후)	500만 원 이하
	2. 소유권등기상 부기등기 의무(2020.12.10. 이후) • 임대사업자는 등록 후 지체없이 등록한 임대주택이 임대 의무기간과 임대료 증액기준을 준수해야 하는 재산임을 소유권등기에 부기등기해야 한다.	500만 원 이하
	3. 임대차계약 신고 의무 • 임대사업자가 임대료, 임대기간 등 임대차계약 사항(재계약, 묵시적 갱신 포함)을 관할 지자체에 신고해야 한다. ※ (신고방법) 지자체(시,군,구)방문 또는 렌트홈 온라인 신고 ※ (제출서류) 임대차계약 신고서 및 표준임대차계약서 • 임대차계약 신고 이력이 없는 경우에는 세제 감면이 제한될 수 있다.	1,000만 원 이하

단계별	주요 의무사항	과태료
임대차 계약 시	4. 표준임대차계약서 양식 사용 의무 • 임대사업자가 임대차계약을 체결하는 경우에는 표준임대차계약서 양식을 사용해야 한다. • 양식 미사용 시 임대차계약 신고가 수리되지 않을 수 있다.	1,000만 원 이하
임대차 계약 후	5. 임대료 증액 제한 의무 • 임대료(임대보증금 및 월 임대료)를 증액하려는 경우 임대료의 5% 범위를 초과하여 임대료를 증액할 수 없다. 또한, 임대차계약 또는 약정한 임대료 증액이 있은 후 1년 이내에는 임대료를 증액할 수 없다. • 임차인은 증액 비율을 초과하여 증액된 임대료를 지급한 경우 초과 지급한 임대료의 반환을 청구할 수 있다.	3,000만 원 이하
	6. 임대의무기간 준수 의무 • 임대의무기간(10년) 중에 등록임대주택을 임대하지 않거나(본인 거주 포함) 무단으로 양도할 수 없다.	임대주택당 3,000만 원 이하
	7. 임대차계약 유지 의무 • 임대사업자는 임차인에게 귀책사유가 없는 한 임대차계약을 해제, 해지 및 재계약 거절을 할 수 없다. ※ (거절사유) 월 임대료 3개월 연체, 부대시설 고의파손 및 멸실 등	1,000만 원 이하
기타	8. 임대사업 목적 유지 의무 • 오피스텔을 등록한 경우 주거 용도로만 사용해야 한다.	1,000만 원 이하
	9. 임대보증금 보증 의무 • 임대사업자는 임대사업자 등록이 말소되는 날(임대사업자 등록이 말소되는 날에 임대중인 경우에는 임대차계약이 종료되는 날)까지 임대보증금에 대한 보증에 가입해야 한다.	보증금의 10% 이하에 상당하는 금액의 과태료(상한 3,000만 원)
	10. 보고 및 검사 요청 시 협조 의무 • 관리관청이 임대사업자에게 필요한 자료 제출을 요청하거나 관련 검사를 실시할 경우 적극 협조해야 한다.	500만 원 이하

제4절 다주택자 관련 규정

① 장기보유특별공제

(1) 장기보유특별공제

"장기보유특별공제액"이란 토지 및 건물[소득법 제94조 제1항 제1호]에 따른 자산(소득법 제104조 제3항에 따른 미등기양도자산과 같은 조 제7항 각 호에 따른 자산은 제외한다)으로서 보유기간이 3년 이상인 것 및 부동산을 취득할수 있는 권리[제94조 제1항 제2호 가목에 따른 자산] 중 조합원입주권(조합원으로부터 취득한 것은 제외한다)에 대하여 그 자산의 양도차익(조합원입주권을 양도하는 경우에는 「도시 및 주거환경 정비법」 제74조에 따른 관리처분계획 인가 및 「빈집 및 소규모주택 정비에 관한 특례법」 제29조에 따른 사업시행계획인가 전 토지분 또는 건물분의 양도차익으로 한정한다)에 다음 표1]에 따른 보유기간별 공제율을 곱하여 계산한 금액을 말한다. 다만, 대통령령으로 정하는 1세대 1주택(이에 딸린 토지를 포함한다)에 해당하는 자산의 경우에는 그 자산의 양도차익에 다음 표 2]에 따른 보유기간별 공제율을 곱하여 계산한 금액을 말한다.(2017. 12. 19. 개정)(소득법 §95 ②)

위에서 "대통령령으로 정하는 1세대 1주택"이란 1세대가 양도일 현재 국내에 1주택(제155조·제155조의2·제156조의2·제156조의3 및 그 밖의 규정에 따라 1세대 1주택으로 보는 주택을 포함한다)을 보유하고 보유기간 중 거주기간이 2년 이상인 것을 말한다. 이 경우 해당 1주택이 제155조 제3항 각 호 외의 부분 본문에 따른 공동상속주택인 경우 거주기간은 같은 항 각 호 외의 부분 단서에 따라 공동상속주택을 소유한 것으로 보는 사람이 거주한 기간으로 판단한다.(2018. 10. 23. 개정, 2021. 2. 17. 개정)(소득령 §159의4)

| 표 1. 장기보유특별공제율 |

보유기간	공제율
3년 이상 4년 미만	6%
4년 이상 5년 미만	8%
5년 이상 6년 미만	10%
6년 이상 7년 미만	12%
7년 이상 8년 미만	14%
8년 이상 9년 미만	16%
9년 이상 10년 미만	18%
10년 이상 11년 미만	20%
11년 이상 12년 미만	22%
12년 이상 13년 미만	24%
13년 이상 14년 미만	26%
14년 이상 15년 미만	28%
15년 이상	30%

| 표 2. 장기보유특별공제율(2020. 8. 18. 개정)(소득령 §159의4) |

보유기간	공제율	거주기간	공제율
3년 이상 4년 미만	100분의 12	2년 이상 3년 미만 (보유기간 3년 이상에 한정한다)	100분의 8
		3년 이상 4년 미만	100분의 12
4년 이상 5년 미만	100분의 16	4년 이상 5년 미만	100분의 16
5년 이상 6년 미만	100분의 20	5년 이상 6년 미만	100분의 20
6년 이상 7년 미만	100분의 24	6년 이상 7년 미만	100분의 24
7년 이상 8년 미만	100분의 28	7년 이상 8년 미만	100분의 28
8년 이상 9년 미만	100분의 32	8년 이상 9년 미만	100분의 32
9년 이상 10년 미만	100분의 36	9년 이상 10년 미만	100분의 36
10년 이상	100분의 40	10년 이상	100분의 40

[적용시기] 2021년 1월 1일 이후 양도분부터 적용한다.

| 1세대 1주택의 장기보유특별공제율 최대 10년(80%) 표2] 적용 요건 |

양도일		
2019. 12. 31. 이전	2020. 1. 1.~2020. 12. 31.	2021. 1. 1. 이후
① 1세대 1주택	① 1세대 1주택 ② 2년 이상 거주	① 1세대 1주택 ② 최소 2년 이상 거주 * 보유기간(40%) + 거주기간(40%) 장특공제

*요건 미충족시 표1]을 적용한다.(15년, 30%)

1) 일시적1세대 2주택(제155조·제155조의2·제156조의2·제156조의3 및 그 밖의 규정에 따라 1세대 1주택으로 보는 주택을 포함)을 포함한다.

●●●●

관련 예규·판례

1. 1세대 1주택 비과세 및 '표2'에 따른 장기보유특별공제 적용 시 보유기간 기산일
   2021. 1. 1. 현재 1주택을 보유한 경우로서 해당 1세대 1주택 보유 상태를 유지하다 그 주택을 양도하는 경우 「소득세법 시행령」(2019. 2. 12. 대통령령 제29523호로 개정된 것) 제154조 제5항 및 같은 영 제159조의3(현행 제159조의4)에 따른 보유기간은 양도하는 당해 주택의 취득일부터 기산하는 것임.(사전법령해석재산 2020-675, 2020. 12. 29.)

2. 거주자에서 비거주자로 다시 거주자가 된 상태에서 1세대 1주택 양도 시 장기보유특별공제액 계산방법
   거주자가 비거주자가 되었다가 다시 거주자가 되어 1세대 1주택을 양도하는 경우 주택의 전체보유기간에 대한 표1에 따른 공제율과 거주자로서 보유기간에 대한 표2에 따른 공제율 중 큰 공제율을 적용하는 것임.(사전법령해석재산 2017-679, 2019. 11. 29.)

2) 장기보유특별공제

장기보유특별공제 적용 대상은 다음과 같다.
① 토지 및 건물(미등기양도자산은 제외)로서 보유기간이 3년 이상인 것
② 부동산을 취득할 수 있는 권리 중 조합원입주권(조합원으로부터 취득한 것은 제외)에 대하여 적용한다(소득법 §95 ②).

3) 조합원입주권의 장기보유특별공제

'조합원입주권'이란 관리처분계획의 인가로 인하여 취득한 입주자로 선정된 지위(조합원입주권을 양도하는 경우에는 「도시 및 주거환경정비법」 제74조에 따른 관리처분계획 인가 및 「빈집 및 소규모주택 정비에 관한 특례법」 제29조에 따른 사업시행계획인가 전 토지분 또는 건물분의 양도차익으로 한정한다)를 말한다.(소득법 §95 ②)

> 장기보유특별공제액 = 자산의 양도차익 × 보유기간별 공제율

조합원입주권을 양도하는 경우 장기보유특별공제액을 공제하는 경우 그 보유기간의 계산은 다음 각 호[아래 ①, ②]에 따른다.(2013. 2. 15. 개정)(소득령 §166 ⑤)

① 당해 조합에 기존건물과 그 부수토지를 제공하고 취득한 조합원의 양도차익의 장기보유특별공제액을 공제하는 경우의 보유기간: 기존건물과 그 부수토지의 취득일부터 관리처분계획 등 인가일까지의 기간(2018. 2. 9. 개정)(소득령 §166 ⑤ 1호)

② 해당 조합에 기존건물과 그 부수토지를 제공하고 관리처분계획 등에 따라 취득한 신축주택 및 그 부수토지를 양도하는 경우로서 송전에 정산금을 납부한 경우의 장기보유특별공제액을 공제하는 경우의 보유기간(2013. 2. 15. 개정)(소득령 §166 ⑤ 2호)

　ⅰ) 청산금납부분 양도차익에서 장기보유특별공제액을 공제하는 경우의 보유기간: 관리처분계획 등 인가일부터 신축주택과 그 부수토지의 양도일까지의 기간(2018. 2. 9. 개정)(소득령 §166 ⑤ 2호 가목)

　ⅱ) 기존건물분 양도차익에서 장기보유특별공제액을 공제하는 경우의 보유기간 : 기존건물과 그 부수토지의 취득일부터 신축주택과 그 부수토지의 양도일까지의 기간(2013. 2. 15. 개정)(소득령 §166 ⑤ 2호 나목)

4) 장기보유특별공제 적용배제 대상

1) 미등기 양도자산
2) 국외에 소재하는 부동산(소득법 §118의8)
3) 2주택 이상 보유 세대의 조정대상지역 내 주택을 양도하는 경우 당해 주택

① **다주택자 장기보유특별공제 배제(소득세법 §95 ②)**

2주택 이상 다주택자(조합원입주권 포함)가 조정대상지역 내 주택 양도 시 장기보유특별공제 배제한다.(소득법 §95 ②, 소득법 §104 ⑦)

장기보유특별공제 대상에서 배제되는 다주택자(소득법 §104 ⑦)

다음 각 호[아래 1.~4.]의 어느 하나에 해당하는 주택(이에 딸린 토지를 포함한다. 이하 이 항에서 같다)을 양도하는 경우 장기보유특별공제대상에서 제외한다.(2017. 12. 19. 신설, 2020. 8. 18. 개정)(소득법 §104 ⑦)

1. 조정대상지역에 있는 1세대 2주택에 해당하는 주택

   「주택법」 제63조의2 제1항 제1호에 따른 조정대상지역(이하 이 조에서 "조정대상지역"이라 한다)에 있는 주택으로서 대통령령으로 정하는 1세대 2주택에 해당하는 주택(2017. 12. 19. 신설, 2020. 8. 18. 개정)(소득법 §104 ⑦ 1호)

2. 조정대상지역에 있는 1세대 1주택 + 1조합원입주권 또는 분양권을 보유한 주택

   조정대상지역에 있는 주택으로서 1세대가 1주택과 조합원입주권 또는 분양권을 1개 보유한 경우의 해당 주택. 다만, 대통령령으로 정하는 장기임대주택 등은 제외한다.(2017. 12. 19. 신설, 2020. 8. 18. 개정)(소득법 §104 ⑦ 2호)

   [적용시기] 2021년 1월 1일 이후 공급계약, 매매 또는 증여 등의 방법으로 취득한 분양권부터 적용한다.

3. 조정대상지역에 있는 1세대 3주택에 해당하는 주택

   조정대상지역에 있는 주택으로서 대통령령으로 정하는 1세대 3주택 이상에 해당하는 주택(2017. 12. 19. 신설)(소득법 §104 ⑦ 3호)

4. 조정대상지역에 있는 주택으로서 1세대가 주택과 조합원입주권 또는 분양권의 합이 3 이상인 경우 해당 주택

   조정대상지역에 있는 주택으로서 1세대가 주택과 조합원입주권 또는 분양권을 보유한 경우로서 그 수의 합이 3 이상인 경우 해당 주택. 다만, 대통령령으로 정하는 장기임대주택 등은 제외한다.(2017. 12. 19. 신설, 2020. 8. 18. 개정)(소득법 §104 ⑦ 4호)

   [적용시기] 2021년 1월 1일 이후 공급계약, 매매 또는 증여 등의 방법으로 취득한 분양권부터 적용한다.

② 장기보유특별공제 배제 제외 주택

뒤에서 설명하는 2주택, 3주택 양도소득세율 중과 배제되는 주택과 동일하다.

5) 1세대 1주택 비과세 고가주택의 계산방법(조합원입주권)

소득세법 제89조 제1항 제3호에 따라 양도소득의 비과세대상에서 제외되는 고가주택(이에 딸린 토지를 포함한다) 및 같은 항 제4호 각 목 외의 부분 단서에 따라 양도소득의 비과세대상에서 제외되는 조합원입주권에 해당하는 자산의 양도차익 및 장기보유특별공제액은 1항에도 불구하도 다음에 따라 계산한 금액으로 한다.(2019. 12. 31. 개정)(소득법 §95 ③)

소득세법 제95조 제3항에 따른 고가주택(하나의 건물이 주택과 주택 외의 부분으로 복합되어 있는 경우와 주택에 딸린 토지에 주택 외의 건물이 있는 경우에는 주택 외의 부분은 주택으로 보지 않는다)에 해당하는 자산의 양도차익 및 장기보유특별공제액은 다음 각 호 [아래 ①, ②]의 산식으로 계산한 금액으로 한다. 이 경우 해당 주택 또는 이에 부수되는 토지가 그 보유기간이 다르거나 미등기양도자산에 해당하거나 일부만 양도하는 때에는 12억 원[25])에 해당 주택 또는 이에 부수되는 토지의 양도가액이 그 주택과 이에 부수되는 토지의 양노가액의 합계액에서 차지하는 비율을 곱하여 안분계산한다.(2009. 2. 4. 개정, 2020. 2. 11. 개정)(소득령 §160 ①)

1세대 1주택 비과세 고가주택의 양도차익 및 장기보유특별공제

① 고가주택에 해당하는 자산에 적용할 양도차익

$$\text{법 제95조 제1항에 따른 양도차익} \times \frac{\text{양도가액} - 12\text{억 원}}{\text{양도가액}}$$

② 고가주택에 해당하는 자산에 적용할 장기보유특별공제액

$$\text{법 제95조 제2항에 따른 장기보유특별공제액} \times \frac{\text{양도가액} - 12\text{억 원}}{\text{양도가액}}$$

---

25) 2021년 12월 7일 이전 양도분은 9억 원 적용

● ● ● ●

관련 예규 · 판례

9억 원을 초과하는 1주택을 양도하는 경우 해당 주택의 양도차익을 산정할 때에는 해당 주택이 양도소득세 비과세대상이면서 고가주택인 경우에만 "고가주택의 양도차익"산정방법을 적용한다.(부동산-808, 2014. 10. 24.)

종 전	현 행(개정)
① 법 제95조 제3항에 따른 <u>고가주택</u>에 해당하는 자산의 양도차익 및 장기보유특별공제액은 다음 각 호의 산식으로 계산한 금액으로 한다.	① 법 제95조 제3항에 따른 <u>고가주택(하나의 건물이 주택과 주택 외의 부분으로 복합되어 있는 경우와 주택에 딸린 토지에 주택 외의 건물이 있는 경우에는 주택 외의 부분은 주택으로 보지 아니한다)</u>에 해당하는 자산의 양도차익 및 장기보유특별공제액은 다음 각 호의 산식으로 계산한 금액으로 한다.

[적용시기] 개정규정은 2022년 1월 1일 이후 양도분부터 적용한다.

구 분	2021. 12. 31. 이전 양도분	2022. 1. 1. 이후 양도분부터
주택 〉기타건물	전부 주택으로 본다.	주택만 주택으로 본다. 효과 : 1. 12억 원 초과 금액 중 주택 부분만 비과세 적용 2. 주택 부분 : 10년 최대 80%, 상가 부분 : 15년 최대 30%
주택 ≦ 기타건물	주택만 주택으로 본다.	좌동

POINT : 고가 겸용 주택의 판단과 소득금액 계산(2022년 1월 1일 이후 양도분부터)

STEP1] : 고가주택 여부의 판단

겸용주택의 경우 주택의 면적이 기타건물의 면적보다 크다면 전체를 주택으로 보아 전체 가액(주택+기타건물)을 기준으로 12억 원 초과하는 고가주택인지 여부를 판단한다. 만일 고가주택이라면 다음 STEP2]로 가서 양도소득금액을 계산한다.

STEP2] : 고가주택의 양도소득금액 계산

2022년 1월 1일 이후 양도분부터는 겸용주택의 경우 주택의 면적이 기타건물의 면적보다 크더라도 주택 부분의 양도가액만 주택가액으로 보아 양도차익(12억 원 차감)과 장기보유특별공제(최대 10년, 80% 적용가능)를 적용한다. 기타건물 부분의 양도가액은 일반건물로서 과세되고 장기보유특별공제도 일반 공제인 최대 15년 30%가 적용된다.

6) 특수한 경우의 장기보유특별공제 기산일

① 배우자·직계존비속 간 증여재산에 대한 이월과세 및 부당행위계산부인을 적용받는 경우 : 증여한 배우자·직계존비속이 해당 자산을 취득한 날

② 가업상속공제가 적용되는 비율(즉, 이월과세가 적용되는 부분)에 해당하는 자산의 경우 : 피상속인이 해당 자산을 취득한 날

③ 비사업용토지

양도 시기	내 용
2016. 1. 1.~2016. 12. 31. 양도분	2015. 12. 31. 이전에 취득하였더라도 보유기간의 기산일을 2016. 1. 1.로 하여 보유기간을 계산한다. (소득법 §95 ④)(2015. 12. 15. 개정)(적용 시기: 2016. 1. 1. 이후 양도분부터 적용)
2017. 1. 1. 이후 양도분	취득 당시로 기산하여 장기보유특별공제를 적용한다. (소득법 §95 ④)(2016. 12. 20. 개정)

관련 예규 · 판례

장기임대주택 특례와 일시적 2주택 특례를 동시 적용 시 고가주택의 양도소득금액 및 중과세율 적용 여부 등

장기임대주택 특례와 일시적 2주택 특례를 중첩적용하여 1세대 1주택으로 보되, 고가주택의 경우 양도가액 9억 원(2021년 12월 8일 이후 양도분부터는 12억 원) 초과분에 대한 양도소득은 과세되며, 양도일 현재 3주택 이상인 경우 중과세율이 적용되고, 장기보유특별공제는 적용되지 않음.(사전법령해석재산 2019 – 368, 2019. 11. 1.)

(사례)

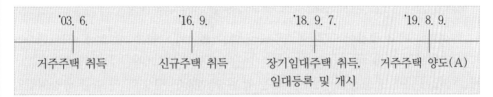

| '03. 6. | '16. 9. | '18. 9. 7. | '19. 8. 9. |
| 거주주택 취득 | 신규주택 취득 | 장기임대주택 취득, 임대등록 및 개시 | 거주주택 양도(A) |

A주택 양도시 일시적 2주택 비과세가 가능하다. 고가주택인 경우 9억 원(2021년 12월 8일 이후 양도분부터는 12억 원) 초과분에 대해서는 3주택이므로 20% 중과세율이 적용되고, 장기보유특별공제는 적용되지 않는다.

(2) 장기임대주택에 대한 장기보유특별공제 적용 특례(조특법 §97의4)

1) 장기임대주택에 대한 장기보유특별공제 적용 특례

거주자 또는 비거주자가 「민간임대주택에 관한 특별법」 제2조 제2호에 따른 민간건설임대주택, 같은 법 제2조 제3호에 따른 민간매입임대주택, 「공공주택 특별법」 제2조 제1호의2에 따른 공공건설임대주택 또는 같은 법 제2조 제1호의3에 따른 공공매입임대주택으로서 대통령령으로 정하는 주택(소득령 제167조의3 제1항 제2호 가목 및 다목을 말한다)을 6년 이상 임대한 후 양도하는 경우 그 주택을 양도함으로써 발생하는 소득에 대해서는 「소득세법」 제95조 제1항에 따른 장기보유 특별공제액을 계산할 때 같은 조 제2항에 따른 보유기간별 공제율에 해당 주택의 임대기간에 따라 다음 표에 따른 추가공제율을 더한 공제율을 적용한다. 다만, 같은 항 단서(1세대 1주택 등으로서 표[2] 10년, 최대 80%를 적용하는 경우를 말함)에 해당하는 경우에는 그러하지 아니하다.(2015. 12. 15. 개정)(조특법 §97의4 ①)

| 장기보유특별공제 추가공제율 |

임대기간	추가공제율
6년 이상 7년 미만	2%
7년 이상 8년 미만	4%
8년 이상 9년 미만	6%
9년 이상 10년 미만	8%
10년 이상	10%

조특법 제97조의4 과세특례 적용 대상인 대통령령으로 정하는 주택

위 과세특례 적용 대상인 「민간임대주택에 관한 특별법」 제2조 제2호에 따른 민간건설임대주택, 같은 법 제2조 제3호에 따른 민간매입임대주택, 「공공주택 특별법」 제2조 제1호의2에 따른 공공건설임대주택 또는 같은 법 제2조 제1호의3에 따른 공공매입임대주택으로서 대통령령으로 정하는 주택이란 「소득세법 시행령」 제167조의3 제1항 제2호 가목 및 다목에 따른 장기임대주택(「소득세법」 제1조의2 제1항 제2호에 따른 비거주자가 소유한 주택을 포함한다)을 말한다.

1. 매입임대주택(가목)

「민간임대주택에 관한 특별법」 제2조 제3호에 따른 민간매입임대주택을 1호 이상 임대하고 있는 거주자가 5년 이상 임대한 주택으로서 해당 주택 및 이에 부수되는 토지의 기준시가의 합계액이 해당 주택의 임대개시일 당시 6억 원(수도권 밖의 지역인 경우에는 3억 원)을 초과하지 않고 임대보증금 또는 임대료(이하 이 조에서 "임대료 등"이라 한다)의 증가율이 100분의 5를 초과하지 않는 주택(임대료 등의 증액 청구는 임대차계약의 체결 또는 약정한 임대료 등의 증액이 있은 후 1년 이내에는 하지 못하고, 임대사업자가 임대료 등의 증액을 청구하면서 임대보증금과 월임대료를 상호 간에 전환하는 경우에는 「민간임대주택에 관한 특별법」 제44조 제4항의 전환 규정을 준용한다). 다만, 2018년 3월 31일까지 사업자등록 등을 한 주택으로 한정한다.(2019. 2. 12. 개정, 2020. 2. 11. 개정)(소득령 §167의3 ① 2호 가목)

임대료 등 5% 초과 요건은 2019년 2월 12일 이후 주택 임대차계약을 체결하거나 기존 계약을 갱신하는 분부터 적용한다.

2. 건설 임대주택(나목)

「민간임대주택에 관한 특별법」에 따라 대지면적이 298제곱미터 이하이고 주택의 연면적(제154조 제3항 본문에 따라 주택으로 보는 부분과 주거전용으로 사용되는 지하실부분의 면적을 포함하고, 공동주택의 경우에는 전용면적을 말한다)이 149제곱미터 이하인 건설임대주택을 2호 이상 임대하는 거주자가 5년 이상 임대하거나 분양전환(같은 법에 따라 임대사업자에게 매각하는 경우를 포함한다)하는 주택으로서 해당 주택 및 이에 부수되는 토지의 기준시가의 합계액(「부동산 가격공시에 관한 법률」에 따른 주택가격이 있는 경우에는 그 가격을 말한다)이 해당 주택의 임대개시일 당시 6억 원을 초과하지 않고 임대료 등의 증가율이 100분의 5를 초과하지 않는 주택(임대료 등의 증액 청구는 임대차계약의 체결 또는 약정한 임대료 등의 증액이 있은 후 1년 이내에는 하지 못하고, 임대사업자가 임대료 등의 증액을 청구하면서 임대보증금과 월임대료를 상호 간에 전환하는 경우에는 「민간임대주택에 관한 특별법」 제44조 제4항의 전환 규정을 준용한다). 다만, 2018년 3월 31일까지 사업자등록 등을 한 주택으로 한정한다.(2019. 2. 12. 개정, 2020. 2. 11. 개정)(소득령 §167의3 ① 2호 다목)

임대료 등 5% 초과 요건은 2019년 2월 12일 이후 주택 임대차계약을 체결하거나 기존 계약을 갱신하는 분부터 적용한다.

2) 과세특례 적용신청

장기임대주택에 대한 장기보유특별공제 적용 특례[제1항, 위 1)]에 따라 과세특례를 적용받으려는 자는 대통령령으로 정하는 바에 따라 주택임대에 관한 사항을 신고하고 과세특례의 적용신청을 하여야 한다.(2014. 1. 1. 신설)(조특법 §97의4 ②)

3) 임대기간의 계산 등

장기임대주택에 대한 장기보유특별공제 적용 특례[제1항, 위 1)]에 따른 임대주택에 대한 임대기간의 계산과 그밖에 필요한 사항은 대통령령으로 정한다.(2014. 1. 1. 신설)(조특법 §97의4 ③)

임대기간의 계산은 다음과 같다.

임대주택에 대한 임대기간(이하 이 조에서 "주택임대기간"이라 한다)의 계산은 다음 각호[아래 ①~③]에 의한다.(1998. 12. 31. 개정)(조특령 §97 ⑤)

① 주택임대기간의 기산일은 주택의 임대를 개시한 날로 할 것(1998. 12. 31. 개정)(조특령 §97 ⑤ 1호)

② 상속인이 상속으로 인하여 피상속인의 임대주택을 취득하여 임대하는 경우에는 피상
속인의 주택임대기간을 상속인의 주택임대기간에 합산할 것(1998. 12. 31. 개정)(조특령
§97 ⑤ 3호)

③ 제1호 내지 제3호의 규정을 적용함에 있어서 기존 임차인의 퇴거일부터 다음 임차인
의 입주일까지의 기간으로서 3월 이내의 기간은 이를 주택임대기간에 산입할 것(2008.
2. 29. 직제개정)(조특령 §97 ⑤ 5호)

4) 요건

요 건	특 례		
1) 거주자 또는 비거주자 2) 「민간임대주택에 관한 특별법」 제2조 제2호에 따른 민간건설임대주택, 같은 법 제2조 제3호에 따른 민간매입임대주택, 「공공주택특별법」 제2조 제1호의2에 따른 공공건설임대주택 또는 같은 법 제2조 제1호의3에 따른 공공매입임대주택으로서 소득령 제167조의3 제1항 2호 가목 및 다목의 주택(즉, 건설, 매입임대주택 단기, 장기일반민간임대주택)	[장기보유특별공제율 가산] 기존 장기보유특별공제율+추가공제율		
	임대 기간		추가공제율
	6년 이상 7년 미만		2%
	7년 이상 8년 미만		4%
	8년 이상 9년 미만		6%
	9년 이상 10년 미만		8%
	10년 이상		10%
3) 관할 시, 군, 구에 임대사업자등록 4) 관할 세무서에 사업자등록 5) 임대개시일 현재 공시가격 6억 원 이하(수도권 밖은 3억 원) 이하 주택 6) 6년 이상 임대하는 경우 7) 임대료 등의 증가율이 100분의 5를 초과하지 않는 주택(2019. 2. 12. 이후 주택 임대차계약을 체결하거나 기존 계약을 갱신하는 분부터 적용) 8) 2018. 3. 31.까지 사업자등록을 할 것(2018. 2. 13. 개정)(소득령 제167조의3 제1항 제2호 가목 및 다목의 단서조항 규정) 9) 과표신고시 과세특례적용신청서 제출			

5) 중복적용배제

장기일반민간임대주택 등의 장기보유특별공제 적용(조특법 §97의3 ①)에 따른 과세특례는

조특법 제97조의4에 따른 장기임대주택에 대한 양도소득세의 과세특례(장기보유특별공제 10% 추가공제)와 중복하여 적용하지 아니한다.(2018. 12. 24. 신설)(조특법 §97의3 ②)

다음 조항들은 중복 적용되지 않는다.

① 조특법 제97조의3, 장기보유특별공제 8년(50%), 10년(70%)

② 조특법 제97조의4, 장기보유특별공제 6년 이상(10%)

③ 조특법 제97조의5, 양도세 100% 감면

(3) 장기일반민간임대주택 등에 대한 장기보유특별공제 적용 특례
(조특법 §97의3, 조특령 §97의3)

대통령령으로 정하는 거주자가 2020년 12월 31일(「민간임대주택에 관한 특별법」 제2조 제2호에 따른 민간건설임대주택의 경우에는 2022년 12월 31일)까지 「민간임대주택에 관한 특별법」 제2조 제4호에 따른 공공지원민간임대주택 또는 같은 법 제2조 제5호에 따른 장기일반민간임대주택을 등록[2020년 7월 11일 이후 장기일반민간임대주택으로 등록 신청한 경우로서 아파트를 임대하는 민간매입임대주택이나 「민간임대주택에 관한 특별법」(법률 제17482호로 개정되기 전의 것을 말한다) 제2조 제6호에 따른 단기민간임대주택을 2020년 7월 11일 이후 같은 법 제5조 제3항에 따라 공공지원민간임대주택 또는 장기일반민간임대주택으로 변경 신고한 주택은 제외한다]하여 다음 각 호[아래 1)의 ①, ②]의 요건을 모두 갖춘 경우 그 주택(이하 이 조에서 "장기일반민간임대주택 등"이라 한다)을 양도하는 경우에 대통령령으로 정하는 바에 따라 임대기간 중 발생하는 소득에 대해서는 「소득세법」 제95조 제1항에 따른 장기보유 특별공제액을 계산할 때 같은 조 제2항에도 불구하고 100분의 50의 공제율을 적용한다. 다만, 장기일반민간임대주택 등을 10년 이상 계속하여 임대한 후 양도하는 경우에는 100분의 70의 공제율을 적용한다.(2019. 12. 31. 개정, 2020. 12. 29. 개정)(조특법 §97의3 ①)

1) 요건

① 8년 이상 계속 임대한 후 양도하는 경우(2014. 12. 23. 개정)(조특법 §97의3 ① 1호)

거주자가 법 제97조의3 제1항 각 호 외의 부분 단서에 따른 10년 이상 계속하여 임대한 경우와 같은 항 제1호에 따른 8년 이상 계속하여 임대한 경우는 「민간임대주택에 관한 특별법」 제2조 제4호의 공공지원민간임대주택 또는 같은 조 제5호에 따른 장기일반민간임대주택(이하 이 조에서 "장기일반민간임대주택 등"이라 한다)으로 각각 10년 또는 8년 이상 계속하여 등록하고, 그 등록한 기간 동안 통산하여 각각 10년 또는 8년 이상 임대한 경우로 한다. 이 경우 다음 각 호[아래 ⅰ), ⅱ]의 어느 하나에 해당하는 경우에는 다음 각 호의 구분에 따라 등록 및 임대한 기간을 계산한다.(2019. 2. 12. 후단신설, 2020. 2. 11. 개정, 2020. 10. 7. 후단개정)(조특령 §97의3 ②)

ⅰ)「도시 및 주거환경정비법」에 따른 재개발사업·재건축사업, 「빈집 및 소규모주택 정비에 관한 특례법」에 따른 소규모주택정비사업 또는 「주택법」에 따른 리모델링으로 임대할 수 없는 경우: 해당 주택의 관리처분계획 인가일(소규모주택정비사업의 경우에는 사업시행계획 인가일, 리모델링의 경우에는 허가일 또는 사업계획승인일을 말한다) 전 6개월부터 준공일 후 6개월까지의 기간 동안 계속하여 임대한 것으로 보되, 임대기간 계산 시에는 실제 임대기간만 포함한다.(2020. 10. 7. 신설)(조특령 §97의3 ② 1호)

ⅱ) 종전의 「민간임대주택에 관한 특별법」(법률 제17482호 민간임대주택에 관한 특별법 일부개정법률로 개정되기 전의 것을 말한다) 제2조 제5호에 따른 장기일반민간임대주택 중 아파트를 임대하는 민간매입임대주택이 「민간임대주택에 관한 특별법」 제6조 제5항에 따라 등록이 말소되는 경우: 해당 주택은 8년 동안 등록 및 임대한 것으로 본다.(2020. 10. 7. 신설)(조특령 §97의3 ② 2호)

[적용시기] 2020년 8월 18일 이후 「민간임대주택에 관한 특별법」 제6조 제5항에 따라 임대사업자 등록이 말소되는 경우부터 적용한다.

② 대통령령으로 정하는 다음의 요건을 준수하는 경우

(2014. 1. 1. 신설)(조특법 §97의3 ① 2호)

ⅰ) 임대보증금 또는 임대료(이하 이 호에서 "임대료 등"이라 한다)의 증가율이 100분의 5를 초과하지 않을 것. 이 경우 임대료 등의 증액 청구는 임대차계약 또는 약정한 임대료 등의 증액이 있은 후 1년 이내에는 하지 못하고, 임대사업자가 임대료 등의 증액을 청구하면서 임대보증금과 월임대료를 상호 간에 전환하는 경우에는 「민간임대주택에 관한 특별법」 제44조 제4항의 전환 규정을 준용한다.(2016. 2. 5. 개정, 2020. 2. 11. 개정)(조특령 §97의3 ③ 1호)

임대료 증액제한 등에 관한 적용시기는 2020년 2월 11일 이후 전환하는 분부터 적용한다.

ⅱ)「주택법」 제2조 제6호에 따른 국민주택규모 이하의 주택(해당 주택이 다가구주택일

경우에는 가구당 전용면적을 기준으로 한다)일 것(2016. 8. 11. 개정)(조특령 §97의3 ③ 2호)

iii) 장기일반민간임대주택 등의 임대개시일부터 8년 이상 임대할 것(2018. 10. 23. 개정)(조특령 §97의3 ③ 3호)

iv) 장기일반민간임대주택 등 및 이에 부수되는 토지의 기준시가의 합계액이 해당 주택의 임대개시일 당시 6억 원(수도권 밖의 지역인 경우에는 3억 원)을 초과하지 아니할 것 (2018. 10. 23. 신설)(조특령 §97의3 ③ 4호)

| 조특법 제97조의3의 가액요건 |

구 분	2018. 9. 13. 이전 취득분(2018. 9. 13. 이전 매매계약+계약금지급한 경우 포함)	2018. 9. 14. 이후 취득분
임대개시당시 기준시가 6억 (수도권 밖 3억)을 초과하지 아니할 것	가액요건 없음	가액요건 있음

③ 과세특례 적용 신청서 제출

장기일반민간임대주택 등의 장기보유특별공제 적용 특례[제1항]에 따른 과세특례를 적용받으려는 자는 대통령령으로 정하는 바에 따라 주택임대에 관한 사항을 신고하고 과세특례 적용의 신청을 하여야 한다.(2018. 12. 24. 항번개정)(조특법 §97의3 ③)

2) 요건

요 건	특 례
1) 거주자 2) [민특법]에 따른 공공지원민간임대주택 또는 장기일반민간임대주택으로 지자체 및 세무서에 임대사업자등록 3) 2020년 12월 31일까지 임대 등록하는 경우[1] (단, 민간건설임대주택은 '22. 12. 31.까지 임대 등록하는 경우) 4) 전용면적 85㎡ 이하(국민주택규모)다만, 수도권을 제외한 도시지역이 아닌 읍·면 지역은 100㎡ 이하 (해당 주택이 다가구주택일 경우에는 가구당 전용면적을 기준으로 한다)	[장기보유특별공제율 특례] 8년 또는 10년 이상 계속하여 등록하고, 그 등록한 기간 동안 통산하여 각각 8년 또는 10년 이상 임대한 경우 (8년→50%, 10년→70%) * 양도차익 중에서 임대기간 중 발생한 소득에 대해서만 위 장특공제특례를 적용한다.(안분계산)

요 건	특 례
5) 8(10)년 이상 계속등록, 등록기간 동안 통산 8(10)년 이상 임대하는 경우 6) 임대료 등의 증가율이 5%를 초과하지 않은 경우 7) 임대개시일 당시 기준시가 6억 원(수도권 밖의 지역인 경우에는 3억 원)을 초과하지 아니할 것 (2018. 9. 14. 이후 취득분부터 적용)[2]	

1) 2020년 7월 11일 이후 장기일반민간임대주택으로 등록 신청한 아파트 또는 2020년 7월 11일 이후 단기에서 공공지원민간임대주택 또는 장기일반민간임대주택으로 변경 신고한 주택은 제외한다.
2) 다만, 2018년 9월 13일 이전에 매매계약을 체결하고 계약금을 지급한 경우에는 가액요건을 적용하지 않는다.

| 일자로 구분한 조특법 제97조의3 장기보유특별공제 50%(70%) |

구 분	2020. 12. 31. 이전 임대사업자등록분	2021. 1. 1. 이후 임대사업자등록분
조특법 제97조의3(장특공제 50, 70%) 적용 여부	적용가능하다. 단, 아래의 경우에는 적용되지 않는다. 1. 2020년 7월 11일 이후 장기일반민간임대주택으로 등록 신청한 아파트는 제외 2. 2020년 7월 11일 이후 단기에서 공공지원민간임대주택 또는 장기일반민간임대주택으로 변경 신고한 주택은 제외	적용 안됨. (단, 빈산선설임대수택은 2022. 12. 31.까지 임대등록하면 가능)

3) 중복적용배제

장기일반민간임대주택 등의 장기보유특별공제 적용(조특법 §97의3 ①)에 따른 과세특례는 제97조의4에 따른 장기임대주택에 대한 양도소득세의 과세특례(장기보유특별공제 10% 추가공제)와 중복하여 적용하지 아니한다.(2018. 12. 24. 신설)(조특법 §97의3 ②)

4) 임대기간 계산

임대기간의 계산은 다음과 같다.(조특령 §97의4 ②)

임대주택에 대한 임대기간(이하 이 조에서 "주택임대기간"이라 한다)의 계산은 다음 각 호[아래 ①~⑥]에 의한다.(1998. 12. 31. 개정)(조특령 §97 ⑤)

① 주택임대기간의 기산일은 주택의 임대를 개시한 날로 할 것(1998. 12. 31. 개정)(조특령 §97 ⑤ 1호)

이 경우 소득세법에 따른 사업자등록과 「민간임대주택에 관한 특별법」 제5조에 따른 임대사업자등록을 하고 장기일반민간임대주택 등으로 등록하여 임대하는 날부터 임대를 개시한 것으로 본다.(조특령 §97의3 ④)

② 상속인이 상속으로 인하여 피상속인의 임대주택을 취득하여 임대하는 경우에는 피상속인의 주택임대기간을 상속인의 주택임대기간에 합산할 것(1998. 12. 31. 개정)(조특령 §97 ⑤ 3호)

③ 제1호 내지 제3호의 규정을 적용함에 있어서 기존 임차인의 퇴거일부터 다음 임차인의 입주일까지의 기간으로서 3월 이내의 기간은 이를 주택임대기간에 산입할 것(2008. 2. 29. 직제개정)(조특령 §97 ⑤ 5호)

④ 단기임대주택을 장기일반민간임대주택으로 변경하는 경우의 제97조의3 적용
「민간임대주택에 관한 특별법」 제5조 제3항에 따라 같은 법 제2조 제6호의 단기민간임대주택을 장기일반민간임대주택 등으로 변경 신고한 경우에는 같은 법 시행령 제34조 제1항 제3호에 따른 시점[아래 ⅰ), ⅱ)]부터 임대를 개시한 것으로 본다.(2019. 2. 12. 후단개정)(조특령 §97의3 ④). 이 개정 규정은 영시행일인 2019년 2월 12일 이후 변경신고한 분부터 적용한다.

　ⅰ) 단기민간임대주택의 임대의무기간 종료 전에 변경신고한 경우: 해당 단기민간임대주택의 임대개시 시점(민간임대특별법 시행령 §34 ① 3호)

　ⅱ) 단기민간임대주택의 임대의무기간이 종료된 이후 변경신고한 경우: 변경신고의 수리일부터 해당 단기민간임대주택의 임대의무기간을 역산한 날(민간임대특별법 시행령 §34 ① 3호)

| 2019. 2. 12. 이전·후 조특법 제97조의3 적용시 단기에서 장기로 변경할 때 임대기간 인정기준 |

단기에서 장기로 변경신고한 날	
2019. 2. 11. 이전	2019. 2. 12. 이후[1]
기존 단기로 임대한 기간의 50%를 장기임대기간으로 인정(최대 5년 한도)	기존 단기로 임대한 기간 전체를 장기임대기간으로 인정(최대 4년 한도)

1) 2020년 7월 11일 이후부터는 단기임대의 신규 등록 및 장기임대로의 유형 전환불가하다.

⑤ 임대기간 중 발생한 양도차익분에 대해 공제

「소득세법」 제95조 제1항에 따른 장기보유 특별공제액을 계산할 때 법 제97조의3 제1항 본문에 따른 100분의 50의 공제율 또는 같은 항 단서에 따른 100분의 70의 공제율을 적용할 때에는 임대기간 중에 발생한 양도차익에 한정하여 적용하며, 임대기간 중 양도차익은 기준시가를 기준으로 산정한다.(2021. 2. 17. 신설)(조특령 §97의3 ⑤)

[적용시기] 2021년 2월 17일 이후 양도하는 분부터 적용한다.

⑥ 과세특례 신청서 제출

장기일반민간임대주택 등의 장기보유특별공제 적용 특례 규정[조특법 제97조의3 제2항]에 따라 과세특례 적용의 신청을 하려는 자는 해당 장기일반민간임대주택 등의 양도소득 과세표준예정신고 또는 과세표준확정신고와 함께 기획재정부령으로 정하는 과세특례적용신청서를 납세지 관할 세무서장에게 제출하여야 한다. 이 경우 그 절차 등에 관하여는 제97조 제3항·제4항 및 제6항을 준용한다.(2018. 7. 16. 개정, 2021. 2. 17 항번개정)(조특령 §97의3 ⑥)

- - - ●●●●

관련 예규·판례

1. 공동사업자가 1호의 임대주택을 등록한 경우 조특법상 양도세 과세특례 적용이 가능한지 여부

2인 이상이 공동으로 소유하는 주택의 경우 공동 명의로 1호 이상의 주택을 임대등록하고 각각의 공동사업자가 「조세특례제한법」 제97조의3 제1항 각 호의 요건을 모두 충족한 경우 소유한 지분의 양도로 인해 발생하는 양도차익은 「조세특례제한법」 제97조의3에 따른 양도소득세 과세특례가 적용되는 것임. 이에 대해 2020년 9월 기재부는 0.5호도 장특공제 50%, 70% 공제가 가능하다고 재해석을 하였다. 기존 해석대로 감면신청을 안한 경우에도 경정청구가 가능하다.(기획재정부 재산-766, 2020. 9. 3.)

2. 다가구주택의 장기일반민간임대주택 특례 적용

다가구주택을 호(戶)별로 「조세특례제한법」 제97조의3에 따른 장기일반민간임대주택으로 등록한 경우, 「조세특례제한법」 제97조의3의 요건을 충족한 임대가구는 양도소득세의 과세특례가 적용되는 것임.(서면부동산 2020-826, 2020. 4. 17.)

3. 「조세특례제한법」 제97조의3 제1항 제2호 임대료 증액제한 기준의 최초임대료 기산일

「조세특례제한법」 제97조의3 제1항 제2호에 따른 임대료 증액제한 기준이 되는 최초의 계약은 준공공임대주택으로 등록한 후 작성한 표준임대차계약이 되는 것임.
(기획재정부 재산-527, 2018. 6. 18.)

사례설명] A주택
1) 임대계약 기간 2018. 11. 10.~2020. 11. 10.
2) 장기일반민간임대주택 등록일 : 2018. 11. 15.
3) 임대료 증액제한 기준이 되는 최초의 계약은 : 2018. 11. 15. 이후 작성한 표준임대차계약이 된다. 즉, 만기 이후 계약한다면 2020. 11. 11. 작성하는 표준임대차계약이 최초의 계약이 되고, 이 금액을 기준으로 5% 증액제한이 적용된다.

4. 매입임대주택을 장기일반민간임대주택으로 변경 등록한 경우 임대료 증액 제한 기준이 되는 최초의 임대차계약

「(구)임대주택법」에 따른 매입임대주택으로 등록하여 임대차계약에 따라 임대하다 「민간임대주택에 관한 특별법」에 따른 장기일반민간임대주택으로 변경 등록한 경우 「조세특례제한법」제97조의3 제1항 제2호에 따른 임대료증액 제한 기준이 되는 임대차계약은 장기일반민간임대주택으로 등록 당시 존속 중인 표준임대차계약임.(사전법령해석재산 2019-305, 2019. 10. 31.)

5. 임대등록 말소 후에도 계속 임대 시 「조세특례제한법」 제97조의3에 따른 70% 장기보유특별공제율 적용 여부

장기일반민간임대주택 중 아파트를 임대하는 민간매입임대주택이 자동말소되는 경우 해당 주택은 8년 동안 등록 및 임대한 것으로 보아 「조세특례제한법」 제97조의3 제1항 본문에 따른 과세특례를 적용하며, 같은 항 단서는 적용하지 않는 것임.(서면재산 2020-3286, 2021. 5. 11.)

(4) 조특법 제99조의4 농어촌주택 등 취득자에 대한 양도소득세 과세특례

1) 농어촌주택 취득시 2주택 중과세율 적용 배제

1세대가 수도권 내 「주택법」 제63조의2 제1항 제1호에 따른 조정대상지역에 소재하는 2주택(양도하는 시점의 「부동산 가격공시에 관한 법률」에 따른 개별주택가격 및 공동주택가격을 합산한 금액이 6억 원 이하인 경우에 한정한다)만을 소유하는 경우로서 2020년 12월 31일까지 그 중 1주택을 양도하고 양도일이 속하는 달의 말일부터 2개월 내에 농어촌주택 등을 취득하는 경우에는 양도소득세 중과세율 규정[소득법 제104조 제7항]을 적용하지

아니하고, 「소득세법」 제95조 제2항에 따른 장기보유 특별공제액을 공제받을 수 있다.(2018. 12. 24. 신설)(조특법 §99의4 ⑤)

2) 사후관리

제4항에 따른 양도소득세의 특례를 적용받은 1세대가 농어촌주택 등을 3년 이상 보유하지 아니하게 된 경우 또는 제5항에 따른 양도소득세의 특례를 적용받은 1세대가 농어촌주택 등을 3년 이상 보유하지 아니하거나 최초 보유한 기간 3년 중 농어촌주택 등에 2년 이상 거주하지 아니한 경우에는 과세특례를 적용받은 자가 과세특례를 적용받지 아니하였을 경우 납부하였을 세액에 상당하는 세액으로서 대통령령으로 정하는 바에 따라 계산한 세액을 그 보유 또는 거주하지 아니하게 된 날이 속하는 달의 말일부터 2개월 이내에 양도소득세로 납부하여야 한다. 다만, 「공익사업을 위한 토지 등의 취득 및 보상에 관한 법률」에 따른 수용 등 대통령령으로 정하는 부득이한 사유가 있는 경우에는 그러하지 아니하다.(2018. 12. 24. 개정)(조특법 §99의4 ⑥)

3) 내용 요약

농어촌주택 등 취득자에 대한 양도소득세 과세특례 신설(조특법 §99의4)

> **농어촌주택 등 취득시 양도세 중과배제**
>
> ○ 요건
>   ① 수도권 조정대상지역 내 공시가격 합계 6억 원 이하인 2주택 중 1주택 양도
>   ② 양도소득세 예정신고 기간 내에 농어촌주택*, 고향주택** 취득
>   * 기준시가 2억(한옥 4억), 대지면적 660㎡ 이내, 수도권 등외 읍·면 소재 주택
>   ** 기준시가 2억(한옥 4억) 이하, 대지면적 660㎡ 이내 주택, 수도권 등외 인구 20만명 이하 시 지역으로서 10년 이상 거주 지역
> ○ 과세특례
>   ① 조정대상지역 양도소득세 중과세율* 적용 배제
>   * (2주택자) 기본세율(6~42%) + 10%p
>   ② 장기보유특별공제 허용*
>   * 2019. 1. 1부터 3~15년 이상 보유시 6~30% 공제
> ○ 사후관리: 농어촌주택 등을 3년 이상 미보유 또는 최초 보유기간 3년 중 2년 이상 미거주하는 경우 양도소득세 추징
> ○ 적용기한 : 2019. 1. 1.부터 2020. 12. 31까지 양도하는 분에 대해 적용한다.

관련 예규 · 판례

1. 일반주택 1개를 취득한 자가 농어촌주택 2개 취득한 경우 「조세특례제한법」 제99조
   의4 과세특례 적용 여부

   일반주택을 보유한 자가 「조세특례제한법」 제99조의4에 해당하는 농어촌주택을 2
   개 취득하는 경우에는 농어촌주택 등 취득자에 대한 양도소득세 과세특례 적용되
   지 않음.(서면부동산 2018-3283, 2019. 11. 12.)

2. 「조세특례제한법」 제99조의4의 농어촌주택과 일반주택 2채를 보유한 1세대의 일시
   적 2주택 특례 적용 여부

   종전주택을 소유한 1세대가 순차로 「조세특례제한법」 제99조의4에 따른 농어촌주
   택과 신규주책을 취득한 후 「소득세법 시행령」 제155조 제1항의 요건을 구비하여
   양도하는 경우 같은 영 제154조 제1항이 적용될 수 있음.(사전법령해석재산 2021-72,
   2021. 2. 23)

----

❷ 양도소득세율

(1) 개 요

거주자의 양도소득세는 해당 과세기간의 양도소득 과세표준에 다음 각 호의 세율을 적용
하여 계산한 금액(이하 "양도소득 산출세액"이라 한다)을 그 세액으로 한다. 이 경우 하나
의 자산이 다음 각 호에 따른 세율 중 둘 이상에 해당할 때에는 해당 세율을 적용하여 계산
한 양도소득 산출세액 중 큰 것을 그 세액으로 한다.(2016. 12. 20 후단개정)(소득법 §104 ①)

구 분			양도소득세율
토지와 건물 및 부동산에 관한 권리	① 보유기간 2년 이상인 것	주택 및 조합원입주권 등	기본세율 (6~45%)
		분양권	60%
	② 보유기간 1년 이상 2년 미만인 것	주택, 조합원입주권, 분양권	60%
		일반	40%
	③ 보유기간 1년 미만인 것	주택, 조합원입주권, 분양권	70%
		일반	50%

구 분		양도소득세율
토지와 건물 및 부동산에 관한 권리	④ 비사업용토지	기본세율+10%
	⑤ 미등기양도자산	70%
	⑥ 2주택 상태에서 조정대상지역 내 주택 양도 시	기본세율+20%
	⑦ 3주택 상태에서 조정대상지역 내 주택 양도 시	기본세율+30%

1) 2009. 3. 16.부터 2012. 12. 31.까지 취득한 비사업용 토지의 세율

(*주1)에서 2009. 3. 16.부터 2012. 12. 31.까지 취득한 비사업용 토지 또는 비사업용토지 과다소유법인의 주식에 해당하는 자산을 양도함으로써 발생하는 소득에 대해서는 (기본세율+10%)의 세율을 적용하지 않고 기본 세율(그 보유기간이 2년 미만이면 40% 또는 50%)을 적용한다.

2) 2009. 3. 16.~2012. 12. 31. 기간 중 취득한 주택의 다주택 중과세율 적용 여부

2009. 3. 16.~2012. 12. 31. 기간 중 취득한 조정대상지역의 주택을 2018. 4. 1. 이후 양도 시 다주택 중과규정이 적용된다.(서면법령해석재산 2018-940, 2018. 10. 16)

(2) 양도소득 금액 합산에 따른 산출세액 계산

동일한 과세기간에 조정대상지역에 소재한 자산과 그 외 지역 소재 자산 및 비사업용토지 양도 또는 기타자산 등의 양도에 있어 동일한 자산에 2개 이상의 세율이 적용되거나, 동일한 과세기간에 2개 이상의 자산을 양도함으로써 세율이 각각 적용될 때에 산출세액 계산방법은 다음과 같다.

1) 동일한 자산에 2개 이상 세율의 적용 대상인 경우

하나의 자산이 6~45%, 40%, 50%, 36~75%(중과세율, 1세대 3주택 이상), 26~65%(중과세율, 1세대 2주택 이상, 비사업용 토지), 70%(미등기양도자산)의 세율 중 둘 이상에 해당할 때에는 해당 세율을 각각 적용하여 계산한 양도소득 산출세액 중 큰 것을 그 세액으로 한다.

2) 2 이상 양도하는 경우 양도소득 산출세액 계산 방법

해당 과세기간에 토지 또는 건물·부동산에 관한 권리[소득법 제94조 제1항 제1호·제2호] 및 기타자산[제4호]에서 규정한 자산을 둘 이상 양도하는 경우 양도소득 산출세액은 다음 각 호[아래 ①. ②]의 금액 중 큰 것(이 법 또는 다른 조세에 관한 법률에 따른 양도소득세 감면액이 있는 경우에는 해당 감면세액을 차감한 세액이 더 큰 경우의 산출세액을 말한다)으로 한다. 이 경우 제2호[아래 ②]의 금액을 계산할 때 비사업용토지[제1항 제8호(위 제1절 8.)] 및 과점주주 주식 중 부동산 과다보유법인 주식[제9호(위 제1절 9.)]의 자산은 동일한 자산으로 보고, 한 필지의 토지가 제104조의3에 따른 비사업용 토지와 그 외의 토지로 구분되는 경우에는 각각을 별개의 자산으로 보아 양도소득 산출세액을 계산한다.(2019. 12. 31. 개정)(소득법 §104 ⑤)

▶▶ 양도소득산출세액은 다음과 같이 산출한다.

양도소득산출세액 = MAX (①, ②)

① 누진세율 적용 산출세액
해당 과세기간의 양도소득과세표준 합계액에 대하여 일반누진세율(6%~45%) [소득법 제55조 제1항에 따른 세율]을 적용하여 계산한 양도소득 산출세액(2014. 12. 23. 신설)(소득법 §104 ⑤ 1호)

② 자산별 양도소득 산출세액의 합계액
제1항[아래 표1]의 1항]부터 제4항[아래 표1]의 4항]까지 및 제7항[아래 표1]의 7항]의 규정에 따라 계산한 자산별 양도소득 산출세액 합계액. 다만, 둘 이상의 자산에 대하여 제1항 각 호[아래 표1]의 1항 각 호], 제4항 각 호[아래 표1]의 4항 각 호] 및 제7항 각 호[아래 표1]의 7항 각 호]에 따른 세율 중 동일한 호의 세율이 적용되고, 그 적용세율이 둘 이상인 경우 해당 자산에 대해서는 각 자산의 양도소득과세표준을 합산한 것에 대하여 제1항[아래 표1]의 1항]·제4항[아래 표1]의 4항] 또는 제7항[아래 표1]의 7항]의 각 해당 호별 세율을 적용하여 산출한 세액 중에서 큰 산출세액의 합계액으로 한다.(2018. 12. 31 단서신설)(소득법 §104 ⑤ 2호)

▷ 위에서 양도소득세 감면액이 있는 경우에는 해당 감면세액을 차감한 세액이 더 큰 산출세액을 의미한다.

▶▶ 소득세법 제104조 제1항 각 호, 제4항 각 호 및 제7항 각 호에 따른 세율은 다음과 같다.

구분	각 호
1항	1호 : 토지 및 건물, 부동산에 관한 권리, 기타자산(6~45%, 분양권은 60%) 2호 : 토지 및 건물, 부동산에 관한 권리의 단기 양도세율(1년 이상 2년 미만 보유)(일반 40%, 주택·조합원입주권·분양권은 60%) 3호 : 토지 및 건물, 부동산에 관한 권리의 1년 미만 보유(50%, 주택·조합원입주권·분양권은 70%) 4호 : 조정지역 내 분양권(50%)(2021년 5월 31일 이전 양도분에 한해 적용) 8·9호 : 비사업용토지 및 비사업용토지 과다보유법인주식 등(16~55%) 10호 : 미등기자산(70%)
4항	3호 : 지정지역 내 비사업용토지(26~65%)
7항	1호 : 조정지역 2주택(누진세율+20%p) 2호 : 조정지역 1주택+조합원입주권 또는 분양권 1개(누진세율+20%p) 3호 : 조정지역 3주택(누진세율+30%p) 4호 : 조정지역 주택+조합원입주권 또는 분양권의 합이 3 이상(누진세율+30%p)

③ 양도소득세 중과 및 장기보유특별공제 배제 판단 순서

양도소득세 중과 대상과 장기보유특별공제 배제 대상 자산의 판단은 다음과 같다.

먼저 단계별로 판단을 한다. 첫 번째로 양도하는 주택이 양도당시 조정대상지역에 있는지의여부로 중과대상인지 여부와 장기보유특별공제 배제 대상인지 판단한다. 조정대상지역 내 양도가 아니라면 중과세율적용 대상에서 제외된다. 만일 조정대상지역이라면 두 번째로 양도세율적용을 위해 2주택인지, 3주택 이상인지 주택 수를 판단해야 한다. 주택 수에 따라 세율을 확정한 다음에 세 번째로 양도하는 주택이 예외적으로 양도소득세 중과배제(장기보유특별공제)대상인지 판단하여 최종 세액을 계산한다.

| 양도세 중과 판단 순서 |

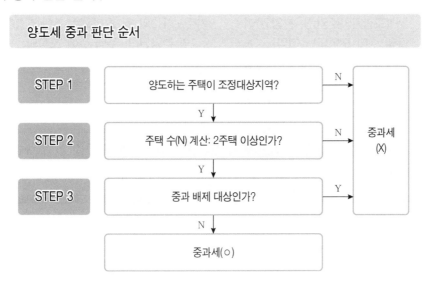

▶▶ 양도소득세 중과 및 장기보유특별공제 배제 판단 순서

(1) 1단계: 양도하는 주택 소재지가 조정대상지역인지?

양도소득세율 중과(10%, 20% 세율가산)와 장기보유특별공제 배제는 양도하는 자산이 조정대상지역 내 소재할 때만 적용된다. 그러므로 조정대상지역 내가 아니라면 중과대상이 되지 않는다. 즉, 비조정대상지역 내에서 양도하는 경우 8. 2부동산 대책 이전과 같이 일반 세율이 적용되고, 장기보유특별공제가 가능하다. 양도하는 자산이 조정대상지역 내에 있는 주택인 경우 다음의 2단계를 적용한다.

(2) 2단계: 중과대상 주택 수 산정(지역기준, 가액기준)

조정대상지역 내 양도세 중과 판단할 때 전국의 모든 주택을 대상으로 다음 표와 같이 주택 수를 계산하여 1세대 2주택인지, 3주택 이상인지 판단한다. 주택이란 실질에 따른 주거용으로 사용하는 건물을 의미한다.(소득령 §167의3 ① 1호)

| 중과대상 주택 수 계산방법 |

모든 주택(조합원입주권 및 분양권)이 주택 수에 포함되는 지역	기준시가 3억 원 초과하는 주택(조합원입주권 및 분양권)만 주택 수에 포함되는 지역
• 수도권(경기도는 읍·면지역 제외) • 광역시(군지역 제외) • 특별자치시(읍·면 지역 제외)	• 모든 광역시의 군지역 • 경기도 읍·면지역 • 기타 지역

　주의할 점은 중과대상 주택 수 판단과 기타 다른 규정에서의 주택 수 판단(예를들어 1세대 1주택 등)은 전혀 별개의 규정이다. 그러므로 각각 개별 규정에 따라 판단하여야 한다. 경우에 따라서는 1세대 1주택 규정을 적용할 때는 주택 수에는 제외되나, 다주택자 중과세 판단할 때는 주택 수에 포함되는 경우도 발생할 수 있다. 해당 법 조항에 주택 수에서 제외된다는 규정이 있는 경우에만 제외가 되고 주택 수에서 제외된다는 명문 규정이 없다면 원칙에 따라 주택 수 산정에 포함한다.

　주택 수 판단이 끝나면 다음 3단계] 양도하는 자산이 예외적으로 중과 배제되는 주택인지 판단한다.

1) 주택 수 계산에 포함되는 조합원입주권

　중과대상 주택 수 산정에 주택뿐 아니라 조합원입주권도 포함하여 계산한다.

　조합원입주권의 3억 원 초과 여부는 「도시 및 주거환경정비법」 제74조 제1항 제5호에 따른 종전 주택의 가격을 말한다.(소득령 §167의4 ②)

2) 중과세 판단시 주택 분양권의 주택 수 포함 여부

분양권 취득일	
2020. 12. 31. 이전	2021. 1. 1. 이후
주택 수 불포함	주택 수 포함

　2021년 1월 1일 이후 양도분부터 2021년 1월 1일 이후 취득한 분양권은 주택 수 산정시 포함한다. 분양권의 가액은 주택에 대한 공급계약서상의 공급가격(선택품목에 대한 가격은 제외한다)을 말한다.

해석사례 등

1. 2020. 12. 31. 이전에 취득한 분양권 지분 일부(1/2)를 배우자에게 증여 시 주택 수 포함 여부

   2020. 12. 31. 이전에 취득한 분양권의 지분을 2021. 1. 1. 이후 동일세대원인 배우자에게 증여하는 경우, 해당 분양권은 주택수에 포함하지 않는 것임.(서면재산 2021 - 918, 2021. 7. 23.)

2. 비거주자가 임대등록이 자동말소된 임대주택 양도시 중과배제 적용 여부 등

   다주택 중과 및 중과배제 규정은 비거주자에게도 거주자와 동일하게 적용되며, 국내원천 부동산 등 양도소득이 있는 비거주자는 장기보유특별공제율 적용시, 소득법 제95조 제2항 [표 2](최대 80%)는 적용하지 아니함.(사전재산 2021-842, 2021. 8. 2.)

(3) 3단계: 양도하는 자산이 중과 배제되는 주택인지 여부 판단

1세대 2주택 이상 소유한 경우 조정대상지역에서 양도하는 주택은 중과대상이다. 예외적으로 법에서 규정한 중과배제 대상인 경우에는 중과 배제한다. 조정대상지역 내 양도하는 주택 중에서 다음과 같이 중과 배제되는 주택인지 여부를 판단한다. 다주택자 중과배제로 규정 되있지 않다면 원칙에 따라 중과대상이 된다.

3주택 중과 배제되는 주택(소득령 §167의3 ① 1호부터 13호까지)

1. 지역기준, 가액기준 충족 주택

   광역시 군지역, 경기도 읍·면지역, 기타 도지역 등 기준 충족하는 지역 소재 양도당시 기준시가 3억 원 이하 주택(소득령 §167의3 ① 1호)

2. 소득세법상 장기임대주택

   소득세법 시행령 제167조의3 제1항 제2호 가, 나, 다, 라, 마, 바, 사목에 해당하는 주택

3. 조특법상 감면대상 장기임대주택

   「조특법」 제97조·제97조의2 및 제98조에 따른 감면대상 장기임대주택으로서 5년 이상 임대한 국민주택(소득령 §167의3 ① 3호)

4. 조특법상 미분양·신축주택 등

「조특법」 제77조, 제98조의2, 제98조의3, 제98조의5부터 제98조의8까지, 제99조, 제99조의2 및 제99조의3에 따라 양도소득세가 감면되는 주택(소득령 §167의3 ① 5호) 조특법 제77조 수용주택으로서 2021년 2월 17일 이후 양도하는 분부터 중과배제 적용한다.

5. 장기사원용 주택

종업원에게 10년 이상 무상으로 제공한 주택(소득령 §167의3 ① 4호)

6. 문화재주택(소득령 §167의3 ① 6호)

7. 상속주택

상속일로부터 5년이 경과하지 아니한 주택(소득령 §167의3 ① 7호)

8. 저당권 등으로 취득한 3년 이내의 주택(소득령 §167의3 ① 8호)

9. 장기어린이집

지방자치단체에서 인가받고 국세청에 고유번호를 부여받은 후 5년 이상 어린이집으로 사용하는 주택(소득령 §167의3 ① 8호의2)

10. 유일한 1주택

상기 1~9 외에 1개의 주택만 소유하고 있는 경우의 해당 주택을 양도하는 경우 등(소득령 §167의3 ① 10호)

11. 조정대상지역 공고일 이전 양도계약 주택

조정대상지역 공고일 이전에 양도 매매계약 체결하고 계약금을 지급한 주택(소득령 §167의3 ① 11호)

12. 2020년 6월 30일까지 양도하는 주택

보유기간이 10년 이상인 주택을 2019년 12월 17일 이후부터 2020년 6월 30일까지 양도하는 경우 그 해당 주택(소득령 §167의3 ① 12호)

13. 1세대 1주택 비과세 주택

제155조(1세대 1주택 특례) 또는 「조세특례제한법」에 따라 1세대가 국내에 1개의 주택을 소유하고 있는 것으로 보거나 1세대 1주택으로 보아 1세대 1주택 비과세규정(§154 ①)이 적용되는 주택으로서 같은 항의 요건을 모두 충족하는 주택(소득령 §167의3 ① 13호) 이는 2021년 2월 17일 이후 양도분부터 적용한다.

2주택 중과 배제되는 주택(소득령 §167의10 ① 1호부터 14호까지)

1. **지역기준, 가액기준 충족 주택**
   광역시 군지역, 경기도 읍·면지역, 기타 도지역 등 기준 충족하는 지역 소재 양도 당시 기준시가 3억 이하 주택(소득령 §167의10 ① 1호)

2. **소득세법상 장기임대주택**
   소득세법 시행령 제167조의3 제1항 제2호 가, 나, 다, 라, 마, 바, 사목에 해당하는 주택

3. **조특법상 감면대상 장기임대주택**
   「조특법」 제97조·제97조의2 및 제98조에 따른 감면대상 장기임대주택으로서 5년 이상 임대한 국민주택(소득령 §167의3 ① 3호)

4. **조특법상 수용주택, 미분양·신축주택 등**
   「조특법」 제77조, 제98조의2, 제98조의3, 제98조의5부터 제98조의8까지, 제99조, 제99조의2 및 제99조의3에 따라 양도소득세가 감면되는 주택(소득령 §167의3 ① 5호) 조특법 제77조 수용주택으로서 2021년 2월 17일 이후 양도하는 분부터 중과배제 적용한다.

5. **장기사원용 주택**
   종업원에게 10년 이상 무상으로 제공한 주택(소득령 §167의3 ① 4호)

6. **문화재주택**(소득령 §167의3 ① 6호)

7. **상속주택**
   상속일로부터 5년이 경과하지 아니한 주택(소득령 §167의3 ① 7호)

8. **저당권 등으로 취득한 주택**
   취득일부터 3년이 경과하지 아니한 주택(소득령 §167의3 ① 8호)

9. **근무 형편 등 사유로 양도하는 주택**
   근무상 형편, 취학, 질병 요양 등의 사유로 1년 이상 거주하고 직장문제, 학업, 치료 문제가 해소된 후 3년 내 양도할 경우(소득령 §167의10 ① 3호)

10. **실수요 목적으로 취득한 수도권 밖의 주택**(소득령 §167의10 ① 4호)

11. **동거봉양 주택**
    합가일로부터 10년이 경과되지 않은 주택(소득령 §167의10 ① 5호)

12. 혼인주택

결혼일 또는 합가일로부터 5년이 경과되지 않은 주택(소득령 §167의10 ① 6호)

13. 소송 진행중이거나 소송으로 취득한 주택

주택의 소유권에 관한 소송이 진행 중이거나 해당 소송결과로 취득한 주택(소송으로 인한 확정판결일부터 3년이 경과하지 아니한 경우에 한정한다)(소득령 §167의10 ① 7호)

14. 장기어린이집

지방자치단체에서 인가 또는 위탁을 받고 국세청에서 고유번호를 부여받은 후 5년 이상 어린이집으로 사용하는 주택(소득령 §167의3 ① 8호의2)

15. 일시적 2주택

신규주택을 취득한 후 3년 이내에 기존주택을 양도할 경우(소득령 §167의10 ① 8호)

16. 소형주택

기준시가 1억 원 이하 주택(정비구역 내 주택 등 제외)(소득령 §167의10 ① 9호)

17. 유일한 1주택

상기 1~14 외에 1개의 주택만 소유하고 있는 경우의 해당 주택을 양도하는 경우 등(소득령 §167의10 ① 10호)

18. 조정대상지역 공고일 이전 양도계약하고 계약금 지급한 주택

조정대상지역 공고일 이전에 양도 매매계약 체결하고 계약금을 지급한 주택(소득령 §167의10 ① 11호)

19. 2020년 6월 30일까지 양도하는 주택

보유기간이 10년 이상인 주택을 2019년 12월 17일 이후부터 2020년 6월 30일까지 양도하는 경우 그 해당 주택(소득령 §167의10 ① 12호)

20. 비과세되는 일반주택

제155조 제2항에 따라 상속받은 주택과 일반주택을 각각 1개씩 소유하고 있는 1세대가 일반주택을 양도하는 경우로서 1세대 1주택 비과세규정(§154 ①)이 적용되고 같은 항의 요건을 모두 충족하는 일반주택(소득령 §167의10 ① 13호) 이는 2021년 2월 17일 이후 양도분부터 적용한다.

21. 비과세되는 거주주택

거주주택 1세대 1주택 비과세 조항(§155 ⑳)에 따른 장기임대주택과 그 밖의 1주택(이하 이 호에서 "거주주택"이라 한다)을 소유하고 있는 1세대가 거주주택을 양도하는 경우로서 1세대 1주택 비과세 조항(§154 ①)이 적용되고 같은 항의 요건을 모두 충족하는 거주주택(소득령 §167의10 ① 14호) 이는 2021년 2월 17일 이후 양도분부터 적용한다.

제5절 ▶ 1세대 3주택 이상의 주택 중과규정

① 1세대 3주택 이상 중과 여부 판정 기준

(1) 3주택 주택 수 계산 및 중과 여부 판단

조정대상지역의 3주택 양도소득세 중과세율 규정[소득법 제104조 제7항 제3호]에서 중과세율이 적용되는 "대통령령으로 정하는 1세대 3주택 이상에 해당하는 주택"이란 국내에 주택을 3개 이상{제1호[아래 1)]에 해당하는 주택은 주택의 수를 계산할 때 산입하지 않는다} 소유하고 있는 1세대가 소유하는 주택으로서 다음 각 호[아래 1)~13)]의 어느 하나에 해당하지 않는 주택을 말한다(2018. 2. 13. 개정, 2020. 2. 11. 개정)(소득령 §167의3 ①)

| 중과대상 주택 판정 흐름도(소득세 집행기준 104 - 167의3 - 1) |

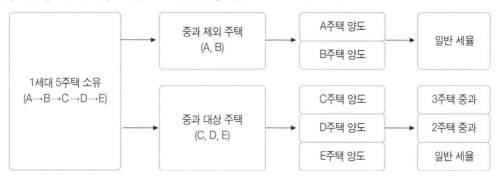

1세대 3주택 중과 배제되고 장기보유특별공제 배제 제외 대상이 되는 주택은 다음과 같다. 이 중에서 아래 1)의 지역기준, 가액기준에 따라 제외되는 주택은 중과대상 주택 수 판단 시에서도 제외되고 중과대상에서도 제외된다. 그 밖의 주택[아래 2)~13)]은 중과세율 적용 여부 판단시 주택 수 산정에는 포함되나 중과배제 등은 적용된다.

제6편 다주택자 관련 규정 종합편

1) 지역기준, 가액기준 주택 수 판단과 중과 제외 판단

(중과세율 적용 판단시 주택 수 계산에서 제외, 중과세율 적용 제외, 장기보유특별공제 대상)

수도권 및 광역시·특별자치시(광역시에 소속된 군, 「지방자치법」 제3조 제3항·제4항에 따른 읍·면 및 「세종특별자치시 설치 등에 관한 특별법」 제6조 제3항에 따른 읍·면에 해당하는 지역을 제외한다) 외의 지역에 소재하는 주택으로서 해당 주택과 이에 부수되는 토지의 기준시가의 합계액이 해당 주택 또는 그 밖의 주택 양도 당시 3억 원을 초과하지 않는 주택(2018. 2. 13. 개정, 2021. 2. 17. 개정)(소득령 §167의3 ① 1호)

① 1세대 3주택 중과대상 주택 수 계산방법(조합원입주권 및 분양권 포함)

양도소득세 다주택자 중과세율 적용 시 주택 수 판단은 다음과 같이 한다.

│ 중과 여부 판정시 주택 수 계산 │

모든 주택(조합원입주권 및 분양권)이 주택 수에 포함되는 지역	기준시가 3억 원 초과하는 주택(조합원입주권 및 분양권 포함)만 주택 수에 포함되는 지역
• 수도권(경기도는 읍·면지역 제외) • 광역시(군지역 제외) • 특별자치시(읍·면 지역 제외)	• 모든 광역시의 군지역 • 경기도 읍·면지역 • 기타 지역

2006. 1. 1. 이후 재개발·재건축사업의 관리처분계획이 인가된 조합원입주권과 2005. 12. 31. 이전에 관리처분계획이 인가된 입주권을 2006. 1. 1. 이후 취득한 경우 주택 수 계산에 포함되며, 조합원입주권의 3억 원 초과 여부는 「도시 및 주거환경정비법」에 따른 종전주택 및 그에 딸린 토지의 평가액(사업시행인가의 고시가 있은 날을 기준으로 한 가격)으로 판단한다.(소득세 집행기준 104-167의4-1)

1세대 3주택 이상 중과대상

1. 수도권 및 광역시·세종시 소재 주택(단, 광역시의 "군" 및 경기도의 "읍·면" 지역, 세종시의 "읍·면" 지역 소재 주택은 제외)
   • 수도권 : 서울, 인천, 경기
   • 광역시 : 부산, 대구, 인천, 광주, 대전, 울산
2. 광역시의 "군" 및 경기도의 "읍·면" 지역, 세종시의 "읍·면" 지역 소재 주택(부

수 토지 포함)의 기준시가가 당해 주택 또는 그 밖의 주택의 양도 당시 3억 원을 초과하는 주택

- 인천시 강화군·옹진군
- 부산시 기장군
- 대구시 달성군
- 울산시 울주군

3. "기타 지역"(수도권 및 광역시·세종시 외 지역)에 소재하는 주택(부수토지 포함)의 기준시가가 당해 주택 또는 그 밖의 주택의 양도 당시 3억 원을 초과하는 주택

주택유형별 주택 수 계산방법

위 양도소득세 중과세율 규정[소득령 제167조의3 제1항]을 적용할 때 주택 수의 계산은 다음[아래 1.~3.] 각 호의 방법에 따른다.(2018. 2. 13. 개정)

1. 다가구주택

「건축법 시행령」 별표 1 제1호 다목에 해당하는 다가구주택은 한 가구가 독립하여 거주할 수 있도록 구획된 부분을 각각 하나의 주택으로 본다. 다만, 거주자가 선택하는 경우에 한하여 해당 다가구주택을 구획된 부분별로 양도하지 아니하고 하나의 매매단위로 하여 양도하는 경우에는 그 전체를 하나의 주택으로 본다.(2015. 2. 3. 개정) (2018. 2. 13. 후단개정) (소득령 §155 ⑮) (소득령 §167의3 ② 1호)

> ❑ 1세대 3주택 주택 수 계산에서 제외되는 기준시가 3억 원 이하 주택 판정시 다가 구주택 적용방법
> 1세대 3주택의 주택 수 계산에서 제외하는 기준시가 3억 원 이하의 수도권 밖 소재 주택 판단 시 다가구주택은 한 가구가 독립하여 거주할 수 있도록 구획된 부분을 하나의 주택으로 보아 계산함.(사전법령해석재산 2018-117, 2019. 1. 30.)

> ❑「건축법 시행령」 별표 1 제1호 다목
> 다가구주택 : 다음의 요건을 모두 갖춘 주택으로 공동주택에 해당하지 아니하는 것
> 1. 주택으로 쓰는 층수(지하층은 제외)가 3개 층 이하일 것
>   다만, 1층의 전부 또는 일부를 필로티 구조로 하여 주차장으로 사용하고 나머지 부분을 주택 외의 용도로 쓰는 경우에는 해당 층을 주택의 층수에서 제외한다.

> 2. 1개 동의 주택으로 쓰이는 바닥면적(부설주차장 면적은 제외한다)의 합계가 660제곱미터 이하일 것
> 3. 19세대(대지 내 동별 세대 수를 합한 세대를 말한다) 이하가 거주할 수 있을 것
>   ① 건축면적 : 건축물의 외벽의 중심선으로 둘러싸인 부분의 수평투영면적으로 한다.
>   ② 층수 : 옥탑은 그 수평투영면적의 합계가 해당 건축물 건축면적(건물의 수평투영면적)의 1/8 이하인 것과 지하층은 건축물의 층수에 산입하지 아니한다.

2. 공동상속주택

상속지분이 가장 큰 상속인의 소유로 하여 주택 수를 계산하되, 상속지분이 가장 큰 자가 2인 이상인 경우에는 제155조 제3항 각 호의 순서[아래 (1),(2)]에 의한 자가 당해 공동상속주택을 소유한 것으로 본다.(2003. 12. 30. 신설)(소득령 §167의3 ② 2호)

(1) 당해 주택에 거주하는 자(1994. 12. 31. 개정)

(2) 최연장자(1994. 12. 31. 개정)

3. 부동산매매업자가 보유하는 재고자산인 주택

주택 수의 계산에 있어서 이를 포함한다.(2003. 12. 30. 신설)(소득령 §167의3 ② 3호)

●●●●

관련 예규 · 판례

공동상속주택의 소수지분을 1세대 3주택 중과세율 적용대상 주택 수에서 제외하여 달라는 청구주장의 당부 등

청구인 ○○○는 소수지분1 주택에 거주하거나 최연장자에 해당하지 아니하므로, 소수지분1을 주택 수에서 제외하여야 할 것이며, 이는 「소득세법 시행령」 제167조의3 제2항의 준용규정에 따라 「소득세법」 제104조 제7항 제1호의 1세대 2주택자에 대한 중과세율의 적용대상 판단시에도 그대로 적용된다 할 것인 바, 청구인들은 쟁점주택과 대체주택을 보유한 일시적 2주택자에 해당하게 되고, 「소득세법 시행령」 제167조의10 제1항 제8호에서 1주택을 소유한 1세대가 그 주택을 양도하기 전에 다른 주택을 취득함으로써 일시적으로 2주택을 소유하게 되는 경우에는 종전주택을 주택 수에서 제외하도록 규정하고 있으므로 1세대 2주택 중과세율 적용대상에 해당하지도 아니한다고 판단됨.(조심 2019서010, 2019. 12. 16.)

관련 예규 · 판례

공동상속주택이 여러 채 있을 때 주택 수 산정(조심 2019서2010, 2019. 12. 16.)

구 분	1세대 1주택 비과세 주택 수 산정시	다주택자 중과 주택 수 산정시
여러 채의 공동상속주택이 있는 경우	법소정 1주택만 상속주택으로 보아 일반주택 양도시 주택으로 보지 아니한다.	상속지분이 가장 큰 자의 주택으로 본다. → 소수지분자의 주택은 주택으로 보지 아니한다.

② 조정대상지역(주택과 그 부수토지, 조합원입주권 포함)과 조정대상지역 배제대상 주택의 범위

종전 규정을 삭제함으로써 3주택에서는 조정대상지역에 소재한 소규모주택에 대한 예외 규정이 없다.

2) 장기임대주택

(중과세율 적용 판단시 주택 수 계산에 포함, 중과세율 적용 제외, 장기보유특별공제 대상)

소득세법 제168조에 따른 사업자등록과 「민간임대주택에 관한 특별법」 제5조에 따른 임대사업자 등록[이하 이 조에서 "사업자등록 등"이라 하고, 2003년 10월 29일(이하 이 조에서 "기존사업자기준일"이라 한다) 현재 「민간임대주택에 관한 특별법」 제5조에 따른 임대사업자등록을 했으나 법 제168조에 따른 사업자등록을 하지 않은 거주자가 2004년 6월 30일까지 같은 조에 따른 사업자등록을 한 때에는 「민간임대주택에 관한 특별법」 제5조에 따른 임대사업자등록일에 법 제168조에 따른 사업자등록을 한 것으로 본다]을 한 거주자가 민간임대주택으로 등록하여 임대하는 다음 각 목[아래 ①~⑦]의 어느 하나에 해당하는 주택(이하 이 조에서 "장기임대주택"이라 한다). 다만, 이 조, 제167조의4, 제167조의10 및 제167조의11을 적용할 때 가목 및 다목부터 마목까지의 규정에 해당하는 장기임대주택(법률 제17482호 민간임대주택에 관한 특별법 일부개정법률 부칙 제5조 제1항이 적용되는 주택으로 한정한다)으로서 「민간임대주택에 관한 특별법」 제6조 제5항에 따라 임대의무기간이 종료한 날 등록이 말소되는 경우에는 임대의무기간이 종료한 날 해당 목에서 정한 임대기간요건을 갖춘 것으로 본다.(2020. 10. 7. 개정)(소득령 §167의3 ① 2호)

가목, 다목, 마목, 바목의 임대료 등 5% 초과 요건은 2019년 2월 12일 이후 주택 임대차 계약을 체결하거나 기존 계약을 갱신하는 분부터 적용한다.

▶▶ [참고] 장기임대주택의 분류

구 분	세분류
장기임대주택(소득령 제167조의3에서 규정한 장기임대주택)	(1) 민간매입임대주택(가목)
	(2) 기존 민간매입임대주택(나목)
	(3) 건설 임대주택(다목)
	(4) 수도권 밖의 "미분양주택"으로서 민간매입임대주택사업자(라목)
	(5) 민간매입임대주택인 공공지원민간임대주택 또는 장기일반민간임대사업자(마목)
	(6) 장기일반민간건설임대주택(바목)

① 민간매입임대주택(2003. 10. 30. 이후 등록)

(중과세율 적용 판단시 주택 수 계산에 포함, 중과세율 적용 제외, 장기보유특별공제 대상)

「민간임대주택에 관한 특별법」 제2조 제3호에 따른 민간매입임대주택을 1호 이상 임대하고 있는 거주자가 5년 이상 임대한 주택으로서 해당 주택 및 이에 부수되는 토지의 기준시가의 합계액이 해당 주택의 임대개시일 당시 6억 원(수도권 밖의 지역인 경우에는 3억 원)을 초과하지 않고 임대보증금 또는 임대료(이하 이 조에서 "임대료 등"이라 한다)의 증가율이 100분의 5를 초과하지 않는 주택(임대료 등의 증액 청구는 임대차계약의 체결 또는 약정한 임대료 등의 증액이 있은 후 1년 이내에는 하지 못하고, 임대사업자가 임대료 등의 증액을 청구하면서 임대보증금과 월임대료를 상호 간에 전환하는 경우에는 「민간임대주택에 관한 특별법」 제44조 제4항의 전환 규정을 준용한다). 다만, 2018년 3월 31일까지 사업자등록 등을 한 주택으로 한정한다.(2019. 2. 12. 개정, 2020. 2. 11. 개정)(소득령 §167의3 ① 2호 가목)

----••••----

민간매입임대주택(가목)

요건: 다음 모두 충족하는 경우

① 거주자

② 2003년 10월 30일 이후 신규

③ 「민특법」 제2조 제3호에 따른 민간매입임대주택

④ 1호 이상 주택

⑤ 임대개시일 당시 기준시가 6억 원(수도권 밖은 3억 원) 이하

⑥ 지자체와 세무서에 주택임대 사업자등록

⑦ 5년 이상 의무임대

⑧ 임대료 등의 증가율이 100분의 5를 초과하지 않는 주택
(5% 요건은 2019. 2. 12. 이후 주택 임대차계약을 체결하거나 기존 계약을 갱신하
는 분부터 적용한다)

⑨ 2018년 3월 31일까지 사업자등록 등을 한 주택으로 한정한다.

⑩ 민특법에 따라 임대기간 종료일에 자동등록말소되는 경우에는 임대의무기간이 종
료한 날 임대기간요건을 갖춘 것으로 본다.(2020. 10. 7. 개정)[1]

⑪ 민특법에 따라 임차인의 동의를 얻어 의무임대기간의 1/2 이상을 임대한 후 임대
기간종료 전 자진말소하는 경우로서 등록말소 이후 1년 이내 양도하는 주택은 의
무임대기간 전 양도라도 다른 요건이 충족되면 양도세 중과세 배제 주택에 해당한
다.(소득령 §167의3 ① 2호 사목)(2020. 10. 7. 신설) 2020년 8월 18일 이후 등록이 말소된
주택부터 적용한다.[1]

1) 아파트장기매입임대주택과 단기매입·건설 임대주택에 한한다.

| 일자기준으로 구분 |

구 분	임대 등록일	
	2018. 3. 31. 이전	2018. 4. 1. 이후
1. 중과배제 2. 장특공제	적용 가능	적용 안됨

② **기존 민간매입임대주택**(2003. 10. 29. 이전 등록)

(중과세율 적용 판단의 주택 수 계산 시 포함, 중과세율 적용 제외, 장기보유특별공제 대상)

기존사업자기준일 이전에 사업자등록 등을 하고 「주택법」 제2조 제6호에 따른 국민주택
규모에 해당하는 「민간임대주택에 관한 특별법」 제2조 제3호에 따른 민간매입임대주택을
2호 이상 임대하고 있는 거주자가 5년 이상 임대한 주택(기존사업자기준일 이전에 임대주
택으로 등록하여 임대하는 것에 한한다)으로서 당해 주택 및 이에 부수되는 토지의 기준시
가의 합계액이 해당 주택의 취득 당시 3억 원을 초과하지 아니하는 주택(2016. 8. 11. 개정)

(소득령 §167의3 ① 2호 나목)

기존 민간매입임대주택(나목)

요건: 다음 모두 충족하는 경우

1. 거주자
2. 2003. 10. 29. 이전 기존 민간매입임대주택(「민간임대주택에 관한 특별법」제2조 제3호에 따른)
3. 2호 이상 임대
4. 국민주택규모 이하
5. 매입임대주택 취득 당시 기준시가 3억 원 이하
6. 지자체와 세무서에 주택 임대사업자등록 조건
7. 5년 이상 의무임대

---

③ 건설임대주택(2004. 1. 1. 이후 등록)

(중과세율 적용 판단시 주택 수 계산에 포함, 중과세율 적용 제외, 장기보유특별공제 대상)

「민간임대주택에 관한 특별법」에 따라 대지면적이 298제곱미터 이하이고 주택의 연면적(제154조 제3항 본문에 따라 주택으로 보는 부분과 주거전용으로 사용되는 지하실부분의 면적을 포함하고, 공동주택의 경우에는 전용면적을 말한다)이 149제곱미터 이하인 건설임대주택을 2호 이상 임대하는 거주자가 5년 이상 임대하거나 분양전환(같은 법에 따라 임대사업자에게 매각하는 경우를 포함한다)하는 주택으로서 해당 주택 및 이에 부수되는 토지의 기준시가의 합계액(「부동산 가격공시에 관한 법률」에 따른 주택가격이 있는 경우에는 그 가격을 말한다)이 해당 주택의 임대개시일 당시 6억 원을 초과하지 않고 임대료 등의 증가율이 100분의 5를 초과하지 않는 주택(임대료 등의 증액 청구는 임대차계약의 체결 또는 약정한 임대료 등의 증액이 있은 후 1년 이내에는 하지 못하고, 임대사업자가 임대료 등의 증액을 청구하면서 임대보증금과 월임대료를 상호 간에 전환하는 경우에는 「민간임대주택에 관한 특별법」제44조 제4항의 전환 규정을 준용한다). 다만, 2018년 3월 31일까지 사업자등록 등을 한 주택으로 한정한다.(2019. 2. 12. 개정, 2020. 2. 11. 개정)(소득령 §167의3 ① 2호 다목)

임대보증금 또는 임대료의 연 증가율이 100분의 5를 초과하지 않는 요건은 이 영 시행(2019. 2. 12.) 이후 주택 임대차계약을 체결하거나 기존 계약을 갱신하는 분부터 적용한다.

건설 임대주택(다목)

요건: 다음 모두 충족하는 경우

① 거주자

② 민특법에 따른 건설임대주택

③ 2호 이상 임대

④ 대지 298㎡ 이하 주택면적 149㎡ 이하

⑤ 임대개시 당시 기준시가 6억 원 이하

⑥ 지자체와 세무서에 주택임대 사업자등록

⑦ 5년 이상 의무임대 후 양도 또는 분양전환

⑧ 임대료 등의 증가율이 100분의 5를 초과하지 않는 주택
  (5% 요건은 2019. 2. 12. 이후 주택 임대차계약을 체결하거나 기존 계약을 갱신하는 분부터 적용한다)

⑨ 2018년 3월 31일까지 사업자등록 등을 한 주택으로 한정한다.

⑩ 민특법에 따라 임대기간 종료일에 자동등록말소되는 경우에는 임대의무기간이 종료한 날 임대기간요건을 갖춘 것으로 본다.(2020. 10. 7. 개정)[1]

⑪ 민특법에 따라 임차인의 동의를 얻어 의무임대기간의 1/2 이상을 임대한 후 임대기간종료 전 자진말소하는 경우로서 등록말소 이후 1년 이내 양도하는 주택은 의무임대기간 전 양도라도 다른 요건이 충족되면 양도세 중과세 배제 주택에 해당한다.(소득령 §167의3 ① 2호 사목)(2020. 10. 7. 신설) 2020년 8월 18일 이후 등록이 말소된 주택부터 적용한다.[1]

  1) 아파트장기매입임대주택과 단기(매입, 건설) 주택에 한한다.

| 일자기준으로 구분 |

구 분	임대 등록일	
	2018. 3. 31. 이전	2018. 4. 1. 이후
1. 중과배제 2. 장특공제	적용 가능	적용 안됨

**④ 2008년 6월 11일부터 2009년 6월 30일까지 취득한 미분양주택으로서 민간매입임대
주택**

(중과세율 적용 판단시 주택 수 계산에 포함, 중과세율 적용 제외, 장기보유특별공제 대상)

「민간임대주택에 관한 특별법」 제2조 제3호에 따른 민간매입임대주택[미분양주택(「주
택법」 제54조에 따른 사업주체가 같은 조에 따라 공급하는 주택으로서 입주자모집공고에
따른 입주자의 계약일이 지난 주택단지에서 2008년 6월 10일까지 분양계약이 체결되지 아
니하여 선착순의 방법으로 공급하는 주택을 말한다)으로서 2008년 6월 11일부터 2009년 6
월 30일까지 최초로 분양계약을 체결하고 계약금을 납부한 주택에 한정한다]으로서 다음
[아래 ⅰ)~ⅶ)]의 요건을 모두 갖춘 주택. 이 경우 해당 주택을 양도하는 거주자는 해당
주택을 양도하는 날이 속하는 과세연도의 과세표준확정신고 또는 과세표준예정신고와 함
께 시장·군수 또는 구청장이 발행한 미분양주택 확인서 사본 및 미분양주택 매입 시의 매
매계약서 사본을 납세지 관할 세무서장에게 제출해야 한다.(2016. 8. 11. 개정, 2020. 10. 7 후단개정)
(소득령 §167의3 ① 2호 라목)

ⅰ) 대지면적이 298제곱미터 이하이고 주택의 연면적(제154조 제3항 본문에 따라 주택으
로 보는 부분과 주거전용으로 사용되는 지하실부분의 면적을 포함하고, 공동주택의
경우에는 전용면적을 말한다)이 149제곱미터 이하일 것[소득령 §167의3 ① 2호 라목 1)]

ⅱ) 5년 이상 임대하는 것일 것[소득령 §167의3 ① 2호 라목 2)]

ⅲ) 취득 당시 해당 주택 및 이에 부수되는 토지의 기준시가의 합계액이 3억 원 이하일
것[소득령 §167의3 ① 2호 라목 3)]

ⅳ) 수도권 밖의 지역에 소재할 것[소득령 §167의3 ① 2호 라목 4)]

ⅴ) 위의 ⅰ)부터 ⅳ)까지의 요건을 모두 갖춘 매입임대주택(이하 이 조에서 "미분양매
입임대주택"이라 한다)이 같은 시·군에서 5호 이상일 것[가목에 따른 매입임대주
택이 5호 이상이거나 나목에 따른 매입임대주택이 2호 이상인 경우에는 가목 또는
나목에 따른 매입임대주택과 미분양매입임대주택을 합산하여 5호 이상일 것(나목에
따른 매입임대주택과 합산하는 경우에는 그 미분양매입임대주택이 같은 시·군에
있는 경우에 한정한다)][소득령 §167의3 ① 2호 라목 5)]

ⅵ) 2020년 7월 11일 이후 종전의 「민간임대주택에 관한 특별법」 제5조에 따른 등록을
신청(임대할 주택을 추가하기 위해 등록사항의 변경 신고를 한 경우를 포함한다)한
같은 법 제2조 제5호에 따른 장기일반민간임대주택 중 아파트를 임대하는 민간매입

임대주택 또는 같은 조 제6호에 따른 단기민간임대주택이 아닐 것(2020. 10. 7. 신설)[소득령 §167의3 ① 2호 라목 6)]

vii) 종전의 「민간임대주택에 관한 특별법」 제5조에 따라 등록을 한 같은 법 제2조 제6호에 따른 단기민간임대주택을 같은 법 제5조 제3항에 따라 2020년 7월 11일 이후 장기일반민간임대주택 등으로 변경 신고한 주택이 아닐 것 (2020. 10. 7. 신설)[소득령 §167의3 ① 2호 라목 7)]

[수도권 밖의 "미분양주택"으로서 민간매입임대주택사업자(라목)]

요건: 다음 모두 충족하는 경우

1. 거주자
2. 「민특법」 제2조 제3호에 따른 민간매입임대주택
3. (2008. 6. 10. 현재 미분양주택) + (2008. 6. 11.~ 2009. 6. 30. 분양계약과 계약금 납부)
4. 수도권 밖의 동일미분양매입임대주택이 같은 시·군에서 5호 이상일 것[1]

   1) 가목에 따른 매입임대주택이 5호 이상이거나 나목에 따른 매입임대주택이 2호 이상인 경우에는 가목 또는 나목에 따른 매입임대주택과 미분양매입임대주택을 합산하여 5호 이상일 것(나목에 따른 매입임대주택과 합산하는 경우에는 그 미분양매입임대주택이 같은 시·군에 있는 경우에 한정한다)

5. 대지 298㎡ 이하 + 주택면적 149㎡ 이하
6. 미분양매입임대주택 취득 당시 기준시가가 3억 원 이하
7. 지자체와 세무서에 주택임대 사업자등록조건
8. 5년 이상 의무임대
9. 시장, 군수 또는 구청장 발행 미분양 확인서 제출
10. 2020년 7월 11일 이후 임대등록 신청한 장기일반민간임대주택 중 아파트 또는 단기민간임대주택이 아닐 것
11. 2020년 7월 11일 이후 단기민간임대에서 장기민간임대주택 등으로 변경 신고한 주택이 아닐 것
12. 민특법에 따라 자동등록말소되는 경우에는 임대기간요건을 갖춘 것으로 본다.[1]
13. 민특법에 따라 임차인의 동의를 얻어 의무임대기간의 1/2 이상을 임대한 후 임대기간종료 전 자진 말소하는 경우로서 등록 말소 이후 1년 이내 양도하는 주택은 의무임대기간 전 양도라도 다른 요건이 충족되면 양도세 중과세 배제 주택에 해당한다.(소득령 §167의3 ① 2호 사목)(2020. 10. 7. 신설)

2020년 8월 18일 이후 등록이 말소된 주택부터 적용한다.[1]

1) 아파트장기매입임대주택과 단기(매입,건설) 주택에 한한다.

⑤ 공공지원민간매입임대주택 또는 장기일반민간매입임대주택

(중과세율 적용 판단시 주택 수 계산에 포함, 중과세율 적용 제외, 장기보유특별공제 대상)

「민간임대주택에 관한 특별법」 제2조 제3호에 따른 민간매입임대주택 중 장기일반민간임대주택 등으로 10년 이상 임대하는 주택으로서 해당 주택 및 이에 부수되는 토지의 기준시가의 합계액이 해당 주택의 임대개시일 당시 6억 원(수도권 밖의 지역인 경우에는 3억원)을 초과하지 않고 임대료 등의 증가율이 100분의 5를 초과하지 않는 주택(임대료 등의 증액 청구는 임대차계약의 체결 또는 약정한 임대료 등의 증액이 있은 후 1년 이내에는 하지 못하고, 임대사업자가 임대료 등의 증액을 청구하면서 임대보증금과 월임대료를 상호간에 전환하는 경우에는 「민간임대주택에 관한 특별법」 제44조 제4항의 전환 규정을 준용한다). 다만, 다음[아래 ⅰ)~ⅲ)]의 어느 하나에 해당하는 주택은 제외한다.(2019. 2. 12. 개정, 2020. 2. 11. 개정, 2020. 10. 7. 개정)(소득령 §167의3 ① 2호 마목)

| 장기일반민간임대주택 등의 의무임대기간(마목) |

구 분	2020년 8월 17일 이전 민특법에 따라 임대등록 신청한 주택	2020년 8월 18일 이후 민특법에 따라 임대등록 신청한 주택
의무임대기간	8년	10년

ⅰ) 1세대가 국내에 1주택 이상을 보유한 상태에서 새로 취득한 조정대상지역에 있는 「민간임대주택에 관한 특별법」 제2조 제5호에 따른 장기일반민간임대주택[조정대상지역의 공고가 있은 날 이전에 주택(주택을 취득할 수 있는 권리를 포함한다)을 취득하거나 주택(주택을 취득할 수 있는 권리를 포함한다)을 취득하기 위해 매매계약을 체결하고 계약금을 지급한 사실이 증빙서류에 의해 확인되는 경우는 제외한다](2020. 10. 7. 신설)[소득령 §167의3 ① 2호 마목 1)]

ⅱ) 2020년 7월 11일 이후 「민간임대주택에 관한 특별법」 제5조에 따른 임대사업자등록 신청(임대할 주택을 추가하기 위해 등록사항의 변경 신고를 한 경우를 포함한다)을 한 종전의 「민간임대주택에 관한 특별법」 제2조 제5호에 따른 장기일반민간임대주택 중 아파트를 임대하는 민간매입임대주택(2020. 10. 7. 신설)[소득령 §167의3 ① 2호 마목 2)]

iii) 종전의 「민간임대주택에 관한 특별법」 제5조에 따라 등록을 한 같은 법 제2조 제6호에 따른 단기민간임대주택을 같은 법 제5조 제3항에 따라 2020년 7월 11일 이후 장기일반 민간임대주택 등으로 변경 신고한 주택(2020. 10. 7. 신설)[소득령 §167의3 ① 2호 마목 3)]

공공지원민간매입임대주택 또는 장기일반민간매입임대주택(마목)

요건: 다음 모두 충족하는 경우

1. 거주자
2. 공공지원민간매입임대주택 또는 장기일반민간매입임대주택
3. 1호 이상 주택
4. 지자체와 세무서에 주택 임대사업자등록조건
5. 임대개시일 당시 기준시가 6억 원(수도권 밖은 3억 원) 이하
6. 10년 이상 의무임대
   (단, 2020년 8월 17일 이전에 민특법에 따라 임대등록신청을 한 주택은 의무임대기간이 8년이다)
7. 임대료 등의 증가율이 100분의 5를 초과하지 않는 주택
   (5% 요건은 2019. 2. 12. 이후 주택 임대차계약을 체결하거나 기존 계약을 갱신하는 분부터 적용한다)
8. 2018. 9. 14. 이후에 1세대가 1주택을 보유한 상태에서 조정대상지역에 새로 취득한 주택은 임대등록을 하여도 마목에 의한 양도세 중과배제 대상에서 제외한다.(단, 2018. 9. 13. 이전에 매매계약 체결하고 계약금 납부한 경우는 제외, 즉 마목에 의한 중과배제 대상이 된다)
9. 2020년 7월 11일 이후 민특법에 따라 임대등록 신청한 아파트 장기일반민간매입임대주택은 제외한다.(2020. 10. 7. 신설)
10. 단기민간임대주택을 2020년 7월 11일 이후 장기일반민간임대주택 등으로 변경 신고한 주택은 제외한다.(2020. 10. 7. 신설)
11. 민특법에 따라 자동 등록말소되는 경우에는 임대기간요건을 갖춘 것으로 본다.(2020. 10. 7. 개정)[1]
12. 민특법에 따라 임차인의 동의를 얻어 의무임대기간의 1/2 이상을 임대한 후 임대기간종료 전 자진 말소하는 경우로서 등록 말소 이후 1년 이내 양도하는 주택은 임대기간요건을 갖춘 것으로 본다.(소득령 §167의3 ① 2호 사목)(2020. 10. 7. 신설)
    2020년 8월 18일 이후 등록이 말소된 주택부터 적용한다.[1]

    1) 아파트장기매입임대주택과 단기(매입, 건설) 주택에 한한다.

| 일자기준으로 구분 |

구 분	취득일	
	2018. 9. 13. 이전	2018. 9. 14. 이후
1. 중과배제 2. 장특공제	적용가능	적용가능[1]
	단, 2020년 7월 11일 이후 임대등록한 아파트 와 단기에서 장기로 변경신고한 주택은 : 적용 안됨	

1) 단, 1주택을 보유한 상태에서 새로이 조정대상지역 내에서 취득한 주택은 적용 안 됨.

관련 예규 · 판례

1. **2018. 9. 13. 이전에 건축허가를 받아 신축한 장기일반민간임대주택의 중과세율 적용 여부**

   2018. 9. 13. 이전에 주택을 신축하는 건축허가를 받아 착공신고를 하고, 2018. 9. 14. 이후에 사용승인 등에 의해 주택을 취득한 경우에는 2018. 9. 13. 이전에 취득하거나 매매계약을 체결하고 계약금을 지급한 것에 해당하니 아니하는 것임.(서면법령해석재산 2020-2883, 2020. 12. 28.)

2. **2018. 9. 14. 이후에 상가건물을 주택으로 용도변경하여 장기일반민간임대주택으로 등록하는 경우 중과세율 적용 여부**

   국내에 1주택 이상을 보유한 상태에서 2018. 9. 13. 이전에 취득하여 보유중인 조정대상지역에 있는 상가건물 중 일부층을 2018. 9. 14. 이후에 주택으로 용도변경하여 장기일반민간임대주택으로 등록하는 경우, 용도변경한 해당주택은 「소득세법 시행령」 제167조의3 제1항 제2호 마목 1)에 따라 중과대상에 해당하는 것임.(서면법령해석재산 2019-4139, 2020. 12. 30.)

---

⑥ 장기일반민간건설임대주택

(중과세율 적용 판단시 주택 수 계산에 포함, 중과세율 적용 제외, 장기보유특별공제 대상)

「민간임대주택에 관한 특별법」 제2조 제2호에 따른 민간건설임대주택 중 장기일반민간임대주택 등으로서 대지면적이 298제곱미터 이하이고 주택의 연면적(제154조 제3항 본문에 따라 주택으로 보는 부분과 주거전용으로 사용되는 지하실부분의 면적을 포함하고, 공동주택의 경우에는 전용면적을 말한다)이 149제곱미터 이하인 건설임대주택을 2호 이상 임대하는 거주자가 10년 이상 임대하거나 분양전환(같은 법에 따라 임대사업자에게 매각하는 경우를 포함한다)하는 주택으로서 해당 주택 및 이에 부수되는 토지의 기준시가의 합계액(「부동산 가격공시에 관한 법률」에 따른 주택가격이 있는 경우에는 그 가격을 말한다)이 해당 주택의 임대개시일 당시 6억 원을 초과하지 않고 임대료 등의 증가율이 100분의 5를 초과하지 않는 주택(임대료 등의 증액 청구는 임대차계약의 체결 또는 약정한 임대료 등의 증액이 있은 후 1년 이내에는 하지 못하고, 임대사업자가 임대료 등의 증액을 청구하면서 임대보증금과 월임대료를 상호 간에 전환하는 경우에는 「민간임대주택에 관한 특별법」 제44조 제4항의 전환 규정을 준용한다). 다만, 종전의 「민간임대주택에 관한 특별법」 제5조에 따라 등록을 한 같은 법 제2조 제6호에 따른 단기민간임대주택을 같은 법 제5조 제3항에 따라 2020년 7월 11일 이후 장기일반민간임대주택 등으로 변경 신고한 주택은 제외한다.(2019. 2. 12. 개정, 2020. 2. 11. 개정, 2020. 10. 7. 개정)(소득령 §167의3 ① 2호 바목)

| 장기일반민간건설임대주택 등의 의무임대기간(바목) |

민특법에 따른 임대등록 신청일	
2020년 8월 17일 이전	2020년 8월 18일 이후
8년	10년

••••

장기일반민간건설임대주택(바목)

요건: 다음 모두 충족하는 경우

1. 거주자
2. 민특법 제2조 제2호에 따른 민간건설임대주택
3. 공공지원민간임대주택 또는 장기일반민간임대주택
4. 대지면적 298㎡ 이하이고 주택의 연면적이 전용 149㎡ 이하
5. 임대개시일 당시 기준시가 6억 원 이하
6. 2호 이상 주택
7. 10년 이상 임대하거나 분양전환하는 주택
8. 지자체와 세무서에 주택 임대사업자등록조건
9. 10년 이상 의무임대(단, 2020년 8월 17일 이전에 민특법에 따라 임대등록신청을 한 주택은 의무임대기간이 8년이다)
10. 임대료 등의 증가율이 100분의 5를 초과하지 않는 주택(5% 요건은 2019. 2. 12.

이후 주택 임대차계약을 체결하거나 기존 계약을 갱신하는 분부터 적용한다)

11. 단기민간임대주택을 2020년 7월 11일 이후 장기일반민간임대주택 등으로 변경 신고한 주택은 제외한다.(2020. 10. 7. 개정)

⑦ 가목 및 다목부터 마목까지의 규정에 따른 장기임대주택(법률 제17482호 민간임대주택에 관한 특별법 일부개정법률 부칙 제5조 제1항이 적용되는 주택으로 한정한다)이 「민간임대주택에 관한 특별법」 제6조 제1항 제11호에 따라 임대사업자의 임대의무기간 내 등록 말소 신청으로 등록이 말소된 경우(같은 법 제43조에 따라 임대의무기간의 2분의 1 이상을 임대한 경우로 한정한다)로서 등록 말소 이후 1년 이내 양도하는 주택. 이 경우 임대기간요건 외에 해당 목의 다른 요건은 갖추어야 한다.(2020. 10. 7. 신설)(소득령 §167의3 ① 2호 사목)

| 양도세 중과배제 적용시 자동말소, 자진말소 규정 |

유형	소득령 제167조의3 제1항 제2호					
	가목	나목	다목	라목	마목	바목
자동말소 (본문)	임대기간요건을 갖춘 것으로 본다.	–	임대기간요건을 갖춘 것으로 본다.			–
자진말소 (사목)	1년 이내 양도시 임대기간요건을 갖춘 것으로 본다.	–	1년 이내 양도시 임대기간요건을 갖춘 것으로 본다.			–
유일한 1주택 중과배제 후 추징 여부	– 자진말소의 경우 추징하지 않는다. – 임대주택이 재개발 등으로 멸실된 후 민특법에 따라 등록 불가한 경우 추징하지 않는다.		– 자진말소의 경우 추징하지 않는다. – 임대주택이 재개발 등으로 멸실된 후 민특법에 따라 등록 불가한 경우 추징하지 않는다.			
적용시기	2020년 8월 18일 이후 말소된 주택부터 적용한다. * 아파트 장기일반민간매입임대주택과 단기임대만 적용한다. * 자진말소의 경우 민특법상 임대의무기간의 2분의 1 이상을 임대한 경우에 한정한다.					

⑧ 관련 해석 및 예규

1. 주택을 타인에게 무상으로 사용하게 하는 경우

거주자가 소유하는 주택을 타인에게 무상으로 사용하게 하는 경우 해당 주택은 「소득세법 시행령」 제167조의3 제1항 제2호의 장기임대주택에 해당하지 아니함.(부동산거래관리-249, 2011. 3. 21.)

2. 재건축공사 기간 임대 기간 포함 여부

임대 기간의 계산은 국민주택을 임대하는 기간에 한하는 것이며, 임대하는 주택이 재건축되는 경우 재건축공사 기간은 임대 기간에 포함하지 아니하는 것임.(서면4팀-1361, 2005. 8. 1.)

3. 임대주택을 재차 상속받아 임대한 경우 임대 기간 계산

「조세특례제한법」 제97조에 따른 장기임대주택에 대한 양도소득세 감면을 적용함에 있어 2회 이상 상속이 이루어진 임대주택의 임대 기간 계산은 직전 피상속인의 임대 기간만을 합산하는 것이며, 이 경우 직전 피상속인이 임대하는 날부터 임대를 개시한 것으로 봄.(부동산거래관리-374, 2010. 3. 12.)

4. 고시원(일반건물)을 원룸형주택(공동주택)으로 사용한 경우

처분청은 양도소득세 조사결과에 따라 이 건 건물 중 2~4층의 실제 사용용도가 고시원(일반건물)이 아니라 원룸형주택(공동주택)임을 확인하고 그 부분에 대해 기본세율 및 장기보유특별공제를 배제하여 양도소득세를 과세한 것인바 처분청에서 청구인들에게 양도소득세를 과세한 처분은 달리 잘못이 없는 것으로 판단됨.(조심 2019서4094, 2019. 12. 20.)

5. 조정대상지역 공고 전 재건축사업 관련 청산금에 대한 계약금을 수령한 경우 중과세율 적용 여부

재건축사업 조합원이 조정대상지역 지정 전 청산금 지급에 관한 계약을 체결하고 계약금 수령 시 청산금 양도소득은 중과 배제됨.(사전법령해석재산 2019-148, 2019. 6. 27.)

6. 주택재개발사업에 따라 지급받는 청산금에 대한 다주택 중과 여부 판정시 주택 수 계산 기준일

주택재개발사업에 따른 청산금에 대한 다주택 중과 여부의 판정은 양도일 현재 주택 및 조합원입주권 보유현황에 따름.(사전법령해석재산 2019-164, 2019. 7. 16)

7. 장기임대주택이 양도일 현재 공실인 경우 중과세율 적용배제 가능 여부

소득령 제167조의3 제1항 제2호의 장기임대주택이 임대기간 요건을 충족한 이후 양도하는 경우로서 잔금청산일 현재 잠시 공실이더라도 임대 이외의 목적으로 사용한 것이 아닌 경우 중과세율 적용 배제(사전재산 2021-699, 2021. 7. 8.)

3) 조특법상 감면대상 장기임대주택

(중과세율 적용 판단시 주택 수 계산에 포함, 중과세율 적용 제외, 장기보유특별공제 대상)

다음의 「조세특례제한법」 제97조·제97조의2 및 제98조에 따라 양도소득세가 감면되는 임대주택으로서 5년 이상 임대한 국민주택(이하 이 조에서 "감면대상 장기임대주택"이라 한다)(2018. 2. 13. 개정)(소득령 §167의3 ① 3호)

조특법상 감면대상 장기임대주택

1. 조특법 제97조 【장기임대주택에 대한 양도소득세의 감면】
   장기임대주택에 대한 양도소득세의 감면규정으로 1986. 1. 1.~2000. 12. 31. 신축된 국민주택규모 이하의 5호 이상을 5년 이상 임대주택

2. 조특법 제97조의2 【신축임대주택에 대한 양도소득세의 감면 특례】
   신축임대주택에 대한 양도소득세의 감면규정으로 1999. 8. 20.~2001. 12. 31. 신축된 국민주택규모 이하의 신축주택 1호를 포함하여 2호 이상을 5년 이상 임대한 주택

3. 조특법 제98조 【미분양주택에 대한 과세특례】
   미분양주택에 대한 과세특례 규정으로 미분양국민주택 규모 이하의 주택을 1995. 11. 1.~1997. 12. 31.에 취득하여 5년 이상 임대한 주택

---

4) 장기 사원용 주택

(중과세율 적용 판단시 주택 수 계산에 포함, 중과세율 적용 제외, 장기보유특별공제 대상)

종업원(사용자의 「국세기본법 시행령」 제1조의2 제1항에 따른 특수관계인을 제외한다)에게 무상으로 제공하는 사용자 소유의 주택으로서 당해 무상제공 기간이 10년 이상인 주택(2012. 2. 2. 개정)(소득령 §167의3 ① 4호)

5) 감면대상 수용주택, 미분양주택 및 신축주택 등

(중과세율 적용 판단시 주택 수 계산에 포함, 중과세율 적용 제외, 장기보유특별공제 대상)

다음의 「조세특례제한법」 제77조, 제98조의2, 제98조의3, 제98조의5부터 제98조의8까지, 제99조, 제99조의2 및 제99조의3에 따라 양도소득세가 감면되는 주택(2018. 2. 13. 개정, 2021. 2. 17. 개정)(소득령 §167의3 ① 5호)

조특법 제77조에 따른 공익사업용토지 등에 대한 다주택자 중과세 제외 규정은 2021년 2월 17일 이후 양도하는 분부터 적용한다.

• • • •

감면대상 미분양주택 및 신축주택 등

1. [조세특례제한법] 제77조【공익사업용토지 등에 대한 양도소득세의 감면】

   다음 각 호[아래 (1)~(3)]의 어느 하나에 해당하는 소득으로서 사업인정고시일로부터 소급하여 2년 이전에 취득한 토지 등을 2023년 12월 31일 이전에 양도함으로써 발생하는 소득에 대해서는 양도소득세를 감면하고 감면대상이 되는 주택은 다주택자 중과대상에서 제외한다.(조특법 §77 ①)

   조특법 제77조 수용주택의 다주택자 중과배제는 2021년 2월 17일 이후 양도하는 분부터 적용한다.

   (1) 「공익사업을 위한 토지 등의 취득 및 보상에 관한 법률」이 적용되는 공익사업에 필요한 토지 등을 그 공익사업의 시행자에게 양도함으로써 발생하는 소득 (2010. 1. 1. 개정)(조특법 §77 ① 1호)

   (2) 「도시 및 주거환경정비법」에 따른 정비구역(정비기반시설을 수반하지 아니하는 정비구역은 제외한다)의 토지 등을 같은 법에 따른 사업시행자에게 양도함으로써 발생하는 소득(2010. 1. 1. 개정)(조특법 §77 ① 2호)

   (3) 「공익사업을 위한 토지 등의 취득 및 보상에 관한 법률」이나 그 밖의 법률에 따른 토지 등의 수용으로 인하여 발생하는 소득(2010. 1. 1. 개정)(조특법 §77 ① 3호)

2. [조세특례제한법] 제98조의2【지방 미분양주택】

   지방 미분양주택 취득에 대한 양도소득세 등 과세특례 규정으로 거주자가 2008. 11. 3.~2010. 12. 31. 취득한 수도권 밖에 소재한 미분양주택에 대한 최고 80%의 장기보유특별공제율 적용하고, 보유기간에 무관하게 일반누진세율 적용 대상인 주택

3. [조세특례제한법] 제98조의3 【서울시 밖의 미분양주택】

분양주택의 취득자에 대한 양도소득세의 과세특례 규정으로 거주자 및 비거주자가 서울특별시 밖에 소재한 미분양주택을 2009. 2. 12.~2010. 2. 11.(비거주자는 2009. 3. 6.~2010. 2. 11.)에 매매계약 체결하고 취득한 주택에 대한 100% 세액감면 대상인 주택

4. [조세특례제한법] 제98조의5 【수도권 밖의 미분양주택】

수도권 밖의 지역에 있는 미분양주택의 취득자에 대한 양도소득세의 과세특례 규정으로 거주자 및 비거주자가 2010. 2. 11. 현재 수도권 밖의 지역에 있는 미분양주택을 2011. 4. 30.까지 매매계약을 체결하고 취득하여 그 취득일부터 5년 이내에 양도함으로써 발생하는 소득에 대하여는 분양가격 인하율에 따른 감면율을 곱하여 계산한 세액의 감면대상인 주택

5. [조세특례제한법] 제98조의6 【준공 후 미분양주택】

준공 후 미분양주택의 취득자에 대한 양도소득세의 과세특례 규정으로 거주자 및 비거주자가 준공 후 미분양주택을 사업 주체 등과 최초로 매매계약을 체결하여 취득하고 5년 이상 임대한 감면대상 주택

6. [조세특례제한법] 제98조의7 【미분양주택】

미분양주택의 취득자에 대한 양도소득세의 과세특례 규정으로 내국인이 준공 후 미분양주택을 사업 주체 등과 최초로 매매계약을 체결하여 취득하고 5년 이상 임대한 감면대상 주택

7. [조세특례제한법 제98조의8 【준공 후 미분양주택】

준공 후 미분양주택의 취득자에 대한 양도소득세 과세특례 규정으로 취득 당시 취득가액이 6억 원 이하이고 주택의 연면적(공동주택의 경우에는 전용면적)이 135㎡ 이하인 주택을 2015. 1. 1.부터 2015. 12. 31.까지 최초로 매매계약을 체결하고 5년 이상 임대한 주택을 양도하는 경우에는 해당 주택의 취득일부터 5년간 발생하는 양도소득금액의 100분의 50에 상당하는 금액이 공제대상인 주택

8. [조세특례제한법] 제99조 【신축주택】

신축주택의 취득자에 대한 양도소득세의 감면규정으로 거주자가 1998. 5. 22.부터 1999. 6. 30.까지(국민주택규모 이하인 경우에는 1999. 12. 31.)의 신축주택 취득 기간에 신축된 주택에 대한 감면대상인 주택

9. [조세특례제한법] 제99조의2 【신축·미분양주택】

신축주택 등 취득자에 대한 양도소득세의 과세특례 규정으로 거주자 및 비거주자

가 신축주택, 미분양주택, 1세대 1주택자의 주택으로서 취득가액이 6억 원 이하이 거나 주택의 연면적(공동주택의 경우에는 전용면적)이 85㎡ 이하인 주택을 2013. 4. 1.부터 2013. 12. 31.까지 매매계약을 체결하여 그 계약에 따라 취득하여 5년 이 내에 양도함으로써 발생하는 양도소득에 대하여는 양도소득세의 100% 감면대상인 주택

10. [조세특례제한법] 제99조의3 【신축감면 주택】
신축주택의 취득자에 대한 양도소득세의 감면규정으로 거주자가 2001. 5. 23.부터 2002. 12. 31.까지의 신축주택취득 기간에 신축된 주택에 대한 감면대상인 주택

6) 문화재 주택

(중과세율 적용 판단시 주택 수 계산에 포함, 중과세율 적용 제외, 장기보유특별공제 대상)

문화재보호법 제2조 제2항에 의한 지정문화재 또는 동법 제53조 제1항에 의한 국가등록 문화재로 지정 또는 등록된 주택(2018. 2. 13. 개정)(소득령 §167의3 ① 6호)

7) 법소정 1상속주택

(중과세율 적용 판단시 주택 수 계산에 포함, 중과세율 적용 제외, 장기보유특별공제 대상)

상속주택과 일반주택이 있는 경우 1세대 1주택 비과세특례[소득령 제155조 제2항] 규정 의 상속주택(법 소정 상속 1주택)으로서 상속받은 날부터 5년이 경과하지 아니한 주택에 한정한다.(소득령 §167의3 ① 7호)

1세대 1주택에서 규정한 상속주택과 같은 내용이다.

이 조항을 적용하는 상속주택(소득령 §155 ②)

이 조항을 적용하는 상속주택이란 다음을 말한다.
1. 상속받은 주택 및 법 소정 조합원입주권 또는 분양권을 상속받아 사업시행 완료 후 취득한 신축주택을 포함한다. 분양권은 2021. 1. 1. 이후 취득한 분양권부터 적용 한다.

2. 피상속인이 상속개시 당시 2 이상의 주택(상속받은 1주택이 「도시 및 주거환경정

비법」에 따른 재개발사업(이하 "재개발사업"이라 한다), 재건축사업(이하 "재건축
사업"이라 한다) 또는 「빈집 및 소규모주택 정비에 관한 특례법」에 따른 소규모재
건축사업, 소규모재개발사업, 가로주택정비사업, 자율주택정비사업(이하 "소규모재
건축사업등"이라 한다)의 시행으로 2 이상의 주택이 된 경우를 포함한다)을 소유
한 경우에는 다음 각 호의 순위에 따른 1주택을 말한다.(소득령 §155 ②)

1) 피상속인이 소유한 기간이 가장 긴 1주택

2) 피상속인이 소유한 기간이 같은 주택이 2 이상일 경우에는 피상속인이 거주한
   기간이 가장 긴 1주택

3) 피상속인이 소유한 기간 및 거주한 기간이 모두 같은 주택이 2 이상일 경우에는
   피상속인이 상속개시당시 거주한 1주택

4) 피상속인이 거주한 사실이 없는 주택으로서 소유한 기간이 같은 주택이 2 이상
   일 경우에는 기준시가가 가장 높은 1주택(기준시가가 같은 경우에는 상속인이
   선택하는 1주택)

3. 상속개시당시 동일세대원인 상태에서 상속받은 주택은 이 조항을 적용하는 상속주
택이 아니다. 상속개시당시 동일세대원인 상태에서 상속받은 주택은 이규정을 적용
하는 상속주택으로 보지 아니한다. 다만, 다음의 경우에는 동일세대원으로서 상속
받은 경우에도 이 규정을 적용하는 상속받은 주택에 해당한다.

1) 동일세대원인 상태에서 상속받았을지라도 상속받은 주택으로 보는 경우
   상속인과 피상속인이 상속개시 당시 1세대인 경우에는 1주택을 보유하고 1세대를
   구성하는 자가 직계존속(배우자의 직계존속을 포함하며, 세대를 합친 날 현재 직
   계존속 중 어느 한 사람 또는 모두가 60세 이상으로서 1주택을 보유하고 있는 경
   우만 해당한다)을 동거봉양하기 위하여 세대를 합침에 따라 2주택을 보유하게 되
   는 경우로서 합치기 이전부터 보유하고 있었던 주택만 상속받은 주택으로 본다.

8) 저당권 등으로 취득한 주택

(중과세율 적용 판단시 주택 수 계산에 포함, 중과세율 적용 제외, 장기보유특별공제 대상)

저당권의 실행으로 인하여 취득하거나 채권변제를 대신하여 취득한 주택으로서 취득일
부터 3년이 경과하지 아니한 주택(2005. 2. 9. 개정)(소득령 §167의3 ① 8호)

9) 장기어린이집

(중과세율 적용 판단시 주택 수 계산에 포함, 중과세율 적용 제외, 장기보유특별공제 대상)

다음 각 목[아래 ①, ②]의 어느 하나에 해당하는 주택으로서 1세대의 구성원이 해당 목에 규정된 인가 또는 위탁을 받고 법 제168조에 따른 고유번호를 부여받은 후 5년 이상(이하 이 조에서 "의무사용기간"이라 한다) 어린이집으로 사용하고 어린이집으로 사용하지 않게 된 날부터 6개월이 경과하지 않은 주택. 이 경우 해당 주택이 가목에서 나목으로 또는 나목에서 가목으로 전환된 경우에는 의무사용기간을 적용할 때 각각의 사용기간을 합산한다.(2018. 2. 13. 개정, 2022. 2. 15. 개정)(소득령 §167의3 ① 8호의2)

① 「영유아보육법」 제13조 제1항에 따른 인가를 받아 운영하는 어린이집(2022. 2. 15. 개정) (소득령 §167의3 ① 8호의2 가목)

② 「영유아보육법」 제24조 제2항에 따라 국가 또는 지방자치단체로부터 위탁받아 운영하는 어린이집(2022. 2. 15. 개정)(소득령 §167의3 ① 8호의2 나목)

장기어린이집

장기어린이집의 요건은 다음과 같다.
1. 1세대의 구성원이 관할 지자체의 인가 또는 위탁을 받고 세무서에서 고유번호 부여받음
2. 고유번호 부여받은 후 5년 이상 의무사용
3. 어린이집으로 사용하지 아니하게 된 날부터 6개월 이내 양도한 주택

---

10) 일반주택

(중과세율 적용 판단시 주택 수 계산에 포함, 중과세율 적용 제외, 장기보유특별공제 대상)

① 유일한 일반주택 중과배제 규정

1세대가 소득령 제167조의3 제1항 제1호부터 제8호까지 및 제8호의2[위의 1)~9)]에 해당하는 주택을 제외하고 1개의 주택만을 소유하고 있는 경우에 해당 주택(이하 이 조에서 "일반주택"이라 한다)(2018. 2. 13. 개정)(소득령 §167의3 ① 10호)

② 의무임대기간 충족 전 일반주택 양도의 경우

1세대가 장기임대주택 등(소득령 §167의3 ① 2호 가목~바목), 장기사원용주택(소득령 §167의3

① 4호) 또는 장기어린이집(소득령 §167의3 ① 8호의2)의 규정에 의할 때 의무임대기간(사용기간)을 채우기 전에 유일한 일반주택을 양도하는 경우 중과배제가 적용된다.(소득령 §167의3 ④, ⑤ 1호, 2호)

단, 양도 후에 의무임대기간을 충족해야 한다.

③ 의무임대기간 미충족시 추징

의무임대기간 충전하기 전에 양도한 유일한 1주택[제4항{위 10) ②}]으로서 중과세율배제를 적용받은 1세대가 장기임대주택 등의 의무임대기간 등의 요건을 충족하지 못하게 되는 사유(제1항 제2호 각 목 및 같은 항 제3호에 따른 임대의무호수를 임대하지 않은 기간이 6개월을 지난 경우를 포함한다)가 발생한 때에는 그 사유가 발생한 날이 속하는 달의 말일부터 2개월 이내에 제1호의 계산식에 따라 계산한 금액을 양도소득세로 신고·납부해야 한다. 이 경우 제2호[아래 ⅱ)]의 의무임대기간 등 산정특례에 해당하는 경우에는 해당 규정에 따른다.(2013. 2. 15. 개정, 2020. 2. 11. 개정)(소득령 §167의3 ⑤)

ⅰ) 납부할 양도소득세 계산식(2012. 2. 2. 개정)

일반주택 양도 당시 해당 임대주택 등을 제1항 제2호부터 제4호까지 및 제8호의2에 따른 장기임대주택 등으로 보지 아니할 경우에 법 제104조에 따른 세율에 따라 납부하였을 세액 – 일반주택 양도 당시 제4항을 적용받아 법 제104조에 따른 세율에 따라 납부한 세액(소득령 §167의3 ⑤ 1호)

ⅱ) 의무임대기간 등 산정특례(2012. 2. 2. 개정)

가. 「공익사업을 위한 토지 등의 취득 및 보상에 관한 법률」에 따른 수용 등 기획재정부령으로 정하는 부득이한 사유로 해당 의무임대기간 등의 요건을 충족하지 못하게 되거나 임대의무호수를 임대하지 아니하게 된 때에는 해당 임대주택 등을 계속 임대·사용하거나 무상으로 사용하는 것으로 본다.(2012. 2. 2. 개정)(소득령 §167의3 ⑤ 2호 가목)

나. 재개발사업, 재건축사업 또는 소규모재건축사업 등의 사유가 있는 경우에는 임대의무호수를 임대하지 아니한 기간을 계산할 때 해당 주택의 관리처분계획 등 인가일 전 6개월부터 준공일 후 6개월까지의 기간은 포함하지 않는다.(2018. 2. 9. 개정, 2022. 2. 15. 개정)(소득령 §167의3 ⑤ 2호 나목)

다. 「주택법」 제2조에 따른 리모델링 사유가 있는 경우에는 임대의무호수를 임대하지 않은 기간을 계산할 때 해당 주택이 같은 법 제15조에 따른 사업계획의 승인일 또는 같은 법 제66조에 따른 리모델링의 허가일 전 6개월부터 준공일 후 6개월까지의 기간은 포함하지 않는다.(2020. 2. 11. 신설)(소득령 §167의3 ⑤ 2호 다목)

라. 제1항 제2호 가목 및 다목부터 마목까지의 규정에 따른 장기임대주택(법률 제17482호 민간임대주택에 관한 특별법 일부개정법률 부칙 제5조 제1항이 적용되는 주택으로 한정한다)이 「민간임대주택에 관한 특별법」 제6조 제1항 제11호에 따라 임대사업자의 임대의무기간 내 등록말소 신청으로 등록이 말소된 경우(같은 법 제43조에 따른 임대의무기간의 2분의 1 이상을 임대한 경우에 한정한다)로서 해당 목에서 정한 임대기간요건을 갖추지 못하게 된 때에는 그 등록이 말소된 날에 해당 임대기간요건을 갖춘 것으로 본다.(2020. 10. 7. 신설)(소득령 §167의3 ⑤ 2호 라목)

마. 재개발사업, 재건축사업 또는 소규모재건축사업 등으로 임대 중이던 당초의 장기임대주택이 멸실되어 새로 취득하거나 「주택법」 제2조에 따른 리모델링으로 새로 취득한 주택이 다음의 어느 하나의 경우에 해당하여 해당 임대기간요건을 갖추지 못하게 된 때에는 당초 주택(재건축 등으로 새로 취득하기 전의 주택을 말하며, 이하 이 목에서 같다)에 대한 등록이 말소된 날 해당 임대기간요건을 갖춘 것으로 본다. 다만, 임대의무호수를 임대하지 않은 기간(이 항 각 호 외의 부분에 따라 계산한 기간을 말한다)이 6개월을 지난 경우는 임대기간요건을 갖춘 것으로 보지 않는다.(2020. 10. 7. 신설, 2022. 2. 15. 개정)(소득령 §167의3 ⑤ 2호 마목)

가) 새로 취득한 주택에 대해 2020년 7월 11일 이후 종전의 「민간임대주택에 관한 특별법」 제2조 제5호에 따른 장기일반민간임대주택 중 아파트를 임대하는 민간매입임대주택이나 같은 조 제6호에 따른 단기민간임대주택으로 종전의 「민간임대주택에 관한 특별법」 제5조에 따른 임대사업자등록 신청(임대할 주택을 추가하기 위해 등록사항의 변경 신고를 한 경우를 포함한다. 이하 이 목에서 같다)을 한 경우

나) 새로 취득한 주택이 아파트(당초 주택이 단기민간임대주택으로 등록되어 있었던 경우에는 모든 주택을 말한다)인 경우로서 「민간임대주택에 관한 특별법」 제5조에 따른 임대사업자등록 신청을 하지 않은 경우

▶▶ 사례] 장기임대주택 2개, 읍·면지역 소재기준시가 3억 원 이하 주택 2개 보유 시 세율

지정지역 주택 양도 시 중과대상 해당 여부 등

장기임대주택 2개(A, B)와 경기도 읍·면 지역 소재 기준시가 3억 원 이하 주택 2개 (C, D) 및 조정대상지역 주택(E)을 보유한 1세대가 조정대상지역 양도 시 소득령 제 167조의3 제1항 제10호에 따른 일반주택에 해당하는 경우에는 양도소득세 일반세율 적용 대상에 해당함.(사전재산 2018-19, 2018. 5. 1.)

---

④ 유일한 1주택 외 장기임대주택을 자진말소하는 경우 등

ⅰ) 장기임대주택의 자진말소의 경우

제167조의3 제1항 제2호 가목 및 다목부터 마목까지의 규정에 따른 장기임대주택이 민특법에 따라 세입자의 동의를 얻어 임대의무기간 내 등록말소 신청으로 등록이 말소된 경우(임대의무기간의 2분의 1 이상을 임대한 경우에 한정한다)에는 그 등록이 말소된 날에 해당 임대기간요건을 갖춘 것으로 본다.(2020. 10. 7. 신설)(§167의3 ⑤ 2호 라목) 이는 2020년 8월 18일 이후부터 등록이 말소된 후 일반주택을 양도한 분부터 적용한다.

ⅱ) 재개발, 재건축 등의 경우

재개발·재건축사업 또는 소규모재건축사업으로 임대 중이던 당초의 장기임대주택이 멸실되어 새로 취득하거나 「주택법」에 따른 리모델링으로 새로 취득한 주택이 다음의 어느 하나의 경우에 해당하여 해당 임대기간요건을 갖추지 못하게 된 때에는 당초 주택(재건축 등으로 새로 취득하기 전의 주택을 말하며, 이하 이 목에서 같다)에 대한 등록이 말소된 날 해당 임대기간요건을 갖춘 것으로 본다. 다만, 임대의무호수를 임대하지 않은 기간이 6개월을 지난 경우는 임대기간요건을 갖춘 것으로 보지 않는다.(2020. 10. 7. 신설)(§167의3 ⑤ 2호 마목)

    가. 새로 취득한 주택에 대해 2020년 7월 11일 이후 아파트 장기일반민간매입임대주택 또는 단기민간임대주택으로 임대사업자등록 신청을 한 경우

    나. 새로 취득한 주택이 아파트(당초 주택이 단기민간임대주택으로 등록되어 있었던 경우에는 모든 주택을 말한다)인 경우로서 「민특법」 제5조에 따른 임대사업자등록 신청을 하지 않은 경우

| 유일한 1주택 중과배제 후 자동말소 및 자진말소 규정(소득령 §167의3 ⑤) |

유형	소득령 제167조의3 제1항 제2호					
	가목	나목	다목	라목	마목	바목
유일한 1주택 중과배제 후 추징 여부	− 자진말소의 경우 추징하지 않는다. − 임대주택이 재개발 등으로 멸실된 후 민특법에 따라 등록 불가한 경우 추징하지 않는다.		− 자진말소의 경우 추징하지 않는다. − 임대주택이 재개발 등으로 멸실된 후 민특법에 따라 등록 불가한 경우 추징하지 않는다.			
적용시기	2020년 8월 18일 이후 말소된 주택부터 적용한다. * 아파트 장기일반민간매입임대주택과 단기임대주택만 적용한다. * 자진말소의 경우 민특법상 임대의무기간의 2분의 1 이상을 임대한 경우에 한정한다.					

11) 조정대상지역 공고 이전에 양도 매매계약한 주택

(중과세율 적용 판단시 주택 수 계산에 포함, 중과세율 적용 제외, 장기보유특별공제 대상)

조정대상지역의 공고가 있은 날 이전에 해당 지역의 주택을 양도하기 위하여 매매계약을 체결하고 계약금을 지급받은 사실이 증빙서류에 의하여 확인되는 주택(2018. 10. 23. 신설)(소득령 §167의3 ① 11호)

[적용시기] 2018년 8월 28일 이후에 양도하는 분부터 적용한다.

12) 보유기간이 10년 이상인 주택을 2019년 12월 17일부터 2020년 6월 30일까지 양도하는 경우

소득세법 제95조 제4항에 따른 보유기간이 10년(재개발사업, 재건축사업 또는 소규모재건축사업을 시행하는 정비사업조합의 조합원이 해당 조합에 기존건물과 그 부수토지를 제공하고 관리처분계획 등에 따라 취득한 신축주택 및 그 부수토지를 양도하는 경우의 보유기간은 기존건물과 그 부수토지의 취득일부터 기산한다) 이상인 주택을 2019년 12월 17일 이후부터 2020년 6월 30일까지 양도하는 경우 그 해당 주택(2020. 2. 11. 신설)(소득령 §167의3 ① 12호)

13) 1세대 1주택 비과세 주택

(중과세율 적용 판단시 주택 수 계산에 포함, 중과세율 적용 제외, 장기보유특별공제 대상)

소득세법 시행령 제155조 또는 「조세특례제한법」에 따라 1세대가 국내에 1개의 주택을 소유하고 있는 것으로 보거나 1세대 1주택으로 보아 1세대 1주택 비과세 규정(§154 ①)이 적용되는 주택으로서 같은 항의 요건을 모두 충족하는 주택(2021. 2. 17. 신설)(소득령 §167의3 ① 13호)

[적용시기] 2021년 2월 17일 이후 양도분부터 적용한다.

14) 주택유형별 주택 수의 계산

양도소득세 다주택자 중과세율{소득령 제167조의3 제1항[위 1)~13)]}을 적용할 때 주택 유형별 주택 수의 계산은 다음 각 호[아래 ①~④]의 방법에 따른다.(2018. 2. 13. 개정)(소득령 §167의3 ②)

① 다가구주택

「건축법 시행령」 별표 1 제1호 다목에 해당하는 다가구주택은 한 가구가 독립하여 거주할 수 있도록 구획된 부분을 각각 하나의 주택으로 본다. 다만, 거주자가 선택하는 경우에 한정하여 해당 다가구주택을 구획된 부분별로 양도하지 아니하고 하나의 매매단위로 하여 양도하는 경우에는 그 전체를 하나의 주택으로 본다.(2015. 2. 3. 개정, 2018. 2. 13. 후단개정)(소득령 §155 ⑮)(소득령 §167의3 ② 1호)

② 공동상속주택

상속지분이 가장 큰 상속인의 소유로 하여 주택 수를 계산하되, 상속지분이 가장 큰 자가 2인 이상인 경우에는 다음 각 호의 순서에 의한 자가 당해 공동상속주택을 소유한 것으로 본다.(2003. 12. 30. 신설)(소득령 §167의3 ② 2호)(소득령 §155 ③)

ⅰ) 당해 주택에 거주하는 자(1994. 12. 31. 개정)
ⅱ) 최연장자(1994. 12. 31. 개정)

③ 부동산매매업자가 보유하는 재고자산인 주택

주택 수의 계산에 있어서 이를 포함한다.(2003. 12. 30. 신설)(소득령 §167의3 ② 3호)

④ 혼인에 따른 1세대 3주택 이상인 경우

제1항[앞의 (1)]에도 불구하고 1주택 이상을 보유하는 자가 1주택 이상을 보유하는 자와 혼인함으로써 혼인한 날 현재 제1항[앞의 (1)]에 따른 1세대 3주택 이상에 해당하는 주택을 보유하게 된 경우로서 그 혼인한 날부터 5년 이내에 해당 주택을 양도하는 경우에는 양도일 현재 양도자의 배우자가 보유한 주택 수(제1항에 따른 주택 수를 말한다)를 차감하여

해당 1세대가 보유한 주택 수를 계산한다. 다만, 혼인한 날부터 5년 이내에 새로운 주택을 취득한 경우 해당 주택의 취득일 이후 양도하는 주택에 대해서는 이를 적용하지 아니한다.(2012. 2. 2. 신설)(소득령 §167의3 ⑨)

사례 : 혼인으로 인하여 1세대 3주택 이상이 된 경우 주택 수는?

　　　남 : 혼인 전 A, B 주택 보유

　　　여 : 혼인 전 C, D 주택 보유

　　　Q 혼인 후 5년 이내 '남'이 A주택 양도 시 주택 수는?

　　　A A주택 양도 시 주택 수 = 4-2(C,D) = 2주택

---

15) 첨부서류 제출

소득령 제167조의3 제1항 제2호[위 2)의 장기임대주택]・제3호[위 3)의 조특법상 감면대상 장기임대주택]・제8호의2[위 9)의 장기어린이집] 및 제4항[위 10)의 일반주택]을 적용받으려는 자는 해당 임대주택 등 또는 일반주택을 양도하는 날이 속하는 과세연도의 과세표준신고서와 기획재정부령으로 정하는 신청서에 다음 각 호[아래 ①~④]의 서류를 첨부하여 납세지 관할세무서장에게 제출해야 한다.(2008. 2. 29. 직제개정, 2020. 2. 11. 개정)(소득령 §167의3 ⑦)

① 임대차계약서 사본(2003. 12. 30. 신설)(소득령 §167의3 ⑦ 2호)

② 임차인의 주민등록표 등본 또는 그 사본. 이 경우 「주민등록법」 제29조 제1항에 따라 열람한 주민등록 전입세대의 열람내역 제출로 갈음할 수 있다.(2003. 12. 30. 신설, 2020. 2. 11. 개정)(소득령 §167의3 ⑦ 3호)

③ 국공립어린이집의 경우 위탁계약증서 사본(2022. 2. 15. 신설)(소득령 §167의3 ⑦ 4호)

④ 그 밖의 기획재정부령이 정하는 서류(2008. 2. 29. 직제개정)(소득령 §167의3 ⑦ 5호)

16) 임대기간의 계산

장기임대주택 가~사목[소득령 제167조의3 제1항 제2호{위 2)장기임대주택}]의 규정에 의한 장기임대주택의 임대 기간의 계산은 다음의 「조세특례제한법 시행령」 제97조 규정을 준용한다. 이 경우 사업자등록 등을 하고 임대주택으로 등록하여 임대하는 날부터 임대를 개시한 것으로 본다.(2005. 2. 19. 법명개정)(소득령 §167의3 ③)

임대기간 계산(조특령 §97)

임대주택에 대한 임대기간(이하 이 조에서 "주택임대기간"이라 한다)의 계산은 다음 각 호에 의한다.(1998. 12. 31. 개정)(조특령 §97 ⑤)

1. 주택임대기간의 기산일은 주택의 임대를 개시한 날로 할 것(1998. 12. 31. 개정)(조특령 §97 ⑤ 1호)
2. 상속인이 상속으로 인하여 피상속인의 임대주택을 취득하여 임대하는 경우에는 피상속인의 주택임대기간을 상속인의 주택임대기간에 합산할 것(1998. 12. 31. 개정)(조특령 §97 ⑤ 3호)
3. 위의 제1호 내지 제3호의 규정을 적용함에 있어서 기존 임차인의 퇴거일부터 다음 임차인의 입주일까지의 기간으로서 3월 이내의 기간은 이를 주택임대기간에 산입할 것(2008. 2. 29. 직제개정)(조특령 §97 ⑤ 5호)

---

② 1세대 3주택 · 조합원입주권에서 제외되는 주택의 범위

(1) 주택, 조합원입주권 및 분양권의 중과 여부 판정 기준

1) 지역 기준, 가액기준 주택 수 판단과 중과 제외 판단

양도소득세 다주택 중과세율 규정(소득법 §104 ⑦ 4호)에서 1세대가 소유한 주택(주택에 딸린 토지를 포함한다. 이하 이 조에서 같다)과 조합원입주권 또는 분양권의 수를 계산할 때 수도권 및 광역시 · 특별자치시(광역시에 소속된 군, 「지방자치법」 제3조 제3항 · 제4항에 따른 읍 · 면 및 「세종특별자치시 설치 등에 관한 특별법」 제6조 제3항에 따른 읍 · 면에 해당하는 지역은 제외한다) 외의 지역에 소재하는 주택, 조합원입주권 또는 분양권으로서 해당 주택의 기준시가, 조합원입주권의 가액(「도시 및 주거환경정비법」 제74조 제1항 제5호에 따른 종전 주택의 가격을 말한다) 또는 분양권의 가액[주택에 대한 공급계약서상의 공급가격(선택품목에 대한 가격은 제외한다)을 말한다]이 해당 주택 또는 그 밖의 주택의 양도 당시 3억 원을 초과하지 않는 주택, 조합원입주권 또는 분양권은 이를 산입하지 않는다.(2018. 2. 13. 개정, 2021. 2. 17. 개정)(소득령 §167의4 ②)

분양권에 관련된 내용은 2021년 1월 1일 이후 새로 취득하는 분양권부터 위 규정이 적용된다.

| 중과세 판단 시 분양권의 주택 수 포함 여부 |

2020. 12. 31. 이전 취득한 분양권	2021. 1. 1. 이후 취득한 분양권
주택 수 불포함	주택 수 포함

① 1세대 3주택 중과대상 주택 수 계산방법(조합원입주권, 분양권 포함)

양도소득세율 중과세율 규정에서 주택 수 판단은 다음과 같이 한다.

모든 주택(조합원입주권 및 분양권)이 주택 수에 포함되는 지역	기준시가 3억 원 초과하는 주택(조합원입주권 및 분양권 포함)만 주택 수에 포함되는 지역
• 수도권(경기도는 읍·면지역 제외) • 광역시(군지역 제외) • 특별자치시(읍·면 지역 제외)	• 모든 광역시의 군지역 • 경기도 읍·면지역 • 기타 지역

기준가액

ⅰ) 주택 : 기준시가
ⅱ) 조합원입주권 : 「도시 및 주거환경정비법」 제74조 제1항 제5호에 따른 종전 주택
  의 가격을 말한다.

「도시 및 주거환경 정비법」 제74조 제1항 제5호에 따른 종전 주택의 가격이라
함은 다음과 같다.

분양대상자별 종전의 토지 또는 건축물 명세 및 사업시행계획인가 고시가 있는 날을
기준으로 한 가격(사업시행계획인가 전에 제81조 제3항에 따라 철거된 건축물은 시
장·군수 등에게 허가를 받은 날을 기준으로 한 가격)(도정법 §74 ① 5호)

ⅲ) 분양권의 가액
  주택에 대한 공급계약서상의 공급가격(선택품목에 대한 가격은 제외한다)을
  말한다.

2) 장기임대주택 등 중과 제외

소득법 제104조 제7항 제4호 단서에서 중과세 배제되는 "대통령령으로 정하는 장기임대주택 등"이란 국내에 소유하고 있는 주택과 조합원입주권 또는 분양권 수의 합이 3개 이상인 1세대가 소유하고 있는 주택으로서 다음 각 호[아래 ①, ②]의 어느 하나에 해당하는 주택을 말한다. 이러한 주택을 양도시에는 양도세 중과배제가 되고 장기보유특별공제 적용 대상이 된다.(2018. 2. 13. 개정, 2021. 2. 17. 개정)(소득령 §167의4 ③)

분양권의 경우 2021년 1월 1일 이후 새로 취득하는 분부터 중과세 판단시 주택 수에 포함한다.

① 지역 기준 주택(중과 제외)

소득령 제167조의4 제2항[위 1)]의 규정에 따른 주택(소득령 §167의4 ③ 1호)

② 장기임대주택 등(중과 제외)

소득령 제167조의3 제1항 제2호 내지 제8호 및 제8호의2 중 어느 하나에 해당하는 주택(소득령 §167의4 ③ 2호)

양도세 중과 제외되는 장기임대주택 등

1. 장기임대주택(소득령 §167의3 ① 2호 가, 나, 다, 라, 마, 바, 사목)
2. 감면대상 장기 임대주택(소득령 §167의3 ① 3호) : 조특법 제97조, 제97조의2, 제98조
3. 종업원에게 10년 이상 무상 제공한 장기사원용주택(소득령 §167의3 ① 4호)
4. 감면대상 주택(소득령 §167의3 ① 5호) : 조특법 제77조, 제98조의2, 제98조의3, 제98조의5부터 제98조의8까지, 제99조, 제99조의2 및 제99조의3에 따라 양도소득세가 감면되는 주택
   조특법 제77조 수용주택의 다주택자 중과배제는 2021년 2월 17일 이후 양도하는 분부터 적용한다.
5. 문화재 주택(소득령 §167의3 ① 6호)
6. 법소정 상속주택으로 상속개시일로부터 5년이 경과 하지 아니한 주택(소득령 §167의3 ① 7호)
7. 저당권의 실행으로 인해 취득하거나 채권변제 대신 취득한 주택으로서 취득일로부터 3년이 경과하지 아니한 주택(소득령 §167의3 ① 8호)
8. 장기어린이집(5년 이상 사용)(소득령 §167의3 ① 8호의 2)

3) 일반주택

(중과세율 적용 판단시 주택 수 계산에 포함, 중과세율 적용 제외, 장기보유특별공제 대상)

1세대가 소득령 제167조의4 제3항 제1호 및 제2호[위 2)]에 해당하는 주택을 제외하고 1개의 주택만을 소유하고 있는 경우의 당해 주택(2020. 2. 11. 개정)(소득령 §167의4 ① 4호)

4) 조정대상지역 공고 이전 양도 매매계약 주택

(중과세율 적용 판단시 주택 수 계산에 포함, 중과세율 적용 제외, 장기보유특별공제 대상)

조정대상지역의 공고가 있은 날 이전에 해당 지역의 주택을 양도하기 위하여 매매계약을 체결하고 계약금을 지급받은 사실이 증빙서류에 의하여 확인되는 주택(2018. 10. 23. 신설)(소득령 §167의4 ① 5호)

[적용시기] 2018년 8월 28일 이후에 양도하는 분부터 적용한다.

5) 보유기간이 10년 이상인 주택을 2019년 12월 17일부터 2020년 6월 30일까지 양도하는 경우

소득세법 제95조 제4항에 따른 보유기간이 10년(재개발사업, 재건축사업 또는 소규모재건축사업을 시행하는 정비사업조합의 조합원이 해당 조합에 기존건물과 그 부수토지를 제공하고 관리처분계획 등에 따라 취득한 신축주택 및 그 부수토지를 양도하는 경우의 보유기간은 기존건물과 그 부수토지의 취득일부터 기산한다) 이상인 주택을 2019년 12월 17일부터 2020년 6월 30일까지 양도하는 경우 그 해당 주택(2020. 2. 11. 신설)(소득령 §167의4 ③ 6호)

6) 1세대 1주택 비과세되는 주택

(중과세율 적용 판단시 주택 수 계산에 포함, 중과세율 적용 제외, 장기보유특별공제 대상)

제155조, 제156조의2, 제156조의3 또는 「조세특례제한법」에 따라 1세대가 국내에 1개의 주택을 소유하고 있는 것으로 보거나 1세대 1주택으로 보아 제154조 제1항이 적용되는 주택으로서 같은 항의 요건을 모두 충족하는 주택(2021. 2. 17. 신설)(소득령 §167의4 ③ 7호)

[적용시기] 2021년 1월 1일 이후 양도분부터 적용한다.

(2) 주택 수, 임대 기간, 일반세율 적용신청서 제출 등 준용규정

소득령 제167조의4 제2항 및 제3항을 적용할 때 제167조의3 제2항부터 제8항까지의 규정을 준용한다.(2018. 2. 13. 개정)(소득령 §167의4 ④)

(3) 혼인에 따른 1세대 3주택 이상자의 양도세 중과규정

1주택, 1조합원입주권 또는 1분양권 이상을 보유하는 자가 1주택, 1조합원입주권 또는 1분양권 이상을 보유하는 자와 혼인함으로써 혼인한 날 현재 법 제104조 제7항 제4호에 따른 주택과 조합원입주권 또는 분양권의 수의 합이 3 이상이 된 경우 그 혼인한 날부터 5년 이내에 해당 주택을 양도하는 경우에는 양도일 현재 배우자가 보유한 제2항에 따른 주택, 조합원입주권 또는 분양권의 수를 차감하여 해당 1세대가 보유한 주택, 조합원입주권 또는 분양권의 수를 계산한다. 다만, 혼인한 날부터 5년 이내에 새로운 주택, 조합원입주권 또는 분양권을 취득한 경우 해당 주택, 조합원입주권 또는 분양권의 취득일 이후 양도하는 주택에 대해서는 이를 적용하지 않는다.(2018. 2. 13. 개정, 2021. 2. 17. 개정)(소득령 §167의4 ⑤)

위 분양권은 2021년 1월 1일 이후 취득분부터 적용한다.

> **사례** : 혼인으로 인하여 1세대 3주택 이상이 된 경우 주택 수는?
> 남 : 혼인 전 A, B 주택 보유
> 여 : 혼인 전 C, D 주택 보유
>
> Q 혼인 후 5년 이내 '남'이 A주택 양도 시 주택 수는?
> A A주택 양도 시 주택 수 = 4-2(C,D) = 2주택

| 중과세 판단 시 분양권의 주택 수 포함 여부|

2020. 12. 31. 이전 취득한 분양권	2021. 1. 1. 이후 취득한 분양권
주택 수 불포함	주택 수 포함

(4) 주택과 조합원입주권 및 분양권 수의 합이 3 이상인 경우 중과세율 적용 여부

1) 입주권 및 분양권 양도 시

조합원입주권과 분양권은 중과대상 판정할 때 위 규정에 따라 주택 수에 포함되나, 조합

원입주권과 분양권을 양도할 때에는 주택이 아니므로 조정대상지역 내 양도할 때 적용되는 중과세율은 적용되지 아니한다.

2) 주택 양도 시

조정대상지역 내 주택 양도할 때 위 규정에 따라 주택과 조합원입주권 및 분양권의 수를 합하여 3주택 또는 2주택 여부를 판단한다.

(5) 조합원입주권 관련 법령

부동산에 관한 권리임에도 주택으로 의제되는 조합원입주권 관련 법령은 다음과 같다.

법 률	시행령	내 용
소득법 제89조 제1항 제4호		일정 조건 충족한 1조합원입주권에 대한 1세대 1주택 비과세 규정 적용
소득법 제89조 제2항	소득령 제156조의2	1세대가 1주택과 1조합원입주권 보유한 경우 양도주택에 대한 부득이한 경우를 제외한 비과세 규정 적용배제
소득법 제104조 제7항 제2호	소득령 제167조의11	조합원입주권을 포함한 1세대 2주택 이상인 경우 양도주택에 대한 20%p 중과한다.
소득법 제104조 제7항 제4호	소득령 제167조의4	조합원입주권을 포함한 1세대 3주택 이상인 경우 양도주택에 대한 30%p 중과한다.

제6절 1세대 2주택 양도세 중과 규정

① 1세대 2주택 이상 중과 여부 판정 기준

(1) 1세대 2주택 중과 제외 판정 기준

다주택자 양도소득세 중과세율 규정[소득법 제104조 제7항 제1호]에서 양도소득세 중과세율 적용대상인 "대통령령으로 정하는 1세대 2주택에 해당하는 주택"이란 국내에 주택을 2개[제1호{아래 1)}에 해당하는 주택은 주택의 수를 계산할 때 산입하지 않는다] 소유하고 있는 1세대가 소유하는 주택으로서 다음 각 호[아래 1)~21)]의 어느 하나에 해당하지 않는 주택을 말한다.(2018. 2. 13. 신설, 2020. 2. 11. 개정)(소득령 §167의10 ①)

1세대 2주택 중과 배제되고 장기보유특별공제 배제 제외 대상이 되는 주택은 다음과 같다. 이 중에서 아래 1)의 지역 기준, 가액기준에 따라 제외되는 주택은 중과대상 주택 수 판단 시에서도 제외되고 중과배제 등도 된다. 그 밖의 주택은 주택 수 산정 시에는 포함되나 중과배제 등이 된다.

1) 지역 기준 주택 (3주택과 동일)

(중과세율 적용 판단시 주택 수 계산에서 제외, 중과세율 적용 제외, 장기보유특별공제 대상)

수도권 및 광역시·특별자치시(광역시에 소속된 군, 「지방자치법」 제3조 제3항·제4항에 따른 읍·면 및 「세종특별자치시 설치 등에 관한 특별법」 제6조 제3항에 따른 읍·면에 해당하는 지역을 제외한다) 외의 지역에 소재하는 주택으로서 해당 주택과 이에 부수되는 토지의 기준시가의 합계액이 해당 주택 또는 그 밖의 주택 양도 당시 3억 원을 초과하지 않는 주택(2018. 2. 13. 개정, 2021. 2. 17. 개정)(소득령 §167의10 ① 1호)

① 1세대 2주택 중과대상 주택 수 계산방법(조합원입주권 및 분양권 포함)

모든 주택(조합원입주권 및 분양권)이 주택 수에 포함되는 지역	기준시가 3억 원 초과하는 주택(조합원입주권 및 분양권 포함)만 주택 수에 포함되는 지역
• 수도권(경기도는 읍·면지역 제외) • 광역시(군지역 제외) • 특별자치시(읍·면지역 제외)	• 모든 광역시의 군지역 • 경기도 읍·면지역 • 기타 지역

기준가액

ⅰ) 주택 : 기준시가
ⅱ) 조합원입주권 : 「도시 및 주거환경정비법」 제74조 제1항 제5호에 따른 종전 주택
   의 가격을 말한다.

「도시 및 주거환경 정비법」 제74조 제1항 제5호에 따른 종전 주택의 가격이라
함은 다음과 같다.

분양대상자별 종전의 토지 또는 건축물 명세 및 사업시행계획인가 고시가 있은 날을
기준으로 한 가격(사업시행계획인가 전에 제81조 제3항에 따라 철거된 건축물은 시
장·군수 등에게 허가를 받은 날을 기준으로 한 가격)(도정법 §74 ① 5호)

ⅲ) 분양권의 가액
   주택에 대한 공급계약서상의 공급가격(선택품목에 대한 가격은 제외한다)을
   말한다.

② 1세대 2주택 이상 중과대상

1세대 2주택 중과대상

1. 수도권 및 광역시·세종시 소재 주택(단, 광역시의 "군" 및 경기도의 "읍·면"
   지역, 세종시의 "읍·면"지역 소재 주택은 제외)
   • 수도권: 서울, 인천, 경기
   • 광역시: 대전, 광주, 대구, 부산, 울산
2. 광역시의 "군" 및 경기도의 "읍·면" 지역, 세종시의 "읍·면" 지역 소재 주택(부
   수토지 포함)의 기준시가가 당해 주택 또는 그 밖의 주택의 양도 당시 3억 원을
   초과하는 주택

> • 인천시 강화군, 옹진군 • 부산시 기장군
> • 대구시 달성군 • 울산시 울주군
>
> 3. "기타 지역"(수도권 및 광역시·세종시 외 지역)에 소재하는 주택(부수토지 포함)의 기준시가가 당해 주택 또는 그 밖의 주택의 양도 당시 3억 원을 초과하는 주택

주택유형별 주택 수 계산방법

① 다가구주택 : 「건축법 시행령」 별표 1 제1호 다목에 해당하는 다가구주택은 한 가구가 독립하여 거주할 수 있도록 구획된 부분을 각각 하나의 주택으로 본다. 다만, 거주자가 선택하는 경우에 한정하여 해당 다가구주택을 구획된 부분별로 양도하지 아니하고 하나의 매매단위로 하여 양도하는 경우에는 그 전체를 하나의 주택으로 본다.(소득령 §155 ⑮, §167의3 ② 1호)
② 공동상속주택 : 종전 규정과 동일함.
③ 부동산매매업자의 상품인 재고주택 : 종전 규정과 동일함.

2) 장기임대주택(3주택과 동일)

(중과세율 적용 판단시 주택 수 계산에 포함, 중과세율 적용 제외, 장기보유특별공제 대상)

소득세법 제168조에 따른 사업자등록과 「민간임대주택에 관한 특별법」 제5조에 따른 임대사업자 등록[이하 이 조에서 "사업자등록 등"이라 하고, 2003년 10월 29일(이하 이 조에서 "기존사업자기준일"이라 한다) 현재 「민간임대주택에 관한 특별법」 제5조에 따른 임대사업자등록을 했으나 법 제168조에 따른 사업자등록을 하지 않은 거주자가 2004년 6월 30일까지 같은 조에 따른 사업자등록을 한 때에는 「민간임대주택에 관한 특별법」 제5조에 따른 임대사업자등록일에 법 제168조에 따른 사업자등록을 한 것으로 본다]을 한 거주자가 민간임대주택으로 등록하여 임대하는 다음 각 목[아래 ①~⑦]의 어느 하나에 해당하는 주택(이하 이 조에서 "장기임대주택"이라 한다). 다만, 이 조, 제167조의4, 제167조의10 및 제167조의11을 적용할 때 가목 및 다목부터 마목까지의 규정에 해당하는 장기임대주택(법률 제17482호 민간임대주택에 관한 특별법 일부개정법률 부칙 제5조 제1항이 적용되는 주택으로 한정한다)으로서 「민간임대주택에 관한 특별법」 제6조 제5항에 따라 임대의무기간이

종료한 날 등록이 말소되는 경우에는 임대의무기간이 종료한 날 해당 목에서 정한 임대기간요건을 갖춘 것으로 본다.(2020. 10. 7. 개정)(소득령 §167의3 ① 2호)

　가목, 다목, 마목, 바목의 임대료 등 5% 초과 요건은 2019년 2월 12일 이후 주택 임대차계약을 체결하거나 기존 계약을 갱신하는 분부터 적용한다.

구 분	소득령 제167조의3 제1항 제2호						사목
	가목	나목	다목	라목	마목	바목	
유형	매입임대 (장기/단기)	매입임대	건설임대 (장기/단기)	미분양매입 임대	매입임대 (장기)	건설임대 (장기)	가목, 다목 ~ 마목의 임대주택의 자진말소 일로부터 1년 이내 양도하는주택 (단, 임대기간요건 외 다른 요건은 갖추어야 한다)
호수	1호	2호	2호	5호	1호	2호	
세법상 의무 임대 기간	5년 이상	5년 이상	5년 이상	5년 이상	8년/10년	8년/10년	
					2020. 8. 18. 이후 임대등록 신청분부터는 10년		
자진/자동 말소	1. 가목, 다목~마목의 경우 2020. 8. 18. 이후 자동말소의 경우 임대기간요건을 갖춘 것으로 본다. 2. 가목, 다목~마목의 경우 2020. 8. 18. 이후 자진 말소한 경우부터 자진말소 후 1년 이내 양도시 임대기간요건은 갖춘 것으로 보며 이미 유일한 1주택 중과배제한 것은 추징하지 않는다.(사목) 　* 아파트 장기일반민간매입임대주택과 단기임대만 해당						
면적요건	–	국민주택 규모 이하	대지 298㎡＋주택 149㎡ 이하	대지 298㎡＋주택 149㎡ 이하	–	대지 298㎡＋주택 149㎡ 이하	
기준시가	임대개시당시 기준시가 6억 원 (수도권 밖 3억 원)	취득당시 기준시가 3억 원 이하	임대개시당시 6억 원 이하	취득당시 기준시가 3억 원 이하	임대개시당시 기준시가 6억 원 (수도권 밖 3억 원)	임대개시당시 6억 원 이하	
	5% 요건		5% 요건		5% 요건	5% 요건	
임대료	5% 초과 요건은 2019년 2월 12일 이후 주택 임대차계약을 체결하거나 기존 계약을 갱신하는 분부터 적용한다.						
등록 기한 요건	<table><tr><th>구분</th><th>등록기한 요건</th></tr><tr><td>가목</td><td>2018. 3. 31.까지 임대등록한 주택에 한한다.</td></tr><tr><td>나목</td><td>2003. 10. 29. 이전에 등록한 주택</td></tr><tr><td>다목</td><td>2018. 3. 31.까지 임대등록한 주택에 한한다.</td></tr></table>						

구 분	소득령 제167조의3 제1항 제2호						
	가목	나목	다목	라목	마목	바목	사목

구분	등록기한 요건
라목	2008. 6. 11.~ 2009. 6. 30. 분양계약과 계약금 납부
마목	마목에 따른 주택은 중과배제 대상이다. 단, 다음 중 어느 하나인 경우는 제외한다. 1. 2018. 9. 14. 이후 1주택 이상을 보유한 상태에서 새로이 조정대상지역 내 취득한 주택 2. 2020년 7월 11일 이후에 임대등록신청한 아파트 3. 2020년 7월 11일 이후에 단기에서 장기로 변경 신고한 주택
바목	–

3) 조특법상 감면대상 장기임대주택(3주택 규정과 동일)

(중과세율 적용 판단시 주택 수 계산에 포함, 중과세율 적용 제외, 장기보유특별공제 대상)

다음의 「조세특례제한법」 제97조・제97조의2 및 제98조에 따라 양도소득세가 감면되는 임대주택으로서 5년 이상 임대한 국민주택(이하 이 조에서 "감면대상 장기임대주택"이라 한다)(2018. 2. 13. 개정)(소득령 §167의3 ① 3호)

조특법상 감면대상 장기임대주택

1. **조특법 제97조【장기임대주택에 대한 양도소득세의 감면】**
   장기임대주택에 대한 양도소득세의 감면규정으로 1986. 1. 1.~2000. 12. 31. 신축된 국민주택규모 이하의 5호 이상 임대하는 거주자를 말한다. 이 경우 임대주택을 여러 사람이 공동으로 소유한 경우에는 공동으로 소유하고 있는 임대주택의 호수에 지분비율을 곱하여 호수를 산정한다.(2019. 2. 12 후단신설)

2. **조특법 제97조의2【신축임대주택에 대한 양도소득세의 감면 특례】**
   신축임대주택에 대한 양도소득세의 감면규정으로 1999. 8. 20.~2001. 12. 31. 신축된 국민주택규모 이하의 신축주택 1호를 포함하여 2호 이상을 5년 이상 임대한 주택

3. **조특법 제98조【미분양주택에 대한 과세특례】**
   미분양주택에 대한 과세특례 규정으로 미분양국민주택 규모 이하의 주택을 1995. 11. 1.~ 1997. 12. 31.에 취득하여 5년 이상 임대한 주택

4) 장기 사원용 주택(3주택 규정과 동일)

(중과세율 적용 판단시 주택 수 계산에 포함, 중과세율 적용 제외, 장기보유특별공제 대상)

종업원(사용자의 「국세기본법 시행령」 제1조의2 제1항에 따른 특수관계인을 제외한다)에게 무상으로 제공하는 사용자 소유의 주택으로서 당해 무상제공 기간이 10년 이상인 주택(2012. 2. 2. 개정)(소득령 §167의3 ① 4호)

5) 감면대상 수용주택, 미분양주택 및 신축주택 등(3주택 규정과 동일)

(중과세율 적용 판단시 주택 수 계산에 포함, 중과세율 적용 제외, 장기보유특별공제 대상)

다음의 「조세특례제한법」 제77조, 제98조의2, 제98조의3, 제98조의5부터 제98조의8까지, 제99조, 제99조의2 및 제99조의3에 따라 양도소득세가 감면되는 주택(2018. 2. 13. 개정, 2021. 2. 17. 개정)(소득령 §167의3 ① 5호)

조특법 제77조 수용주택의 다주택자 중과배제는 2021년 2월 17일 이후 양도하는 분부터 적용한다.

감면대상 미분양주택 및 신축주택 등

1. [조세특례제한법] 제77조 【공익사업용토지 등에 대한 양도소득세의 감면】

   다음 각 호[아래 (1)~(3)]의 어느 하나에 해당하는 소득으로서 사업인정고시일로부터 소급하여 2년 이전에 취득한 토지 등을 2023년 12월 31일 이전에 양도함으로써 발생하는 소득에 대해서는 양도소득세를 감면하고 감면대상이 되는 주택은 다주택자 중과대상에서 제외한다.(조특법 §77 ①)

   조특법 제77조 수용주택의 다주택자 중과배제는 2021년 2월 17일 이후 양도하는 분부터 적용한다.

   (1) 「공익사업을 위한 토지 등의 취득 및 보상에 관한 법률」이 적용되는 공익사업에 필요한 토지 등을 그 공익사업의 시행자에게 양도함으로써 발생하는 소득(2010. 1. 1. 개정)(조특법 §77 ① 1호)

   (2) 「도시 및 주거환경정비법」에 따른 정비구역(정비기반시설을 수반하지 아니하는 정비구역은 제외한다)의 토지 등을 같은 법에 따른 사업시행자에게 양도함으로써 발생하는 소득(2010. 1. 1. 개정)(조특법 §77 ① 2호)

   (3) 「공익사업을 위한 토지 등의 취득 및 보상에 관한 법률」이나 그 밖의 법률에 따

른 토지 등의 수용으로 인하여 발생하는 소득(2010. 1. 1. 개정)(조특법 §77 ① 3호)

2. 조세특례제한법 제98조의2 【지방 미분양주택】

지방 미분양주택 취득에 대한 양도소득세 등 과세특례 규정으로 거주자가 2008. 11. 3.~2010. 12. 31. 취득한 수도권 밖에 소재한 미분양주택에 대한 최고 80%의 장기보유특별공제율 적용하고, 보유기간에 무관하게 일반누진세율 적용 대상인 주택

3. 조세특례제한법 제98조의3 【서울시 밖의 미분양주택】

분양주택의 취득자에 대한 양도소득세의 과세특례 규정으로 거주자 및 비거주자가 서울특별시 밖에 소재한 미분양주택을 2009. 2. 12.~2010. 2. 11.(비거주자는 2009. 3. 6.~2010. 2. 11.)에 매매계약 체결하고 취득한 주택에 대한 100% 세액감면 대상인 주택

4. 조세특례제한법 제98조의5 【수도권 밖의 미분양주택】

수도권 밖의 지역에 있는 미분양주택의 취득자에 대한 양도소득세의 과세특례 규정으로 거주자 및 비거주자가 2010. 2. 11. 현재 수도권 밖의 지역에 있는 미분양주택을 2011. 4. 30.까지 매매계약을 체결하고 취득하여 그 취득일부터 5년 이내에 양도함으로써 발생하는 소득에 대하여는 분양가격 인하율에 따른 감면율을 곱하여 계산한 세액의 감면대상인 주택

5. 조세특례제한법 제98조의6 【준공 후 미분양주택】

준공 후 미분양주택의 취득자에 대한 양도소득세의 과세특례 규정으로 거주자 및 비거주자가 준공 후 미분양주택을 사업 주체 등과 최초로 매매계약을 체결하여 취득하고 5년 이상 임대한 감면대상 주택

6. 조세특례제한법 제98조의7 【미분양주택】

미분양주택의 취득자에 대한 양도소득세의 과세특례 규정으로 내국인이 준공 후 미분양주택을 사업 주체 등과 최초로 매매계약을 체결하여 취득하고 5년 이상 임대한 감면대상 주택

7. 조세특례제한법 제98조의8 【준공 후 미분양주택】

준공 후 미분양주택의 취득자에 대한 양도소득세 과세특례 규정으로 취득 당시 취득가액이 6억 원 이하이고 주택의 연면적(공동주택의 경우에는 전용면적)이 135㎡ 이하인 주택을 2015. 1. 1.부터 2015. 12. 31.까지 최초로 매매계약을 체결하고 5년 이상 임대한 주택을 양도하는 경우에는 해당 주택의 취득일부터 5년간 발생하는 양도소득 금액의 100분의 50에 상당하는 금액이 공제대상인 주택

8. 조세특례제한법 제99조【신축주택】

    신축주택의 취득자에 대한 양도소득세의 감면규정으로 거주자가 1998. 5. 22.부터 1999. 6. 30.까지(국민주택규모 이하인 경우에는 1999. 12. 31.)의 신축주택 취득 기간에 신축된 주택에 대한 감면대상인 주택

9. 조세특례제한법 제99조의2【신축·미분양주택】

    신축주택 등 취득자에 대한 양도소득세의 과세특례 규정으로 거주자 및 비거주자가 신축주택, 미분양주택, 1세대 1주택자의 주택으로서 취득가액이 6억 원 이하이거나 주택의 연면적(공동주택의 경우에는 전용면적)이 85㎡ 이하인 주택을 2013. 4. 1.부터 2013. 12. 31.까지 매매계약을 체결하여 그 계약에 따라 취득하여 5년 이내에 양도함으로써 발생하는 양도소득에 대하여는 양도소득세의 100% 감면대상인 주택

10. 조세특례제한법 제99조의3【신축감면 주택】

    신축주택의 취득자에 대한 양도소득세의 감면규정으로 거주자가 2001. 5. 23.부터 2002. 12. 31.까지의 신축주택취득 기간에 신축된 주택에 대한 감면대상인 주택

6) 문화재 주택(3주택 규정과 동일)

(중과세율 적용 판단시 주택 수 계산에 포함, 중과세율 적용 제외, 장기보유특별공제 대상)

「문화재보호법」 제2조 제3항에 따른 지정문화재 및 같은 법 제53조 제1항에 따른 국가등록문화재에 해당하는 문화재주택(2018. 2. 13. 개정)(소득령 §167의3 ① 6호)

7) 법소정 1상속주택(3주택 규정과 동일)

(중과세율 적용 판단시 주택 수 계산에 포함, 중과세율 적용 제외, 장기보유특별공제 대상)

상속주택과 일반주택이 있는 경우 1세대 1주택 비과세특례[소득령 제155조 제2항] 규정의 상속주택(법 소정 1상속주택)으로서 상속받은 날부터 5년이 경과하지 아니한 주택에 한정한다.(소득령 §167의3 ① 7호)

▶▶ 1세대 1주택에서 규정한 상속주택과 같은 내용이다.

이 조항을 적용하는 상속주택(소득령 §155 ②)

이 조항을 적용하는 상속주택이란 다음을 말한다.

1. 상속받은 주택 및 법 소정 조합원입주권 또는 분양권을 상속받아 사업시행 완료 후 취득한 신축주택을 포함한다.(소득령 §155 ②)
   분양권은 2021. 1. 1. 이후 취득한 분양권부터 적용한다.

2. 피상속인이 상속개시 당시 2 이상의 주택(상속받은 1주택이 「도시 및 주거환경정비법」에 따른 재개발사업, 재건축사업 또는 「빈집 및 소규모 주택 정비에 관한 특례법」에 따른 소규모재건축사업의 시행으로 2 이상의 주택이 된 경우를 포함한다)을 소유한 경우에는 다음 각 호의 순위에 따른 1주택을 말한다.
   1) 피상속인이 소유한 기간이 가장 긴 1주택
   2) 피상속인이 소유한 기간이 같은 주택이 2 이상일 경우에는 피상속인이 거주한 기간이 가장 긴 1주택
   3) 피상속인이 소유한 기간 및 거주한 기간이 모두 같은 주택이 2 이상일 경우에는 피상속인이 상속개시당시 거주한 1주택
   4) 피상속인이 거주한 사실이 없는 주택으로서 소유한 기간이 같은 주택이 2 이상일 경우에는 기준시가가 가장 높은 1주택(기준시가가 같은 경우에는 상속인이 선택하는 1주택)

3. 상속개시당시 동일세대원인 상태에서 상속받은 주택은 이 조항을 적용하는 상속주택이 아니다. 상속개시당시 동일세대원인 상태에서 상속받은 주택은 이규정을 적용하는 상속주택으로 보지아니한다. 다만, 다음의 경우에는 동일세대원으로서 상속받은 경우에도 이 규정을 적용하는 상속받은 주택에 해당한다.
   1) 동일세대원인 상태에서 상속받았을지라도 상속받은 주택으로 보는 경우
      상속인과 피상속인이 상속개시 당시 1세대인 경우에는 1주택을 보유하고 1세대를 구성하는 자가 직계존속(배우자의 직계존속을 포함하며, 세대를 합친 날 현재 직계존속 중 어느 한 사람 또는 모두가 60세 이상으로서 1주택을 보유하고 있는 경우만 해당한다)을 동거봉양하기 위하여 세대를 합침에 따라 2주택을 보유하게 되는 경우로서 합치기 이전부터 보유하고 있었던 주택만 상속받은 주택으로 본다.

8) 저당권 등으로 취득한 주택(3주택 규정과 동일)

(중과세율 적용 판단시 주택 수 계산에 포함, 중과세율 적용 제외, 장기보유특별공제 대상)

저당권의 실행으로 인하여 취득하거나 채권변제를 대신하여 취득한 주택으로서 취득일부터 3년이 경과하지 아니한 주택(2005. 2. 9. 개정)(소득령 §167의3 ① 8호)

9) 장기어린이집(3주택 규정과 동일)

(중과세율 적용 판단시 주택 수 계산에 포함, 중과세율 적용 제외, 장기보유특별공제 대상)

다음 각 목[아래 ①, ②]의 어느 하나에 해당하는 주택으로서 1세대의 구성원이 해당 목에 규정된 인가 또는 위탁을 받고 법 제168조에 따른 고유번호를 부여받은 후 5년 이상(이하 이 조에서 "의무사용기간"이라 한다) 어린이집으로 사용하고 어린이집으로 사용하지 않게 된 날부터 6개월이 경과하지 않은 주택. 이 경우 해당 주택이 가목에서 나목으로 또는 나목에서 가목으로 전환된 경우에는 의무사용기간을 적용할 때 각각의 사용기간을 합산한다.(2018. 2. 13. 개정, 2022. 2. 15. 개정)(소득령 §167의3 ① 8호의2)

① 「영유아보육법」 제13조 제1항에 따른 인가를 받아 운영하는 어린이집(2022. 2. 15. 개정)
② 「영유아보육법」 제24조 제2항에 따라 국가 또는 지방자치단체로부터 위탁받아 운영하는 어린이집(2022. 2. 15. 개정)

> **장기어린이집**
>
> 장기어린이집의 요건은 다음과 같다.
> 1. 1세대의 구성원이 관할 지자체의 인가 또는 위탁을 받고 세무서에 고유번호받음.
> 2. 고유번호를 부여받은 후 5년 이상 의무사용
> 3. 어린이집으로 사용하지 아니하게 된 날부터 6개월 이내 양도한 주택

10) 취학, 근무 등 부득이한 사유로 취득한 주택(2주택에만 있는 규정)

(중과세율 적용 판단시 주택 수 계산에 포함, 중과세율 적용 제외, 장기보유특별공제 대상)

1세대의 구성원 중 일부가 기획재정부령으로 정하는 취학, 근무상의 형편, 질병의 요양, 그 밖에 부득이한 사유로 인하여 다른 시(특별시·광역시·특별자치시 및 「제주특별자치도

설치 및 국제자유도시 조성을 위한 특별법」제10조 제2항에 따라 설치된 행정시를 포함한다.
이하 이 호에서 같다) · 군으로 주거를 이전하기 위하여 1주택(학교의 소재지, 직장의 소재
지 또는 질병을 치료 · 요양하는 장소와 같은 시 · 군에 소재하는 주택으로서 취득 당시 법
제99조에 따른 기준시가의 합계액이 3억 원을 초과하지 아니하는 것에 한정한다)을 취득함
으로써 1세대 2주택이 된 경우의 해당 주택(취득 후 1년 이상 거주하고 해당 사유가 해소된
날부터 3년이 경과하지 아니한 경우에 한정한다)(2018. 2. 13. 신설)(소득령 §167의10 ① 3호)

취학, 근무 등 부득이한 사유로 취득한 주택

요건 요약 : 다음 모두 충족하는 경우

1. 다음 중 어느 하나의 취학, 근무상의 형편, 질병의 요양 등 부득이한 사유로(2020.
   3. 13. 개정)(소득칙 §71 ③, 소득칙 §83 ①)
   ① 「초 · 중등교육법」에 따른 학교(초등학교 및 중학교는 제외한다) 및 「고등교육
      법」제2조에 따른 학교에의 취학
   ② 직장의 변경이나 전근 등 근무상의 형편
   ③ 1년 이상의 치료나 요양을 필요로 하는 질병의 치료 또는 요양
   ④ 「학교폭력예방 및 대책에 관한 법률」에 따른 학교폭력으로 인한 전학(같은 법에
      따른 학교폭력대책자치위원회가 피해학생에게 전학이 필요하다고 인정하는 경
      우에 한한다)
2. 다른 시 · 군으로 주거 이전을 위해 취득한 1주택
   (학교, 직장, 요양소와 같은 시 · 군에 소재하는 주택에 한정한다)
3. 취득 당시 기준시가 3억 원 이하
4. 취득 후 1년 이상 거주
5. 해당 사유가 해소된 날부터 3년 이내 해당 주택을 양도하는 경우

---

11) 실수요 목적으로 취득한 수도권 밖의 주택(2주택에만 있는 규정)

(중과세율 적용 판단시 주택 수 계산에 포함, 중과세율 적용 제외, 장기보유특별공제 대상)

소득령 제155조 제8항에 따른 기획재정부령으로 정하는 취학, 근무상의 형편, 질병의 요
양, 그 밖에 부득이한 사유(이하 이 항에서 "부득이한 사유"라 한다)로 취득한 수도권 밖에
소재하는 주택(2018. 2. 13. 신설)(소득령 §167의10 ① 4호)

취학, 근무 등 부득이한 사유

1. 다음 중 어느 하나의 취학, 근무상의 형편, 질병의 요양 등 부득이한 사유로(2020.
   3. 13. 개정) (소득칙 §71 ③, 소득칙 §83 ①)
   ① 「초·중등교육법」에 따른 학교(초등학교 및 중학교는 제외한다) 및 「고등교육
      법」 제2조에 따른 학교에의 취학
   ② 직장의 변경이나 전근 등 근무상의 형편
   ③ 1년 이상의 치료나 요양을 필요로 하는 질병의 치료 또는 요양
   ④ 「학교폭력예방 및 대책에 관한 법률」에 따른 학교폭력으로 인한 전학(같은 법에
      따른 학교폭력대책자치위원회가 피해학생에게 전학이 필요하다고 인정하는 경
      우에 한한다)

12) 동거봉양 주택 (2주택에만 있는 규정)

(중과세율 적용 판단시 주택 수 계산에 포함, 중과세율 적용 제외, 장기보유특별공제 대상)

1주택을 소유하고 1세대를 구성하는 사람이 1주택을 소유하고 있는 60세 이상의 직계존
속(배우자의 직계존속을 포함하며, 직계존속 중 어느 한 사람이 60세 미만인 경우를 포함한
다)을 동거 봉양하기 위하여 세대를 합침으로써 1세대가 2주택을 소유하게 되는 경우의 해
당 주택(세대를 합친 날부터 10년이 경과하지 아니한 경우에 한정한다) (2018. 2. 13. 신설) (소
득령 §167의10 ① 5호)

13) 혼인 주택(2주택에만 있는 규정)

(중과세율 적용 판단시 주택 수 계산에 포함, 중과세율 적용 제외, 장기보유특별공제 대상)

1주택을 소유하는 사람이 1주택을 소유하는 다른 사람과 혼인함으로써 1세대가 2주택을
소유하게 되는 경우의 해당 주택(혼인한 날부터 5년이 경과하지 아니한 경우에 한정한
다) (2018. 2. 13. 신설) (소득령 §167의10 ① 6호)

14) 소송으로 취득한 주택(2주택에만 있는 규정)

(중과세율 적용 판단시 주택 수 계산에 포함, 중과세율 적용 제외, 장기보유특별공제 대상)

주택의 소유권에 관한 소송이 진행 중이거나 해당 소송결과로 취득한 주택(소송으로 인

한 확정판결일부터 3년이 경과하지 아니한 경우에 한정한다)(2018. 2. 13. 신설)(소득령 §167의10 ① 7호)

15) 일시적 1세대 2주택(2주택에만 있는 규정)

(중과세율 적용 판단시 주택 수 계산에 포함, 중과세율 적용 제외, 장기보유특별공제 대상)

1주택을 소유한 1세대가 그 주택을 양도하기 전에 다른 주택을 취득(자기가 건설하여 취득한 경우를 포함한다)함으로써 일시적으로 2주택을 소유하게 되는 경우의 종전의 주택[다른 주택을 취득한 날부터 3년이 지나지 아니한 경우(3년이 지난 경우로서 소득령 제155조 제18항 각 호의 어느 하나에 해당하는 경우를 포함한다)에 한정한다](2018. 2. 13. 신설)(소득령 §167의10 ① 8호)

> **소득세법 시행령 제155조 제18항**
>
> 1. 「한국자산관리공사 설립 등에 관한 법률」에 따른 한국자산관리공사에 매각을 의뢰한 경우(2017. 2. 3. 신설, 2022. 2. 17. 개정)(소득령 §155 ⑱ 1호)
> 2. 법원에 경매를 신청한 경우(2017. 2. 3. 신설)(소득령 §155 ⑱ 2호)
> 3. 「국세징수법」에 따른 공매가 진행 중인 경우(2017. 2. 3. 신설)(소득령 §155 ⑱ 3호)
> 4. 재개발사업, 재건축사업 또는 소규모재건축사업 등[1]의 시행으로 「도시 및 주거환경정비법」 제73조 또는 「빈집 및 소규모주택 정비에 관한 특례법」 제36조에 따라 현금으로 청산을 받아야 하는 토지 등 소유자가 사업시행자를 상대로 제기한 현금청산금 지급을 구하는 소송절차가 진행 중인 경우 또는 소송절차는 종료되었으나 해당 청산금을 지급받지 못한 경우(2018. 2. 9. 개정, 2018. 2. 9. 개정, 2020. 2. 11. 개정, 2022. 2. 15. 개정)(소득령 §155 ⑱ 4호)
> 5. 재개발사업, 재건축사업 또는 소규모재건축사업 등[1]의 시행으로 「도시 및 주거환경정비법」 제73조 또는 「빈집 및 소규모주택 정비에 관한 특례법」 제36조에 따라 사업시행자가 「도시 및 주거환경정비법」 제2조 제9호 또는 「빈집 및 소규모주택 정비에 관한 특례법」 제2조 제6호에 따른 토지 등 소유자(이하 이 호에서 "토지 등 소유자"라 한다)를 상대로 신청·제기한 수용재결 또는 매도청구소송 절차가 진행 중인 경우 또는 재결이나 소송절차는 종료되었으나 토지 등 소유자가 해당 매도대금 등을 지급받지 못한 경우(2020. 2. 11. 신설, 2021. 2. 17. 개정, 2022. 2. 15. 개정)(소득령 §155 ⑱ 5호)

1) 소규모재건축사업 중에서 자율주택정비사업, 가로주택정비사업, 소규모재개발사업은 2022년 1월 1일 이후 취득하는 조합원입주권부터 적용한다.

▶▶ [참고] 일시적 1세대 2주택 규정 비교

1세대 1주택 비과세 규정	2주택 중과 배제 규정
1. 종전주택 취득 후 1년이 지난 후 신규주택 취득 요건 있음.	해당 없음.
2. 조정대상지역 내 종전주택이 있는 상태에서 조정대상지역 내 신규 취득 시 2년 이내 종전주택을 양도해야 함.	3년 이내 양도
3. 조정대상지역 내 종전주택이 있는 상태에서 조정대상지역 내 신규 취득시 1년 이내 이사&전입신고, 1년 이내 양도해야 함.	3년 이내 양도

관련예규 및 해석사례

1. 1세대 2주택 중과 배제되는 일시적 2주택의 주택 수에 중과 대상에서 제외되는 주택의 포함 여부

소득세법 시행령 제167조의10 제1항 제8호는 1주택을 소유한 1세대가 그 주택을 양도하기 전에 다른 주택을 취득함으로써, 일시적으로 2주택을 소유하게 되는 경우의 종전의 주택을 양도하는 경우 해당 주택이 양도소득세 중과되는 1세대 2주택에 해당하지 아니하는 것임.(서면부동산 2018-1836, 2018. 12. 12.)

16) 소형주택(2주택에만 있는 규정)

(중과세율 적용 판단시 주택 수 계산에 포함, 중과세율 적용 제외, 장기보유특별공제 대상)

주택의 양도 당시 기준시가의 산정 규정[소득법 제99조]에 따른 기준시가가 1억 원 이하인 주택. 다만, 「도시 및 주거환경정비법」에 따른 정비구역(종전의 「주택건설촉진법」에 따라 설립인가를 받은 재건축조합의 사업부지를 포함한다)으로 지정·고시된 지역 또는 「빈집 및 소규모주택 정비에 관한 특례법」에 따른 사업시행구역에 소재하는 주택(주거환경개선사업의 경우 해당 사업시행자에게 양도하는 주택은 제외한다)은 제외한다.(2018. 2. 13. 신설)(소득령 §167의10 ① 9호)

① 소형주택과 2주택 중과규정

구 분	소형주택의 요건		소형주택 적용배제
	주택 종류	면적 및 가액	
2주택 중과배제	양도 당시 주택의 기준시가 1억 원 이하(주택의 면적에 관계없음)		도정법상 정비구역 지정고시, 빈집 및 소규정비법 시행구역 소재하는 주택

② 주택 중과 제외되는 기준시가 1억 원 이하 주택 판단 시 다가구주택의 기준시가 계산방법

2주택 중과대상에서 제외되는 기준시가 1억 원 이하의 주택 판단 시 다가구 주택은 한 가구가 독립하여 거주할 수 있도록 구획된 부분을 하나의 주택으로 보아 계산함.(사전법령해석재산 2018-287, 2018. 5. 14.)

17) 일반주택

(중과세율 적용 판단시 주택 수 계산에 포함, 중과세율 적용 제외, 장기보유특별공제 대상)

1세대가 소득령 제167조의10 제1항 제1호부터 제7호까지[위 1)~14)까지]의 규정에 해당하는 주택을 제외하고 1개의 주택만을 소유하고 있는 경우 그 해당 주택(2018. 2. 13. 신설) (소득령 §167의10 ① 10호)

18) 조정대상지역 공고 이전 매매계약 주택(3주택 규정과 동일)

(중과세율 적용 판단시 주택 수 계산에 포함, 중과세율 적용 제외, 장기보유특별공제 대상)

조정대상지역의 공고가 있은 날 이전에 해당 지역의 주택을 양도하기 위하여 매매계약을 체결하고 계약금을 지급받은 사실이 증빙서류에 의하여 확인되는 주택(2018. 10. 23. 신설)(소득령 §167의10 ① 11호)

[적용시기] 2018년 8월 28일 이후에 양도하는 분부터 적용한다.

19) 보유기간이 10년 이상인 주택을 2019년 12월 17일 이후부터 2020년 6월 30일 까지 양도하는 경우(3주택 규정과 동일)

소득세법 제95조 제4항에 따른 보유기간이 10년(재개발사업, 재건축사업 또는 소규모재건축사업을 시행하는 정비사업조합의 조합원이 해당 조합에 기존건물과 그 부수토지를 제공하고 관리처분계획 등에 따라 취득한 신축주택 및 그 부수토지를 양도하는 경우의 보유 기간은 기존건물과 그 부수토지의 취득일부터 기산한다) 이상인 주택을 2020년 6월 30일까 지 양도하는 경우 그 해당 주택(2020. 2. 11. 신설)(소득령 §167의10 ① 12호)

20) 비과세되는 일반주택

소득령 제155조 제2항에 따라 상속받은 주택과 일반주택을 각각 1개씩 소유하고 있는 1 세대가 일반주택을 양도하는 경우로서 제154조 제1항이 적용되고 같은 항의 요건을 모두 충족하는 일반주택(소득령 §167의10 ① 13호)

[적용시기] 2021년 2월 17일 이후 양도분부터 적용한다.

21) 비과세되는 거주주택

거주주택 1세대 1주택 비과세 규정(소득령 §155 ⑳)에 따른 장기임대주택과 그 밖의 1주택 (이하 이 호에서 "거주주택"이라 한다)을 소유하고 있는 1세대가 거주주택을 양도하는 경 우로서 제154조 제1항이 적용되고 같은 항의 요건을 모두 충족하는 거주주택(소득령 §167의 10 ① 14호)

[적용시기] 2021년 2월 17일 이후 양도분부터 적용한다.

(2) 주택 수·임대 기간·일반세율적용신청서 제출 등 준용규정
(3주택 중과 규정 준용)

소득령 제167조의10 제1항[위 (1)의 1)~21)]을 적용할 때 소득령 제167조의3 제2항부 터 제8항까지의 규정을 준용한다.(2018. 2. 13. 신설)(소득령 §167의10 ②)

❷ 1세대가 주택과 조합원입주권 또는 분양권을 각각 1개씩 보유한 경 우의 주택

(1) 2주택 중과대상에서 제외되는 장기임대주택 등

양도소득세 다주택 중과세율 규정(소득세법 §104 ⑦ 2호) 단서에서 중과 대상에서 제외되는 "대통령령으로 정하는 장기임대주택 등"이란 국내에 주택과 조합원입주권 또는 분양권을 각각 1개씩 소유하고 있는 1세대가 소유하고 있는 주택으로서 다음 각 호[아래 1)~11)] 의 어느 하나에 해당하는 주택을 말한다.(2018. 2. 13. 신설, 2021. 2. 17. 개정)(소득령 §167의11 ①)

분양권의 경우 2021년 1월 1일 이후 취득하는 분부터 적용한다.

| 중과세 판단 시 분양권의 주택 수 포함 여부 |

2020. 12. 31. 이전 취득한 분양권	2021. 1. 1. 이후 취득한 분양권
주택 수 불포함	주택 수 포함

1) 일시적 1주택 1조합원입주권 또는 분양권을 소유한 1세대가 양도하는 1주택

(중과세율 적용 판단시 주택 수 계산에 포함, 중과세율 적용 제외, 장기보유특별공제 대상)

일시적 1주택 1조합원입주권 또는 분양권을 소유한 1세대가 양도하는 1주택 규정[소득령 제156조의2 제3항부터 제5항까지 또는 제156조의3 제2항·제3항]에 따라 1세대 1주택으로 보아 1세대 1주택 비과세 규정[제154조 제1항]을 적용받는 주택으로서 양도소득세가 과세되는 주택(2018. 2. 13. 신설, 2021. 2. 17. 개정)(소득령 §167의11 ① 1호, 소득령 §156의2 ③)

분양권의 경우 2021년 1월 1일 이후 취득하는 분부터 적용한다.

2) 2주택 중과세 제외되는 장기임대주택 등

(중과세율 적용 판단시 주택 수 계산에 포함, 중과세율 적용 제외, 장기보유특별공제 대상)

다음의 소득령 제167조의3 제1항 제2호부터 제8호까지 및 제8호의2 중 어느 하나에 해당하는 주택은 중과대상에서 제외한다.(2018. 2. 13. 신설)(소득령 §167의11 ① 2호)

> **장기임대주택 등 중과 제외되는 제167조의3 제1항 제2호부터 제8호까지 및 제8호의2 중 어느 하나에 해당하는 주택**
>
> 1. 장기임대주택(소득령 §167의3 ① 2호 가, 나, 다, 라, 마, 바, 사목)
> 2. 감면대상 장기 임대주택(소득령 §167의3 ① 3호) : 조특법 제97, 97의 2, 98
> 3. 종업원에게 10년 이상 무상 제공한 장기사원용주택(소득령 §167의3 ① 4호)
> 4. 감면대상 주택(소득령 §167의3 ① 5호) : 조특법 제77조, 제98조의2, 제98조의3, 제98조의5부터 제98조의8까지, 제99조, 제99조의2 및 제99조의3에 따라 양도소득세가 감면되는 주택
>   조특법 제77조 수용주택의 다주택자 중과배제는 2021년 2월 17일 이후 양도하는 분부터 적용한다.

5. 문화재 주택(소득령 §167의3 ① 6호)
6. 상속주택으로 상속개시일로부터 5년이 경과 하지 아니한 주택(소득령 §167의3 ① 7호)
7. 저당권의 실행으로 인해 취득하거나 채권변제 대신 취득한 주택으로서 취득일로부
   터 3년이 경과하지 아니한 주택(소득령 §167의3 ① 8호)
8. 장기어린이집(5년 이상 사용)(소득령 §167의3 ① 8호의2)

3) 근무 등의 주택

(중과세율 적용 판단시 주택 수 계산에 포함, 중과세율 적용 제외, 장기보유특별공제 대상)

1세대의 구성원 중 일부가 기획재정부령으로 정하는 취학, 근무상의 형편, 질병의 요양, 그 밖에 부득이한 사유로 인하여 다른 시(특별시·광역시·특별자치시 및 「제주특별자치도 설치 및 국제자유도시 조성을 위한 특별법」 제10조 제2항에 따라 설치된 행정시를 포함한다. 이하 이 호에서 같다)·군으로 주거를 이전하기 위하여 1주택(학교의 소재지, 직장의 소재지 또는 질병을 치료·요양하는 장소와 같은 시·군에 소재하는 주택으로서 취득 당시 법 제99조에 따른 기준시가의 합계액이 3억 원을 초과하지 않은 것으로 한정한다)을 취득하여 1세대가 1주택과 1조합원입주권 또는 1주택과 1분양권을 소유하게 된 경우 해당 주택(취득 후 1년 이상 거주하고 해당 사유가 해소된 날부터 3년이 경과하지 않은 경우로 한정한다)(2018. 2. 13. 신설, 2021. 2. 17. 개정)(소득령 §167의11 ① 4호)

분양권의 경우 2021년 1월 1일 이후 취득하는 분부터 적용한다.

● ● ● ●

취학, 근무 등 부득이한 사유로 취득한 주택

[요건] : 다음 모두 충족하는 경우
1. 다음 중 어느 하나의 취학, 근무상의 형편, 질병의 요양 등 부득이한 사유로(2020.
   3. 13. 개정)(소득칙 §71 ③, 소득칙 §83 ①)
   ① 「초·중등교육법」에 따른 학교(초등학교 및 중학교는 제외한다) 및 「고등교육법」
      제2조에 따른 학교에의 취학
   ② 직장의 변경이나 전근 등 근무상의 형편
   ③ 1년 이상의 치료나 요양을 필요로 하는 질병의 치료 또는 요양
   ④ 「학교폭력예방 및 대책에 관한 법률」에 따른 학교폭력으로 인한 전학(같은 법
      에 따른 학교폭력대책자치위원회가 피해학생에게 전학이 필요하다고 인정하는

경우에 한한다)

2. 다른 시·군으로 주거 이전을 위해 취득한 1주택

　(학교, 직장, 요양소와 같은 시·군에 소재하는 주택에 한정한다)

3. 취득당시 기준시가 3억 원 이하

4. 취득 후 1년 이상 거주

5. 해당 사유가 해소된 날부터 3년 이내 해당 주택을 양도하는 경우

4) 실수요 목적으로 취득한 수도권 밖의 주택(2주택에만 있는 규정)

(중과세율 적용 판단시 주택 수 계산에 포함, 중과세율 적용 제외, 장기보유특별공제 대상)

소득령 제155조 제8항에 따른 기획재정부령으로 정하는 취학, 근무상의 형편, 질병의 요양, 그 밖에 부득이한 사유(이하 이 항에서 "부득이한 사유"라 한다)로 취득한 수도권 밖에 소재하는 주택(2018. 2. 13. 신설)(소득령 §167의11 ① 5호)

취학, 근무 등 부득이한 사유

1. 다음 중 어느 하나의 취학, 근무상의 형편, 질병의 요양 등 부득이한 사유로(2020. 3. 13. 개정)(소득칙 §71 ③, 소득칙 §83 ①)

① 「초·중등교육법」에 따른 학교(초등학교 및 중학교는 제외한다) 및 「고등교육법」 제2조에 따른 학교에의 취학

② 직장의 변경이나 전근 등 근무상의 형편

③ 1년 이상의 치료나 요양을 필요로 하는 질병의 치료 또는 요양

④ 「학교폭력예방 및 대책에 관한 법률」에 따른 학교폭력으로 인한 전학(같은 법에 따른 학교폭력대책자치위원회가 피해학생에게 전학이 필요하다고 인정하는 경우에 한한다)

5) 동거봉양주택

(중과세율 적용 판단시 주택 수 계산에 포함, 중과세율 적용 제외, 장기보유특별공제 대상)

1주택, 1조합원입주권 또는 1분양권을 소유하고 1세대를 구성하는 자가 1주택, 1조합원입주권 또는 1분양권을 소유하고 있는 60세 이상의 직계존속(배우자의 직계존속을 포함하

며, 직계존속 중 어느 한 사람이 60세 미만인 경우를 포함한다)을 동거봉양하기 위하여 세대를 합침으로써 1세대가 1주택과 1조합원입주권 또는 1주택과 1분양권을 소유하게 되는 경우의 해당 주택(세대를 합친 날부터 10년이 경과하지 않은 경우로 한정한다)(2018. 2. 13. 신설, 2021. 2. 17. 개정)(소득령 §167의11 ① 6호)

분양권의 경우 2021년 1월 1일 이후 취득하는 분부터 적용한다.

6) 혼인 주택

(중과세율 적용 판단시 주택 수 계산에 포함, 중과세율 적용 제외, 장기보유특별공제 대상)

1주택, 1조합원입주권 또는 1분양권을 소유하는 자가 1주택, 1조합원입주권 또는 1분양권을 소유하는 다른 자와 혼인함으로써 1세대가 1주택과 1조합원입주권 또는 1주택과 1분양권을 소유하게 되는 경우 해당 주택(혼인한 날부터 5년이 경과하지 않은 경우로 한정한다)(2018. 2. 13. 신설, 2021. 2. 17. 개정)(소득령 §167의11 ① 7호)

분양권의 경우 2021년 1월 1일 이후 취득하는 분부터 적용한다.

7) 저당권 등으로 취득한 주택(3주택 규정과 동일)

(중과세율 적용 판단시 주택 수 계산에 포함, 중과세율 적용 제외, 장기보유특별공제 대상)

저당권의 실행으로 인하여 취득하거나 채권변제를 대신하여 취득한 주택으로서 취득일부터 3년이 경과하지 아니한 주택(2005. 2. 9. 개정)(소득령 §167의3 ① 8호)

8) 소송으로 취득한 주택

(중과세율 적용 판단시 주택 수 계산에 포함, 중과세율 적용 제외, 장기보유특별공제 대상)

주택의 소유권에 관한 소송이 진행 중이거나 해당 소송결과로 취득한 주택(소송으로 인한 확정판결 일부터 3년이 경과하지 아니한 경우에 한정한다)(2018. 2. 13. 신설)(소득령 §167의11 ① 8호)

9) 소형주택(2주택에만 있는 규정)

(중과세율 적용 판단시 주택 수 계산에 포함, 중과세율 적용 제외, 장기보유특별공제 대상)

주택의 양도 당시 소득법 제99조에 따른 기준시가가 1억 원 이하인 주택. 다만, 「도시 및 주거환경정비법」에 따른 정비구역(종전의 「주택건설촉진법」에 따라 설립인가를 받은 재건축조합의 사업부지를 포함한다)으로 지정·고시된 지역 또는 「빈집 및 소규모주택 정비에 관한 특례법」에 따른 사업시행구역에 소재하는 주택(주거환경개선사업의 경우 해당 사업시행자에게 양도하는 주택은 제외한다)은 제외한다.(2018. 2. 13. 신설)(소득령 §167의11 ① 9호)

| 소형주택과 2주택 중과규정 |

구 분	소형주택의 요건		소형주택 적용배제
	주택 종류	면적 및 가액	
2주택 중과배제	양도 당시 주택의 기준시가 1억 원 이하(주택의 규모, 면적에 관계없음)		• 도정법상 정비구역으로 지정·고시된 지역에 소재하는 주택 • 「빈집 및 소규모주택 정비에 관한 특례법」에 따른 사업시행구역에 소재하는 주택

| 중과 배제되는 소형주택 판단 기준(소득세 집행기준 104 - 167의3 - 27) |

구 분		판단기준
겸용주택		주택부분이 주택 외 부분보다 큰 경우에는 전체를 주택으로 보아 소형주택 여부 판단
다가구주택	원칙	공동주택으로 보아 소형주택 여부 판단
	예외	하나의 매매단위로 하여 양도하는 경우에는 단독주택으로 보아 소형주택 여부를 판단
공동소유주택		소유지분에 관계없이 양도하는 1주택 전체를 기준으로 판단

10) 조정대상지역 공고 전 양도 계약한 주택

(중과세율 적용 판단시 주택 수 계산에 포함, 중과세율 적용 제외, 장기보유특별공제 대상)

조정대상지역의 공고가 있은 날 이전에 해당 지역의 주택을 양도하기 위하여 매매계약을 체결하고 계약금을 지급받은 사실이 증빙서류에 의하여 확인되는 주택(2018. 10. 23. 신설)(소득령 §167의11 ① 10호)

[적용시기] 2018년 8월 28일 이후에 양도하는 분부터 적용한다.

11) 보유기간이 10년 이상인 주택을 2019년 12월 17일부터 2020년 6월 30일까지 양도하는 경우

소득세법 제95조 제4항에 따른 보유기간이 10년(재개발사업, 재건축사업 또는 소규모재건축사업을 시행하는 정비사업조합의 조합원이 해당 조합에 기존건물과 그 부수토지를 제공하고 관리처분계획 등에 따라 취득한 신축주택 및 그 부수토지를 양도하는 경우의 보유기간은 기존건물과 그 부수토지의 취득일부터 기산한다) 이상인 주택을 2020년 6월 30일까지 양도하는 경우 그 해당 주택(2020. 2. 11. 신설)(소득령 §167의11 ① 11호)

●●●●

관련 예규·판례

1. **주택으로 용도변경 후 보유기간이 10년 미만인 경우 양도소득세 중과 배제 해당 여부**
   오피스텔을 업무용으로 사용하다가 용도변경하여 주택으로 사용한 이후 양도하는 경우로서 전체 보유기간은 10년 이상이나 주택으로 용도변경한 때부터 양도일까지의 보유기간이 10년 미만인 경우, 해당주택은 「소득세법 시행령」(2020. 2. 11. 대통령령 제30395호로 개정된 것) 제167조의11 제1항 제11호에 해당하지 아니하여 같은 법(2019. 12. 31. 법률 제16834호로 개정된 것) 제104조 제7항에 따라 양도소득세 중과 대상에 해당하는 것임.(사전법령해석재산 2020−434, 2020. 10. 4)

---

(2) 주택, 조합원입주권의 중과 여부 판정 기준

조정대상지역에 있는 주택으로서 1세대가 주택과 조합원입주권 또는 분양권을 각각 1개씩 보유한 경우의 해당 주택의 양도소득세율 중과규정[소득세법 제104조 제7항 제2호]에서 1세대가 보유한 주택(주택에 딸린 토지를 포함한다. 이하 이 조에서 같다)과 조합원입주권 또는 분양권의 수를 계산할 때 수도권 및 광역시·특별자치시(광역시에 소속된 군, 「지방자치법」 제3조 제3항·제4항에 따른 읍·면 및 「세종특별자치시 설치 등에 관한 특별법」 제6조 제3항에 따른 읍·면에 해당하는 지역을 제외한다) 외의 지역에 소재하는 주택, 조합원입주권 또는 분양권으로서 해당 주택의 기준시가, 조합원입주권의 가액(「도시 및 주거환경정비법」 제74조 제1항 제5호에 따른 종전 주택의 가격을 말한다) 또는 분양권의 가액[주택에 대한 공급계약서상의 공급가격(선택품목에 대한 가격은 제외한다)을 말한다]이 해당 주택 또는 그 밖의 주택의 양도 당시 3억 원을 초과하지 않는 주택, 조합원입주권 또는 분양권은 이를 산입하지 않는다.(2018. 2. 13. 신설, 2021. 2. 17. 개정)(소득령 §167의11 ②)(소득령 §167의11 ① 3호)

분양권에 관련된 내용은 2021년 1월 1일 이후 새로 취득하는 분양권부터 적용된다.

| 중과세 판단 시 분양권의 주택 수 포함 여부 |

2020. 12. 31. 이전 취득한 분양권	2021. 1. 1. 이후 취득한 분양권
주택 수 불포함	주택 수 포함

1) 1세대 2주택 중과대상 주택 수 계산방법(조합원입주권 및 분양권 포함)

모든 주택(조합원입주권 및 분양권)이 주택 수에 포함되는 지역	기준시가 3억 원 초과하는 주택(조합원입주권 및 분양권 포함)만 주택 수에 포함되는 지역
• 수도권(경기도는 읍·면지역 제외) • 광역시(군지역 제외) • 특별자치시(읍·면지역 제외)	• 모든 광역시의 군지역 • 경기도 읍·면지역 • 기타 지역

2) 조합원입주권의 임대 당시 기준시가

분양대상자별 종전의 토지 또는 건축물 명세 및 사업시행계획인가 고시가 있는 날을 기준으로 한 가격(사업시행계획인가 전에 제81조 제3항에 따라 철거된 건축물은 시장·군수 등에게 허가를 받은 날을 기준으로 한 가격)(도정법 §74 ① 5호)

(3) 주택 수·임대 기간·일반세율적용신청서 제출 등 준용규정

소득령 제167조의11 제1항[위 (1) 1)~11)] 및 제2항[위 (2)]을 적용할 때 제167조의3 제2항부터 제8항까지의 규정을 준용한다.(2018. 2. 13. 신설)(소득령 §167의11 ③)

❶ 100% 감면대상 주택

거주자가 다음 각 호[아래 (1)~(3)]의 요건을 모두 갖춘 「민간임대주택에 관한 특별법」 제2조 제4호에 따른 공공지원민간임대주택 또는 같은 법 제2조 제5호에 따른 장기일반민간임대주택(이하 이 조에서 "장기일반민간임대주택 등"이라 한다)을 양도하는 경우에는 대통령령으로 정하는 바에 따라 임대기간 중 발생한 양도소득에 대한 양도소득세의 100분의 100에 상당하는 세액을 감면한다.(2018. 1. 16. 개정)(조특법 §97의5 ①)

(1) 법소정 임대주택 등록

2018년 12월 31일까지 「민간임대주택에 관한 특별법」 제2조 제3호의 민간매입임대주택 및 「공공주택 특별법」 제2조 제1호의3에 따른 공공매입임대주택의 매입임대주택을 취득(2018년 12월 31일까지 매매계약을 체결하고 계약금을 납부한 경우를 포함한다)하고, 취득일로부터 3개월 이내에 「민간임대주택에 관한 특별법」에 따라 장기일반민간임대주택 등으로 등록할 것(2018. 1. 16. 개정)(조특법 §97의5 ① 1호)

(2) 10년 이상 계속 등록, 임대 후 양도

장기일반민간임대주택 등으로 등록 후 10년 이상 계속하여 장기일반민간임대주택 등으로 임대한 후 양도할 것(2018. 1. 16. 개정)(조특법 §97의5 ① 2호)

여기서 10년 이상 계속하여 「민간임대주택에 관한 특별법」 제2조 제4호의 공공지원민간임대주택 또는 같은 조 제5호에 따른 장기일반민간임대주택(이하 이 조에서 "장기일반민간임대주택 등"이라 한다)으로 임대한 경우는 장기일반민간임대주택 등으로 10년 이상 계속하여 등록하고, 그 등록한 기간 동안 계속하여 10년 이상 임대한 경우로 한다. 이 경우 다음 각 호[아래 1)~3)]의 경우에는 해당 기간 동안 계속하여 임대한 것으로 본다.(2018. 7. 16. 개정)(조특령 §97의5 ①)

1) 기존 임차인의 퇴거일부터 다음 임차인의 주민등록을 이전하는 날까지의 기간으로서 6개월 이내의 기간(2015. 2. 3. 신설)(조특령 §97의5 ① 1호)

2) 제72조 제2항 각 호의 법률에 따라 협의매수 또는 수용되어 임대할 수 없는 경우의 해당 기간(2015. 2. 3. 신설)(조특령 §97의5 ① 2호)

3) 「도시 및 주거환경정비법」에 따른 재건축사업·재개발사업 또는 「빈집 및 소규모주택 정비에 관한 특례법」에 따른 소규모주택정비사업 또는 「주택법」에 따른 리모델링의 사유로 임대할 수 없는 경우에는 해당 주택의 관리처분계획 인가일(소규모주택정비사업의 경우에는 사업시행계획인가일, 리모델링의 경우에는 허가일 또는 사업계획승인일을 말한다) 전 6개월부터 준공일 후 6개월까지의 기간(2018. 2. 9. 개정, 2020. 2. 11. 개정)(조특령 §97의5 ① 3호)

> **준공공임대주택의 임대 중 재개발·재건축되는 경우 임대기간 계산 방법**
>
> 「조세특례제한법」 제97조의5에 따른 준공공임대주택을 임대하던 중 「도시 및 주거환경 정비법」에 따른 주택재건축사업 또는 주택재개발사업의 사유가 발생한 경우 주택재건축사업 또는 주택재개발사업 전과 후 준공공임대주택의 임대기간을 통산하는 것임.(서면법령해석재산 2016-4571, 2016. 11. 25)

(3) 요건

임대기간 중 다음의 요건을 준수할 것(2014. 12. 23. 신설)(조특법 §97의5 ① 3호)

1) 임대보증금 또는 임대료(이하 이 호에서 "임대료 등"이라 한다)의 증가율이 100분의 5를 초과하지 않을 것. 이 경우 임대료 등의 증액 청구는 임대차계약 또는 약정한 임대료 등의 증액이 있은 후 1년 이내에는 하지 못하고, 임대사업자가 임대료 등의 증액을 청구하면서 임대보증금과 월임대료를 상호 간에 전환하는 경우에는 「민간임대주택에 관한 특별법」 제44조 제4항의 전환 규정을 준용한다.(2016. 2. 5. 개정, 2020. 2. 11. 개정)(조특령 §97의3 ③ 1호)

2) 「주택법」 제2조 제6호에 따른 국민주택규모 이하의 주택(해당 주택이 다가구주택일 경우에는 가구당 전용면적을 기준으로 한다)일 것(2016. 8. 11. 개정)(조특령 §97의3 ③ 2호)

3) 장기일반민간임대주택 등의 임대개시일부터 8년 이상 임대할 것(2018. 10. 23. 개정)(조특령 §97의3 ③ 3호)

4) 장기일반민간임대주택 등 및 이에 부수되는 토지의 기준시가의 합계액이 해당 주택의 임대 개시일 당시 6억 원(수도권 밖의 지역인 경우에는 3억 원)을 초과하지 아니할 것(2018. 10. 23. 신설)(조특령 §97의3 ③ 4호)

구 분	2018. 9. 13. 이전 취득분 (2018. 9. 13. 이전 매매계약체결+계약금 지급한 경우 포함)	2018. 9. 14. 이후 취득분
임대개시 당시 기준시가 6억 원 이하(수도권 밖은 3억 원)	가액요건 없음	가액요건 있음

(4) 양도소득의 계산

장기일반민간임대주택에 대한 양도소득세 세액감면을 적용할 때 임대 기간에 발생한 양도소득은 다음 계산식에 따라 계산한 금액으로 한다. 이 경우 새로운 기준시가가 고시되기 전에 취득 또는 양도하거나 임대 기간의 마지막 날이 도래하는 경우에는 직전의 기준시가를 적용하여 계산한다.(조특령 §97의5 ②)

$$양도소득금액 \times \frac{임대기간의\ 마지막\ 날의\ 기준시가 - 취득\ 당시의\ 기준시가}{양도\ 당시의\ 기준시가 - 취득\ 당시의\ 기준시가}$$

❷ 중복적용 배제

위의 장기일반민간임대주택의 세액감면(조특법 §97의5 ①)에 따른 세액감면은 조특법 제97조의3의 장기일반민간임대주택 등에 대한 양도소득세의 과세특례 및 조특법 제97조의4의 장기임대주택에 대한 양도소득세의 과세특례와 중복하여 적용하지 아니한다.(2018. 1. 16. 개정)(조특법 §97의5 ②)

❸ 과세특례적용 신청

장기일반민간임대주택의 세액감면(조특법 §97의5 ①)에 따라 세액감면을 적용받으려는 자

는 대통령령으로 정하는 바에 따라 주택임대에 관한 사항을 신고하고 과세특례 적용의 신청을 하여야 한다.(2014. 12. 23. 신설)(조특법 §97의5 ③)

 임대기간의 계산

장기일반민간임대주택 등의 임대기간의 계산에 관하여는 조특령 제97조 제5항 제1호 및 제3호를 준용한다. 이 경우 소득세법에 따른 사업자등록과 「민간임대주택에 관한 특별법」 제5조에 따른 임대사업자등록을 하고 장기일반민간임대주택 등으로 등록하여 임대하는 날부터 임대를 개시한 것으로 본다.(2018. 7. 16. 개정)(조특법 §97의5 ④)(조특령 §97의5 ③)

 요건

요건	특례
1) 거주자 2) 「민간임대주택에 관한 특별법」 제2조 제4호에 따른 공공지원민간임대주택 또는 같은 법 제2조 제5호에 따른 장기일반민간임대주택을 2018. 12. 31.까지 취득 (2018. 12. 31.까지 매매계약을 체결하고 계약금을 납부한 경우를 포함한다)하고, 취득일로부터 3개월 이내에 「민간임대주택에 관한 특별법」 제4호, 제5호에 따라 장기일반민간임대주택 등으로 등록할 것 3) 취득일로부터 3개월 이내 장기일반민간임대주택 등으로 등록 　－ 관할 시·군·구 임대사업자등록 　－ 관할 세무서에 사업자등록 4) 전용면적 85㎡ 이하. 다만, 수도권을 제외한 도시 지역이 아닌 읍·면 지역은 100㎡ 이하(해당 주택이 다가구주택일 경우에는 가구당 전용면적을 기준으로 한다) 5) 10년 이상 계속 등록하고, 그 등록기간 동안 10년 이상 계속 임대하고 양도하는 경우 6) 임대보증금 및 임대료의 연 증가율이 5%를 초과하지 않은 경우 7) 2015. 1. 1. 이후 취득분부터 적용	[양도소득세 감면] 1. 임대기간 중 발생한 양도소득세의 100% 감면 다만, 감면된 세액의 20%를 농어촌특별세로 납부한다.

요건	특례
8) 임대개시 당시 기준시가 6억(수도권 밖은 3억 원) 이하인 경우(2018. 9. 14. 이후 취득하는 분부터 적용한다)	

6 임대주택 자진말소, 자동말소 등록의 영향

아파트 장기일반매입임대주택의 경우 의무임대기간(8년) 종료 후 자동말소된다.

10년간 의무임대를 해야 하는 양도세 세액감면 100%는 현행 법 규정으로는 혜택이 없다고 볼 수 있다.

7 관련 예규 사례

(1) 「주택법」에 따른 리모델링 사업으로 국민주택규모보다 면적이 넓어진 경우, 「조세특례제한법」 제97조의5에 의해 양도소득세 감면되는지 여부

조세특례제한법 제97조의5에 따른 장기일반민간임대주택 등에 대한 양도소득세 감면을 적용함에 있어서 장기일반민간임대주택의 보유기간 중 리모델링사업으로 장기일반민간임대주택이 「주택법」 제2조 제6호에 따른 국민주택규모를 초과하게 되는 경우에는 「조세특례제한법」 제97조의5에 따른 감면대상에 해당하지 않는 것임.(서면법령해석재산 2020-2164, 2020. 9. 22.)

(2) 장기일반민간임대주택으로서 임대하던 중 재개발, 재건축되는 경우 신축주택의 임대료 증액 제한요건

주택재개발사업으로 신축된 주택의 임차인과의 계약을 최초의 임대차계약으로 보아 임대보증금 및 임대료를 산정함.(서면법령해석재산 2017-82, 2017. 11. 24.)

(3) 준공공임대주택의 임대 기간에 재개발·재건축으로 신축되어 2주택이 된 경우, 국민주택규모 초과되는 경우

분담금을 추가로 납부하지 않고 「도시 및 주거환경 정비법」 제48조 제1항 제7호 다목에 따라 국민주택규모 이하의 2개의 신축주택을 취득하여 준공공임대주택으로 계속 임대한 경우 종전 주택과 임대 기간을 통산함.(서면법령해석재산 2017 – 82, 2017. 11. 24.)

[사례해설] 기존주택을 재건축하여 신축한 주택이 국민주택규모 초과라면 – 감면대상에 해당하지 않는다. 국민주택규모 이하인 경우 감면대상에 해당한다.

(4) 증여받은 주택을 준공공임대주택으로 등록한 경우 「조세특례제한법」 제97조의5 적용 여부

거주자가 배우자로부터 2018년 12월 31일까지 「민간임대주택에 관한 특별법」 제2조 제3호의 민간매입임대주택을 증여로 취득하고, 취득일(수증일)부터 3개월 이내에 같은 법에 따라 준공공임대주택 등으로 등록한 경우 「조세특례제한법」 제97조의5 제1항 제1호의 요건을 갖춘 것으로 보는 것임.(서면부동산 2016 – 5715, 2017. 5. 17.)

제8절 | 양도세 중과와 부동산매매업

❶ 중과세가 적용되지 않는 경우의 부동산매매업 세금신고

부동산매매업자는 부동산 양도 시 2개월 이내에 예정신고를 하고, 다음 해 5월 중에 종합소득세 확정신고를 한다. 중과세가 적용되지 않는 경우 기본세율로 같으므로 사실상 비교과세가 되므로 세액에서는 큰 의미가 없다.

❷ 중과세가 적용되는 경우의 부동산매매업

중과세가 적용되는 경우 세율 차이가 있으므로 비교 과세가 적용된다. 부동산 양도 시 2개월 이내에 예정신고를 하고, 다음 해 5월에 종합소득세 확정신고를 한다. 이때 양도소득세와 종합소득세 중 큰 금액을 납부해야 한다.

❸ 중과대상 판단시 주택 수 계산

부동산매매업자의 재고주택은 중과대상 주택 수 계산에 포함시킨다.(소득령 §167의3 ② 3호)

④ 1세대 1주택 판단 시 주택 수 포함 여부

(1) 부동산매매업자의 재고주택, 주택신축판매업자의 재고주택은 1세대 1주택 판단시 주택 수에서 제외

| 1세대 1주택 판정 시 주택 수에서 제외되는 주택(소득세 집행기준 89-154-14)(2018. 8. 22. 개정) |

구 분	1세대 1주택 판단시 주택 수 산정 여부	적용 조문
주택신축판매업자의 재고주택	제 외	소득법 제19조
부동산매매업자의 재고주택	제 외	소득법 제19조
장기임대주택	제 외	조특법 제97조
신축임대주택	제 외	조특법 제97조의2
지방 미분양주택	제 외	조특법 제98조의2
미분양주택	제 외	조특법 제98조의3
신축감면주택	포 함 *	조특법 제99조, 제99조의3
농어촌주택	제 외	조특법 제99조의4
장기임대주택	포 함	소득령 제155조 제19항

* 2007. 12. 31. 이전에 신축감면주택 외 일반주택을 양도하는 경우 신축감면주택을 거주자의 주택으로 보지 아니하는 것임.

▶▶ [참고] 부동산매매업의 주택 수 포함 여부

구 분	1세대 3주택, 2주택 중과 판정시 주택 수 포함 여부	1세대 1주택 판정시 주택 수 제외 여부
부동산매매업의 재고주택	포함	제외
근거	소득령 제167조의3 제2항 제3호	소득법 제19조

(2) 자가공급하거나 폐업 시 재고재화인 주택

주택신축판매업자 또는 부동산매매업자의 판매용 "재고주택"은 주거용 주택으로 보지 아니하는 것이나, 자가공급하거나 폐업 시의 재고재화 등으로 거주 또는 보유하고 있는 주택은 주거용 주택으로 보아 "1세대 1주택" 여부를 판정한다.(부동산거래관리과-494, 2011. 6. 21.)

5 예정신고 여부

(1) 부동산매매업의 예정신고

부동산매매업자는 토지 또는 건물(이하 "토지 등"이라 한다)의 매매차익과 그 세액을 매매일이 속하는 달의 말일부터 2개월이 되는 날까지 대통령령으로 정하는 바에 따라 납세지 관할 세무서장에게 신고하여야 한다. 토지 등의 매매차익이 없거나 매매차손이 발생하였을 때에도 또한 같다.(2009. 12. 31. 개정)(소득법 §69 ①)

(2) 부동산매매업자의 산출세액 계산

부동산매매업자의 토지 등의 매매차익에 대한 산출세액은 그 매매가액에서 제97조를 준용하여 계산한 필요경비를 공제한 금액에 제104조에서 규정하는 세율을 곱하여 계산한 금액으로 한다. 다만, 토지 등의 보유기간이 2년 미만인 경우에는 제104조 제1항 제2호 및 제3호에도 불구하고 같은 항 제1호에 따른 세율을 곱하여 계산한 금액으로 한다.(2014. 1. 1. 개정)(소득법 §69 ③)

(3) 가산세 규정 등 준용

토지 등의 매매차익에 대한 산출세액의 계산, 결정·경정 및 환산취득가액(실지거래가액·매매사례가액 또는 감정가액을 대통령령으로 정하는 방법에 따라 환산한 가액을 말한다. 이하 제97조 제1항·제2항, 제100조 제1항, 제114조 제7항 및 제114조의2에서 같다) 적용에 따른 가산세에 관하여는 제107조 제2항, 제114조 및 제114조의2를 준용한다.(2019. 12. 31. 개정, 2020. 12. 29. 개정)(소득법 §69 ⑤)

6 부동산매매업 예정신고 시 중과세율, 장기보유특별공제 배제 적용 여부

예정신고 시 적용되는 세율은 소득세법 제104조에서 규정하는 세율이 적용된다. 제104조 제7항에 따르면 동항 각 호에 해당하는 주택(다주택자가 보유한 조정대상지역 소재 주택)인 경우에는 중과세율[+10%(20%)]이 적용된다.(소득법 §69 ③)

예정신고 시 장기보유특별공제에 대하여는 소득세법 시행령 제128조 제1항 제4호에 따라 적용된다. 장기보유특별공제에 대해 규정된 소득세법 제95조 제2항에 따르면 미등기양도자산(§104 ③)과 다주택자가 보유한 중과되는 주택(§104 ⑦)은 적용되지 않는다.(소득령 §128 ① 4호)

▶▶ [참고] 부동산매매업의 예정신고

예정신고 시	다주택자 보유 중과대상 주택	그 외
적용세율	중과세율[+20%(30%)]	소득법 제104조
장기보유특별공제	제외	적용(미등기 제외)

❼ 부동산매매업 확정신고 시 중과세율, 장기보유특별공제 적용 여부

대통령령으로 정하는 부동산매매업(이하 "부동산매매업"이라 한다)을 경영하는 거주자 (이하 "부동산매매업자"라 한다)로서 종합소득금액에 제104조 제1항 제1호(분양권에 한정한다) · 제8호 · 제10호 또는 같은 조 제7항 각 호의 어느 하나에 해당하는 자산의 매매차익 (이하 이 조에서 "주택 등 매매차익"이라 한다)이 있는 자의 종합소득 산출세액은 다음 각 호의 세액 중 많은 것으로 한다.(2020. 12. 29. 개정)(소득법 §64)

> 부동산매매업 종합소득세 산출세액 = MAX (①, ②)
>
> ① 종합소득과세표준 × 종합소득세율
> ② (주택 등 매매차익 × 양도소득세율) + [(종합소득과세표준 - 주택 등 매매차익)
> 　× 종합소득세율]

이 중 주택 등 매매차익에 적용되는 양도소득세율은 소득세법 제104조에 따른 세율이 적용된다. 따라서 동조 제7항(다주택자 보유주택 중 조정대상지역 내 주택)의 매매차익이 있는 경우 중과세율[+10%(20%)]이 적용된다.

소득세법 제64조에 따른 "주택 등 매매차익"은 해당 자산의 매매가액에서 필요경비(취득가액+기타필요경비), 양도소득기본공제, 장기보유특별공제를 차감한 금액으로 한다.(소득령 §122 ②)

소득세법 제104조 제7항(다주택자 보유주택 중 조정대상지역 내 주택)의 매매차익을 산정 시에는 장기보유특별공제는 적용되지 않는다.(소득법 §95 ②)

▶▶ [참고] 부동산매매업의 확정신고 시 세율적용, 장기보유특별공제 적용 여부

	소득법 제64조 제1항	소득법 제64조 제2항		
			주택 등 매매차익	
	종합소득과세표준	종합소득과세표준 - 주택 등 매매차익	다주택자 중과대상	그 외
적용세율	종합소득세율 (소득법 제55조)	종합소득세율 (소득법 제55조)	양도 중과세율 (소득법 제104조 제7항)	양도소득세율 (소득법 제104조)
장기보유 특별공제	적용 ×	적용 ×	적용 ×	적용 ○ (미등기 적용 ×)

제9절　상속주택 관련 규정 정리

① 상속주택 관련 양도소득세 세법 조문 정리

(1) 1세대 1주택 비과세 관련 규정

1) 1세대 1주택 거주기간, 보유 기간 계산과 상속주택

　상속받은 주택으로서 상속인과 피상속인이 상속개시 당시 동일세대인 경우에는 상속개시 전에 상속인과 피상속인이 동일세대로서 거주하고 보유한 기간을 통산한다.(2017. 9. 19. 개정)(소득령 §154 ⑧ 3호)

2) 상속으로 2주택이 된 경우의 1세대 1주택 비과세

　상속받은 주택[조합원입주권 또는 분양권을 상속받아 사업시행 완료 후 취득한 신축주택을 포함하며, 피상속인이 상속개시 당시 2 이상의 주택{상속받은 1주택이 「도시 및 주거환경정비법」에 따른 재개발사업(이하 "재개발사업"이라 한다), 재건축사업(이하 "재건축사업"이라 한다) 또는 「빈집 및 소규모주택 정비에 관한 특례법」에 따른 소규모재건축사업, 소규모재개발사업, 가로주택정비사업, 자율주택정비사업(이하 "소규모재건축사업등"이라 한다)의 시행으로 2 이상의 주택이 된 경우를 포함한다}을 소유한 경우에는 다음 각호[아래 ①]의 순위에 따른 1주택을 말한다]과 그밖의 주택(상속개시 당시 보유한 주택 또

는 상속개시 당시 보유한 조합원입주권이나 분양권에 의하여 사업시행 완료 후 취득한 신축주택만 해당하며, 상속개시일부터 소급하여 2년 이내에 피상속인으로부터 증여받은 주택 또는 증여받은 조합원입주권이나 분양권에 의하여 사업시행 완료 후 취득한 신축주택은 제외한다. 이하 이 항에서 "일반주택"이라 한다)을 국내에 각각 1개씩 소유하고 있는 1세대가 일반주택을 양도하는 경우에는 국내에 1개의 주택을 소유하고 있는 것으로 보아 제154조 제1항을 적용한다. 다만, 상속인과 피상속인이 상속개시 당시 1세대인 경우에는 1주택을 보유하고 1세대를 구성하는 자가 직계존속(배우자의 직계존속을 포함하며, 세대를 합친 날 현재 직계존속 중 어느 한 사람 또는 모두가 60세 이상으로서 1주택을 보유하고 있는 경우만 해당한다)을 동거봉양하기 위하여 세대를 합침에 따라 2주택을 보유하게 되는 경우로서 합치기 이전부터 보유하고 있었던 주택만 상속받은 주택으로 본다(이하 제3항, 제7항 제1호, 제156조의2 제7항 제1호 및 제156조의3 제5항 제1호에서 같다).(2018. 2. 13. 개정, 2020. 2. 11. 개정, 2021. 2. 17. 개정, 2022. 2. 15. 개정)(소득령 §155 ②)

이 중에서 소규모재개발사업, 가로주택정비사업, 자율주택정비사업은 2022년 2월 15일 이후 양도하는 분부터 적용한다.

2021년 1월 1일 이후 양도분부터 분양권을 포함하며, 분양권은 2021년 1월 1일 이후 취득한 경우부터 적용한다.

| 2020년 12월 31일 이전 양도하는 일반주택의 비과세 판단시 |

구분	상속주택	일반주택
요건	다음 중 어느 하나에 해당하는 경우 1. 상속받은 주택 2. 조합원입주권을 상속받아 사업시행 완료 후 취득한 신축주택	다음 중 어느 하나에 해당하는 경우 1. 상속개시 당시 보유한 주택 2. 상속개시 당시 보유한 조합원입주권에 의하여 사업시행 완료 후 취득한 신축주택 단, 상속개시일부터 소급하여 2년 이내에 피상속인으로부터 증여받은 주택 또는 증여받은 조합원입주권에 의하여 사업시행 완료 후 취득한 신축주택은 제외한다.

| 2021년 1월 1일 이후 양도하는 일반주택의 비과세 판단시 |

구분	상속주택	일반주택
요건	다음 중 어느 하나에 해당하는 경우 1. 상속받은 주택 2. 조합원입주권을 상속받아 사업시행 완료 후 취득한 신축주택 3. 2021년 1월 1일 이후 취득한 분양권을 상속받아 사업시행 완료 후 취득한 신축주택 4. 피상속인이 상속개시 당시 주택 또는 분양권을 소유하지 않은 경우의 상속받은 조합원입주권	다음 중 어느 하나에 해당하는 경우 1. 상속개시 당시 보유한 주택 2. 상속개시 당시 보유한 조합원입주권에 의하여 사업시행 완료 후 취득한 신축주택 3. 2021년 1월 1일 이후 취득한 분양권으로서 상속개시 당시 보유한 분양권에 의하여 사업시행 완료 후 취득한 신축주택 단, 상속개시일부터 소급하여 2년 이내에 피상속인으로부터 증여받은 주택 또는 증여받은 조합원입주권 및 2021년 1월 1일 이후에 취득한 분양권에 의하여 사업시행 완료 후 취득한 신축주택은 제외한다.
	* 분양권은 2021년 1월 1일 이후 취득한 것에 한한다.	

| 2018. 2. 13. 전후 증여받은 주택(소득령 §155 ②) |

법소정 상속주택과 일반주택이 있을 때 상속개시일로부터 2년 이내 증여받은 주택(조합원입주권 또는 분양권으로 신축한 주택 포함)은 일반주택으로 보지 아니한다.

2018. 2. 12. 이전 증여받은 주택(조합원입주권으로 취득한 신축주택 포함)	2018. 2. 13. 이후 증여받은 주택(조합원입주권 또는 분양권[1]으로 취득한 신축주택 포함)	
	상속개시일로부터 2년 전 증여받은 분	상속개시일로부터 2년 이내 증여받은 분
일반주택으로 본다.	일반주택으로 본다.	일반주택으로 보지 않는다.

1) 2021년 1월 1일 이후 취득한 분양권부터 적용한다.

① 법 소정 상속주택

---••••---

이 조항을 적용하는 상속주택(소득령 §155 ②)

이 조항을 적용하는 상속주택이란 다음을 말한다.
1. 상속받은 주택 및 법 소정 조합원입주권 또는 분양권을 상속받아 사업시행 완료 후 취득한 신축주택을 포함한다.(소득령 §155 ②) 분양권은 2021. 1. 1. 이후 취득한

분양권부터 적용한다.

2. 피상속인이 상속개시 당시 2 이상의 주택(상속받은 1주택이 「도시 및 주거환경정비법」에 따른 재개발사업(이하 "재개발사업"이라 한다), 재건축사업(이하 "재건축사업"이라 한다) 또는 「빈집 및 소규모주택 정비에 관한 특례법」에 따른 소규모재건축사업, 소규모재개발사업, 가로주택정비사업, 자율주택정비사업(이하 "소규모재건축사업 등[26]"이라 한다)의 시행으로 2 이상의 주택이 된 경우를 포함한다)을 소유한 경우에는 다음 각 호[아래 1)~4)]의 순위에 따른 1주택을 말한다.

1) 피상속인이 소유한 기간이 가장 긴 1주택

2) 피상속인이 소유한 기간이 같은 주택이 2 이상일 경우에는 피상속인이 거주한 기간이 가장 긴 1주택

3) 피상속인이 소유한 기간 및 거주한 기간이 모두 같은 주택이 2 이상일 경우에는 피상속인이 상속개시당시 거주한 1주택

4) 피상속인이 거주한 사실이 없는 주택으로서 소유한 기간이 같은 주택이 2 이상일 경우에는 기준시가가 가장 높은 1주택(기준시가가 같은 경우에는 상속인이 선택하는 1주택)

3. 상속개시당시 동일세대원인 상태에서 상속받은 주택은 이 조항을 적용하는 상속주택이 아니다. 상속개시당시 동일세대원인 상태에서 상속받은 주택은 이 규정을 적용하는 상속주택으로 보지 아니한다. 다만, 다음의 경우에는 동일세대원으로서 상속받은 경우에도 이 규정을 적용하는 상속받은 주택에 해당한다.

1) 동일세대원인 상태에서 상속받았을지라도 상속받은 주택으로 보는 경우
상속인과 피상속인이 상속개시 당시 1세대인 경우에는 1주택을 보유하고 1세대를 구성하는 자가 직계존속(배우자의 직계존속을 포함하며, 세대를 합친 날 현재 직계존속 중 어느 한 사람 또는 모두가 60세 이상으로서 1주택을 보유하고 있는 경우만 해당한다)을 동거 봉양하기 위하여 세대를 합침에 따라 2주택을 보유하게 되는 경우로서 합치기 이전부터 보유하고 있었던 주택만 상속받은 주택으로 본다.

② **1세대 1주택 비과세 대상인 일반주택**

1세대 1주택 비과세 요건을 갖춘 주택으로써 다음의 주택을 의미한다.(이하 "일반주택"이라 한다)(소득령 §155 ②)

---

26) 소규모재건축사업 중에서 소규모재개발사업, 가로주택정비사업, 자율주택정비사업은 2022년 2월 15일 이후 양도하는 분부터 적용한다.

ⅰ) 상속개시 당시 보유한 주택 또는 상속개시 당시 보유한 조합원입주권이나 분양권에 의하여 사업시행 완료 후 취득한 신축주택만 해당

ⅱ) 상속개시일부터 소급하여 2년 이내에 피상속인으로부터 증여받은 주택 또는 증여받은 조합원입주권이나 분양권에 의하여 사업시행 완료 후 취득한 신축주택은 제외한다.

[적용시기] 제155조 제2항의 개정규정은 2018. 2. 13 이후 주택 또는 조합원입주권을 증여받은 분부터 적용하며 분양권은 2021. 1. 1. 이후 취득한 분양권부터 적용한다.

3) 1세대 1주택 판단 시 공동상속 받은 주택

1세대 1주택 비과세 특례(제154조 제1항)를 적용할 때 공동상속주택[상속으로 여러 사람이 공동으로 소유하는 1주택을 말하며, 피상속인이 상속개시 당시 2 이상의 주택(상속받은 1주택이 재개발사업, 재건축사업 또는 소규모재건축사업 등의 시행으로 2 이상의 주택이 된 경우를 포함한다)을 소유한 경우에는 제2항 각 호[위 2), ①]의 순위에 따른 1주택을 말한다] 외의 다른 주택을 양도하는 때에는 해당 공동상속주택은 해당 거주자의 주택으로 보지 아니한다. 다만, 상속지분이 가장 큰 상속인의 경우에는 그러하지 아니하며, 상속지분이 가장 큰 상속인이 2명 이상인 경우에는 그 2명 이상의 사람 중 다음 각 호[아래 ①, ②]의 순서에 따라 해당 각 호에 해당하는 사람이 그 공동상속주택을 소유한 것으로 본다.(2017. 2. 3. 개정, 2020. 2. 11. 개정, 2022. 2. 15. 개정)(소득령 §155 ③)

① 당해 주택에 거주하는 자(1994. 12. 31. 개정)

② 최연장자(1994. 12. 31. 개정)

4) 상속받은 조합원입주권의 경우

상속받은 조합원입주권[피상속인이 상속개시 당시 주택 또는 분양권을 소유하지 않은 경우의 상속받은 조합원입주권만 해당하며, 피상속인이 상속개시 당시 2 이상의 조합원입주권을 소유한 경우에는 다음 각 호[아래 ①의 ⅰ)~ⅲ)]의 순위에 따른 1조합원입주권만 해당하고, 공동상속조합원입주권(상속으로 여러 사람이 공동으로 소유하는 1조합원입주권을 말하며, 이하 이 조에서 같다)의 경우에는 제7항 제3호에 해당하는 사람이 그 공동상속조합원입주권을 소유한 것으로 본다]과 그 밖의 주택(상속개시 당시 보유한 주택 또는 상속개시 당시 보유한 조합원입주권이나 분양권에 의하여 사업시행 완료 후 취득한 신축주택만 해당하며, 상속개시일부터 소급하여 2년 이내에 피상속인으로부터 증여받은 주택 또는

조합원입주권이나 분양권에 의하여 사업시행 완료 후 취득한 신축주택은 제외한다. 이하 이 항에서 "일반주택"이라 한다)을 국내에 각각 1개씩 소유하고 있는 1세대가 일반주택을 양도하는 경우에는 국내에 1개의 주택을 소유하고 있는 것으로 보아 제154조 제1항을 적용한다. 다만, 상속인과 피상속인이 상속개시 당시 1세대인 경우에는 1주택을 보유하고 1세대를 구성하는 자가 직계존속(배우자의 직계존속을 포함하며, 세대를 합친 날 현재 직계존속 중 어느 한 사람 또는 모두가 60세 이상으로서 1주택을 보유하고 있는 경우만 해당한다)을 동거봉양하기 위하여 세대를 합침에 따라 2주택을 보유하게 되는 경우로써 합치기 이전부터 보유하고 있었던 주택이 조합원입주권으로 전환된 경우에만 상속받은 조합원입주권으로 본다(이하 제7항 제2호에서 같다).(2018. 2. 13. 개정, 2020. 2. 11. 개정, 2021. 2. 17. 개정)(소득령 §156의2 ⑥)

① 피상속인이 상속개시 당시 2 이상의 조합원입주권을 소유한 경우에는 다음 각 호[아래 ⅰ)∼ⅲ)]의 순위에 따른 1조합원입주권을 의미한다.

ⅰ) 피상속인이 소유한 기간(주택 소유기간과 조합원입주권 소유기간을 합한 기간을 말한다. 이하 이 항에서 같다)이 가장 긴 1조합원입주권(2005. 12. 31. 신설)(소득령 §156의2 ⑥ 1호)

ⅱ) 피상속인이 소유한 기간이 같은 조합원입주권이 2 이상일 경우에는 피상속인이 거주한 기간(주택에 거주한 기간을 말한다. 이하 이 항에서 같다)이 가장 긴 1조합원입주권(2005. 12. 31. 신설)(소득령 §156의2 ⑥ 2호)

ⅲ) 피상속인이 소유한 기간 및 피상속인이 거주한 기간이 모두 같은 조합원입주권이 2 이상일 경우에는 상속인이 선택하는 1조합원입주권(2005. 12. 31. 신설)(소득령 §156의2 ⑥ 3호)

② 피상속인이 상속개시 당시 주택은 소유하지 않고 조합원입주권과 분양권만 소유한 경우
피상속인이 상속개시 당시 주택은 소유하지 않고 조합원입주권과 분양권만 소유한 경우에는 상속인이 조합원입주권 또는 분양권 중 하나에 대해서만 선택하여 상속받은 것으로 보아 제156조의2 제6항을 적용할 수 있다. 이 경우 피상속인이 상속개시 당시 분양권 또는 조합원입주권을 소유하고 있지 않은 경우여야 한다는 요건은 적용하지 않는다.(2021. 2. 17. 신설)(소득령 §156의2 ⑮)

이는 2021년 신설된 항목으로 2021년 1월 1일 이후 양도하는 주택분부터 적용되며 분양권의 경우 2021년 1월 1일 이후 취득한 분양권만 대상이다.

| 2020년 12월 31일 이전 양도하는 일반주택의 비과세 판단시 |

구분	상속주택	일반주택
요건	다음 중 어느 하나에 해당하는 경우 1. 상속받은 주택 2. 조합원입주권을 상속받아 사업시행 완료 후 취득한 신축주택	다음 중 어느 하나에 해당하는 경우 1. 상속개시 당시 보유한 주택 2. 상속개시 당시 보유한 조합원입주권에 의하여 사업시행 완료 후 취득한 신축주택 단, 상속개시일부터 소급하여 2년 이내에 피상속인으로부터 증여받은 주택 또는 증여받은 조합원입주권에 의하여 사업시행 완료 후 취득한 신축주택은 제외한다.

| 2021년 1월 1일 이후 양도하는 일반주택의 비과세 판단시 |

구분	상속주택	일반주택
요건	다음 중 어느 하나에 해당하는 경우 1. 상속받은 주택 2. 조합원입주권 또는 분양권을 상속받아 사업시행 완료 후 취득한 신축주택 3. 상속받은 분양권 　(피상속인이 상속개시 당시 주택 또는 조합원입주권을 소유하지 않은 경우의 분양권) 4. 조합원입주권 　(피상속인이 상속개시 당시 주택 또는 분양권을 소유하지 않은 경우의 상속받은 조합원입주권)	다음 중 어느 하나에 해당하는 경우 1. 상속개시 당시 보유한 주택 2. 상속개시 당시 보유한 조합원입주권에 의하여 사업시행 완료 후 취득한 신축주택 3. 2021년 1월 1일 이후 취득한 분양권으로서 상속개시 당시 보유한 분양권에 의하여 사업시행 완료 후 취득한 신축주택 단, 상속개시일부터 소급하여 2년 이내에 피상속인으로부터 증여받은 주택 또는 증여받은 조합원입주권 및 2021년 1월 1일 이후에 취득한 분양권에 의하여 사업시행 완료 후 취득한 신축주택은 제외한다.
*분양권은 2021년 1월 1일 이후 취득한 것에 한한다.		

③ 1세대 1주택 비과세 대상인 일반주택

　1세대 1주택 비과세 요건을 갖춘 주택으로서 다음의 주택을 의미한다.(이하 "일반주택"이라 한다)

　ⅰ) 상속개시 당시 보유한 주택

　ⅱ) 상속개시 당시 보유한 조합원입주권에 의하여 사업시행 완료 후 취득한 신축주택

　ⅲ) 2021년 1월 1일 이후 취득한 분양권으로서 상속개시 당시 보유한 분양권에 의하여 사업시행 완료 후 취득한 신축주택

단, 상속개시일부터 소급하여 2년 이내에 피상속인으로부터 증여받은 주택 또는 증여받은 조합원입주권 및 2021년 1월 1일 이후에 취득한 분양권에 의하여 사업시행 완료 후 취득한 신축주택은 제외한다.(적용시기 : 2018. 2. 13 이후 주택 또는 조합원입주권을 증여받은 분부터 적용함)(2021. 2. 17. 개정)(소득령 §155 ②)

5) 협의분할이 안 된 상속주택의 경우

위 3)의 법 소정 상속주택과 일반주택이 있는 경우 1세대 1주택 비과세특례규정[소득령 제155조 제2항] 및 1세대 1주택 비과세 판단 시 상속주택의 주택 수 계산(소득령 제155조 제3항)을 적용할 때 상속주택 외의 주택을 양도할 때까지 상속주택을 「민법」 제1013조에 따라 협의분할하여 등기하지 아니한 경우에는 같은 민법 제1009조 및 제1010조에 따른 상속분에 따라 해당 상속주택을 소유하는 것으로 본다. 다만, 상속주택 외의 주택을 양도한 이후 「국세기본법」 제26조의2에 따른 국세 부과의 제척기간 내에 상속주택을 협의분할하여 등기한 경우로서 등기 전 제2항 및 제3항에 따라 1세대 1주택 비과세 규정[소득령 제154조 제1항]을 적용받았다가 등기 후 같은 항의 적용을 받지 못하여 양도소득세를 추가 납부하여야 할 자는 그 등기일이 속하는 달의 말일부터 2개월 이내에 다음 계산식에 따라 계산한 금액을 양도소득세로 신고·납부하여야 한다.(2017. 2. 3. 항번개정)(소득령 §155 ⑲)

$$\text{납부할 양도소득세} = \text{일반주택 양도 당시 상속주택 외 일반주택 1세대 1주택 비과세규정[소득령 제11조 제2항 또는 제3항]을 적용하지 아니하였을 경우에 납부하였을 세액} - \text{일반주택 양도 당시 제2항 또는 제3항을 적용받아 납부한 세액}$$

2 상속주택 관련 예규·판례

(1) 상속당시 2주택을 보유한 상속인이 최종 남은 일반주택 1채를 양도하는 경우 비과세 여부

상속개시 당시 일반주택을 2개 소유하였다가 최종 일반주택 1개를 양도하는 경우, 양도 시를 기준으로 소득령 제155조 제2항에 따라 비과세를 판정함.(사전법령해석재산 2020-1149, 2020. 12. 30.)

(2) 상속주택 지분 일부 배우자에게 증여 시 소득령 제155조 제2항에 따른 상속 주택 특례 적용 가능 여부

상속받은 주택과 그 밖의 주택을 국내에 각각 1개씩 소유하고 있는 1세대가 일반주택을 양도하는 경우에는 국내에 1개의 주택을 소유하고 있는 것으로 보아 「소득세법 시행령」 제154조 제1항을 적용하는 것이나, 상속받은 주택을 동일 세대 내 다른 세대원에게 증여하고 일반주택을 양도하는 경우에는 그러하지 아니하는 것임.(사전법령해석재산 2020-366, 2020. 6. 10.)

(3) 상속주택 2주택 중 1주택을 양도하는 경우 1세대 1주택 비과세 특례적용 여부

무주택 1세대가 동일세대원인 피상속인으로부터 조합원입주권 2개를 상속으로 취득하여 사업시행 완료 후 취득한 상속주택 2주택 중 1주택을 양도하는 경우, 「소득세법 시행령」 제155조 제2항에 따른 1세대 1주택 비과세 특례규정을 적용할 수 없는 것임.(서면부동산 2017-3172, 2018. 7. 19.)

(4) 공동상속주택(소수지분)을 3채 보유하고 있는 1세대가 일반주택을 양도하는 경우 1세대 1주택 비과세 적용 여부

이 건 공동상속주택은 총 3건으로 상속주택과 일반주택이 있는 경우 1세대 1주택 비과세 특례규정[소득령 제155조 제2항] 각 호의 우선순위에 따른 1주택을 제외한 나머지 공동상속주택은 주택 수에 포함하는 것이 동 시행령의 개정 취지에 부합한다고 보이는 점, 소수지분 보유자의 경우 선순위 우선주택(1주택)에 대해서만 일반주택 양도 시 주택 수에서 제외하고 나머지 공동상속주택(소수지분)에 대해서는 주택 수에 포함하여 1세대 1주택 비과세 특례적용 여부를 판단하는 것이 타당해 보이는 점 등에 비추어 처분청의 이 건 양도소득세 부과처분은 잘못이 없음.(조심 2018중793, 2018. 5. 2.)

(5) 조특법 제98조의5 제1항에 해당하는 주택, 상속받은 주택 및 일반주택을 소유한 1세대의 대체취득 비과세

일반주택을 소유하고 있는 1세대가 상속주택과 「조세특례제한법」 제98조의5 제1항을 적용받는 주택을 취득한 후, 일반주택을 취득한 날부터 1년 이상 지난 후 신규주택을 취득하고 그 신규주택을 취득한 날부터 3년 이내에 일반주택을 양도하는 경우, 「소득세법」 제89조 제1항 제3호 및 같은 법 시행령 제154조 제1항의 1세대 1주택 비과세 규정을 적용하는 것임.(서면부동산 2017-2738, 2018. 1. 25.)

> **사례** : 일반주택(A), 법 소정 상속주택(B), 조특법 제98조의5 제1항의 주택(C), 신규주택
> (D) : 종전 주택(A) 취득 후 1년 이상 지난 후 신규주택(D)을 취득하고 종전 주택
> 을 신규주택 취득일로부터 3년 이내 양도 시 1세대 1주택 비과세 규정 적용 가능

(6) 상속주택을 포함하여 1세대 3주택 보유 시 일시적 1세대 2주택 비과세 적용 여부 등

상속받은 주택과 그 밖의 주택을 소유하고 있는 1세대가 일반주택을 취득한 날부터 1년 이상이 지난 후 다른 주택을 취득하고 그 취득한 날부터 3년 이내에 일반주택을 양도할 때에는 이를 1세대 1주택으로 보는 것임.(서면부동산 2017-2328, 2017. 12. 21.)

(7) 상속주택을 거주주택으로 하여 장기임대주택 과세특례 적용 시 거주기간 계산

상속주택을 거주주택으로 하여 장기임대주택 과세특례 적용 시 양도주택에 대한 거주기간의 계산은 해당 양도주택에서 피상속인과 함께 하였던 거주기간과 상속인의 거주기간을 통산하는 것임.(서면부동산 2016-3992, 2016. 9. 1.)

제10절 다주택자 취득세

① 다주택자 취득세율 인상

(1) 다주택자 취득세율 인상

다주택자 및 법인 등에 대한 취득세율이 다음과 같이 인상된다.

1) 일반 매매인 경우 취득세율

구분	1주택	2주택	3주택	4주택 이상
조정대상지역	1~3%	8% (일시적 2주택 제외)	12%	12%
비조정대상지역	1~3%		8%	12%

* 법인인 경우 조정 비조정 여부 또는 주택 수 관계없이 12%의 단일 세율을 적용한다.
* 법인 및 국내에 주택을 1개 이상을 소유하고 있는 1세대가 2020년 7월 10일 이전에 주택에 대한 매매계약(공동주택 분양계약을 포함한다)을 체결하고 계약금 지급이 입증되는 경우에는 종전의 세율 인상 전의 규정을 적용한다.

2) 증여로 취득하는 주택의 취득세율

구 분		취득세율
조정대상지역	시가표준액 3억 원 이상	12%
	시가표준액 3억 원 미만	3.5%
비조정대상지역		

단, 1세대 1주택자가 소유주택을 배우자·직계존비속에게 증여하는 경우에는 3.5% 적용한다.

인상된 취득세율은 2020년 8월 12일 이후 납세의무가 성립하는 분부터 적용한다.

| 2020년 8월 12일 현재 취득세율 조견표[27] |

부동산 종류		구분(㎡)	취득세	농특세	지방 교육세	합 계
주택 (유상)	6억 원 이하	85 이하	1.0%	0	0.1%	1.1%
		85 초과	1.0%	0.2%	0.1%	1.3%
	6억 원 초과 9억 원 이하	85 이하	1.01-3.0%	0	0.1-0.3%	1.11-3.3%
		85 초과	1.01-3.0%	0.2%	0.1-0.3%	1.31-3.5%
	9억 원 초과	85 이하	3.0%	0	0.3%	3.3%
		85 초과	3.0%	0.2%	0.3%	3.5%
	1세대 4주택(8.12. 삭제)		4.0%	0.2%	0.4%	4.6%
주택 중과세	법인, 단체, 사단, 재단 등		12.0%	1.0%	0.4%	13.4%
	1세대 2주택 조정지역 내 1세대 3주택 조정지역 외		8.0%	0.6%	0.4%	9.0%
	1세대 3주택 이상 조정지역 내 1세대 4주택 조정지역 외		12.0%	1.0%	0.4%	13.4%
	조정지역 내 주택 무상취득 (시가표준액 3억 원 이상인 주택만)		12.0%	1.0%	0.4%	13.4%
	법인 등 + 사치성 재산		20.0%	1.8%	0.4%	22.2%
	1세대 2주택 조정지역 내 (1세대 3주택 조정지역 외) + 사치성 재산		16.0%	1.4%	0.4%	17.8%
	1세대 3주택 조정지역 내 (1세대 4주택 이상 조정지역 외) + 사치성 재산		20.0%	1.8%	0.4%	22.2%
	조정지역 내 무상취득 + 사치성 재산		20.0%	1.8%	0.4%	22.2%
주택 외	매매	토지/건물	4.0%	0.2%	0.4%	4.6%
	재건축/재개발 관리처분후매매	토지만				
농지	매매	신규	3.0%	0.2%	0.2%	3.4%
		2년 이상 자경	1.5%	0	0.1%	1.6%

27) 표 출처 : 한국지방세연구회

부동산 종류		구분(㎡)	취득세	농특세	지방 교육세	합 계
상속	1가구 1주택	세대원 전체 무주택인 경우	0.8%	0	0.16%	0.96%
	농지	일반	2.3%	0.2%	0.06%	2.56%
		2년 이상 자경	0.15%	0	0.03%	0.18%
	농지 외	85 이하	2.8%	0	0.16%	2.96%
		85 초과	2.8%	0.2%	0.16%	3.16%
원시취득, 재건축, 재개발준공후(건물)						
증여(농지, 기타) ※주택 : 조정지역 외로서 시가표준액 3억 원 초과 제외		일반	3.5%	0.2%	0.3%	4.0%
		85 이하	3.5%	0	0.3%	3.8%
재건축	원조합원	85 이하	2.8%	0	0.16%	2.96%
	승계조합원	85 초과	2.8%	0.2%	0.16%	3.16%

(2) 취득세 주택 수 계산(지방령 §28의3)

1) 세대별로 주택 수 계산

취득세의 주택 수를 계산할 때 세대가 보유한 주택을 합산하여 계산한다. 1세대란 주택을 취득하는 사람과 「주민등록법」 제7조에 따른 세대별 주민등록표(이하 이 조에서 "세대별 주민등록표"라 한다) 또는 「출입국관리법」 제34조 제1항에 따른 등록외국인기록표 및 외국인등록표(이하 이 조에서 "등록외국인기록표 등"이라 한다)에 함께 기재되어 있는 가족(동거인은 제외한다)으로 구성된 세대를 말하며 주택을 취득하는 사람의 배우자(사실혼은 제외하며, 법률상 이혼을 했으나 생계를 같이 하는 등 사실상 이혼한 것으로 보기 어려운 관계에 있는 사람을 포함한다. 이하 제28조의6에서 같다), 취득일 현재 미혼인 30세 미만의 자녀 또는 부모(주택을 취득하는 사람이 미혼이고 30세 미만인 경우로 한정한다)는 주택을 취득하는 사람과 같은 세대별 주민등록표 또는 등록외국인기록표 등에 기재되어 있지 않더라도 1세대에 속한 것으로 본다.(지방령 §28의3 ② 1호)

* 「국민기초생활 보장법」 제2조 제11호에 따른 기준 중위소득(2022년 기준 1인 가구 월 1,944,812원)의 100분의 40 이상(월 777,925원)

2) 별도 세대로 인정하는 경우

제1항에도 불구하고 다음 각 호의 어느 하나에 해당하는 경우에는 각각 별도의 세대로 본다.(2020. 8. 12. 신설)(지방령 §28의3 ②)

① 30세 미만의 자녀

부모와 같은 세대별 주민등록표에 기재되어 있지 않은 30세 미만의 자녀로서 주택 취득일이 속하는 달의 직전 12개월 동안 발생한 소득으로서 행정안전부장관이 정하는 소득이 「국민기초생활 보장법」에 따른 기준 중위소득을 12개월로 환산한 금액의 100분의 40 이상이고, 소유하고 있는 주택을 관리·유지하면서 독립된 생계를 유지할 수 있는 경우. 다만, 미성년자인 경우는 제외한다.(2021. 12. 31. 개정)(지방령 §28의3 ② 1호)

구 분	독립된 생계 인정	독립된 생계 비인정
만 19세 이상	별도세대	동일세대
만 18세 이하	동일세대	

② 65세 이상의 부모 동거봉양 주택

취득일 현재 65세 이상의 부모(부모 중 어느 한 사람이 65세 미만인 경우를 포함한다)를 동거봉양(同居奉養)하기 위하여 30세 이상의 자녀, 혼인한 자녀 또는 제1호에 따른 소득요건을 충족하는 성년인 자녀가 합가(合家)한 경우(2020. 8. 12. 신설)(지방령 §28의3 ② 2호)

③ 세대전원이 90일 이상 출국하는 경우

취학 또는 근무상의 형편 등으로 세대전원이 90일 이상 출국하는 경우로서 「주민등록법」 제10조의3 제1항 본문에 따라 해당 세대가 출국 후에 속할 거주지를 다른 가족의 주소로 신고한 경우(2020. 8. 12. 신설)(지방령 §28의3 ② 3호)

④ 주택을 취득한 날부터 60일 이내에 세대를 분리하는 경우

별도의 세대를 구성할 수 있는 사람이 주택을 취득한 날부터 60일 이내에 세대를 분리하기 위하여 그 취득한 주택으로 주소지를 이전하는 경우(2021. 12. 31. 신설)(지방령 §28의3 ② 4호)

3) 기타의 주택 수 계산

취득세의 산정기준인 주택 수는 다음과 같이 계산한다.

① 주택분양권, 조합원입주권 주택 수에 포함된다.

| 취득세 계산 시 분양권의 주택 수 포함 여부 |

주택 조합원입주권 및 주택 분양권 취득일	
2020. 8. 11. 이전	2020. 8. 12. 이후
주택 수 불포함	주택 수 포함[1]

1) 2020년 8월 11일 이전에 매매계약을 체결한 경우에는 주택 수 불포함

② 세대원이 공동 소유한 주택 등은 1주택으로 본다.

③ 동일세대가 아닌 자와 공동으로 지분 소유한 경우는 각자 지분을 1주택으로 본다.

④ 신탁주택도 위탁자의 주택 수에 포함한다.

⑤ 65세 이상 부모를 동거봉양하기 위해 합가하는 경우는 별도 세대로 본다. 즉, 주택 수에서 제외한다.

⑥ 임대사업자의 임대주택 취득도 취득세 중과세되며, 보유주택 수에도 포함된다.

4) 일시적 1세대 2주택인 경우 취득세는?

1주택을 소유한 1세대가 다른 1주택을 추가로 취득한 경우 종전 주택을 일정 기간* 내에 처분할 경우에 신규 주택은 1주택 세율(1~3%)을 적용받게 된다. 다만, 기간 내에 종전 주택을 처분하지 않으면 추후 차액이 추징된다.(지방령 §28의5)

* 3년, 다만 종전 주택과 신규 주택이 모두 조정대상지역 내에 있는 경우에는 1년 이내 처분해야 한다.

종전주택	신규주택	종전주택 처분기간
조정지역	조정지역	1년
비조정지역	비조정지역	3년
비조정지역	조정지역	3년
조정지역	비조정지역	3년

5) 오피스텔의 주택 수 계산

| 오피스텔의 취득세 주택 수 계산 |

구 분	오피스텔 분양권	오피스텔 보유시		
		비주거용	주거용(주택 재산세 과세대상)	
			2020. 8. 11. 이전 매매계약 체결분	2020. 8. 12. 이후 신규 취득분
취득세 주택 수 포함 여부	불포함	불포함	불포함	포함[1]

1) 시가표준액 1억 원 이하의 오피스텔은 주택 수에 불포함한다.

궁금한 점 Q&A

Q. 2020년 8월 11일 이전에 취득한 업무용 오피스텔을 2020년 8월 12일 이후에 주거용 오피스텔로 전환하는 경우 주택 수 산정에 포함하는지?

A. 주거용 오피스텔을 법 시행일인 2020년 8월 11일 이전에 취득한 경우에 해당하므로, 주택 수에 포함하지 않는다.

① 오피스텔 취득시 취득세

오피스텔 취득시 취득세는 4.6%의 취득세율을 적용한다. 분양으로 취득하는 경우뿐만 아니라 주거용으로 사용하고 있는 오피스텔을 일반 매매로 취득하는 경우 역시 다른 주택 수와 관계없이 4.6%의 취득세율이 적용된다.

6) 상속주택의 주택 수 계산

① 상속주택 등의 경우

상속을 원인으로 취득한 주택, 조합원입주권, 주택분양권 또는 오피스텔로서 상속개시일부터 5년이 지나지 않은 것은 주택 수를 계산할 때 제외한다.(지방령 §28의4 ⑤)

이 규정은 2020년 8월 12일 새로 신설된 규정으로 만일 2020년 8월 11일 이전에 상속을 원인으로 취득한 주택, 조합원입주권, 주택분양권 또는 오피스텔은 위의 내용에도 불구하고 2020년 8월 12일 이후부터 5년 동안 주택 수 산정 시 소유주택 수에서 제외한다.

② 공동상속주택의 경우

공동상속의 경우 상속지분이 가장 큰 상속인의 소유 주택으로 본다. 소유지분이 동일한 경우에는 ⅰ) 당해 주택에 거주하는 사람, ⅱ) 최연장자순으로 소유한 것으로 본다. 소수지분자는 취득세 주택 수에 포함하지 않는다.

③ 미등기 상속주택 또는 오피스텔 등

미등기 상속주택 또는 오피스텔의 소유지분이 종전의 소유지분과 변경되어 등기되는 경우에는 등기상 소유지분을 상속개시일에 취득한 것으로 보아 주택 수를 계산한다.

궁금한 점 Q&A

Q. 1주택 소유자가 아파트 분양권을 추가로 취득한 경우, 일시적 2주택을 적용받기 위한 종전 주택 처분기한은?

A. 분양권이나 입주권이 주택 수에는 포함되지만, 그 자체는 거주할 수 있는 주택이 아니므로, 아파트 준공 후 주택의 취득일을 기준으로 3년 이내에 종전 주택을 처분하는 경우에는 일시적 2주택으로 본다. 단, 종전주택과 신규주택이 모두 조정대상지역 소재 시 1년 이내에 종전주택을 처분해야 일시적 2주택으로 본다.

---

7) 취득세 중과 제외되는 주택

다음은 취득세 주택 수 산정할 때를 산정 여부와 중과대상 여부를 나타낸 표다.

| 취득세 주택 수 및 중과세 제외 대상 |

취득세 주택 수 및 중과세 제외 대상(지방령 §28의2, §28의4)			
번호	구 분	중과 제외 (제외됨 : ○)	주택 수 제외 (제외됨 : ○, 제외 안됨 : ×)
1	시가표준액 1억 원 이하인 주택 지분이나 부속토지만 취득한 경우 전체 주택가격으로 판단한다. - 도정법에 따른 정비구역 및 빈집 및 소규모 특례법에 따른 사업시행구역 소재 주택은 제외	○	○
2	공공주택사업자(지방공사, LH 등)의 공공임대주택	○	×
3	노인복지주택	○	○
4	혁신지구사업시행자로부터 현물보상으로 공급받아 취득하는 주택	○	×
5	등록문화재주택	○	○
6	공공지원민간임대주택으로 공급하기 위한 주택	○	○
7	가정어린이집	○	○
8	주택도시기금 리츠가 환매조건부로 취득하는 주택	○	×
9	재개발 등의 사업 부지확보를 위해 멸실 목적으로 취득하는 주택	○	○

번호	구 분	중과 제외 (제외됨 : ○)	주택 수 제외 (제외됨 : ○, 제외 안됨 : ×)
	취득세 주택 수 및 중과세 제외 대상(지방령 §28의2, §28의4)		
10	주택시공자가 공사대금으로 받은 미분양주택	○	○
11	저당권 실행으로 취득한 주택	○	×
12	사원 임대용 주택 - 전용면적 60㎡ 이내인 공동주택 취득일로부터 1년 이내 해당 용도에 직접 사용 해당 용도로 직접 사용한 기간이 3년 미만인 상태에서 매각·증여하거나 다른 용도로 사용하는 경우는 제외	○	○
13	농어촌주택 다음을 모두 충족하는 농어촌주택 - 대지면적 660㎡ 이내 & 건축물 연면적 150㎡ 이내 - 건축물 시가표준액이 6천5백만 원 이하 - 법 소정 지역에 소재	○	○
14	물적분할 요건을 갖춘 분할신설법인이 분할법인으로부터 취득하는 미분양주택	○	×
15	리모델링주택조합이 취득하는 주택	○	×
16	- 토지임대부 분양주택을 공급하기 위하여 취득하는 주택 - 토지임대부 분양주택을 분양받은 자로부터 환매하여 취득하는 주택	○	×

(3) 법인 전환 시 취득세 감면 제외

「조세특례제한법」 제32조에 따른 현물출자 또는 사업 양도·양수에 따라 2024년 12월 31일까지 취득하는 사업용 고정자산(단, 2020년 8월 12일 이후 사업용 고정자산을 취득하는 경우부터 「통계법」 제22조에 따라 통계청장이 고시하는 한국표준산업분류에 따른 부동산 임대 및 공급업에 대해서는 제외한다)에 대해서는 취득세의 100분의 75를 경감한다. 다만, 취득일부터 5년 이내에 대통령령으로 정하는 정당한 사유 없이 해당 사업을 폐업하거나 해당 재산을 처분(임대를 포함한다) 또는 주식을 처분하는 경우에는 경감받은 취득세를 추징한다.(2021. 12. 28. 개정)(지특법 §57의2 ④)

② 취득세 감면

(1) 서민주택 취득세 감면

상시 거주(취득일 이후 「주민등록법」에 따른 전입신고를 하고 계속하여 거주하거나 취득일 전에 같은 법에 따른 전입신고를 하고 취득일부터 계속하여 거주하는 것을 말한다. 이하 이 조에서 같다)할 목적으로 대통령령으로 정하는 서민주택을 취득[상속·증여로 인한 취득 및 원시취득(原始取得)은 제외한다]하여 대통령령으로 정하는 1가구 1주택에 해당하는 경우(해당 주택을 취득한 날부터 60일 이내에 종전 주택을 증여 외의 사유로 매각하여 1가구 1주택이 되는 경우를 포함한다)에는 취득세를 2024년 12월 31일까지 면제한다.(2018. 12. 24. 개정, 2021. 12. 28. 개정)(지특법 §33 ②)

1) 서민주택

지방세특례법 제33조 제2항에서 "대통령령으로 정하는 서민주택"이란 연면적 또는 전용면적이 40제곱미터 이하인 주거용 건축물 및 그 부속토지로서 취득가액이 1억 원 미만인 것을 말한다.(2010. 9. 20. 제정)(지특령 §15 ②)

2) 1가구 1주택

지방세특례법 제33조 제2항에서 "대통령령으로 정하는 1가구 1주택"이란 취득일 현재 취득자와 같은 세대별 주민등록표에 기재되어 있는 가족(동거인은 제외한다)으로 구성된 1가구(취득자의 배우자, 취득자의 미혼인 30세 미만의 직계비속 또는 취득자가 미혼이고 30세 미만인 경우 그 부모는 각각 취득자와 같은 세대별 주민등록표에 기재되어 있지 아니하더라도 같은 가구에 속한 것으로 본다)가 국내에 1개의 주택을 소유하는 것을 말하며, 주택의 부속토지만을 소유하는 경우에도 주택을 소유한 것으로 본다. 이 경우 65세 이상인 직계존속, 「국가유공자 등 예우 및 지원에 관한 법률」에 따른 국가유공자(상이등급 1급부터 7급까지의 판정을 받은 국가유공자만 해당한다)인 직계존속 또는 「장애인복지법」에 따라 등록한 장애인(장애의 정도가 심한 장애인만 해당한다)인 직계존속을 부양하고 있는 사람은 같은 세대별 주민등록표에 기재되어 있더라도 같은 가구에 속하지 아니하는 것으로 본다.(2018. 12. 31. 개정)(지특령 §15 ③)

3) 사후관리

제2항[위 (1)]을 적용할 때 다음 각 호[아래 ①~③]의 어느 하나에 해당하는 경우에는 면제된 취득세를 추징한다.(2018. 12. 24. 신설)(지특법 §33 ③)

① 정당한 사유 없이 그 취득일부터 3개월이 지날 때까지 해당 주택에 상시 거주를 시작하지 아니한 경우(2018. 12. 24. 신설)(지특법 §33 ③ 1호)

② 해당 주택에 상시 거주를 시작한 날부터 2년이 되기 전에 상시 거주하지 아니하게 된 경우(2018. 12. 24. 신설)(지특법 §33 ③ 2호)

③ 해당 주택에 상시 거주한 기간이 2년 미만인 상태에서 해당 주택을 매각·증여하거나 다른 용도(임대를 포함한다)로 사용하는 경우(지특법 §33 ③ 3호)

4) 서민주택의 취득세 감면 요건

구 분	내 용
감면율	100%
요 건	(1) 1가구 1주택 (2) 전용면적 40㎡ 이하인 주택과 그 부수토지 매입 (3) 취득가액 1억 원 미만 (4) 3개월 이내 상시 거주하며, 2년 이상 거주
근 거	지방세특례제한법 제33조 지방세특례제한법 시행령 제15조
적용기한	2024년 12월 31일까지

① 종전 주택이 있는 경우 해당 주택을 취득한 날로부터 60일 이내에 종전 주택 매각한 경우 포함

② 주택의 부속토지만 소유하는 경우에도 주택을 소유한 것으로 보아 적용 제외

③ 30세 미만의 미혼 자녀는 세대 분리해도 같은 세대로 본다.

④ 단, 취득자가 미혼이고 만 30세 미만인 경우에도, 65세 이상인 직계존속, 「국가유공자 등 예우 및 지원에 관한 법률」에 따른 국가유공자(상이등급 1급부터 7급까지의 판정을 받은 국가유공자만 해당한다)인 직계존속 또는 「장애인복지법」에 따라 등록한 장애인(장애의 정도가 심한 장애인만 해당한다)인 직계존속을 부양하고 있는 사람은 같은 세대별 주민등록표에 기재되어 있더라도 같은 가구에 속하지 아니하는 것으로 본다.

⑤ 상속·증여로 인한 취득 및 원시취득(原始取得)은 적용제외한다.

(2) 주택임대사업자의 취득세 감면

1) 건축한 주택임대사업자의 취득세 감면

「공공주택 특별법」에 따른 공공주택사업자 및 「민간임대주택에 관한 특별법」에 따른 임대사업자[임대용 부동산 취득일부터 60일 이내에 해당 임대용 부동산을 임대목적물(2020년 7월 11일 이후 「민간임대주택에 관한 특별법」(법률 제17482호로 개정되기 전의 것을 말한다) 제5조에 따른 임대사업자등록 신청(임대할 주택을 추가하기 위하여 등록사항의 변경 신고를 한 경우를 포함한다)을 한 같은 법 제2조 제5호에 따른 장기일반민간임대주택(이하 이 조에서 "장기일반민간임대주택"이라 한다) 중 아파트를 임대하는 민간매입임대주택이거나 같은 조 제6호에 따른 단기민간임대주택(이하 이 조에서 "단기민간임대주택"이라 한다)인 경우 또는 같은 법 제5조에 따라 등록한 단기민간임대주택을 같은 조 제3항에 따라 2020년 7월 11일 이후 같은 법 제2조 제4호에 따른 공공지원민간임대주택이나 장기일반민간임대주택으로 변경 신고한 주택은 제외한다)로 하여 임대사업자로 등록한 경우를 말하되, 토지에 대해서는 「주택법」 제15조에 따른 사업계획승인을 받은 날 또는 「건축법」 제11조에 따른 건축허가를 받은 날부터 60일 이내로서 토지 취득일부터 1년 6개월 이내에 해당 임대용 부동산을 임대목적물로 하여 임대사업자로 등록한 경우를 포함한다. 이하 이 조에서 "임대사업자"라 한다]가 임대할 목적으로 공동주택(해당 공동주택의 부대시설 및 임대수익금 전액을 임대주택관리비로 충당하는 임대용 복리시설을 포함한다. 이하 이 조에서 같다)을 건축하는 경우 그 공동주택에 대해서는 다음 각 호에서 정하는 바에 따라 지방세를 2024년 12월 31일까지 감면한다. 다만, 토지를 취득한 날부터 정당한 사유 없이 2년 이내에 공동주택을 착공하지 아니한 경우는 제외한다.(2018. 12. 24. 개정, 2020. 8. 12. 개정, 2021. 12. 28. 개정)(지특법 §31 ①)

① 전용면적 60제곱미터 이하인 공동주택을 취득하는 경우에는 취득세를 면제한다.(2012. 3. 21. 개정, 2020. 8. 12. 개정)(지특법 §31 ① 1호)

② 「민간임대주택에 관한 특별법」 또는 「공공주택 특별법」에 따라 10년 이상의 장기임대 목적으로 전용면적 60제곱미터 초과 85제곱미터 이하인 임대주택(이하 이 조에서 "장기임대주택"이라 한다)을 20호(戶) 이상 취득하거나, 20호 이상의 장기임대주택을 보유한 임대사업자가 추가로 장기임대주택을 취득하는 경우(추가로 취득한 결과로 20호 이상을 보유하게 되었을 때에는 그 20호부터 초과분까지를 포함한다)에는 취득세의 100분의 50을 경감한다.(2015. 12. 29. 개정, 2020. 12. 29. 개정)(지특법 §31 ① 2호)

2) 매입 주택임대사업자의 취득세 감면

임대사업자가 임대할 목적으로 건축주로부터 공동주택 또는 「민간임대주택에 관한 특별법」 제2조 제1호에 따른 준주택 중 오피스텔(그 부속토지를 포함한다. 이하 이 조에서 "오피스텔"이라 한다)을 최초로 분양받은 경우 그 공동주택 또는 오피스텔에 대해서는 다음 각 호에서 정하는 바에 따라 지방세를 2024년 12월 31일까지 감면한다. 다만, 「지방세법」 제10조의3에 따른 취득 당시의 가액이 3억 원(「수도권정비계획법」 제2조 제1호에 따른 수도권은 6억 원으로 한다)을 초과하는 경우에는 감면 대상에서 제외한다.(2020. 8. 12. 신설, 2021. 12. 28. 개정)(지특법 §31 ②)

① 전용면적 60제곱미터 이하인 공동주택 또는 오피스텔을 취득하는 경우에는 취득세를 면제한다.(2020. 8. 12. 신설)(지특법 §31 ② 1호)

② 장기임대주택을 20호(戶) 이상 취득하거나, 20호 이상의 장기임대주택을 보유한 임대사업자가 추가로 장기임대주택을 취득하는 경우(추가로 취득한 결과로 20호 이상을 보유하게 되었을 때에는 그 20호부터 초과분까지를 포함한다)에는 취득세의 100분의 50을 경감한다.(2020. 8. 12. 신설)(지특법 §31 ② 2호)

3) 사후관리

제1항[위 1)] 및 제2항[위 2)]을 적용할 때 「민간임대주택에 관한 특별법」 제43조 제1항 또는 「공공주택 특별법」 제50조의2 제1항에 따른 임대의무기간에 대통령령으로 정한 경우가 아닌 사유로 다음 각 호[아래 ①, ②]의 어느 하나에 해당하는 경우에는 감면된 취득세를 추징한다.(2018. 12. 24. 개정)(지특법 §31 ③)

① 임대 외의 용도로 사용하거나 매각·증여하는 경우(2018. 12. 24. 신설)(지특법 §31 ③ 1호)

② 「민간임대주택에 관한 특별법」 제6조에 따라 임대사업자 등록이 말소된 경우(2018. 12. 24. 신설)(지특법 §31 ③ 2호)

4) 요건

구 분	내 용
감면율	100% 감면(연면적 또는 전용면적 60제곱미터 이하)
요 건	① 임대목적의 최초 분양 취득에 한함 ② 공동주택 및 오피스텔 　2020년 8월 18일 이후부터는 아파트는 제외 ③ 관할 지자체에 임대사업자등록 ④ 취득당시 가액 비수도권 3억 원(수도권은 6억 원) 　이하(가액기준은 2020. 8. 12. 이후 취득하는 분부터 적용) ⑤ 전용면적 60제곱미터 이하 ⑥ 임대등록(2020. 8. 18. 이후부터는 장기임대만 가능) ⑦ 5% 증액제한 및 의무임대기간 준수
근 거	지특법 제31조 제2항
적용기한	2024년 12월 31일

① 단, 취득세 면제 대상 중 취득세액이 200만 원을 초과하는 경우 면제세액의 15% 납부한다.

② 임대목적으로 취득한 주택은 4년(8년) 이내에 양도하게 되면 감면된 취득세가 추징된다.

③ 임대사업등록은 취득 후 60일 이내 등록해야 한다.

④ 위 요건에 추가하여 법 소정 8년 장기임대목적으로 20호 이상 취득하는 경우 취득세를 50% 감면한다.(연면적 또는 전용면적 60㎡ 초과~85㎡ 이하)

(3) 생애최초 주택 구입에 대한 취득세 감면

1) 주택 취득일 현재 본인 및 배우자(「가족관계의 등록 등에 관한 법률」에 따른 가족관계 등록부에서 혼인이 확인되는 외국인 배우자를 포함한다. 이하 이 조에서 같다)가 주택(「지방세법」 제11조 제1항 제8호에 따른 주택을 말한다. 이하 이 조에서 같다)을 소유한 사실이 없는 경우로서 합산소득이 7천만 원 이하인 경우에는 그 세대에 속하는 자가 「지방세법」 제10조의3에 따른 취득 당시의 가액(이하 이 조에서 "취득 당시의 가액"이라 한다)이 3억 원(「수도권정비계획법」 제2조 제1호에 따른 수도권은 4억 원으로 한다) 이하인 주택을 유상거래(부담부증여는 제외한다)로 취득하는 경우에는 다음 각 호의 구분에 따라 2023년 12월 31일까지 지방세를 감면(이 경우 「지방세법」 제13조의

2의 세율을 적용하지 아니한다)한다. 다만, 취득자가 미성년자인 경우는 제외한다.(2020. 8. 12. 신설, 2021. 12. 28. 개정)(지특법 §36의3 ①)

① 취득 당시의 가액이 1억 5천만 원 이하인 경우에는 취득세를 면제한다.(2020. 8. 12. 신설)(지특법 §36의3 ① 1호)

② 취득 당시의 가액이 1억 5천만 원을 초과하는 경우에는 취득세의 100분의 50을 경감한다.(2020. 8. 12. 신설)(지특법 §36의3 ① 2호)

2) 제1항[위 1)]에서 합산소득은 취득자와 그 배우자의 소득을 합산한 것으로서 급여·상여 등 일체의 소득을 합산한 것으로 한다.(2020. 8. 12. 신설)(지특법 §36의3 ②)

3) 제1항[위 1)]에서 "주택을 소유한 사실이 없는 경우"란 다음 각 호[아래 ①~④]의 어느 하나에 해당하는 경우를 말한다.(2020. 8. 12. 신설, 2021. 12. 28. 개정)(지특법 §36의3 ③)

① 상속으로 주택의 공유지분을 소유(주택 부속토지의 공유지분만을 소유하는 경우를 포함한다)하였다가 그 지분을 모두 처분한 경우(2020. 8. 12. 신설)(지특법 §36의3 ③ 1호)

② 「국토의 계획 및 이용에 관한 법률」 제6조에 따른 도시지역(취득일 현재 도시지역을 말한다)이 아닌 지역에 건축되어 있거나 면의 행정구역(수도권은 제외한다)에 건축되어 있는 주택으로서 다음 각 목[아래 가.~다.]의 어느 하나에 해당하는 주택을 소유한 자가 그 주택 소재지역에 거주하다가 다른 지역(해당 주택 소재지역인 특별시·광역시·특별자치시·특별자치도 및 시·군 이외의 지역을 말한다)으로 이주한 경우. 이 경우 그 주택을 감면대상 주택 취득일 전에 처분했거나 감면대상 주택 취득일부터 3개월 이내에 처분한 경우로 한정한다.(2020. 8. 12. 신설)(지특법 §36의3 ③ 2호)

가. 사용 승인 후 20년 이상 경과된 단독주택(2020. 8. 12. 신설)(지특법 §36의3 ③ 2호 가목)

나. 85제곱미터 이하인 단독주택(2020. 8. 12. 신설)(지특법 §36의3 ③ 2호 나목)

다. 상속으로 취득한 주택(2020. 8. 12. 신설)(지특법 §36의3 ③ 2호 다목)

③ 전용면적 20제곱미터 이하인 주택을 소유하고 있거나 처분한 경우. 다만, 전용면적 20제곱미터 이하인 주택을 둘 이상 소유했거나 소유하고 있는 경우는 제외한다.(2020. 8. 12. 신설)(지특법 §36의3 ③ 3호)

④ 취득일 현재 「지방세법」 제4조 제2항에 따라 산출한 시가표준액이 100만 원 이하인 주택을 소유하고 있거나 처분한 경우(2020. 8. 12. 신설)(지특법 §36의3 ③ 4호)

4) 제1항[위 1)]에 따라 취득세를 감면받은 사람이 다음 각 호[아래 ①~③]의 어느 하나에 해당하는 경우에는 감면된 취득세를 추징한다.(2020. 8. 12. 신설)(지특법 §36의3 ④)

① 대통령령으로 정하는 정당한 사유 없이 주택을 취득한 날부터 3개월 이내에 상시 거주(취득일 이후 「주민등록법」에 따른 전입신고를 하고 계속하여 거주하거나 취득일 전에 같은 법에 따른 전입신고를 하고 취득일부터 계속하여 거주하는 것을 말한다. 이하 이 조에서 같다)를 시작하지 아니하는 경우(2020. 8. 12. 신설, 2021. 12. 28. 개정)(지특법 §36의3 ④ 1호)

② 주택을 취득한 날부터 3개월 이내에 추가로 주택을 취득(주택의 부속토지만을 취득하는 경우를 포함한다)하는 경우. 다만, 상속으로 인한 추가 취득은 제외한다.(2020. 8. 12. 신설, 2021. 12. 28. 개정)(지특법 §36의3 ④ 2호)

③ 해당 주택에 상시 거주한 기간이 3년 미만인 상태에서 해당 주택을 매각·증여(배우자에게 지분을 매각·증여하는 경우는 제외한다)하거나 다른 용도(임대를 포함한다)로 사용하는 경우(2020. 8. 12. 신설, 2021. 12. 28. 개정)(지특법 §36의3 ④ 3호)

| 생애최초 주택 구입에 대한 취득세 감면 |

구 분	내 용
감면율	1. 취득당시가액 1.5억 원 이하 : 100% 감면 2. 취득당시가액 1.5억 원 초과 : 50% 감면
요 건	① 취득일 현재 본인 및 배우자가 주택을 소유한 사실이 없는 경우 ② 세대합산소득 7,000만 원 이하(급여, 상여 등 일체의 소득) ③ 취득당시 가액 비수도권 3억 원(수도권은 4억 원) 이하 (가액기준은 2020. 8. 12. 이후 취득하는 분부터 적용한다) ④ 유상거래(부담부증여는 제외) ⑤ 취득 후 3개월 이내 거주 후 전입신고, 3개월 이내 다른 주택 취득하면 안됨.(다만, 상속으로 인한 추가 취득은 제외한다) ⑥ 3년 이상 상시거주 및 보유 ⑦ 취득자가 미성년자인 경우는 제외한다.
근 거	지특법 제36조의3
적용기한	2023년 12월 31일

제11절　주택임대소득세

❶ 비과세주택임대소득(1주택 임대소득, 단 기준시가 9억 원 초과분은 제외)

사업소득 중 다음에 해당하는 소득에 대해서는 소득세를 과세하지 아니한다.(2009. 12. 31. 개정)(소득법 §12 2호)

1개의 주택을 소유하는 자의 주택임대소득(제99조에 따른 기준시가가 9억 원을 초과하는 주택 및 국외에 소재하는 주택의 임대소득은 제외한다) 또는 해당 과세기간에 대통령령으로 정하는 총수입금액의 합계액이 2천만 원 이하인 자의 주택임대소득(2018년 12월 31일 이전에 끝나는 과세기간까지 발생하는 소득으로 한정한다). 이 경우 주택 수의 계산 및 주택임대소득의 산정 등 필요한 사항은 대통령령으로 정한다.(2016. 12. 20. 개정)(소득법 §12 2호 나목)

(1) 주택부수토지

소득세법 제12조 제2호 나목에 따른 주택에는 주택부수토지가 포함된다.(2010. 12. 30. 개정)(소득령 §8의2 ①)

(2) 주택 및 부수토지

제1항[위 (1)]에서 "주택"이란 상시 주거용(사업을 위한 주거용의 경우는 제외한다)으로 사용하는 건물을 말하고, "주택부수토지"란 주택에 딸린 토지로서 다음 각 호[아래 1), 2)]의 어느 하나에 해당하는 면적 중 넓은 면적 이내의 토지를 말한다.(2010. 2. 18. 신설)(소득령 §8의2 ②)

1) 건물의 연면적(지하층의 면적, 지상층의 주차용으로 사용되는 면적,「건축법 시행령」 제34조 제3항에 따른 피난안전구역의 면적 및「주택건설기준 등에 관한 규정」제2조 제3호에 따른 주민공동시설의 면적은 제외한다)(2010. 2. 18. 신설)(소득령 §8의2 ② 1호)

2) 건물이 정착된 면적에 5배(「국토의 계획 및 이용에 관한 법률」제6조 제1호에 따른 도시지역 밖의 토지의 경우에는 10배)를 곱하여 산정한 면적(2010. 2. 18. 신설)(소득령 §8의2 ② 2호)

(3) 주택 수 계산

소득세법 제12조 제2호 나목을 적용할 때 주택 수는 다음 각 호[아래 1)~4)]에 따라 계산한다.(2010. 12. 30. 개정)(소득령 §8의2 ③)

1) 다가구주택

다가구주택은 1개의 주택으로 보되, 구분등기된 경우에는 각각을 1개의 주택으로 계산(1999. 12. 31. 신설)(소득령 §8의2 ③ 1호)

2) 공동소유주택

공동소유하는 주택은 지분이 가장 큰 사람의 소유로 계산(지분이 가장 큰 사람이 2명 이상인 경우로서 그들이 합의하여 그들 중 1명을 해당 주택 임대수입의 귀속자로 정한 경우에는 그의 소유로 계산한다). 다만, 다음 각 목[아래 ①, ②]의 어느 하나에 해당하는 사람은 본문에 따라 공동소유의 주택을 소유하는 것으로 계산되지 않는 경우라도 그의 소유로 계산한다.(2020. 2. 11. 개정)(소득령 §8의2 ③ 2호)

① 해당 공동소유 주택 임대수입금액이 연간 6백만 원 이상인 사람

해당 공동소유하는 주택을 임대해 얻은 수입금액을 다음의 기획재정부령으로 정하는 방법에 따라 계산한 금액이 연간 6백만 원 이상인 사람(2020. 2. 11. 개정)(소득령 §8의2 ③ 2호 가목)

"기획재정부령으로 정하는 방법에 따라 계산한 금액"이란 해당 공동소유하는 주택에서 발생한 주택임대소득에 대한 전체 수입금액(해당 공동소유자가 지분을 소유한 기간에 발생한 것에 한정하며, 법 제25조 제1항에 따라 총수입금액에 산입하는 금액은 제외한다)에 해당 공동소유자가 소유한 해당 주택의 지분율을 곱한 금액을 말한다.(2020. 3. 13. 신설, 2021. 3. 16. 개정)(소득칙 §5의2 ①)

② 기준시가가 9억 원을 초과하면서 지분을 100분의 30 초과 보유하는 사람

해당 공동소유하는 과세기간의 종료일 또는 해당 주택의 양도일을 기준일의 주택 기준시가가 9억 원을 초과하는 경우로서 그 주택의 지분을 100분의 30 초과 보유하는 사람(2020. 2. 11. 개정)(소득령 §8의2 ③ 2호 나목)(2020. 3. 13. 신설)(소득칙 §5의2 ②)

3) 전대 또는 전전세

임차 또는 전세받은 주택을 전대하거나 전전세하는 경우에는 당해 임차 또는 전세받은 주

택을 임차인 또는 전세받은 자의 주택으로 계산(1999. 12. 31. 신설)(소득령 §8의2 ③ 3호)

4) 부부공동소유주택의 주택 수 계산

본인과 배우자가 각각 주택을 소유하는 경우에는 이를 합산. 다만, 제2호[위 2)]에 따라 공동소유의 주택 하나에 대해 본인과 배우자가 각각 소유하는 주택으로 계산되는 경우에는 다음 각 목[아래 ①, ②]에 따라 본인과 배우자 중 1명이 소유하는 주택으로 보아 합산한다.(2020. 2. 11. 개정)(소득령 §8의2 ③ 4호)

① 본인과 배우자 중 지분이 더 큰 사람의 소유로 계산(2020. 2. 11. 개정)(소득령 §8의2 ③ 4호 가목)

② 본인과 배우자의 지분이 같은 경우로서 그들 중 1명을 해당 주택 임대수입의 귀속자로 합의해 정하는 경우에는 그의 소유로 계산(2020. 2. 11. 개정)(소득령 §8의2 ③ 4호 나목)

1. 부부합산주택 수 계산
   ① 지분이 가장 큰 사람의 소유로 한다.(소수지분자는 주택 수 제외, 지분비율이 같으면 합의하에 1인의 주택으로 하여 주택 수를 계산한다)
   ② 주택 수 계산할 때만 합산한다.
   ③ 보증금에 대한 간주임대료 계산시 각각 3억 원을 공제한다.
   ④ 소득세 신고할 때는 각각 본인 임대료만 계산하여 소득세를 산출한다.

2. 주택 수 계산 사례
   - 사례 : 남편 보유주택 1채, 아내 보유주택 1채, 부부공동명의주택 1채
   - 주택 수 : 총 3주택

3. 사업장현황 신고 방법
   남편, 아내, 공동명의 사업장을 신고자로 하여 세 개의 신고서를 작성한다.

4. 보증금에 대한 간주임대료 계산시 3억 원 공제 방법
   남편 3억 원, 아내 3억 원, 공동명의 3억 원까지 공제 가능하다.

(4) 겸용주택

제2항[위 (2)]을 적용할 때 주택과 부가가치세가 과세되는 사업용 건물(이하 이 조에서 "사업용건물"이라 한다)이 함께 설치되어 있는 경우 그 주택과 주택부수토지의 범위는 다음 각 호[아래 1), 2)]의 구분에 따른다. 이 경우 주택과 주택부수토지를 2인 이상의 임차인에게 임대한 경우에는 각 임차인의 주택 부분의 면적(사업을 위한 거주용은 제외한다)과 사업용건물 부분의 면적을 계산하여 각각 적용한다.(2010. 2. 18. 신설)(소득령 §8의2 ④)

1) 주택 면적 〉 사업용건물면적

주택 부분의 면적이 사업용건물 부분의 면적보다 큰 때에는 그 전부를 주택으로 본다. 이 경우 해당 주택의 주택부수토지의 범위는 제2항[위 (2)]과 같다.(2010. 2. 18. 신설)(소득령 §8의2 ④ 1호)

2) 주택 면적 ≦ 사업용건물면적

주택 부분의 면적이 사업용건물 부분의 면적과 같거나 그보다 작은 때에는 주택 부분 외의 사업용건물 부분은 주택으로 보지 아니한다. 이 경우 해당 주택의 주택부수토지의 면적은 총토지면적에 주택 부분의 면적이 총건물면적에서 차지하는 비율을 곱하여 계산하며, 그 범위는 제2항[위 (2)]과 같다.(2010. 2. 18. 신설)(소득령 §8의2 ④ 2호)

(5) 기준시가 9억 원 초과 기준일

소득세법 제12조 제2호 나목 전단에 따른 "기준시가가 9억 원을 초과하는 주택"은 과세기간 종료일 또는 해당 주택의 양도일을 기준으로 판단한다.(2010. 12. 30. 개정)(소득령 §8의2 ⑤)

(6) 총수입금액의 합계액

소득세법 제12조 제2호 나목 전단에서 "대통령령으로 정하는 총수입금액의 합계액"이란 주거용 건물 임대업에서 발생한 수입금액(이하 이 항 및 제122조의2에서 "주택임대수입금액"이라 한다)의 합계액을 말한다. 이 경우 사업자가 소득세법 제43조 제2항에 따른 공동사업자인 경우에는 공동사업장에서 발생한 주택임대수입금액의 합계액을 같은 항에 따른 손익분배비율에 의해 공동사업자에게 분배한 금액을 각 사업자의 주택임대수입금액에 합산한다.(2019. 2. 12. 개정)(소득령 §8의2 ⑥)

2 분리과세 주택임대소득

다음에 따른 소득의 금액은 종합소득과세표준을 계산할 때 합산하지 아니한다.(2009. 12. 31. 개정)(소득법 §14 ③)

해당 과세기간에 대통령령으로 정하는 총수입금액의 합계액이 2천만 원 이하인 자의 주택임대소득(이하 "분리과세 주택임대소득"이라 한다). 이 경우 주택임대소득의 산정 등에 필요한 사항은 대통령령으로 정한다.(2014. 12. 23. 신설)(소득법 §14 ③ 7호)

(1) 총수입금액합계액

"대통령령으로 정하는 총수입금액의 합계액"이란 주거용 건물 임대업에서 발생한 수입금액의 합계액을 말한다. 이 경우 사업자가 법 제43조 제2항에 따른 공동사업자인 경우에는 공동사업장에서 발생한 주택임대수입금액의 합계액을 같은 항에 따른 손익분배비율에 의해 공동사업자에게 분배한 금액을 각 사업자의 주택임대수입금액에 합산한다.(2019. 2. 12. 개정)(소득령 §8의2 ⑥)(소득령 §20 ②)

(2) 주택임대소득 산정에 필요한 사항

주택임대소득의 산정 등에 관하여는 소득령 제8조의2 제1항부터 제4항까지[위 **❶**(1)~(4)의 규정을 준용한다.(2015. 2. 3. 신설)(소득령 §20 ③)

1) 주택부수토지
2) 주택 수 계산
  ① 다가구주택
  ② 공동소유주택
  ③ 전대 또는 전전세
  ④ 배우자 공동 소유 주택
3) 겸용주택의 경우

| 임대유형별 과세대상 판단 |

주택 수[1]	월세	보증금
1주택	비과세 (단, 기준시가 9억 원 초과 고가주택과 국외주택은 과세)	비과세
2주택	과세	간주임대료 과세 (단, 2023년까지 40제곱미터 이하이면서 기준시가 2억 원 이하의 소형주택은 주택 수 제외, 비과세)
3주택 이상		

1) 주택 수는 부부합산하고 수입금액은 소유자별로 각각(부부합산하지 않음) 계산

●●●●

기준시가 확인방법

1. 아파트, 연립주택, 다세대주택 : 국토해양부에서 공동주택가격열람
2. 단독주택, 다가구주택 : 관할 지자체에서 개별주택가격열람
3. 오피스텔 : 국세청에서 기준시가 열람

③ 총수입금액계산의 특례

거주자가 부동산 또는 그 부동산상의 권리 등을 대여하고 보증금·전세금 또는 이와 유사한 성질의 금액(이하 이 항에서 "보증금 등"이라 한다)을 받은 경우에는 대통령령으로 정하는 바에 따라 계산한 금액을 사업소득금액을 계산할 때에 총수입금액에 산입(算入)한다. 다만, 주택을 대여하고 보증금 등을 받은 경우에는 3주택[주거의 용도로만 쓰이는 면적이 1호(戶) 또는 1세대당 40제곱미터 이하인 주택으로서 해당 과세기간의 기준시가가 2억 원 이하인 주택은 2023년 12월 31일까지는 주택 수에 포함하지 아니한다] 이상을 소유하고 해당 주택의 보증금 등의 합계액이 3억 원을 초과하는 경우를 말하며, 주택 수의 계산 그밖에 필요한 사항은 대통령령으로 정한다.(2018. 12. 31. 단서개정, 2021. 12. 8. 단서개정)(소득법 §25 ①)

(1) 임대보증금의 총수입금액 계산

주택과 주택부수토지의 총수입금액에 산입할 금액은 다음의 구분에 따라 계산한다. 이 경

우 총수입금액에 산입할 금액이 영보다 적은 때에는 없는 것으로 보며, 적수의 계산은 매월 말 현재의 소득세법 제25조 제1항 본문에 따른 보증금 등(이하 이 조에서 "보증금 등"이라 한다)의 잔액에 경과일수를 곱하여 계산할 수 있다.(2010. 2. 18. 개정)(소득령 §53 ③)

주택과 주택부수토지를 임대하는 경우(주택부수토지만 임대하는 경우는 제외한다)
(2010. 2. 18. 개정)(소득령 §53 ③ 1호)(2020. 3. 개정, 2021. 3. 16. 개정)(소득칙 §23 ①)

총수입금액에 산입할 금액
= {해당 과세기간의 보증금 등 - 3억 원(보증금 등을 받은 주택이 2주택 이상인 경우
  에는 보증금 등의 적수가 가장 큰 주택의 보증금 등부터 순서대로 뺀다)}의 적수
  × 60/100 × 1/365(윤년의 경우에는 366) × 금융회사 등의 정기예금이자율을 고려
  하여 기획재정부령으로 정하는 이자율(연 1천분의 12) - 해당 과세기간의 해당 임
  대사업부분에서 발생한 수입이자와 할인료 및 배당금의 합계액

주택임대보증금이 비과세되는 경우

1. 부부합산하여 2주택 이하의 보증금
2. 개인별 보증금 합계액이 3억 원 이하인 경우
3. 40제곱미터 이하이면서 기준시가 2억 원 이하인 소형주택의 보증금(보증금의 주택
   수 계산할 때 주택 수 제외하고 과세제외한다)

(2) 추계신고하는 경우의 총수입금액의 계산

소득세법 제45조 제4항 본문에 따라 소득금액을 추계신고하거나 법 제80조 제3항 단서에 따라 소득금액을 추계조사결정하는 경우에는 제3항[위 (1)]에도 불구하고 다음에 따라 계산한 금액을 총수입금액에 산입한다.(2010. 2. 18. 개정)(소득령 §53 ④)

주택과 주택부수토지를 임대하는 경우(주택부수토지만 임대하는 경우는 제외한다)
(2010. 2. 18. 개정)(소득령 §53 ④ 1호)(2021. 3. 16. 개정)(소득칙 §23 ①)

총수입금액에 산입할 금액
= {해당 과세기간의 보증금 등－3억 원(보증금 등을 받은 주택이 2주택 이상인 경우에는 보증금 등의 적수가 가장 큰 주택의 보증금 등부터 순서대로 뺀다)}의 적수
× 60/100 × 1/365(윤년의 경우에는 366) × 정기예금이자율(연 1천분의 12)

(3) 수입이자와 할인료 및 배당금

제3항[위 (1)]의 규정에 의한 임대사업부분에서 발생한 수입이자·할인료 및 배당금 비치·기장한 장부나 증빙서류에 의하여 당해 임대보증금 등으로 취득한 것이 확인되는 금융자산으로부터 발생한 것에 한한다.(2001. 12. 31 항번개정)(소득령 §53 ⑥)

(4) 전전세 또는 전대인 경우 보증금 등에 산입할 금액

제3항[위 (1)] 및 제4항[위 (2)]의 계산식을 적용할 때 부동산을 전전세(轉傳貰) 또는 전대(轉貸)하는 경우 해당 부동산의 보증금 등에 산입할 금액은 다음 계산식에 따라 계산한 금액으로 한다.(2013. 2. 15. 개정)(소득령 §53 ⑦)

보증금 등에 산입할 금액
=[전전세 또는 전대하고 받은 보증금 등의 적수－{전세 또는 임차받기 위하여 지급한 보증금 등의 적수 × 전전세 또는 전대한 부분의 면적이 전세 또는 임차받은 부동산의 면적에서 차지하는 비율(사업시설을 포함하여 전전세 또는 전대한 경우 그 가액의 비율)}] × 1/365(윤년의 경우에는 366)

④ 주택임대소득에 대한 세액 계산의 특례

(1) 분리과세 주택임대소득이 있는 거주자의 종합소득 결정세액

분리과세 주택임대소득이 있는 거주자의 종합소득 결정세액은 다음 각 호[아래 1), 2)]의 세액 중 하나를 선택하여 적용한다.(2018. 12. 31. 개정)(소득법 §64의2 ①)

1) 종합과세

종합합산과세로 계산한 종합소득 결정세액(2018. 12. 31. 개정)(소득법 §64의2 ① 1호)

2) 분리과세

다음 각 목[아래 ①, ②]의 세액을 더한 금액(2018. 12. 31. 개정)(소득법 §64의2 ① 2호)

① 분리과세(14%)

분리과세 주택임대소득에 대한 사업소득금액에 100분의 14를 곱하여 산출한 금액. 다만, 「조세특례제한법」 제96조 제1항에 해당하는 거주자가 같은 항에 따른 임대주택을 임대하는 경우에는 해당 임대사업에서 발생한 분리과세 주택임대소득에 대한 사업소득금액에 100분의 14를 곱하여 산출한 금액에서 같은 항에 따라 감면받는 세액을 차감한 금액으로 한다.(2018. 12. 31. 개정)(소득법 §64의2 ① 2호 가목)

② 분리과세 주택임대소득 외 종합소득결정세액

(2018. 12. 31. 개정)(소득법 제64조의2 제1항 제2호 나목)

(2) 분리과세 주택임대소득의 필요경비

제1항 제2호 가목[위 (1), 2)의 ①]에 따른 분리과세 주택임대소득에 대한 사업소득금액은 총수입금액에서 필요경비(총수입금액의 100분의 50으로 한다)를 차감한 금액으로 하되, 분리과세 주택임대소득을 제외한 해당 과세기간의 종합소득금액이 2천만 원 이하인 경우에는 추가로 200만 원을 차감한 금액으로 한다. 다만, 대통령령으로 정하는 임대주택(이하 이 조에서 "임대주택"이라 한다)을 임대하는 경우에는 해당 임대사업에서 발생한 사업소득금액은 총수입금액에서 필요경비(총수입금액의 100분의 60으로 한다)를 차감한 금액으로 하되, 분리과세 주택임대소득을 제외한 해당 과세기간의 종합소득금액이 2천만 원 이하인 경우에는 추가로 400만 원을 차감한 금액으로 한다.(2018. 12. 31. 개정)(소득법 §64의2 ②)

위에서 "대통령령으로 정하는 임대주택"이란 다음 각 호[위의 1)~3)]의 요건을 모두 충족하는 임대주택(이하 이 조에서 "등록임대주택"이라 한다)을 말한다.(2019. 2. 12. 개정)(소득령 §122의2 ①)

분리과세 주택임대소득 과세(종합과세 선택 가능) 세액 계산 방법

1. 일반적인 경우

    세액 = [{주택임대소득 × (1 − 50%) } − 200만 원*] × 14%

    * 주택임대소득 외 종합소득금액이 2천만 원 이하인 경우에만 적용

2. 등록임대주택의 경우

    세액 = [{주택임대소득 × (1 − 60%) } − 400만 원*] × 14%

    * 주택임대소득 외 종합소득금액이 2천만 원 이하인 경우에만 적용

임대주택의 필요경비 60%, 400만 원 차감에 대한 의무임대기간(소득법 §64의2 ③ 2호)

구 분	2020년 8월 17일 이전 민특법에 따라 임대등록 신청한 주택	2020년 8월 18일 이후 민특법에 따라 임대등록 신청한 주택
의무임대기간(미충족시 추징)	4년 이상 임대	10년 이상 임대

3. 분리과세와 소형주택 임대소득 특례(조특법 §96)를 받는 경우

세액 = 1. 또는 2.에 따라 산출한 금액에 조특법 제96조에 따른 감면을 적용한 금액

① 단기임대주택의 의무임대기간 : 4년

② 공공지원민간임대주택 또는 장기일반민간임대주택의 세액감면 의무임대기간

구 분	2020년 8월 17일 이전 민특법에 따라 임대등록 신청한 주택	2020년 8월 18일 이후 민특법에 따라 임대등록 신청한 주택
의무임대기간(미충족시 추징)	8년 이상 의무임대	10년 이상 의무임대

1) 민간임대주택에 관한 특별법에 따른 임대사업자등록

다음 각 목[아래 ①~③]의 어느 하나에 해당하는 주택일 것

① 「민간임대주택에 관한 특별법」 제5조에 따른 임대사업자등록을 한 자가 임대 중인 같은 법 제2조 제4호에 따른 공공지원민간임대주택(2020. 10. 7. 개정)(소득령 §122의2 ① 1호 가목)

② 「민간임대주택에 관한 특별법」 제5조에 따른 임대사업자등록을 한 자가 임대 중인 같은 법 제2조 제5호에 따른 장기일반민간임대주택[아파트를 임대하는 민간매입임대주

택의 경우에는 2020년 7월 10일 이전에 종전의 「민간임대주택에 관한 특별법」(법률 제17482호 민간임대주택에 관한 특별법 일부개정법률에 따라 개정되기 전의 것을 말한다. 이하 같다) 제5조에 따라 등록을 신청(임대할 주택을 추가하기 위해 등록사항의 변경 신고를 한 경우를 포함한다. 이하 이 항에서 같다)한 것에 한정한다](2020. 10. 7. 개정)(소득령 §122의2 ① 1호 나목)

③ 종전의 「민간임대주택에 관한 특별법」 제5조에 따른 임대사업자등록을 한 자가 임대 중인 같은 법 제2조 제6호에 따른 단기민간임대주택(2020년 7월 10일 이전에 등록을 신청한 것으로 한정한다)(2020. 10. 7. 개정)(소득령 §122의2 ① 1호 다목)

2) 세무서에 임대사업자등록할 것

소득세법 제168조에 따른 사업자의 임대주택일 것(2019. 2. 12. 개정)(소득령 §122의2 ① 2호)

3) 임대료 등 5% 인상 제한

임대보증금 또는 임대료(이하 이 호에서 "임대료 등"이라 한다)의 증가율이 100분의 5를 초과하지 않을 것. 이 경우 임대료 등의 증액 청구는 임대차계약의 체결 또는 약정한 임대료 등의 증액이 있은 후 1년 이내에는 하지 못하고, 임대사업자가 임대료 등의 증액을 청구하면서 임대보증금과 월임대료를 상호 간에 전환하는 경우에는 「민간임대주택에 관한 특별법」 제44조 제4항의 전환 규정을 준용한다.(2020. 2. 11. 개정)(소득령 §122의2 ① 3호)

4) 단기에서 장기로 변경신고한 경우

소득령 제122조의2 제1항[위 (2)]을 적용할 때 종전의 「민간임대주택에 관한 특별법」 제5조에 따라 등록한 같은 법 제2조 제6호에 따른 단기민간임대주택을 같은 법 제5조 제3항에 따라 2020년 7월 11일 이후 「민간임대주택에 관한 특별법」 제2조 제4호 또는 제5호에 따른 공공지원민간임대주택 또는 장기일반민간임대주택(이하 "장기일반민간임대주택 등"이라 한다)으로 변경 신고한 주택은 등록임대주택에서 제외한다.(2020. 10. 7. 신설)(소득령 §122의2 ②)

(3) 사후관리(추징)

다음 각 호[아래 1), 2)]의 어느 하나에 해당하는 경우에는 그 사유가 발생한 날이 속하는 과세연도의 과세표준신고를 할 때 다음 각 호[아래 1), 2)]의 구분에 따른 금액을 소득세로 납부하여야 한다. 다만, 「민간임대주택에 관한 특별법」 제6조 제1항 제11호에 해당하여 2020년 8월 18일 이후 등록이 말소되는 경우 등 대통령령으로 정하는 경우에는 그러하지 아니하다.(2018. 12. 31. 개정, 2020. 12. 29 단서신설)(소득법 §64의2 ③)

1) 조특법 제96조 제1항 1호 이상 임대(30%), 2호 이상 임대(20%) 세액감면액에 대한 의무임대기간 미충족시 추징

제1항 제2호 가목[위 (1), 2), ①] 단서(조특법 제96조 제1항)에 따라 세액을 감면받은 사업자가 해당 임대주택을 4년(「민간임대주택에 관한 특별법」 제2조 제4호에 따른 공공지원민간임대주택 또는 같은 법 제2조 제5호에 따른 장기일반민간임대주택의 경우에는 10년) 이상 임대하지 아니하는 경우: 제1항 제2호 가목 단서에 따라 감면받은 세액(2018. 12. 31. 개정, 2020. 12. 29. 개정)(소득법 §64의2 ③ 1호)

이에 납부해야 하는 소득세액은 같은 조 제1항 제2호 가목 단서에 따라 감면받은 세액에 「조세특례제한법 시행령」 제96조 제6항에 따라 임대기간에 따른 감면율을 적용한 금액으로 한다.(2021. 2. 17. 신설)(소득령 §122의2 ⑤)

① 단기임대주택의 의무임대기간 : 4년
② 공공지원민간임대주택 또는 장기일반민간임대주택의 세액감면 의무임대기간

구 분	민특법에 따라 임대등록 신청일	
	2020년 8월 17일 이전	2020년 8월 18일 이후
의무임대기간 (미충족시 추징)	8년 이상 의무임대	10년 이상 의무임대

2) 필요경비 60%, 400만 원 차감에 대한 의무임대기간 미충족시 추징

제2항[위 (2)] 단서를 적용하여 세액을 계산한 사업자가 해당 임대주택을 10년 이상 임대하지 아니하는 경우: 제2항 단서를 적용하지 아니하고 계산한 세액과 당초 신고한 세액과의 차액(2018. 12. 31. 개정, 2020. 12. 29. 개정)(소득법 §64의2 ③ 2호)

| 임대주택의 필요경비 60%, 400만 원 차감에 대한 의무임대기간 |

구 분	민특법에 따라 임대등록 신청일	
	2020년 8월 17일 이전	2020년 8월 18일 이후
의무임대기간 (미충족시 추징)	8년 이상 의무임대	10년 이상 의무임대

3) 자진말소, 자동말소의 경우 추징 제외

소득법 제64조의2 제3항 각 호 외의 부분 단서에서 "「민간임대주택에 관한 특별법」 제6조 제1항 제11호에 해당하여 등록이 말소되는 경우 등 대통령령으로 정하는 경우"란 다음 각 호 [아래 ①, ②]의 어느 하나에 해당하는 경우를 말한다.(2021. 2. 17. 신설)(소득령 §122의2 ③)

[적용시기] 소득령 제122조의2 제3항부터 제5항까지의 개정규정은 2021년 2월 17일 이후 과세표준을 신고하는 분부터 적용한다.

① 「민간임대주택에 관한 특별법」 제6조 제1항 제11호 또는 같은 조 제5항에 따라 임대사업자 등록이 말소된 경우(2021. 2. 17. 신설)(소득령 §122의2 ③ 1호)

민특법 제6조 제1항 제11호 및 제5항

시장·군수·구청장은 임대사업자가 다음 각 호의 어느 하나에 해당하면 등록의 전부 또는 일부를 말소할 수 있다.

1. 자진말소
제43조에도 불구하고 종전의 「민간임대주택에 관한 특별법」 제2조 제5호의 장기일반민간임대주택 중 아파트를 임대하는 민간매입임대주택 또는 제2조 제6호의 단기민간임대주택에 대하여 임대사업자가 임대의무기간 내 등록 말소를 신청(신청 당시 체결된 임대차계약이 있는 경우 임차인의 동의가 있는 경우로 한정한다)하는 경우(민특법 §6 ① 11호)

2. 자동말소
종전의 「민간임대주택에 관한 특별법」 제2조 제5호에 따른 장기일반민간임대주택 중 아파트를 임대하는 민간매입임대주택 및 제2조 제6호에 따른 단기민간임대주택은 임대의무기간이 종료한 날 등록이 말소된다.(민특법 §6 ⑤)

---

② 「도시 및 주거환경정비법」에 따른 재개발사업·재건축사업, 「빈집 및 소규모주택 정비에 관한 특례법」에 따른 소규모주택정비사업으로 임대 중이던 당초의 임대주택이 멸실되어 새로 취득하거나 「주택법」에 따른 리모델링으로 새로 취득한 주택이 아파트(당초의 임대주택이 단기민간임대주택인 경우에는 모든 주택을 말한다)인 경우. 다만, 새로 취득한 주택의 준공일부터 6개월이 되는 날이 2020년 7월 10일 이전인 경우는 제외한다.(2021. 2. 17. 신설)(소득령 §122의2 ③ 2호)

4) 임대기간의 산정

법 제64조의2 제3항 제1호 또는 제2호를 적용할 때 임대기간의 산정은 다음 각 호의 구분에 따른다.(2021. 2. 17. 신설)(소득령 §122의2 ④)

① 법 제64조의2 제3항 제1호 : 「조세특례제한법 시행령」 제96조 제3항에 따라 산정(2021. 2. 17. 신설)(소득령 §122의2 ④ 1호)

② 법 제64조의2 제3항 제2호 : 「조세특례제한법 시행령」 제96조 제3항 제3호부터 제6호까지를 준용하여 산정(2021. 2. 17. 신설)(소득령 §122의2 ④ 2호)

(4) 부득이한 사유

제3항[위 (3)] 각 호에 따라 소득세액을 납부하는 경우에는 「조세특례제한법」 제33조의2 제4항의 이자 상당 가산액에 관한 규정을 준용한다. 다만, 대통령령으로 정하는 부득이한 사유가 있는 경우에는 그러하지 아니하다.(2018. 12. 31. 개정)(소득법 §64의2 ③)

위에서 "대통령령으로 정하는 부득이한 사유"란 다음 각 호[아래 1)~3)]의 어느 하나에 해당하는 경우를 말한다.(2019. 2. 12. 개정, 2021. 2. 17 항번개정)(소득령 §122의2 ⑥)

1) 파산 또는 강제집행에 따라 임대주택을 처분하거나 임대할 수 없는 경우
(2019. 2. 12. 개정)(소득령 §122의2 ⑥ 1호)
2) 법령상 의무를 이행하기 위해 임대주택을 처분하거나 임대할 수 없는 경우
(2019. 2. 12. 개정)(소득령 §122의2 ⑥ 2호)
3) 「채무자 회생 및 파산에 관한 법률」에 따른 회생절차에 따라 법원의 허가를 받아 임대주택을 처분한 경우(2019. 2. 12. 개정)(소득령 §122의2 ⑥ 3호)

(5) 임대주택 유형에 따른 사업소득금액

분리과세 주택임대소득에 대한 종합소득 결정세액의 계산 및 임대주택 유형에 따른 사업소득금액의 산출방법 등에 필요한 사항은 대통령령으로 정한다.(2018. 12. 31. 개정)(소득법 §64의2 ⑤)

주택임대소득의 계산은 다음 각 호[아래 1), 2)]에 따른다.(2019. 2. 12. 개정, 2021. 2. 17 항번개정)(소득령 §122의2 ⑦)

1) 소득세법 시행령 제122조의2 제1항[위 (2)]을 적용할 때 과세기간 중 일부 기간 동안 등록임대주택을 임대한 경우 등록임대주택의 임대사업에서 발생하는 수입금액은 월수로 계산한다. 이 경우 해당 임대기간의 개시일 또는 종료일이 속하는 달이 15일 이상인 경우에는 1개월로 본다.(2019. 2. 12. 개정)(소득령 §122의2 ⑦ 1호)

2) 해당 과세기간 중에 임대주택을 등록한 경우 주택임대소득금액은 다음의 계산식에 따라 계산한다.(2019. 2. 12. 개정)(소득령 §122의2 ⑦ 2호)

〔등록한 기간에 발생한 수입금액 × (1−0.6)〕 + 〔등록하지 않은 기간에 발생한 수입금액 × (1−0.5)〕

3) 해당 과세기간 동안 등록임대주택과 등록임대주택이 아닌 주택에서 수입금액이 발생한 경우 소득세법 제64조의2 제2항에 따라 해당 과세기간의 종합소득금액이 2천만 원 이하인 경우에 추가로 차감하는 금액은 다음의 계산식에 따라 계산한다.(2019. 2. 12. 개정)(소득령 §122의2 ⑦ 3호)

$$\left(\frac{\text{등록임대주택에서 발생한 수입금액}}{\text{총 주택임대수입금액}} \times 400\text{만 원} \right) + \left(\frac{\text{등록임대주택이 아닌 주택에서 발생한 수입금액}}{\text{총 주택임대수입금액}} \times 200\text{만 원} \right)$$

(6) 구비서류제출

분리과세 주택임대소득에 대한 사업소득금액 등 계산과 관련된 다음[아래 1)~5)]의 증명 서류를 납세지 관할 세무서장에게 제출해야 한다.(2019. 3. 20. 신설)(소득칙 §63의3)

1) 「민간임대주택에 관한 특별법 시행령」 제4조 제5항에 따른 임대사업자 등록증 또는 「공공주택 특별법」 제4조에 따른 공공주택사업자 지정을 증명하는 자료(2019. 3. 20. 신설) (소득칙 §63의3 1호)

2) 「민간임대주택에 관한 특별법 시행령」 제36조 제4항에 따른 임대 조건 신고증명서 (2019. 3. 20. 신설)(소득칙 §63의3 2호)

3) 「민간임대주택에 관한 특별법」 제47조 또는 「공공주택 특별법」 제49조의2에 따른 표준임대차계약서 사본(2019. 3. 20. 신설)(소득칙 §63의3 3호)

4) 「민간임대주택에 관한 특별법 시행규칙」 제19조 제7항에 따른 임대차계약 신고이력 확인서(2019. 3. 20. 신설)(소득칙 §63의3 4호)

5) 그 밖에 국세청장이 필요하다고 인정하는 서류(2019. 3. 20. 신설)(소득칙 §63의3 5호)

(7) 중간예납

분리과세 주택임대소득만 있는 경우에는 중간예납 대상에서 제외한다.(2021. 2. 17. 신설)(소득령 §123 3호의2)

⑤ 주택임대사업자 미등록 가산세

(1) 주택임대사업자 미등록 가산세

2020년 1월 1일부터 주택임대소득이 있는 사업자가 제168조 제1항 및 제3항에 따라 사업 개시일부터 20일 이내까지 등록을 신청하지 아니한 경우에는 사업 개시일부터 등록을 신청한 날의 직전일까지의 주택임대수입금액의 1천분의 2를 가산세로 해당 과세기간의 종합소득 결정세액에 더하여 납부하여야 한다.(2019. 12. 31. 신설)(소득법 §81의12 ①)

이 가산세는 종합소득산출세액이 없는 경우에도 적용한다.(2019. 12. 31. 신설)(소득법 §81의12 ②)

주택임대사업자 미등록 가산세 = 주택임대수입금액 × 2/1,000

⑥ 사업장현황신고

　사업자(해당 과세기간 중 사업을 폐업 또는 휴업한 사업자를 포함한다)는 대통령령으로 정하는 바에 따라 해당 사업장의 현황을 해당 과세기간의 다음 연도 2월 10일까지 사업장 소재지 관할 세무서장에게 신고(이하 "사업장 현황신고"라 한다)하여야 한다. 다만, 다음 각 호[아래 (1), (2)]의 어느 하나에 해당하는 경우에는 사업장 현황신고를 한 것으로 본다.(2014. 12. 23. 단서개정)(소득법 §78 ①)

　2 이상의 사업장이 있는 사업자는 각 사업장별로 사업장현황신고를 하여야 한다.(2007. 2. 28. 항번개정)(소득령 §141 ③)

(1) 사업자가 사망하거나 출국함에 따라 제74조가 적용되는 경우(2009. 12. 31. 개정)(소득법 §78 ① 1호)

(2) 「부가가치세법」 제2조 제3호에 따른 사업자가 같은 법 제48조·제49조·제66조 또는 제67조에 따라 신고한 경우. 다만, 사업자가 「부가가치세법」상 과세사업과 면세사업 등을 겸영(兼營)하여 면세사업 수입금액 등을 신고하는 경우에는 그 면세사업 등에 대하여 사업장 현황신고를 한 것으로 본다.(2014. 12. 23. 개정)(소득법 §78 ① 2호)

⑦ 사업장 현황신고 불성실 가산세

　사업자(주로 사업자가 아닌 소비자에게 재화 또는 용역을 공급하는 사업자로서 「의료법」에 따른 의료업, 「수의사법」에 따른 수의업 및 「약사법」에 따라 약국을 개설하여 약사(藥事)에 관한 업(業)을 행하는 사업자만 해당한다)가 다음 각 호[아래 (1), (2)]의 어느 하나에 해당하는 경우에는 그 신고하지 아니한 수입금액 또는 미달하게 신고한 수입금액의 1천분의 5를 가산세로 해당 과세기간의 종합소득 결정세액에 더하여 납부하여야 한다.(2019. 12. 31. 신설)(소득법 §81의3 ①)(소득령 §147의2)

　가산세는 종합소득산출세액이 없는 경우에도 적용한다.(2019. 12. 31. 신설)(소득법 §81의3 ②)

(1) 사업장 현황신고를 하지 아니한 경우(2019. 12. 31. 신설)

(2) 제78조 제2항에 따라 신고하여야 할 수입금액(같은 조 제1항 제2호 단서에 따라 사업장 현황신고를 한 것으로 보는 경우에는 면세사업등 수입금액)보다 미달하게 신고한 경우(2019. 12. 31. 신설)

가산세는 종합소득산출세액이 없는 경우에도 적용한다.(2019. 12. 31. 신설)(소득법 §81의3 ②)

> **사업장 현황신고 대상**
>
> 1. 주택임대사업자
> 2. 사업자등록 여부와 관계없이 신고 대상이다.
> 3. 분리과세 여부와 관계없이 신고 대상이다.
> 4. 원칙적으로 사업장별로 신고한다.
> 5. 미신고 가산세는 없다.(단, 사업장 현황조사 대상에 선정될 수 있다)

⑧ 사업장 현황을 조사·확인

사업장 관할세무서장 또는 지방국세청장은 다음 각 호의 어느 하나에 해당하는 사유가 있는 때에는 사업장 현황을 조사·확인할 수 있다.(2019. 2. 12. 개정)(소득령 §141 ⑤)

(1) 법 제78조의 규정에 의한 사업장 현황신고를 하지 아니한 경우(1998. 12. 31. 개정)(소득령 §141 ⑤ 1호)

(2) 사업장 현황신고서 내용 중 수입금액 등 기본사항의 중요부분이 미비하거나 허위라고 인정되는 경우(2019. 2. 12. 개정)(소득령 §141 ⑤ 2호)

(3) 매출·매입에 관한 계산서 수수내역이 사실과 현저하게 다르다고 인정되는 경우(1994. 12. 31. 개정)(소득령 §141 ⑤ 3호)

(4) 사업자가 그 사업을 휴업 또는 폐업한 경우(1994. 12. 31. 개정)(소득령 §141 ⑤ 4호)

⑨ 소형주택 임대사업자에 대한 세액감면(조특법 §96)

(1) 소형주택 임대소득에 대한 세액감면

대통령령으로 정하는 내국인이 대통령령으로 정하는 임대주택(이하 이 조에서 "임대주택"이라 한다)을 1호 이상 임대하는 경우에는 2022년 12월 31일 이전에 끝나는 과세연도까지 해당 임대사업에서 발생한 소득에 대해서는 다음 각 호[아래 1), 2)]에 따른 세액을 감

면한다.(2019. 12. 31. 개정)(조특법 §96 ①)

내국인이란?

"대통령령으로 정하는 내국인"이란 다음 각 호[아래 1. 2.]의 요건을 모두 충족하는 내국인을 말한다.(2014. 2. 21. 신설)(조특령 §96 ①)

1. 「소득세법」 제168조 또는 「법인세법」 제111조에 따른 사업자등록을 하였을 것 (2014. 2. 21. 신설)(조특령 §96 ① 1호)
2. 「민간임대주택에 관한 특별법」 제5조에 따른 임대사업자등록을 하였거나 「공공주택 특별법」 제4조에 따른 공공주택사업자로 지정되었을 것(2015. 12. 28. 개정)(조특령 §96 ① 2호)

임대주택

법 제96조 제1항에서 "대통령령으로 정하는 임대주택"이란 다음 각 호[아래 1.~4.]의 요건을 모두 갖춘 임대주택(이하 이 조에서 "임대주택"이라 한다)을 말한다.(2020. 10. 7. 개정)(조특령 §96 ②)

1. 제1항에 따른 내국인이 임대주택으로 등록한 주택으로서 다음 각 목[아래 1)~4)]의 어느 하나에 해당하는 주택일 것(2020. 10. 7. 신설)(조특령 §96 ② 1호)
   (1) 「민간임대주택에 관한 특별법」 제2조 제4호에 따른 공공지원민간임대주택. 다만, 종전의 「민간임대주택에 관한 특별법」(법률 제17482호 민간임대주택에 관한 특별법 일부개정법률로 개정되기 전의 것을 말한다. 이하 이 조에서 같다) 제2조 제6호에 따른 단기민간임대주택으로서 2020년 7월 11일 이후 같은 법 제5조 제3항에 따라 공공지원민간임대주택으로 변경 신고한 주택은 제외한다.(2020. 10. 7. 신설)(조특령 §96 ② 1호 가목)
   (2) 「민간임대주택에 관한 특별법」 제2조 제5호에 따른 장기일반민간임대주택(법률 제17482호 민간임대주택에 관한 특별법 일부개정법률 부칙 제5조 제1항에 따라 장기일반민간임대주택으로 보는 아파트를 임대하는 민간매입임대주택을 포함한다). 다만 다음[아래 (1), (2)]의 어느 하나에 해당하는 주택은 제외한다.(2020. 10. 7. 신설)(조특령 §96 ② 1호 나목)
      1) 2020년 7월 11일 이후 종전의 「민간임대주택에 관한 특별법」 제5조 제1항

에 따라 등록 신청(같은 조 제3항에 따라 임대할 주택을 추가하기 위해 등록한 사항을 변경 신고한 경우를 포함한다. 이하 이 호에서 같다)한 장기일반민간임대주택 중 아파트를 임대하는 민간매입임대주택

2) 종전의 「민간임대주택에 관한 특별법」 제2조 제6호에 따른 단기민간임대주택으로서 2020년 7월 11일 이후 같은 법 제5조 제3항에 따라 장기일반민간임대주택으로 변경 신고한 주택

(3) 종전의 「민간임대주택에 관한 특별법」 제2조 제6호에 따른 단기민간임대주택. 다만, 2020년 7월 11일 이후 같은 법 제5조 제1항에 따라 등록 신청한 단기민간임대주택은 제외한다.(2020. 10. 7. 신설)(조특령 §96 ② 1호 다목)

(4) 「공공주택 특별법」 제2조 제1호의2 및 제1호의3에 따른 공공건설임대주택 또는 공공매입임대주택(2020. 10. 7. 신설)(조특령 §96 ② 1호 라목)

2. 「주택법」 제2조 제6호에 따른 국민주택규모(해당 주택이 다가구주택일 경우에는 가구당 전용면적을 기준으로 한다)의 주택(주거에 사용하는 오피스텔과 주택 및 오피스텔에 딸린 토지를 포함하며, 그 딸린 토지가 건물이 정착된 면적에 지역별로 다음 각 목에서 정하는 배율을 곱하여 산정한 면적을 초과하는 경우 해당 주택 및 오피스텔은 제외한다)일 것(2016. 8. 11. 개정, 2020. 10. 7 호번개정)(조특령 §96 ② 2호)

(1) 「국토의 계획 및 이용에 관한 법률」 제6조 제1호에 따른 도시지역의 토지: 5배 (2014. 2. 21. 신설)(조특령 §96 ② 2호 가목)

(2) 그 밖의 토지: 10배(2014. 2. 21. 신설)(조특령 §96 ② 2호 나목)

3. 주택 및 이에 부수되는 토지의 기준시가의 합계액이 해당 주택의 임대개시일(임대개시 후 제1항 제1호 및 제2호의 요건을 충족하는 경우 그 요건을 모두 충족한 날을 말한다. 이하 이 조에서 같다) 당시 6억 원을 초과하지 않을 것(2020. 10. 7 호번개정) (조특령 §96 ② 3호)

4. 임대보증금 또는 임대료(이하 이 호에서 "임대료 등"이라 한다)의 증가율이 100분의 5를 초과하지 않을 것. 이 경우 임대료 등 증액 청구는 임대차계약 또는 약정한 임대료 등의 증액이 있은 후 1년 이내에는 하지 못하고, 임대사업자가 임대료 등의 증액을 청구하면서 임대보증금과 월임대료를 상호 간에 전환하는 경우에는 「민간임대주택에 관한 특별법」 제44조 제4항 및 「공공주택 특별법 시행령」 제44조 제3항에 따라 정한 기준을 준용한다.(2019. 2. 12. 신설, 2020. 2. 11. 개정, 2020. 10. 7 호번개정) (조특령 §96 ② 4호)

1) 임대주택을 1호 임대하는 경우

소득세 또는 법인세의 100분의 30[임대주택 중 「민간임대주택에 관한 특별법」 제2조 제4호에 따른 공공지원민간임대주택 또는 같은 법 제2조 제5호에 따른 장기일반민간임대주택(이하 이 조에서 "장기일반민간임대주택 등"이라 한다)의 경우에는 100분의 75]에 상당하는 세액(2019. 12. 31. 신설)(조특법 §96 ① 1호)

2) 임대주택을 2호 이상 임대하는 경우

소득세 또는 법인세의 100분의 20(장기일반민간임대주택 등의 경우에는 100분의 50)에 상당하는 세액(2019. 12. 31. 신설)(조특법 §96 ① 2호)

구 분	2020년 이전 개시하는 과세연도	2021년 이후 개시하는 과세연도
세액감면	30%(공공지원과 장기임대는 75%)	① 1호 임대 : 30%(공공, 장기임대는 75%) ② 2호 이상 임대 : 20%(공공, 장기임대는 50%)

(2) 의무임대기간 미충족시 추징

제1항[위 (1)]에 따라 소득세 또는 법인세를 감면받은 내국인이 대통령령으로 정하는 바에 따라 1호 이상의 임대주택을 4년(장기일반민간임대주택 등의 경우에는 10년) 이상 임대하지 아니하는 경우 그 사유가 발생한 날이 속하는 과세연도의 과세표준신고를 할 때 감면받은 세액을 소득세 또는 법인세로 납부하여야 한다. 다만, 「민간임대주택에 관한 특별법」 제6조 제1항 제11호에 해당하여 2020년 8월 18일 이후 등록이 말소되는 경우 등 대통령령으로 정하는 경우에는 그러하지 아니하다.(2018. 1. 16. 개정, 2020. 12. 29. 개정)(조특법 §96 ②)

위 단서에서 "「민간임대주택에 관한 특별법」 제6조 제1항 제11호에 해당하여 등록이 말소되는 경우 등 대통령령으로 정하는 경우"란 다음 각 호의 경우를 말한다.(2021. 2. 17. 신설)(조특령 §96 ⑤) 이 규정은 2021년 이후 과세표준을 신고하는 분부터 적용한다.

① 단기임대주택의 의무임대기간 : 4년

② 공공지원민간임대주택 또는 장기일반민간임대주택의 세액감면 의무임대기간

구 분	민특법에 따라 임대등록 신청일	
	2020년 8월 17일 이전	2020년 8월 18일 이후
의무임대기간 (미충족시 추징)	8년 이상 의무임대	10년 이상 의무임대

1) 「민간임대주택에 관한 특별법」 제6조 제1항 제11호 또는 같은 조 제5항에 따라 임대사업자 등록이 말소된 경우(2021. 2. 17. 신설)(조특령 §96 ⑤ 1호)

2) 「도시 및 주거환경정비법」에 따른 재개발사업·재건축사업, 「빈집 및 소규모주택 정비에 관한 특례법」에 따른 소규모주택정비사업으로 당초의 임대주택이 멸실되어 새로 취득하거나 「주택법」에 따른 리모델링으로 새로 취득한 주택이 아파트(당초의 임대주택이 단기민간임대주택인 경우에는 모든 주택을 말한다)인 경우. 다만, 새로 취득한 주택의 준공일부터 6개월이 되는 날이 2020년 7월 10일 이전인 경우는 제외한다.(2021. 2. 17. 신설)(조특령 §96 ⑤ 2호)

(3) 이자 상당 가산액

제1항[위 (1)]에 따라 감면받은 소득세액 또는 법인세액을 제2항[위 (2)]에 따라 납부하는 경우에는 제63조 제3항의 이자 상당 가산액에 관한 규정을 준용한다. 다만, 대통령령으로 정하는 부득이한 사유가 있는 경우에는 그러하지 아니하다.(2014. 1. 1. 신설, 2020. 12. 29. 개정)(조특법 §96 ③)

(4) 세액 감면 신청

제1항에 따라 소득세 또는 법인세를 감면받으려는 자는 대통령령으로 정하는 바에 따라 세액의 감면을 신청하여야 한다.(2014. 1. 1. 신설)(조특법 §96 ④)

(5) 제1항부터 제4항[위 (1)~(4)]까지의 규정을 적용할 때 임대주택의 수, 세액감면의 신청, 감면받은 소득세액 또는 법인세액을 납부하는 경우의 이자상당액 계산방법 등 그 밖에 필요한 사항은 대통령령으로 정한다.(2014. 12. 23. 개정)(조특법 §96 ⑤)

(6) 임대기간의 판단

조특법 제96조 제1항[위 (1)] 및 제2항[위 (2)]에 따른 1호 이상의 임대주택을 4년[「민간임대주택에 관한 특별법」 제2조 제4호에 따른 공공지원민간임대주택 또는 같은 조 제5호에 따른 장기일반민간임대주택(이하 이 조에서 "장기일반민간임대주택 등"이라 한다)의 경우에는 10년] 이상 임대하는지 여부는 다음 각 호[아래 1)~6)]에 따른다.(2018. 7. 16. 개정, 2021. 2. 17. 개정)(조특령 §96 ③)

1) 임대하는 임대주택이 1호 이상인 개월 수가 12분의 9 이상인 경우

해당 과세연도의 매월말 현재 실제 임대하는 임대주택이 1호 이상인 개월 수가 해당 과세연도 개월 수(1호 이상의 임대주택의 임대개시일이 속하는 과세연도의 경우에는 1호 이상의 임대주택의 임대개시일이 속하는 월부터 과세연도 종료일이 속하는 월까지의 개월 수)의 12분의 9 이상인 경우에는 1호 이상의 임대주택을 임대하고 있는 것으로 본다. 다만, 법 제96조 제2항 단서에 해당하는 경우에는 등록이 말소되는 날이 속하는 해당 과세연도에 1호 이상의 임대주택을 임대하고 있는 것으로 본다.(2018. 2. 13. 개정, 2021. 2. 17. 단서신설)(조특령 §96 ③ 1호)

2) 매월 말 임대개월 수가 43개월 이상인 경우

1호 이상의 임대주택의 임대개시일부터 4년(장기일반민간임대주택 등의 경우에는 10년)이 되는 날이 속하는 달의 말일까지의 기간 중 매월 말 현재 실제 임대하는 임대주택이 1호 이상인 개월 수가 43개월(장기일반민간임대주택 등의 경우에는 108개월) 이상인 경우에는 1호 이상의 임대주택을 4년(장기일반민간임대주택 등의 경우에는 10년) 이상 임대하고 있는 것으로 본다.(2018. 7. 16. 개정, 2021. 2. 17. 개정)(조특령 §96 ③ 2호)

구 분	민특법에 따라 임대등록 신청일	
	2020년 8월 17일 이전	2020년 8월 18일 이후
임대주택이 1호 이상인 개월수	43개월(장기일반민간임대주택의 경우에는 87개월) 이상	43개월(장기일반민간임대주택의 경우에는 108개월) 이상

3) 임차인 퇴거일부터 입주일까지의 기간이 3개월 이내인 경우

제1호[위 1)] 및 제2호[위 2)]를 적용할 때 기존 임차인의 퇴거일부터 다음 임차인의 입주일까지의 기간으로서 3개월 이내의 기간은 임대한 기간으로 본다.(2014. 2. 21. 신설)(조특

령 §96 ③ 3호)

4) 상속, 합병, 분할, 물적분할, 현물출자인 경우

제1호[위 1)] 및 제2호[위 2)]를 적용할 때 상속, 합병, 분할, 물적분할, 현물출자로 인하여 피상속인, 피합병법인, 분할법인, 출자법인(이하 이 호에서 "피상속인 등"이라 한다)이 임대하던 임대주택을 상속인, 합병법인, 분할신설법인, 피출자법인(이하 이 호에서 "상속인 등"이라 한다)이 취득하여 임대하는 경우에는 피상속인 등의 임대기간은 상속인 등의 임대기간으로 본다.(2014. 2. 21. 신설)(조특령 §96 ③ 4호)

5) 수용

제1호 및 제2호를 적용할 때 「공익사업을 위한 토지 등의 취득 및 보상에 관한 법률」 또는 그 밖의 법률에 따른 수용(협의 매수를 포함한다)으로 임대주택을 처분하거나 임대를 할 수 없는 경우에는 해당 임대주택을 계속 임대하는 것으로 본다.(2014. 2. 21. 신설)(조특령 §96 ③ 5호)

6) 재건축사업, 재개발사업 또는 소규모주택정비사업의 경우

제1호 및 제2호를 적용할 때 「도시 및 주거환경정비법」에 따른 재개발사업·재건축사업, 「빈집 및 소규모주택 정비에 관한 특례법」에 따른 소규모주택정비사업 또는 「주택법」에 따른 리모델링의 사유로 임대주택을 처분하거나 임대를 할 수 없는 경우에는 해당 주택의 관리처분계획 인가일(소규모주택정비사업의 경우에는 사업시행계획 인가일, 리모델링의 경우에는 허가일 또는 사업계획승인일을 말한다) 전 6개월부터 준공일 후 6개월까지의 기간은 임대한 기간으로 본다. 이 경우 임대기간 계산에 관하여는 「종합부동산세법 시행령」 제3조 제7항 제7호 및 제7호의2를 준용한다.(2018. 2. 9. 개정, 2021. 2. 17. 개정)(조특령 §96 ③ 6호)

> ● ● ● ●
>
> 1. 멸실된 주택의 임대기간과 새로 취득한 주택의 임대기간을 합산
>   「도시 및 주거환경정비법」에 따른 재개발사업·재건축사업 또는 「빈집 및 소규모주택 정비에 관한 특례법」에 따른 소규모주택정비사업에 따라 당초의 합산배제 임대주택이 멸실되어 새로운 주택을 취득하게 된 경우에는 멸실된 주택의 임대기간과 새로 취득한 주택의 임대기간을 합산한다. 이 경우 새로 취득한 주택의 준공일부터 6개월 이내에 임대를 개시해야 한다.(2020. 2. 11. 개정)(종부령 §3 ⑦ 7호)

2. 「주택법」에 따른 리모델링을 하는 경우

「주택법」에 따른 리모델링을 하는 경우에는 해당 주택의 같은 법에 따른 허가일 또는 사업계획승인일 전의 임대기간과 준공일 후의 임대기간을 합산한다. 이 경우 준공일부터 6개월 이내에 임대를 개시해야 한다.(2020. 2. 11. 신설)(종부령 §3 ⑦ 7호의 2)

7) 단기임대주택에서 장기일반민간임대주택 등으로 변경신고하는 경우

제3항[위 1)~6)]에 따른 임대기간을 계산할 때 제1항에 따른 내국인이 「민간임대주택에 관한 특별법」 제5조 제3항에 따라 2020년 7월 10일 이전에 같은 법 제2조 제6호의 단기민간임대주택을 장기일반민간임대주택 등으로 변경 신고한 경우에는 같은 법 시행령 제34조 제1항 제3호 각 목[아래 ①, ②]의 구분에 따른 시점부터 그 기간을 계산하고, 변경 신고일이 속하는 과세연도부터 장기일반민간임대주택 등을 임대하는 것으로 본다.(2020. 2. 11. 신설)(조특령 §96 ④) 이 조항은 2020년 10월 7일 삭제된 규정임.

① 단기민간임대주택의 임대의무기간 종료 전에 변경신고한 경우: 해당 단기민간임대주택의 제1호 또는 제2호에 따른 시점(민특령 §34 3호 가목)
② 단기민간임대주택의 임대의무기간이 종료된 이후 변경신고한 경우: 변경신고의 수리일부터 해당 단기민간임대주택의 임대의무기간을 역산한 날(민특령 §34 3호 나목)

구 분	2020년 7월 10일 이전에 단기에서 장기일반민간임대주택으로 전환	2020년 7월 11일 이후에 단기에서 장기일반민간임대주택으로 전환
적용 여부	조특령 제96조 제4항 적용	조특령 제96조 제4항 삭제(적용 안함)

(7) 과세연도 종료일 기준으로 임대주택 수 계산

조특법 제96조 제1항 각 호에서 임대사업자가 임대하는 임대주택의 수를 계산할 때에는 해당 과세연도 종료일 현재 임대주택 수를 기준으로 한다.(2020. 2. 11. 신설)(조특령 §96 ⑤)

(8) 이자상당액 가산

조특법 제96조 제2항[위 (2)]에 따라 소득세 또는 법인세를 감면받은 내국인이 1호 이상의 임대주택을 4년(장기일반민간임대주택 등의 경우에는 10년) 이상 임대하지 아니한 경

우에는 그 사유가 발생한 날이 속하는 과세연도의 과세표준신고를 할 때 감면받은 세액 전액(장기일반민간임대주택 등을 4년 이상 10년 미만 임대한 경우에는 해당 감면받은 세액의 100분의 60에 상당하는 금액)에 조특법 제96조 제3항[위 (3)]에 따라 계산한 이자 상당 가산액을 가산한 금액을 소득세 또는 법인세로 납부하여야 한다.(2020. 2. 11. 항번개정. 2021. 2. 17. 개정)(조특령 §96 ⑥)

① 단기임대주택의 의무임대기간 : 4년
② 공공지원민간임대주택 또는 장기일반민간임대주택의 세액감면 의무임대기간

구 분	2020년 8월 17일 이전 민특법에 따라 임대등록 신청한 주택	2020년 8월 18일 이후 민특법에 따라 임대등록 신청한 주택
의무 임대 기간(미충족시 추징)	공공지원민간임대주택 또는 장기일반민간임대주택의 경우에는 8년 이상 의무임대	공공지원민간임대주택 또는 장기일반민간임대주택의 경우에는 10년 이상 의무임대

제12절 일자 기준으로 정리한 다주택자 관련 규정

① 분양권의 주택 수 포함 여부

| 비과세, 중과세 판단 시 분양권의 주택 수 포함 여부 |

구 분	분양권 취득일	
	2020. 12. 31. 이전	2021. 1. 1. 이후
비과세/중과세 판단 시	주택 수 불포함	주택 수 포함

| 취득세 계산 시 분양권의 주택 수 포함 여부 |

구 분	분양권 취득일	
	2020. 8. 11. 이전	2020. 8. 12. 이후
취득세 계산시 주택 수 포함 여부	주택 수 불포함	주택 수 포함

② 1세대 1주택 비과세 2년 거주요건 여부(소득령 §154 ① 4호)

구 분	2017년 8월 2일 이전 취득분[1]	2017년 8월 3일 이후 취득분		
		임대등록 안한 경우	임대등록을 한 경우	
			2019년 12월 16일 이전 임대등록분	2019년 12월 17일 이후 임대등록분
1. 취득당시 조정대상지역 인 경우	거주요건 없음	거주요건 있음	거주요건 없음	거주요건 있음
2. 취득당시 조정대상지역이 아닌 경우[2]	거주요건 없음			

1) 계약금 지급일 현재 1세대 무주택인 경우로서 2017.8.2. 이전 매매계약을 체결하고 계약금을 지급한 경우 포함
2) 무주택세대가 조정대상지역 공고일 이전에 매매계약을 체결하고 계약금을 납부한 경우 포함

③ 일자로 구분한 1세대 1주택 비과세 보유기간(2년) 기산일(소득령 §154 ⑤)

2020. 12. 31. 이전 양도분	2021. 1. 1. 이후 양도분
당초 취득일 부터 기산	1. 원칙 : 당초 취득일부터 기산 2. 예외1 : 직전주택 처분일부터 기산 2주택 이상을 보유한 1세대가 1주택 외의 주택을 모두 처분한 경우에는 처분 후 1주택을 보유하게 된 날부터 보유기간을 기산한다. 3. 예외2 : 당초 취득일부터 기산 소득령 제155조, 제155조의2 및 제156조의2 및 제156조의3에 따라 해당하는 경우는 제외한다.(즉, 취득일로부터 보유기간을 기산한다) 4. 예외3 : 직전주택 처분일부터 기산 그러나, 2주택 이상을 보유한 1세대가 1주택 외의 주택을 모두 처분[양도, 증여 및 용도변경(「건축법」 제19조에 따른 용도변경을 말하며, 주거용으로 사용하던 오피스텔을 업무용 건물로 사실상 용도변경하는 경우를 포함한다)하는 경우를 말한다. 이하 이 항에서 같다]한 후 신규주택을 취득하여 일시적 2주택이 된 경우는 제외하지 않는다. 즉, 예외1대로 모든 주택을 처분하고 1주택을 보유하게 된 날부터 보유기간을 기산한다.(2021. 2. 17. 개정) 5. 해석사례 : 2021년 1월 1일 현재 1주택만 보유한 경우 2021년 1월 1일 현재 1주택만 보유하고 있는 1세대가 해당 1세대 1주택 보유 상태를 유지하다가 그 주택 양도 시 비과세 판정을 위한 보유기간은 양도하는 당해 주택의 취득일부터 기산한다.(기획재정부 재산-1132, 2020. 12. 24.)

| 1세대 1주택 비과세 보유기간(2년) 기산일(소득령 §154 ⑤) |

종 전	개 정
• 예외3 : 직전주택 양도일로 기산 -2주택 이상을 보유한 1세대가 1주택 외의 주택을 모두 양도한 후 신규주택을 취득하여 일시적 2주택이 된 경우는 제외하지 않는다. → 즉, 직전주택 양도일부터 기산	• 예외3 : 직전주택 처분일로 기산 -2주택 이상을 보유한 1세대가 1주택 외의 주택을 모두 처분[1]한 후 신규주택을 취득하여 일시적 2주택이 된 경우는 제외하지 않는다. → 즉, 직전주택 처분일부터 기산

종 전	개 정
적용시기) 2021.2.17. 이후 2주택 이상을 보유한 1세대가 증여 또는 용도변경하는 경우부터 적용한다.	

1) 처분이란 양도, 증여 및 용도변경(「건축법」 제19조에 따른 용도변경을 말하며, 주거용으로 사용하던 오피스텔을 업무용 건물로 사실상 용도변경하는 경우를 포함한다)

④ 1세대 1주택의 장특공제율 최대 10년(80%) 적용 요건(소득령 §159의4)

양도일		
2019. 12. 31. 이전	2020. 1. 1.~2020. 12. 31.	2021. 1. 1. 이후
① 1세대 1주택	① 1세대 1주택 ② 2년 이상 거주	① 1세대 1주택 ② 최소 2년 이상 거주 * 보유기간(40%) + 거주기간(40%) 장특공제

*요건 미충족시 표1]을 적용한다.(15년, 30%)

⑤ 1세대 1주택 비과세 겸용 고가주택(소득령 §160 ①)

구 분	양도일	
	2021. 12. 31. 이전	2022. 1. 1. 이후
주택 〉 기타건물	전부 주택으로 본다.	양도소득 계산할 때 주택만 주택으로 본다. 효과 : 1. 12억 원(2021년 12월 7일 이전 양도분은 9억 원) 초과 금액 중 주택 부분만 비과세 적용 2. 주택 부분 : 10년 최대 80%, 　 상가 부분 : 15년 최대 30%
주택 ≦ 기타건물	주택만 주택으로 본다.	좌동

6 상속주택과 일반주택 비과세(소득령 §156의3 ④)

| 2020년 12월 31일 이전 양도하는 일반주택의 비과세 판단시 |

구 분	상속주택	일반주택
요건	다음 중 어느 하나에 해당하는 경우 1. 상속받은 주택 2. 조합원입주권을 상속받아 사업시행 완료 후 취득한 신축주택	다음 중 어느 하나에 해당하는 경우 1. 상속개시 당시 보유한 주택[1] 2. 상속개시 당시 보유한 조합원입주권에 의하여 사업시행 완료 후 취득한 신축주택 단, 상속개시일부터 소급하여 2년 이내에 피상속인으로부터 증여받은 주택 또는 증여받은 조합원입주권에 의하여 사업시행 완료 후 취득한 신축주택은 제외한다.

1) 상속주택이 요건 갖춘 농어촌 주택인 경우 일반주택은 상속개시당시 보유하지 않은 주택도 일반주택으로 비과세 가능하다.

| 2021년 1월 1일 이후 양도하는 일반주택의 비과세 판단시(소득령 §156의3 ④) |

구 분	상속주택	일반주택
요건	2021년부터 다음 내용 추가 -2021년 1월 1일 이후 취득한 분양권을 상속받아 사업시행 완료 후 취득한 신축주택 -피상속인이 상속개시 당시 주택 또는 분양권을 소유하지 않은 경우의 상속받은 조합원입주권	2021년부터 다음 내용 추가 -2021년 1월 1일 이후 취득한 분양권으로서 상속개시 당시 보유한 분양권에 의하여 사업시행 완료 후 취득한 신축주택 * 단, 상속개시일부터 소급하여 2년 이내에 피상속인으로부터 증여받은 분양권에 의하여 사업시행 완료 후 취득한 신축주택은 제외한다.
	[적용시기] 2021년 이후 양도하는 주택부터 적용하며, 분양권은 2021년 1월 1일 이후 취득한 것에 한한다.	

> **증여받은 주택에 따라 달라지는 상속주택과 일반주택(소득령 §155 ②)**
>
> 법소정 상속주택과 일반 주택이 있을 때 상속 개시일로 부터 2년 이내 증여받은 주택(조합원입주권 또는 분양권으로 신축한 주택 포함)은 일반주택으로 보지 아니한다.
>
> | 2018. 2. 12. 이전 증여받은 주택(조합원입주권으로 취득한 신축주택 포함) | 2018. 2. 13. 이후 증여받은 주택(조합원입주권 또는 분양권[1])으로 취득한 신축주택 포함) | |
> |---|---|---|
> | | 상속개시일로부터 2년 전 증여받은 분 | 상속개시일로부터 2년 이내 증여받은 분 |
> | 일반주택으로 본다. | 일반주택으로 본다. | 일반주택으로 보지 않는다. |
>
> 1) 2021년 1월 1일 이후 취득한 분양권부터 적용한다.

❼ 중과배제 임대주택 요건[소득령 §167의3 ① 2호(가목~사목)]

구 분	소득령 제167조의3 제1항 제2호						
	가목	나목	다목	라목	마목	바목	사목
유형	매입임대 (장기/단기)	매입임대	건설임대 (장기/단기)	미분양매입 임대	매입임대 (장기)	건설임대 (장기)	가목, 다목~마목의 임대주택의 자진말소일로부터 1년이내 양도하는 주택 (단, 임대기간요건와 다른 요건은 갖추어야 한다)
호수	1호	2호	2호	5호	1호	2호	
세법상 의무 임대 기간	5년 이상	5년 이상	5년 이상	5년 이상	8년/10년 2020. 8. 18. 이후 임대등록신청분부터는 10년	8년/10년	
자진/자동 말소	1. 가목, 다목~마목의 경우 2020. 8. 18. 이후 자동말소의 경우 임대기간 요건을 갖춘 것으로 본다. 2. 가목, 다목~마목의 경우 2020. 8. 18. 이후 자진말소한 경우부터 자진말소 후 1년 이내 양도시 임대기간요건은 갖춘 것으로 보며 이미 유일한 1주택 중과배제한 것은 추징하지 않는다.(사목) * 아파트 장기일반민간매입임대주택과 단기임대만 해당						
면적요건	–	국민주택 규모 이하	대지 298㎡+주택 149㎡ 이하	대지 298㎡+주택 149㎡ 이하	–	대지 298㎡+주택 149㎡ 이하	
기준시가	임대개시 당시 기준시가	취득당시 기준시가 3억 원	임대개시 당시 6억 원 이하	취득당시 기준시가 3억 원	임대개시 당시 기준시가	임대개시 당시 6억 원 이하	

구 분	소득령 제167조의3 제1항 제2호						사목
	가목	나목	다목	라목	마목	바목	
	6억 원 (수도권 밖 3억 원)	이하		이하	6억 원 (수도권 밖 3억 원)		
임대료	5% 요건		5% 요건		5% 요건	5% 요건	
	5% 초과 요건은 2019. 2. 12. 이후 주택 임대차계약을 체결하거나 기존 계약을 갱신하는 분부터 적용한다.						

구분	등록기한 요건
가목	2018. 3. 31.까지 임대 등록한 주택에 한한다.
나목	2003. 10. 29. 이전에 등록한 주택
다목	2018. 3. 31.까지 임대 등록한 주택에 한한다.
라목	2008. 6. 11.~ 2009. 6. 30. 분양계약과 계약금 납부
마목	다음 주택을 제외한 임대주택이 중과배제 대상이다. 1. 2018. 9. 14. 이후 1주택 이상을 보유한 상태에서 새로이 조정대상지역 내 취득한 주택 2. 2020. 7. 11. 이후에 임대 등록신청한 아파트 3. 2020. 7. 11. 이후에 단기에서 장기로 변경신고한 주택
바목	-

(등록 기한 요건)

⑧ 거주주택 비과세 규정에서 임대주택의 요건(소득령 §155 ⑳, ㉓)

구 분	소득령 제167조의3 제1항 제2호						사목
	가목	나목	다목	라목	마목	바목	
유형	매입임대 (장기/단기)	매입임대	건설임대 (장기/단기)	미분양매입 임대	매입임대 (장기)	건설임대 (장기)	가목, 다목 ~마목의 임대주택의 자진말소일로부터 1년이내 양도하는 주택(단, 임대기간요건외 다른 요건은 갖추어야 한다)
호수	1호	2호	2호	5호	1호	2호	
세법상 의무 임대 기간	5년 이상	5년 이상	5년 이상	5년 이상	8년/10년 2020. 8. 18. 이후 임대등록신청분부터는 10년	8년/10년	
등록말소	1. 가목, 다목~마목의 경우 민특법상 자진·자동말소 후 5년 이내 거주주택을 양도하는 경우 임대기간요건을 갖춘 것으로 본다.[1] 2. 가목, 다목~마목의 경우 민특법에 따라 자진, 자동 등록말소된 경우 임대기간 요건을 갖춘 것으로 보아 이미 비과세받은 것은 추징하지 않는다. *1) 적용 대상 및 시기 : 아파트 장기일반민간매입임대주택과 단기임대만 해당하며 2020. 8. 18. 이후 말소분부터 적용한다.						

452

구 분	소득령 제167조의3 제1항 제2호						사목
	가목	나목	다목	라목	마목	바목	
면적요건	–	국민주택 규모 이하	대지 298㎡+주택 149㎡ 이하	대지 298㎡+주택 149㎡ 이하	–	대지 298㎡+주택 149㎡ 이하	
기준시가	임대개시당시 기준시가 6억 원 (수도권 밖 3억 원)	취득당시 기준시가 3억 원 이하	임대개시당시 6억 원 이하	취득당시 기준시가 3억 원 이하	임대개시당시 기준시가 6억 원 (수도권 밖 3억 원)	임대개시당시 6억 원 이하	
임대료	5% 요건		5% 요건		5% 요건	5% 요건	
	5% 초과 요건은 2019년 2월 12일 이후 주택 임대차계약을 체결하거나 기존 계약을 갱신하는 분부터 적용한다.						

거주주택 외 임대주택 인정 등록 기한	구분	거주주택 외 임대주택 등록기한 요건	
	가목	2020. 7. 10.까지 임대 등록신청한 주택에 한한다.	
	나목	2003. 10. 29. 이전에 등록한 주택	
	다목	2020. 7. 10.까지 임대 등록신청한 주택에 한한다.	
	라목	2008. 6. 11.~ 2009. 6. 30. 분양계약과 계약금 납부	
	마목	2021년 2월 16일 이전 거주주택 양도분까지	2018. 9. 14. 이후 1주택 이상을 보유한 상태에서 새로이 조정대상지역 내 취득한 주택은 임대주택에서 제외한다.
		2021년 2월 17일 이후 거주주택 양도분부터	마목에 따라 등록한 임대주택은 인정된다. 2018. 9. 14. 이후 1주택 이상을 보유한 상태에서 새로이 조정대상지역 내 취득한 주택도 임대주택으로 인정한다. 단, 다음은 제외한다. 1. 2020. 7. 11 이후 임대등록신청한 아파트 2. 2020. 7. 11. 이후 단기에서 장기로 변경신고한 주택
	바목	–	

9 거주주택 비과세에서 임대주택의 요건(소득령 §155 ⑳)

(1) 소득령 제167조의3 제2항 제2호 가목, 다목에 따른 매입임대주택(단기/장기)

구분	임대등록 신청일	
	2020년 7월 10일 이전	2020년 7월 11일 이후
거주주택 외 임대주택 해당 여부	해당됨	해당 안됨

(2) 소득령 제167조의3 제2항 제2호 마목에 따른 장기일반민간매입임대주택 해당 여부

구분	2021. 2. 16. 이전에 거주주택을 양도하는 경우		2021. 2. 17. 이후에 거주주택을 양도하는 경우
	2018. 9. 13. 이전 취득분	2018. 9. 14. 이후 취득분	
거주주택 외 임대주택 해당 여부	해당됨	해당됨[1]	해당됨[2]

1) 단, 2018. 9. 14. 이후에 1세대 1주택 이상을 보유한 상태에서 새로 조정지역에서 취득한 주택은 제외한다.
2) 단, 2020. 7. 11. 이후 임대등록신청 한 아파트와 2020.7.11. 이후 단기에서 장기로 변경 신고한 주택은 제외한다. 특징은 2018. 9. 14. 이후 조정대상지역내 취득한 주택도 임대주택으로 인정된다는데 있다.

⑩ 자동말소 자진말소

(1) 양도세 중과배제 자동말소, 자진말소 규정(소득령 §167의3 ① 2호)

유형	소득령 제167조의3 제1항 제2호					
	가목	나목	다목	라목	마목	바목
자동말소 (본문)	임대기간요건을 갖춘 것으로 본다.	–	임대기간요건을 갖춘 것으로 본다.			–
자진말소 (사목)	1년 이내 양도시 임대기간요건을 갖춘 것으로 본다.	–	1년 이내 양도시 임대기간요건을 갖춘 것으로 본다.			–
유일한 1주택 중과배제 후 추징 여부	– 자진말소의 경우 추징하지 않는다. – 임대주택이 재개발 등으로 멸실된 후 민특법에 따라 등록 불가한 경우 추징하지 않는다.	–	– 자진말소의 경우 추징하지 않는다. – 임대주택이 재개발 등으로 멸실된 후 민특법에 따라 등록 불가한 경우 추징하지 않는다.			–
적용시기	2020년 8월 18일 이후 말소된 주택부터 적용한다. * 아파트 장기일반민간매입임대주택과 단기임대만 적용한다. * 자진말소의 경우 민특법상 임대의무기간의 2분의 1 이상을 임대한 경우에 한정한다.					

(2) 거주주택 비과세 자동말소, 자진말소 규정(소득령 §155 ㉓)

유형	소득령 제167조의3 제1항 제2호					
	가목	나목	다목	라목	마목	바목
자동말소 및 자진말소	① 5년 이내 거주주택을 양도시 또는 ② 이미 거주주택 비과세를 받은 경우 → 임대기간요건을 갖춘 것으로 본다.	–	① 5년 이내 거주주택을 양도시 또는 ② 이미 거주주택 비과세를 받은 경우 → 임대기간요건을 갖춘 것으로 본다.			–
적용시기	2020년 8월 18일 이후 말소된 주택부터 적용한다. * 아파트 장기일반민간매입임대주택과 단기임대만 적용한다. * 장기임대주택을 2호 이상 임대하는 경우에는 최초로 등록이 말소되는 장기임대주택의 등록 말소 이후를 말한다. * 자진말소의 경우 민특법상 임대의무기간의 2분의 1 이상을 임대한 경우에 한정한다.					

⑪ 일시적 1세대 2주택 비과세 종전주택 처분기한(소득령 §155 ①)

종전주택	신규주택	비과세 요건
조정지역	조정지역	1년 이내[1] 종전주택을 양도하고 신규주택에 이주 및 전입신고
조정지역	비조정지역	3년 이내 종전주택 양도
비조정지역	조정지역	
비조정지역	비조정지역	

1) 신규주택 취득일에 따른 종전주택 양도기간

종전주택이 조정대상지역에 있는 상태에서 조정대상지역 소재한 신규주택을 취득하는 경우 다음에 따른다.

① 2018년 9월 13일 이전에 신규주택 취득(매매계약하고 계약금 지급한 것 포함) : 종전주택을 3년 이내 양도

② 2018년 9월 14일 이후부터 2019년 12월 16일 이내 신규주택 취득(매매계약하고 계약금 지급한 것 포함) : 종전주택을 2년 이내 양도

③ 2019년 12월 17일 이후 신규주택 취득 : 1년 이내 종전주택 양도 & 이주 등

* 종전주택이 없는 상태에서 신규주택(분양권 포함)을 계약한 경우에는 기획재정부 재산세제과-512, 2021. 5. 25.)의 별첨 「세부 집행원칙」을 참고

⑫ 거주주택 비과세 횟수제한 여부(소득령 §155 ⑳)

2019. 2. 12. 당시 거주하고 있는 주택	거주주택 취득일	
	2019. 2. 11. 이전[1]	2019. 2. 12. 이후
횟수 제한없음	횟수 제한없음	생애 1회만 비과세 적용

1) 2019. 2. 11. 이전에 매매계약을 체결하고 계약금 지급한 주택 포함

⑬ 장기일반민간임대주택 양도세 100% 감면(조특법 §97의5)

취득일	
2018. 12. 31. 이전	2019. 1. 1. 이후
감면 가능	감면 안됨[1]

1) 단, 2018. 12. 31. 이전에 계약체결하고 계약금을 지급한 주택은 감면 가능하다.

⑭ 임대주택 유형별 혜택 정리

(1) 단기민간 매입 · 건설임대주택 등록 시 혜택(소득령 §167의3 ① 2호 가목, 다목, 종부령 §3 ① 1호, 2호)

구 분	임대 등록일	
	2018. 3. 31. 이전	2018. 4. 1. 이후
1. 중과배제 2. 장특공제 3. 종부세합산배제	해당됨	해당 안됨

(2) 장기일반민간매입임대주택 혜택(소득령 §167의3 ① 2호 마목, 종부령 §3 ① 8호)

구 분	취득일	
	2018. 9. 13. 이전	2018. 9. 14. 이후
1. 중과배제	적용대상에 해당됨	적용대상에 해당됨[1]
2. 장특공제 3. 종부세합산배제	단, 2020년 7월 11일 이후 임대등록한 아파트와 단기에서 장기로 변경 신고한 주택은 : 적용대상에 해당 안됨	

1) 단, 1주택을 보유한 상태에서 새로이 조정대상지역 내에서 취득한 주택은 해당 안됨.

(3) 장기일반민간건설임대주택 혜택(소득령 §167의3 ① 2호 바목, 종부령 §3 ① 7호)

구 분	대상 여부
1. 중과배제 2. 장특공제 3. 종부세합산배제	해당됨[1]

1) 단, 2020년 7월 11일 이후 단기에서 장기로 변경신고한 주택은 해당 안됨.

(4) 공공민간매입 또는 장기민간매입 및 장기민간건설임대주택 등의 의무임대기간(소득령 §167의3 ① 2호 마목, 바목)

민특법에 따른 임대등록 신청일	
2020년 8월 17일 이전	2020년 8월 18일 이후
8년	10년

15 장기보유특별공제 특례(조특법 §97의4)

구 분	임대등록일	
	2018. 3. 31. 이전	2018. 4. 1. 이후
장기임대주택에 대한 장특공제 적용 특례 내용 : 다른 요건 충족시 6년 이상~7년 미만 : 2% 추가공제 7년 이상~8년 미만 : 4% 추가공제 8년 이상~9년 미만 : 6% 추가공제 9년 이상~10년 미만 : 8% 추가공제 10년 이상 : 10% 추가공제	장특공제 특례 적용 가능	장특공제 특례 적용 불가

16 2019. 2. 12. 이전·후 조특법 제97조의3 적용시 단기에서 장기로 변경할 때 임대기간 인정기간(조특령 §97의3 ③)

단기에서 장기로 변경 신고한 날	
2019. 2. 11. 이전	2019. 2. 12. 이후
기존 단기로 임대한 기간의 50%를 장기임대기간으로 인정(최대 5년 한도)	기존 단기로 임대한 기간 전체를 장기임대기간으로 인정(최대 4년 한도)

⑰ 조특법 제97조의3 장기보유특별공제 50%(70%) 가액요건 여부

구분	취득일	
	2018.9.13. 이전[1]	2018.9.14. 이후
임대개시당시 기준시가 6억 원(수도권밖 3억 원)을 초과하지 아니할 것	가액요건 없음	가액요건 있음

1) 2018. 9. 13. 이전에 매매계약을 체결하고 계약금을 지급한 주택 포함

⑱ 조특법 제97조의3 장기보유특별공제 50%(70%) 적용 여부

임대등록일	
2020.12.31. 이전	2021.1.1. 이후
적용됨[1]	적용 안됨

1) 단, 2020. 7. 11. 이후 장기일반민간임대주택으로 등록 신청한 아파트 및 단기에서 장기로 변경 신고한 주택은 제외한다. 민간건설임대주택은 2022. 12. 31.까지 임대등록하면 여전히 가능하다.

⑲ 각 법령별 5% 증액제한의 최초 임대료 기준

구 분	5% 증액제한 최초 임대료 기준	
민특법	2019. 10. 23. 이전 임대등록한 경우	민간임대주택의 최초임대료는 임대사업자가 정한다.
	2019. 10. 24. 이후에 임대등록한 경우	임대사업자가 정하는 임대료. 다만, 민간임대주택 등록 당시 존속 중인 임대차계약이 있는 경우에는 그 종전 임대차계약에 따른 임대료
소득령 제167조의3 제1항 제2호 (가목~사목) 임대주택	2019. 2. 12. 이후 최초 체결하는 표준임대차계약에 따른 임대료	
거주주택비과세 임대주택		
조특법 제97조의4 장특공제특례 (10%)		
장특공제 특례 제97조의3 (50%, 70%)	임대등록 후 최초 체결하는 표준임대차계약에 따른 임대료	

구 분	5% 증액제한 최초 임대료 기준
장기임대주택 양도세 100% 감면	
종부세 합산배제임대주택	2019. 2. 12. 이후 최초 체결하는 표준임대차계약에 따른 임대료

20 장기매입임대주택의 종부세 합산배제(종부령 §3 ① 8호 나목)

(1) 개인의 장기매입임대주택의 종부세 합산배제 여부(종부령 §3 ① 8호 나목)

2018. 9. 13. 이전에 취득한 주택	2018. 9. 14. 이후에 취득한 주택	
	원칙	예외
합산배제됨[1]	합산배제됨[1]	합산배제 안됨[2]

1) 아파트인 경우 2020년 7월 11일 이후 장기임대주택 사업자등록 신청한 주택 및 단기에서 장기로 전환한 것은 합산배제에서 제외된다.
2) 예외적으로 1세대가 국내에 1주택 이상을 보유한 상태에서 새로이 취득한 조정대상지역에 있는 주택인 경우는 합산배제 적용대상에서 제외된다.

(2) 법인의 장기매입임대주택의 종부세 합산배제 여부(종부령 §3 ① 8호 나목)

2020. 6. 17. 이전 임대등록 신청	2020. 6. 18. 이후 임대등록 신청	
	비조정대상지역 주택	조정대상지역 주택
합산배제됨	합산배제됨[1]	합산배제 안됨[2]

1) 아파트인 경우 2020년 7월 11일 이후부터 장기임대주택등록 불가
2) 단, 조정지역 공고된 날 이전에 임대사업자 등록 신청한 것은 합산배제 가능

㉑ 토지 등 양도차익에 대한 법인세 추가과세 제외 여부(민간임대주택 중에서)(추가과제 제외됨 : O, 추가과세 제외 안됨 : X)

2018. 3. 31. 이전 임대등록				2018. 4. 1. 이후~ 2020. 6. 17. 이전 임대등록 신청				2020. 6. 18. 이후 임대등록 신청			
단기		장기		단기		장기		단기		장기	
매입	건설	매입	건설	매입	건설	매입	건설	매입	건설	매입	건설
O		O		X		O		X		X	O

㉒ 지금 임대등록해도 가능한 혜택 정리(2022년 3월 현재)

구분		취득세 감면	종부세 합산배제		거주주택 외 임대주택 해당 여부	양도세 중과배제 및 장특공제	법인세 추가과세 제외	조특법97조의3 장특공제 50%(70%)	임대소득세 세액감면(75%) (조특법 96조)
			개인	법인					
장기	매입 임대주택	O	△2)	△3)	O	△4)	×	×	O
	건설 임대주택	×	O	O	O	O	O	O	O

1) 공통 : 단기(매입/건설)임대주택 및 아파트 장기매입임대주택 등록 불가, 단기에서 장기로 전환불가하다.
2) 2018년 9월 14일 이후 1주택을 보유한 상태에서 조정대상지역 내 취득한 주택은 적용 안됨.
3) 2020년 6월 18일 이후 임대등록신청한 분부터는 조정대상지역 내 주택은 합산배제 적용 안됨.
4) 2018년 9월 14일 이후 1주택을 보유한 상태에서 조정대상지역 내 취득한 주택은 적용 안됨.

제 7 편

주택에 대한 조세특례제한법상 특례

조특법 제97조 장기임대주택에 대한 양도소득세의 감면 　제1장

조특법 제97조의2 신축임대주택에 대한 양도소득세의 감면특례 　제2장

조특법 제98조 미분양주택에 대한 과세특례 　제3장

조특법 제98조의2 지방 미분양주택 취득에 대한 양도소득세 등 과세특례 　제4장

조특법 제98조의3 미분양주택의 취득자에 대한 양도소득세의 과세특례 　제5장

조특법 제98조의5 수도권 밖의 지역에 있는 미분양주택의 취득자에 대한
양도소득세의 과세특례 　제6장

조특법 제98조의6 준공 후 미분양주택의 취득자에 대한 양도소득세의 과세특례 　제7장

조특법 제98조의7 미분양주택의 취득자에 대한 양도소득세의 과세특례 　제8장

조특법 제98조의8 준공 후 미분양주택의 취득자에 대한 양도소득세의 과세특례 　제9장

조특법 제99조 신축주택의 취득자에 대한 양도소득세의 감면 　제10장

조특법 제99조의2 신축주택 등 취득자에 대한 양도소득세의 과세특례 　제11장

조특법 제99조의3 신축주택의 취득자에 대한 양도소득세의 과세특례 　제12장

조특법 제99조의4 농어촌주택 등 취득자에 대한 양도소득세의 과세특례 　제13장

조특법 제97조 장기임대주택에 대한 양도소득세의 감면

❶ 조특법 제97조 장기임대주택 양도세 감면

임대주택을 5호 이상 임대하는 거주자(임대주택을 여러 사람이 공동으로 소유한 경우에는 공동으로 소유하고 있는 임대주택의 호수에 지분비율을 곱하여 호수를 산정한다)가 다음 각 호[아래 (1)~(2)]의 어느 하나에 해당하는 국민주택(이에 딸린 해당 건물 연면적의 2배 이내의 토지를 포함한다)을 2000년 12월 31일 이전에 임대를 개시하여 5년 이상 임대한 후 양도하는 경우에는 그 주택(이하 "임대주택"이라 한다)을 양도함으로써 발생하는 소득에 대한 양도소득세의 100분의 50에 상당하는 세액을 감면한다. 다만, 「민간임대주택에 관한 특별법」 또는 「공공주택 특별법」에 따른 건설임대주택 중 5년 이상 임대한 임대주택과 같은 법에 따른 매입임대주택 중 1995년 1월 1일 이후 취득 및 임대를 개시하여 5년 이상 임대한 임대주택(취득 당시 입주된 사실이 없는 주택만 해당한다) 및 10년 이상 임대한 임대주택의 경우에는 양도소득세를 면제한다.(2015. 8. 28. 개정)(조특법 §97 ①)(조특령 §97 ①)

(1) 1986년 1월 1일부터 2000년 12월 31일까지의 기간 중 신축된 주택(1998. 12. 28. 개정) (조특법 §97 ① 1호)
(2) 1985년 12월 31일 이전에 신축된 공동주택으로서 1986년 1월 1일 현재 입주된 사실이 없는 주택(1998. 12. 28. 개정)(조특법 §97 ① 2호)

❷ 주택 수 계산 포함 여부

1세대 1주택 비과세 규정[소득법 제89조 제1항 제3호]을 적용할 때 임대주택은 그 거주자의 소유주택으로 보지 아니한다.(2010. 1. 1. 개정)(조특법 §97 ②)

③ 주택임대신고서 및 감면신청서 제출

제1항에 따라 양도소득세를 감면받으려는 자는 임대를 개시한 날부터 3월 이내에 기획재정부령이 정하는 주택임대신고서를 임대주택의 소재지 관할 세무서장에게 제출하고 세액의 감면신청을 하여야 한다.(2010. 1. 1. 개정)(조특법 §97 ③)(조특령 §97 ③)

④ 임대기간의 계산

제1항에 따른 임대주택에 대한 임대기간의 계산은 다음 각 호[아래 (1)∼(4)]에 의한다.(2010. 1. 1. 개정)(조특법 §97 ④)(조특령 §97 ⑤)

(1) 주택임대기간의 기산일은 주택의 임대를 개시한 날로 할 것(1998. 12. 31. 개정)(조특령 §97 ⑤ 1호)

(2) 상속인이 상속으로 인하여 피상속인의 임대주택을 취득하여 임대하는 경우에는 피상속인의 주택임대기간을 상속인의 주택임대기간에 합산할 것(1998. 12. 31. 개정)(조특령 §97 ⑤ 3호)

(3) 5호 미만의 주택을 임대한 기간은 주택임대기간으로 보지 아니할 것(1998. 12. 31. 개정)(조특령 §97 ⑤ 4호)

(4) 제1호[위 (1)] 내지 제3호[위 (2)]의 규정을 적용함에 있어서 기존 임차인의 퇴거일부터 다음 임차인의 입주일까지의 기간으로서 3월 이내의 기간은 이를 주택임대기간에 산입할 것(2008. 2. 29 직제개정)(조특령 §97 ⑤ 5호)

조특법 제97조의2 신축임대주택에 대한 양도소득세의 감면특례

 조특법 제97조의2 신축임대주택에 대한 양도소득세의 감면특례

1호 이상의 신축임대주택(법 제97조의2 제1항의 규정에 의한 신축임대주택을 말한다. 이하 이 조에서 같다)을 포함하여 2호 이상의 임대주택을 5년 이상 임대하는 거주자가 다음 각 호의 어느 하나[아래 (1), (2)]에 해당하는 국민주택(이에 딸린 해당 건물 연면적의 2배 이내의 토지를 포함한다)을 5년 이상 임대한 후 양도하는 경우에는 그 주택(이하 이 조에서 "신축임대주택"이라 한다)을 양도함으로써 발생하는 소득에 대한 양도소득세를 면제한다.(2010. 1. 1. 개정)(조특법 §97의2 ①)

(1) 다음 각 목[아래 1), 2)]의 어느 하나에 해당하는 「민간임대주택에 관한 특별법」 또는 「공공주택 특별법」에 따른 건설임대주택(2015. 8. 28. 개정)(조특법 §97의2 ① 1호)

   1) 1999년 8월 20일부터 2001년 12월 31일까지의 기간 중에 신축된 주택(1999. 12. 28. 신설)(조특법 §97의2 ① 1호 가목)

   2) 1999년 8월 19일 이전에 신축된 공동주택으로서 1999년 8월 20일 현재 입주된 사실이 없는 주택(1999. 12. 28. 신설)(조특법 §97의2 ① 1호 나목)

(2) 다음 각 목[아래 1), 2)]의 어느 하나에 해당하는 「민간임대주택에 관한 특별법」 또는 「공공주택 특별법」에 따른 매입임대주택 중 1999년 8월 20일 이후 취득(1999년 8월 20일부터 2001년 12월 31일까지의 기간 중에 매매계약을 체결하고 계약금을 지급한 경우만 해당한다) 및 임대를 개시한 임대주택(취득 당시 입주된 사실이 없는 주택만 해당한다)(2015. 8. 28. 개정)(조특법 §97의2 ① 2호)

   1) 1999년 8월 20일 이후 신축된 주택(1999. 12. 28. 신설)(조특법 §97의2 ① 2호 가목)

   2) 제1호 나목에 해당하는 주택(1999. 12. 28. 신설)(조특법 §97의2 ① 2호 나목)

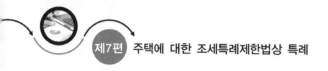

② 준용규정

신축임대주택에 관하여는 제97조 제2항부터 제4항까지의 규정을 준용한다.(2010. 1. 1. 개정)
(조특법 §97의2 ②)

조특법 제98조 미분양주택에 대한 과세특례

❶ 조특법 제98조 미분양주택에 대한 과세특례

거주자가 대통령령으로 정하는 미분양 국민주택(이하 이 조에서 "미분양주택"이라 한다)[아래 (3)]을 1995년 11월 1일부터 1997년 12월 31일까지의 기간 중에 취득(1997년 12월 31일까지 매매계약을 체결하고 계약금을 납부한 경우를 포함한다)하여 5년 이상 보유·임대한 후에 양도하는 경우 그 주택을 양도함으로써 발생하는 소득에 대해서는 다음 각 호[아래 (1), (2)]의 방법 중 하나를 선택하여 적용받을 수 있다.(2010. 1. 1. 개정)(조특법 §98 ①)

(1) 「소득세법」 제92조 및 제93조에 따라 양도소득의 과세표준과 세액을 계산하여 양도소득세를 납부하는 방법. 이 경우 양도소득세의 세율은 같은 법 제104조 제1항에도 불구하고 100분의 20으로 한다.(2010. 1. 1. 개정)(조특법 §98 ① 1호)

(2) 「소득세법」 제14조 및 제15조에 따라 종합소득의 과세표준과 세액을 계산하여 종합소득세를 납부하는 방법. 이 경우 해당 주택을 양도함으로써 발생하는 소득금액의 계산에 관하여는 「소득세법」 제19조 제2항을 준용한다.(2010. 1. 1. 개정)(조특법 §98 ① 2호)

(3) 미분양 국민주택

미분양주택에 대한 과세특례 규정[조특법 제98조 제1항] 본문에서 "대통령령으로 정하는 미분양 국민주택"이란 다음 각 호[아래 1), 2)]의 요건을 모두 갖춘 국민주택규모 이하의 주택으로서 서울특별시 외의 지역에 소재하는 것을 말한다.(2010. 2. 18. 개정)(조특령 §98 ①)

1) 「주택법」에 의하여 사업계획승인을 얻어 건설하는 주택(「민간임대주택에 관한 특별법」 제2조에 따른 민간임대주택과 「공공주택 특별법」 제2조 제1호 가목에 따른 공공임대주택을 제외한다. 이하 이 조에서 같다)으로서 당해 주택의 소재지를 관할하는 시장·군수 또는 구청장이 1995년 10월 31일 현재 미분양주택임을 확인한 주택(2015.

12. 28. 개정)(조특령 §98 ① 1호)

2) 주택건설사업자로부터 최초로 분양받은 주택으로서 당해 주택이 완공된 후 다른 자가 입주한 사실이 없는 주택(1998. 12. 31. 개정, 2020. 2. 18. 개정)(조특령 §98 ① 2호)

(4) 1995년 11월 1일부터 1997년 12월 31일까지의 기간 중에 취득(1997년 12월 31일까지 매매계약을 체결하고 계약금을 납부한 경우를 포함한다)한 제1항 각 호의 미분양주택 외의 다른 주택을 소유하고 있는 거주자가 다른 주택을 양도할 경우에는 해당 미분양 주택 외의 다른 주택만을 기준으로 하여 1세대 1주택 비과세 규정[소득법 제89조 제1항 제3호]을 적용한다.(2014. 2. 21. 개정)(조특령 §98 ②)

(5) 보유기간의 계산 준용규정

미분양주택에 대한 과세특례 규정[조특법 제98조 제1항]에 의한 보유기간의 계산에 관하여는 보유기간 규정인[소득법 제95조 제4항]의 규정을 준용한다.(2005. 2. 19 법명개정)(조특령 §98 ③)

(6) 미분양주택과세특례적용신고서와 구비서류 제출

미분양주택에 대한 과세특례 규정[조특법 제98조 제1항]에 의하여 과세특례적용의 신청을 하고자 하는 자는 당해 주택을 양도한 날이 속하는 과세연도의 과세표준확정신고(동조 동항 제1호의 방법을 선택한 경우에는 예정신고를 포함한다)와 함께 기획재정부령이 정하는 미분양주택과세특례적용신고서에 다음 각 호[아래 1), 2)]의 서류를 첨부하여 납세지 관할 세무서장에게 제출하여야 한다.(2008. 2. 29 직제개정)(조특령 §98 ④)

1) 시장·군수 또는 구청장이 발행한 미분양주택확인서사본(1998. 12. 31. 개정)(조특령 §98 ④ 1호)

2) 미분양주택 취득시 매매계약서사본(1998년 1월 1일 이후 취득등기하는 분에 한한다)(1998. 12. 31. 개정)(조특령 §98 ④ 2호)

❷ 1998년 3월 1일부터 1998년 12월 31일까지의 기간 중에 취득한 미분 양 국민주택

거주자가 대통령령으로 정하는 다음[아래 (1)]의 미분양 국민주택을 1998년 3월 1일부 터 1998년 12월 31일까지의 기간 중에 취득(1998년 12월 31일까지 매매계약을 체결하고 계 약금을 납부한 경우를 포함한다)하여 5년 이상 보유·임대한 후에 양도하는 경우 그 주택 을 양도함으로써 발생하는 소득에 대해서는 제1항[위 ❶]을 준용한다.(2010. 1. 1. 개정)(조특 법 §98 ③)

(1) 미분양 국민주택(1998년 3월 1일부터 1998년 12월 31일까지의 기간 중에 취득)

조특법 제98조 제3항에서 "대통령령으로 정하는 미분양 국민주택"이란 다음 각 호[아래 1), 2)]의 요건을 모두 갖춘 국민주택규모 이하의 주택으로서 서울특별시 외의 지역에 소재 하는 것을 말한다.(2010. 2. 18. 개정)(조특령 §98 ⑤)

1) 「주택법」에 의하여 사업계획승인을 얻어 건설하는 주택으로서 당해 주택의 소재지를 관할하는 시장·군수·구청장이 1998년 2월 28일 현재 미분양주택임을 확인한 주택 (2005. 2. 19 법명개정)(조특령 §98 ⑤ 1호)

2) 주택건설사업자로부터 최초로 분양받은 주택으로서 당해 주택이 완공된 후 다른 자가 입주한 사실이 없는 주택(1998. 12. 31. 개정, 2020. 2. 18. 개정)(조특령 §98 ⑤ 2호)

(2) 1세대 1주택 비과세 규정 적용시

1998년 3월 1일부터 1998년 12월 31일까지의 기간 중에 취득(1998년 12월 31일까지 매매 계약을 체결하고 계약금을 납부한 경우를 포함한다)한 제5항 각 호의 미분양주택 외의 다 른 주택을 소유하고 있는 거주자가 다른 주택을 양도할 경우에는 해당 미분양주택 외의 다 른 주택만을 기준으로 하여 1세대 1주택 비과세 규정[소득법 제89조 제1항 제3호]을 적용 한다.(2014. 2. 21. 개정)(조특령 §98 ⑥)

(3) 준용규정

조특법 제98조 제3항의 규정에 의한 과세특례적용의 신청 및 미분양주택의 보유기간의 계산에 관하여는 제3항[위 (5)] 및 제4항[위 (6)]의 규정을 준용한다.(1998. 12. 31. 개정)(조특 령 §98 ⑦)

471

제4장

조특법 제98조의2 지방 미분양주택 취득에 대한 양도소득세 등 과세특례

① 지방 미분양주택 취득에 대한 양도소득세 등 과세특례

거주자가 2008년 11월 3일부터 2010년 12월 31일까지의 기간 중에 취득(2010년 12월 31일까지 매매계약을 체결하고 계약금을 납부한 경우를 포함한다)한 수도권 밖에 있는 대통령령으로 정하는 미분양주택(이하 이 조에서 "지방 미분양주택"이라 한다)을 양도함으로써 발생하는 소득에 대해서는 장기보유특별공제 규정[소득법 제95조 제2항 각 표 외의 부분 본문]과 양도소득세율 중에서 토지 및 건물, 부동산에 관한 권리 1년 이상 2년 미만 보유세율 규정[소득법 제104조 제1항 제3호]에도 불구하고 장기보유특별공제액 및 세율은 다음 각 호[아래 (1),(2)]의 규정을 적용한다.(2014. 1. 1. 개정)(조특법 §98의2 ①)

(1) 장기보유특별공제액 : 양도차익에 다음의 「소득세법」 제95조 제2항 표2]에 따른 보유기간별 공제율을 곱하여 계산한 금액(2008. 12. 26. 개정)(조특법 §98의2 ① 1호)

| 표2. 1세대 1주택의 경우 장기보유특별공제율(2020. 8. 18. 개정)(소득법 §95 ② 표2) |

보유기간	공제율	거주기간	공제율
3년 이상 4년 미만	100분의 12	2년 이상 3년 미만 (보유기간 3년 이상에 한정함)	100분의 8
		3년 이상 4년 미만	100분의 12
4년 이상 5년 미만	100분의 16	4년 이상 5년 미만	100분의 16
5년 이상 6년 미만	100분의 20	5년 이상 6년 미만	100분의 20
6년 이상 7년 미만	100분의 24	6년 이상 7년 미만	100분의 24
7년 이상 8년 미만	100분의 28	7년 이상 8년 미만	100분의 28
8년 이상 9년 미만	100분의 32	8년 이상 9년 미만	100분의 32
9년 이상 10년 미만	100분의 36	9년 이상 10년 미만	100분의 36
10년 이상	100분의 40	10년 이상	100분의 40

[적용시기] 2021년 1월 1일 이후 양도분부터 적용한다.

(2) 세율

일반누진세율[소득법 제104조 제1항 제1호](2008. 12. 26. 신설)(조특법 §98의2 ① 2호)

(3) 지방 미분양주택

지방 미분양주택 취득에 대한 양도소득세 등 과세특례 규정[조특법 제98조의2 제1항(위 1.)] 각 호 외의 부분 중 "대통령령으로 정하는 미분양주택"이란 다음 각 호[아래 1), 2)]의 어느 하나에 해당하는 주택(이하 이 조에서 "미분양주택"이라 한다)을 말한다.(2009. 2. 4. 신설)(조특령 §98의2 ①)

1) 「주택법」 제54조에 따른 사업주체(이하 이 조에서 "사업주체"라 한다)가 같은 조에 따라 공급하는 주택으로서 입주자모집공고에 따른 입주자의 계약일이 지난 주택단지 에서 2008년 11월 2일까지 분양계약이 체결되지 아니하여 2008년 11월 3일 이후 선착 순의 방법으로 공급하는 주택(2016. 8. 11. 개정)(조특령 §98의2 ① 1호)

2) 2008년 11월 3일까지 「주택법」 제15조에 따른 사업계획승인(건축법 제11조에 따른 건축허가를 포함하며, 이하 이 조에서 같다)을 얻었거나 사업계획승인신청을 한 사업 주체가 해당 사업계획승인과 「주택법」 제54조에 따라 공급하는 주택(2008년 11월 3 일 현재 입주자모집공고에 따른 입주자의 계약일이 지나지 아니한 주택에 한정한다) 으로서 해당 사업주체와 최초로 매매계약을 체결하고 취득하는 주택(2016. 8. 11. 개정) (조특령 §98의2 ① 2호)

② 법인의 지방 미분양주택 양도의 경우

법인이 지방 미분양주택을 양도함으로써 발생하는 소득에 대해서는 「법인세법」 제55조 의2 제1항 제2호 및 제95조의2를 적용하지 아니한다. 다만, 미등기양도의 경우에는 그러하 지 아니하다.(2010. 1. 1. 개정)(조특법 §98의2 ②)

③ 부동산매매업자의 지방 미분양주택 양도의 경우

부동산매매업을 경영하는 거주자가 지방 미분양주택을 양도함으로써 발생하는 소득에 대한 종합소득산출세액은 「소득세법」 제64조 제1항에도 불구하고 같은 법 제55조 제1항에 따른 종합소득산출세액으로 한다.(2010. 1. 1. 개정)(조특법 §98의2 ③)

④ 1세대 1주택 비과세 규정 관련

1세대 1주택 비과세 규정[소득법 제89조 제1항 제3호]을 적용할 때 제1항[위 ❶]을 적용받는 지방 미분양주택은 해당 거주자의 소유주택으로 보지 아니한다.(2014. 1. 1. 개정)(조특법 §98의2 ④)

⑤ 과세표준확정신고와 구비서류 제출

지방 미분양주택 취득에 대한 양도소득세 등 과세특례 규정[조특법 제98조의2]에 따라 과세특례를 적용받으려는 자는 해당 주택을 양도하는 날이 속하는 과세연도의 과세표준확정신고(법인세 과세표준신고를 포함한다) 또는 과세표준예정신고와 함께 시장·군수·구청장(구청장은 자치구의 구청장을 말한다. 이하 이 조에서 같다)으로부터 기획재정부령으로 정하는 미분양주택임을 확인하는 날인을 받은 매매계약서 사본을 납세지 관할 세무서장에게 제출하여야 한다. 다만, 다음 각 호의 서류를 제출하는 경우에는 그러하지 아니하다.(2009. 2. 4. 신설)(조특법 §98의2 ⑤)(조특령 §98의2 ⑤)

(1) 제1항 제1호의 주택[위 (3) 1)] : 시장·군수·구청장이 확인한 미분양주택 확인서 및 매매계약서 사본(2009. 2. 4. 신설)(조특령 §98의2 ⑤ 1호)

(2) 제1항 제2호의 주택[위 (3) 2)] : 시장·군수·구청장이 확인한 사업계획승인 사실·사업계획승인신청 사실을 확인할 수 있는 서류 및 매매계약서 사본(2009. 2. 4. 신설)(조특령 §98의2 ⑤ 2호)

제5장

조특법 제98조의3 미분양주택의 취득자에 대한 양도소득세의 과세특례

① **미분양주택의 취득자에 대한 양도소득세의 과세특례**

거주자 또는 「소득세법」 제120조에 따른 국내사업장이 없는 비거주자가 서울특별시 밖의 지역(「소득세법」 제104조의2에 따른 지정지역은 제외한다)에 있는 대통령령으로 정하는 미분양주택(이하 이 조에서 "미분양주택"이라 한다)을 다음 각 호[아래 (1), (2)]의 기간 중에 「주택법」 제54조에 따라 주택을 공급하는 해당 사업주체(20호 미만의 주택을 공급하는 경우 해당 주택건설사업자를 포함한다)와 최초로 매매계약을 체결하고 취득(2010년 2월 11일까지 매매계약을 체결하고 계약금을 납부한 경우를 포함한다)하여 그 취득일부터 5년 이내에 양도함으로써 발생하는 소득에 대해서는 양도소득세의 100분의 100(매매계약일 현재를 기준으로 수도권과밀억제권역인 경우에는 100분의 60)에 상당하는 세액을 감면하고, 해당 미분양주택의 취득일부터 5년이 지난 후에 양도하는 경우에는 해당 미분양주택의 취득일부터 5년간 발생한 양도소득금액(수도권과밀억제권역인 경우에는 양도소득금액의 100분의 60에 상당하는 금액)을 해당 주택의 양도소득세 과세대상소득금액에서 뺀다. 이 경우 공제하는 금액이 과세대상소득금액을 초과하는 경우 그 초과금액은 없는 것으로한다.(2016. 1. 19. 개정)(조특법 §98의3 ①)(조특령 §97의3 ④)

(1) 거주자인 경우

2009년 2월 12일부터 2010년 2월 11일까지의 기간(2009. 5. 21. 신설)(조특법 §98의3 ① 1호)

(2) 비거주자인 경우

2009년 3월 16일부터 2010년 2월 11일까지의 기간(2009. 5. 21. 신설)(조특법 §98의3 ① 2호)

(3) 미분양주택

미분양주택의 취득자에 대한 양도소득세의 과세특례 규정[조특법 제98조의3 제1항]전단 [위 ❶]에서 "대통령령으로 정하는 미분양주택"이란 다음 각 호[아래 1)~8)]의 어느 하나에 해당하는 주택(이하 이 조에서 "미분양주택"이라 한다)을 말한다. 다만, 수도권과밀억제권역 안의 지역인 경우에는 대지면적이 660제곱미터 이내이고, 주택의 연면적이 149제곱미터(공동주택의 경우에는 전용면적 149제곱미터) 이내인 주택에 한정한다.(2009. 4. 21. 신설)(조특령 §98의3 ①)

1) 「주택법」 제54조에 따라 주택을 공급하는 사업주체(이하 이 항에서 "사업주체"라 한다)가 같은 조에 따라 공급하는 주택으로서 해당 사업주체가 입주자모집공고에 따른 입주자의 계약일이 지난 주택단지에서 2009년 2월 11일까지 분양계약이 체결되지 아니하여 2009년 2월 12일 이후 선착순의 방법으로 공급하는 주택(2016. 8. 11. 개정)(조특령 §98의3 ① 1호)

2) 「주택법」 제15조에 따른 사업계획승인(「건축법」 제11조에 따른 건축허가를 포함한다. 이하 이 조에서 같다)을 받아 해당 사업계획과 「주택법」 제54조에 따라 사업주체가 공급하는 주택(2009년 2월 12일 이후 입주자모집공고에 따른 입주자의 계약일이 도래하는 주택에 한정한다)(2016. 8. 11. 개정)(조특령 §98의3 ① 2호)

3) 주택건설사업자(20호 미만의 주택을 공급하는 자를 말하며, 제1호와 제2호에 해당하는 사업주체는 제외한다)가 공급하는 주택(2009년 2월 11일까지 매매계약이 체결되지 아니한 주택을 포함한다)(2009. 4. 21. 신설)(조특령 §98의3 ① 3호)

4) 「주택도시기금법」에 따른 주택도시보증공사(이하 이 조에서 "주택도시보증공사"라 한다)가 같은 법 시행령 제22조 제1항 제1호 가목에 따라 매입한 주택으로서 주택도시보증공사가 공급하는 주택(2015. 6. 30. 개정)(조특령 §98의3 ① 4호)

5) 주택의 시공자가 해당 주택의 공사대금으로 받은 주택으로서 해당 시공자가 공급하는 주택(2009. 4. 21. 신설)(조특령 §98의3 ① 5호)

6) 「법인세법 시행령」 제92조의2 제2항 제1호의5에 따른 기업구조조정부동산투자회사 등이 취득한 주택으로서 해당 기업구조조정부동산투자회사 등이 공급하는 주택(2009.

4. 21. 신설)(조특령 §98의3 ① 6호)

7) 주택 외의 시설과 주택을 동일건축물로 건설·공급하는 건축주가 2004년 3월 30일 전에 「건축법」 제11조에 따라 건축허가를 신청하여 건설한 주택(2009년 2월 11일까지 매매계약이 체결되지 아니한 주택에 한정한다)으로서 해당 건축주가 공급하는 주택(2009. 4. 21. 신설)(조특령 §98의3 ① 7호)

8) 「자본시장과 금융투자업에 관한 법률」에 따른 신탁업자가 「법인세법 시행령」 제92조의2 제2항 제1호의7에 따라 취득한 주택으로서 해당 신탁업자가 공급하는 주택(2009. 9. 29. 신설)(조특령 §98의3 ① 8호)

❷ 자가건설 신축주택인 경우

미분양주택의 취득자에 대한 양도소득세의 과세특례[조특벅 제98조의3 제1항(위 ❶)]를 적용할 때 자기가 건설한 신축주택으로서 2009년 2월 12일부터 2010년 2월 11일까지의 기간 중에 공사에 착공(착공일이 불분명한 경우에는 착공신고서 제출일을 기준으로 한다)하고, 사용승인 또는 사용검사(임시사용승인을 포함한다)를 받은 주택을 포함한다. 다만, 다음 각 호[아래 (1), (2)]의 경우에는 이를 적용하지 아니한다.(2009. 3. 25. 신설)(조특법 §98의3 ②)

(1) 「도시 및 주거환경정비법」에 따른 재개발사업 또는 재건축사업, 「빈집 및 소규모주택 정비에 관한 특례법」에 따른 소규모재건축사업을 시행하는 정비사업조합의 조합원이 해당 관리처분계획에 따라 취득하는 주택(2017. 2. 8. 개정)(조특법 §98의3 ② 1호)

(2) 거주하거나 보유하는 중에 소실·붕괴·노후 등으로 인하여 멸실되어 재건축한 주택(2010. 1. 1. 개정)(조특법 §98의3 ② 2호)

❸ 1세대 1주택 비과세 규정 관련

1세대 1주택 비과세 규정[소득법 제89조 제1항 제3호]을 적용할 때 제1항[위 ❶] 및 제2항[위 ❷]을 적용받는 주택은 해당 거주자의 소유주택으로 보지 아니한다.(2014. 1. 1. 개정)(조특법 §98의3 ③)

④ 장기보유특별공제 및 세율 적용 특례

제1항[위 ❶] 및 제2항[위 ❷]을 적용받는 주택을 양도함으로써 발생하는 소득에 대해서는 장기보유특별공제 규정[소득법 제95조 제2항] 및 양도소득세율 중에서 토지 및 건물, 부동산에 관한 권리 1년 이상 2년 미만 보유세율 규정[소득법 제104조 제1항 제3호]에도 불구하고 장기보유특별공제액 및 세율은 다음 각 호[아래 (1),(2)]의 규정을 적용한다.(2014. 1. 1. 개정)(조특법 §98의3 ④)

(1) 장기보유특별공제액

양도차익에 「소득세법」 제95조 제2항 표1(최대 15년, 30% 공제)[같은 조 제2항 단서에 해당하는 경우에는 표2(1세대 1주택 10년, 80% 공제)]에 따른 보유기간별 공제율을 곱하여 계산한 금액(2009. 3. 25. 신설)(조특법 §98의3 ④ 1호)

(2) 세율

일반누진세율 [「소득세법」 제104조 제1항 제1호에 따른 세율](2009. 3. 25. 신설)(조특법 §98의3 ④ 2호)

⑤ 과세표준확정신고와 구비서류 제출

미분양주택의 취득자에 대한 양도소득세의 과세특례규정[조특법 제98조의3]에 따라 과세특례를 적용받으려는 자는 해당 주택의 양도소득 과세표준예정신고 또는 과세표준확정신고와 함께 시장·군수·구청장(구청장은 자치구의 구청장을 말한다. 이하 이 조에서 같다)으로부터 기획재정부령으로 정하는 미분양주택임을 확인하는 날인을 받은 매매계약서 사본을 납세지 관할 세무서장에게 제출하여야 한다. 다만, 법 제98조의3 제2항의 주택에 대하여는 시장·군수·구청장에게 제출한 건축착공신고서 사본과 사용검사 또는 사용승인(임시사용승인을 포함한다) 사실을 확인할 수 있는 서류를 제출하여야 한다.(2009. 4. 21. 신설)(조특법 §98의3 ⑤)(조특령 §98의3 ⑤)

조특법 제98조의5 수도권 밖의 지역에 있는 미분양주택의 취득자에 대한 양도소득세의 과세특례(2010. 5. 14. 신설)

❶ 수도권 밖의 지역에 있는 미분양주택의 취득자에 대한 양도소득세의 과세특례

거주자 또는 「소득세법」 제120조에 따른 국내사업장이 없는 비거주자가 2010년 2월 11일 현재 수도권 밖의 지역에 있는 대통령령으로 정하는 미분양주택(이하 이 조에서 "미분양주택"이라 한다)을 2011년 4월 30일까지 「주택법」 제54조에 따라 주택을 공급하는 해당 사업주체 등과 최초로 매매계약을 체결하고 취득(2011년 4월 30일까지 매매계약을 체결하고 계약금을 납부한 경우를 포함한다)하여 그 취득일부터 5년 이내에 양도함으로써 발생하는 소득에 대하여는 양도소득세에 다음 각 호[아래 (1)~(3)]의 분양가격(「주택법」에 따른 입주자 모집공고안에 공시된 분양가격을 말한다. 이하 이 조에서 같다) 인하율에 따른 감면율을 곱하여 계산한 세액을 감면하고, 해당 미분양주택의 취득일부터 5년이 지난 후에 양도하는 경우에는 해당 미분양주택의 취득일부터 5년간 발생한 양도소득금액에 다음 각 호[아래 (1)~(3)]의 분양가격 인하율에 따른 감면율을 곱하여 계산한 금액을 해당 미분양주택의 양도소득세 과세대상소득금액에서 뺀다. 이 경우 공제하는 금액이 과세대상소득금액을 초과하는 경우 그 초과금액은 없는 것으로 한다.(2016. 1. 19. 개정)(조특법 §98의5 ①)

(1) 분양가격 인하율이 100분의 10 이하인 경우

100분의 60(2010. 5. 14. 신설)(조특법 §98의5 ① 1호)

(2) 분양가격 인하율이 100분의 10을 초과하고 100분의 20 이하인 경우

100분의 80(2010. 5. 14. 신설)(조특법 §98의5 ① 2호)

(3) 분양가격 인하율이 100분의 20을 초과하는 경우

100분의 100(2010. 5. 14. 신설)(조특법 §98의5 ① 3호)

(4) 수도권 밖 미분양주택

1) 수도권 밖 미분양주택

수도권 밖의 지역에 있는 미분양주택의 취득자에 대한 양도소득세의 과세특례 규정[조특법 제98조의5 제1항(위 ❶)] 각 호 외의 부분 전단에서 "대통령령으로 정하는 미분양주택"이란 다음 각 호[아래 ①~⑤]의 어느 하나에 해당하는 주택(이하 이 조에서 "미분양주택"이라 한다)을 말한다.(2010. 6. 8. 신설)(조특령 §98의4 ①)

① 「주택법」 제54조에 따라 주택을 공급하는 사업주체가 같은 조에 따라 공급하는 주택으로서 해당 사업주체가 입주자모집공고에 따른 입주자의 계약일이 지난 주택단지에서 2010년 2월 11일까지 분양계약이 체결되지 아니하여 선착순의 방법으로 공급하는 주택(2016. 8. 11. 개정)(조특령 §98의4 ① 1호)

② 「주택도시기금법」에 따른 주택도시보증공사(이하 이 조에서 "주택도시보증공사"라 한다)가 같은 법 시행령 제22조 제1항 제1호 가목에 따라 매입한 주택으로서 주택도시보증공사가 공급하는 주택(2015. 6. 30. 개정)(조특령 §98의4 ① 2호)

③ 주택의 시공자가 해당 주택의 공사대금으로 받은 주택으로서 해당 시공자가 공급하는 주택(2010. 6. 8. 신설)(조특령 §98의4 ① 3호)

④ 「법인세법 시행령」 제92조의2 제2항 제1호의5 및 제1호의8에 따라 기업구조조정부동산투자회사 등이 취득한 주택으로서 해당 기업구조조정부동산투자회사 등이 공급하는 주택(2010. 6. 8. 신설)(조특령 §98의4 ① 4호)

⑤ 「자본시장과 금융투자업에 관한 법률」에 따른 신탁업자가 「법인세법 시행령」 제92조의2 제2항 제1호의7 및 제1호의9에 따라 취득한 주택으로서 해당 신탁업자가 공급하는 주택(2010. 6. 8. 신설)(조특령 §98의4 ① 5호)

2) 적용 제외되는 주택

수도권 밖의 지역에 있는 미분양주택의 취득자에 대한 양도소득세의 과세특례 규정[제1항(위 ❶)]을 적용할 때 다음 각 호[아래 ①~③]의 주택은 제외한다.(2010. 6. 8. 신설)(조특령 §98의4 ②)

① 매매계약일 현재 입주한 사실이 있는 주택(2010. 6. 8. 신설)(조특령 §98의4 ② 1호)

② 2010년 5월 14일부터 2011년 4월 30일까지의 기간(이하 이 항에서 "미분양주택 취득기간"이라 한다) 중에 사업주체 등(제1항 제1호에 따른 사업주체, 같은 항 제2호에 따른 주택도시보증공사, 같은 항 제3호에 따른 시공자, 같은 항 제4호에 따른 기업구조조정부동산투자회사 등 및 같은 항 제5호에 따른 신탁업자를 말한다. 이하 제3호, 제6항, 제8항 및 제10항에서 같다)과 매매계약을 체결한 매매계약자가 해당 계약을 해제하고 매매계약자 또는 그 배우자(매매계약자 또는 그 배우자의 직계존비속 및 형제자매를 포함한다)가 당초 매매계약을 체결하였던 주택을 다시 매매계약하여 취득한 주택(2015. 6. 30. 개정)(조특령 §98의4 ② 2호)

③ 미분양주택 취득기간 중에 해당 사업주체 등으로부터 당초 매매계약을 체결하였던 주택을 대체하여 다른 주택을 매매계약하여 취득한 주택(2010. 6. 8. 신설)(조특령 §98의4 ② 3호)

❷ 1세대 1주택 비과세 규정 적용시

1세대 1주택 비과세 규정[소득법 제89조 제1항 제3호]을 적용할 때 제1항[위 ❶]을 적용받는 미분양주택은 해당 거주자의 소유주택으로 보지 아니한다.(2014. 1. 1. 개정)(조특법 §98의5 ②)

❸ 장기보유특별공제 및 세율 적용 특례

수도권 밖의 지역에 있는 미분양주택의 취득자에 대한 양도소득세의 과세특례규정[제1항 (위 ❶)]을 적용받는 미분양주택을 양도함으로써 발생하는 소득에 대하여는 장기보유특별공제 규정[소득법 제95조 제2항] 및 양도소득세율 중에서 토지 및 건물, 부동산에 관한 권리 1년 이상 2년 미만 보유세율 규정[소득법 제104조 제1항 제3호]에도 불구하고 장기보유 특별공제액 및 세율은 다음 각 호[아래 (1), (2)]의 규정을 적용한다.(2014. 1. 1. 개정)(조특법 §98의5 ③)

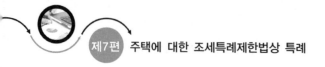
(1) 장기보유 특별공제액: 양도차익에「소득세법」제95조 제2항 표1(최대 15년, 30% 공제)[같은 조 제2항 단서에 해당하는 경우에는 표2(1세대 1주택 10년, 80% 공제)]에 따른 보유기간별 공제율을 곱하여 계산한 금액(2010. 5. 14. 신설)(조특법 §98의5 ③ 1호)

(2) 세율: 일반누진세율 [「소득세법」제104조 제1항 제1호에 따른 세율](2010. 5. 14. 신설)(조특법 §98의5 ③ 2호)

④ 양도소득금액의 계산 등

수도권 밖의 지역에 있는 미분양주택의 취득자에 대한 양도소득세의 과세특례규정[제1항]을 적용할 때 미분양주택의 취득일부터 5년간 발생한 양도소득금액의 계산, 분양가격 인하율의 산정방법과 그 밖에 필요한 사항은 대통령령으로 정한다.(2010. 5. 14. 신설)(조특법 §98의5 ④)

조특법 제98조의6 준공 후 미분양주택의 취득자에 대한 양도소득세의 과세특례

❶ 준공 후 미분양주택의 취득자에 대한 양도소득세의 과세특례

거주자 또는 「소득세법」 제120조에 따른 국내사업장이 없는 비거주자(이하 이 조에서 "비거주자"라 한다)가 다음 각 호[아래 (1), (2)]의 어느 하나에 해당하는 주택을 양도하는 경우에는 해당 주택의 취득일부터 5년 이내에 양도함으로써 발생하는 소득에 대하여는 양도소득세의 100분의 50에 상당하는 세액을 감면(제1호의 요건을 갖춘 주택에 한정한다)하고, 그 취득일부터 5년이 지난 후에 양도하는 경우에는 해당 주택의 취득일부터 5년간 발생한 양도소득금액의 100분의 50에 상당하는 금액을 해당 주택의 양도소득세 과세대상 소득금액에서 뺀다. 이 경우 공제하는 금액이 과세대상소득금액을 초과하는 경우 그 초과 금액은 없는 것으로 한다.(2011. 5. 19. 신설)(조특법 §98의6 ①)

(1) 「주택법」 제54조에 따라 주택을 공급하는 사업주체 및 그 밖에 대통령령으로 정하는 사업자(이하 이 조에서 "사업주체 등"이라 한다)가 대통령령으로 정하는 준공 후 미분양 주택(이하 이 조에서 "준공 후 미분양주택"이라 한다)을 2011년 12월 31일까지 임대계약을 체결하여 2년 이상 임대한 주택으로서 거주자 또는 비거주자가 해당 사업주체 등과 최초로 매매계약을 체결하고 취득한 주택(2016. 1. 19. 개정)(조특법 §98의6 ① 1호)

1) 법소정 사업자

조특법 제98조의6 제1항 제1호[위 (1)]에서 "대통령령으로 정하는 사업자"란 다음 각 호[아래 ①, ②]의 어느 하나에 해당하는 자를 말한다.(2011. 6. 3. 신설)(조특령 §98의5 ①)

① 「주택도시기금법 시행령」 제22조 제1항 제1호 가목에 따라 주택을 매입한 주택도시보 증공사(2015. 6. 30. 개정)(조특령 §98의5 ① 1호)

② 주택의 공사대금으로 해당 주택을 받은 주택의 시공자(2011. 6. 3. 신설)(조특령 §98의5 ①

2호)

③ 「법인세법 시행령」 제92조의2 제2항 제1호의5, 제1호의8 및 제1호의10에 따라 주택을 취득한 기업구조조정부동산투자회사 등(2011. 6. 3. 신설)(조특령 §98의5 ① 3호)

④ 「법인세법 시행령」 제92조의2 제2항 제1호의7, 제1호의9 및 제1호의11에 따라 주택을 취득한 「자본시장과 금융투자업에 관한 법률」에 따른 신탁업자(2011. 6. 3. 신설)(조특령 §98의5 ① 4호)

2) 준공 후 미분양주택

조특법 제98조의6 제1항 제1호[위 (1)]에서 "대통령령으로 정하는 준공 후 미분양주택" 이란 「주택법」 제54조에 따라 공급하는 주택으로서 같은 법 제49조에 따른 사용검사(임시 사용승인을 포함한다) 또는 「건축법」 제22조에 따른 사용승인(같은 조 제3항 각 호의 어느 하나에 따라 건축물을 사용할 수 있는 경우를 포함한다)을 받은 후 2011년 3월 29일 현재 분양계약이 체결되지 아니하여 선착순의 방법으로 공급하는 주택(이하 이 조에서 "준공 후 미분양주택"이라 한다)을 말한다. 다만, 해당 주택 및 이에 부수되는 토지의 기준시가의 합 계액이 취득 당시 조특법 제98조의6 제1항 제1호의 주택은 최초 임대 개시시 6억 원을 초과 하거나, 주택의 연면적(공동주택의 경우에는 전용면적)이 149제곱미터를 초과하는 주택은 제외한다.(2016. 8. 11. 개정)(조특령 §98의5 ②)

3) 준공 후 미분양주택에서 제외되는 주택

제2항[위 2)] 본문을 적용할 때 다음 각 호[아래 ①~③]의 주택은 제외한다. 즉, 과세특 례대상 준공 후 미분양주택으로 보지 아니한다.(2011. 6. 3. 신설)(조특령 §98의5 ③)

① 해당 주택이 준공된 후 입주한 사실이 있는 주택(2011. 6. 3. 신설)(조특령 §98의5 ③ 1호)

② 2011년 3월 29일부터 2011년 12월 31일까지의 기간 중에 사업주체 등(「주택법」 제54 조에 따라 주택을 공급하는 해당 사업주체 및 제1항 각 호의 어느 하나에 해당하는 사업자를 말한다. 이하 이 조에서 같다)과 매매계약을 체결한 매매계약자가 해당 계 약을 해제하고 매매계약자 또는 그 배우자(매매계약자 또는 그 배우자의 직계존·비 속 및 형제자매를 포함한다)가 당초 매매계약을 체결하였던 주택을 다시 매매계약하 여 취득한 주택(2016. 8. 11. 개정)(조특령 §98의5 ③ 2호)

③ 2011년 3월 29일부터 2011년 12월 31일까지의 기간 중에 해당 사업주체 등으로부터 당초 매매계약을 체결하였던 주택을 대체하여 다른 주택을 매매계약하여 취득한 주

택(2011. 6. 3. 신설)(조특령 §98의5 ③ 3호)

(2) 거주자 또는 비거주자가 준공 후 미분양주택을 사업주체 등과 최초로 매매계약을 체결하여 취득하고 5년 이상 임대한 주택(거주자 또는 비거주자가 소득세법에 따른 사업자등록과 「민간임대주택에 관한 특별법」 제5조에 따른 임대사업자등록을 하고 2011년 12월 31일 이전에 임대계약을 체결한 경우에 한정한다)(2015. 8. 28. 개정)(조특법 §98의6 ① 2호)

② 1세대 1주택 비과세 규정 적용시

1세대 1주택 비과세 규정[소득법 제89조 제1항 제3호]을 적용할 때 제1항[위 ❶]을 적용받는 주택은 해당 거주자의 소유주택으로 보지 아니한다.(2014. 1. 1. 개정)(조특법 §98의6 ②)

③ 장기보유특별공제 및 세율 적용 특례

제1항[위 ❶]을 적용받는 주택을 양도함으로써 발생하는 소득에 대하여는 장기보유특별공제 규정[소득법 제95조 제2항] 및 양도소득세율 중에서 토지 및 건물, 부동산에 관한 권리 1년 이상 2년 미만 보유세율 규정[소득법 제104조 제1항 제3호]에도 불구하고 장기보유 특별공제액 및 세율은 다음 각 호[아래 (1), (2)]를 적용한다.(2014. 1. 1. 개정)(조특법 §98의6 ③)

(1) 장기보유 특별공제액: 양도차익에 「소득세법」 제95조 제2항 표1(최대 15년, 30% 공제)[같은 조 제2항 단서에 해당하는 경우에는 표2(1세대 1주택 10년, 80% 공제)]에 따른 보유기간별 공제율을 곱하여 계산한 금액(2011. 5. 19. 신설)(조특법 §98의6 ③ 1호)
(2) 세율: 일반누진세율 [「소득세법」 제104조 제1항 제1호에 따른 세율](2011. 5. 19. 신설)(조특법 §98의6 ③ 2호)

④ 그 밖의 사항

준공 후 미분양주택의 취득자에 대한 양도소득세의 과세특례규정[제1항(위 ❶)]을 적용할 때 양도소득금액의 계산, 준공 후 미분양주택·임대기간의 확인절차 및 그 밖에 필요한 사항은 대통령령으로 정한다.(2011. 5. 19. 신설)(조특법 §98의6 ④)

(1) 구비서류의 제출

준공 후 미분양주택의 취득자에 대한 양도소득세의 과세특례 규정[조특법 제98조의6]에 따라 과세특례를 적용받으려는 자는 해당 준공 후 미분양주택의 양도소득 과세표준예정신고 또는 과세표준확정신고와 함께 다음 각 호[아래 1)~4)]의 서류를 납세지 관할 세무서장에게 제출하여야 한다.(2011. 6. 3. 신설)(조특령 §98의5 ⑥)

1) 준공 후 미분양주택 소재지 관할 시장(「제주특별자치도 설치 및 국제자유도시 조성을 위한 특별법」 제11조 제2항에 따른 행정시장을 포함한다. 이하 이 조에서 같다)·군수·구청장(자치구의 구청장을 말한다. 이하 이 조에서 같다)으로부터 기획재정부령으로 정하는 준공 후 미분양주택임을 확인하는 날인을 받은 매매계약서 사본(2016. 1. 22. 개정)(조특령 §98의5 ⑥ 1호)

2) 「민간임대주택에 관한 특별법 시행령」 제4조 제4항에 따른 임대사업자등록증 사본 또는 「공공주택 특별법」 제4조에 따른 공공주택사업자를 증명하는 자료(2015. 12. 28. 개정)(조특령 §98의5 ⑥ 2호)

3) 임대차계약서 사본(2011. 6. 3. 신설)(조특령 §98의5 ⑥ 3호)

4) 그 밖에 기획재정부령으로 정하는 서류(2011. 6. 3. 신설)(조특령 §98의5 ⑥ 4호)

조특법 제98조의7 미분양주택의 취득자에 대한 양도소득세의 과세특례(2012. 10. 2. 신설)

❶ 미분양주택의 취득자에 대한 양도소득세의 과세특례

내국인이 2012년 9월 24일 현재 대통령령으로 정하는 미분양주택으로서 취득가액이 9억 원 이하인 주택(이하 이 조에서 "미분양주택"이라 한다)을 2012년 9월 24일부터 2012년 12월 31일까지 「주택법」 제54조에 따라 주택을 공급하는 해당 사업주체 또는 그 밖에 대통령령으로 정하는 사업자와 최초로 매매계약(계약금을 납부한 경우에 한정한다)을 체결하거나 그 계약에 따라 취득한 경우에는 취득일부터 5년 이내에 양도함으로써 발생하는 소득에 대하여는 양도소득세의 100분의 100에 상당하는 세액을 감면하고, 해당 미분양주택의 취득일부터 5년이 지난 후에 양도하는 경우에는 해당 미분양주택의 취득일부터 5년간 발생한 양도소득금액을 양도소득세 과세대상소득금액에서 공제한다. 이 경우 공제하는 금액이 과세대상소득금액을 초과하는 경우 그 초과금액은 없는 것으로 한다.(2016. 1. 19. 개정)(조특법 §98의7 ①)

(1) 미분양주택

조특법 제98조의7 제1항[위 ❶] 전단에서 "대통령령으로 정하는 미분양주택"이란 「주택법」 제54조에 따라 주택을 공급하는 사업주체가 같은 조에 따라 공급하는 주택으로서 해당 사업주체가 입주자모집공고에 따른 입주자의 계약일이 지난 주택단지에서 2012년 9월 23일까지 분양계약이 체결되지 아니하여 선착순의 방법으로 공급하는 주택을 말한다.(2016. 8. 11. 개정)(조특령 §98의6 ①)

(2) 미분양주택에서 제외되는 주택

제1항[위 (1)]을 적용할 때 다음 각 호[아래 1)~4)]의 주택은 제외한다.(2012. 10. 15. 신설)(조특령 §98의6 ②)

1) 사업주체 등(「주택법」 제54조에 따라 주택을 공급하는 해당 사업주체 및 제3항 각 호의 어느 하나에 해당하는 사업자를 말한다. 이하 이 조에서 같다)과 양수자 간에 실제로 거래한 가액이 9억 원을 초과하는 주택. 이 경우 양수자가 부담하는 취득세 및 그 밖의 부대비용은 포함하지 아니한다.(2016. 8. 11. 개정)(조특령 §98의6 ② 1호)

2) 매매계약일 현재 입주한 사실이 있는 주택(2012. 10. 15. 신설)(조특령 §98의6 ② 2호)

3) 2012년 9월 23일 이전에 사업주체 등과 체결한 매매계약이 2012년 9월 24일부터 2012년 12월 31일까지의 기간(이하 이 항에서 "미분양주택 취득기간"이라 한다) 중에 해제된 주택(2012. 10. 15. 신설)(조특령 §98의6 ② 3호)

4) 제3호에 따른 매매계약을 해제한 매매계약자가 미분양주택 취득기간 중에 계약을 체결하여 취득한 미분양주택 및 해당 매매계약자의 배우자[매매계약자 또는 그 배우자의 직계존비속(그 배우자를 포함한다) 및 형제자매를 포함한다]가 미분양주택 취득기간 중에 원래 매매계약을 체결하였던 사업주체 등과 계약을 체결하여 취득한 미분양주택(2012. 10. 15. 신설)(조특령 §98의6 ② 4호)

(3) 대통령령으로 정하는 사업자

조특법 제98조의7 제1항 전단에서 "대통령령으로 정하는 사업자"란 다음 각 호[아래 1)~4)]의 어느 하나에 해당하는 자를 말한다.(2012. 10. 15. 신설)(조특령 §98의6 ③)

1) 「주택도시기금법 시행령」 제22조 제1항 제1호 가목에 따라 주택을 매입한 주택도시보증공사(2015. 6. 30. 개정)(조특령 §98의6 ③ 1호)

2) 주택의 공사대금으로 해당 주택을 받은 주택의 시공자(2012. 10. 15. 신설)(조특령 §98의6 ③ 2호)

3) 「법인세법 시행령」 제92조의2 제2항 제1호의5, 제1호의8 및 제1호의10에 따라 주택을 취득한 기업구조조정부동산투자회사 등(2012. 10. 15. 신설)(조특령 §98의6 ③ 3호)

4) 「법인세법 시행령」 제92조의2 제2항 제1호의7, 제1호의9 및 제1호의11에 따라 주택을 취득한 「자본시장과 금융투자업에 관한 법률」에 따른 신탁업자(2012. 10. 15. 신설)

1세대 1주택 비과세 규정 적용시

1세대 1주택 비과세 규정[소득법 제89조 제1항 제3호]을 적용할 때 제1항[위 **❶**]을 적용받는 미분양주택은 해당 거주자의 소유주택으로 보지 아니한다.(2014. 1. 1. 개정)(조특법 §98의7 ②)

❸ 양도소득금액의 계산 등

제1항을 적용할 때 미분양주택의 취득일부터 5년간 발생한 양도소득금액의 계산과 그 밖에 필요한 사항은 대통령령으로 정한다.(2012. 10. 2. 신설)(조특법 §98의7 ③)

(1) 구비서류의 제출

미분양주택의 취득자에 대한 양도소득세의 과세특례규정[조특법 제98조의7]에 따라 과세특례를 적용받으려는 사람은 해당 미분양주택의 양도소득 과세표준예정신고 또는 과세표준확정신고와 함께 사업주체 등으로부터 교부받은 시장·군수·구청장으로부터 기획재정부령으로 정하는 미분양주택임을 확인하는 날인을 받아 매매계약서 사본을 납세지 관할 세무서장에게 제출하여야 한다.(2012. 10. 15. 신설)(조특령 §98의6 ⑤, ⑧)

조특법 제98조의8 준공 후 미분양주택의 취득 자에 대한 양도소득세의 과세특례(2014. 12. 23. 신설)

1 준공 후 미분양주택의 취득자에 대한 양도소득세 과세특례

거주자가 대통령령으로 정하는 준공 후 미분양주택[아래 (1)]으로서 취득 당시 취득가 액이 6억 원 이하이고 주택의 연면적(공동주택의 경우에는 전용면적)이 135제곱미터 이하 인 주택을 「주택법」 제54조에 따라 주택을 공급하는 사업주체[아래 (3)] 등 대통령령으로 정하는 자와 2015년 1월 1일부터 2015년 12월 31일까지 최초로 매매계약을 체결하고 5년 이상 임대한 주택(거주자가 소득세법에 따른 사업자등록과 「민간임대주택에 관한 특별법」 제5조에 따른 임대사업자등록을 하고 2015년 12월 31일 이전에 임대계약을 체결한 경우로 한정한다)을 양도하는 경우에는 해당 주택의 취득일부터 5년간 발생하는 양도소득금액의 100분의 50에 상당하는 금액을 해당 주택의 양도소득세 과세대상소득금액에서 공제한다. 이 경우 공제하는 금액이 과세대상소득금액을 초과하는 경우 그 초과금액은 없는 것으로 한다.(2016. 1. 19. 개정)(조특법 §98의8 ①)

(1) 준공 후 미분양주택

조특법 제98조의8 제1항 전단에서 "대통령령으로 정하는 준공 후 미분양주택"이란 다음 각 호[아래 1), 2)]의 요건을 모두 충족하는 주택(이하 이 조에서 "준공 후 미분양주택"이 라 한다)을 말한다.(2015. 2. 3. 신설)(조특령 §98의7 ①)

1) 「주택법」 제54조에 따라 공급하는 주택으로서 같은 법 제49조에 따른 사용검사(임시 사 용승인을 포함한다) 또는 「건축법」 제22조에 따른 사용승인(같은 조 제3항 각 호의 어느 하나에 따라 건축물을 사용할 수 있는 경우를 포함한다)을 받은 후 2014년 12월 31일까 지 분양계약이 체결되지 아니하였을 것(2016. 8. 11. 개정)(조특령 §98의7 ① 1호)

2) 2015년 1월 1일 이후 선착순의 방법으로 공급할 것(2015. 2. 3. 신설)(조특령 §98의7 ① 2호)

(2) 제외되는 주택

준공 후 미분양주택 특례[제1항{위 (1)}]를 적용할 때 다음 각 호[아래 1)~3)]의 주택은 제외한다.(2015. 2. 3. 신설)(조특령 §98의7 ②)

1) 사업주체 등(「주택법」 제54조에 따라 주택을 공급하는 해당 사업주체 및 제3항 각 호의 어느 하나에 해당하는 사업자를 말한다. 이하 이 조에서 같다)과 양수자 간에 실제로 거래한 가액이 6억 원을 초과하거나 연면적(공동주택의 경우에는 전용면적을 말한다)이 135제곱미터를 초과하는 주택. 이 경우 양수자가 부담하는 취득세 및 그 밖의 부대비용은 포함하지 아니한다.(2016. 8. 11. 개정)(조특령 §98의7 ② 1호)

2) 2014년 12월 31일 이전에 사업주체 등과 체결한 매매계약이 2015년 1월 1일 이후 해제된 주택(2015. 2. 3. 신설)(조특령 §98의7 ② 2호)

3) 제2호에 따른 매매계약을 해제한 매매계약자가 2015년 1월 1일부터 2015년 12월 31일까지의 기간 중에 계약을 체결하여 취득한 준공 후 미분양주택 및 해당 매매계약자의 배우자[매매계약자 또는 그 배우자의 직계존비속(그 배우자를 포함한다) 및 형제자매를 포함한다]가 2015년 1월 1일부터 2015년 12월 31일까지의 기간 중에 원래 매매계약을 체결하였던 사업주체 등과 계약을 체결하여 취득한 준공 후 미분양주택(2015. 2. 3. 신설)(조특령 §98의7 ② 3호)

(3) 사업주체

조특법 제98조의8 제1항 전단에서 "대통령령으로 정하는 자"란 다음 각 호[아래 1)~4)]의 어느 하나에 해당하는 자를 말한다.(2015. 2. 3. 신설)(조특령 §98의7 ③)

1) 「주택도시기금법 시행령」 제22조 제1항 제1호 가목에 따라 주택을 매입한 주택도시보증공사(2015. 6. 30. 개정)(조특령 §98의7 ③ 1호)

2) 주택의 공사대금으로 해당 주택을 받은 주택의 시공자(2015. 2. 3. 신설)(조특령 §98의7 ③ 2호)

3) 「법인세법 시행령」 제92조의2 제2항 제1호의5, 제1호의8 및 제1호의10에 따라 주택을 취득한 기업구조조정부동산투자회사 등(2015. 2. 3. 신설)(조특령 §98의7 ③ 3호)

4) 「법인세법 시행령」 제92조의2 제2항 제1호의7, 제1호의9 및 제1호의11에 따라 주택을 취득한 「자본시장과 금융투자업에 관한 법률」에 따른 신탁업자(2015. 2. 3. 신설)(조특령 §98의7 ③ 4호)

② 1세대 1주택 비과세 규정 적용시 주택 수 포함 여부

1세대 1주택 비과세 규정[소득법 제89조 제1항 제3호]을 적용할 때 준공 후 미분양주택 특례[제1항{위 (1)}]에 해당하는 주택은 해당 거주자의 소유주택으로 보지 아니한다.(2014. 12. 23. 신설)(조특법 §98의8 ②)

③ 그 밖의 사항

제1항[위 ①]을 적용할 때 해당 주택의 취득일부터 5년간 발생한 양도소득금액의 계산, 준공 후 미분양주택·임대기간의 확인절차 및 그 밖에 필요한 사항은 대통령령으로 정한다.(2014. 12. 23. 신설)(조특법 §98의8 ③)

(1) 제출서류

준공 후 미분양주택 특례[조특법 제98조의8]에 따라 과세특례를 적용받으려는 자는 해당 준공 후 미분양주택의 양도소득 과세표준예정신고 또는 과세표준확정신고와 함께 다음 각 호[아래 1)~4)]의 서류를 납세지 관할 세무서장에게 제출하여야 한다.(2015. 2. 3. 신설)(조특령 §98의7 ⑧)

1) 준공 후 미분양주택 소재지 관할 시장·군수·구청장으로부터 기획재정부령으로 정하는 준공 후 미분양주택임을 확인하는 날인을 받은 매매계약서의 사본(2015. 2. 3. 신설)(조특령 §98의7 ⑧ 1호)

2) 「민간임대주택에 관한 특별법 시행령」 제4조 제4항에 따른 임대사업자등록증 사본 또는 「공공주택 특별법」 제4조에 따른 공공주택사업자를 증명하는 자료(2015. 12. 28. 개정)(조특령 §98의7 ⑧ 2호)

3) 임대차계약서 사본(2015. 2. 3. 신설)(조특령 §98의7 ⑧ 3호)

4) 그 밖에 기획재정부령으로 정하는 서류(2015. 2. 3. 신설)(조특령 §98의7 ⑧ 4호)

조특법 제99조 신축주택의 취득자에 대한 양도소득세의 감면

❶ 신축주택의 취득자에 대한 양도소득세의 감면

거주자(주택건설사업자는 제외한다)가 다음 각 호[아래 (1), (2)]의 어느 하나에 해당하는 신축주택(이에 딸린 해당 건물 연면적의 2배 이내의 토지를 포함한다. 이하 이 조에서 같다)을 취득하여 그 취득한 날부터 5년 이내에 양도하는 경우에는 그 신축주택을 취득한 날부터 양도일까지 발생한 양도소득금액을 양도소득세 과세대상소득금액에서 빼며, 해당 신축주택을 취득한 날부터 5년이 지난 후에 양도하는 경우에는 그 신축주택을 취득한 날부터 5년간 발생한 양도소득금액을 양도소득세 과세대상소득금액에서 뺀다. 다만, 신축주택이 1세대 1주택 비과세 규정[소득법 제89조 제1항 제3호]에 따라 양도소득세의 비과세대상에서 제외되는 고가주택에 해당하는 경우에는 그러하지 아니하다.(2015. 12. 15. 개정)(조특법 §99 ①)

(1) 자기가 건설한 주택(「주택법」에 따른 주택조합 또는 「도시 및 주거환경정비법」에 따른 정비사업조합을 통하여 조합원이 취득하는 주택을 포함한다)으로서 1998년 5월 22일부터 1999년 6월 30일까지의 기간(국민주택의 경우에는 1998년 5월 22일부터 1999년 12월 31일까지로 한다. 이하 이 조에서 "신축주택취득기간"이라 한다) 사이에 사용승인 또는 사용검사(임시 사용승인을 포함한다)를 받은 주택(2010. 1. 1. 개정)(조특법 §99 ① 1호)

(2) 주택건설사업자로부터 취득하는 주택으로서 신축주택취득기간에 주택건설사업자와 최초로 매매계약을 체결하고 계약금을 납부한 자가 취득하는 주택(「주택법」에 따른 주택조합 또는 「도시 및 주거환경정비법」에 따른 정비사업조합을 통하여 취득하는 주택으로서 대통령령으로 정하는 주택을 포함한다). 다만, 매매계약일 현재 다른 자가 입주한 사실이 있거나 신축주택취득기간 중 대통령령으로 정하는 사유에 해당하는 사실이 있는 주택은 제외한다.(2010. 1. 1. 개정)(조특법 §99 ① 2호)

1) 감면대상으로 대통령령이 정하는 주택

조특법 제99조 제1항 제2호[위 ❶ (2)]에서 "대통령령으로 정하는 주택"이란 다음 각 호[아래 ①, ②]의 1에 해당하는 주택을 말한다.(2010. 2. 18. 개정)(조특령 §99 ③)

① 「주택법」에 의한 주택조합 또는 「도시 및 주거환경정비법」에 의한 정비사업조합(이하 이 조에서 "주택조합 등"이라 한다)이 그 조합원에게 공급하고 남은 주택(이하 이 조에서 "잔여주택"이라 한다)으로서 법 제99조 제1항 제1호의 규정에 의한 신축주택 취득기간(이하 이 조에서 "신축주택취득기간"이라 한다) 내에 주택조합 등과 직접 매매계약을 체결하고 계약금을 납부한 자가 취득하는 주택(2005. 2. 19 법명개정)(조특령 §99 ③ 1호)

② 조합원이 주택조합 등으로부터 취득하는 주택으로서 신축주택취득기간 경과 후에 사용승인 또는 사용검사를 받는 주택. 다만, 주택조합 등이 조합원 외의 자와 신축주택 취득기간 내에 잔여주택에 대한 매매계약(매매계약이 다수인 때에는 최초로 체결한 매매계약을 기준으로 한다)을 직접 체결하여 계약금을 납부받은 사실이 있는 경우에 한한다.(1999. 10. 30. 신설)(조특령 §99 ③ 2호)

2) 대통령령으로 정하는 사유에 해당하는 사실이 있는 주택

조특법 제99조 제1항 제2호 단서[위 ❶ (2)]에서 "대통령령으로 정하는 사유에 해당하는 사실이 있는 주택"이란 1998년 5월 21일 이전에 주택건설사업자와 주택분양계약을 체결한 분양계약자가 당해 계약을 해제하고 분양계약자 또는 그 배우자(분양계약자 또는 그 배우자의 직계존비속 및 형제자매를 포함한다)가 당초 분양계약을 체결하였던 주택을 다시 분양받아 취득한 주택 또는 당해 주택건설사업자로부터 당초 분양계약을 체결하였던 주택에 대체하여 다른 주택을 분양받아 취득한 주택을 말한다. 다만, 기획재정부령이 정하는 사유에 해당하는 주택을 제외한다.(2010. 2. 18. 개정, 2020. 2. 18. 개정)(조특령 §99 ②)

❷ 1세대 1주택 비과세 규정 적용시 주택 수 포함 여부

1세대 1주택 비과세 규정[소득법 제89조 제1항 제3호]을 적용할 때 제1항[위 ❶]을 적용받는 신축주택과 그 외의 주택을 보유한 거주자가 그 신축주택 외의 주택을 2007년 12월 31일까지 양도하는 경우에만 그 신축주택을 거주자의 소유주택으로 보지 아니한다.(2010. 1. 1. 개정)(조특법 §99 ②)

❸ 감면신청

신축주택의 취득자에 대한 양도소득세의 감면[위 ❶]을 적용받으려는 자는 대통령령으로 정하는 바에 따라 감면신청을 하여야 한다.(2010. 1. 1. 개정)(조특법 §99 ③)

❹ 그 밖의 사항

신축주택의 취득자에 대한 양도소득세의 감면[제1항]에 따라 양도소득세 과세대상소득금액에서 빼는 양도소득금액의 계산 및 그 밖에 필요한 사항은 대통령령으로 정한다.(2015. 12. 15. 개정)(조특법 §99 ④)

조특법 제99조의2 신축주택 등 취득자에 대한 양도소득세의 과세특례(2013. 5. 10. 신설)

❶ 신축주택 등 취득자에 대한 양도소득세의 과세특례(2013. 5. 10. 신설)

거주자 또는 비거주자가 다음[아래 (1)]의 대통령령으로 정하는 신축주택, 미분양주택 또는 1세대 1주택자[아래 (3)]의 주택으로서 취득가액이 6억 원 이하이거나 주택의 연면적(공동주택의 경우에는 전용면적)이 85제곱미터 이하인 주택을 2013년 4월 1일부터 2013년 12월 31일까지 「주택법」 제54조에 따라 주택을 공급하는 사업주체 등 대통령령으로 정하는 자[아래 (6)]와 최초로 매매계약을 체결하여 그 계약에 따라 취득(2013년 12월 31일까지 매매계약을 체결하고 계약금을 지급한 경우를 포함한다)한 경우에 해당 주택을 취득일부터 5년 이내에 양도함으로써 발생하는 양도소득에 대하여는 양도소득세의 100분의 100에 상당하는 세액을 감면하고, 취득일부터 5년이 지난 후에 양도하는 경우에는 해당 주택의 취득일부터 5년간 발생한 양도소득금액을 해당 주택의 양도소득세 과세대상소득금액에서 공제한다. 이 경우 공제하는 금액이 과세대상소득금액을 초과하는 경우 그 초과금액은 없는 것으로 한다.(2016. 1. 19. 개정)(조특법 §99의2 ①)

(1) 과세특례대상 신축주택, 미분양주택

조특법 제99조의2 제1항 전단에서 "대통령령으로 정하는 신축주택, 미분양주택"이란 다음 각 호[아래 1)~9)]의 어느 하나에 해당하는 주택(이하 이 조에서 "신축주택 등"이라 한다)을 말한다.(2013. 5. 10. 신설)(조특령 §99의2 ①)

1) 「주택법」 제54조에 따라 주택을 공급하는 사업주체(이하 이 항에서 "사업주체"라 한다)가 같은 조에 따라 공급하는 주택으로서 해당 사업주체가 입주자모집공고에 따른 입주자의 계약일이 지난 주택단지에서 2013년 3월 31일까지 분양계약이 체결되지 아니하여 2013년 4월 1일 이후 선착순의 방법으로 공급하는 주택(2016. 8. 11. 개정)(조특령 §99의2 ① 1호)

2) 「주택법」 제15조에 따른 사업계획승인(「건축법」 제11조에 따른 건축허가를 포함한다. 이하 이 조에서 같다)을 받아 해당 사업계획과 「주택법」 제54조에 따라 사업주체가 공급하는 주택(입주자모집공고에 따른 입주자의 계약일이 2013년 4월 1일 이후 도래 하는 주택으로 한정한다)(2016. 8. 11. 개정)(조특령 §99의2 ① 2호)

3) 주택건설사업자(30호 미만의 주택을 공급하는 자를 말하며, 제1호와 제2호에 해당하 는 사업주체는 제외한다)가 공급하는 주택(「주택법」에 따른 주택을 말하며, 이하 제4 호부터 제8호까지의 규정에서 같다)(2014. 2. 21. 개정)(조특령 §99의2 ① 3호)

4) 「주택도시기금법」에 따른 주택도시보증공사(이하 이 조에서 "주택도시보증공사"라 한다)가 같은 법 시행령 제22조 제1항 제1호 가목에 따라 매입한 주택으로서 주택도 시보증공사가 공급하는 주택(2015. 6. 30. 개정)(조특령 §99의2 ① 4호)

5) 주택의 시공자가 해당 주택의 공사대금으로 받은 주택으로서 해당 시공자가 공급하는 주택(2013. 5. 10. 신설)(조특령 §99의2 ① 5호)

6) 「법인세법 시행령」 제92조의2 제2항 제1호의5, 제1호의8 및 제1호의10에 따른 기업구 조조정부동산투자회사 등이 취득한 주택으로서 해당 기업구조조정부동산투자회사 등 이 공급하는 주택(2013. 5. 10. 신설)(조특령 §99의2 ① 6호)

7) 「자본시장과 금융투자업에 관한 법률」에 따른 신탁업자가 「법인세법 시행령」 제92조 의2 제2항 제1호의7, 제1호의9 및 제1호의11에 따라 취득한 주택으로서 해당 신탁업 자가 공급하는 주택(2013. 5. 10. 신설)(조특령 §99의2 ① 7호)

8) 자기가 건설한 주택으로서 2013년 4월 1일부터 2013년 12월 31일까지의 기간(이하 이 조에서 "과세특례 취득기간"이라 한다) 중에 사용승인 또는 사용검사(임시사용승 인을 포함한다)를 받은 주택. 다만, 다음 각 목[아래 ①, ②]의 주택은 제외한다.(2013. 5. 10. 신설)(조특령 §99의2 ① 8호)

① 「도시 및 주거환경정비법」에 따른 재개발사업, 재건축사업 또는 「빈집 및 소규모 주택 정비에 관한 특례법」에 따른 소규모주택정비사업을 시행하는 정비사업조합 의 조합원이 해당 관리처분계획(소규모주택정비사업의 경우에는 사업시행계획을 말한다)에 따라 취득하는 주택(2018. 2. 9. 개정)(조특령 §99의2 ① 8호 가목)

② 거주하거나 보유하는 중에 소실·붕괴·노후 등으로 인하여 멸실되어 재건축한 주 택(2013. 5. 10. 신설)(조특령 §99의2 ① 1호 나목)

9) 「주택법 시행령」 제4조 제4호에 따른 오피스텔(이하 이 조에서 "오피스텔"이라 한다) 중 「건축법」 제11조에 따른 건축허가를 받아 「건축물의 분양에 관한 법률」 제6조에

따라 분양사업자가 공급(분양 광고에 따른 입주예정일이 지나고 2013년 3월 31일까지 분양계약이 체결되지 아니하여 수의계약으로 공급하는 경우를 포함한다)하거나 「건축법」 제22조에 따른 건축물의 사용승인을 받아 공급하는 오피스텔(제4호부터 제8호까지의 방법으로 공급 등을 하는 오피스텔을 포함한다)(2016. 8. 11. 개정)(조특령 §99의2 ① 9호)

(2) 과세특례대상에서 제외되는 신축주택

제1항[위 (1)]을 적용할 때 다음 각 호[아래 1)~4)]의 신축주택 등은 제외한다.(2013. 5. 10. 신설)(조특령 §99의2 ②)

1) 제6항 제1호에 해당하는 사업자(이하 이 조에서 "사업주체 등"이라 한다)와 양수자 간에 실제로 거래한 가액이 6억 원을 초과하고 연면적(공동주택 및 오피스텔의 경우에는 전용면적을 말한다)이 85제곱미터를 초과하는 신축주택 등. 이 경우 양수자가 부담하는 취득세 및 그 밖의 부대비용은 포함하지 아니한다.(2013. 5. 10. 신설)(조특령 §99의2 ② 1호)

2) 2013년 3월 31일 이전에 사업주체 등과 체결한 매매계약이 과세특례 취득기간 중에 해제된 신축주택 등(2013. 5. 10. 신설)(조특령 §99의2 ② 2호)

3) 제2호[위 2)]에 따른 매매계약을 해제한 매매계약자가 과세특례 취득기간 중에 계약을 체결하여 취득한 신축주택 등 및 해당 매매계약자의 배우자[매매계약자 또는 그 배우자의 직계존비속(그 배우자를 포함한다) 및 형제자매를 포함한다]가 과세특례 취득기간 중에 원래 매매계약을 체결하였던 사업주체 등과 계약을 체결하여 취득한 신축주택 등(2013. 5. 10. 신설)(조특령 §99의2 ② 3호)

4) 제1항 제9호[위 (1), 9)]에 따른 오피스텔을 취득한 자가 다음 각 목[아래 ①, ②]의 모두에 해당하지 아니하게 된 경우의 해당 오피스텔(2013. 5. 10. 신설)(조특령 §99의2 ② 4호)

① 취득일부터 60일이 지난 날부터 양도일까지 해당 오피스텔의 주소지에 취득자 또는 임차인의 「주민등록법」에 따른 주민등록이 되어 있는 경우. 이 경우 기존 임차인의 퇴거일부터 취득자 또는 다음 임차인의 주민등록을 이전하는 날까지의 기간으로서 6개월 이내의 기간은 기존 임차인의 주민등록이 되어 있는 것으로 본다.(2014. 2. 21. 개정)(조특령 §99의2 ② 4호 가목)

② 「공공주택 특별법」제4조에 따른 공공주택사업자 또는 「민간임대주택에 관한 특별법」제5조에 따른 임대사업자(취득 후 「민간임대주택에 관한 특별법」제5조에 따른 임대사업자로 등록한 경우를 포함한다)가 취득한 경우로서 취득일부터 60일 이내에 임대용 주택으로 등록한 경우(2015. 12. 28. 개정)(조특령 §99의2 ② 4호 나목)

(3) 1세대 1주택자의 주택을 취득하는 경우 과세특례

조특법 제99조의2 제1항 전단에서 "1세대 1주택자의 주택"이란 다음 각 호[아래 1), 2)]의 어느 하나에 해당하는 주택(주택에 부수되는 토지로서 건물이 정착된 면적에 지역별로 정하는 배율을 곱하여 산정한 면적 이내의 토지를 포함하며, 이하 이 조에서 "감면대상기존주택"이라 한다)을 말한다. 이 경우 다음 각 호[아래 1), 2)]에 해당하는지를 판정할 때 1주택을 여러 사람이 공동으로 소유한 경우 공동소유자 각자가 그 주택을 소유한 것으로 보되, 1세대의 구성원이 1주택을 공동으로 소유하는 경우에는 그러하지 아니하다.(2013. 5. 10. 신설)(조특령 §99의2 ③)

1) 2013년 4월 1일 현재 「주민등록법」상 1세대(부부가 각각 세대를 구성하고 있는 경우에는 이를 1세대로 보며, 이하 이 항에서 "1세대"라 한다)가 매매계약일 현재 국내에 1주택(주택은 「주택법」에 따른 주택을 말하며, 「주택법」에 따른 주택을 소유하지 아니하고 2013년 4월 1일 현재 「주민등록법」에 따른 주민등록이 되어 있는 오피스텔을 소유하고 있는 경우에는 그 1오피스텔을 1주택으로 본다. 이하 이 항에서 "1주택"이라 한다)을 보유하고 있는 경우로서 해당 주택의 취득 등기일부터 매매계약일까지의 기간이 2년 이상인 주택(2013. 5. 10. 신설)(조특령 §99의2 ③ 1호)
2) 국내에 1주택을 보유한 1세대가 그 주택(이하 이 항에서 "종전의 주택"이라 한다)을 양도하기 전에 다른 주택을 취득함으로써 일시적으로 2주택이 된 경우[제1호 {위 1)}]에 따라 1주택으로 보는 오피스텔을 소유하고 있는 자가 다른 주택을 취득하는 경우를 포함한다)로서, 종전의 주택의 취득 등기일부터 1년 이상이 지난 후 다른 주택을 취득하고 그 다른 주택을 취득한 날(등기일을 말한다)부터 3년 이내에 매매계약을 체결하고 양도하는 종전의 주택. 다만, 취득 등기일부터 매매계약일까지의 기간이 2년 이상인 종전의 주택으로 한정한다.(2014. 2. 21. 개정)(조특령 §99의2 ③ 2호)

(4) 지역별 토지 배율

제3항 각 호 외의 부분에서 "지역별로 정하는 배율"이란 다음의 각 호[아래 1), 2)]의 구분에 따른 배율을 말한다.(2013. 5. 10. 신설)(조특령 §99의2 ④)

1) 도시지역 안의 토지: 5배(2013. 5. 10. 신설)(조특령 §99의2 ④ 1호)
2) 도시지역 밖의 토지: 10배(2013. 5. 10. 신설)(조특령 §99의2 ④ 2호)

(5) 적용제외 주택

제3항을 적용할 때 다음 각 호의 감면대상기존주택은 제외한다.(2013. 5. 10. 신설)(조특령 §99의2 ⑤)

1) 감면대상기존주택 양도자와 양수자 간에 실제로 거래한 가액이 6억 원을 초과하고 연면적(공동주택 및 오피스텔의 경우에는 전용면적을 말한다)이 85제곱미터를 초과하는 감면대상기존주택. 이 경우 양수자가 부담하는 취득세 및 그 밖의 부대비용은 포함하지 아니한다.(2013. 5. 10. 신설)(조특령 §99의2 ⑤ 1호)
2) 2013년 3월 31일 이전에 체결한 매매계약을 과세특례 취득기간 중에 해제한 매매계약자 또는 그 배우자[매매계약자 또는 그 배우자의 직계존비속(그 배우자를 포함한다) 및 형제자매를 포함한다]가 과세특례 취득기간 중에 계약을 체결하여 취득한 원래 매매계약을 체결하였던 감면대상기존주택(2013. 5. 10. 신설)(조특령 §99의2 ⑤ 2호)
3) 감면대상기존주택 중 오피스텔을 취득하는 자가 취득 후 제2항 제4호[위 (2), 4)] 각 목의 모두에 해당하지 아니하게 된 경우의 해당 오피스텔(2013. 5. 10. 신설)(조특령 §99의2 ⑤ 3호)

(6) 「주택법」 제54조에 따라 주택을 공급하는 사업주체 등 대통령령으로 정하는 자

조특법 제99조의2 제1항 전단에서 "대통령령으로 정하는 자"란 다음 각 호의 구분에 따른 자를 말한다.(2013. 5. 10. 신설)(조특령 §99의2 ⑥)

1) 제1항[위 (1)]에 해당하는 주택: 제1항 제1호 및 같은 항 제2호에 따른 사업주체, 같은 항 제3호에 따른 주택건설사업자, 같은 항 제4호에 따른 주택도시보증공사, 같은 항 제5호에 따른 시공자, 같은 항 제6호에 따른 기업구조조정부동산투자회사 등, 같은 항 제7호에 따른 신탁업자, 같은 항 제8호에 따른 주택을 건설한 자 및 같은 항 제9호

에 따른 분양사업자 또는 건축주(2015. 6. 30. 개정)(조특령 §99의2 ⑥ 1호)

2) 제3항[위 (2)]에 해당하는 주택: 감면대상기존주택 양도자(2013. 5. 10. 신설)(조특령 §99
의2 ⑥ 2호)

② 1세대 1주택 비과세 주택 수 포함 여부

1세대 1주택 비과세 규정[소득법 제89조 제1항 제3호]을 적용할 때 조특법 제99조의2
제1항[위 ❶]을 적용받는 주택은 해당 거주자의 소유주택으로 보지 아니한다.(2014. 1. 1. 개
정)(조특법 §99의2 ②)

③ 적용제외지역

제1항은 전국 소비자물가상승률 및 전국 주택매매가격상승률을 고려하여 부동산 가격이
급등하거나 급등할 우려가 있는 지역으로서 대통령령으로 정하는 지역에는 적용하지 아니
한다.(2013. 5. 10. 신설)(조특법 §99의2 ③)

④ 구비서류제출

조특법 제99조의2 제1항[위 ❶]에 따른 양도소득세의 감면은 대통령령으로 정하는 방법
에 따라 제1항[위 ❶]에 따른 감면 대상 주택임을 확인받아 납세지 관할 세무서장에게 제
출한 경우에만 적용한다.(2014. 1. 1. 개정)(조특법 §99의2 ④)

신축주택 등 취득자에 대한 양도소득세의 과세특례(조특법 제99조의2)를 적용받으려는
자는 해당 주택의 양도소득 과세표준예정신고 또는 과세표준확정신고와 함께 다음[아래
(1), (2)] 중 어느 하나에 따라 확인하는 날인을 받아 교부받은 매매계약서 사본을 납세지
관할 세무서장에게 제출하여야 한다.(2013. 5. 10. 신설)(조특령 §99의2 ⑧)

(1) 사업주체 등은 신축주택 등의 매매계약을 체결한 즉시 2부의 매매계약서에 시장·군
수·구청장으로부터 기획재정부령으로 정하는 신축주택 등임을 확인하는 날인을 받
아 그 중 1부를 해당 매매계약자에게 교부하여야 하며, 그 내용을 기획재정부령으로
정하는 신축주택 등 확인대장에 작성하여 보관하여야 한다.(2013. 5. 10. 신설)(조특령

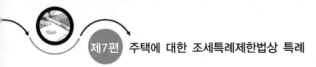

§99의2 ⑪)

(2) 감면대상기존주택 양도자는 2014년 3월 31일까지 2부의 매매계약서에 시장·군수·구청장으로부터 기획재정부령으로 정하는 감면대상기존주택임을 확인하는 날인을 받아 그 중 1부를 해당 매매계약자에게 교부하여야 한다.(2014. 2. 21. 개정)(조특령 §99의2 ⑫)

⑤ 그 밖의 사항

조특법 제99조의2 제1항[위 ❶] 적용할 때 해당 주택의 취득일부터 5년간 발생한 양도소득금액의 계산과 그 밖에 필요한 사항은 대통령령으로 정한다.(2013. 5. 10. 신설)(조특법 §99의2 ⑤)

제12장

조특법 제99조의3 신축주택의 취득자에 대한 양도소득세의 과세특례

① 신축주택의 취득자에 대한 양도소득세의 과세특례

거주자(주택건설사업자는 제외한다)가 전국소비자물가상승률 및 전국주택매매가격상승률을 고려하여 부동산 가격이 급등하거나 급등할 우려가 있는 지역으로서 대통령령으로 정하는 지역[아래 (3)] 외의 지역에 있는 다음 각 호[아래 (1), (2)]의 어느 하나에 해당하는 신축주택(그 주택에 딸린 토지로서 해당 건물 연면적의 2배 이내의 것을 포함한다. 이하 이 조에서 같다)을 취득하여 그 취득일부터 5년 이내에 양도하는 경우에는 그 신축주택을 취득한 날부터 양도일까지 발생한 양도소득금액을 양도소득세 과세대상소득금액에서 빼며, 해당 신축주택을 취득한 날부터 5년이 지난 후에 양도하는 경우에는 그 신축주택을 취득한 날부터 5년간 발생한 양도소득금액을 양도소득세 과세대상소득금액에서 뺀다. 다만, 해당 신축주택이 1세대 1주택 비과세 규정[소득법 제89조 제1항 제3호]에 따라 양도소득세의 비과세대상에서 제외되는 고가주택에 해당하는 경우에는 그러하지 아니하다.(2015. 12. 15. 개정)(조특법 §99의3 ①)

(1) 주택건설사업자로부터 취득한 신축주택의 경우

2001년 5월 23일부터 2003년 6월 30일까지의 기간(이하 이 조에서 "신축주택취득기간"이라 한다) 중에 주택건설사업자와 최초로 매매계약을 체결하고 계약금을 납부한 자가 취득한 신축주택(「주택법」에 따른 주택조합 또는 「도시 및 주거환경정비법」에 따른 정비사업조합을 통하여 취득하는 주택으로서 대통령령으로 정하는 주택을 포함한다). 다만, 매매계약일 현재 입주한 사실이 있거나 신축주택취득기간 중 대통령령으로 정하는 사유에 해당하는 사실이 있는 주택은 제외한다.(2010. 1. 1. 개정)(조특법 §99의3 ① 1호)

1) 주택조합 등을 통하여 취득하는 주택으로서 대통령령으로 정하는 주택

조특법 제99조의3 제1항 제1호[위 (1)]에서 "대통령령으로 정하는 주택"이란 다음 각

호[아래 ①, ②]의 1에 해당하는 주택을 말한다.(2010. 2. 18. 개정)(조특령 §99의3 ③)

① 「주택법」에 의한 주택조합 또는 「도시 및 주거환경정비법」에 의한 정비사업조합(이하 이 조에서 "주택조합 등"이라 한다)이 그 조합원에게 공급하고 남은 주택(이하 이조에서 "잔여주택"이라 한다)으로서 법 제99조의3 제1항 제1호의 규정에 의한 신축주택취득기간(이하 이 조에서 "신축주택취득기간"이라 한다) 이내에 주택조합 등과 직접 매매계약을 체결하고 계약금을 납부한 자가 취득하는 주택(2005. 2. 19 법명개정)(조특령 §99의3 ③ 1호)

② 조합원(「도시 및 주거환경정비법」 제48조의 규정에 의한 관리처분계획의 인가일(주택재건축사업의 경우에는 제28조의 규정에 의한 사업시행인가일을 말한다. 이하 이조에서 같다) 또는 「주택법」 제15조에 따른 사업계획의 승인일 현재의 조합원을 말한다. 이하 이 호에서 같다)이 주택조합 등으로부터 취득하는 주택으로서 신축주택취득기간 경과 후에 사용승인 또는 사용검사를 받는 주택. 다만, 주택조합 등이 조합원 외의 자와 신축주택취득기간 내에 잔여주택에 대한 매매계약(매매계약이 다수인 때에는 최초로 체결한 매매계약을 기준으로 한다)을 직접 체결하여 계약금을 납부받은 사실이 있는 경우에 한한다.(2016. 8. 11. 개정)(조특령 §99의3 ③ 2호)

2) 신축주택취득기간 중 대통령령으로 정하는 사유에 해당하는 사실이 있는 주택

조특법 제99조의3 제1항 제1호[위 (1)]에서 "대통령령으로 정하는 사유에 해당하는 사실이 있는 주택"이란 2001년 5월 23일 전에 주택건설사업자와 주택분양계약을 체결한 분양계약자가 당해 계약을 해제하고 분양계약자 또는 그 배우자(분양계약자 또는 그 배우자의 직계존비속 및 형제자매를 포함한다)가 당초 분양계약을 체결하였던 주택을 다시 분양받아 취득한 주택 또는 당해 주택건설사업자로부터 당초 분양계약을 체결하였던 주택에 대체하여 다른 주택을 분양받아 취득한 주택을 말한다. 다만, 기획재정부령이 정하는 사유에 해당하는 주택을 제외한다.(2010. 2. 18. 개정, 2020. 2. 18. 개정)(조특령 §99의3 ④)

(2) 자기가 건설한 신축주택(「주택법」에 따른 주택조합 또는 「도시 및 주거환경정비법」에 따른 정비사업조합을 통하여 대통령령으로 정하는 조합원이 취득하는 주택을 포함한다)의 경우: 신축주택취득기간(2001년 5월 23일부터 2003년 6월 30일까지의 기간)에 사용승인 또는 사용검사(임시 사용승인을 포함한다)를 받은 신축주택(2010. 1. 1. 개정)(조특법 §99의3 ① 2호)

여기서 "대통령령으로 정하는 조합원"이란 「도시 및 주거환경정비법」 제48조의 규정에 의한 관리처분계획의 인가일 또는 「주택법」 제15조에 따른 사업계획의 승인일 현재의 조합원을 말한다.(2016. 8. 11. 개정)(조특령 §99의3 ⑤)

(3) 부동산 가격이 급등하거나 급등할 우려가 있는 지역으로서 대통령령으로 정하는 지역

조특법 제99조의3 제1항[위 ❶] 각 호 외의 부분 본문에서 "대통령령으로 정하는 지역"이란 서울특별시, 과천시 및 「택지개발촉진법」 제3조에 따라 택지개발지구로 지정·고시된 분당·일산·평촌·산본·중동 신도시지역을 말한다.(2011. 8. 30. 개정)(조특령 §99의3 ①)

❷ 1세대 1주택 비과세 규정 적용시 주택 수 포함 여부

1세대 1주택 비과세 규정[소득법 제89조 제1항 제3호]을 적용할 때 제1항을 적용받는 신축주택과 그 외의 주택을 보유한 거주자가 그 신축주택 외의 주택을 2007년 12월 31일까지 양도하는 경우에만 그 신축주택을 거주자의 소유주택으로 보지 아니한다.(2010. 1. 1. 개정)(조특법 §99의3 ②)

❸ 감면신청

신축주택의 취득자에 대한 양도소득세의 과세특례[조특법 제99조의3 제1항 (위 ❶)]를 적용받으려는 자는 대통령령으로 정하는 바에 따라 감면신청을 하여야 한다.(2010. 1. 1. 개정)(조특법 §99의3 ③)

❹ 그 밖의 사항

신축주택의 취득자에 대한 양도소득세의 과세특례[조특법 제99조의3 제1항]에 따라 양도소득세 과세대상소득금액에서 빼는 양도소득금액의 계산 및 그 밖에 필요한 사항은 대통령령으로 정한다.(2015. 12. 15. 개정)(조특법 §99의3 ④)

제13장

조특법 제99조의4 농어촌주택 등 취득자에 대한 양도소득세의 과세특례

① 농어촌주택 등 취득자에 대한 양도소득세 과세특례

거주자 및 그 배우자가 구성하는 대통령령으로 정하는 1세대(이하 이 조에서 "1세대"라 한다)가 2003년 8월 1일(고향주택은 2009년 1월 1일)부터 2022년 12월 31일까지의 기간(이 하 이 조에서 "농어촌주택 등 취득기간"이라 한다) 중에 다음 각 호[아래 (1)~(3)]의 어 느 하나에 해당하는 1채의 주택(이하 이 조에서 "농어촌주택 등"이라 한다)을 취득(자기가 건설하여 취득한 경우를 포함한다)하여 3년 이상 보유하고 그 농어촌주택 등 취득 전에 보 유하던 다른 주택(이하 이 조에서 "일반주택"이라 한다)을 양도하는 경우에는 그 농어촌주 택 등을 해당 1세대의 소유주택이 아닌 것으로 보아 1세대 1주택 비과세 규정[「소득세법」 제89조 제1항 제3호]을 적용한다.(2017. 12. 19. 개정, 2020. 12. 29. 개정)(조특법 §99의4 ①)

(1) 다음 각 목[아래 1), 2)]의 요건을 모두 갖춘 주택(이 조에서 "농어촌주택"이라 한다)(2008. 12. 26. 개정)(조특법 §99의4 ① 1호)

1) 취득 당시 다음의 어느 하나에 해당하는 지역을 제외한 지역으로서 「지방자치법」 제3조 제3항 및 제4항에 따른 읍·면 또는 인구 규모 등을 고려하여 대통령령으로 정하는 동에 소재할 것(2016. 1. 19. 개정, 2020. 12. 29. 개정)(조특법 §99의4 ① 1호 가목)

  ① 수도권지역. 다만, 「접경지역 지원 특별법」 제2조에 따른 접경지역 중 부동산가격동향 등을 고려하여 대통령령으로 정하는 지역을 제외한다.

  ② 「국토의 계획 및 이용에 관한 법률」 제6조에 따른 도시지역(2016. 1. 19. 개정)

  ③ 「주택법」 제63조의2에 따른 조정대상지역(2020. 12. 29. 개정)

  ④ 「부동산 거래신고 등에 관한 법률」 제10조에 따른 허가구역(2016. 1. 19. 신설)

  ⑤ 그 밖에 관광단지 등 부동산가격안정이 필요하다고 인정되어 대통령령으로 정하는 지 역(2016. 1. 19. 개정)

2) 주택 및 이에 딸린 토지의 가액(「소득세법」 제99조에 따른 기준시가를 말한다)의 합계액이 해당 주택 취득 당시 2억 원(대통령령으로 정하는 한옥은 4억 원)을 초과하지 아니할 것(2014. 1. 1. 개정)(조특법 §99의4 ① 1호 나목)

(2) 다음 각 목[아래 1)~3)]의 요건을 모두 갖춘 주택(이 조에서 "고향주택"이라 한다)(2008. 12. 26. 개정)(조특법 §99의4 ① 2호)

1) 대통령령으로 정하는 고향에 소재하는 주택일 것

(2008. 12. 26. 개정)(조특법 §99의4 ① 2호 가목)

"대통령령으로 정하는 고향"이란 다음 각 호의 요건을 모두 충족한 시 지역(이와 연접한 시지역을 포함하며, 다음 각 호[아래 ①, ②]의 요건을 모두 충족한 군 지역에 연접한 시 지역을 포함한다)을 말한다. 이 경우 등록기준지 등 또는 거주한 사실이 있는 지역의 시·군이 행정구역의 개편 등으로 이에 해당하지 아니한 경우에도 같은 시·군으로 본다.(2016. 2. 5. 항번개정)(조특령 §99의4 ⑥)

① 「가족관계의 등록 등에 관한 법률」에 따른 가족관계등록부(법률 제8435호 「가족관계의 등록 등에 관한 법률」부칙 제4조에 따른 제적부 등을 포함하며, 이하 이 조에서 "가족관계등록부 등"이라 한다)에 10년 이상 등재된 등록기준지(법률 제8435호 「가족관계의 등록 등에 관한 법률」부칙 제2조로 폐지되기 전의 「호적법」에 따른 본적지 또는 원적지를 포함하며, 이 조에서 "등록기준지 등"이라 한다)(2009. 2. 4. 신설)(조특령 §99의4 ⑥ 1호)

② 10년 이상 거주한 사실이 있는 지역(2009. 2. 4. 신설)(조특령 §99의4 ⑥ 2호)

2) 취득 당시 인구 등을 고려하여 대통령령으로 정하는 시 지역(다음의 지역을 제외한다)에 소재할 것(2010. 1. 1. 개정, 2020. 12. 29. 개정)(조특법 §99의4 ① 2호 나목)

① 수도권지역

② 「주택법」 제63조의2에 따른 조정대상지역(2020. 12. 29. 개정)

③ 그 밖에 관광단지 등 부동산가격안정이 필요하다고 인정되어 대통령령으로 정하는 지역

3) 주택 및 이에 딸린 토지의 가액(「소득세법」 제99조에 따른 기준시가를 말한다)의 합계액이 해당 주택의 취득 당시 2억 원(대통령령으로 정하는 한옥은 4억 원)을 초과하지 아니할 것(2014. 1. 1. 개정)(조특법 §99의4 ① 2호 다목)

❷ 과세특례가 적용되지 않는 경우

1세대가 취득한 농어촌주택과 보유하고 있던 일반주택이 행정구역상 같은 읍·면 또는 연접한 읍·면에 있는 경우나 1세대가 취득한 고향주택과 보유하고 있던 일반주택이 행정구역상 같은 시 또는 연접한 시에 있는 경우에는 농어촌주택 등 취득자에 대한 양도소득세 과세특례[제1항, 위 ❶]를 적용하지 아니한다.(2014. 12. 23. 개정)(조특법 §99의4 ③)

❸ 3년 이상 보유 요건을 충족하기 전에 일반주택을 양도하는 경우

1세대가 농어촌주택 등 취득자에 대한 양도소득세 과세특례[제1항, 위 ❶]에 따른 농어촌주택 등의 3년 이상 보유 요건을 충족하기 전에 일반주택을 양도하는 경우에도 농어촌주택 등 취득자에 대한 양도소득세 과세특례[제1항, 위 ❶]를 적용한다.(2010. 1. 1. 개정)(조특법 §99의4 ④)

❹ 농어촌주택 취득시 2주택 중과세율 적용 배제

1세대가 수도권 내 「주택법」 제63조의2 제1항 제1호에 따른 조정대상지역에 소재하는 2주택(양도하는 시점의 「부동산 가격공시에 관한 법률」에 따른 개별주택가격 및 공동주택가격을 합산한 금액이 6억 원 이하인 경우에 한정한다)만을 소유하는 경우로서 2020년 12월 31일까지 그 중 1주택을 양도하고 양도일이 속하는 달의 말일부터 2개월 내에 농어촌주택 등을 취득하는 경우에는 양도소득세 중과세율 규정[소득법 제104조 제7항]을 적용하지 아니하고, 「소득세법」 제95조 제2항에 따른 장기보유 특별공제액을 공제받을 수 있다.(2018. 12. 24. 신설)(조특법 §99의4 ⑤)

❺ 사후관리

제4항에 따른 양도소득세의 특례를 적용받은 1세대가 농어촌주택 등을 3년 이상 보유하지 아니하게 된 경우 또는 제5항에 따른 양도소득세의 특례를 적용받은 1세대가 농어촌주택 등을 3년 이상 보유하지 아니하거나 최초 보유한 기간 3년 중 농어촌주택 등에 2년 이상

거주하지 아니한 경우에는 과세특례를 적용받은 자가 과세특례를 적용받지 아니하였을 경우 납부하였을 세액에 상당하는 세액으로서 대통령령으로 정하는 바에 따라 계산한 세액을 그 보유 또는 거주하지 아니하게 된 날이 속하는 달의 말일부터 2개월 이내에 양도소득세로 납부하여야 한다. 다만, 「공익사업을 위한 토지 등의 취득 및 보상에 관한 법률」에 따른 수용 등 대통령령으로 정하는 부득이한 사유가 있는 경우에는 그러하지 아니하다.(2018. 12. 24. 개정)(조특법 §99의4 ⑥)

6 과세특례 신청

제1항, 제4항 및 제5항에 따른 과세특례를 적용받으려는 자는 대통령령으로 정하는 바에 따라 과세특례신청을 하여야 한다.(2018. 12. 24. 개정)(조특법 §99의4 ⑦)

7 그 밖의 사항

농어촌주택 등의 면적 및 취득가액의 산정방법, 농어촌주택 등의 보유기간 및 거주기간 계산, 농어촌주택 등의 판정기준 그 밖에 필요한 사항은 대통령령으로 정한다.(2018. 12. 24. 개정)(조특법 §99의4 ⑧)

8 관련예규 및 해석사례

(1) 축사, 퇴비사 및 농기구용 창고 등의 농어촌주택 특례 해당 여부

사회통념상 농·어업에 필수적인 것으로 인정되는 범위 내의 축사, 퇴비사 및 농기구용 창고 등도 농가주택의 일부분으로 보아 농어촌주택 특례를 적용(서면부동산 2020-3899, 2021. 7. 20.)

제8편

종합부동산세

총 칙 제1장

주택에 대한 과세 제2장

토지에 대한 과세 제3장

신고 · 납부 등 제4장

제1장

총 칙

제1절 정의

종합부동산세법에서 사용하는 용어의 정의는 다음 각 호와 같다.(2005. 1. 5 제정)(종부법 §2)

① 시·군·구

"시·군·구"라 함은 「지방자치법」 제2조에 따른 지방자치단체인 시·군 및 자치구(이하 "시·군"이라 한다)를 말한다.(2005. 1. 5. 제정)(종부법 §2 1호)

② 주택

"주택"이라 함은 「지방세법」 제104조 제3호에 의한 주택을 말한다. 다만, 같은 법 제13조 제5항 제1호에 따른 별장은 제외한다.(2018. 12. 31 단서개정)(종부법 §2 3호)

③ 토지

"토지"라 함은 「지방세법」 제104조 제1호에 따른 토지를 말한다.(2010. 3. 31. 개정)(종부법 §2 4호)

④ 주택분 재산세

"주택분 재산세"라 함은 「지방세법」 제105조 및 제107조에 따라 주택에 대하여 부과하는 재산세를 말한다.(2010. 3. 31. 개정)(종부법 §2 5호)

5 토지분 재산세

"토지분 재산세"라 함은 「지방세법」 제105조 및 제107조에 따라 토지에 대하여 부과하는 재산세를 말한다.(2010. 3. 31. 개정)(종부법 §2 6호)

6 삭제(2005. 12. 31)(종부법 §2 7호)

7 세대

"세대"라 함은 주택 또는 토지의 소유자 및 그 배우자와 그들과 생계를 같이하는 가족으로서 대통령령으로 정하는 것을 말한다.(2005. 12. 31. 신설, 2020. 6. 9. 개정)(종부법 §2 8호)

8 공시가격

"공시가격"이라 함은 「부동산 가격공시에 관한 법률」에 따라 가격이 공시되는 주택 및 토지에 대하여 같은 법에 따라 공시된 가액을 말한다. 다만, 같은 법에 따라 가격이 공시되지 아니한 경우에는 「지방세법」 제4조 제1항 단서 및 같은 조 제2항에 따른 가액으로 한다.(2016. 1. 19. 개정, 2020. 6. 9. 개정)(종부법 §2 9호)

제2절 과세기준일

종합부동산세의 과세기준일은 매년 6월 1일로 한다.(종부법 §3)

납세지

① 개인의 납세지

종합부동산세의 납세의무자가 개인 또는 법인으로 보지 아니하는 단체인 경우에는 소득세법 제6조의 규정을 준용하여 납세지를 정한다.(2005. 1. 5. 제정)(종부법 §4 ①)

(1) 거주자

거주자의 소득세 납세지는 그 주소지로 한다. 다만, 주소지가 없는 경우에는 그 거소지로 한다.(2009. 12. 31. 개정)(소득법 §6 ①)

(2) 비거주자

비거주자의 소득세 납세지는 제120조에 따른 국내사업장(이하 "국내사업장"이라 한다)의 소재지로 한다. 다만, 국내사업장이 둘 이상 있는 경우에는 주된 국내사업장의 소재지로 하고, 국내사업장이 없는 경우에는 국내원천소득이 발생하는 장소로 한다.(2013. 1. 1. 개정)(소득법 §6 ②)

(3) 납세지가 불분명한 경우

납세지가 불분명한 경우에는 소득세법 시행령 제5조 제1항으로 정하는 바에 따라 납세지를 결정한다.(2009. 12. 31. 개정)(소득법 §6 ③)

② 법인의 납세지

종합부동산세의 납세의무자가 법인 또는 법인으로 보는 단체인 경우에는 「법인세법」 제9조 제1항부터 제3항까지 규정을 준용하여 납세지를 정한다.(2005. 1. 5 제정)(종부법 §4 ②)

(1) 내국법인

1) 내국법인의 납세지

내국법인의 법인세 납세지는 그 법인의 등기부에 따른 본점이나 주사무소의 소재지(국내에 본점 또는 주사무소가 있지 아니하는 경우에는 사업을 실질적으로 관리하는 장소의 소재지)로 한다.(2010. 12. 30. 개정)(법인법 §9 ①)

2) 법인으로 보는 단체

당해 단체의 사업장 소재지로 하되, 주된 소득이 부동산임대소득인 단체의 경우에는 그 부동산의 소재지로 한다. 이 경우 2 이상의 사업장 또는 부동산을 가지고 있는 단체의 경우에는 주된 사업장 또는 주된 부동산의 소재지로 하며, 사업장이 없는 단체의 경우에는 당해 단체의 정관 등에 기재된 주사무소의 소재지(정관 등에 주사무소에 관한 규정이 없는 단체의 경우에는 그 대표자 또는 관리인의 주소를 말한다)로 한다.(2010. 12. 30. 개정)(법인법 §9 ①)(2011. 6. 3. 개정)(법인령 §7 ①)

(2) 외국법인

외국법인의 법인세 납세지는 국내사업장의 소재지로 한다. 다만, 국내사업장이 없는 외국법인으로서 제93조 제3호 또는 제7호에 따른 소득이 있는 외국법인의 경우에는 각각 그 자산의 소재지로 한다.(2010. 12. 30. 개정)(법인법 §9 ②)

(3) 둘 이상의 국내사업장이 있는 외국법인

제2항[위 (2)]의 경우 둘 이상의 국내사업장이 있는 외국법인에 대하여는 대통령령으로 정하는 주된 사업장의 소재지를 납세지로 하고, 둘 이상의 자산이 있는 법인에 대하여는 대통령령으로 정하는 장소를 납세지로 한다.(2010. 12. 30. 개정)(법인법 §9 ③)

1) 주된 사업장의 소재지

위에서 "대통령령으로 정하는 주된 사업장의 소재지"라 함은 직전 사업연도의 법인세법 시행령 제11조 제1호의 규정에 의한 사업수입금액(이하 "사업수입금액"이라 한다)이 가장 많은 사업장 또는 부동산의 소재지를 말한다. 단 주된 사업장 소재지의 판정은 최초로 납세지를 정하는 경우에만 적용한다.(2011. 6. 3. 개정)(법인령 §7 ③)

2) 장소

위에서 "대통령령으로 정하는 장소"란 국내원천소득이 발생하는 장소 중 당해 외국법인이 납세지로 신고하는 장소를 말한다. 이 경우 그 신고는 2 이상의 국내원천소득이 발생하게 된 날부터 1월 이내에 기획재정부령이 정하는 납세지신고서에 의하여 납세지 관할 세무서장에게 하여야 한다.(2011. 6. 3. 개정)(법인령 §7 ④)

❸ 비거주자인 개인 또는 외국법인인 경우

종합부동산세의 납세의무자가 비거주자인 개인 또는 외국법인으로서 국내사업장이 없고 국내원천소득이 발생하지 아니하는 주택 및 토지를 소유한 경우에는 그 주택 또는 토지의 소재지(주택 또는 토지가 둘 이상인 경우에는 공시가격이 가장 높은 주택 또는 토지의 소재지를 말한다)를 납세지로 정한다.(2008. 12. 26. 신설)(종부법 §4 ③)

제4절 ▶ 과세구분 및 세액

❶ 과세구분

종합부동산세는 주택에 대한 종합부동산세와 토지에 대한 종합부동산세의 세액을 합한 금액을 그 세액으로 한다.(2005. 1. 5. 제정)(종부법 §5 ①)

❷ 토지에 대한 종합부동산세

토지에 대한 종합부동산세의 세액은 제14조 제1항부터 제3항까지의 규정에 따른 토지분 종합합산세액과 같은 조 제4항부터 제6항까지의 규정에 따른 토지분 별도합산세액을 합한 금액으로 한다.(2005. 12. 31. 개정)(종부법 §5 ②)

종합부동산세 세액계산

(1) 과세표준

구 분	과세표준
주택분	[전국합산{공시가격 × (1 - 감면율)} - 6억 원(1세대 1주택은 11억 원)] × 공정시장가액비율

□ 공정시장가액비율 단계적 상향 조정(종부령 §2의4)

    ○ (2020년) 90% → (2021년) 95% → (2022년) 100%로 상향 조정된다.

(2) 주택분 종합부동산세액 계산

1. 종합부동산세 과세표준	[주택공시가격 - 공제금액 6억 원(1주택자는 11억 원)] × 공정가액비율(2022년은 100%) = 주택분 종합부동산세 과세표준
2. 주택분 종합부동산세액	종합부동산세과세표준 × 세율 = 주택분 종합부동산세액
3. 산출세액	주택분 종합부동산세액 - 공제할 재산세액(재산세로 부과된 세액 중 종부세 과세표준금액에 부과된 재산세 상당액) = 산출세액
4. 납부할 세액	산출세액 - 세액공제(장기보유공제, 연령별 공제) - 세부담상한초과액 = 납부할 세액

(3) 종합부동산세율

2주택 이하인 경우 0.6%~3%의 세율이 적용된다. 3주택 이상 및 조정대상지역 2주택에 대해 과세표준 구간별로 1.2%~6.0%의 세율이 적용된다.

법인의 경우 2주택 이하인 경우 3%, 3주택 이상 및 조정대상지역 2주택인 경우 6%의 단일세율이 적용된다.

| 종부세 세율 |

과세표준	2주택 이하		3주택 이상, 조정대상지역 2주택	
	개인	법인	개인	법인
3억 원 이하	0.6%		1.2%	
3~6억 원	0.8%		1.6%	
6~12억 원	1.2%	3%	2.2%	6%
12~50억 원	1.6%		3.6%	
50~94억 원	2.2%		5.0%	
94억 원 초과	3.0%		6.0%	

(4) 세 부담 상한 인상 및 세액공제

1) 1세대 1주택자 세액공제

구 분	1세대 1주택자 세액공제					
	60세 이상 세액공제			장기보유 세액공제		
종합한도[1]	60세 이상	65세 이상	70세 이상	5년 이상	10년 이상	15년 이상
80%	20%	30%	40%	20%	40%	50%

1) 60세 이상 세액공제율과 장기보유 세액공제율 합계 80%의 범위에서 중복 적용할 수 있다.

2) 세 부담 상한

구 분	2주택 이하	3주택 이상, 조정대상지역 2주택
세 부담 상한	150%	300%

개인만 해당, 법인세의 부담 상한은 2021년 이후 폐지됨.

제5절 ▷ 비과세 등

❶ 재산세의 감면규정 준용

「지방세특례제한법」 또는 「조세특례제한법」에 의한 재산세의 비과세·과세면제 또는 경감에 관한 규정(이하 "재산세의 감면규정"이라 한다)은 종합부동산세를 부과하는 경우에 준용한다.(2010. 3. 31. 개정)(종부법 §6 ①)

❷ 시·군의 감면조례 준용

「지방세특례제한법」 제4조에 따른 시·군의 감면조례에 의한 재산세의 감면규정은 종합부동산세를 부과하는 경우에 준용한다.(2010. 3. 31. 개정)(종부법 §6 ②)

③ 감면금액을 공제한 후의 공시가격

제1항 및 제2항에 따라 재산세의 감면규정을 준용하는 경우 그 감면대상인 주택 또는 토지의 공시가격에서 그 공시가격에 재산세 감면비율(비과세 또는 과세면제의 경우에는 이를 100분의 100으로 본다)을 곱한 금액을 공제한 금액을 공시가격으로 본다.(2005. 12. 31. 개정)(종부법 §6 ③)

④ 분리과세규정을 적용하지 아니하는 경우

종합부동산세법 제6조 제1항[위 ❶] 및 제2항[위 ❷]의 재산세의 감면규정 또는 분리과세규정에 따라 종합부동산세를 경감하는 것이 종합부동산세를 부과하는 취지에 비추어 적합하지 않은 것으로 인정되는 경우 등 대통령령으로 정하는 경우에는 종합부동산세를 부과할 때 제1항[위 ❶] 및 제2항[위 ❷] 또는 그 분리과세규정을 적용하지 아니한다.(2018. 12. 31. 개정)(종부법 §6 ④)

"대통령령이 정하는 경우"란 다음 각 호[아래 (1), (2)]의 어느 하나에 해당하는 경우를 말한다.(2019. 2. 12. 개정)(종부령 §2)

(1) 시·군의 감면조례에 따른 재산세의 감면규정 또는 분리과세규정 중 다음 각 목[아래 1), 2)]의 요건을 모두 충족하는 경우로서 행정안전부장관이 기획재정부장관과 협의하여 고시하는 경우(2019. 2. 12. 개정)(종부령 §2 1호)

1) 전국 공통으로 적용되는 것이 아닌 것(2019. 2. 12. 개정)(종부령 §2 1호 가목)

2) 해당 규정이 전국적인 과세형평을 저해하는 것으로 인정되는 것(2019. 2. 12. 개정)(종부령 §2 1호 나목)

(2) 「지방세특례제한법」 또는 「조세특례제한법」에 따른 재산세의 비과세, 과세면제 또는 경감에 관한 규정이 제3조 제1항 제8호 각 목 외의 부분 단서 및 같은 호 나목에 따라 종합부동산세가 합산배제되지 않는 임대주택에 적용되는 경우(2019. 2. 12. 개정, 2020. 8. 7. 개정)(종부령 §2 2호)

제2장

주택에 대한 과세

제1절 납세의무자

① 주택분 재산세 납세의무자

과세기준일 현재 주택분 재산세의 납세의무자는 종합부동산세를 납부할 의무가 있다.(2008. 12. 26. 개정, 2020. 8. 18. 개정)(종부법 §7 ①)

② 신탁재산의 위탁자

「신탁법」 제2조에 따른 수탁자(이하 "수탁자"라 한다)의 명의로 등기 또는 등록된 신탁재산으로서 주택(이하 "신탁주택"이라 한다)의 경우에는 제1항에도 불구하고 같은 조에 따른 위탁자(「주택법」 제2조 제11호 가목에 따른 지역주택조합 및 같은 호 나목에 따른 직장주택조합이 조합원이 납부한 금전으로 매수하여 소유하고 있는 신탁주택의 경우에는 해당 지역주택조합 및 직장주택조합을 말한다. 이하 "위탁자"라 한다)가 종합부동산세를 납부할 의무가 있다. 이 경우 위탁자가 신탁주택을 소유한 것으로 본다.(2020. 12. 29. 신설)(종부법 §7 ②)

제2절 신탁주택 관련 수탁자의 물적납세의무

신탁주택의 위탁자가 다음 각 호의 어느 하나에 해당하는 종합부동산세 또는 강제징수비(이하 "종합부동산세 등"이라 한다)를 체납한 경우로서 그 위탁자의 다른 재산에 대하여 강제징수를 하여도 징수할 금액에 미치지 못할 때에는 해당 신탁주택의 수탁자는 그 신탁

주택으로써 위탁자의 종합부동산세 등을 납부할 의무가 있다.(2020. 12. 29. 신설)(종부법 §7의2)

1. 신탁 설정일 이후에 「국세기본법」 제35조 제2항에 따른 법정기일이 도래하는 종합부동
   산세로서 해당 신탁주택과 관련하여 발생한 것(2020. 12. 29. 신설)(종부법 §7의2 1호)
2. 제1호의 금액에 대한 강제징수 과정에서 발생한 강제징수비(2020. 12. 29. 신설)(종부법 §7
   의2 2호)

제3절 과세표준

① 주택에 대한 종합부동산세의 과세표준

주택에 대한 종합부동산세의 과세표준은 납세의무자별로 주택의 공시가격을 합산한 금
액[과세기준일 현재 세대원 중 1인이 해당 주택을 단독으로 소유한 경우로서 대통령령으로
정하는 1세대 1주택자(이하 "1세대 1주택자"라 한다)의 경우에는 그 합산한 금액에서 5억
원을 공제한 금액]에서 공제(납세의무자가 법인 또는 법인으로 보는 단체로서 제9조 제2항
각 호의 세율이 적용되는 경우는 제외한다)한 금액에 부동산 시장의 동향과 재정 여건 등
을 고려하여 100분의 60부터 100분의 100까지의 범위에서 대통령령으로 정하는 공정시장
가액비율을 곱한 금액으로 한다. 다만, 그 금액이 영보다 작은 경우에는 영으로 본다.(2008.
12. 26. 개정, 2021. 9. 14. 개정)(종부법 §8 ①)

법인의 주택분 종합부동산세액에 대해서는 기본공제 6억 원을 공제하지 않는다.

(1) 공정시장가액비율

공정시장가액비율은 100분의 100을 하되, 2019년부터 2021년까지 납세의무가 성립하는
종합부동산세에 대해서는 다음 각 호[아래 1)~3)]의 연도별 비율로 한다.(2019. 2. 12. 개정)
(종부령 §2의4 ①)

1) 2019년: 100분의 85(2019. 2. 12. 신설)(종부령 §2의4 ① 1호)
2) 2020년: 100분의 90(2019. 2. 12. 신설)(종부령 §2의4 ① 2호)
3) 2021년: 100분의 95(2019. 2. 12. 신설)(종부령 §2의4 ① 3호)

구 분	과세표준
주택분	[전국합산 {공시가격 × (1 − 감면율)} − 6억 원(1가구 1주택은 11억 원)] × 100%

(2) 1세대 1주택자의 범위

1) 1세대 1주택자

위에서 "대통령령으로 정하는 1세대 1주택자"란 세대원 중 1명만이 주택분 재산세 과세대상인 1주택만을 소유한 경우로서 그 주택을 소유한 「소득세법」 제1조의2 제1항 제1호에 따른 거주자를 말한다. 이 경우 「건축법 시행령」 별표 1 제1호 다목에 따른 다가구주택은 1주택으로 보되, 제3조에 따른 합산배제 임대주택으로 같은 조 제9항에 따라 신고한 경우에는 1세대가 독립하여 구분 사용할 수 있도록 구획된 부분을 각각 1주택으로 본다.(2011. 3. 31. 개정, 2020. 2. 11 후단개정)(종부령 §2의3 ①)

2) 주택 수에서 제외

제1항[위 1)]에 따른 1세대 1주택자 여부를 판단할 때 다음 각 호[아래 ①, ②]의 주택은 1세대가 소유한 주택 수에서 제외한다. 다만, 제1호는 각 호 외의 주택을 소유하는 자가 과세기준일 현재 그 주택에 주민등록이 되어 있고 실제로 거주하고 있는 경우에 한정하여 적용한다.(2011. 10. 14 단서신설)(종부령 §2의3 ②)

① 합산배제임대주택

종합부동산세 시행령 제3조 제1항[아래 ❷ (1), 1), 합산배제임대주택] 각 호(제5호는 제외한다)의 어느 하나에 해당하는 주택으로서 같은 조 제9항에 따른 합산배제 신고를 한 주택(2018. 6. 5. 개정, 2020. 2. 11. 개정)(종부령 §2의3 ② 1호)

② 합산배제 사원용주택 등

종부령 제4조 제1항 각 호에 해당하는 주택으로서 같은 조 제4항에 따라 합산배제 신고를 한 주택은 주택 수에서 제외한다.(2022. 2. 15. 개정)(종부령 §2의3 ② 3호)

종합부동산세법 시행령 제4조 제1항 각 호

1. 종업원에게 무상이나 저가로 제공하는 사용자 소유의 주택(종부령 §4 ① 1호)
2. 「건축법 시행령」 별표 1 제2호 라목의 기숙사
3. 미분양주택
4. 어린이집용 주택
5. 공사대금으로 받은 미분양주택
6. 해당 연구기관의 연구원에게 제공하는 주택
7. 「문화재보호법」에 따른 등록문화재
8. 기업구조조정부동산투자회사 또는 부동산집합투자기구가 직접 취득하는 미분양주택
9. 기업구조조정부동산투자회사 등이 미분양주택을 취득할 당시 매입약정을 체결한 자가 그 매입약정에 따라 미분양주택
10. 신탁업자가 취득하는 미분양주택
11. 노인복지주택
12. 향교 또는 향교재단이 소유한 주택의 부속토지
13. 「송·변전설비 주변지역의 보상 및 지원에 관한 법률」 제5조에 따른 주택매수의 청구에 따라 사업자가 취득하여 보유하는 주택
14. 주택도시기금과 한국토지주택공사가 공동으로 출자하여 설립한 부동산투자회사 또는 기획재정부령으로 정하는 기관이 매입하는 주택
15. 토지임대부 분양주택의 부속토지
16. 재개발, 재건축 등 사업시행자가 멸실시킬 목적으로 취득하여 그 취득일부터 3년 이내에 멸실시키는 주택

2 종합부동산세 합산배제

다음 각 호[아래 (1), (2)]의 어느 하나에 해당하는 주택은 제1항에 따른 과세표준 합산의 대상이 되는 주택의 범위에 포함되지 아니하는 것으로 본다.(2005. 12. 31. 신설)(종부법 §8 ②)

(1) 임대주택

「민간임대주택에 관한 특별법」에 따른 민간임대주택, 「공공주택 특별법」에 따른 공공임대주택 또는 대통령령이 정하는 다가구 임대주택으로서 임대기간, 주택의 수, 가격, 규모 등을 고려하여 대통령령으로 정하는 주택(2015. 8. 28. 개정)(종부법 §8 ② 1호)

1) 합산배제 임대주택

위 본문에서 "대통령령으로 정하는 주택"이란 「공공주택 특별법」 제4조에 따른 공공주택사업자 또는 「민간임대주택에 관한 특별법」 제2조 제7호에 따른 임대사업자(이하 "임대사업자"라 한다)로서 과세기준일 현재 「소득세법」 제168조 또는 「법인세법」 제111조에 따른 주택임대업 사업자등록(이하 이 조에서 "사업자등록"이라 한다)을 한 자가 과세기준일 현재 임대(제1호부터 제3호까지, 제5호부터 제8호까지의 주택을 임대한 경우를 말한다)하거나 소유(제4호의 주택을 소유한 경우를 말한다)하고 있는 다음 각 호의 어느 하나에 해당하는 주택(이하 "합산배제 임대주택"이라 한다)을 말한다. 이 경우 과세기준일 현재 임대를 개시한 자가 종합부동산세법 제8조 제3항에 따른 합산배제 신고기간 종료일까지 임대사업자로서 사업자등록을 하는 경우에는 해당 연도 과세기준일 현재 임대사업자로서 사업자등록을 한 것으로 본다.(2018. 2. 13. 개정)(종부령 §3 ①)

① 민간건설임대주택 및 공공건설임대주택

「민간임대주택에 관한 특별법」 제2조 제2호에 따른 민간건설임대주택과 「공공주택 특별법」 제2조 제1호의2에 따른 공공건설임대주택(이하 이 조에서 "건설임대주택"이라 한다)으로서 다음 각 목의 요건을 모두 갖춘 주택이 2호 이상인 경우 그 주택. 다만, 「공공주택 특별법」 제49조 제4항에 따라 임대보증금 또는 임대료(이하 이 항에서 "임대료 등"이라 한다)를 증액하는 경우에는 다목 전단을 적용하지 않으며, 「민간임대주택에 관한 특별법」 제2조 제2호에 따른 민간건설임대주택의 경우에는 2018년 3월 31일 이전에 같은 법 제5조에 따른 임대사업자 등록과 사업자등록(이하 이 조에서 "사업자등록 등"이라 한다)을 한 주택

으로 한정한다.(2018. 2. 13. 단서신설, 2020. 8. 7. 단서개정, 2021. 2. 17. 단서개정, 2022. 2. 15. 단서개정) (종부령 §3 ① 1호)

　ⅰ) 전용면적이 149제곱미터 이하로서 2호 이상의 주택의 임대를 개시한 날(2호 이상의 주택의 임대를 개시한 날 이후 임대를 개시한 주택의 경우에는 그 주택의 임대개시일을 말한다) 또는 최초로 제9항에 따른 합산배제신고를 한 연도의 과세기준일의 공시가격이 9억 원 이하일 것(2008. 2. 22. 개정, 2020. 2. 11. 개정, 2021. 2. 17. 개정)(종부령 §3 ① 1호 가목)

구 분	1. 2021년 2월 16일 이전에 사용승인을 받거나 사용검사 확인증을 받는 공공건설임대주택 또는 2. 2021년 2월 16일 이전에 등록한 민간건설임대주택	1. 2021년 2월 17일 이후에 사용승인을 받거나 사용검사 확인증을 받는 공공건설임대주택 또는 2. 2021년 2월 17일 이후에 등록하는 민간건설임대주택
합산배제신고를 한 연도의 과세기준일의 공시가격	6억 원 이하	9억 원 이하

----●●●●----

1) 민간건설임대주택 및 공공건설임대주택 종부세 합산배제

합산배제 요건 : 다음 요건을 모두 충족하는 경우

1. 「민간임대주택에 관한 특별법」 제2조 제2호에 따른 민간건설임대주택과 「공공주택 특별법」 제2조 제1호의2에 따른 공공건설임대주택
2. 전용면적이 149㎡ 이하
3. 2호 이상 임대
4. 2호 이상 임대 개시한 날 또는 최초 합산배제 신고한 연도의 과세기준일 공시가격 9억 원 이하(2021년 2월 16일 이전 등록분은 6억 원 이하)
5. 5년 이상 계속 임대
6. 임대료 등의 증가율이 100분의 5를 초과하지 않을 것
   (단, 「공공주택 특별법」 제49조 제4항에 따라 증액하는 경우는 제외)
7. 단, 민간건설임대주택의 경우에는 2018년 3월 31일 이전에 임대사업자 등록과 사업자등록 할 것

●●●●

관련 예규·판례

1. 공시가격 없는 주택의 합산배제 적용

임대개시일 또는 최초로 합산배제 신고를 한 연도의 과세기준일 현재 해당 임대주택의 공시가격이 없는 경우 다음 가액[「지방세법」 제4조 제1항 단서 및 같은 조 제2항에 따른 가액]으로 적용하는 것임.(서면부동산 2020－4604, 2020. 11. 26.)

① 개별공시지가 또는 개별주택가격이 공시되지 아니한 경우에는 특별자치시장·특별자치도지사·시장·군수 또는 구청장(자치구의 구청장을 말한다. 이하 같다)이 같은 법에 따라 국토교통부장관이 제공한 토지가격비준표 또는 주택가격비준표를 사용하여 산정한 가액으로 하고, 공동주택가격이 공시되지 아니한 경우에는 대통령령으로 정하는 기준에 따라 특별자치시장·특별자치도지사·시장·군수 또는 구청장이 산정한 가액으로 한다.(지법 §4 ① 단서)

② 제1항 외의 건축물(새로 건축하여 건축 당시 개별주택가격 또는 공동주택가격이 공시되지 아니한 주택으로서 토지부분을 제외한 건축물을 포함한다), 선박, 항공기 및 그 밖의 과세대상에 대한 시가표준액은 거래가격, 수입가격, 신축·건조·제조가격 등을 고려하여 정한 기준가격에 종류, 구조, 용도, 경과연수 등 과세대상별 특성을 고려하여 대통령령으로 정하는 기준에 따라 지방자치단체의 장이 결정한 가액으로 한다.(지법 §4 ②)

ⅱ) 5년 이상 계속하여 임대하는 것일 것.(2010. 2. 18 단서삭제)(종부령 §3 ① 1호 나목)

임대기간은 임대사업자로서 2호 이상의 주택의 임대를 개시한 날(2호 이상의 주택의 임대를 개시한 날 이후 임대를 개시한 주택의 경우에는 그 주택의 임대개시일을 말한다)부터 계산한다.(2020. 8. 7. 개정)(종부령 ⑦ 1호)

단, 건설임대주택은 「건축법」 제22조에 따른 사용승인을 받은 날 또는 「주택법」 제49조에 따른 사용검사 후 사용검사필증을 받은 날부터 「민간임대주택에 관한 특별법」 제43조 또는 「공공주택 특별법」 제50조의2에 따른 임대의무기간의 종료일까지의 기간(해당 주택을 보유한 기간에 한정한다) 동안은 계속 임대하는 것으로 본다.(2018. 2. 13. 개정)(종부령 §3 ⑦ 6호)

ⅲ) 임대료 등의 증가율이 100분의 5를 초과하지 않을 것. 이 경우 임대료 증액 청구는 임대차계약 또는 약정한 임대료의 증액이 있은 후 1년 이내에는 하지 못하고, 임대사업자가 임대료의 증액을 청구하면서 임대보증금과 월임대료를 상호 간에 전환하는

경우에는「민간임대주택에 관한 특별법」제44조 제4항 및「공공주택 특별법」제49조 제1항의 전환 규정을 준용한다.(2019. 2. 12. 신설, 2020. 2. 11. 개정)(종부령 §3 ① 1호 다목)

요건을 충족하지 않게 된 때에는 해당 과세연도를 포함하여 연속하는 2개 과세연도까지는 합산배제 임대주택에서 제외한다.(2020. 8. 7. 개정)(종부령 §3 ⑧)

② 민간매입임대주택 및 공공매입임대주택

「민간임대주택에 관한 특별법」제2조 제3호에 따른 민간매입임대주택과「공공주택 특별법」제2조 제1호의3에 따른 공공매입임대주택(이하 이 조에서 "매입임대주택"이라 한다)으로서 다음 각 목[아래 ⅰ)~ⅲ)]의 요건을 모두 갖춘 주택. 다만,「공공주택 특별법」제49조 제4항에 따라 임대료 등을 증액하는 경우에는 다목 전단을 적용하지 않으며,「민간임대주택에 관한 특별법」제2조 제3호에 따른 민간매입임대주택의 경우에는 2018년 3월 31일 이전에 사업자등록 등을 한 주택으로 한정한다.(2018. 2. 13. 단서신설, 2022. 2. 15. 단서개정)(종부령 §3 ① 2호)

ⅰ) 해당 주택의 임대개시일 또는 최초로 제9항에 따른 합산배제신고를 한 연도의 과세기준일의 공시가격이 6억 원[「수도권정비계획법」제2조 제1호에 따른 수도권(이하 "수도권"이라 한다) 밖의 지역인 경우에는 3억 원] 이하일 것(2013. 2. 22. 개정)(종부령 §3 ① 2호 가목)

ⅱ) 5년 이상 계속하여 임대하는 것일 것(2011. 3. 31. 개정)(종부령 §3 ① 2호 나목)
   임대기간은 임대사업자로서 해당 주택의 임대를 개시한 날부터 계산한다.(2018. 2. 13. 개정)(종부령 §3 ⑦ 1호)

ⅲ) 임대료 등의 증가율이 100분의 5를 초과하지 않을 것. 이 경우 임대료 증액 청구는 임대차계약 또는 약정한 임대료의 증액이 있은 후 1년 이내에는 하지 못하고, 임대사업자가 임대료의 증액을 청구하면서 임대보증금과 월임대료를 상호 간에 전환하는 경우에는「민간임대주택에 관한 특별법」제44조 제4항 및「공공주택 특별법」제49조 제1항의 전환 규정을 준용한다.(2019. 2. 12. 신설, 2020. 2. 11. 개정)(종부령 §3 ① 2호 다목)
   요건을 충족하지 않게 된 때에는 해당 과세연도를 포함하여 연속하는 2개 과세연도까지는 합산배제 임대주택에서 제외한다.(2020. 8. 7. 개정)(종부령 §3 ⑧)

> 2) 민간매입임대주택 및 공공매입임대주택 종부세 합산배제
>
> 합산배제 요건 : 다음 요건을 모두 충족하는 경우
> 1. 「민특법」 제2조 제3호에 따른 민간매입임대주택과 「공공주택 특별법」 제2조 제1호 의3에 따른 공공매입임대주택
> 2. 임대개시 또는 최초 합산배제 과세기준일의 공시가격이 6억 원 이하
> 3. 5년 이상 계속하여 임대
> 4. 임대료 등의 증가율이 100분의 5를 초과하지 않은 것
>   (2019. 2. 12. 이후 주택 임대차계약을 갱신하거나 새로 체결하는 분부터 적용하며, 「공공주택 특별법」 제49조 제4항에 따라 증액하는 경우는 제외)
> 5. 민간매입임대주택의 경우에는 2018년 3월 31일 이전에 같은 법 제5조에 따른 임대 사업자 등록과 사업자등록을 한 주택으로 한정

구 분	임대등록일	
	2018. 3. 31. 이전	2018. 4. 1. 이후
합산배제 여부	O	X

③ 2005년 1월 5일 이전 임대주택

임대사업자가 2005년 1월 5일 이전부터 임대하고 있던 임대주택으로서 다음 각 목[아래 ⅰ), ⅱ)]의 요건을 모두 갖춘 주택이 2호 이상인 경우 그 주택(2005. 5. 31 제정)(종부령 $3 ① 3호)

ⅰ) 국민주택 규모 이하로서 2005년도 과세기준일의 공시가격이 3억 원 이하일 것(2005. 12. 31. 개정)(종부령 $3 ① 3호 가목)

ⅱ) 5년 이상 계속하여 임대하는 것일 것(2005. 5. 31 제정)(종부령 $3 ① 3호 나목)

임대기간은 임대사업자로서 2호 이상의 주택의 임대를 개시한 날(2호 이상의 주택의 임대를 개시한 날 이후 임대를 개시한 주택의 경우에는 그 주택의 임대개시일을 말한다)부터 계산한다.(2018. 2. 13. 개정)(종부령 $3 ⑦ 1호)

임대기간은 임대사업자로서 2호 이상의 주택의 임대를 개시한 날부터 계산한다.(2020. 8. 7. 개정)(종부령 ⑦ 1호)

> ### 3) 2005년 1월 5일 이전 임대주택 합산배제
>
> 합산배제 요건 : 다음 요건을 모두 충족하는 경우
> 1. 2005년 1월 5일 이전부터 임대하고 있던 임대주택
> 2. 2호 이상 임대
> 3. 국민주택규모 이하
> 4. 2005년도 과세기준일의 공시가격이 3억 원 이하
> 5. 5년 이상 계속하여 임대

④ 민간건설임대주택

「민간임대주택에 관한 특별법」 제2조 제2호에 따른 민간건설임대주택으로서 다음 각 목 [아래 ⅰ)~ⅲ)]의 요건을 모두 갖춘 주택(2015. 12. 28. 개정)(종부령 §3 ① 4호)

ⅰ) 전용면적이 149제곱미터 이하일 것(2007. 8. 6. 신설)(종부령 §3 ① 4호 가목)

ⅱ) 제9항에 따른 합산배제신고를 한 연도의 과세기준일 현재의 공시가격이 9억 원 이하일 것(2008. 2. 22. 개정, 2021. 2. 17. 개정)(종부령 §3 ① 4호 나목)

구　분	1. 2021년 2월 16일 이전에 사용승인을 받거나 사용검사 확인증을 받는 공공건설임대주택 또는 2. 2021년 2월 16일 이전에 등록한 민간건설임대주택	1. 2021년 2월 17일 이후에 사용승인을 받거나 사용검사 확인증을 받는 공공건설임대주택 또는 2. 2021년 2월 17일 이후에 등록하는 민간건설임대주택
합산배제신고를 한 연도의 과세기준일의 공시가격	6억 원 이하	9억 원 이하

ⅲ) 「건축법」 제22조에 따른 사용승인을 받은 날 또는 「주택법」 제49조에 따른 사용검사 후 사용검사필증을 받은 날부터 과세기준일 현재까지의 기간 동안 임대된 사실이 없고, 그 임대되지 아니한 기간이 2년 이내일 것(2016. 8. 11. 개정)(종부령 §3 ① 4호 다목)

4) 민간건설임대주택 종부세 합산배제

합산배제 요건 : 다음 요건을 모두 충족하는 경우

1. 「민간임대주택에 관한 특별법」 제2조 제2호에 따른 민간건설임대주택
2. 합산배제 신고한 연도의 과세기준일 현재 공시가격 9억 원 이하(2021년 2월 16일 이전 등록분은 6억 원 이하)
3. 사용승인을 받은 날 또는 사용검사 후 사용검사필증을 받은 날부터 과세기준일 현재 까지의 기간 동안 임대된 사실이 없고, 그 임대되지 아니한 기간이 2년 이내일 것

⑤ 부동산투자회사등의 매입임대주택

「부동산투자회사법」 제2조 제1호에 따른 부동산투자회사 또는 「간접투자자산 운용업법」 제27조 제3호에 따른 부동산간접투자기구가 2008년 1월 1일부터 2008년 12월 31일까지 취득 및 임대하는 매입임대주택으로서 다음 각 목[아래 i)~iii)]의 요건을 모두 갖춘 주택이 5호 이상인 경우의 그 주택(2008. 2. 22. 신설)(종부령 §3 ① 5호)

ⅰ) 전용면적이 149제곱미터 이하로서 2008년도 과세기준일의 공시가격이 6억 원 이하 일 것(2008. 2. 22. 신설)(종부령 §3 ① 5호 가목)

ⅱ) 10년 이상 계속하여 임대하는 것일 것(2008. 2. 22. 신설)(종부령 §3 ① 5호 나목)
임대기간은 임대사업자로서 5호 이상의 주택의 임대를 개시한 날(5호 이상의 주택의 임대를 개시한 날 이후 임대를 개시한 주택의 경우에는 그 주택의 임대개시일을 말한다)부터 계산한다.(2020. 8. 7. 개정)(종부령 §3 ⑦ 1호)

ⅲ) 수도권 밖의 지역에 위치할 것(2011. 3. 31. 개정)(종부령 §3 ① 5호 다목)

⑥ 2008년 6월 10일까지 미분양 매입임대주택

매입임대주택[미분양주택(「주택법」 제54조에 따른 사업주체가 같은 조에 따라 공급하는 주택으로서 입주자모집공고에 따른 입주자의 계약일이 지난 주택단지에서 2008년 6월 10일까지 분양계약이 체결되지 아니하여 선착순의 방법으로 공급하는 주택을 말한다. 이하 이 조에서 같다)으로서 2008년 6월 11일부터 2009년 6월 30일까지 최초로 분양계약을 체결하고 계약금을 납부한 주택에 한정한다]으로서 다음 각 목[아래 i)~iv)]의 요건을 모두 갖춘 주택. 이 경우 가목부터 다목까지의 요건을 모두 갖춘 매입임대주택(이하 이 조에서 "미분양매입임대주택"이라 한다)이 5호 이상[제2호에 따른 매입임대주택이 5호 이상이거

나 제3호에 따른 매입임대주택이 2호 이상이거나 제5호에 따른 임대주택이 5호 이상인 경우에는 제2호·제3호 또는 제5호에 따른 매입임대주택과 미분양매입임대주택을 합산하여 5호 이상(제3호에 따른 매입임대주택과 합산하는 경우에는 그 미분양매입임대주택이 같은 특별시·광역시 또는 도 안에 있는 경우에 한정한다)을 말한다]이어야 한다.(2016. 8. 11. 개정, 2020. 10. 7 후단개정)(종부령 §3 ① 6호)

ⅰ) 전용면적이 149제곱미터 이하로서 5호 이상의 주택의 임대를 개시한 날(5호 이상의 주택의 임대를 개시한 날 이후 임대를 개시한 주택의 경우에는 그 주택의 임대개시일을 말한다) 또는 최초로 제9항에 따른 합산배제신고를 한 연도의 과세기준일의 공시가격이 3억 원 이하일 것. 다만, 다음[아래 가.~다.]의 어느 하나에 해당하는 주택은 제외한다.(2008. 7. 24. 신설, 2020. 10. 7 단서신설)(종부령 §3 ① 6호 가목)

가. 2020년 7월 11일 이후 종전의 「민간임대주택에 관한 특별법」(법률 제17482호 민간임대주택에 관한 특별법 일부개정법률로 개정되기 전의 것을 말한다. 이하 이 항에서 같다) 제5조 제1항에 따라 등록 신청(같은 조 제3항에 따라 임대할 주택을 추가하기 위한 등록사항의 변경신고를 포함한다. 이하 이 항에서 같다)한 같은 법 제2조 제6호에 따른 단기민간임대주택(2020. 10. 7. 신설)[종부령 §3 ① 6호 가목 1)]

나. 2020년 7월 11일 이후 종전의 「민간임대주택에 관한 특별법」 제5조 제1항에 따라 등록 신청한 같은 법 제2조 제5호에 따른 장기일반민간임대주택 중 아파트를 임대하는 민간매입임대주택(2020. 10. 7. 신설)[종부령 §3 ① 6호 가목 2)]

다. 종전의 「민간임대주택에 관한 특별법」 제2조 제6호에 따른 단기민간임대주택으로서 2020년 7월 11일 이후 같은 법 제5조 제3항에 따라 같은 법 제2조 제4호에 따른 공공지원민간임대주택 또는 같은 조 제5호에 따른 장기일반민간임대주택으로 변경 신고한 주택(2020. 10. 7. 신설)[종부령 §3 ① 6호 가목 3)]

ⅱ) 5년 이상 계속하여 임대하는 것일 것(2008. 7. 24. 신설)(종부령 §3 ① 6호 나목)
임대기간은 임대사업자로서 5호 이상의 주택의 임대를 개시한 날(5호 이상의 주택의 임대를 개시한 날 이후 임대를 개시한 주택의 경우에는 그 주택의 임대개시일을 말한다)부터 계산한다.(2018. 2. 13. 개정, 2020. 10. 7. 개정)(종부령 §3 ⑦ 1호)

ⅲ) 수도권 밖의 지역에 위치할 것(2009. 2. 4. 개정)(종부령 §3 ① 6호 다목)

ⅳ) 해당 주택을 보유한 납세의무자가 법 제8조 제3항에 따른 신고와 함께 시장·군수

또는 구청장이 발행한 미분양주택 확인서 사본 및 미분양주택 매입 시의 매매계약서 사본을 제출할 것(2008. 7. 24. 신설)(종부령 §3 ① 6호 라목)

⑦ **공공지원민간건설임대주택 및 장기일반민간건설임대주택**

건설임대주택 중 「민간임대주택에 관한 특별법」 제2조 제4호에 따른 공공지원민간임대주택 또는 같은 조 제5호에 따른 장기일반민간임대주택(이하 이 조에서 "장기일반민간임대주택 등"이라 한다)으로서 다음 각 목[아래 ⅰ)~ⅲ)]의 요건을 모두 갖춘 주택이 2호 이상인 경우 그 주택. 다만, 종전의 「민간임대주택에 관한 특별법」 제2조 제6호에 따른 단기민간임대주택으로서 2020년 7월 11일 이후 같은 법 제5조 제3항에 따라 같은 법 제2조 제4호에 따른 공공지원민간임대주택 또는 같은 조 제5호에 따른 장기일반민간임대주택으로 변경신고한 주택은 제외한다.(2018. 7. 16. 개정, 2020. 10. 7 단서신설)(종부령 §3 ① 7호)

ⅰ) 전용면적이 149제곱미터 이하로서 2호 이상의 주택의 임대를 개시한 날(2호 이상의 주택의 임대를 개시한 날 이후 임대를 개시한 주택의 경우에는 그 주택의 임대개시일을 말한다) 또는 최초로 제9항에 따른 합산배제신고를 한 연도의 과세기준일의 공시가격이 9억 원 이하일 것(2018. 2. 13. 신설, 2021. 2. 17. 개정)(종부령 §3 ① 7호 가목)

구 분	1. 2021년 2월 16일 이전에 사용승인을 받거나 사용검사 확인증을 받는 공공건설임대주택 또는 2. 2021년 2월 16일 이전에 등록한 장기민간건설임대주택	1. 2021년 2월 17일 이후에 사용승인을 받거나 사용검사 확인증을 받는 공공건설임대주택 또는 2. 2021년 2월 17일 이후에 등록하는 장기민간건설임대주택
합산배제신고를 한 연도의 과세기준일의 공시가격	6억 원 이하	9억 원 이하

ⅱ) 10년 이상 계속하여 임대하는 것일 것. 이 경우 임대기간을 계산할 때 「민간임대주택에 관한 특별법」 제5조 제3항에 따라 같은 법 제2조 제6호의 단기민간임대주택을 장기일반민간임대주택 등으로 변경 신고한 경우에는 종합부동산세 시행령 제2조 제7항 제1호에도 불구하고 같은 법 시행령 제34조 제1항 제3호에 따른 시점부터 그 기간을 계산한다.(2018. 7. 16. 개정, 2020. 10. 7. 개정)(종부령 §3 ① 7호 나목)

| 의무임대기간 |

구 분	2020년 8월 17일 이전 민특법에 따라 임대등록 신청한 주택	2020년 8월 18일 이후 민특법에 따라 임대등록 신청한 주택
의무임대기간	8년	10년

임대기간은 임대사업자로서 2호 이상의 주택의 임대를 개시한 날(2호 이상의 주택의 임대를 개시한 날 이후 임대를 개시한 주택의 경우에는 그 주택의 임대개시일을 말한다)부터 계산한다.(2020. 8. 7. 개정)(종부령 ⑦ 1호)

단, 건설임대주택은 「건축법」 제22조에 따른 사용승인을 받은 날 또는 「주택법」 제49조에 따른 사용검사 후 사용검사필증을 받은 날부터 「민간임대주택에 관한 특별법」 제43조 또는 「공공주택 특별법」 제50조의2에 따른 임대의무기간의 종료일까지의 기간(해당 주택을 보유한 기간에 한정한다) 동안은 계속 임대하는 것으로 본다.(2018. 2. 13. 개정)(종부령 §3 ⑦ 6호)

iii) 임대료의 증가율이 100분의 5를 초과하지 않을 것. 이 경우 임대료 증액 청구는 임대차계약 또는 약정한 임대료의 증액이 있은 후 1년 이내에는 하지 못하고, 임대사업자가 임대료의 증액을 청구하면서 임대보증금과 월임대료를 상호 간에 전환하는 경우에는 「민간임대주택에 관한 특별법」 제44조 제4항의 전환 규정을 준용한다.(2019. 2. 12. 신설, 2020. 2. 11. 개정)(종부령 §3 ① 7호 다목)

요건을 충족하지 않게 된 때에는 해당 과세연도를 포함하여 연속하는 2개 과세연도까지는 합산배제 임대주택에서 제외한다.(2020. 8. 7. 개정)(종부령 §3 ⑧)

[적용시기] 2019. 2. 12. 이후 최초로 체결 또는 갱신하는 표준임대차계약을 기준으로 적용

7) 건설임대주택 중 공공지원민간임대주택 또는 장기일반민간임대주택 종부세 합산배제

합산배제 요건 : 다음 요건을 모두 충족하는 경우
1. 민특법 제2조 제4호 공공지원민간임대주택 또는 5호 장기일반민간임대주택
   다만, 단기민간임대주택으로서 2020년 7월 11일 이후에 공공지원민간임대주택 또는 장기일반민간임대주택으로 변경 신고한 주택은 제외

2. 2호 이상 임대

3. 전용면적이 149제곱미터 이하

4. 2호 이상의 주택의 임대를 개시한 날 또는 최초 합산배제 과세기준일의 공시가격이
   9억 원 이하(단, 2021. 2. 16. 이전에 등록한 주택은 6억 원 이하)

5. 10년 이상 계속하여 임대
   단, 2020년 8월 17일 이전에 민특법에 따라 등록 신청한 주택은 의무임대기간이 8
   년이다.

6. 임대료 등 5% 이내 인상
   (2019.2.12. 이후 주택 임대차계약을 갱신하거나 새로 체결하는 분부터 적용한다)

⑧ 매입임대주택 중 장기일반민간임대주택 등 합산배제

매입임대주택 중 장기일반민간임대주택 등으로서 가목 1)부터 3)까지[아래 ⅰ), 가.~다.]
의 요건을 모두 갖춘 주택. 다만, 나목 1)부터 4)까지[아래 ⅱ, 가.~라.]에 해당하는 주택의
경우는 제외한다.(2018. 10. 23. 단서신설, 2020. 8. 7. 개정, 2020. 10. 7 단서개정)(종부령 §3 ① 8호)

ⅰ) 적용요건(2018. 2. 13. 신설, 2020. 8. 7. 개정, 2020. 10. 7. 개정)(종부령 §3 ① 8호 가목)

　　가. 해당 주택의 임대개시일 또는 최초로 제9항에 따른 합산배제신고를 한 연도의
　　　　과세기준일의 공시가격이 6억 원(수도권 밖의 지역인 경우에는 3억 원) 이하일
　　　　것[종부령 §3 ① 8호 가목 1)]

●●●●

관련 예규 · 판례

1. **임대사업자의 지위를 상속받은 경우 합산배제 임대주택의 공시가격 기준일**
   상속인이 피상속인의 임대사업자의 지위를 승계받아 계속 임대 시, 피상속인의 임
   대개시일 기준으로 종부령 제3조 1항 8호 가목의 요건을 적용함(서면법령해석재산
   2019-1054, 2020. 5. 28.)

　　나. 10년 이상 계속하여 임대하는 것일 것. 이 경우 임대기간을 계산할 때 「민간임대
　　　　주택에 관한 특별법」 제5조 제3항에 따라 같은 법 제2조 제6호의 단기민간임대
　　　　주택을 장기일반민간임대주택 등으로 변경 신고한 경우에는 제7항 제1호에도 불
　　　　구하고 같은 법 시행령 제34조 제1항 제3호에 따른 시점부터 그 기간을 계산한

다.(2020. 10. 7. 개정)[종부령 §3 ① 8호 가목 2)]

임대기간은 임대사업자로서 해당 주택의 임대를 개시한 날부터 계산한다.(2020. 8. 7. 개정)(종부령 §3 ⑦ 1호)

| 의무임대기간 |

민특법에 따른 임대등록 신청일	
2020년 8월 17일 이전	2020년 8월 18일 이후
8년	10년

다. 임대료 등의 증가율이 100분의 5를 초과하지 않을 것. 이 경우 임대료 등 증액 청구는 임대차계약의 체결 또는 약정한 임대료 등의 증액이 있은 후 1년 이내에는 하지 못하고, 임대사업자가 임대료 등의 증액을 청구하면서 임대보증금과 월 임대료를 상호 간에 전환하는 경우에는 「민간임대주택에 관한 특별법」 제44조 제4항에 따라 정한 기준을 준용한다.[종부령 §3 ① 8호 가목 3)]

요건을 충족하지 않게 된 때에는 해당 과세연도를 포함하여 연속하는 2개 과세 연도까지는 합산배제 임대주택에서 제외한다.(2020. 8. 7. 개정)(종부령 §3 ⑧)

8) 장기일반 민간매입 임대주택

합산배제 요건 : 다음 요건을 모두 충족하는 경우

1. 장기일반민간임대주택
2. 임대개시일 또는 최초 합산배제 신고한 연도의 과세기준일 현재 공시가격 6억 원 이하(수도권 밖은 3억 원 이하)
3. 10년 이상 계속하여 임대

   단, 2020년 8월 17일 이전에 민특법에 따라 등록 신청한 주택은 의무임대기간이 8년이다.
4. 임대료 등 5% 이내 인상

   (2019. 2. 12. 이후 주택 임대차계약을 갱신하거나 새로 체결하는 분부터 적용한다)
5. 단, 2018. 9. 14. 이후 1세대가 국내에 1주택 이상을 보유한 상태에서 세대원이 새로 취득한 조정대상지역에 있는 장기일반민간임대주택은 제외한다. 다만, 조정대상지역의 공고가 있은 날 이전에 주택을 취득하거나 주택을 취득하기 위하여 매매계약을 체결하고 계약금을 지급한 사실이 증빙서류에 의하여 확인되는 경우는 제외한

다. 즉 합산배제 대상이 된다.

6. 법인인 경우 2020년 6월 18일 이후에 조정대상지역내 주택으로서 임대등록 신청한 주택은 제외한다.(단, 조정지역 공고된 날 이전에 임대사업자 등록 신청한 것은 합산배제 가능)

7. 2020년 7월 11일 이후 아파트 장기임대주택 사업자등록 신청한 주택 및 단기에서 장기로 전환한 것은 합산배제 제외한다.

| 개인의 장기매입임대주택의 합산배제 여부(종부령 §3 ① 8호 나목) |

2018. 9. 13. 이전에 취득한 주택	2018. 9. 14. 이후에 취득한 주택	
	원칙	예외
합산배제됨[1]	합산배제됨[1]	합산배제 안됨[2]

1) 아파트인 경우 2020년 7월 11일 이후 장기임대주택 사업자등록 신청한 주택 및 단기에서 장기로 전환한 것은 합산배제에서 제외된다.

2) 예외적으로 1세대가 국내에 1주택 이상을 보유한 상태에서 새로이 취득한 조정대상지역에 있는 주택인 경우는 합산배제 적용대상에서 제외된다.

ii) 제외되는 주택(2018. 7. 16. 개정, 2020. 8. 7. 개정, 2020. 10. 7. 개정)(종부령 §3 ① 8호 나목)

가. 1세대가 국내에 1주택 이상을 보유한 상태에서 세대원이 새로 취득(제7항 제2호 또는 제7호에 따라 임대기간이 합산되는 경우의 취득은 제외한다)한 조정대상지역(「주택법」 제63조의2 제1항 제1호에 따른 조정대상지역을 말한다. 이하 같다)에 있는 「민간임대주택에 관한 특별법」 제2조 제5호에 따른 장기일반민간임대주택[조정대상지역의 공고가 있은 날 이전에 주택(주택을 취득할 수 있는 권리를 포함한다)을 취득하거나 취득하기 위하여 매매계약을 체결하고 계약금을 지급한 사실이 증빙서류에 의하여 확인되는 경우는 제외한다][종부령 §3 ① 8호 나목 1)]

나. 법인 또는 법인으로 보는 단체가 조정대상지역의 공고가 있은 날(이미 공고된 조정대상지역의 경우 2020년 6월 17일을 말한다)이 지난 후에 사업자등록 등을 신청(임대할 주택을 추가하기 위한 등록사항의 변경신고를 포함하며, 제7항 제7호에 따라 임대기간이 합산되는 경우는 멸실된 주택에 대한 신청을 말한다)한 조정대상지역에 있는 「민간임대주택에 관한 특별법」 제2조 제5호에 따른 장기일반민간임대주택[종부령 §3 ① 8호 나목 2)]

| 법인의 장기매입임대주택의 합산배제 여부(종부령 §3 ① 8호 나목) |

2020. 6. 17. 이전 임대등록 신청	2020. 6. 18. 이후 임대등록 신청	
	비조정대상지역 주택	조정대상지역 주택
합산배제 가능	합산배제 가능[1]	합산배제 안됨[2]

1) 아파트인 경우 2020년 7월 11일 이후부터 장기임대주택 등록 불가
2) 단, 조정지역 공고된 날 이전에 임대사업자 등록신청한 것은 합산배제 가능

다. 2020년 7월 11일 이후 종전의 「민간임대주택에 관한 특별법」 제5조 제1항에 따라 등록 신청한 같은 법 제2조 제5호에 따른 장기일반민간임대주택 중 아파트를 임대하는 민간매입임대주택(2020. 10. 7. 신설)[종부령 §3 ① 8호 나목 3)]

라. 종전의 「민간임대주택에 관한 특별법」 제2조 제6호에 따른 단기민간임대주택으로서 2020년 7월 11일 이후 같은 법 제5조 제3항에 따라 같은 법 제2조 제4호에 따른 공공지원민간임대주택 또는 같은 조 제5호에 따른 장기일반민간임대주택으로 변경신고한 주택(2020. 10. 7. 신설)[종부령 §3 ① 8호 나목 4)]

●●●●

관련 예규 · 판례

1. 다가구주택을 다세대주택으로 용도변경시 주택을 새로 취득한 것으로 보는지 여부
   사실상 공부상 용도만 다세대주택으로 변경한 경우에는 「종합부동산세법 시행령」 제3조 제1항 제8호 단서에 따른 1주택 이상을 보유한 상태에서 임대주택을 새로 취득한 것으로 보지 않는 것임.(서면법령해석재산 2020-1641, 2020. 10. 15.)

2. 공시가격 없는 주택의 합산배제 적용
   임대개시일 또는 최초로 합산배제 신고를 한 연도의 과세기준일 현재 해당 임대주택의 공시가격이 없는 경우 「지방세법」 제4조 제1항 단서 및 같은 조 제2항에 따른 가액으로 적용하는 것임.(서면부동산 2019-290, 2019. 7. 9.)

[참고] 지방세법 제4조 【부동산 등의 시가표준액】
① 이 법에서 적용하는 토지 및 주택에 대한 시가표준액은 「부동산 가격공시에 관한 법률」에 따라 공시된 가액(價額)으로 한다. 다만, 개별공시지가 또는 개별주택가격이 공시되지 아니한 경우에는 특별자치시장·특별자치도지사·시장·군수 또는 구청장(자치구의 구청장을 말한다. 이하 같다)이 같은 법에 따라 국

> 토교통부장관이 제공한 토지가격비준표 또는 주택가격비준표를 사용하여 산정
> 한 가액으로 하고, 공동주택가격이 공시되지 아니한 경우에는 대통령령으로 정
> 하는 기준에 따라 특별자치시장·특별자치도지사·시장·군수 또는 구청장이
> 산정한 가액으로 한다.
> ② 제1항 외의 건축물(새로 건축하여 건축 당시 개별주택가격 또는 공동주택가격
> 이 공시되지 아니한 주택으로서 토지부분을 제외한 건축물을 포함한다), 선박,
> 항공기 및 그 밖의 과세대상에 대한 시가표준액은 거래가격, 수입가격, 신축·
> 건조·제조가격 등을 고려하여 정한 기준가격에 종류, 구조, 용도, 경과연수 등
> 과세대상별 특성을 고려하여 대통령령으로 정하는 기준에 따라 지방자치단체
> 의 장이 결정한 가액으로 한다.

3. 증여로 취득한 주택의 종합부동산세 합산배제 적용 여부

합산배제 임대주택 적용받던 주택을 증여받는 경우 전체 주택분에 대해 합산배제
가능한 것이나, 기존에 합산배제 되고 있지 않는 경우에는 새로운 주택의 취득으로
보아 합산배제 적용되지 않는 것임.(서면부동산 2020-2300, 2020. 6. 30.)

2) 임대주택의 임대기간 계산

제1항[위 1), 합산배제임대주택]을 적용할 때 합산배제 임대주택의 임대기간의 계산은
다음 각 호[아래 ①~⑦]에 따른다.(2009. 2. 4. 개정)(종부령 §3 ⑦)

① 상속주택의 임대기간

상속으로 인하여 피상속인의 합산배제 임대주택을 취득하여 계속 임대하는 경우에는 당
해 피상속인의 임대기간을 상속인의 임대기간에 합산한다.(종부령 §3 ⑦ 2호)

② 합병·분할 또는 조직변경의 임대기간

합병·분할 또는 조직변경을 한 법인(이하 이 조에서 "합병법인 등"이라 한다)이 합병·
분할 또는 조직변경 전의 법인(이하 이 조에서 "피합병법인 등"이라 한다)의 합산배제 임
대주택을 취득하여 계속 임대하는 경우에는 당해 피합병법인 등의 임대기간을 합병법인 등
의 임대기간에 합산한다.(종부령 §3 ⑦ 3호)

③ 기존 임차인 퇴거의 경우

기존 임차인의 퇴거일부터 다음 임차인의 입주일까지의 기간이 2년 이내인 경우에는 계

속 임대하는 것으로 본다.(2011. 6. 3. 개정)(종부령 §3 ⑦ 4호)

④ 부득이한 경우 임대기간의 계산

다음 각 목[아래 i)~iii)]의 어느 하나에 해당하는 사유로 제1항[위 1)] 각 호(제4호
[위 1), ④]는 제외한다. 이하 이 호에서 같다)의 주택이 같은 항의 요건을 충족하지 못하게
되는 때에는 해당 기산일(종부령 §3 ⑦ 1호)부터 종합부동산세법 시행령 제3조 제1항 각 호의
나목에 따른 기간이 되는 날까지는 각각 해당 사유로 임대하지 못하는 주택에 한하여 계속
임대하는 것으로 본다.(2018. 2. 13. 개정)(종부령 §3 ⑦ 5호)

> i) 「공익사업을 위한 토지 등의 취득 및 보상에 관한 법률」이나 그 밖의 법률에 따른
> 협의 매수 또는 수용(2007. 8. 6. 개정)(종부령 §3 ⑦ 5호 가목)
> ii) 건설임대주택으로서 「공공주택 특별법 시행령」 제54조 제2항 제2호에 따른 임차인
> 에 대한 분양전환(2015. 12. 28. 개정)(종부령 §3 ⑦ 5호 나목)
> iii) 천재·지변, 그 밖에 이에 준하는 사유의 발생(2007. 8. 6. 개정)(종부령 §3 ⑦ 5호 다목)

⑤ 주택재건축·재개발 주택의 임대기간

「도시 및 주거환경정비법」에 따른 재건축사업·재개발사업 또는 「빈집 및 소규모주택
정비에 관한 특례법」에 따른 소규모주택정비사업에 따라 당초의 합산배제 임대주택이 멸
실되어 새로운 주택을 취득하게 된 경우에는 멸실된 주택의 임대기간과 새로이 취득한 주
택의 임대기간을 합산한다. 이 경우 새로이 취득한 주택의 준공일부터 6개월 이내에 임대를
개시하여야 한다.(2018. 2. 13. 신설, 2020. 2. 11. 개정)(종부령 §3 ⑦ 7호)

주택재건축·재개발사업에 따라 주택의 임대기간의 합산을 받으려는 자는 주택이 멸실
된(리모델링의 경우에는 허가일 또는 사업계획승인일을 말한다) 후에 최초로 도래하는 과
세기준일이 속하는 과세연도의 종합부동산세법 제8조 제3항에 따른 기간(9월 16일부터 9월
30일까지)에 기획재정부령으로 정하는 서류를 관할 세무서장에게 제출하여야 한다.(2018. 2.
13. 신설)(종부령 §3 ⑩)

⑥ 리모델링

「주택법」에 따른 리모델링을 하는 경우에는 해당 주택의 「주택법」에 따른 허가일 또는
사업계획승인일 전의 임대기간과 준공일 후의 임대기간을 합산한다. 이 경우 준공일부터
6개월 이내에 임대를 개시하여야 한다.(2020. 2. 11. 신설)(종부령 §3 ⑦ 7호의2)

주택재건축·재개발사업에 따라 주택의 임대기간의 합산을 받으려는 자는 주택이 멸실

된(리모델링의 경우에는 허가일 또는 사업계획승인일을 말한다) 후에 최초로 도래하는 과세기준일이 속하는 과세연도의 종합부동산세법 제8조 제3항에 따른 기간(9월 16일부터 9월 30일까지)에 기획재정부령으로 정하는 서류를 관할 세무서장에게 제출하여야 한다.(2018. 2. 13. 신설)(종부령 §3 ⑩)

| 임대기간 요건 적용방법 |

구분	임대기간 적용특례
상속·합병	• 상속 또는 합병·분할·조직변경에 따라 임대주택이 승계되는 경우 피상속인 등의 종전 임대기간을 상속인 등의 임대기간에 합산
공실 기간	• 기존 임차인 퇴거일 부터 다음 임차인 입주일까지의 공실 기간이 2년 이내인 경우에는 계속 임대하는 것으로 봄
수용·분양전환	• 법률에 따른 협의매수 또는 수용, 공공주택 특별법에 따라 임차인에 임대주택을 분양 전환하는 경우 임대기산일부터 의무임대기간 종료일까지 계속하여 임대하는 것으로 봄
재건축·재개발	• 도정법에 따른 주택재건축사업 등으로 멸실된 주택의 임대기간은 새로이 취득한 주택의 임대기간에 합산 • 재건축·재개발 사업 등으로 새로이 취득한 주택의 준공일로부터 6개월 이내에 임대를 개시하여야 하며, 주택이 멸실된 후 최초로 도래하는 과세기준일이 속하는 연도의 합산배제 신고기간(9.16.~9.30.)에 신청서를 제출하여야 함
리모델링	• 주택법에 따른 리모델링을 하는 경우 해당 주택의 허가일 또는 사업계획 승인일 전의 임대기간과 준공일 후의 임대기간 합산
천재·지변	• 천재·지변 그밖에 이에 준하는 사유로 임대기간을 충족하지 못하게 되는 때에는 임대기산일부터 의무임대기간 종료일까지 계속하여 임대하는 것으로 봄

⑦ 공공임대주택

「공공주택 특별법」제4조에 따른 공공주택사업자가 소유한 임대주택의 경우 종부령 제3조 제7항 제1호 및 제4호에도 불구하고 다음 각 목의 주택별로 규정한 기간 동안 계속 임대하는 것으로 본다.(2019. 2. 12. 신설)(종부령 §3 ⑦ 8호)

ⅰ) 제1항 제2호[위 1), ②]에 해당하는 공공매입임대주택: 취득일부터 「공공주택 특별법」제50조의2에 따른 임대의무기간의 종료일까지의 기간(해당 주택을 보유한 기간에 한정한다)(2019. 2. 12. 신설)(종부령 §3 ⑦ 8호 가목)

ⅱ) 제1항 제3호[위 1), ③]에 해당하는 임대주택: 최초 임대를 개시한 날부터 양도일까

지의 기간(2019. 2. 12. 신설)(종부령 §3 ⑦ 8호 나목)

⑧ **임대료(보증금)가 연 5% 초과하는 경우 2과세기간 합산배제 임대주택에서 제외**

종부령 제3조 제1항[위 2. (1), 1), 합산배제 임대주택]을 적용할 때 임대보증금 또는 임대료의 연 증가율이 100분의 5를 초과하지 않을 것(같은 항 제1호 다목, 제2호 다목, 제7호 다목 및 제8호 가목 3)의 요건을 충족하지 아니하게 된 때에는 해당 과세연도를 포함하여 연속하는 2개 과세연도까지는 합산배제 임대주택에서 제외한다.(2020. 2. 11. 신설, 2020. 8. 7. 개정)(종부령 §3 ⑧)

⑨ 법 제8조 제2항 제1호에 따른 주택을 보유한 자가 합산배제 임대주택의 규정을 적용받으려는 때에는 기획재정부령으로 정하는 임대주택 합산배제 신고서[별지 제1호 서식 (1) 및 별지 제1호 서식(2)]에 따라 신고하여야 한다. 다만, 최초의 합산배제 신고를 한 연도의 다음 연도부터는 그 신고한 내용 중 기획재정부령으로 정하는 사항(임대주택의 소유권 또는 전용면적)에 변동이 없는 경우에는 신고하지 아니할 수 있다.(2020. 2. 11. 항 번개정)(종부령 §3 ⑨)(종부칙 §2 ①)(종부칙 §2 ②)

⑩ 제7항 제7호 및 제7호의2에 따라 주택의 임대기간의 합산을 받으려는 자는 해당 주택이 멸실(리모델링의 경우에는 허가일 또는 사업계획승인일을 말한다)된 후에 최초로 도래하는 과세기준일이 속하는 과세연도의 법 제8조 제3항에 따른 기간에 기획재정부령으로 정하는 서류를 관할 세무서장에게 제출해야 한다.(2020. 2. 11. 신설)(종부령 §3 ⑩)

3) 다가구주택

종합부동산세법 제8조 제2항 제1호[위 2. (1)]에서 "대통령령으로 정하는 다가구 임대주택"이라 함은 임대사업자가 임대하는 「건축법 시행령」 별표 1 제1호 다목의 규정에 따른 다가구주택(이하 이 조에서 "다가구주택"이라 한다) 또는 다가구주택과 그 밖의 주택을 말한다.(2005. 12. 31. 신설, 2020. 2. 11. 개정)(종부령 §3 ②)

4) 합산배제 신고

종합부동산세법 제8조 제2항 제1호에 따른 주택을 보유한 자가 합산배제 임대주택의 규정을 적용받으려는 때에는 기획재정부령으로 정하는 임대주택 합산배제 신고서에 따라 신고하여야 한다. 다만, 최초의 합산배제 신고를 한 연도의 다음 연도부터는 그 신고한 내용 중 임대주택의 소유권 또는 전용면적에 변동이 없는 경우에는 신고하지 아니할 수 있

다.(2008. 2. 29. 직제개정)(종부령 §3 ⑨)(종부칙 §2 ②)

(2) 사원용주택, 미분양주택, 가정어린이집 등

제1호[위 (1)]의 주택 외에 종업원의 주거에 제공하기 위한 기숙사 및 사원용 주택, 주택건설사업자가 건축하여 소유하고 있는 미분양주택, 가정어린이집용 주택, 「수도권정비계획법」 제2조 제1호에 따른 수도권 외 지역에 소재하는 1주택 등 종합부동산세를 부과하는 목적에 적합하지 아니한 것으로서 대통령령으로 정하는 주택. 이 경우 수도권 외 지역에 소재하는 1주택의 경우에는 2009년 1월 1일부터 2011년 12월 31일까지의 기간 중 납세의무가 성립하는 분에 한정한다.(2011. 6. 7. 개정)(종부법 §8 ② 2호)

1) 합산배제 사원용주택 등

위에서 합산배제되는 "대통령령으로 정하는 주택"이란 다음 각 호[아래 ①~⑲]의 주택(이하 "합산배제 사원용주택 등"이라 한다)을 말한다.(2014. 2. 21. 개정, 2022. 2. 15. 개정)(종부령 §4 ①)

① 종업원에게 제공하는 주택

종업원에게 무상이나 저가로 제공하는 사용자 소유의 주택으로서 국민주택규모 이하이거나 과세기준일 현재 공시가격이 3억 원 이하인 주택. 다만, 다음 각 목[아래 ⅰ), ⅱ)]의 어느 하나에 해당하는 종업원에게 제공하는 주택을 제외한다.(2017. 2. 7. 개정)(종부령 §4 ① 1호)

ⅰ) 사용자가 개인인 경우에는 그 사용자와의 관계에 있어서 「국세기본법 시행령」 제1조의2 제1항 제1호부터 제4호까지의 규정에 해당하는 자(2012. 2. 2. 개정)(종부령 §4 ① 1호 가목)

ⅱ) 사용자가 법인인 경우에는 「국세기본법」 제39조 제2호에 따른 과점주주(2012. 2. 2. 개정)(종부령 §4 ① 1호 나목)

② 기숙사

「건축법 시행령」 별표 1 제2호 라목의 기숙사(2005. 5. 31 제정)(종부령 §4 ① 2호)

③ 사업자등록한 미분양주택

과세기준일 현재 사업자등록을 한 다음 각 목[아래 ⅰ), ⅱ)]의 어느 하나에 해당하는 자가 건축하여 소유하는 주택으로서 기획재정부령이 정하는 미분양주택(2008. 2. 29 직제개

정)(종부령 §4 ① 3호)

　ⅰ)「주택법」제15조에 따른 사업계획승인을 얻은 자(2016. 8. 11. 개정)(종부령 §4 ① 3호 가목)

　ⅱ)「건축법」제11조에 따른 허가를 받은 자(2008. 10. 29. 개정)(종부령 §4 ① 3호 나목)

④ 어린이집용 주택

　다음 각 목[아래 ⅰ), ⅱ)]의 어린이집으로 사용하는 주택으로서 세대원이「소득세법」제168조 제5항에 따른 고유번호를 부여받은 후 과세기준일 현재 5년(각 목의 어린이집을 상호 전환하여 운영하는 경우에는 전환하기 전의 운영기간을 포함하며, 이하 "의무운영기간"이라 한다) 이상 계속하여 어린이집으로 운영하는 주택(이하 "어린이집용 주택"이라 한다)(2022. 2. 15. 개정)(종부령 §4 ① 4호)

　ⅰ) 세대원이「영유아보육법」제13조 제1항에 따라 시장·군수 또는 구청장(자치구의 구청장을 말한다)의 인가를 받은 국공립어린이집 외의 어린이집(종부령 §4 ① 4호 가목)

　ⅱ) 세대원이「영유아보육법」제24조 제2항에 따라 운영을 위탁받은 국공립어린이집(종부령 §4 ① 4호 나목)

⑤ 공사대금으로 받은 미분양주택

　주택의 시공자가 제3호 가목 또는 나목의 자로부터 해당 주택의 공사대금으로 받은 제3호에 따른 미분양주택(해당 주택을 공사대금으로 받은 날 이후 해당 주택의 주택분 재산세의 납세의무가 최초로 성립한 날부터 5년이 경과하지 아니한 주택만 해당한다). 다만, 제3호 나목의 자로부터 받은 주택으로서「주택법」제54조에 따라 공급하지 아니한 주택인 경우에는 자기 또는 임대계약 등 권원을 불문하고 타인이 거주한 기간이 1년 이상인 주택은 제외한다.(2016. 8. 11 단서개정)(종부령 §4 ① 5호)

⑥ 삭제(2012. 2. 2)(종부령 §4 ① 6호)

⑦ 법소정 연구기관의 연구원에게 제공하는 주택

　「정부출연연구기관 등의 설립·운영 및 육성에 관한 법률」에 따른 연구기관 등 기획재정부령으로 정하는 정부출연연구기관이 해당 연구기관의 연구원에게 제공하는 주택으로서 2008년 12월 31일 현재 보유하고 있는 주택(2009. 2. 4. 신설)(종부령 §4 ① 7호)

⑧ 등록문화재

　「문화재보호법」에 따른 등록문화재(2022. 2. 15. 개정)(종부령 §4 ① 8호)

⑨ 부동산집합투자기구가 취득하는 미분양주택

다음 각 호[아래 ⅰ), ⅱ)]의 요건을 모두 갖춘 「부동산투자회사법」 제2조 제1호 다목에 따른 기업구조조정부동산투자회사 또는 「자본시장과 금융투자업에 관한 법률」 제229조 제2호에 따른 부동산집합투자기구(이하 이 항에서 "기업구조조정부동산투자회사 등"이라 한다)가 2010년 2월 11일까지 직접 취득(2010년 2월 11일까지 매매계약을 체결하고 계약금을 납부한 경우를 포함한다)을 하는 미분양주택(「주택법」 제54조에 따른 사업주체가 같은 조에 따라 공급하는 주택으로서 입주자모집공고에 따른 입주자의 계약일이 지나 선착순의 방법으로 공급하는 주택을 말한다. 이하 이 항에서 같다)(2016. 8. 11. 개정)(종부령 §4 ① 9호)

  ⅰ) 취득하는 부동산이 모두 서울특별시 밖의 지역(「소득세법」 제104조의2에 따른 지정지역은 제외한다. 이하 이 조에서 같다)에 있는 미분양주택으로서 그 중 수도권 밖의 지역에 있는 주택 수의 비율이 100분의 60 이상일 것(2009. 9. 29. 개정)(종부령 §4 ① 9호 가목)

  ⅱ) 존립기간이 5년 이내일 것(2009. 4. 21. 신설)(종부령 §4 ① 9호 나목)

⑩ 기업구조조정부동산투자회사 등의 미분양주택

제9호[위 ⑨], 제14호[아래 ⑭] 또는 제16호[아래 ⑯]에 따라 기업구조조정부동산투자회사 등이 미분양주택을 취득할 당시 매입약정을 체결한 자가 그 매입약정에 따라 미분양주택(제14호의 경우에는 수도권 밖의 지역에 있는 미분양주택만 해당한다)을 취득한 경우로서 그 취득일부터 3년 이내인 주택(2011. 6. 3. 개정)(종부령 §4 ① 10호)

⑪ 신탁업자가 취득하는 미분양주택

다음 각 목[아래 ⅰ)~ⅲ)]의 요건을 모두 갖춘 신탁계약에 따른 신탁재산으로 「자본시장과 금융투자업에 관한 법률」에 따른 신탁업자(이하 이 호에서 "신탁업자"라 한다)가 2010년 2월 11일까지 직접 취득(2010년 2월 11일까지 매매계약을 체결하고 계약금을 납부한 경우를 포함한다)을 하는 미분양주택(2009. 12. 31. 개정)(종부령 §4 ① 11호)

  ⅰ) 주택의 시공자(이하 이 조에서 "시공자"라 한다)가 채권을 발행하여 조달한 금전을 신탁업자에게 신탁하고, 해당 시공자가 발행하는 채권을 「한국주택금융공사법」에 따른 한국주택금융공사의 신용보증을 받아 「자산유동화에 관한 법률」에 따라 유동화할 것(2009. 9. 29. 신설)(종부령 §4 ① 11호 가목)

  ⅱ) 신탁업자가 신탁재산으로 취득하는 부동산은 모두 서울특별시 밖의 지역에 있는 미

분양주택(「주택도시기금법」에 따른 주택도시보증공사가 분양보증을 하여 준공하는 주택만 해당한다)으로서 그 중 수도권 밖의 지역에 있는 주택 수의 비율(신탁업자가 다수의 시공자로부터 금전을 신탁받은 경우에는 해당 신탁업자가 신탁재산으로 취득한 전체 미분양주택을 기준으로 한다)이 100분의 60 이상일 것(2015. 6. 30. 개정)(종부령 §4 ① 11호 나목)

iii) 신탁재산의 운용기간(신탁계약이 연장되는 경우 그 연장되는 기간을 포함한다)이 5년 이내일 것(2009. 9. 29. 신설)(종부령 §4 ① 11호 다목)

⑫ 노인복지주택

「노인복지법」 제32조 제1항 제3호에 따른 노인복지주택을 같은 법 제33조 제2항에 따라 설치한 자가 소유한 해당 노인복지주택(2009. 12. 31. 신설)(종부령 §4 ① 12호)

⑬ 향교 또는 향교재단이 소유한 주택

「향교재산법」에 따른 향교 또는 향교재단이 소유한 주택의 부속토지(주택의 건물과 부속토지의 소유자가 다른 경우의 그 부속토지를 말한다)(2009. 12. 31. 신설)(종부령 §4 ① 13호)

⑭ 기업구조조정부동산투자회사 등이 2011년 4월 30일까지 취득한 수도권 밖 미분양주택

다음 각 목[아래 i), ii)]의 요건을 모두 갖춘 기업구조조정부동산투자회사 등이 2011년 4월 30일까지 직접 취득(2011년 4월 30일까지 매매계약을 체결하고 계약금을 납부한 경우를 포함한다)하는 수도권 밖의 지역에 있는 미분양주택(2010. 6. 8. 신설)(종부령 §4 ① 14호)

i) 취득하는 부동산이 모두 서울특별시 밖의 지역에 있는 2010년 2월 11일 현재 미분양주택으로서 그 중 수도권 밖의 지역에 있는 주택 수의 비율이 100분의 50 이상일 것 (2010. 6. 8. 신설)(종부령 §4 ① 14호 가목)

ii) 존립기간이 5년 이내일 것(2010. 6. 8. 신설)(종부령 §4 ① 14호 나목)

⑮ 신탁업자가 2011년 4월 30일까지 직접 취득(2011년 4월 30일까지 매매계약한 수도권 밖 미분양주택

다음 각 목[아래 i)∼iii)]의 요건을 모두 갖춘 신탁계약에 따른 신탁재산으로 「자본시장과 금융투자업에 관한 법률」에 따른 신탁업자(이하 이 호에서 "신탁업자"라 한다)가 2011년 4월 30일까지 직접 취득(2011년 4월 30일까지 매매계약을 체결하고 계약금을 납부한 경우를 포함한다)하는 수도권 밖의 지역에 있는 미분양주택(2010. 6. 8. 신설)(종부령 §4 ① 15호)

ⅰ) 시공자가 채권을 발행하여 조달한 금전을 신탁업자에게 신탁하고, 해당 시공자가 발행하는 채권을 「한국주택금융공사법」에 따른 한국주택금융공사의 신용보증을 받아 「자산유동화에 관한 법률」에 따라 유동화할 것(2010. 6. 8. 신설)(종부령 §4 ① 15호 가목)

ⅱ) 신탁업자가 신탁재산으로 취득하는 부동산은 모두 서울특별시 밖의 지역에 있는 2010년 2월 11일 현재 미분양주택(「주택도시기금법」에 따른 주택도시보증공사가 분양보증을 하여 준공하는 주택만 해당한다)으로서 그 중 수도권 밖의 지역에 있는 주택 수의 비율(신탁업자가 다수의 시공자로부터 금전을 신탁받은 경우에는 해당 신탁업자가 신탁재산으로 취득한 전체 미분양주택을 기준으로 한다)이 100분의 50 이상일 것(2015. 6. 30. 개정)(종부령 §4 ① 15호 나목)

ⅲ) 신탁재산의 운용기간(신탁계약이 연장되는 경우 그 연장되는 기간을 포함한다)은 5년 이내일 것(2010. 6. 8. 신설)(종부령 §4 ① 15호 다목)

⑯ 기업구조조정부동산투자회사 등이 2014년 12월 31일까지 취득한 미분양주택

다음 각 목[아래 ⅰ), ⅱ)]의 요건을 모두 갖춘 기업구조조정부동산투자회사 등이 2014년 12월 31일까지 직접 취득(2014년 12월 31일까지 매매계약을 체결하고 계약금을 납부한 경우를 포함한다)하는 미분양주택(2014. 2. 21. 개정)(종부령 §4 ① 16호)

ⅰ) 취득하는 부동산이 모두 미분양주택일 것(2011. 6. 3. 신설)(종부령 §4 ① 16호 가목)

ⅱ) 존립기간이 5년 이내일 것(2011. 6. 3. 신설)(종부령 §4 ① 16호 나목)

⑰ 신탁업자가 2012년 12월 31일까지 취득한 미분양주택

다음 각 목[아래 ⅰ), ⅱ)]의 요건을 모두 갖춘 신탁계약에 따른 신탁재산으로 「자본시장과 금융투자업에 관한 법률」에 따른 신탁업자(이하 이 호에서 "신탁업자"라 한다)가 2012년 12월 31일까지 직접 취득(2012년 12월 31일까지 매매계약을 체결하고 계약금을 납부한 경우를 포함한다)하는 미분양주택(「주택도시기금법」에 따른 주택도시보증공사가 분양보증을 하여 준공하는 주택만 해당한다)(2015. 6. 30. 개정)(종부령 §4 ① 17호)

ⅰ) 시공자가 채권을 발행하여 조달한 금전을 신탁업자에게 신탁하고, 해당 시공자가 발행하는 채권을 「한국주택금융공사법」에 따른 한국주택금융공사의 신용보증을 받아 「자산유동화에 관한 법률」에 따라 유동화할 것(2011. 6. 3. 신설)(종부령 §4 ① 17호 가목)

ⅱ) 신탁재산의 운용기간(신탁계약이 연장되는 경우 그 연장되는 기간을 포함한다)이 5년 이내일 것(2011. 6. 3. 신설)(종부령 §4 ① 17호 나목)

⑱ 송ㆍ변전설비 주변지역의 보상에 따른 주택

「송ㆍ변전설비 주변지역의 보상 및 지원에 관한 법률」 제5조에 따른 주택매수의 청구에 따라 사업자가 취득하여 보유하는 주택(2015. 11. 30. 신설)(종부령 §4 ① 18호)

⑲ 한국토지공사 관련기관 소유주택

「주택도시기금법」 제3조에 따른 주택도시기금과 「한국토지주택공사법」에 따라 설립된 한국토지주택공사가 공동으로 출자하여 설립한 부동산투자회사 또는 기획재정부령으로 정하는 기관이 매입하는 주택으로서 다음 각 목[아래 ⅰ)~ⅲ)]의 요건을 모두 갖춘 주택 (2018. 2. 13. 신설)(종부령 §4 ① 19호)

ⅰ) 매입 시점에 거주자가 거주하고 있는 주택으로서 해당 주택 외에 거주자가 속한 세대가 보유하고 있는 주택이 없을 것(2018. 2. 13. 신설)(종부령 §4 ① 19호 가목)

ⅱ) 해당 거주자에게 매입한 주택을 5년 이상 임대하고 임대기간 종료 후에 그 주택을 재매입할 수 있는 권리를 부여할 것(2018. 2. 13. 신설)(종부령 §4 ① 19호 나목)

ⅲ) 매입 당시 해당 주택의 공시가격이 5억 원 이하일 것(2018. 2. 13. 신설)(종부령 §4 ① 19호 다목)

⑳ 토지임대부 분양주택의 부속토지

「주택법」 제2조 제9호에 따른 토지임대부 분양주택의 부속토지(2021. 2. 17. 신설)(종부령 §4 ① 20호)

㉑ 재개발, 재건축 사업시행자가 멸실시키는 주택

다음 각 목[아래 ⅰ)~ⅴ)]의 자가 주택건설사업을 위하여 멸실시킬 목적으로 취득하여 그 취득일부터 3년 이내에 멸실시키는 주택(기획재정부령으로 정하는 정당한 사유로 3년 이내에 멸실시키지 못한 주택을 포함한다)(2022. 2. 15. 신설)(종부령 §4 ① 21호)

ⅰ) 「공공주택 특별법」 제4조 제1항에 따라 지정된 공공주택사업자(2022. 2. 15. 신설)(종부령 §4 ① 21호 가목)

ⅱ) 「도시 및 주거환경정비법」 제24조부터 제28조까지의 규정에 따른 사업시행자(2022. 2. 15. 신설)(종부령 §4 ① 21호 나목)

ⅲ) 「도시재생 활성화 및 지원에 관한 특별법」 제44조에 따라 지정된 혁신지구재생사업의 시행자(2022. 2. 15. 신설)(종부령 §4 ① 21호 다목)

ⅳ)「빈집 및 소규모주택 정비에 관한 특례법」제17조, 제18조 및 제19조에 따른 사업시행자(2022. 2. 15. 신설)(종부령 §4 ① 21호 라목)

ⅴ)「주택법」에 따른 주택조합 및 같은 법 제4조 제1항 본문에 따라 등록한 주택건설사업자(같은 항 단서에 해당하여 등록하지 않은 자를 포함한다)(2022. 2. 15. 신설)(종부령 §4 ① 21호 마목)

| 합산배제 사원용 주택 등 |

주택 종류	합산배제 요건
사원용 주택	종업원에게 무상 또는 저가로 제공, 국민주택규모 이하 또는 과세기준일 현재 공시가격 3억 원 이하
기숙사	학생 또는 종업원의 주거에 제공(건축법 시행령 별표1의 기숙사)
주택건설업자의 미분양주택	주택신축판매업자가 소유한 미분양주택으로 사용승인(검사)일로부터 5년 미경과한 주택
어린이집용 주택	시·군·구청 인가, 세무서 고유번호 부여받은 후 과세기준일 현재 5년 이상 운영
대물변제주택	시공자가 시행사로부터 대물변제받은 미분양주택으로서 공사대금으로 받은 날부터 5년 미경과한 주택
연구기관의 연구원용 주택	2008.12.31. 현재 정부출연 연구기관이 보유한 연구원용 주택
등록문화재	「문화재보호법」에 따른 등록문화재
부동산투자회사 미분양주택	기업구조조정부동산투자회사가 취득하는 일정요건의 미분양주택
신탁업자 미분양주택	시공자가 채권을 발행하여 조달한 금전을 신탁받은 신탁업자가 취득하는 일정 요건의 미분양주택
노인복지주택	노인복지주택을 설치한 자가 임대하는 노인복지주택
향교 또는 향교재단 소유 주택부속토지	향교재산법에 따른 향교 또는 향교재단이 소유한 주택의 부속토지(주택의 건물과 부속토지의 소유자가 다른 경우)
세일앤리스백 리츠 등이 매입하는 주택	주택도시기금과 한국토지주택공사가 공동으로 출자하여 설립한 부동산 투자회사 등이 매입하는 주택
토지임대부 분양주택	주택법 제2조 제9호에 따른 토지임대부 분양주택의 부속토지(주택공사 등 공공기관이 택지를 개발 소유하고, 청약자에게는 건물만 분양하는 방식)
재개발, 재건축 사업시행자가 멸실시키는 주택	일정한 사업자가 멸실시킬 목적으로 취득하여 그 취득일부터 3년 이내에 멸실시키는 주택

2) 어린이집용 주택의 의무운영기간을 충족으로 보는 경우

다음 각 호[아래 ①, ②]에 해당하는 경우에는 어린이집용 주택의 의무운영기간을 충족하는 것으로 본다.(2011. 12. 8. 개정)(종부령 §4 ②)

① 어린이집용 주택의 소유자 또는 어린이집을 운영하던 세대원이 사망한 경우(2011. 12. 8. 개정)(종부령 §4 ② 1호)

② 어린이집용 주택이 「공익사업을 위한 토지 등의 취득 및 보상에 관한 법률」 또는 그밖의 법률에 따라 협의매수 또는 수용된 경우(2011. 12. 8. 개정)(종부령 §4 ② 2호)

③ 그밖에 천재·지변 등 기획재정부령으로 정하는 부득이한 사유로 더 이상 어린이집을 운영할 수 없는 경우(2011. 12. 8. 개정)(종부령 §4 ② 3호)

3) 어린이집을 운영하는 것으로 보는 경우

다음 각 호[아래 ①, ②]에 해당하는 경우에는 계속하여 어린이집을 운영하는 것으로 본다.(2011. 12. 8. 개정)(종부령 §4 ③)

① 어린이집용 주택에서 이사하여 입주한 주택을 3월 이내에 어린이집으로 운영하는 경우(2011. 12. 8. 개정)(종부령 §4 ③ 1호)

② 어린이집용 주택의 소유자 또는 어린이집을 운영하던 세대원의 사망으로 인하여 어린이집을 운영하지 않은 기간이 3월 이내인 경우(2011. 12. 8. 개정)(종부령 §4 ③ 2호)

4) 합산배제 신고

종합부동산세법 제8조 제2항 제2호[위 ❷. (2)]에 따른 주택(제1항 제13호에 해당하는 주택은 제외한다)을 보유한 자가 합산배제 사원용주택 등의 규정을 적용받으려는 때에는 기획재정부령으로 정하는 사원용주택 등 합산배제 신고서에 따라 신고해야 한다. 다만, 최초의 합산배제 신고를 한 연도의 다음 연도부터는 그 신고한 내용 중 기타주택의 소유권 또는 전용면적에 변동이 없는 경우에는 신고하지 않을 수 있다.(2014. 2. 21. 개정)(종부령 §4 ④)(종부칙 §2 ④)

❸ 합산배제 주택보유현황 신고

제2항[위 ❷ 합산배제주택]의 규정에 따른 주택을 보유한 납세의무자는 당해연도 9월

16일부터 9월 30일까지 대통령령으로 정하는 바에 따라 납세지 관할 세무서장(이하 "관할 세무서장"이라 한다)에게 해당 주택의 보유현황을 신고하여야 한다.(2007. 1. 11. 신설)(종부법 §8 ③)

④ 다른 주택의 부속토지를 함께 소유하고 있는 경우 1세대 1주택

제1항[위 ❶]을 적용할 때 1주택(주택의 부속토지만을 소유한 경우는 제외한다)과 다른 주택의 부속토지(주택의 건물과 부속토지의 소유자가 다른 경우의 그 부속토지를 말한다)를 함께 소유하고 있는 경우에는 1세대 1주택자로 본다.(2009. 5. 27. 신설)(종부법 §8 ④)

⑤ 종합부동산세를 추징하지 않는 경우

(1) 세법에 따른 의무임대기간 지난 후에는 5% 초과 인상하여도 경감받은 종부세를 추징하지 않는다.(종부령 §10 ③ 1호)(2020. 10. 7. 신설)

(2) 자진말소 및 자동등록말소되는 경우

① 자진말소

아파트 장기일반민간매입임대주택 또는 단기민간임대주택(매입, 건설)으로서 임차인의 동의를 얻어 임대의무기간 내 등록 말소를 신청하는 경우는 경감받은 종부세를 추징하지 않는다.(종부령 §10 ③ 2호)(2020. 10. 7. 신설)

② 자동등록말소

아파트 장기일반민간매입임대주택 또는 단기민간임대주택(매입, 건설)으로서 의무임대기간 종료 후 자동등록말소되는 경우에는 경감받은 종부세를 추징하지 않는다.(종부령 §10 ③ 2호)(2020. 10. 7. 신설)

(3) 재개발 등인 경우

도정법에 따른 재개발사업·재건축사업, 「빈집 및 소규모주택 정비에 관한 특례법」에 따른 소규모주택정비사업으로 당초의 합산배제 임대주택이 멸실되어 새로 취득하거나 「주택

법」에 따른 리모델링으로 새로 취득한 주택이 다음 각 목의 어느 하나에 해당하는 요건을 갖춘 경우에는 경감받은 종부세를 추징하지 않는다. 다만, 새로 취득한 주택의 준공일부터 6개월이 되는 날이 2020년 7월 10일 이전인 경우는 제외한다.(종부령 §10 ③ 3호)(2020. 10. 7. 신설)

① 새로 취득한 주택에 대하여 2020년 7월 11일 이후 아파트 장기일반민간매입임대주택 또는 단기민간(매입, 건설)임대주택으로 같은 법 제5조 제1항에 따라 등록 신청을 했을 것

② 새로 취득한 주택이 아파트(당초의 합산배제 임대주택이 단기민간임대주택인 경우에는 모든 주택을 말한다)인 경우로서 해당 주택에 대하여 임대사업자 등록을 하지 않았을 것

제4절 세율 및 세액

주택에 대한 종합부동산세는 다음 각 호[아래 1, 2]와 같이 납세의무자가 소유한 주택 수에 따라 과세표준에 해당 세율을 적용하여 계산한 금액을 그 세액(이하 "주택분 종합부동산세액"이라 한다)으로 한다.(2018. 12. 31. 개정)(종부법 §9 ①)

1 2주택 이하를 소유한 경우(조정대상지역 내 2주택 제외)

납세의무자가 2주택 이하를 소유한 경우[「주택법」 제63조의2 제1항 제1호에 따른 조정대상지역(이하 이 조에서 "조정대상지역"이라 한다) 내 2주택을 소유한 경우는 제외한다](2018. 12. 31. 개정, 2020. 8. 18. 개정)(종부법 §9 ① 1호)

과세표준	세율
3억 원 이하	1천분의 6
3억 원 초과 6억 원 이하	180만 원+(3억 원을 초과하는 금액의 1천분의 8)
6억 원 초과 12억 원 이하	420만 원+(6억 원을 초과하는 금액의 1천분의 12)
12억 원 초과 50억 원 이하	1천140만 원+(12억 원을 초과하는 금액의 1천분의 16)
50억 원 초과 94억 원 이하	7천220만 원+(50억 원을 초과하는 금액의 1천분의 22)
94억 원 초과	1억6천900만 원+(94억 원을 초과하는 금액의 1천분의 30)

❷ 3주택 이상, 조정대상지역 내 2주택인 경우

납세의무자가 3주택 이상을 소유하거나, 조정대상지역 내 2주택을 소유한 경우(2018. 12. 31. 개정, 2020. 8. 18. 개정)(종부법 §9 ① 2호)

과세표준	세율
3억 원 이하	1천분의 12
3억 원 초과 6억 원 이하	360만 원+(3억 원을 초과하는 금액의 1천분의 16)
6억 원 초과 12억 원 이하	840만 원+(6억 원을 초과하는 금액의 1천분의 22)
12억 원 초과 50억 원 이하	2천160만 원+(12억 원을 초과하는 금액의 1천분의 36)
50억 원 초과 94억 원 이하	1억5천840만 원+(50억 원을 초과하는 금액의 1천분의 50)
94억 원 초과	3억7천840만 원+(94억 원을 초과하는 금액의 1천분의 60)

❸ 법인 또는 법인으로 보는 단체인 경우

납세의무자가 법인 또는 법인으로 보는 단체(「공공주택특별법」 제4조에 따른 공공주택사업자 등 사업의 특성을 고려하여 대통령령으로 정하는 경우는 제외한다)인 경우 제1항에도 불구하고 과세표준에 다음 각 호에 따른 세율을 적용하여 계산한 금액을 주택분 종합부동산세액으로 한다.(2020. 8. 18. 신설, 2020. 12. 29. 개정)(종부법 §9 ②)

(1) 2주택 이하를 소유한 경우(조정대상지역 내 2주택을 소유한 경우는 제외한다)

: 1천분의 30(2020. 8. 18. 신설)(종부법 §9 ② 1호)

(2) 3주택 이상을 소유하거나, 조정대상지역 내 2주택을 소유한 경우

: 1천분의 60(2020. 8. 18. 신설)(종부법 §9 ② 2호)

일반 누진세율이 적용되는 법인 등

종합부동산세법 제9조 제2항 각 호 외의 부분에서 "대통령령으로 정하는 경우"란 납세의무자가 다음 각 호의 법인 또는 법인으로 보는 단체인 경우를 말한다.(2021. 2. 17. 신설)(종부령 §4의3 ①)

(1) 공공주택사업자

「공공주택 특별법」 제4조 제1항에 따른 공공주택사업자(2021. 2. 17. 신설)(종부령 §4의3 ① 1호)

(2) 공익법인 등

「상속세 및 증여세법」 제16조 제1항에 따른 공익법인 등(2021. 2. 17. 신설)(종부령 §4의3 ① 2호)

(3) 주택조합

「주택법」 제2조 제11호의 주택조합(2021. 2. 17. 신설)(종부령 §4의3 ① 3호)

(4) 재개발 및 재건축 등 사업시행자

「도시 및 주거환경정비법」 제24조부터 제28조까지 및 「빈집 및 소규모주택 정비에 관한 특례법」 제17조부터 제19조까지의 규정에 따른 사업시행자(2021. 2. 17. 신설)(종부령 §4의3 ① 4호)

(5) 민간건설임대주택

「민간임대주택에 관한 특별법」 제2조 제2호의 민간건설임대주택을 2호 이상 보유하고 있는 임대사업자로서 해당 민간건설임대주택과 다음 각 목에서 정하는 주택만을 보유한 경우(2021. 2. 17. 신설)(종부령 §4의3 ① 5호)

　가. 법 제6조 제1항에 따라 재산세 비과세 규정을 준용하는 주택 및 「지방세법」 제109조에 따라 재산세 비과세 대상인 주택(2021. 2. 17. 신설)

　나. 「공공주택 특별법」 제2조 제1호 가목에 따른 공공임대주택(2021. 2. 17. 신설)

　다. 제4조 제1항 각 호의 어느 하나에 해당하는 주택(2021. 2. 17. 신설)

(6) 사회적기업 등

다음 각 목[아래 1), 2)]의 요건을 모두 갖춘 「사회적기업 육성법」에 따른 사회적기업 또는 「협동조합 기본법」에 따른 사회적협동조합(이하 이 호에서 "사회적기업 등"이라 한다)(2022. 2. 15. 신설)(종부령 §4의3 ① 6호)

1) 정관 또는 규약상의 설립 목적이 다음의 어느 하나에 해당할 것(2022. 2. 15. 신

설)(종부령 §4의3 ① 6호 가목)

① 사회적기업 등 구성원의 주택 공동 사용

② 「사회적기업 육성법」에 따른 취약계층이나 「주거기본법」 제3조 제2호에 따른 주거지원이 필요한 계층에 대한 주거지원

2) 가목에 따른 설립 목적에 사용되는 주택만을 보유하고 있을 것(2022. 2. 15. 신설)

(종부령 §4의3 ① 6호 나목)

(7) 종중(2022. 2. 15. 신설)(종부령 §4의3 ① 7호)

④ 재산세 공제

주택분 과세표준 금액에 대하여 해당 과세대상주택의 주택분 재산세로 부과된 세액(「지방세법」 제111조 제3항에 따라 가감조정된 세율이 적용된 경우에는 그 세율이 적용된 세액, 같은법 제122조에 따라 세부담 상한을 적용받은 경우에는 그 상한을 적용받은 세액을 말한다)은 주택분 종합부동산세액에서 이를 공제한다.(2010. 3. 31. 개정)(종부법 §9 ③)

주택분 종합부동산세에서 공제하는 주택분 과세표준 금액에 대한 주택분 재산세로 부과된 세액은 다음 계산식에 따라 계산한 금액으로 한다.(2015. 11. 30. 개정, 2021. 2. 17. 개정)(종부령 §4의2 ①)

공동명의 1주택자에 대하여 법 제9조 제3항에 따라 주택분 종합부동산세액에서 주택분 재산세로 부과된 세액을 공제하거나 법 제10조에 따라 세부담의 상한을 적용할 경우 적용되는 재산세 부과액 및 재산세상당액은 해당 과세대상 1주택 지분 전체에 대하여 계산한 금액으로 한다.(2021. 2. 17. 신설)(종부령 §5의2 ⑦)

$$
\text{「지방세법」 제112조 제1항 제1호에 따라 주택분 재산세로 부과된 세액의 합계액} \times \frac{\substack{\text{종부법 제8조 1항에 따른 주택분 종합부동산세의} \\ \text{과세표준} \times \text{「지방세법 시행령」 제109조 제2호에 따른} \\ \text{공정시장가액비율} \times \text{「지방세법」 제112조 제1항} \\ \text{「지방세법」 제111조 제1항 제3호에 따른 표준세율}}}{\substack{\text{주택을 합산하여 주택분 재산세 표준세율로 계산한} \\ \text{재산세 상당액}}}
$$

위 산식을 적용할 때 종부령 제2조의3에 따른 1세대 1주택자의 경우에는 소유한 주택의 공시가격에서 3억 원을 공제한 금액을 종부법 제8조에 따른 주택의 공시가격을 합산한 금액으로 본다.(2015. 11. 30. 개정)(종부령 §4의2 ②)

⑤ 주택 수 계산

주택분 종합부동산세액을 계산할 때 주택 수 계산 및 주택분 재산세로 부과된 세액의 공제 등에 관하여 필요한 사항은 대통령령으로 정한다.(2018. 12. 31. 개정, 2020. 6. 9. 개정)(종부법 §9 ④)

주택분 종합부동산세액을 계산할 때 적용해야 하는 주택 수는 다음 각 호[아래 (1)~(3)]에 따라 계산한다.(2019. 2. 12. 신설)(종부령 §4의2 ③)

(1) 공동상속주택

1주택을 여러 사람이 공동으로 소유한 경우 공동 소유자 각자가 그 주택을 소유한 것으로 본다.(2019. 2. 12. 신설, 2022. 2. 15. 단서삭제)(종부령 §4의2 ③ 1호)

| 종부세액 계산할 때 공동상속주택의 주택 수 계산(종부령 §4의2 ③) |

구분	상속개시일	
	2022년 2월 14일 이전인 상속주택	2022년 2월 15일 이후인 상속주택
주택 수	1주택을 여러 사람이 공동으로 소유한 경우 공동 소유자 각자가 그 주택을 소유한 것으로 본다. 다만, 상속을 통해 공동 소유한 주택은 과세기준일 현재 다음 각 목[아래 1), 2)]의 요건을 모두 갖춘 경우에만 주택 수에서 제외한다. 1) 주택에 대한 소유 지분율이 20퍼센트 이하일 것 2) 소유 지분율에 상당하는 공시가격이 3억 원 이하일 것	1주택을 여러 사람이 공동으로 소유한 경우 공동 소유자 각자가 그 주택을 소유한 것으로 본다.

(2) 다가구주택

「건축법 시행령」별표 1 제1호 다목에 따른 다가구주택은 1주택으로 본다.(2019. 2. 12. 신설)(종부령 §4의2 ③ 2호)

(3) 합산배제주택 및 상속주택 등

다음 각 목[아래 1), 2)]의 주택은 주택 수에 포함하지 않는다.

1) 합산배제주택 및 합산배제 사원용주택 등

종부령 제3조 제1항 각 호(합산배제주택) 및 종부령 제4조 제1항 각 호(합산배제 사원용주택 등)에 해당하는 주택은 주택 수에 포함하지 않는다.(2019. 2. 12. 신설)(종부령 §4의2 ③ 3호 가목)

2) 상속주택

상속을 원인으로 취득한 주택(「소득세법」 제88조 제9호에 따른 조합원입주권 또는 같은 조 제10호에 따른 분양권을 상속받아 사업시행 완료 후 취득한 신축주택을 포함한다)으로서 과세기준일 현재 상속개시일부터 다음[아래 ⅰ), ⅱ)]의 구분에 따른 기간이 경과하지 않은 주택. 이 경우 법 제8조 제3항에 따른 주택의 보유현황 신고기간에 기획재정부령으로 정하는 서류를 관할세무서장에게 제출해야 한다.(2022. 2. 15. 신설)(종부령 §4의2 ③ 3호 나목)

ⅰ) 수도권 및 광역시・특별자치시(광역시에 소속된 군, 「지방자치법」 제3조 제3항・제4항에 따른 읍・면 및 「세종특별자치시 설치 등에 관한 특별법」 제6조 제3항에 따른 읍・면에 해당하는 지역은 제외한다)에 소재하는 주택의 경우: 2년

ⅱ) 그 밖의 지역에 소재하는 주택의 경우: 3년

❻ 1세대 1주택자

주택분 종합부동산세 납세의무자가 1세대 1주택자에 해당하는 경우의 주택분 종합부동산세액은 제1항・제3항 및 제4항에 따라 산출된 세액에서 제6항 또는 제7항에 따른 1세대 1주택자에 대한 공제액을 공제한 금액으로 한다. 이 경우 제6항과 제7항은 공제율 합계 100분의 80의 범위에서 중복하여 적용할 수 있다.(2018. 12. 31. 후단개정, 2020. 8. 18 후단개정)(종부법 §9 ⑤)

공동명의 1주택자에 대하여 법 제9조 제5항에 따라 같은 조 제6항・제7항에 따른 1세대 1주택자에 대한 공제액을 정할 때 공동명의 1주택자의 연령 및 보유기간을 기준으로 한다.(2021. 2. 17. 신설)(종부령 §5의2 ⑧)

7 60세 이상인 1세대 1주택자의 공제액

과세기준일 현재 만 60세 이상인 1세대 1주택자의 공제액은 제1항·제3항 및 제4항에 따라 산출된 세액[제8조 제4항에 해당하는 경우에는 제1항·제3항 및 제4항에 따라 산출된 세액에서 주택의 부속토지(주택의 건물과 부속토지의 소유자가 다른 경우의 그 부속토지를 말한다)분에 해당하는 산출세액(공시가격합계액으로 안분하여 계산한 금액을 말한다)을 제외한 금액]에 다음 표에 따른 연령별 공제율을 곱한 금액으로 한다.(2009. 5. 27. 개정, 2020. 8. 18. 개정)(종부법 §9 ⑥)

연령	공제율
만 60세 이상 만 65세 미만	100분의 20
만 65세 이상 만 70세 미만	100분의 30
만 70세 이상	100분의 40

8 1세대 1주택 공제

1세대 1주택자로서 해당 주택을 과세기준일 현재 5년 이상 보유한 자의 공제액은 제1항·제3항 및 제4항에 따라 산출된 세액[제8조 제4항에 해당하는 경우에는 제1항·제3항 및 제4항에 따라 산출된 세액에서 주택의 부속토지(주택의 건물과 부속토지의 소유자가 다른 경우의 그 부속토지를 말한다)분에 해당하는 산출세액(공시가격합계액으로 안분하여 계산한 금액을 말한다)을 제외한 금액]에 다음 표에 따른 보유기간별 공제율을 곱한 금액으로 한다.(2018. 12. 31. 개정)(종부법 §9 ⑦)

보유기간	공제율
5년 이상 10년 미만	100분의 20
10년 이상 15년 미만	100분의 40
15년 이상	100분의 50

60세 이상 세액공제율과 장기보유 세액공제율 합계 80%의 범위에서 중복 적용할 수 있다.

제5절 세부담의 상한

종합부동산세의 납세의무자가 해당 연도에 납부하여야 할 주택분 재산세액상당액(신탁주택의 경우 재산세의 납세의무자가 납부하여야 할 주택분 재산세액상당액을 말한다)과 주택분 종합부동산세액상당액의 합계액(이하 이 조에서 "주택에 대한 총세액상당액"이라 한다)으로서 대통령령으로 정하는 바에 따라 계산한 세액[아래 ❷ 재산세와 종합부동산세액의 합계액]이 해당 납세의무자에게 직전연도에 해당 주택에 부과된 주택에 대한 총세액상당액으로서 대통령령으로 정하는 바에 따라 계산한 세액[아래 ❸ 직전연도 재산세와 종합부동산세액의 합계액]에 다음 각 호의 비율을 곱하여 계산한 금액을 초과하는 경우에는 그 초과하는 세액에 대해서는 제9조에도 규정에 불구하고 이를 없는 것으로 본다. 다만, 납세의무자가 법인 또는 법인으로 보는 단체로서 제9조 제2항 각 호의 세율이 적용되는 경우는 그러하지 아니하다.(2018. 12. 31. 개정, 2020. 8. 18. 단서신설, 2020. 12. 29. 개정)(종부법 §10)(종부령 §5 ①, ②)

❶ 세부담 상한 비율

(1) 2주택 이하를 소유한 경우(조정대상지역 내 2주택 제외)

100분의 150(2018. 12. 31. 신설)(종부법 §10 1호)

(2) 3주택 이상, 조정대상지역 내 2주택인 경우

100분의 300(2020. 8. 18. 개정)(종부법 §10 2호)

❷ 재산세액과 종합부동산세액의 합계액

(1) 재산세액과 종합부동산세의 합계액

위 본문에서 해당 연도에 납부하여야 할 주택에 대한 총세액상당액으로서 "대통령령으로 정하는 바에 따라 계산한 세액"이란 해당 연도의 종합부동산세 과세표준 합산의 대상이 되는 주택(이하 "과세표준합산주택"이라 한다)에 대한 제1호[아래 1)]에 따른 재산세액과 제2호[아래 2)]에 따른 종합부동산세액의 합계액을 말한다.(2012. 2. 2. 개정)(종부령 §5 ①)

1) 재산세액

「지방세법」에 따라 부과된 재산세액(같은 법 제112조 제1항 제1호에 따른 재산세액을 말하며, 같은 법 제122조에 따라 세부담의 상한이 적용되는 경우에는 그 상한을 적용한 후의 세액을 말한다)(2012. 2. 2. 개정)(종부령 §5 ① 1호)

2) 종합부동산세액

종합부동산세법 제9조에 따라 계산한 종합부동산세액(2012. 2. 2. 개정)(종부령 §5 ① 2호)

(2) 직전연도 재산세와 종합부동산세액의 합계액

위 본문에서 직전연도에 해당 주택에 부과된 주택에 대한 총세액상당액으로서 "대통령령으로 정하는 바에 따라 계산한 세액"이란 납세의무자가 해당 연도의 과세표준합산주택을 직전연도 과세기준일에 실제로 소유하였는지의 여부를 불문하고 직전연도 과세기준일 현재 소유한 것으로 보아 해당 연도의 과세표준합산주택에 대한 제1호[아래 1)]에 따른 재산세액상당액과 제2호[아래 2)]에 따른 종합부동산세액상당액의 합계액을 말한다.(2009. 4. 21. 개정)(종부령 §5 ②)

1) 재산세액 상당액(2010. 9. 20. 개정)

해당 연도의 과세표준합산주택에 대하여 직전연도의 「지방세법」(같은 법 제111조 제3항, 제112조 제1항 제2호 및 제122조는 제외한다)을 적용하여 산출한 금액의 합계액(종부령 §5 ② 1호)

2) 종합부동산세액 상당액(2010. 9. 20. 개정)

해당 연도의 과세표준합산주택에 대하여 직전연도의 법(법 제10조는 제외한다)을 적용하여 산출한 금액(1세대 1주택자의 경우에는 직전연도 과세기준일 현재 연령 및 주택 보유기간을 적용하여 산출한 금액). 이 경우 종합부동산세법 제9조 제3항 중 "세액(「지방세법」제111조 제3항에 따라 가감조정된 세율이 적용된 경우에는 그 세율이 적용된 세액, 같은 법 제122조에 따라 세부담 상한을 적용받는 경우에는 그 상한을 적용받는 세액을 말한다)"을 "세액[「지방세법」(같은 법 제111조 제3항, 제112조 제1항 제2호 및 제122조는 제외한다)을 적용하여 산출한 세액을 말한다]"으로 하여 해당 규정을 적용한다.(종부령 §5 ② 2호)

(3) 주택의 신축·증축 등으로 직전연도 과세표준액이 없는 경우

주택의 신축·증축 등으로 인하여 해당 연도의 과세표준합산주택에 대한 직전연도 과세표준액이 없는 경우에는 해당 연도 과세표준합산주택이 직전연도 과세기준일 현재 존재하는 것으로 보아 직전연도「지방세법」과 직전연도 법을 적용하여 과세표준액을 산출한 후 제2항의 규정을 적용한다.(2007. 8. 6. 개정)(종부령 §5 ③)

(4) 재산세의 감면규정 또는 분리과세규정

제2항[위 (2)] 및 제3항[위 (3)]의 규정을 적용함에 있어서 해당 연도의 과세표준합산주택이 종합부동산세법 제6조에 따라 재산세의 감면규정 또는 분리과세규정을 적용받지 아니하거나 적용받은 경우에는 직전연도에도 동일하게 이를 적용받지 아니하거나 적용받은 것으로 본다.(2017. 2. 7. 개정)(종부령 §5 ④)

(5) 해당 연도의 과세표준합산주택이 직전연도에 과세표준합산주택에 포함되지 아니한 경우

해당 연도의 과세표준합산주택이 직전연도에 종합부동산세법 제8조 제2항에 따라 과세표준합산주택에 포함되지 아니한 경우에는 직전연도에 과세표준합산주택에 포함된 것으로 보아 제2항[위 (2)]을 적용한다.(2017. 2. 7. 신설)(종부령 §5 ⑤)

공동명의 1주택자의 납세의무 등에 관한 특례

 배우자 공동소유 주택

과세기준일 현재 주택분 재산세의 납세의무자는 종합부동산세를 납부할 의무가 있다. 그럼에도 불구하고 과세기준일 현재 세대원 중 1인이 그 배우자와 공동으로 1주택을 소유하고 해당 세대원 및 다른 세대원이 다른 주택(제8조 제2항 각 호의 어느 하나에 해당하는 주택 중 대통령령으로 정하는 주택을 제외한다)을 소유하지 아니한 경우로서 대통령령으로 정하는 경우에는 배우자와 공동으로 1주택을 소유한 자 또는 그 배우자 중 대통령령으로 정하는 자(이하 "공동명의 1주택자"라 한다)를 해당 1주택에 대한 납세의무자로 할 수 있다.(2020. 12. 29. 신설)(종부법 §10의2 ①)

> **부부공동명의 1주택자 특례 규정**
>
> 종부세는 인별 과세로 부부공동명의 주택인 경우에도 각각 1주택을 보유한 것으로 보아 기본공제를 각각 6억 원씩 적용하였다. 2021년부터 납세자가 신청하는 경우 부부공동명의 1주택에 대해 소유자 중 1명을 1주택자로 간주하여 기본공제 11억 원 및 세액공제(60세 이상, 장기보유)가 가능하다.

(1) 다른 주택을 소유하지 아니한 경우

과세기준일 현재 세대원 중 1인이 그 배우자와 공동으로 1주택을 소유하고 해당 세대원 및 다른 세대원이 다른 주택(제8조 제2항 각 호의 어느 하나에 해당하는 주택 중 대통령령으로 정하는 주택을 제외한다)을 소유하지 아니하여야 한다. 다른 주택에서 제외되는 제8조 2항 각 호와 그중에서 대통령령으로 정하는 주택을 알아본다.

1) 종부령 제8조 제2항의 주택

① 「민특법」에 따른 민간임대주택, 「공공주택 특별법」에 따른 공공임대주택 또는 대통령령으로 정하는 다가구 임대주택으로서 임대기간, 주택의 수, 가격, 규모 등을 고려하여 대통령령으로 정하는 주택(2020. 6. 9. 개정)(종부법 §8 ② 1호)

② 제1호의 주택 외에 종업원의 주거에 제공하기 위한 기숙사 및 사원용 주택, 주택건설사업자가 건축하여 소유하고 있는 미분양주택, 가정어린이집용 주택 등(2020. 6. 9. 개정)(종부법 §8 ② 2호)

2) 대통령령으로 정하는 주택

1주택을 소유하고 해당 세대원 및 다른 세대원이 다른 주택을 소유하지 아니하여야 한다. 다만, 다른 주택에서 제8조 제2항 각 호의 어느 하나에 해당하는 주택 중 대통령령으로 정하는 주택은 제외한다. 여기서 "대통령령으로 정하는 주택"이란 종부령 제2조의3 제2항에 따른 다음의 주택을 말한다.(2021. 2. 17. 신설)(종부령 §5의2 ①)

제1항에 따른 1세대 1주택자 여부를 판단할 때 다음 각 호의 주택은 1세대가 소유한 주택 수에서 제외한다. 다만, 제1호는 각 호 외의 주택을 소유하는 자가 과세기준일 현재 그 주택에 주민등록이 되어 있고 실제로 거주하고 있는 경우에 한정하여 적용한다.(2011. 10. 14. 단서 신설)(종부령 §2의3 ②)

① 제3조 제1항 각 호(제5호는 제외한다)의 어느 하나에 해당하는 주택으로서 같은 조 제9항에 따른 합산배제 신고를 한 주택(2020. 2. 11. 개정)(종부령 §2의3 ② 1호)
  ⅰ) 민간건설임대주택과 공공건설임대주택(종부령 §3 ① 1호)
  ⅱ) 민간매입임대주택과 공공매입임대주택(종부령 §3 ① 2호)
  ⅲ) 임대사업자가 2005년 1월 5일 이전부터 임대하고 있던 임대주택(종부령 §3 ① 3호)
  ⅳ) 민간건설임대주택(종부령 §3 ① 4호)
  ⅴ) 미분양 매입 임대주택(종부령 §3 ① 6호)
  ⅵ) 공공지원민간건설임대주택 또는 장기일반민간건설임대주택(종부령 §3 ① 7호)
  ⅶ) 장기일반민간매입임대주택(종부령 §3 ① 8호)

② 합산배제 사원용주택 등
종합부동산세법 시행령 제4조 제1항 각 호에 해당하는 주택으로서 같은 조 제4항에 따라 합산배제신고를 한 주택(종부령 §2의3 ② 3호)(종부령 §4 ① 8호)

(2) 대통령령으로 정하는 경우

법 제10조의2 제1항에서 "대통령령으로 정하는 경우"란 세대원 중 1명과 그 배우자만이 주택분 재산세 과세대상인 1주택만을 소유한 경우로서 주택을 소유한 세대원 중 1명과 그

배우자가 모두 「소득세법」 제1조의2 제1항 제1호의 거주자인 경우를 말한다. 다만, 제3항에 따른 공동명의 1주택자의 배우자가 다른 주택의 부속토지(주택의 건물과 부속토지의 소유자가 다른 경우의 그 부속토지를 말한다)를 소유하고 있는 경우는 제외한다.(2021. 2. 17. 신설)(종부령 §5의2 ②)

(3) 대통령령으로 정하는 자

법 제10조의2 제1항에서 "대통령령으로 정하는 자"란 해당 1주택을 소유한 세대원 1명과 그 배우자 중 주택에 대한 지분율이 높은 사람(지분율이 같은 경우에는 공동소유자 간 합의에 따른 사람을 말하며, 이하 "공동명의 1주택자"라 한다)을 말한다.(2021. 2. 17. 신설)(종부령 §5의2 ③)

② 신청 및 변경신청

제1항을 적용받으려는 납세의무자는 당해 연도 9월 16일부터 9월 30일까지 1세대 1주택자로 적용받으려는 공동명의 1주택자는 기획재정부령으로 정하는 공동명의 1주택자 신청서를 관할 세무서장에게 제출해야 한다.(2020. 12. 29. 신설)(종부법 §10의2 ②)(종부령 §5의2 ④)

신청한 공동명의 1주택자는 신청을 한 연도의 다음 연도부터는 기획재정부령으로 정하는 사항이 변경된 경우 법 제10조의2 제2항에서 정한 기간에 변경신청을 해야 한다.(2021. 2. 17. 신설)(종부령 §5의2 ⑤)

(1) 공동명의 1주택자 신청서

"기획재정부령으로 정하는 공동명의 1주택자 신청서"란 별지 제2호의3 서식의 종합부동산세 공동명의 1주택자 특례(변경)신청서를 말하며, 해당 신청서를 제출할 때에는 혼인관계증명서를 첨부해야 한다.(2021. 3. 16. 신설)(종부칙 §4의5 ①)

(2) 사항이 변경된 경우

"기획재정부령으로 정하는 사항이 변경된 경우"란 다음 각 호의 사항을 말한다.(2021. 3. 16. 신설)(종부칙 §4의5 ③)
① 해당 주택의 소유자가 변경된 경우(2021. 3. 16. 신설)
② 해당 주택의 지분율이 변경된 경우(2021. 3. 16. 신설)

③ 영 제5조의2 제3항에 따른 공동명의 1주택자를 변경하려는 경우(2021. 3. 16. 신설)

④ 법 제10조의2 제1항의 적용을 받지 않으려는 경우(2021. 3. 16. 신설)

❸ 과세표준과 세율 및 세액

제1항을 적용하는 경우에는 공동명의 1주택자를 1세대 1주택자로 보아 제8조에 따른 과세표준과 제9조에 따른 세율 및 세액을 계산한다.(2020. 12. 29. 신설)(종부법 §10의2 ③)

공동명의 1주택자에 대한 과세표준 및 세액을 산정하는 경우에는 그 배우자 소유의 주택지분을 합산하여 계산한다.(2021. 2. 17. 신설)(종부령 §5의2 ⑥)

❹ 세부담 상한 등

제1항부터 제3항까지를 적용할 때 해당 주택에 대한 과세표준의 계산, 세율 및 세액, 세부담의 상한의 구체적인 계산방식, 부과절차 및 그 밖에 필요한 사항은 대통령령으로 정한다.(2020. 12. 29. 신설)(종부법 §10의2 ④)

제3장

토지에 대한 과세

제1절 **과세방법**

토지에 대한 종합부동산세는 국내에 소재하는 토지에 대하여 「지방세법」 제106조 제1항 제1호에 따른 종합합산과세대상(이하 "종합합산과세대상"이라 한다)과 같은 법 제106조 제1항 제2호에 따른 별도합산과세대상(이하 "별도합산과세대상"이라 한다)으로 구분하여 과세한다.(2010. 3. 31. 개정)(종부법 §11)

제2절 **납세의무자**

1 토지분 재산세 납세의무자

과세기준일 현재 토지분 재산세의 납세의무자로서 다음 각 호[아래 (1), (2)]의 어느 하나에 해당하는 자는 해당 토지에 대한 종합부동산세를 납부할 의무가 있다.(2008. 12. 26. 개정)(종부법 §12 ①)

(1) 종합합산과세대상으로 5억 원을 초과하는 자

종합합산과세대상인 경우에는 국내에 소재하는 해당 과세대상토지의 공시가격을 합한 금액이 5억 원을 초과하는 자(2008. 12. 26. 개정)(종부법 §12 ① 1호)

(2) 별도합산과세대상으로 80억 원을 초과하는 자

별도합산과세대상인 경우에는 국내에 소재하는 해당 과세대상토지의 공시가격을 합한 금액이 80억 원을 초과하는 자(2008. 12. 26. 개정)(종부법 §12 ① 2호)

❷ 신탁재산의 위탁자

수탁자의 명의로 등기 또는 등록된 신탁재산으로서 토지(이하 "신탁토지"라 한다)의 경우에는 제1항에도 불구하고 위탁자가 종합부동산세를 납부할 의무가 있다. 이 경우 위탁자가 신탁토지를 소유한 것으로 본다.(2020. 12. 29. 신설)(종부법 §12 ②)

제3절 신탁주택 관련 수탁자의 물적납세의무

신탁토지의 위탁자가 다음 각 호의 어느 하나에 해당하는 종합부동산세 등을 체납한 경우로서 그 위탁자의 다른 재산에 대하여 강제징수를 하여도 징수할 금액에 미치지 못할 때에는 해당 신탁토지의 수탁자는 그 신탁토지로써 위탁자의 종합부동산세 등을 납부할 의무가 있다.(2020. 12. 29. 신설)(종부법 §12의2)

1. 신탁 설정일 이후에 「국세기본법」 제35조 제2항에 따른 법정기일이 도래하는 종합부동산세로서 해당 신탁토지와 관련하여 발생한 것(2020. 12. 29. 신설)(종부법 §12의2 1호)
2. 제1호의 금액에 대한 강제징수 과정에서 발생한 강제징수비(2020. 12. 29. 신설)(종부법 §12의2 2호)

제4절 과세표준

❶ 종합합산과세대상인 토지

종합합산과세대상인 토지에 대한 종합부동산세의 과세표준은 납세의무자별로 해당 과세대상토지의 공시가격을 합산한 금액에서 5억 원을 공제한 금액에 부동산 시장의 동향과 재정 여건 등을 고려하여 100분의 60부터 100분의 100까지의 범위에서 대통령령으로 정하는 공정시장가액비율을 곱한 금액으로 한다.(2008. 12. 26. 개정)(종부법 §13 ①)

"대통령령으로 정하는 공정시장가액비율"이란 100분의 100을 말하되, 2019년부터 2021년까지 납세의무가 성립하는 종합부동산세에 대해서는 다음 각 호[아래 (1)~(3)]의 연도

별 비율을 말한다.(2019. 2. 12. 개정)(종부령 §2의4 ①)

(1) 2019년: 100분의 85(2019. 2. 12. 신설)(종부령 §2의4 ① 1호)
(2) 2020년: 100분의 90(2019. 2. 12. 신설)(종부령 §2의4 ① 2호)
(3) 2021년: 100분의 95(2019. 2. 12. 신설)(종부령 §2의4 ① 3호)

❷ 별도합산과세대상인 토지

별도합산과세대상인 토지에 대한 종합부동산세의 과세표준은 납세의무자별로 해당 과세대상토지의 공시가격을 합산한 금액에서 80억 원을 공제한 금액에 부동산 시장의 동향과 재정 여건 등을 고려하여 100분의 60부터 100분의 100까지의 범위에서 대통령령으로 정하는 공정시장가액비율을 곱한 금액으로 한다.(2008. 12. 26. 개정)(종부법 §13 ②)

"대통령령으로 정하는 공정시장가액비율"이란 100분의 100을 말하되, 2019년부터 2021년까지 납세의무가 성립하는 종합부동산세에 대해서는 다음 각 호[아래 (1)~(3)]의 연도별 비율을 말한다.(2019. 2. 12. 개정)(종부령 §2의4 ②)

(1) 2019년: 100분의 85(2019. 2. 12. 개정)(종부령 §2의4 ② 1호)
(2) 2020년: 100분의 90(2019. 2. 12. 개정)(종부령 §2의4 ② 2호)
(3) 2021년: 100분의 95(2019. 2. 12. 개정)(종부령 §2의4 ② 3호)

❸ 음수인 경우

제1항[위 ❶] 또는 제2항[위 ❷]의 금액이 영보다 작은 경우에는 영으로 본다.(2005. 1. 5 제정)(종부법 §13 ③)

1 종합합산과세대상인 토지

종합합산과세대상인 토지에 대한 종합부동산세의 세액은 과세표준에 다음의 세율을 적용하여 계산한 금액(이하 "토지분 종합합산세액"이라 한다)으로 한다.(2018. 12. 31. 개정)(종부법 §14 ①)

과세표준	세율
15억 원 이하	1천분의 10
15억 원 초과 45억 원 이하	1천500만 원+(15억 원을 초과하는 금액의 1천분의 20)
45억 원 초과	7천500만 원+(45억 원을 초과하는 금액의 1천분의 30)

2 종합합산과세대상인 토지의 재산세 공제

종합합산과세대상인 토지의 과세표준 금액에 대하여 해당 과세대상토지의 토지분 재산세로 부과된 세액(「지방세법」 제111조 제3항에 따라 가감조정된 세율이 적용된 경우에는 그 세율이 적용된 세액, 같은법 제122조에 따라 세부담 상한을 적용받은 경우에는 그 상한을 적용받은 세액을 말한다)은 토지분 종합합산세액에서 이를 공제한다.(2010. 3. 31. 개정)(종부법 §14 ③)

3 별도합산과세대상인 토지

별도합산과세대상인 토지에 대한 종합부동산세의 세액은 과세표준에 다음의 세율을 적용하여 계산한 금액(이하 "토지분 별도합산세액"이라 한다)으로 한다.(2008. 12. 26. 개정)(종부법 §14 ④)

과세표준	세율
200억 원 이하	1천분의 5
200억 원 초과 400억 원 이하	1억 원+(200억 원을 초과하는 금액의 1천분의 6)
400억 원 초과	2억2천만 원+(400억 원을 초과하는 금액의 1천분의 7)

④ 별도합산과세대상인 토지의 재산세 공제

별도합산과세대상인 토지의 과세표준 금액에 대하여 해당 과세대상토지의 토지분 재산세로 부과된 세액(「지방세법」 제111조 제3항에 따라 가감조정된 세율이 적용된 경우에는 그 세율이 적용된 세액, 같은법 제122조에 따라 세부담 상한을 적용받은 경우에는 그 상한을 적용받은 세액을 말한다)은 토지분 별도합산세액에서 이를 공제한다.(2010. 3. 31. 개정)(종부법 §14 ⑥)

⑤ 재산세 공제액의 계산

토지분 종합부동산세액의 계산할 때 토지분 재산세로 부과된 세액의 공제는 다음과 같이 한다.(2005. 12. 31. 신설)(종부법 §14 ⑦)

(1) 종합합산과세대상인 토지

종합부동산세법 제14조 제1항에 따른 토지분 종합합산세액에서 같은 조 제3항에 따라 공제하는 종합합산과세대상인 토지의 과세표준 금액에 대한 토지분 재산세로 부과된 세액은 다음 계산식에 따라 계산한 금액으로 한다.(2015. 11. 30. 개정)(종부령 §5의3 ①)

$$\text{「지방세법」 제112조 제1항 제1호에 따라 종합합산과세대상인 토지분 재산세로 부과된 세액의 합계액} \times \frac{\begin{array}{c}[(\text{법 제13조 제1항에 따른 종합합산과세대상인 토지의 공시가격을 합산한 금액} - 5\text{억 원}) \times \text{제2조의4 제1항에 따른 공정시장가액비율} \times \text{「지방세법 시행령」 제109조 제1호에 따른 공정시장가액비율}] \times \text{「지방세법」 제111조 제1항 제1호 가목에 따른 표준세율}\end{array}}{\begin{array}{c}\text{종합합산과세대상인 토지를 합산하여}\\\text{종합합산과세대상인 토지분 재산세 표준세율로}\\\text{계산한 재산세 상당액}\end{array}}$$

(2) 별도합산과세대상인 토지

종합부동산세법 제14조 제4항에 따른 토지분 별도합산세액에서 같은 조 제6항에 따라 공제하는 별도합산과세대상인 토지에 대한 토지분 재산세로 부과된 세액은 다음 계산식에 따라 계산한 금액으로 한다.(2015. 11. 30. 개정)(종부령 §5의3 ②)

$$
\begin{array}{l}
\text{「지방세법」 제112조} \\
\text{제1항 제1호에 따라} \\
\text{별도합산과세대상인} \\
\text{토지분 재산세로} \\
\text{부과된 세액의 합계액}
\end{array}
\times
\frac{
\begin{array}{c}
\text{〔(법 제13조 제2항에 따른 별도합산과세대상인 토지의} \\
\text{공시가격을 합산한 금액 − 80억 원) × 제2조의4} \\
\text{제2항에 따른 공정시장가액비율〕×「지방세법 시행령」} \\
\text{제109조 제1호에 따른 공정시장가액비율〕×「지방세법」} \\
\text{제111조 제1항 제1호 나목에 따른 표준세율}
\end{array}
}{
\begin{array}{c}
\text{별도합산과세대상인 토지를 합산하여} \\
\text{별도합산과세대상인 토지분 재산세 표준세율로} \\
\text{계산한 재산세 상당액}
\end{array}
}
$$

(3) 재산세 표준세율

토지분 재산세 표준세율의 적용 등 제1항[위 (1)]과 제2항[위 (2)]에 따른 계산에 필요한 사항은 기획재정부령으로 정한다.(2015. 11. 30. 개정)(종부령 §5의3 ③)

제6절 세부담의 상한

① 종합합산과세대상인 토지 세부담 상한

종합부동산세의 납세의무자가 종합합산과세대상인 토지에 대하여 해당 연도에 납부하여야 할 재산세액상당액(신탁토지의 경우 재산세의 납세의무자가 종합합산과세대상인 해당 토지에 대하여 납부하여야 할 재산세액상당액을 말한다)과 토지분 종합합산세액상당액의 합계액(이하 이 조에서 "종합합산과세대상인 토지에 대한 총세액상당액"이라 한다)으로서 대통령령으로 정하는 바[아래 (1), 재산세액과 종합부동산세액의 합계액]에 따라 계산한 세액이 해당 납세의무자에게 직전연도에 해당 토지에 부과된 종합합산과세대상인 토지에 대한 총세액상당액으로서 대통령령으로 정하는 바[아래 (2), 직전연도 재산세액과 종합부

동산세액의 합계액]에 따라 계산한 세액의 100분의 150을 초과하는 경우에는 그 초과하는 세액에 대해서는 제14조 제1항에도 불구하고 이를 없는 것으로 본다.(2008. 12. 26. 개정, 2020. 12. 29. 개정)(종부법 §15 ①)(종부령 §6 ①, ②)

(1) 재산세액과 종합부동산세액의 합계액

법 제15조 제1항에서 해당 연도에 납부하여야 할 종합합산과세대상인 토지에 대한 총세액상당액으로서 "대통령령으로 정하는 바에 따라 계산한 세액"이란 해당 연도에 종합부동산세의 과세대상이 되는 종합합산과세대상인 토지(이하 이 조에서 "종합합산과세토지"라 한다)에 대한 제1호[아래 1)]에 따른 재산세액과 제2호[아래 2)]에 따른 종합부동산세액의 합계액을 말한다.(2012. 2. 2. 개정)(종부령 §6 ①)

1) 재산세액

「지방세법」에 따라 부과된 재산세액(같은 법 제112조 제1항 제1호에 따른 재산세액을 말하며, 같은 법 제122조에 따라 세부담의 상한이 적용되는 경우에는 그 상한을 적용한 후의 세액을 말한다)(2012. 2. 2. 개정)(종부령 §6 ① 1호)

2) 종합부동산세액

종합부동산세법 제14조 제1항, 제3항 및 제7항에 따라 계산한 종합부동산세액(2012. 2. 2. 개정)(종부령 §6 ① 2호)

(2) 직전연도 재산세액과 종합부동산세액의 합계액

종합부동산세법 제15조 제1항에서 직전연도에 해당 토지에 부과된 종합합산과세대상인 토지에 대한 총세액상당액으로서 "대통령령으로 정하는 바에 따라 계산한 세액"이란 납세의무자가 해당 연도 종합합산과세토지를 직전연도 과세기준일에 실제로 소유하였는지의 여부를 불문하고 직전연도 과세기준일 현재 소유한 것으로 보아 해당 연도의 종합합산과세토지에 대한 제1호[아래 1)]에 따른 재산세액상당액과 제2호[아래 2)]에 따른 종합부동산세액상당액의 합계액을 말한다.(2009. 4. 21. 개정)(종부령 §6 ②)

1) 재산세액상당액(2010. 9. 20. 개정)

해당 연도의 종합합산과세토지에 대하여 직전연도의 「지방세법」(같은 법 제111조 제3항, 제112조 제1항 제2호 및 제122조는 제외한다)을 적용하여 산출한 금액의 합계액(종부령 §6

② 1호)

2) 종합부동산세액상당액(2010. 9. 20. 개정)

해당 연도의 종합합산과세토지에 대하여 직전연도의 법(법 제15조는 제외한다)을 적용하여 산출한 금액. 이 경우 법 제14조 제3항 중 "세액(「지방세법」 제111조 제3항에 따라 가감조정된 세율이 적용된 경우에는 그 세율이 적용된 세액, 같은 법 제122조에 따라 세부담 상한을 적용받는 경우에는 그 상한을 적용받는 세액을 말한다)"을 "세액[「지방세법」 (같은 법 제111조 제3항, 제112조 제1항 제2호 및 제122조는 제외한다)을 적용하여 산출한 세액을 말한다]"으로 하여 해당 규정을 적용한다.(종부령 §6 ② 2호)

(3) 토지의 분할·합병·지목변경·신규등록·등록전환된 경우

토지의 분할·합병·지목변경·신규등록·등록전환 등으로 인하여 해당 연도의 종합합산과세토지에 대한 직전연도 과세표준액이 없는 경우에는 해당 연도 종합합산과세토지가 직전연도 과세기준일 현재 존재하는 것으로 보아 직전연도 「지방세법」과 직전연도 법을 적용하여 과세표준액을 산출한 후 제2항의 규정을 적용한다.(2007. 8. 6. 개정)(종부령 §6 ③)

(4) 준용규정

종합부동산세법 제5조 제4항 및 제5항은 해당 연도의 종합합산과세토지에 대하여 제2항 및 제3항을 적용함에 있어서 이를 준용한다. 이 경우 "과세표준합산주택"은 "종합합산과세토지"로, "종합부동산세법 제8조 제2항"은 "「조세특례제한법」 제104조의19 제1항"으로 본다.(2017. 2. 7. 개정)(종부령 §6 ④)

❷ 별도합산과세대상인 토지 세부담 상한

종합부동산세의 납세의무자가 별도합산과세대상인 토지에 대하여 해당 연도에 납부하여야 할 재산세액상당액(신탁토지의 경우 재산세의 납세의무자가 별도합산과세대상인 해당 토지에 대하여 납부하여야 할 재산세액상당액을 말한다)과 토지분 별도합산세액상당액의 합계액(이하 이 조에서 "별도합산과세대상인 토지에 대한 총세액상당액"이라 한다)으로서 대통령령으로 정하는 바[아래 (1), 재산세액과 종합부동산세액의 합계액]에 따라 계산한 세액이 해당 납세의무자에게 직전연도에 해당 토지에 부과된 별도합산과세대상인 토지에

대한 총세액상당액으로서 대통령령으로 정하는 바[아래 (2), 직전연도 재산세액과 종합부동산세액의 합계액]에 따라 계산한 세액의 100분의 150을 초과하는 경우에는 그 초과하는 세액에 대해서는 제14조 제4항에도 불구하고 이를 없는 것으로 본다.(2008. 12. 26. 개정, 2020. 12. 29. 개정)(종부법 §15 ②)(종부령 §7 ①, ②)

(1) 재산세액과 종합부동산세액의 합계액

법 제15조 제2항에서 해당 연도에 납부하여야 할 별도합산과세대상인 토지에 대한 총세액상당액으로서 "대통령령으로 정하는 바에 따라 계산한 세액"이란 해당 연도에 종합부동산세의 과세대상이 되는 별도합산과세대상인 토지(이하 이 조에서 "별도합산과세토지"라 한다)에 대한 제1호[아래 1)]에 따른 재산세액과 제2호[아래 2)]에 따른 종합부동산세액의 합계액을 말한다.(2012. 2. 2. 개정)(종부령 §7 ①)

1) 재산세액

「지방세법」에 따라 부과된 재산세액(같은 법 제112조 제1항 제1호에 따른 재산세액을 말하며, 같은 법 제122조에 따라 세부담의 상한이 적용되는 경우에는 그 상한을 적용한 후의 세액을 말한다)(2012. 2. 2. 개정)(종부령 §7 ① 1호)

2) 종합부동산세액

종합부동산세법 제14조 제4항, 제6항 및 제7항에 따라 계산한 종합부동산세액(2012. 2. 2. 개정)(종부령 §7 ① 2호)

(2) 직전연도 재산세액과 종합부동산세액의 합계액

법 제15조 제2항에서 직전연도에 해당 토지에 부과된 별도합산과세대상인 토지에 대한 총세액상당액으로서 "대통령령으로 정하는 바에 따라 계산한 세액"이란 납세의무자가 해당 연도의 별도합산과세토지를 직전연도 과세기준일에 실제로 소유하였는지의 여부를 불문하고 직전연도 과세기준일 현재 소유한 것으로 보아 해당 연도의 별도합산과세토지에 대한 제1호[아래 1)]에 따른 재산세액상당액과 제2호[아래 2)]에 따른 종합부동산세액상당액의 합계액을 말한다.(2009. 4. 21. 개정)(종부령 §7 ②)

1) 재산세액상당액(2010. 9. 20. 개정)

해당 연도의 별도합산과세토지에 대하여 직전연도의 「지방세법」(같은 법 제111조 제3항,

제112조 제1항 제2호 및 제122조는 제외한다)을 적용하여 산출한 금액의 합계액(종부령 §7 ② 1호)

2) 종합부동산세액상당액(2010. 9. 20. 개정)

해당 연도의 별도합산과세토지에 대하여 직전연도의 법(법 제15조는 제외한다)을 적용하여 산출한 금액. 이 경우 법 제14조 제6항 중 "세액(「지방세법」 제111조 제3항에 따라 가감조정된 세율이 적용된 경우에는 그 세율이 적용된 세액, 같은 법 제122조에 따라 세부담 상한을 적용받은 경우에는 그 상한을 적용받은 세액을 말한다)"을 "세액[「지방세법」(같은 법 제111조 제3항, 제112조 제1항 제2호 및 제122조는 제외한다)을 적용하여 산출한 세액을 말한다]"으로 하여 해당 규정을 적용한다.(종부령 §7 ② 2호)

(3) 토지의 분할·합병·지목변경·신규등록·등록전환 등의 경우

토지의 분할·합병·지목변경·신규등록·등록전환 등으로 인하여 해당 연도의 별도합산과세토지에 대한 직전연도 과세표준액이 없는 경우에는 해당 연도 별도합산과세토지가 직전연도 과세기준일 현재 존재하는 것으로 보아 직전연도 「지방세법」과 직전연도 법을 적용하여 과세표준액을 산출한 후 제2항의 규정을 적용한다.(2007. 8. 6. 개정)(종부령 §7 ③)

(4) 준용규정

종합부동산세법 시행령 제5조 제4항의 규정은 해당 연도의 별도합산과세토지에 대하여 제2항 및 제3항을 적용함에 있어서 이를 준용한다. 이 경우 "과세표준합산주택"은 이를 "별도합산과세토지"로 본다.(2007. 8. 6. 개정)(종부령 §7 ④)

제4장

신고 · 납부 등

① 납부기간

관할 세무서장은 납부하여야 할 종합부동산세의 세액을 결정하여 해당연도 12월 1일부터 12월 15일(이하 "납부기간"이라 한다)까지 부과 · 징수한다.(2007. 1. 11. 개정)(종부법 §16 ①)

② 납세고지서 발부

관할 세무서장은 종합부동산세를 징수하려면 납부고지서에 주택 및 토지로 구분한 과세표준과 세액을 기재하여 납부기간 개시 5일 전까지 발급하여야 한다.(2007. 1. 11. 개정, 2020. 12. 29. 개정)(종부법 §16 ②)

③ 신고납부방식을 선택한 경우

제1항[위 ❶] 및 제2항[위 ❷]에도 불구하고 종합부동산세를 신고납부방식으로 납부하고자 하는 납세의무자는 종합부동산세의 과세표준과 세액을 해당 연도 12월 1일부터 12월 15일까지 다음에 따라 관할 세무서장에게 신고하여야 한다. 이 경우 제1항[위 ❶]의 규정에 따른 결정은 없었던 것으로 본다.(2007. 1. 11. 개정)(종부법 §16 ③)

종합부동산세의 과세표준과 세액을 신고하는 때에는 다음 각 호[아래 (1)~(4)]의 서류를 관할 세무서장에게 제출하여야 한다.(2008. 2. 29. 직제개정)(종부령 §8 ②)

(1) 다음 각 목[아래 1)~5)]의 사항이 포함된 종합부동산세 신고서(2005. 5. 31 제정)(종부령 §8 ② 1호)

    1) 납세의무자의 성명·주민등록번호·사업자등록번호·주소(납세의무자가 법인인 경우에는 법인명·법인등록번호·사업자등록번호·본점소재지) 등 납세의무자를 확인할 수 있는 사항(이하 "납세의무자의 인적사항"이라 한다)(2005. 5. 31 제정)(종부령 §8 ② 1호 가목)

    2) 종합부동산세 과세표준(2005. 5. 31 제정)(종부령 §8 ② 1호 나목)

    3) 공제세액 및 가산세액(2005. 5. 31 제정)(종부령 §8 ② 1호 다목)

    4) 납부세액(2005. 5. 31 제정)(종부령 §8 ② 1호 라목)

    5) 그 밖에 분납 등에 관한 사항(2017. 2. 7. 개정)(종부령 §8 ② 1호 마목)

(2) 과세대상 물건명세서(2007. 8. 6. 개정)(종부령 §8 ② 2호)

(3) 세부담 상한 초과세액계산명세서(세부담 상한을 신청하는 경우에 한한다)(2007. 8. 6. 개정)(종부령 §8 ② 3호)

(4) 삭제(2007. 8. 6)(종부령 §8 ② 4호)

④ 신고납부방식의 납부기한

제3항[위 ❸]의 규정에 따라 신고한 납세의무자는 신고기한까지 대통령령으로 정하는 바에 따라 관할 세무서장·한국은행 또는 체신관서에 종합부동산세를 납부하여야 한다.(2007. 1. 11. 개정)(종부법 §16 ④)(종부령 §8 ③)

⑤ 기타

제1항[위 ❶] 및 제2항[위 ❷]의 규정에 따른 종합부동산세의 부과절차 및 징수에 관하여 필요한 사항은 대통령령으로 정한다.(2007. 1. 11. 개정)(종부법 §16 ⑤)

제2절 물적납세의무에 대한 납부특례

1 수탁자에 납부고지서 발급

신탁주택(토지)관련 수탁자의 물적납세의무에 따라 종합부동산세를 납부하여야 하는 위탁자의 관할 세무서장은 제7조의2 또는 제12조의2에 따라 수탁자로부터 위탁자의 종합부동산세 등을 징수하려면 다음 각 호[아래 (1)~(3)]의 사항을 적은 납부고지서를 수탁자에게 발급하여야 한다. 이 경우 수탁자의 주소 또는 거소를 관할하는 세무서장과 위탁자에게 그 사실을 통지하여야 한다.(2020. 12. 29. 신설)(종부법 §16의2 ①)

(1) 종합부동산세 등의 과세기간, 세액 및 그 산출근거(2020. 12. 29. 신설)(종부법 §16의2 ① 1호)
(2) 납부하여야 할 기한 및 납부장소(2020. 12. 29. 신설)(종부법 §16의2 ① 2호)
(3) 그 밖에 종합부동산세 등의 징수를 위하여 필요한 사항(2020. 12. 29. 신설)(종부법 §16의2 ① 3호)

2 납부고지 후 영향

제1항에 따른 납부고지가 있은 후 납세의무자인 위탁자가 신탁의 이익을 받을 권리를 포기 또는 이전하거나 신탁재산을 양도하는 등의 경우에도 제1항에 따라 고지된 부분에 대한 납세의무에는 영향을 미치지 아니한다.(2020. 12. 29. 신설)(종부법 §16의2 ②)

3 수탁자 변경시 납세의무 승계

신탁재산의 수탁자가 변경되는 경우에 새로운 수탁자는 제1항에 따라 이전의 수탁자에게 고지된 납세의무를 승계한다.(2020. 12. 29. 신설)(종부법 §16의2 ③)

4 제1항에 따른 납세의무자인 위탁자의 관할 세무서장은 최초의 수탁자에 대한 신탁 설정일을 기준으로 제7조의2 및 제12조의2에 따라 그 신

탁재산에 대한 현재 수탁자에게 위탁자의 종합부동산세 등을 징수할 수 있다.(2020. 12. 29. 신설)(종부법 §16의2 ④)

⑤ 우선변제

신탁재산에 대하여 「국세징수법」에 따라 강제징수를 하는 경우 「국세기본법」 제35조 제1항에도 불구하고 수탁자는 「신탁법」 제48조 제1항에 따른 신탁재산의 보존 및 개량을 위하여 지출한 필요비 또는 유익비의 우선변제를 받을 권리가 있다.(2020. 12. 29. 신설)(종부법 §16의2 ⑤)

⑥ 기타

제1항부터 제5항까지에서 규정한 사항 외에 물적납세의무의 적용에 필요한 사항은 대통령령으로 정한다.(2020. 12. 29. 신설)(종부법 §16의2 ⑥)

제3절 | 결정과 경정

① 결정 및 경정

관할 세무서장 또는 납세지관할지방국세청장(이하 "관할지방국세청장"이라 한다)은 과세대상 누락, 위법 또는 착오 등으로 인하여 종합부동산세를 새로 부과할 필요가 있거나 이미 부과한 세액을 경정할 경우에는 다시 부과·징수할 수 있다.(2007. 1. 11. 개정)(종부법 §17 ①)

② 탈루 또는 오류가 있는 때

관할 세무서장 또는 관할지방국세청장은 제16조 제3항에 따른 신고를 한 자의 신고내용에 탈루 또는 오류가 있는 때에는 해당 연도의 과세표준과 세액을 경정한다.(2007. 1. 11. 개정)

(종부법 §17 ②)

③ 경정 및 재경정

관할 세무서장 또는 관할지방국세청장은 과세표준과 세액을 결정 또는 경정한 후 그 결정 또는 경정에 탈루 또는 오류가 있는 것이 발견된 때에는 이를 경정 또는 재경정하여야 한다.(2008. 12. 26. 개정)(종부법 §17 ③)

④ 재경정

관할 세무서장 또는 관할지방국세청장은 제2항 및 제3항에 따른 경정 및 재경정 사유가 「지방세법」 제115조 제2항에 따른 재산세의 세액변경 또는 수시부과사유에 해당되는 때에는 대통령령으로 정하는 바에 따라 종합부동산세의 과세표준과 세액을 경정 또는 재경정하여야 한다.(2010. 3. 31. 개정)(종부법 §17 ④)

⑤ 세액 추징 및 이자상당가산액

관할 세무서장 또는 관할지방국세청장은 제8조 제2항에 따라 과세표준 합산의 대상이 되는 주택에서 제외된 주택 중 같은 항 제1호의 임대주택 또는 같은 항 제2호의 가정어린이집용 주택이 추후 그 요건을 충족하지 아니하게 된 때에는 다음 방법에 따라 경감받은 세액과 이자상당가산액을 추징하여야 한다.(2011. 6. 7. 개정)(종부법 §17 ⑤)

(1) 추징세액

종합부동산세법 제17조 제5항에 따라 추징해야 하는 경감받은 세액은 제1호의 금액에서 제2호의 금액을 뺀 금액으로 한다. 다만, 제3조 제1항 제1호 나목, 같은 항 제2호 나목, 같은 항 제7호 나목 및 같은 항 제8호 가목 2)에 따른 최소 임대의무기간이 지난 후에 같은 항 제1호 다목, 같은 항 제2호 다목, 같은 항 제7호 다목 및 같은 항 제8호 가목 3)의 요건을 충족하지 않게 된 경우에는 추징에서 제외한다.(2009. 2. 4. 개정, 2020. 2. 11. 개정, 2020. 8. 7. 개정)(종부령 §10 ①)

1) 합산배제 임대주택 또는 가정어린이집용 주택(이하 "합산배제 임대주택 등"이라 한다)으로 보아 왔던 매 과세연도마다 해당 주택을 종합부동산세 과세표준 합산의 대상이 되는 주택으로 보고 계산한 세액(2011. 12. 8. 개정)(종부령 §10 ① 1호)

2) 합산배제 임대주택 등으로 보아 왔던 매 과세연도마다 해당 주택을 종합부동산세 과세표준 합산의 대상에서 제외되는 주택으로 보고 계산한 세액(2009. 2. 4. 개정)(종부령 §10 ① 2호)

(2) 이자상당가산액

종합부동산세법 제17조 제5항에 따라 추징해야 하는 이자상당가산액은 제1항[아래 1)]에 따라 계산한 금액에 제1호[아래 1)]의 기간과 제2호[아래 2)]의 율을 곱하여 계산한 금액으로 한다.(2009. 2. 4. 개정)(종부령 §10 ②)

1) 합산배제 임대주택 등으로 신고한 매 과세연도의 납부기한 다음 날부터 법 제17조 제5항에 따라 추징할 세액의 고지일까지의 기간(2009. 2. 4. 개정)(종부령 §10 ① 1호)

2) 1일당 10만분의 22(2022. 2. 15. 개정)(종부령 §10 ① 2호)

제4절 분납

관할 세무서장은 종합부동산세로 납부하여야 할 세액이 250만 원을 초과하는 경우에는 대통령령으로 정하는 바[아래 ❶]에 따라 그 세액의 일부를 납부기한이 지난 날부터 6개월 이내에 분납하게 할 수 있다.(2018. 12. 31. 개정)(종부법 §20)

❶ 분납세액

위 본문에서 "대통령령으로 정하는 바에 따라 분납할 수 있는 세액"은 종합부동산세법 제16조에 따라 납부하여야 할 세액으로서 다음 각 호[아래 (1), (2)]의 금액을 말한다.(2007. 8. 6. 개정)(종부령 §16 ①)

(1) 납부하여야 할 세액이 250만 원 초과 5백만 원 이하인 경우

납부하여야 할 세액이 250만 원 초과 5백만 원 이하인 때에는 해당 세액에서 250만 원을 차감한 금액(2019. 2. 12. 개정)(종부령 §16 ① 1호)

(2) 납부하여야 할 세액이 5백만 원을 초과하는 경우

납부하여야 할 세액이 5백만 원을 초과하는 때에는 해당 세액의 100분의 50 이하의 금액 (2019. 2. 12. 개정)(종부령 §16 ① 2호)

❷ 분납신청서 제출

종합부동산세법 제16조 제2항에 따른 납부고지서를 받은 자가 법 제20조에 따라 분납하려는 때에는 종합부동산세의 납부기한까지 기획재정부령으로 정하는 신청서를 관할 세무서장에게 제출해야 한다.(2008. 2. 29. 직제개정, 2021. 2. 17. 개정)(종부령 §16 ②)

❸ 납세고지서 수정 고지

관할 세무서장은 제2항에 따라 분납신청을 받은 때에는 이미 고지한 납부고지서를 납부기한까지 납부해야 할 세액에 대한 납부고지서와 분납기간 내에 납부해야 할 세액에 대한 납부고지서로 구분하여 수정 고지해야 한다.(2007. 8. 6. 신설, 2021. 2. 17. 개정)(종부령 §16 ③)

제9편

비사업용토지의 범위

비사업용토지 제1장

제1장

비사업용토지

양도소득세율 비사업용토지 10% 가산세율을 적용(소득법 §104 ① 8호)하는 "비사업용 토지"란 해당 토지를 소유하는 기간 중 다음[아래 ❶]의 대통령령으로 정하는 기간 동안 다음 각 호[아래 ❸ ~ ❾]의 어느 하나에 해당하는 토지를 말한다.(2016. 12. 20. 개정)(소득법 §104의3 ①)

소득세법 제104조의3의 규정을 적용함에 있어서 농지・임야・목장용지 및 그 밖의 토지의 판정은 이 소득세법 시행령에 특별한 규정이 있는 경우를 제외하고는 사실상의 현황에 의한다. 다만, 사실상의 현황이 분명하지 아니한 경우에는 공부상의 등재현황에 의한다.(2005. 12. 31. 신설)(소득령 §168의7)

| 비사업용토지 양도소득세율(2017. 12. 19. 개정, 2020. 12. 29. 개정)(소득법 §104 ① 8호) |

양도소득 과세표준	세 율
1,200만 원 이하	16%
1,200만 원 초과~4,600만 원 이하	192만 원 + (1,200만 원 초과액 × 25%)
4,600만 원 초과~8,800만 원 이하	1,042만 원 + (4,600만 원 초과액 × 34%)
8,800만 원 초과~1억5천만 원 이하	2,470만 원 + (8,800만 원 초과액 × 45%)
1억5천만 원 초과~3억 원 이하	5,260만 원 + (1억5천만 원 초과액 × 48%)
3억 원 초과~5억 원 이하	1억2,460만 원 + (3억 원 초과액 × 50%)
5억 원 초과~10억 원 이하	2억2,460만 원 + (5억 원 초과액 × 52%)
10억 원 초과	4억8,460만 원 + (10억 원 초과액 × 55%)

■ 총괄 흐름도(출처: 국세청)

| 비사업용토지의 판정 흐름도 |

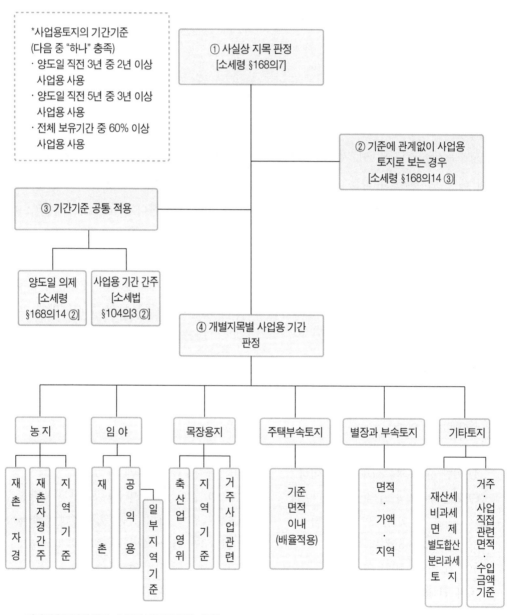

*사업용토지의 기간기준
(다음 중 "하나" 충족)
· 양도일 직전 3년 중 2년 이상 사업용 사용
· 양도일 직전 5년 중 3년 이상 사업용 사용
· 전체 보유기간 중 60% 이상 사업용 사용

① 사실상 지목 판정
[소세령 §168의7]

② 기준에 관계없이 사업용 토지로 보는 경우
[소세령 §168의14 ③]

③ 기간기준 공통 적용

양도일 의제
[소세령 §168의14 ②]

사업용 기간 간주
[소세법 §104의3 ②]

④ 개별지목별 사업용 기간 판정

농지
- 재촌·자경
- 재촌자경간주
- 지역기준

임야
- 재촌
- 공익용
- 일부지역기준

목장용지
- 축산업영위
- 지역기준
- 거주사업관련

주택부속토지
- 기준면적이내 (배율적용)

별장과 부속토지
- 면적·가액·지역

기타토지
- 재산세 비과세 면제 별도합산 분리과세 토지
- 거주·사업직접관련면적·수입금액기준

※ 비사업용토지의 범위: 소득법 제104조의3 제1항

사업용토지 사업용 기간기준

당해 토지가 다음[1.~3.] 기간 중 하나를 충족하는 경우 사업용 토지이다.(소득령 §168의6)

1. 양도일 직전 3년 중 2년 이상을 직접 사업에 사용한 경우
2. 양도일 직전 5년 중 3년 이상을 직접 사업에 사용한 경우
3. 보유기간 중 60/100 이상을 직접 사업에 사용한 경우

법령 등 부득이한 사유인 경우 사업용으로 본다.

토지를 취득한 후 법령에 따라 사용이 금지 또는 제한된 기간은 사업용 토지로 본다.
(소득령 §168의14 ① 각 호)

수용 등 부득이한 사유인 경우 사업용으로 본다.

상속, 20년 이상 소유, 직계존속으로부터의 상속·증여, 수용 등의 사유로 인해 기간기준 등에 관계없이 사업용으로 보는 토지 요건에 해당되는 경우 사업용 토지로 본다.
(소득령 §168의14 ③ 각 호)

① 비사업용토지의 기간 기준

비사업용토지 기간기준 적용 범위

"비사업용 토지"란 해당 토지를 소유하는 기간 중 대통령령으로 정하는 기간 동안 다음의 기술하는 농지, 임야, 목장용지, 농지·임야 및 목장용지 외의 토지, 주택 정착면적을 초과하는 토지, 별장의 부수토지, 그 밖의 사업과 무관한 토지 중 어느 하나에 해당하는 토지를 말하며 다음의 기간기준은 위 토지에 공통적으로 적용되는 기준이다.

"대통령령으로 정하는 기간"이란 다음 각 호[아래 (1)~(3)]의 어느 하나에 해당하는 기간을 말한다. 이 경우 기간의 계산은 일수로 한다.(2016. 2. 17 후단신설)

(1) 토지의 소유기간이 5년 이상인 경우에는 다음 각 목[아래 1)~3)]의 모두에 해당하는 기간(2005. 12. 31. 신설)(소득령 §168의6 1호)

　　1) 양도일 직전 5년 중 2년을 초과하는 기간(2005. 12. 31. 신설)(소득령 §168의6 1호 가목)

　　2) 양도일 직전 3년 중 1년을 초과하는 기간(2005. 12. 31. 신설)(소득령 §168의6 1호 나목)

　　3) 토지의 소유기간의 100분의 40에 상당하는 기간을 초과하는 기간(2016. 2. 17 후단 삭제)(소득령 §168의6 1호 다목)

사업용토지 사업용 기간기준

당해 요건을 갖춘 토지가 다음 요건 중 하나를 충족하는 경우 사업용토지에 해당된다.(소득령 §168의6)
1. 양도일 직전 3년 중 2년 이상을 직접 사업에 사용한 경우
2. 양도일 직전 5년 중 3년 이상을 직접 사업에 사용한 경우
3. 보유기간 중 60/100 이상을 직접 사업에 사용한 경우

---

(2) 토지의 소유기간이 3년 이상이고 5년 미만인 경우에는 다음 각 목[아래 1)~3)]의 모두에 해당하는 기간(2005. 12. 31. 신설)(소득령 §168의6 2호)

　　1) 토지의 소유기간에서 3년을 차감한 기간을 초과하는 기간(2005. 12. 31. 신설)(소득령 §168의6 2호 가목)

　　2) 양도일 직전 3년 중 1년을 초과하는 기간(2005. 12. 31. 신설)(소득령 §168의6 2호 나목)

　　3) 토지의 소유기간의 100분의 40에 상당하는 기간을 초과하는 기간(2016. 2. 17 후단 삭제)(소득령 §168의6 2호 다목)

(3) 토지의 소유기간이 3년 미만인 경우에는 다음 각 목[아래 1)~2)]의 모두에 해당하는 기간. 다만, 소유기간이 2년 미만인 경우에는 가목[아래 1)]을 적용하지 아니한다.(2009. 2. 4 단서신설)(소득령 §168의6 3호)

　　1) 토지의 소유기간에서 2년을 차감한 기간을 초과하는 기간(2005. 12. 31. 신설)(소득령 §168의6 3호 가목)

　　2) 토지의 소유기간의 100분의 40에 상당하는 기간을 초과하는 기간(2016. 2. 17 후단 삭제)(소득령 §168의6 3호 나목)

② 기타 공통 적용 규정

(1) 연접 다수 필지가 하나의 용도에 일괄하여 사용되고 그 총면적이 비사업용 토지 해당 여부의 판정기준이 되는 면적(이하 이 항에서 "기준면적"이라 한다)을 초과하는 경우

소득세법 제104조의3 제1항의 규정(비사업용토지규정)을 적용함에 있어서 연접하여 있는 다수 필지의 토지가 하나의 용도에 일괄하여 사용되고 그 총면적이 비사업용 토지 해당 여부의 판정기준이 되는 면적(이하 이 항에서 "기준면적"이라 한다)을 초과하는 경우에는 다음[아래 1), 2)] 각 호의 구분에 따라 해당 호의 각 목의 순위에 따른 토지의 전부 또는 일부를 기준면적 초과부분으로 본다.(2005. 12. 31. 신설)(소득령 §168의11 ⑤)

1) 토지 위에 건축물 및 시설물이 없는 경우(2005. 12. 31. 신설)(소득령 §168의11 ⑤ 1호)

① 취득시기가 늦은 토지(2005. 12. 31. 신설)(소득령 §168의11 ⑤ 가목)

② 취득시기가 동일한 경우에는 거주자가 선택하는 토지(2005. 12. 31. 신설)(소득령 §168의11 ⑤ 나목)

2) 토지 위에 건축물 또는 시설물이 있는 경우(2005. 12. 31. 신설)(소득령 §168의11 ⑤ 2호)

① 건축물의 바닥면적 또는 시설물의 수평투영면적을 제외한 토지 중 취득시기가 늦은 토지(2005. 12. 31. 신설)(소득령 §168의11 ⑤ 가목)

② 취득시기가 동일한 경우에는 거주자가 선택하는 토지(2005. 12. 31. 신설)(소득령 §168의11 ⑤ 나목)

(2) 토지 위에 하나 이상의 건축물이 있고, 사용용도가 다른 경우

소득세법 제104조의3 제1항의 규정(비사업용토지규정)을 적용함에 있어서 토지 위에 하나 이상의 건축물(시설물 등을 포함한다. 이하 이 항에서 같다)이 있고, 그 건축물이 거주자의 거주 또는 특정 사업에 사용되는 부분(다수의 건축물 중 거주 또는 특정 사업에 사용되는 일부 건축물을 포함한다. 이하 이 항에서 "특정용도분"이라 한다)과 그러하지 아니한 부분이 함께 있는 경우 건축물의 바닥면적 및 부속토지면적(이하 이 항에서 "부속토지면적 등"이라 한다) 중 특정용도분의 부속토지면적 등의 계산은 다음[아래 1), 2)] 산식에 의한

다.(2005. 12. 31. 신설)(소득령 §168의11 ⑥)

1) 하나의 건축물이 복합용도로 사용되는 경우

(2005. 12. 31. 신설)(소득령 §168의11 ⑥ 1호)

특정용도분의 부속토지면적 등 = 건축물의 부속토지면적 등
× 특정용도분의 연면적 / 건축물의 연면적

2) 동일경계 안에 용도가 다른 다수의 건축물이 있는 경우

(2005. 12. 31. 신설)(소득령 §168의11 ⑥ 2호)

특정용도분의 부속토지면적 = 다수의 건축물의 전체 부속토지면적
× 특정용도분의 바닥면적 / 다수의 건축물의 전체 바닥면적

(3) 비사업용토지 판단시 업종의 분류

소득세법 제104조의3 제1항(비사업용토지규정)을 적용할 때 업종의 분류는 이 영에 특별한 규정이 있는 경우를 제외하고는 「통계법」에 따라 통계청장이 고시하는 한국표준산업분류에 따른다.(2009. 2. 4. 개정)(소득령 §168의11 ⑦)

3 농지

| 지목별 비사업용토지의 판정 흐름도 |(출처 : 국세청)

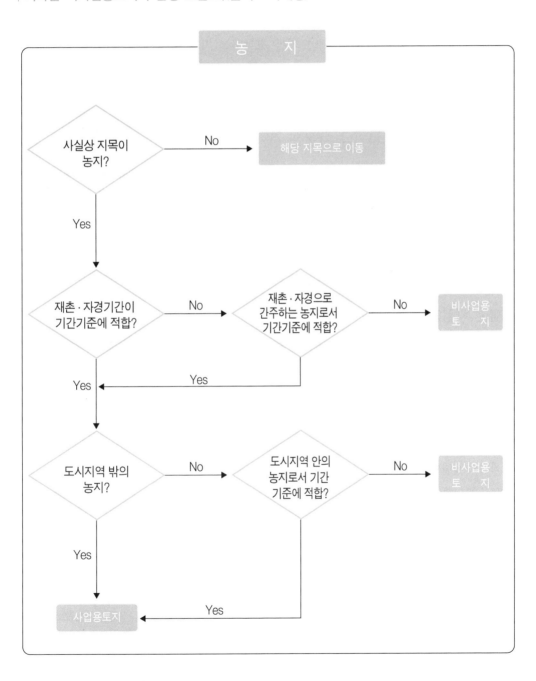

※ 재촌 : 농지소재지 시·군·구 및 연접 시·군·구에 주민등록이 되어 있고, 사실상 거주(소득령 §104의3 ① 1호 및 소득령 §168의8 ②)
※ 재촌·자경 간주 농지(소득령 §168의8 ③ 1호~9호)
※ 도시지역 안 : 市 이상(읍·면지역 제외) 지역의 주거·상업·공업지역(녹지지역 및 개발제한구역 제외)(소득령 §168의8 ④~⑥)

농지로서 "비사업용 토지"란 해당 토지를 소유하는 기간 중 대통령령으로 정하는 기간 [위 ❶] 동안 다음 각 목[아래 (1), (2)]의 어느 하나에 해당하는 토지를 말한다.(2016. 12. 20. 개정)(소득법 §104의3 ① 1호)

(1) 재촌을 하지 아니하거나 자경을 하지 않은 농지

농지로서 "비사업용 토지"란 해당 토지를 소유하는 기간 중 대통령령으로 정하는 기간 [위 ❶] 동안 다음[아래 1)]의 대통령령으로 정하는 바에 따라 소유자가 농지 소재지에 거주하지 아니하거나 자기가 경작하지 아니하는 농지를 말한다.

다만, 「농지법」이나 그 밖의 법률에 따라 소유할 수 있는 농지로서 대통령령으로 정하는 다음[아래 2)]의 경우는 제외한다.(2009. 12. 31. 개정)(소득법 §104의3 ① 1호 가목)

1) 재촌 자경의 의미

위에서 "소유자가 농지소재지에 거주하지 아니하거나 자기가 경작하지 아니하는 농지" 란 농지의 소재지와 동일한 시(특별자치시와 「제주특별자치도 설치 및 국제자유도시 조성을 위한 특별법」 제10조 제2항에 따라 설치된 행정시를 포함한다. 이하 이 조에서 같다)· 군·구(자치구인 구를 말한다. 이하 이 조에서 같다), 연접한 시·군·구 또는 농지로부터 직선거리 30킬로미터 이내에 있는 지역에 사실상 거주(이하 "재촌"이라 한다)하는 자가 「조세특례제한법 시행령」 제66조 제13항에 따른 직접 경작(이하 "자경"이라 한다)을 하는 농지를 제외한 농지를 말한다. 이 경우 자경한 기간의 판정에 관하여는 「조세특례제한법 시행령」 제66조 제14항을 준용한다.(2016. 2. 17. 개정)(소득령 §168의8 ②)

① 재촌이란?

다음[아래 ⅰ), ⅱ)] 중 어느 하나에 해당하는 경우를 말한다.

ⅰ) (연접) 시·군·구 소재
농지의 소재지와 동일한 시(특별자치시와 「제주특별자치도 설치 및 국제자유도시 조성을 위한 특별법」 제10조 제2항에 따라 설치된 행정시를 포함한다. 이하 이 조에

서 같다)·군·구(자치구인 구를 말한다. 이하 이 조에서 같다), 연접한 시·군·구

ⅱ) 농지로부터 직선거리 30킬로미터 이내 거주

② 직접경작(자경)이란?

「조세특례제한법 시행령」 제66조 제13항에 따른 직접 경작(이하 "자경"이라 한다)이란 다음 각 [아래 ⅰ). ⅱ)]의 어느 하나에 해당하는 것을 말한다.(2016. 2. 5. 개정)(조특령 §66 ⑬)

ⅰ) 거주자가 그 소유농지에서 농작물의 경작 또는 다년생식물의 재배에 상시 종사하는 것(2016. 2. 5. 신설)(조특령 §66 ⑬ 1호)

ⅱ) 거주자가 그 소유농지에서 농작업의 2분의 1 이상을 자기의 노동력에 의하여 경작 또는 재배하는 것(2016. 2. 5. 신설)(조특령 §66 ⑬ 2호)

③ 자경기간의 판정에서 일정한 사업소득금액이 있는 기간은 제외

제4항·제6항·제11항 및 제12항에 따른 경작한 기간 중 해당 피상속인(그 배우자를 포함한다. 이하 이 항에서 같다) 또는 거주자 각각에 대하여 다음 각 호[아래 ⅰ), ⅱ)]의 어느 하나에 해당하는 과세기간이 있는 경우 그 기간은 해당 피상속인 또는 거주자가 경작한 기간에서 제외한다.(2017. 2. 7. 개정, 2020. 2. 11. 개정)(조특령 §66 ⑭)

ⅰ) 사업소득금액과 총급여액의 합이 3천 700만 원 이상

「소득세법」 제19조 제2항에 따른 사업소득금액(농업·임업에서 발생하는 소득, 같은 법 제45조 제2항에 따른 부동산임대업에서 발생하는 소득과 같은 법 시행령 제9조에 따른 농가부업소득은 제외하며, 이하 이 항에서 "사업소득금액"이라 한다)과 같은 법 제20조 제2항에 따른 총급여액의 합계액이 3천700만 원 이상인 과세기간이 있는 경우. 이 경우 사업소득금액이 음수인 경우에는 해당 금액을 0으로 본다.(2020. 2. 11. 신설)(조특령 §66 ⑭ 1호)

ⅱ) 일정금액 이상의 사업소득 총수입금액

「소득세법」 제24조 제1항에 따른 사업소득 총수입금액(농업·임업에서 발생하는 소득, 같은 법 제45조 제2항에 따른 부동산임대업에서 발생하는 소득과 같은 법 시행령 제9조에 따른 농가부업소득은 제외한다)이 같은 법 시행령 제208조 제5항 제2호 각 목의 금액 이상인 과세기간이 있는 경우(2020. 2. 11. 신설)(조특령 §66 ⑭ 2호)

소득세법 시행령 제208조 제5항 제2호 각 목의 금액

조특령 제66조 제14항 본문에서의 소득세법 시행령 제208조 제5항 제2호 각 목[아래 1.~3.]의 금액은 다음과 같다.(2013. 6. 28. 개정)(소득령 §208 ⑤)

1. 농업·임업 및 어업, 광업, 도매 및 소매업(상품중개업을 제외한다), 제122조 제1항에 따른 부동산매매업, 그 밖에 나목 및 다목에 해당되지 아니하는 사업: 3억 원 (2013. 2. 15. 개정)(소득령 §208 ⑤ 2호 가목)

2. 제조업, 숙박 및 음식점업, 전기·가스·증기 및 공기조절 공급업, 수도·하수·폐기물처리·원료재생업, 건설업(비주거용 건물 건설업은 제외한다), 부동산 개발 및 공급업(주거용 건물 개발 및 공급업에 한정한다), 운수업 및 창고업, 정보통신업, 금융 및 보험업, 상품중개업: 1억5천만 원(2020. 2. 11. 개정)(소득령 §208 ⑤ 2호 나목)

3. 법 제45조 제2항에 따른 부동산임대업, 부동산업(제122조 제1항에 따른 부동산매매업은 제외한다), 전문·과학 및 기술서비스업, 사업시설관리·사업지원 및 임대서비스업, 교육서비스업, 보건업 및 사회복지서비스업, 예술·스포츠 및 여가 관련 서비스업, 협회 및 단체, 수리 및 기타 개인서비스업, 가구내 고용활동: 7천500만 원(2018. 2. 13. 개정)(소득령 §208 ⑤ 2호 다목)

관련 예규·판례

1. 농지원부가 없는 경우 직접 경작한 것으로 인정되는지 여부
   농지원부 등이 없는 경우에도 직접 경작한 사실이 객관적으로 확인되는 경우에는 감면 규정을 적용받을 수 있는 것이나, 이에 해당하는지는 사실판단할 사항임.(부동산거래관리-632, 2011. 7. 20.)

2. 주택 멸실 후 농지로 사용하는 경우 비사업용 토지 판정
   농지·임야·목장용지 및 그 밖의 토지의 판정은 「소득세법 시행령」에 특별한 규정이 있는 경우를 제외하고는 사실상의 현황에 의하는 것이며, 다만, 사실상의 현황이 분명하지 아니한 경우에는 공부상의 등재 현황에 의하는 것임.(재산-3356, 2008. 10. 17.)

3. 임야, 목장용지를 취득하여 토목공사 후 농사를 짓는 경우 비사업용토지 판정

농지·임야·목장용지 및 그 밖의 토지의 판정은 「소득세법 시행령」에 특별한 규정이 있는 경우를 제외하고는 사실상의 현황에 의하는 것이며, 다만, 사실상의 현황이 분명하지 아니한 경우에는 공부상의 등재 현황에 의하는 것임.(재산-3353, 2008. 10. 17.)

4. 농지원부상 아들이 임차인인 경우

아들이 임차하여 경작한 것으로 확인되어 비사업용 토지로 보아 과세를 하였으나, 실지는 청구인이 경작하였으며, 농지원부상 아들이 임차한 것은 농기계구입을 위하여 작성한 것으로 확인되어, 청구인이 쟁점농지를 실지경작을 하였으므로, 처분청의 처분은 취소되어야 함.(조심 2008부3769, 2009. 6. 26.)

5. 농지의 규모가 큰 경우

쟁점토지는 공부상 생산녹지인 답으로 되어 있으나 주변지역이 개발이 진행되어 전으로 사용되는 토지로서 밭농사는 논농사에 비해 관리재배에 노동력이 많이 가는 농작업으로 사업체를 운영하는 청구인이 쟁점토지의 면적 2,976㎡(약 900평)를 자경하였다고 보기에는 그 규모가 크고 그 수확물 또한 상당량에 달할 것으로 보이나 이에 대한 해명이 없는 점, 쟁점토지의 농지원부를 작성치 않았다가 양도 직전에 작성하는 점, 자경 증빙으로 제시하는 확인서 및 간이 영수증을 그대로 신뢰하기 어려운 점 등을 고려해 볼 때 청구인이 쟁점토지를 자경하였다는 주장은 받아들이기 어려운 것으로 판단됨.(조심2 009중2179, 2009. 6. 26.)

6. 객관적 증빙이 부족한 경우

쟁점농지를 농작업의 1/2 이상을 자기의 노동력에 의하여 경작하였다고 보기 어려운 점, 청구인이 제시하는 농약·비료 판매내역서는 발행자의 신고내역이 검증되지 않는 소매상이 발행한 것이어서 신빙성이 없고, 농지원부, ○○조합원증명서, 사실확인서 등은 청구인이 쟁점농지를 직접 경작하였음을 확인할 수 있는 객관적인 증빙으로 보기 어려움.(조심 2010중1914, 2010. 9. 17.)

7. 농작업의 대부분을 타인에게 맡겨 수행하는 경우

벼농사에 필요한 농작업 중 못자리 만들기와 기계로 할 수 있는 작업 등 대부분을 타인에게 돈을 주고 맡겨 수행하여 직접 작업한 부분은 전체 농작업 중 50%에 미치지 못할 것으로 보이므로 자경 요건을 갖추지 못하였음.(대법 2011두16452, 2011. 10. 27.)

8. 환지된 토지가 양도당시 일부 농지로 이용된 경우 농지 여부

쟁점 토지는 미등기시설물 및 가설울타리를 철거한 흔적이 남아 있으며 경작할 수 없는 토지고, 토지의 일부에 농작물을 재배한 사실이 있었다 하여도 이는 일시적인 토지이용에 불과할 뿐 이를 경작중인 토지 또는 농지라고 볼 수 없음.(국심 2007부 1807, 2007. 9. 5.)

9. 연접한 시·군·구의 의미

「소득세법 시행령」 제168조의9에서 규정하는 "연접한 시·군·구(자치구인 구를 말함. 이하 같음)"라 함은 행정구역상 동일한 경계선을 사이에 두고(강, 바다 등) 서로 붙어있는 시·군·구를 말하는 것임.(서면5팀-1586, 2007. 5. 17.)

연접한 시·군·구란 행정구역상 동일한 경계선을 사이에 두고 서로 붙어 있는 시·군·구를 말하는 것으로 국립지리원이 발간한 지형도상의 해상경계선으로 연접되는 경우도 포함됨.(양도집행 104의3-168의8-3)

10. 행정구역이 개편된 경우

「소득세법」 제104조의3 제1항 제1호 및 「같은법 시행령」 제168조의8 제2항의 비사업용 농지 제외 규정을 적용함에 있어서 '농지소재지에 거주하는 거주자'라 함은 농지가 소재하는 시·군·구(자치구인 구를 말함, 이하 같음) 안의 지역 또는 그 연접한 시·군·구 안의 지역(경작개시 당시에는 당해 지역에 해당하였으나 행정구역의 개편 등으로 이에 해당하지 아니하게 된 지역을 포함한다)에 거주하는 자를 말하는 것임.(서면4팀-390, 2006. 2. 23.)

2) 비사업용으로 보지아니하는 농지

소득세법 제104조의3 제1항 제1호 가목 단서에서 비사업용으로 보지 아니하는 "「농지법」이나 그 밖의 법률에 따라 소유할 수 있는 농지로서 대통령령으로 정하는 경우"란 다음 각 호[아래 ①~⑪]의 어느 하나에 해당하는 농지의 경우를 말한다.(2015. 2. 3. 개정)(소득령 §168의8 ③)

① 농지법에 따른 농지

「농지법」 제6조 제2항 제2호(학교·공공단체 등의 실습농지)·제9호(한국농어촌공사의 개발사업지구 안의 1,500제곱미터 미만의 농지)·제10호 가목(한국농어촌공사소유 농지) 또는 다목(공유수면매립지)에 해당하는 농지(2008. 2. 22. 개정, 2021. 5. 4. 개정)(소득령 §168의8 ③ 1호)

가. 주말·체험 영농 농지

주말·체험영농(농업인이 아닌 개인이 주말 등을 이용하여 취미생활이나 여가활동으로 농작물을 경작하거나 다년생식물을 재배하는 것을 말한다. 이하 같다)을 하려고 농지를 소유하는 경우(농지법 §6 ② 3호)

관련 예규·판례

1. **사업용 토지로 보는 주말·체험 영농농지의 범위**

   주말·체험 영농농지란 2003. 1. 1. 이후 발급받은 농지취득자격증명으로 취득한 농지로써 세대별 소유면적이 1천평방미터 미만의 농지를 말하는 것임.(서면4팀 – 2371, 2006. 7. 20.)

   따라서 2002. 12. 31. 이전에 취득한 농지는 재촌·자경을 하는 경우에 한하여 사업용으로 사용한 것으로 인정된다.

2. **농지취득자격증명서를 발급 못받은 경우**

   주말·체험농지에 해당하는 경우 재촌·자경하지 않더라도 비사업용 토지에서 제외되는 것이긴 하나, 청구인은 03년 신설된 농지법 규정에 따라 주말·영농체험을 목적으로 농지취득자격증명을 발급받은 사실이 없으므로, 쟁점토지를 주말·체험농지(사업용 토지)로 보기는 어려운 것으로 판단됨.(조심 2011부3352, 2011. 12. 8.)

3. **기존 농지의 농지취득자격증명서 발급 여부**

   기존에 자기의 농업경영을 위하여 농지를 취득하였던 자라 하더라도 그 농지를 주말·체험영농을 위한 농지로서 소유하려면 농지취득자격을 다시 발급받지 않는 이상 기존에 자기의 농업 경영을 위하여 취득한 농지를 주말·체험영농을 위한 농지로 당연히 의제하기는 어려움.(수원지법 2010구합2105, 2010. 7. 22.)

---

② 상속개시일부터 3년이 경과하지 아니한 토지

「농지법」 제6조 제2항 제4호(상속농지 : 10,000제곱미터 이하)에 따라 상속에 의하여 취득한 농지로서 그 상속개시일부터 3년이 경과하지 아니한 토지(2008. 2. 22. 개정)(소득령 §168의8 ③ 2호)

> #### 농지법 제6조 제2항 제4호
>
> 상속[상속인에게 한 유증(遺贈)을 포함한다. 이하 같다]으로 농지를 취득하여 소유하는 경우(농지법 §6 ② 4호)

상속개시일부터 3년을 재촌·자경으로 보는 것이므로, 상속개시일부터 5년 이내에 양도하는 경우에는 재촌·자경의 기간기준 요건을 갖춘 토지로 본다.

③ 이농일부터 3년이 경과하지 아니한 토지

「농지법」 제6조 제2항 제5호(이농농지 : 10,000제곱미터 이하, "8년 이상 농업경영":농지법 시행령 제4조)에 따라 이농당시 소유하고 있던 농지로서 그 이농일부터 3년이 경과하지 아니한 토지(2008. 2. 22. 개정)(소득령 §168의8 ③ 3호)

> #### 농지법 제6조 제2항 제5호
>
> 대통령령으로 정하는 기간 이상 농업경영을 하던 자가 이농(離農)한 후에도 이농 당시 소유하고 있던 농지를 계속 소유하는 경우(농지법 §6 ② 5호)

이농일부터 3년을 재촌·자경으로 보는 것이므로, 이농일부터 5년 이내에 양도하는 경우에는 재촌·자경의 기간기준 요건을 갖춘 토지로 본다.

이농은 농업경영을 하던 자가 농업경영을 중단하는 것으로서 주소지 이전 여부와는 관련이 없다.(기재부 재산-942, 2009. 5. 26.)

④ 농지전용허가를 받거나 농지전용신고를 한 자가 소유한 농지

「농지법」 제6조 제2항 제7호에 따른 농지전용허가를 받거나 농지전용신고를 한 자가 소유한 농지 또는 같은 법 제6조 제2항 제8호에 따른 농지전용협의를 완료한 농지로서 당해 전용목적으로 사용되는 토지(2008. 2. 22. 개정)(소득령 §168의8 ③ 4호)

농지법 제6조 제2항 제7호

제34조 제1항에 따른 농지전용허가[다른 법률에 따라 농지전용허가가 의제(擬制)되는 인가·허가·승인 등을 포함한다]를 받거나 제35조 또는 제43조에 따른 농지전용신고를 한 자가 그 농지를 소유하는 경우(농지법 §6 ② 7호)

⑤ 수용 등으로 취득한 토지

「농지법」제6조 제2항 제10호 라목부터 바목까지의 규정에 따라 취득한 농지로서 당해 사업목적으로 사용되는 토지(2008. 2. 22. 개정)(소득령 §168의8 ③ 5호)

농지법 제6조 제2항 제10호 라목부터 바목

(1) 토지수용으로 농지를 취득하여 소유하는 경우(농지법 §6 ② 10호 라목)

(2) 농림축산식품부장관과 협의를 마치고 「공익사업을 위한 토지 등의 취득 및 보상에 관한 법률」에 따라 농지를 취득하여 소유하는 경우(농지법 §6 ② 10호 마목)

(3) 「공공토지의 비축에 관한 법률」제2조 제1호 가목에 해당하는 토지 중 같은 법 제7조 제1항에 따른 공공토지비축심의위원회가 비축이 필요하다고 인정하는 토지로서 「국토의 계획 및 이용에 관한 법률」제36조에 따른 계획관리지역과 자연녹지지역 안의 농지를 한국토지주택공사가 취득하여 소유하는 경우. 이 경우 그 취득한 농지를 전용하기 전까지는 한국농어촌공사에 지체 없이 위탁하여 임대하거나 사용대(使用貸)하여야 한다.(농지법 §6 ② 10호 바목)

⑥ 종중이 소유한 농지

종중이 소유한 농지(2005년 12월 31일 이전에 취득한 것에 한한다)(2005. 12. 31. 신설)(소득령 §168의8 ③ 6호)

관련 예규·판례

1. 명의신탁된 종중소유 농지를 소유권환원 후 양도하는 경우 비사업용 토지 여부

   2005. 12. 31. 이전에 취득한 종중이 소유한 농지 및 2006. 12. 31. 이전에 20년 이상을 소유한 농지로서 2009. 12. 31.까지 양도하는 토지는 비사업용 토지에서 제외되는 것이며, 명의신탁해지를 원인으로 소유권 환원하는 경우 취득시기는 명의신탁자의 취득일이나, 이에 해당하는지 여부는 관련사실을 확인하여 판단할 사항임.(서면5팀-219, 2008. 1. 30.)

---

⑦ 질병, 고령, 징집, 취학, 선거에 의한 공직취임 그 밖에 기획재정부령이 정하는 부득이한 사유로 인하여 자경할 수 없는 경우의 토지

소유자(1세대의 규정[소득법 제88조 제6호]에 따른 생계를 같이하는 자 중 소유자와 동거하면서 함께 영농에 종사한 자를 포함한다)가 질병, 고령, 징집, 취학, 선거에 의한 공직취임 그 밖에 기획재정부령이 정하는 부득이한 사유로 인하여 자경할 수 없는 경우로서 다음 각 목[아래 ⅰ), ⅱ)]의 요건을 모두 갖춘 토지(2017. 2. 3. 개정)(소득령 §168의8 ③ 7호)

---

1. 질병이란?

   1년 이상의 치료나 요양을 필요로 하는 질병

   소득령 제168조의8 제3항 제7호 각 목 외의 부분에서 "질병"이라 함은 1년 이상의 치료나 요양을 필요로 하는 질병을 말한다.(2005. 12. 31. 신설)(소득칙 §83의3 ①)

2. 고령의 의미

   소득령 제168조의8 제3항 제7호 각 목 외의 부분에서 "고령"이라 함은 65세 이상의 연령을 말한다.(2005. 12. 31. 신설)(소득칙 §83의3 ②)

3. 그 밖에 기획재정부령이 정하는 부득이한 사유란

   소득령 제168조의8 제3항 제7호 각 목 외의 부분에서 "그 밖에 기획재정부령이 정하는 부득이한 사유"라 함은 「농지법 시행령」 제24조 제1항 제2호에 해당하는 경우를 말한다.(2008. 4. 29. 개정)(소득칙 §83의3 ③)

   「농지법 시행령」 제24조 제1항 제2호에 해당하는 경우는 교도소·구치소 또는 보호감호시설에 수용 중인 경우를 말한다.(농지령 §24 ① 2호)

ⅰ) 해당 사유 발생일부터 소급하여 5년 이상 계속하여 재촌하면서 자경한 농지

　　해당 사유 발생일부터 소급하여 5년 이상 계속하여 재촌하면서 자경한 농지로서 해당 사유 발생 이후에도 소유자가 재촌하고 있을 것. 이 경우 해당 사유 발생당시 소유자와 동거하던 1세대의 규정[소득법 제88조 제6호]에 따른 생계를 같이하는 자가 농지 소재지에 재촌하고 있는 경우에는 그 소유자가 재촌하고 있는 것으로 본다.(2017. 2. 3. 개정)(소득령 §168의8 ③ 7호 가목)

ⅱ) 「농지법」 제23조에 따라 농지를 임대하거나 사용할 것(2008. 2. 22. 개정)(소득령 §168의8 ③ 7호 나목)

농지법 제23조

제23조(농지의 임대차 또는 사용대차)

1. 다음 각 호[아래 (1)~(9)]의 어느 하나에 해당하는 경우 외에는 농지를 임대하거나 무상사용하게 할 수 없다.(2008. 12. 29, 2009. 5. 27, 2015. 1. 20, 2015. 7. 20, 2020. 2. 11. 개정)(농지법 §23 ①)

　　(1) 제6조 제2항 제1호·제4호부터 제9호까지·제9호의2 및 제10호의 규정에 해당하는 농지를 임대하거나 무상사용하게 하는 경우(농지법 §23 ① 1호)

　　(2) 제17조에 따른 농지이용증진사업 시행계획에 따라 농지를 임대하거나 무상사용하게 하는 경우(농지법 §23 ① 2호)

　　(3) 질병, 징집, 취학, 선거에 따른 공직취임, 그 밖에 대통령령으로 정하는 부득이한 사유로 인하여 일시적으로 농업경영에 종사하지 아니하게 된 자가 소유하고 있는 농지를 임대하거나 무상사용하게 하는 경우(농지법 §23 ① 3호)

　　(4) 60세 이상인 사람으로서 대통령령으로 정하는 사람이 소유하고 있는 농지 중에서 자기의 농업경영에 이용한 기간이 5년이 넘은 농지를 임대하거나 무상사용하게 하는 경우(농지법 §23 ① 4호)

　　(5) 제6조 제1항에 따라 소유하고 있는 농지를 주말·체험영농을 하려는 자에게 임대하거나 무상사용하게 하는 경우, 또는 주말·체험영농을 하려는 자에게 임대하는 것을 업(業)으로 하는 자에게 임대하거나 무상사용하게 하는 경우(농지법 §23 ① 5호)

　　(6) 제6조 제1항에 따라 개인이 소유하고 있는 농지를 한국농어촌공사나 그 밖에 대통령령으로 정하는 자에게 위탁하여 임대하거나 무상사용하게 하는 경우(농지법 §23 ① 6호)

(7) 다음 각 목[아래 1), 2)]의 어느 하나에 해당하는 농지를 한국농어촌공사나 그 밖에 대통령령으로 정하는 자에게 위탁하여 임대하거나 무상사용하게 하는 경우(농지법 §23 ① 7호)

1) 상속으로 농지를 취득한 사람으로서 농업경영을 하지 아니하는 사람이 제7조 제1항에서 규정한 소유 상한을 초과하여 소유하고 있는 농지(농지법 §23 ① 7호 가목)

> **농지법 제7조 제1항 규정**
> 상속으로 농지를 취득한 사람으로서 농업경영을 하지 아니하는 사람은 그 상속 농지 중에서 총 1만제곱미터까지만 소유할 수 있다.(농지법 §7 ①)

2) 대통령령으로 정하는 기간 이상 농업경영을 한 후 이농한 사람이 제7조 제2항에서 규정한 소유 상한을 초과하여 소유하고 있는 농지(농지법 §23 ① 7호 나목)

> **농지법 제7조 제2항 규정**
> 대통령령으로 정하는 기간 이상 농업경영을 한 후 이농한 사람은 이농 당시 소유 농지 중에서 총 1만제곱미터까지만 소유할 수 있다.(농지법 §7 ②)

(8) 자경 농지를 농림축산식품부장관이 정하는 이모작을 위하여 8개월 이내로 임대하거나 무상사용하게 하는 경우(농지법 §23 ① 8호)

(9) 대통령령으로 정하는 농지 규모화, 농작물 수급 안정 등을 목적으로 한 사업을 추진하기 위하여 필요한 자경 농지를 임대하거나 무상사용하게 하는 경우(농지법 §23 ① 9호)

2. 제1항[위 1.]에도 불구하고 농지를 임차하거나 사용대차한 임차인 또는 사용대차인이 그 농지를 정당한 사유 없이 농업경영에 사용하지 아니할 때에는 시장·군수·구청장이 농림축산식품부령으로 정하는 바에 따라 임대차 또는 사용대차의 종료를 명할 수 있다.(2015. 7. 20. 신설)(농지법 §23 ②)

iii) 기획재정부령이 정하는 서류의 제출

위 규정(소득령 §168의8 ③ 7호)을 적용받고자 하는 자는 양도소득세 과세표준 신고기한 내에 기획재정부령이 정하는 서류를 제출하여야 한다.(2008. 2. 29. 직제개정)(소득령 §168의8 ⑦)

"기획재정부령이 정하는 서류"라 함은 다음 각 호[아래 가.~사.]의 서류를 말한다. (2008. 4. 29. 직제개정)(소득칙 §83의3 ④)

가. 별지 제90호 서식의 질병 등으로 인한 농지의 비사업용토지 제외신청서(2005. 12. 31. 신설)(소득칙 §83의3 ④ 1호)

나. 삭제(2006. 7. 5)(소득칙 §83의3 ④ 2호)

다. 삭제(2006. 7. 5)(소득칙 §83의3 ④ 3호)

라. 재직증명서(자경할 수 없는 사유가 공직취임인 경우에 한한다)(2005. 12. 31. 신설)(소득칙 §83의3 ④ 4호)

마. 재학증명서(자경할 수 없는 사유가 취학인 경우에 한한다)(2005. 12. 31. 신설)(소득칙 §83의3 ④ 5호)

바. 진단서 또는 요양증명서(자경할 수 없는 사유가 질병인 경우에 한한다)(2005. 12. 31. 신설)(소득칙 §83의3 ④ 6호)

사. 그 밖에 자경할 수 없는 사유를 확인할 수 있는 서류(2005. 12. 31. 신설)(소득칙 §83의3 ④ 7호)

⑧ 종교 등 비영리사업자

사회복지법인 등, 학교 등, 종교·제사 단체 및 정당이 그 사업에 직접 사용하는 농지

「지방세특례제한법」 제22조·제41조·제50조 및 제89조에 따른 사회복지법인 등, 학교 등, 종교·제사 단체 및 정당이 그 사업에 직접 사용하는 농지(2010. 9. 20. 개정)(소득령 §168의8 ③ 8호)

관련 예규·판례

1. 교회 소유 농지의 비사업용토지 해당 여부
   제사·종교·자선·학술·기예 그 밖의 공익사업을 목적으로 하는 「지방세법」 제 186조 제1호 본문의 규정에 따른 비영리사업자가 소유하는 농지는 그 사업에 직접 사용하는 경우에 한하여 비사업용 기간으로 보지 않는 것이며 이는 사실 판단 사항 임.(재산－2347, 2008. 8. 20.)

---

⑨ 한국농어촌공사가 8년 이상 수탁하여 임대하거나 사용대(使用貸)한 농지

「한국농어촌공사 및 농지관리기금법」 제3조에 따른 한국농어촌공사가 같은 법 제24조의 4 제1항에 따라 8년 이상 수탁(개인에게서 수탁한 농지에 한한다)하여 임대하거나 사용대 (使用貸)한 농지(2009. 6. 26. 개정)(소득령 §168의8 ③ 9호)

⑩ 「주한미군기지 이전에 따른 평택시 등의 지원 등에 관한 특별법」에 따라 수용된 농지를 대체하여 「부동산 거래신고 등에 관한 법률 시행령」 제10조 제1항 제3호에 따라 취득한 농지로서 해당 농지로부터 직선거리 80킬로미터 이내에 있는 지역에 재촌하는 자가 자경을 하는 농지(2018. 2. 13. 개정)(소득령 §168의8 ③ 9호의2)

⑪ 「농지법」 그 밖의 법률에 따라 소유할 수 있는 농지로서 기획재정부령이 정하는 농지 (2008. 2. 29 직제개정)(소득령 §168의8 ③ 10호)

(2) 도시지역 안의 농지

특별시·광역시(광역시에 있는 군은 제외한다. 이하 이 항에서 같다)·특별자치시(특별자치시에 있는 읍·면지역은 제외한다. 이하 이 항에서 같다)·특별자치도(「제주특별자치도 설치 및 국제자유도시 조성을 위한 특별법」 제10조 제2항에 따라 설치된 행정시의 읍·면지역은 제외한다. 이하 이 항에서 같다) 및 시지역(「지방자치법」 제3조 제4항에 따른 도농 복합형태인 시의 읍·면지역은 제외한다. 이하 이 항에서 같다) 중 「국토의 계획 및 이용에 관한 법률」에 따른 도시지역(대통령령으로 정하는 지역[「국토의 계획 및 이용에 관한 법률」에 따른 녹지지역 및 개발제한구역]은 제외한다. 이하 이 호에서 같다)에 있는 농지. 다만, 대통령령으로 정하는 바에 따라 소유자가 농지 소재지에 거주하며 스스로 경작하던 농지로서 특별시·광역시·특별자치시·특별자치도 및 시지역의 도시지역에 편입된 날부터 대통령령으로 정하는 기간(3년)이 지나지 아니한 농지는 제외한다.(2015. 7. 24. 개정)(소득법 §104의3 ① 1호 나목)(소득령 §168의8 ④)

1) 도시지역에서 제외되는 농지(녹지지역·개발제한구역)

「국토의 계획 및 이용에 관한 법률」에 따른 녹지지역 및 개발제한구역은 도시지역으로 보지 아니한다. 즉, 도시지역 안의 농지에서 제외된다.(2010. 2. 18. 개정)(소득령 §168의8 ④)

2) 재촌자경한 농지로서 편입된 날부터 3년이 지나지 아니한 농지

대통령령으로 정하는 바에 따라 소유자가 농지 소재지에 거주하며 스스로 경작하던 농지로서 특별시·광역시·특별자치시·특별자치도 및 시지역의 도시지역에 편입된 날부터 대통령령으로 정하는 기간(3년)이 지나지 아니한 농지는 비사업용토지로 보는 도시지역 안의 농지에서 제외한다.(2015. 7. 24. 개정)(소득법 §104의3 ① 1호 나목)(2015. 2. 3. 개정)(소득령 §168의8 ⑥)

대통령령으로 정하는 "소유자가 농지소재지에 거주하며 스스로 경작하던 농지"란 다음

각 호[아래 ①, ②]의 어느 하나에 해당하는 농지를 말한다.(2017. 2. 3. 개정)

① 도시지역에 편입된 날부터 소급하여 1년 이상 재촌하면서 자경하던 농지

소득세법 제104조의3 제1항 제1호 나목 본문의 규정에 따른 도시지역에 편입된 날부터 소급하여 1년 이상 재촌하면서 자경하던 농지(2005. 12. 31. 신설)(소득령 §168의8 ⑤ 1호)

② 소득령 제168조의8 제3항 각 호의 어느 하나에 해당하는 농지

(2005. 12. 31. 신설)(소득령 §168의8 ⑤ 2호)

제3항 각 호의 어느 하나에 해당하는 농지란 다음[아래 ⅰ)~ⅶ)]과 같다.

ⅰ) 「농지법」 제6조 제2항 제2호·제9호·제10호 가목 또는 다목에 해당하는 농지(2008. 2. 22. 개정, 2021. 5. 4. 개정)(소득령 §168의8 ③ 1호)

ⅱ) 상속개시일부터 3년이 경과하지 아니한 토지
「농지법」 제6조 제2항 제4호에 따라 상속에 의하여 취득한 농지로서 그 상속개시일부터 3년이 경과하지 아니한 토지(2008. 2. 22. 개정)(소득령 §168의8 ③ 2호)

ⅲ) 이농일부터 3년이 경과하지 아니한 토지
「농지법」 제6조 제2항 제5호에 따라 이농당시 소유하고 있던 농지로서 그 이농일부터 3년이 경과하지 아니한 토지(2008. 2. 22. 개정)(소득령 §168의8 ③ 3호)

ⅳ) 농지로서 당해 전용목적으로 사용되는 토지
「농지법」 제6조 제2항 제7호에 따른 농지전용허가를 받거나 농지전용신고를 한 자가 소유한 농지 또는 같은 법 제6조 제2항 제8호에 따른 농지전용협의를 완료한 농지로서 당해 전용목적으로 사용되는 토지(2008. 2. 22. 개정)(소득령 §168의8 ③ 4호)

ⅴ) 「농지법」 제6조 제2항 제10호 라목부터 바목까지[아래 가.~다.]의 규정에 따라 취득한 농지로서 당해 사업목적으로 사용되는 토지(2008. 2. 22. 개정)(소득령 §168의8 ③ 5호)

가. 토지수용으로 농지를 취득하여 소유하는 경우(농지법 §6 ② 10호 라목)

나. 농림축산식품부장관과 협의를 마치고 「공익사업을 위한 토지 등의 취득 및 보상에 관한 법률」에 따라 농지를 취득하여 소유하는 경우(농지법 §6 ② 10호 마목)

다. 「공공토지의 비축에 관한 법률」 제2조 제1호 가목에 해당하는 토지 중 같은 법 제7조 제1항에 따른 공공토지비축심의위원회가 비축이 필요하다고 인정하는 토지로서 「국토의 계획 및 이용에 관한 법률」 제36조에 따른 계획관리지역과 자연녹지지역 안의 농지를 한국토지주택공사가 취득하여 소유하는 경우. 이 경우 그 취득한 농지를 전용하기 전까지는 한국농어촌공사에 지체 없이 위탁하여 임대하거나 사용대(使用貸)하여야 한다. (농지법 §6 ② 10호 바목)

vi) 종중이 소유한 농지(2005년 12월 31일 이전에 취득한 것에 한한다) (2005. 12. 31. 신설) (소득령 §168의8 ③ 6호)

vii) 질병, 고령, 징집, 취학, 선거에 의한 공직취임 그 밖에 기획재정부령이 정하는 부득이한 사유로 인하여 자경할 수 없는 경우

소유자(법 제88조 제6호에 따른 생계를 같이하는 자 중 소유자와 동거하면서 함께 영농에 종사한 자를 포함한다)가 질병, 고령, 징집, 취학, 선거에 의한 공직취임 그 밖에 기획재정부령이 정하는 부득이한 사유로 인하여 자경할 수 없는 경우로서 다음 각 목[아래 가. 나.]의 요건을 모두 갖춘 토지(2017. 2. 3. 개정) (소득령 §168의8 ③ 7호)

가. 해당 사유 발생일부터 소급하여 5년 이상 계속하여 재촌하면서 자경한 농지로서 해당 사유 발생 이후에도 소유자가 재촌하고 있을 것. 이 경우 해당 사유 발생당시 소유자와 동거하던 법 제88조 제6호에 따른 생계를 같이하는 자가 농지 소재지에 재촌하고 있는 경우에는 그 소유자가 재촌하고 있는 것으로 본다. (2017. 2. 3. 개정) (소득령 §168의8 ③ 7호 가목)

나. 「농지법」 제23조에 따라 농지를 임대하거나 사용대할 것 (2008. 2. 22. 개정) (소득령 §168의8 ③ 7호 나목)

관련 예규 · 판례

1. "개발행위제한지역"이 "개발제한구역"에 해당하는지 여부

「국토의 계획 및 이용에 관한 법률」 제63조에서 규정하는 "개발행위허가의 제한지역"은 소득세법 시행령 제168조의8에서 규정하는 개발제한구역에 해당하지 아니함.(서면4팀-200, 2007. 1. 16.)

2. 도시지역에 편입 후 2년(2015. 2. 3. 이후는 3년) 경과한 농지의 비사업용토지 제외 여부

거주자가 녹지 지역에 해당하는 시지역에 소재하는 농지를 취득하여 취득일부터 양도일까지 계속하여 재촌하면서 자경하던 농지가 도시지역 중 일반주거지역에 편입된 날부터 2년(3년)의 기간이 종료된 경우, 당해 편입된 날부터 2년(3년)이 되는 날까지의 기간을 비사업용 토지에서 제외한다. 즉 이기간을 사업용 기간으로 보아 비사업용 토지의 기간기준(5년 중 3년, 60%, 3년 중 2년) 범위를 판정함.(서면5팀-2804, 2007. 10. 23.)

3. 도시지역(주거지역)으로 편입 후 취득한 농지

특별시·광역시 등에 소재한 농지로서 당해 농지를 취득하기 전에 도시지역에 편입된 농지에 대하여는 소득법 제104조의3 제1항 제1호 나목 단서(편입 3년 내 사업용)의 규정이 적용되지 아니한다. 즉, 비사업용 토지에 해당됨.(법규-3219, 2006. 8. 3.)

구 분	도시지역 편입일	비사업용 여부 판단
특별시	편입 후 농지취득	비사업용토지
광역시(군지역 제외) 시지역(읍·면지역 제외)	편입일로부터 소급하여 1년 미만 재촌·자경	비사업용토지

4 임야(출처 : 국세청)

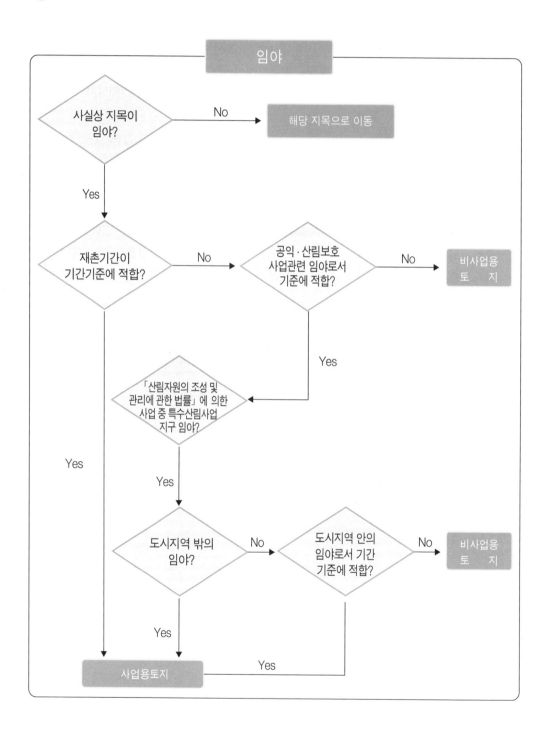

※ 공익·사업관련 임야(소득령 §168의9 ① 1호~14호 및 ③ 1호~9호)
※ 도시지역 안 : 주거·상업·공업지역, 녹지지역(보전녹지지역 제외)(소득령 §168의9 ① 2호)

임야는 비사업용으로 본다. 다만, 다음 각 목[아래 (1)~(3)]의 어느 하나에 해당하는 것은 비사업용토지로 보는 것에서 제외한다.(2009. 12. 31. 개정)(소득법 §104의3 ① 2호)

> **비사업용토지 기간기준 적용 범위**
>
> "비사업용 토지"란 해당 토지를 소유하는 기간 중 대통령령으로 정하는 기간 동안 다음의 기술하는 농지, 임야, 목장용지, 농지·임야 및 목장용지 외의 토지, 주택 정착면적을 초과하는 토지, 별장의 부수토지, 그 밖의 사업과 무관한 토지 중 어느 하나에 해당하는 토지를 말하며 앞의[❶] 기간기준은 위 토지에 공통적으로 적용되는 기준이다.

(1) 보호림 등

「산림자원의 조성 및 관리에 관한 법률」에 따라 지정된 산림유전자원보호림, 보안림(保安林), 채종림(採種林), 시험림(試驗林) 그 밖에 공익을 위하여 필요하거나 산림의 보호·육성을 위하여 필요한 임야로서 대통령령으로 정하는 다음 각 호[아래 1)~14)]의 어느 하나에 해당하는 임야는 비사업용토지로 보지 아니한다.(2009. 12. 31. 개정)(소득법 §104의3 ① 2호 가목)(2010. 2. 18. 개정)(소득령 §168의9 ①)

1) 「산림보호법」에 따른 산림보호구역, 「산림자원의 조성 및 관리에 관한 법률」에 따른 채종림(採種林) 또는 시험림(2010. 3. 9. 개정)(소득령 §168의9 ① 1호)

2) 「산지관리법」에 따른 산지 안의 임야

「산지관리법」에 따른 산지 안의 임야로서 다음 각 목[아래 ①, ②]의 어느 하나에 해당하는 임야. 다만, 「국토의 계획 및 이용에 관한 법률」에 따른 도시지역(같은 법 시행령 제30조의 규정에 따른 보전녹지지역을 제외한다. 이하 이 호에서 같다) 안의 임야로서 도시지역으로 편입된 날부터 3년이 경과한 임야를 제외한다.(2015. 2. 3. 개정)(소득령 §168의9 ① 2호)

① 「산림자원의 조성 및 관리에 관한 법률」에 따른 산림경영계획인가를 받아 시업(施業) 중인 임야(2007. 2. 28. 개정)(소득령 §168의9 ① 2호 가목)

② 「산림자원의 조성 및 관리에 관한 법률」에 따른 특수산림사업지구 안의 임야(2007. 2. 28. 개정)(소득령 §168의9 ① 2호 나목)

3) 사찰림 또는 동유림(洞有林)(2005. 12. 31. 신설)(소득령 §168의9 ① 3호)

4) 공원자연보존지구 및 공원자연환경지구 안의 임야

「자연공원법」에 따른 공원자연보존지구 및 공원자연환경지구 안의 임야(2005. 12. 31. 신설)(소득령 §168의9 ① 4호)

5) 도시공원 안의 임야

「도시공원 및 녹지 등에 관한 법률」에 따른 도시공원 안의 임야(2005. 12. 31. 신설)(소득령 §168의9 ① 5호)

6) 문화재보호구역 안의 임야

「문화재보호법」에 따른 문화재보호구역 안의 임야(2005. 12. 31. 신설)(소득령 §168의9 ① 6호)

7) 전통사찰

「전통사찰의 보존 및 지원에 관한 법률」에 따라 전통사찰이 소유하고 있는 경내지(2009. 6. 9. 개정)(소득령 §168의9 ① 7호)

8) 개발제한구역 안의 임야

「개발제한구역의 지정 및 관리에 관한 특별조치법」에 따른 개발제한구역 안의 임야(2005. 12. 31. 신설)(소득령 §168의9 ① 8호)

9) 군사기지 및 군사시설 보호구역 안의 임야

「군사기지 및 군사시설 보호법」에 따른 군사기지 및 군사시설 보호구역 안의 임야(2008. 9. 22. 개정)(소득령 §168의9 ① 9호)

관련 예규 · 판례

1. 거주 여부

「군사시설보호법」에 따른 군사시설보호구역 안의 임야에 해당하는 기간 동안은 임야소재지 거주 여부와 상관없이 비사업용 토지로 보지 아니함.(재산-2196, 2008. 8. 12.)

2. 군사시설보호구역 안의 임야가 지목변경된 경우 비사업용 토지 판정

「군사시설보호법」에 따른 군사시설보호구역 안의 임야에 해당하는 기간 동안은 사업용으로 보며, 당해 규정은 양도당시 토지의 지목이 임야가 아닌 경우에도 적용됨.(재산-2243, 2008. 8. 14.)

10) 접도구역 안의 임야

「도로법」에 따른 접도구역 안의 임야(2005. 12. 31. 신설)(소득령 §168의9 ① 10호)

11) 철도보호지구 안의 임야

「철도안전법」에 따른 철도보호지구 안의 임야(2005. 12. 31. 신설)(소득령 §168의9 ① 11호)

12) 홍수관리구역 안의 임야

「하천법」에 따른 홍수관리구역 안의 임야(2008. 4. 3. 개정)(소득령 §168의9 ① 12호)

13) 상수원보호구역 안의 임야

「수도법」에 따른 상수원보호구역 안의 임야(2005. 12. 31. 신설)(소득령 §168의9 ① 13호)

14) 그 밖에 공익상 필요 또는 산림의 보호육성을 위하여 필요한 임야

그 밖에 공익상 필요 또는 산림의 보호육성을 위하여 필요한 임야로서 기획재정부령이 정하는 임야(2008. 2. 29 직제개정)(소득령 §168의9 ① 14호)

(2) 재촌임야

대통령령이 정하는 바에 따라 임야소재지에 거주하는 자가 소유한 임야(2009. 12. 31. 개정)

"임야소재지에 거주하는 자가 소유한 임야"라 함은 임야의 소재지와 동일한 시(「제주특별자치도 설치 및 국제자유도시 조성을 위한 특별법」 제10조 제2항에 따라 설치된 행정시를 포함한다. 이하 이 조 에서 같다) · 군 · 구(자치구인 구를 말한다. 이하 이 조에서 같다), 그와 연접한 시 · 군 · 구 또는 임야로부터 직선거리 30킬로미터 이내에 있는 지역에 주민등록이 되어 있고 사실상 거주하는 자가 소유하는 임야를 말한다.(2016. 1. 22. 개정)(소득법 §104의3 ① 2호 나목)(소득령 §168의9 ②)

관련 예규 · 판례

1. 임야의 범위
'임야'라 함은 「임야소유권 이전등기 등에 관한 특별조치법」 제2조, 「산림법」 제2조 제1항 제1호 가목, 「입목에 관한 법률」 제2조 제1항의 내용을 종합하여 보았을 때, '집단적으로 생육하고 있는 토지에 부착된 수목의 집단과 그 토지'를 의미한다 봄이 합리적이고, 이러한 임야인지 여부는 사실상의 현황에 의하되 다만, 사실상의 현황이 분명하지 아니한 경우에는 공부상의 등재 현황에 의한다 할 것임.(국세청 예규 재산-3353, 2008. 10. 17.)

2. 비거주자가 임야소재지에 거소신고를 하고 거주하는 경우
비거주자가 국내에 임야를 소유한 경우로서, 임야의 소재지와 동일한 시 · 군 · 구(자치구인 구를 말함) 안의 지역에 거소 신고를 하고 사실상 거주하는 경우 사업용 토지의 보유기간으로 봄.(서면4팀-1498, 2008. 6. 23.)

---

(3) 사업과 관련된 임야

토지의 소유자, 소재지, 이용 상황, 보유기간 및 면적 등을 고려하여 거주 또는 사업과 직접 관련이 있다고 인정할 만한 상당한 이유가 있는 다음 각 호[아래 1)~9)]의 어느 하나에 해당하는 임야(2009. 12. 31. 개정)(소득법 §104의3 ① 2호 다목)(2010. 2. 18. 개정)(소득령 §168의9 ③)

1) 「임업 및 산촌 진흥촉진에 관한 법률」에 따른 임업후계자가 산림용 종자, 산림용 묘목, 버섯, 분재, 야생화, 산나물 그 밖의 임산물의 생산에 사용하는 임야(2005. 12. 31. 신설)(소득령 §168의9 ③ 1호)

2) 「산림자원의 조성 및 관리에 관한 법률」에 따른 종 · 묘생산업자가 산림용 종자 또는 산림용 묘목의 생산에 사용하는 임야(2007. 2. 28. 개정)(소득령 §168의9 ③ 2호)

3) 「산림문화 · 휴양에 관한 법률」에 따른 자연휴양림을 조성 또는 관리 · 운영하는 사업

에 사용되는 임야(2007. 2. 28. 개정)(소득령 §168의9 ③ 3호)

4) 「수목원·정원의 조성 및 진흥에 관한 법률」에 따른 수목원을 조성 또는 관리·운영하는 사업에 사용되는 임야(2015. 7. 20. 개정)(소득령 §168의9 ③ 4호)

5) 산림계가 그 고유목적에 직접 사용하는 임야(2005. 12. 31. 신설)(소득령 §168의9 ③ 5호)

6) 「지방세특례제한법」 제22조·제41조·제50조 및 제89조에 따른 사회복지법인 등, 학교 등, 종교·제사 단체 및 정당이 그 사업에 직접 사용하는 임야(2010. 9. 20. 개정)(소득령 §168의9 ③ 6호)

7) 상속받은 임야로서 상속개시일부터 3년이 경과하지 아니한 임야(2005. 12. 31. 신설)(소득령 §168의9 ③ 7호)

상속개시일부터 3년을 사업용으로 보는 것이다. 그러므로 상속개시일부터 5년 이내에 양도하는 경우에는 사업용의 기간기준요건을 충족한 토지로 본다.

8) 종중이 소유한 임야(2005년 12월 31일 이전에 취득한 것에 한한다)(2005. 12. 31. 신설)(소득령 §168의9 ③ 8호)

9) 그 밖에 토지의 소유자, 소재지, 이용상황, 소유기간 및 면적 등을 고려하여 거주 또는 사업과 직접 관련이 있는 임야로서 기획재정부령으로 정하는 임야(2008. 2. 29. 직제개정)(소득령 §168의9 ③ 9호)

→ 2022년 3월 현재 기획재정부령으로 정한 것은 없다.

5 목장용지(출처 : 국세청)

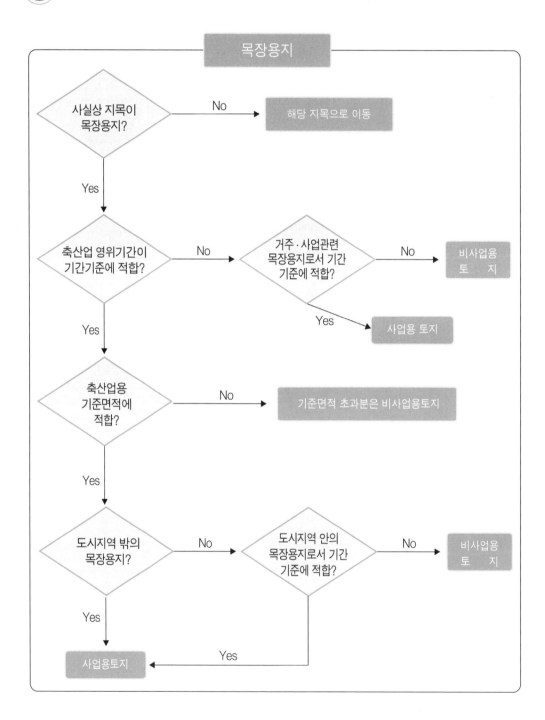

※ 거주·사업관련 목장용지(소득령 §168의10 ② 1호~4호)
※ 도시지역 안 : 주거·상업·공업·녹지지역(소득법 §104의3 ① 3호 가목)

목장용지로서 다음 각 목[아래 (1),(2)]의 어느 하나에 해당하는 것은 비사업용 토지로 본다. 다만, 토지의 소유자, 소재지, 이용 상황, 보유기간 및 면적 등을 고려하여 거주 또는 사업과 직접 관련이 있다고 인정할 만한 상당한 이유가 있는 목장용지로서 대통령령으로 정하는 것[아래 (3)]은 제외한다.(2009. 12. 31. 개정)(소득법 §104의3 ① 3호)

여기서 "목장용지"라 함은 축산용으로 사용되는 축사와 부대시설의 토지, 초지 및 사료포(飼料圃)를 말한다.(2005. 12. 31. 신설)(소득령 §168의10 ①)

●●●●
비사업용토지 기간기준 적용 범위

비사업용 토지"란 해당 토지를 소유하는 기간 중 대통령령으로 정하는 기간 동안 다음의 기술하는 농지, 임야, 목장용지, 농지·임야 및 목장용지 외의 토지, 주택 정착면적을 초과하는 토지, 별장의 부수토지, 그 밖의 사업과 무관한 토지 중 어느 하나에 해당하는 토지를 말하며 앞의[❶] 기간기준은 위 토지에 공통적으로 적용되는 기준이다.

(1) 기준면적 초과 또는 도시지역 목장용지

축산업을 경영하는 자가 소유하는 목장용지로서 대통령령으로 정하는 다음 [별표 1의3]의 축산용 토지의 기준면적을 초과하거나 특별시·광역시·특별자치시·특별자치도 및 시 지역의 도시지역[대통령령으로 정하는 지역 (녹지지역 및 개발제한구역)은 제외한다. 이하 이 호에서 같다]에 있는 것[도시지역에 편입된 날부터 대통령령으로 정하는 기간(3년)이 지나지 아니한 경우는 제외한다](2013. 1. 1. 개정)(소득법 §104의3 ① 3호 가목)(2010. 2. 18. 개정)(소득령 §168의10 ③, ④, ⑤)(2015. 2. 3. 개정)(소득령 §168의10 ⑤)

[별표 1의3] (2008. 2. 22. 개정)

축산용 토지 및 건물의 기준면적(제168조의10 제3항 관련)

1. 가축별 기준면적

구분	사업	가축 두수	축사 및 부대시설		초지 또는 사료포		비고
			축사 (제곱미터)	부대시설 (제곱미터)	초지 (헥타르)	사료포 (헥타르)	
1. 한우 (육우)	사육사업	1두당	7.5	5	0.5	0.25	말·노새 또는 당나귀를 사육하는 경우를 포함한다.
2. 한우 (육우)	비육사업	1두당	7.5	5	0.2	0.1	
3. 유우	목장사업	1두당	11	7	0.5	0.25	
4. 양	목장사업	10두당	8	3	0.5	0.25	
5. 사슴	목장사업	10두당	66	16	0.5	0.25	
6. 토끼	사육사업	100두당	33	7	0.2	0.1	친칠라를 사육하는 경우를 포함한다.
7. 돼지	양돈사업	5두당	50	13	–	–	개를 사육하는 경우를 포함한다.
8. 가금	양계사업	100수당	33	16	–	–	
9. 밍크	사육사업	5수당	7	7	–	–	여우를 사육하는 경우를 포함한다.

2. 가축두수

가축두수는 다음 각 목의 어느 하나의 방법 중 납세자가 선택하는 방법에 따라 산정한다.

가. 양도일 이전 최근 6과세기간(양도일이 속하는 과세기간을 포함한다. 이하 같다) 중 납세자가 선택하는 축산업을 영위한 3과세기간의 최고사육두수를 평균한 것

나. 양도일 이전 최근 4과세기간 중 납세자가 선택하는 축산업을 영위한 2과세기간의 최고사육두수를 평균한 것

다. 축산업을 영위한 기간이 2년 이하인 경우에는 축산업을 영위한 과세기간의 최고사육두수를 평균한 것

관련 예규·판례

1. 목장용지의 범위

목장용지는 축산업을 영위하기 위해 초지를 조성한 토지 및 소·돼지·닭 등 가축을 사육하는 축사 등의 부지와 이와 접속된 부속시설물의 부지를 말한다.(양도집행 104의3-168의10-1)

2. 타조를 사육하는 토지가 비사업용 토지에서 제외되는 목장용지 해당 여부

타조를 사육하기 위한 목장으로 사용하는 토지는 비사업용 토지에서 제외되는 목장용지에 해당하지 아니하는 것임.(서면5팀-2769, 2007. 10. 18.)

3. 부부 공동 축산의 경우

축산업을 영위하는 자의 목장용지에는 남편이 「축산법」 규정에 의거 축산업자로 등록되어 있고 남편과 부인이 실질적으로 공동으로 축산업을 영위하던 부인 소유의 목장용지가 해당됨.(서면5팀-506, 2007. 2. 8.)

(2) 축산업을 경영하지 아니하는 목장용지

축산업을 경영하지 아니하는 자가 소유하는 토지(2009. 12. 31. 개정)(소득법 §104의3 ① 3호 나목)

(3) 사업용토지로 보는 목장용지

비사업용토지의 범위 중 목장용지 규정[소득법 제104조의3 제1항 제3호] 각 목 외의 부분 단서에서 "거주 또는 사업과 직접 관련이 있다고 인정할 만한 상당한 이유가 있는 목장용지로서 대통령령으로 정하는 것"이란 다음 각 호[아래 1)~4)]의 어느 하나에 해당하는 것을 말한다.(2010. 2. 18. 개정)(소득령 §168의10 ②)

1) 상속받은 목장용지로서 상속개시일부터 3년이 경과하지 아니한 것(2005. 12. 31. 신설)(소득령 §168의10 ② 1호)

상속개시일부터 3년을 사업용으로 보는 것이다. 그러므로 상속개시일부터 5년 이내에 양도하는 경우 사업용의 기간기준 요건을 충족한 토지로 본다.

2) 종중이 소유한 목장용지(2005년 12월 31일 이전에 취득한 것에 한한다)(2005. 12. 31. 신설)(소득령 §168의10 ② 2호)

3) 「지방세특례제한법」 제22조·제41조·제50조 및 제89조에 따른 사회복지법인 등, 학교 등, 종교·제사 단체 및 정당이 그 사업에 직접 사용하는 목장용지(2010. 9. 20. 개정)(소득령 §168의10 ② 3호)

4) 그 밖에 토지의 소유자, 소재지, 이용상황, 소유기간 및 면적 등을 고려하여 거주 또는 사업과 직접 관련이 있는 목장용지로서 기획재정부령으로 정하는 것(2008. 2. 29 직제개정)(소득령 §168의10 ② 4호)

⑥ 농지, 임야 및 목장용지 외의 토지(나대지 등)(출처 : 국세청)

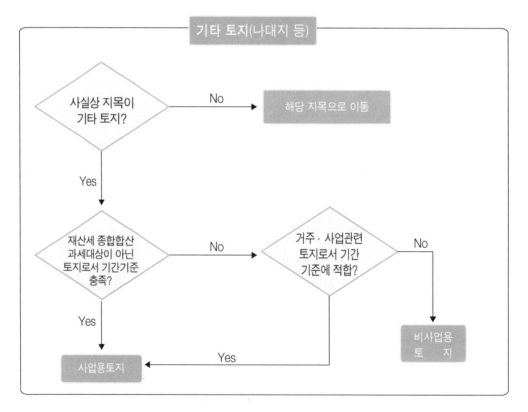

※ 기타 토지(나대지 등) : 농지·임야·목장용지·주택부속토지·별장 및 부속토지 이외의 토지(소득법 §104의3 ① 4호)
※ 거주·사업관련 기타 토지(소득령 §168의11 ① 1호~14호)

농지, 임야 및 목장용지 외의 토지 중 다음 각 목[아래 (1)~(3)]을 제외한 토지는 비사업용토지로 본다.(2005. 12. 31. 신설)(소득법 §104의3 ① 4호)

비사업용토지 기간기준 적용 범위

"비사업용 토지"란 해당 토지를 소유하는 기간 중 대통령령으로 정하는 기간 동안 다음의 기술하는 농지, 임야, 목장용지, 농지 · 임야 및 목장용지 외의 토지, 주택 정착면적을 초과하는 토지, 별장의 부수토지, 그 밖의 사업과 무관한 토지 중 어느 하나에 해당하는 토지를 말하며 앞의[❶] 기간기준은 위 토지에 공통적으로 적용되는 기준이다.

(1) 재산세 비과세 또는 면제되는 토지

「지방세법」또는 관계 법률에 따라 재산세가 비과세되거나 면제되는 토지(2009. 12. 31. 개정)(소득법 §104의3 ① 4호 가목)

관련 예규 · 판례

1. 농지의 진입로

사업장의 진입도로로서 「사도법」에 따른 사도 또는 불특정다수인이 이용하는 도로는 비사업용 토지로 보지 않는 것으로 되어 있고 비사업용토지의 판정은 사실상의 현황에 의하도록 되어 있는바, 진입도로로 개설하는 특약이 있었고, 쟁점토지의 매매계약서에 쟁점토지의 양도가 위 부동산의 진입도로 개설을 위한 매매로 되어 있으며, 사진 및 현황자료에 의하면 쟁점토지는 농지(전)의 진입도로로서 불특정다수인이 사용하는 것으로 되어 있어 사업용 토지에 해당한다는 청구주장이 더 합리적인 것으로 판단됨.(국심 2007전4704, 2008. 9. 2.)

2. 지방자치단체의 조례에 의하여 재산세가 감면되는 경우

지방자치단체의 조례에 의하여 재산세가 50% 감면되는 토지는 비사업용 토지에서 제외되지 아니함.(서면4팀 - 1487, 2007. 5. 4.)

3. 사실상 묘지인 경우

지방세법상 재산세가 비과세되는 묘지는 현황상 묘지일 뿐만 아니라 지적공부상으로도 지목이 묘지인 토지라고 할 것인바 지적공부상 지목이 임야인 경우는 재산세가 비과세되는 토지에 해당하지 아니하고 주택재개발사업 예정구역으로 지정된 사실만으로 법령에 따라 사용이 금지 · 제한된 토지로 볼 수 없음.(대법 2013두7995, 2013. 7. 25.)

(2) 재산세 별도합산과세대상 또는 분리과세대상이 되는 토지

「지방세법」 제106조 제1항 제2호 및 제3호에 따른 재산세 별도합산과세대상 또는 분리과세대상이 되는 토지(2010. 3. 31. 개정)(소득법 §104의3 ① 4호 나목)

관련 예규·판례

1. 타인의 건물이 존재하는 부수토지를 양도시 비사업용 토지 여부

비사업용 토지라 함은 당해 토지를 소유하는 기간 중 건축물 부속토지로서 지방세법에 의한 재산세 별도합산과세대상이 되는 토지의 사용기간은 사업에 사용된 토지의 보유기간으로 보는 것이나, 재산세 종합합산과세대상이 되는 토지의 경우에는 그러하지 아니하는 것임.(서면5팀-3176, 2007. 12. 6.)

2. 건축물이 멸실된 경우

건축물의 부속토지로써 재산세가 별도합산과세되는 토지는 사업에 사용하는 토지로 보는 것이며, 건축물이 멸실된 토지는 당해 건축물이 멸실된 날로부터 2년 기간 동안은 비사업용 토지에 해당하지 아니하는 토지로 봄.(서면4팀-1562, 2006. 6. 2.)

3. 무허가건물의 부속토지

토지 취득 이전부터 양도할 때까지 토지 위에 무허가건물이 있었고 구청장은 양도토지를 종합합산과세대상토지로 구분하여 재산세를 부과해 온 사실을 인정할 수 있으므로 양도토지는 별도합산과세대상 토지에서 제외되는 종합합산과세대상토지로서 비사업용토지에 해당함.(서울행법 2012구단5162, 2012. 11. 7.)

(3) 사업과 관련 있다고 인정되는 토지

토지의 이용 상황, 관계 법률의 의무 이행 여부 및 수입금액 등을 고려하여 거주 또는 사업과 직접 관련이 있다고 인정할 만한 상당한 이유가 있는 토지로서 대통령령으로 정하는 것(2009. 12. 31. 개정)(소득법 §104의3 ① 4호 다목)

위에서 "거주 또는 사업과 직접 관련이 있다고 인정할 만한 상당한 이유가 있는 토지로서 대통령령으로 정하는 것"이란 다음 각 호[아래 1)~14)]의 어느 하나에 해당하는 토지를 말한다.(2010. 2. 18. 개정)(소득령 §168의11 ①)

1) 운동장 · 경기장 등 체육시설용 토지

운동장 · 경기장 등 체육시설용 토지로서 다음 각 목[아래 ①~④]의 어느 하나에 해당하는 것(2005. 12. 31. 신설)(소득령 §168의11 ① 1호)

① **선수전용 체육시설용 토지(2008. 2. 29 직제개정)(소득령 §168의11 ① 1호 가목)**

ⅰ)「국민체육진흥법」에 따라 직장운동경기부를 설치한 자가 선수전용으로 계속하여 제공하고 있는 체육시설용토지로서 기획재정부령이 정하는 선수전용 체육시설의 기준면적 이내의 토지. 다만, 직장운동경기부가 기획재정부령이 정하는 선수 · 지도자 등에 관한 요건에 해당하지 아니하는 경우에는 그러하지 아니하다.

가. 기획재정부령이 정하는 선수전용 체육시설의 기준면적

위 본문에서 "기획재정부령이 정하는 선수전용 체육시설의 기준면적"이라 함은 다음의 별표 3의 기준면적을 말한다.(2008. 4. 29. 직제개정)(소득칙 §83의4 ①)

[별표 3] (2005. 12. 31. 신설)

직장운동경기부 선수전용 체육시설의 기준면적(제83조의4 제1항 관련)

(단위: 제곱미터)

실외체육시설		실내체육시설	
구분	기준면적	구분	기준면적 (체육시설 바닥면적)
1. 축구장	11,000	1. 핸드볼장, 배구장, 농구장, 탁구장, 배드민턴장, 복싱장, 유도장, 검도장, 태권도장, 펜싱장, 체조장, 역도장, 씨름장, 레스링장, 볼링장	800
2. 야구장	14,000		
3. 럭비장	9,000		
4. 필드하키장	6,500		
5. 테니스장	650		
6. 연식정구장	650	2. 수영장, 수구장, 다이빙장	1,000
7. 미식축구장	7,000		
8. 승마장	6,200	3. 아이스하키장, 피겨스케이트장, 롤러스케이트장	1,800
9. 사격장	4,000		
10. 궁도장	7,100		
11. 기타	3,000		

비고
1. 실내체육시설의 부속토지의 경우에는 실내체육시설의 건축물 바닥면적에 「지방세법 시행령」 제131조의2 제2항의 규정에 따른 용도지역별 적용배율을 곱하여 산출한 면적을 기준면적으로 인정한다. 다만, 당해 토지가 「지방세법 시행령」 제131조의2 제1항 제2호의 규정에 따른 건축물의 부속토지에 해당하는 경우에는 그러하지 아니하다.
2. 축구, 야구, 럭비, 필드하키 또는 미식축구 중 2종목 이상의 운동경기부를 두고 있는 경우에는 그 중 가장 넓은 것에 해당하는 종목의 기준면적 하나만을 기준면적으로 인정한다.
3. 실내운동경기를 할 수 있는 운동경기부를 두고 있는 자가 설치한 실내체육시설의 건축물 바닥면적이 기준면적 이하인 경우에는 당해 건축물 바닥면적에 「지방세법 시행령」 제131조의2 제2항의 규정에 따른 용도지역별 적용배율을 곱하여 산출한 면적을 기준면적으로 인정한다. 다만, 당해 토지가 「지방세법 시행령」 제131조의2 제1항 제2호의 규정에 따른 건축물의 부속토지에 해당하는 경우에는 그러하지 아니하다.
4. 실내운동경기를 할 수 있는 운동경기부를 두고 있는 자가 실내체육시설을 설치하지 아니한 경우에는 800제곱미터를 기준면적으로 인정한다.
5. 테니스장 또는 연식정구장의 경우에는 선수 2인까지를 기준으로 하며, 선수가 2인을 초과하는 경우에는 2인마다 483제곱미터를 가산하여 기준면적으로 인정한다.

나. 기획재정부령이 정하는 선수·지도자 등에 관한 요건

위 단서에서 "기획재정부령이 정하는 선수·지도자 등에 관한 요건"이라 함은 다음 각 호의 모든 요건을 말한다.(2008. 4. 29. 직제개정)(소득칙 §83의4 ②)

ㄱ. 선수는 대한체육회에 가맹된 경기단체에 등록되어 있는 자일 것(2005. 12. 31. 신설)(소득칙 §83의4 ② 1호)

ㄴ. 경기종목별 선수의 수는 당해 종목의 경기정원 이상일 것(2005. 12. 31. 신설)(소득칙 §83의4 ② 2호)

ㄷ. 경기종목별로 경기지도자가 1인 이상일 것(2005. 12. 31. 신설)(소득칙 §83의4 ② 3호)

ii) 운동경기업을 영위하는 자가 선수훈련에 직접 사용하는 체육시설로서 기획재정부령이 정하는 기준면적 이내의 토지

"기획재정부령이 정하는 기준면적"이라 함은 다음의 별표 4의 기준면적을 말한다. (2008. 4. 29. 직제개정)(소득칙 §83의4 ③)

[별표 4] (2005. 12. 31. 신설)

운동경기업 선수전용 체육시설의 기준면적(제83조의4 제3항 관련)

(단위: 제곱미터)

실외체육시설		실내체육시설	
구분	기준면적	구분	기준면적 (체육시설 바닥면적)
1. 축구장	16,500	1. 핸드볼장, 배구장, 농구장, 탁구장, 배드민턴장, 복싱장, 유도장, 검도장, 태권도장, 펜싱장, 체조장, 역도장, 씨름장, 레스링장, 볼링장	1,200
2. 야구장	21,000		
3. 럭비장	13,500		
4. 필드하키장	9,750		
5. 테니스장	975		
6. 연식정구장	975	2. 수영장, 수구장, 다이빙장	1,500
7. 미식축구장	10,500		
8. 승마장	9,300	3. 아이스하키장, 피겨스케이트장, 롤러스케이트장	2,700
9. 사격장	6,000		
10. 궁도장	10,650		
11. 기타	4,500		

비고
1. 실내체육시설의 부속토지의 경우에는 실내체육시설의 건축물 바닥면적에 「지방세법 시행령」 제131조의2 제2항의 규정에 따른 용도지역별 적용배율을 곱하여 산출한 면적을 기준면적으로 인정한다. 다만, 당해 토지가 「지방세법 시행령」 제131조의2 제1항 제2호의 규정에 따른 건축물의 부속토지에 해당하는 경우에는 그러하지 아니하다.
2. 축구, 야구, 럭비, 필드하키 또는 미식축구 중 2종목 이상의 운동경기부를 두고 있는 경우에는 그중 가장 넓은 것에 해당하는 종목의 기준면적 하나만을 기준면적으로 인정한다.
3. 실내운동경기를 할 수 있는 운동경기부를 두고 있는 자가 설치한 실내체육시설의 건축물 바닥면적이 기준면적 이하인 경우에는 당해 건축물 바닥면적에 「지방세법 시행령」 제131조의2 제2항의 규정에 따른 용도지역별 적용배율을 곱하여 산출한 면적을 기준면적으로 인정한다. 다만, 당해 토지가 「지방세법 시행령」 제131조의2 제1항 제2호의 규정에 따른 건축물의 부속토지에 해당하는 경우에는 그러하지 아니하다.
4. 테니스장 또는 연식정구장의 경우에는 선수 2인까지를 기준으로 하며, 선수가 2인을 초과하는 경우에는 2인마다 725제곱미터를 가산하여 기준면적으로 인정한다.

② **종업원 체육시설용 토지**(2008. 2. 29 직제개정)(소득령 §168의11 ① 1호 나목)

종업원의 복지후생을 위하여 설치한 체육시설용토지 중 기획재정부령이 정하는 종업원 체육시설의 기준면적[아래 ⅰ)] 이내의 토지. 다만, 기획재정부령이 정하는 종업원 체육시설의 기준[아래 ⅱ)]에 적합하지 아니하는 경우에는 그러하지 아니하다.

ⅰ) 기획재정부령이 정하는 종업원 체육시설의 기준면적

위 본문에서 "기획재정부령이 정하는 종업원 체육시설의 기준면적"이라 함은 다음의 별표 5의 기준면적을 말한다.(2008. 4. 29. 직제개정)(소득칙 §83의4 ④)

[별표 5] (2005. 12. 31. 신설)

종업원 체육시설의 기준면적(제83조의4 제4항 관련)

(단위: 제곱미터)

구분		종업원 100인 이하	종업원 100인 초과 500인 이하	종업원 500인 초과 2,000인 이하	종업원 2,000인 초과 10,000인 이하	종업원 10,000인 초과
실외 체육 시설	운동장	1,000	1,000+100인 초과 종업원수×9	4,600+500인 초과 종업원수×3	9,100+2,000인 초과 종업원수×1	17,100
	코트	970	970	1,940	2,910	2,910
실내 체육 시설		150	300	450	900	900

비고
1. 종업원수는 당해 사업장에 근무하는 종업원을 기준으로 한다.
2. 종업원이 50인 이하인 자의 경우에는 코트면적만을 기준면적으로 인정한다.
3. 실내체육시설의 건축물 바닥면적이 기준면적 이하인 경우에는 당해 건축물 바닥면적을 그 기준면적으로 한다.
4. 종업원용 실내체육시설의 부속토지의 경우에는 실내체육시설의 건축물 바닥면적에 「지방세법 시행령」 제131조의2 제2항의 규정에 따른 용도지역별 적용배율을 곱하여 산출한 면적을 기준면적으로 인정한다. 다만, 당해 토지가 「지방세법 시행령」 제131조의2 제1항 제2호의 규정에 따른 건축물의 부속토지에 해당하는 경우에는 그러하지 아니하다.

ii) 기획재정부령이 정하는 종업원체육시설의 기준

위 단서에서 "기획재정부령이 정하는 종업원체육시설의 기준"이라 함은 다음[아래 가. 나.] 각 호의 기준을 말한다.(2008. 4. 29. 직제개정)(소득칙 §83의4 ⑤)

가. 운동장과 코트는 축구 · 배구 · 테니스 경기를 할 수 있는 시설을 갖출 것(2005. 12. 31. 신설)(소득칙 §83의4 ⑤ 1호)

나. 실내체육시설은 영구적인 시설물이어야 하고, 탁구대를 2면 이상 둘 수 있는 규모일 것(2005. 12. 31. 신설)(소득칙 §83의4 ⑤ 2호)

③ 「체육시설의 설치 · 이용에 관한 법률」에 따른 체육시설업을 영위하는 자가 동법의 규정에 따른 적합한 시설 및 설비를 갖추고 당해 사업에 직접 사용하는 토지

(2005. 12. 31. 신설)(소득령 §168의11 ① 1호 다목)

④ 경기장운영업을 영위하는 자가 당해 사업에 직접 사용하는 토지

(2005. 12. 31. 신설)(소득령 §168의11 ① 1호 라목)

2) 주차장용 토지

주차장용 토지로서 다음 각 목[아래 ①~③]의 어느 하나에 해당하는 것(2005. 12. 31. 신설)(소득령 §168의11 ① 2호)

① 건축물 부설주차장용 토지

「주차장법」에 따른 부설주차장(주택의 부설주차장을 제외한다. 이하 이 목에서 같다)으로서 동법에 따른 부설주차장 설치기준면적 이내의 토지. 다만, 제6호의 규정에 따른 휴양시설업용 토지 안의 부설주차장용 토지에 대하여는 제6호에서 정하는 바에 의한다.(2005. 12. 31. 신설)(소득령 §168의11 ① 2호 가목)

●●●●

관련 예규 · 판례

1. 주차장법에 의한 부설주차장 토지의 비사업용토지 해당 여부

「주차장법」에 따른 부설주차장으로 사용하는 토지로서 부설주차장 설치기준면적 이내의 토지는 비사업용 토지로 보지 아니하는 것임.(서면4팀-447, 2008. 2. 22.)

2. 연접한 건물의 주차장용으로 사용하는 토지의 비사업용토지 해당 여부

「주차장법」에 따른 부설주차장으로 사용하는 토지로서 당해 토지의 사용기간은 비사업용 토지의 보유기간으로 보지 아니하는 것이나, 「주차장법」에 따른 부설주차장이 아니고 사실상 주차장으로 이용하는 경우는 이에 해당하지 않는 것임.(재산-1736, 2008. 7. 17.)

② 업무용 자동차 주차장용 토지

「지방세법 시행령」 제101조 제3항 제1호에 따른 사업자 외의 자로서 업무용 자동차(승용자동차·이륜자동차 및 종업원의 통근용 승합자동차를 제외한다)를 필수적으로 보유하여야 하는 사업에 제공되는 업무용 자동차의 주차장용토지. 다만, 소유하는 업무용 자동차의 차종별 대수에 「여객자동차 운수사업법」 또는 「화물자동차 운수사업법」에 규정된 차종별 대당 최저보유차고면적기준을 곱하여 계산한 면적을 합한 면적(이하 "최저차고기준면적"이라 한다)에 1. 5를 곱하여 계산한 면적 이내의 토지에 한한다.(2010. 9. 20. 개정)(소득령 §168의11 ① 2호 나목)

③ 주차장운영업용 토지

주차장운영업을 영위하는 자가 소유하고, 「주차장법」에 따른 노외주차장으로 사용하는 토지로서 토지의 가액에 대한 1년간의 수입금액의 비율이 기획재정부령이 정하는 다음의 율(100분의 3) 이상인 토지를 말한다.(2008. 2. 29 직제개정)(소득령 §168의11 ① 2호 다목)(2008. 4. 29. 직제개정)(소득칙 §83의4 ⑥)

규정을 적용함에 있어서 토지의 가액에 대한 1년간의 수입금액의 비율(이하 이 항에서 "수입금액비율"이라 한다)은 과세기간별로 계산하되, 다음[아래 ⅰ), ⅱ)] 각 호의 비율 중 큰 것으로 한다. 이 경우 당해 토지에서 발생한 수입금액을 토지의 필지별로 구분할 수 있는 경우에는 필지별로 수입금액비율을 계산한다.(2005. 12. 31. 신설)(소득령 §168의11 ②)

ⅰ) 당해 과세기간의 연간수입금액을 당해 과세기간의 토지가액으로 나눈 비율(2005. 12. 31. 신설)(소득령 §168의11 ② 1호)

ⅱ) (당해 과세기간의 연간수입금액+직전 과세기간의 연간수입금액)÷(당해 과세기간의 토지가액+직전 과세기간의 토지가액)(2005. 12. 31. 신설)(소득령 §168의11 ② 2호)

연간수입금액이란 다음과 같다.

제2항[위 ⅰ), ⅱ)]에서 "연간수입금액"이라 함은 다음 각 호[아래 1.~3.]에 규정한 방법에 따라 계산한 금액을 말한다.(2005. 12. 31. 신설)(소득령 §168의11 ③)

1. 당해 토지 및 건축물·시설물 등에 관련된 사업의 1과세기간의 수입금액으로 하되, 당해 토지 및 건축물·시설물 등에 대하여 전세 또는 임대계약을 체결하여 전세금 또는 보증금을 받는 경우에는 「부가가치세법 시행령」 제65조 제1항에 따른 산식을 준용하여 계산한 금액을 합산한다.(2013. 6. 28. 개정)(소득령 §168의11 ③ 1호)

> **부가령 제65조 제1항 [부동산 임대용역의 공급가액 계산]**
>
> 부가세법 제29조 제10항 제1호에 따라 전세금이나 임대보증금을 받는 경우에는 법 제29조 제3항 제2호에 따른 금전 외의 대가를 받는 것으로 보아 다음 계산식에 따라 계산한 금액을 공급가액으로 한다. 이 경우 국가나 지방자치단체의 소유로 귀속되는 지하도의 건설비를 전액 부담한 자가 지하도로 점용허가(1차 무상점용기간으로 한정한다)를 받아 대여하는 경우에 기획재정부령으로 정하는 건설비상당액은 전세금이나 임대보증금으로 보지 아니한다.(2013. 6. 28. 개정)(부가령 §65 ①)
>
> $$\text{공급가액} = \text{해당 기간의 전세금 또는 임대보증금} \times \text{과세대상 기간의 일수} \times \frac{\text{계약기간 1년의 정기예금 이자율(해당 예정신고기간 또는 과세기간 종료일 현재)}}{365(\text{윤년에는 } 366)}$$

2. 1과세기간의 수입금액이 당해 토지 및 건축물·시설물 등(이하 이 호에서 "당해 토지 등"이라 한다)과 그 밖의 토지 및 건축물·시설물 등(이하 이 호에서 "기타 토지 등"이라 한다)에 공통으로 관련되고 있어 그 실지귀속을 구분할 수 없는 경우에는 당해 토지 등에 관련된 1과세기간의 수입금액은 다음 산식에 따라 계산한다.(2005. 12. 31. 신설)(소득령 §168의11 ③ 2호)

$$\text{당해 토지 등에 관련된 1과세기간의 수입금액} = \text{당해 토지 등과 기타 토지 등에 공통으로 관련된 1과세기간의 수입금액} \times \frac{\text{당해 과세기간의 당해 토지의 가액}}{\text{당해 과세기간의 당해 토지의 가액과 그 밖의 토지의 가액의 합계액}}$$

3. 사업의 신규개시 · 폐업, 토지의 양도 또는 법령에 따른 토지의 사용금지 그 밖의 부득이한 사유로 인하여 1과세기간 중 당해 토지에서 사업을 영위한 기간이 1년 미만인 경우에는 당해 기간 중의 수입금액을 1년간으로 환산하여 연간수입금액을 계산한다.(2005. 12. 31. 신설)(소득령 §168의11 ③ 3호)

iii) 위의 ⅰ), ⅱ)에서 "당해 과세기간의 토지가액"이라 함은 당해 과세기간 종료일(과세기간 중에 양도한 경우에는 양도일)의 기준시가를 말한다.(2005. 12. 31. 신설)(소득령 §168의11 ④)

관련 예규 · 판례

1. 수입금액 3% 미만의 주차장이 무주택 나대지에 해당하는지?
   토지가액 대비 수입금액 3% 미만의 주차장을 운영하여 주차장 운영업에 해당하지 않는다고 하여 곧 '거주'에 관련된 것이라거나 '어느 용도로도 사용되지 않았다'고 볼 수 없으므로 주택을 소유하지 아니하는 1세대가 소유하는 1필지의 나지로서 비사업용토지에서 제외되는 토지로 볼 수 없음.(대법 2014두3259, 2014. 5. 29.)

3) 민간투자사업의 시행으로 조성한 토지 등

「사회기반시설에 대한 민간투자법」에 따라 지정된 사업시행자가 동법에서 규정하는 민간투자사업의 시행으로 조성한 토지 및 그 밖의 법률에 따라 사업시행자가 조성하는 토지로서 기획재정부령이 정하는 토지. 다만, 토지의 조성이 완료된 날부터 2년이 경과한 토지를 제외한다.(2008. 2. 29 직제개정)(소득령 §168의11 ① 3호)

위에서 "기획재정부령이 정하는 토지"라 함은 다음 각 호[아래 ①~⑦]의 어느 하나에 해당하는 토지를 말한다.(2008. 4. 29. 직제개정)(소득칙 §83의4 ⑦)

① 「경제자유구역의 지정 및 운영에 관한 법률」에 따른 개발사업시행자가 경제자유구역 개발계획에 따라 경제자유구역 안에서 조성한 토지(2005. 12. 31. 신설)(소득칙 §83의4 ⑦ 1호)
② 「관광진흥법」에 따른 사업시행자가 관광단지 안에서 조성한 토지(2005. 12. 31. 신설)(소득칙 §83의4 ⑦ 2호)

③ 「기업도시개발특별법」에 따라 지정된 개발사업시행자가 개발구역 안에서 조성한 토지(2008. 4. 29. 개정)(소득칙 §83의4 ⑦ 3호)

④ 「물류시설의 개발 및 운영에 관한 법률」에 따른 물류단지개발사업시행자가 해당 물류단지 안에서 조성한 토지(2008. 4. 29. 개정)(소득칙 §83의4 ⑦ 4호)

⑤ 「중소기업진흥 및 제품구매촉진에 관한 법률」에 따라 단지조성사업의 실시계획이 승인된 지역의 사업시행자가 조성한 토지(2005. 12. 31. 신설)(소득칙 §83의4 ⑦ 5호)

⑥ 「지역균형개발 및 지방중소기업 육성에 관한 법률」에 따라 지정된 개발촉진지구 안의 사업시행자가 조성한 토지(2005. 12. 31. 신설)(소득칙 §83의4 ⑦ 6호)

⑦ 「한국컨테이너부두공단법」에 따라 설립된 한국컨테이너부두공단이 조성한 토지(2005. 12. 31. 신설)(소득칙 §83의4 ⑦ 7호)

4) 청소년수련시설용 토지

「청소년활동진흥법」에 따른 청소년수련시설용 토지로서 동법에 따른 시설·설비기준을 갖춘 토지. 다만, 기획재정부령이 정하는 기준면적을 초과하는 토지를 제외한다.(2008. 2. 29 직제개정)(소득령 §168의11 ① 4호)

"기획재정부령이 정하는 기준면적"이라 함은 수용정원에 200제곱미터를 곱한 면적을 말한다.(2008. 4. 29. 직제개정)(소득칙 §83의4 ⑧)

5) 예비군훈련을 실시하기 위하여 소유하는 토지

종업원 등의 예비군훈련을 실시하기 위하여 소유하는 토지로서 다음 각 목[아래 ①~④]의 요건을 모두 갖춘 토지(2005. 12. 31. 신설)(소득령 §168의11 ① 5호)

① 지목이 대지 또는 공장용지가 아닐 것(2005. 12. 31. 신설)(소득령 §168의11 ① 5호 가목)

② 「국토의 계획 및 이용에 관한 법률」에 따른 도시지역의 주거지역·상업지역 및 공업지역 안에 소재하지 아니할 것(2005. 12. 31. 신설)(소득령 §168의11 ① 5호 나목)

③ 기획재정부령이 정하는 시설기준을 갖추고 기획재정부령이 정하는 기준면적 이내일 것(2008. 2. 29 직제개정)(소득령 §168의11 ① 5호 다목)

"기획재정부령이 정하는 시설기준"은 다음의 별표 6 제1호와 같고 "기준면적"은 별표 6 제2호와 같다.(2005. 12. 31. 신설)(소득칙 §83의4 ⑨, ⑩)

[별표 6] (2005. 12. 31. 신설)

예비군훈련장용 시설기준 및 기준면적(제83조의4 제9항 및 제10항 관련)

1. 시설기준

시설별	시설기준	적용대상
교육보조재료 창고	교재·교육용장비 그 밖에 교육용 소모품을 갖춘 66제곱미터 이상의 창고	대대급 이상 훈련장
강당	영화 또는 슬라이드 상영시설을 갖춘 298제곱미터(중대급 훈련장의 경우에는 185제곱미터) 이상의 강당	중대급 이상 훈련장
간이목욕장 시설	50명 이상이 동시에 목욕할 수 있는 시설을 갖춘 목욕장	대대급 이상 훈련장

2. 기준면적

(단위: 제곱미터)

부대편성 인원 / 훈련장시설	중대·대대 800명 이하	대대·연대 801~ 2,400명	연대 2,401~ 5,000명	여단 5,001명 이상	용도
전술교육장	15,000	30,000	30,000	45,000	철조망·장애물 및 총검술교육시설을 갖춘 각개전투·분대전술·수색정찰 교육장소
사격술 예비훈련장	3,600	7,200	10,800	10,800	사격술의 예비훈련장소
사격장	1,650	2,475	3,300	3,300	사격장소
기초훈련장	2,500	5,000	7,500	7,500	제식훈련, 총검술·소화기 또는 기계훈련의 장소
계	22,750	44,675	51,600	66,600	

비고

사격술 예비훈련장·사격장 및 기초훈련장의 경우에는 전술교육장(사격술 예비훈련장 및 기초훈련장의 경우에는 예비군훈련장 소유자의 다른 평지 또는 운동장을 포함한다)에서 그 훈련을 실시할 수 없는 경우에 한하여 당해 면적을 기준면적에 포함한다.

④ 수임 군부대의 장으로부터 예비군훈련의 실시를 위임받은 자가 소유할 것(2005. 12. 31. 신설)(소득령 §168의11 ① 5호 라목)

6) 휴양시설업용 토지

「관광진흥법」에 따른 전문휴양업·종합휴양업 등 기획재정부령이 정하는 휴양시설업용 토지로서 기획재정부령이 정하는 기준면적 이내의 토지(2008. 2. 29 직제개정)(소득령 §168의11 ① 6호)

ⅰ) 기획재정부령이 정하는 휴양시설업용 토지

"기획재정부령이 정하는 휴양시설업용 토지"라 함은 「관광진흥법」에 따른 전문휴양업·종합휴양업 그 밖에 이와 유사한 시설을 갖추고 타인의 휴양이나 여가선용을 위하여 이를 이용하게 하는 사업용 토지(「관광진흥법」에 따른 전문휴양업·종합휴양업 그 밖에 이와 유사한 휴양시설업의 일부로 운영되는 스키장업 또는 수영장업용 토지를 포함하며, 온천장용 토지를 제외한다)를 말한다.(2008. 4. 29. 직제개정)(소득칙 §83의4 ⑪)

ⅱ) 기획재정부령이 정하는 기준면적 이내의 토지

"기획재정부령이 정하는 기준면적"이란 다음 각 호[아래 가.~다.]의 기준면적을 합한 면적을 말한다.(2009. 4. 14. 개정)(소득칙 §83의4 ⑫)

가. 옥외 동물방목장 및 옥외 식물원이 있는 경우 그에 사용되는 토지의 면적(2005. 12. 31. 신설)(2009. 4. 14. 개정)(소득칙 §83의4 ⑫ 1호)

나. 부설주차장이 있는 경우 「주차장법」에 따른 부설주차장 설치기준면적의 2배 이내의 부설주차장용 토지의 면적. 다만, 「도시교통정비 촉진법」에 따라 교통영향분석·개선대책이 수립된 주차장의 경우에는 같은 법 제16조 제4항에 따라 해당 사업자에게 통보된 주차장용 토지면적으로 한다.(2009. 4. 14. 단서개정, 2009. 4. 14. 개정)(소득칙 §83의4 ⑫ 2호)

다. 「지방세법 시행령」 제101조 제1항 제2호에 따른 건축물이 있는 경우 재산세 종합합산과세대상 토지 중 건축물의 바닥면적(건물 외의 시설물인 경우에는 그 수평투영면적을 말한다)에 동조 제2항의 규정에 따른 용도지역별 배율을 곱하여 산정한 면적 범위 안의 건축물 부속토지의 면적(2011. 3. 28. 개정, 2009. 4. 14. 개정)(소득칙 §83의4 ⑫ 3호)

7) 하치장용 등의 토지

물품의 보관·관리를 위하여 별도로 설치·사용되는 하치장·야적장·적치장(積置場) 등(「건축법」에 따른 건축허가를 받거나 신고를 하여야 하는 건축물로서 허가 또는 신고없이 건축한 창고용 건축물의 부속토지를 포함한다)으로서 매년 물품의 보관·관리에 사용된 최대면적의 100분의 120 이내의 토지(2018. 2. 13. 개정)(소득령 §168의11 ① 7호)

관련 예규·판례

1. 비사업용 토지에서 제외되는 하치장, 야적장, 적치장 등의 토지

비사업용 토지에서 제외되는 하치장, 야적장, 적치장 등의 토지가 반드시 나지임을 전제로 하는 것이라고 볼 수는 없고, 지상에 건물이 존재하는지 여부와는 상관없이 물품의 보관 관리를 위하여 별도로 설치 사용되는 하치장 야적장 적치장 등의 토지인지 여부에 달려있다 할 것임.(대법 2010두2234, 2010. 5. 13.)

2. 임차인이 야적장으로 사용하는 토지의 비사업용 토지 판정

토지의 임차인이 물품의 보관·관리를 위하여 별도로 설치·사용되는 야적장으로 사용하는 토지는 「소득세법 시행령」 제168조의11 제1항 제7호(하치장용 등의 토지) 규정을 적용받을 수 있음.(서면4팀-2486, 2007. 8. 21.)

3. 자동차 폐차장의 하치장용 토지의 비사업용 토지 여부

자동차 해체 재활용업자가 폐차의뢰의 접수 및 폐차의뢰되는 자동차의 수집에 전용하는 영업소를 설치하여 매년 물품의 보관·관리에 사용된 최대면적의 120% 이내의 토지를 해당 용도에 사용하는 기간 동안은 사업용으로 사용하는 기간으로 봄.(부동산거래관리-985, 2010. 7. 27.)

4. 고물상용 토지의 비사업용토지 판정

「자원의 절약과 재활용 촉진에 관한 법률」에 따라 재활용사업에 종사하는 사업자가 재활용가능자원의 수집·보관에 사용하는 토지는 「소득세법 시행령」 제168조의11 제1항 제7호 규정의 하치장용 등의 토지에 해당하는 것임.(서면4팀-3385, 2006. 10. 10.)

----

8) 골재채취장용 토지

「골재채취법」에 따라 시장·군수 또는 구청장(자치구의 구청장에 한한다)으로부터 골재채취의 허가를 받은 자가 허가받은 바에 따라 골재채취에 사용하는 토지(2005. 12. 31. 신설)(소득령 §168의11 ① 8호)

9) 폐기물처리업을 영위하는 자가 당해 사업에 사용하는 토지

「폐기물관리법」에 따라 허가를 받아 폐기물처리업을 영위하는 자가 당해 사업에 사용하는 토지(2005. 12. 31. 신설)(소득령 §168의11 ① 9호)

10) 광천지(鑛泉地)

광천지[鑛泉地(청량음료제조업·온천장업 등에 사용되는 토지로서 지하에서 온수·약수 등이 용출되는 용출구 및 그 유지를 위한 부지를 말한다)]로서 토지의 가액에 대한 1년간의 수입금액의 비율이 기획재정부령이 정하는 율(100분의 4) 이상인 토지(2008. 2. 29 직제개정)(소득령 §168의11 ① 10호)(2008. 4. 29. 직제개정)(소득칙 §83의4 ⑬)

11) 양어장 또는 지소(池沼)용 토지

「공간정보의 구축 및 관리 등에 관한 법률」에 따른 양어장 또는 지소(池沼)용 토지(내수면양식업·낚시터운영업 등에 사용되는 댐·저수지·소류지(小溜池) 및 자연적으로 형성된 호소와 이들의 유지를 위한 부지를 말한다)로서 다음 각 목[아래 ①~③]의 어느 하나에 해당하는 토지(2015. 6. 1. 개정)(소득령 §168의11 ① 11호)

① 「양식산업발전법」 제43조 제1항 제1호에 따라 허가를 받은 육상해수양식업 또는 「수산종자산업육성법」에 따라 허가를 받은 수산종자생산업에 사용되는 토지(2016. 6. 21. 개정, 2021. 2. 17. 개정)(소득령 §168의11 ① 11호 가목)

② 「내수면어업법」 및 「양식산업발전법」(같은 법 제10조 제1항 제7호의 내수면양식업 및 제43조 제1항 제2호의 육상등 내수양식업으로 한정한다)에 따라 시장·군수 또는 구청장(자치구의 구청장을 말하며, 서울특별시의 한강의 경우에는 한강관리에 관한 업무를 관장하는 기관의 장을 말한다. 이하 이 목에서 같다)으로부터 면허 또는 허가를 받거나 시장·군수·구청장에게 신고한 자가 당해 면허어업(양식업 면허의 경우를 포함한다)·허가어업(양식업 허가의 경우를 포함한다) 및 신고어업에 사용하는 토지(2005. 12. 31. 신설, 2021. 2. 17. 개정)(소득령 §168의11 ① 11호 나목)

③ 가목 및 나목 외의 토지로서 토지의 가액에 대한 1년간의 수입금액의 비율이 기획재정부령이 정하는 율(100분의 4) 이상인 토지(2008. 2. 29 직제개정)(소득령 §168의11 ① 11호 다목)(2008. 4. 29. 직제개정)(소득칙 §83의4 ⑬)

12) 블록·석물·토관제조업용 토지, 화훼판매시설업용 토지, 조경작물식재업용 토지, 자

동차정비·중장비정비·중장비운전 또는 농업에 관한 과정을 교습하는 학원용 토지 그 밖에 이와 유사한 토지로서 기획재정부령이 정하는 토지의 경우에는 토지의 가액에 대한 1년간의 수입금액의 비율이 기획재정부령이 정하는 율 이상인 토지(2008. 2. 29 직제개정)(소득령 §168의11 ① 12호)

① 기획재정부령이 정하는 토지

위 본문에서 "기획재정부령이 정하는 토지"라 함은 블록·석물·토관·벽돌·콘크리트제품·옹기·철근·비철금속·플라스틱파이프·골재·조경작물·화훼·분재·농산물·수산물·"축산물의 도매업 및 소매업용(농산물·수산물 및 "축산물의 경우에는「유통산업발전법」에 따른 시장과 그 밖에 이와 유사한 장소에서 운영하는 경우에 한한다) 토지를 말한다.(2008. 4. 29. 직제개정)(소득칙 §83의4 ⑭)

② 기획재정부령이 정하는 율

위 본문에서 "기획재정부령이 정하는 율"이라 함은 다음 각 호의 규정에 따른 율을 말한다.(2008. 4. 29. 직제개정)(소득칙 §83의4 ⑮)

 i) 블록·석물 및 토관제조업용 토지(2005. 12. 31. 신설)(소득칙 §83의4 ⑮ 1호)

 100분의 20

 ii) 조경작물식재업용 토지 및 화훼판매시설업용 토지(2005. 12. 31. 신설)(소득칙 §83의4 ⑮ 2호)

 100분의 7

 iii) 자동차정비·중장비정비·중장비운전에 관한 과정을 교습하는 학원용 토지(2005. 12. 31. 신설)(소득칙 §83의4 ⑮ 3호)

 100분의 10

 iv) 농업에 관한 과정을 교습하는 학원용 토지(2005. 12. 31. 신설)(소득칙 §83의4 ⑮ 4호)

 100분의 7

 v) 제14항의 규정[위의 ①]에 따른 토지(2005. 12. 31. 신설)(소득칙 §83의4 ⑮ 5호)

 100분의 10

13) 무주택 1세대가 소유하는 나지

주택을 소유하지 아니하는 1세대가 소유하는 1필지의 나지[裸地(제1호 내지 제12호에 해당하지 아니하는 토지로서 어느 용도로도 사용되고 있지 아니한 토지를 말한다)]로서 주

택 신축의 가능 여부 등을 고려하여 기획재정부령이 정하는 기준에 해당하는 토지(660제곱미터 이내에 한한다)(2008. 2. 29 직제개정)(소득령 §168의11 ① 13호)

① 주택 신축이 가능한 토지

위에서 "주택 신축의 가능 여부 등을 고려하여 기획재정부령이 정하는 기준에 해당하는 토지"란 법령의 규정에 따라 주택의 신축이 금지 또는 제한되는 지역에 소재하지 아니하고, 그 지목이 대지이거나 실질적으로 주택을 신축할 수 있는 토지(「건축법」 제44조에 따른 대지와 도로와의 관계를 충족하지 못하는 토지를 포함한다)를 말한다.(2009. 4. 14. 개정)(소득칙 §83의4 ⑯)

② 나지가 2필지 이상인 경우

위 규정(소득령 제168조의11 제1항 제13호)을 적용함에 있어서 나지가 2필지 이상인 경우에는 당해 세대의 구성원이 제16항[위 ①]의 규정에 따른 토지를 선택할 수 있다. 다만, 제18항의 규정에 따른 무주택세대 소유 나지의 비사업용토지 제외신청서를 제출하지 아니한 경우에는 제16항의 규정에 따른 토지에 해당하는 필지의 결정은 다음 각 호[아래 ⅰ), ⅱ)]의 방법에 의한다.(소득칙 §83의4 ⑰)

　　ⅰ) 1세대의 구성원 중 2인 이상이 나지를 소유하고 있는 경우에는 다음의 순서를 적용한다.(2005. 12. 31. 신설)(소득칙 §83의4 ⑰ 1호)

　　　가. 세대주(2005. 12. 31. 신설)(소득칙 §83의4 ⑰ 1호 가목)

　　　나. 세대주의 배우자(2005. 12. 31. 신설)(소득칙 §83의4 ⑰ 1호 나목)

　　　다. 연장자(2005. 12. 31. 신설)(소득칙 §83의4 ⑰ 1호 다목)

　　ⅱ) 1세대의 구성원 중 동일인이 2필지 이상의 나지를 소유하고 있는 경우

　　　1세대의 구성원 중 동일인이 2필지 이상의 나지를 소유하고 있는 경우에는 면적이 큰 필지의 나지를, 동일한 면적인 필지의 나지 중에서는 먼저 취득한 나지를 우선하여 적용한다.(2005. 12. 31. 신설)(소득칙 §83의4 ⑰ 2호)

관련 예규 · 판례

1. 무주택 기간

   주택을 소유하지 아니하는 1세대가 소유하는 1필지의 나지를 양도하는 경우 비사업용 토지의 기간기준 적용시 주택을 소유하지 아니한 기간 동안은 사업용 토지에 해당하는 것임.(서면4팀-1011, 2006. 4. 19.)

2. 무주택 세대의 나지에 해당 여부

   비사업용 토지에서 제외하는 무주택 세대의 나지란 주택을 소유하지 아니하는 1세대가 소유하는 1필지의 나지로서 어느 용도로도 사용되고 있지 아니한 토지를 말하는 것임.(서면4팀-1820, 2007. 6. 1.)

3. 아파트 분양권과 1필지의 나지를 소유한 경우

   무주택인 1세대가 소유하는 1필지의 나지를 양도할 때 아파트 분양권은 주택이 아니므로 양도하는 1필지의 나지를 사업용 토지로 보아 기준을 적용한다.(양도집행 104의3-168의11-23)

4. 무주택세대가 지분으로 소유하는 나지의 비사업용 여부

   무주택 1세대가 1필지의 나지를 타인과 공동 소유한 경우에도 당해 공유지분이 '무주택 1세대가 소유하는 1필지의 나지에 대한 비사업용 토지 제외' 규정의 요건을 충족하는 경우 비사업용 토지로 보지 아니하는 것임.(서면4팀-966, 2007. 3. 22.)

5. 1필지의 나지가 660㎡를 초과하는 경우

   "나지"에 해당하는 1필지의 토지의 면적이 660㎡를 초과하는 경우 전체 면적 중 660㎡는 사업에 사용되는 토지로 봄.(재산-2717, 2008. 9. 8.)

6. 공동상속주택을 소유하고 있는 1세대가 나지를 양도하는 경우 비사업용토지 여부

   공동상속주택의 상속지분이 가장 크지 아니한 1세대가 나지를 양도하는 경우 무주택 1세대가 나지를 양도한 것으로 보아 비사업용토지 여부를 판정하는 것임.(서면4팀-2600, 2007. 9. 6.)

14) 그 밖의 토지

  그 밖에 제1호[위 1)] 내지 제13호[위 13)]까지에서 규정한 토지와 유사한 토지 중 토지의 이용 상황, 관계 법령의 이행 여부 등을 고려하여 사업과 직접 관련이 있다고 인정할 만한 토지로서 기획재정부령으로 정하는 토지(2008. 2. 29 직제개정)(소득령 §168의11 ① 14호)

❼ 주택 정착면적을 초과하는 토지(출처 : 국세청)

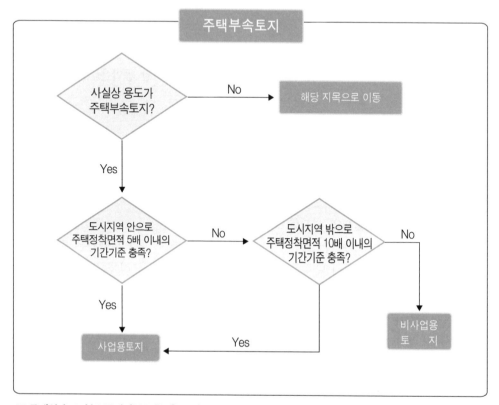

※ 주택부속토지(소득법 §104의3 ① 5호)

「지방세법」 제106조 제2항에 따른 주택부속토지 중 주택이 정착된 면적에 지역별로 대통령령으로 정하는 다음 각 호[아래 (1), (2)] 배율을 곱하여 산정한 면적을 초과하는 토지는 비사업용토지로 본다.(2010. 3. 31. 개정)(소득법 §104의3 ① 5호)(2010. 2. 18. 개정)(소득령 §168의12)

비사업용토지 기간기준 적용 범위

"비사업용 토지"란 해당 토지를 소유하는 기간 중 대통령령으로 정하는 기간 동안 다음의 기술하는 농지, 임야, 목장용지, 농지·임야 및 목장용지 외의 토지, 주택 정착면적을 초과하는 토지, 별장의 부수토지, 그 밖의 사업과 무관한 토지 중 어느 하나에 해당하는 토지를 말하며 앞의[제1절 ❶] 기간기준은 위 토지에 공통적으로 적용되는 기준이다.

(1) 「국토의 계획 및 이용에 관한 법률」 제6조 제1호에 따른 도시지역 내의 토지

다음 각 항목에 따른 배율(2012. 2. 2. 개정, 2020. 2. 11. 개정)(소득령 §168의12 1호)

　1) 「수도권정비계획법」 제2조 제1호에 따른 수도권(이하 이 호에서 "수도권"이라 한다)
　　내의 토지 중 주거지역·상업지역 및 공업지역 내의 토지: 3배
　2) 수도권 내의 토지 중 녹지지역 내의 토지: 5배
　3) 수도권 밖의 토지: 5배

2021. 12. 31. 이전 양도분	2022. 1. 1 이후 양도분
1. 「국토의 계획 및 이용에 관한 법률」 제6조 제1호에 따른 도시지역 내의 토지: 5배	1) 「수도권정비계획법」 제2조 제1호에 따른 수도권 내의 토지 중 주거지역·상업지역 및 공업 지역 내의 토지: 3배 2) 수도권 내의 토지 중 녹지지역 내의 토지: 5배 3) 수도권 밖의 토지: 5배

(2) 그 밖의 토지: 10배(소득령 §168의12 2호)

●●●●

　　관련 예규·판례

　1. 겸용주택 부속토지의 양도시 비사업용 토지 해당 여부
　　건축물의 부속토지로서 재산세가 별도합산과세되는 토지는 비사업용 토지로 보지
　　않는 것이며, 주택부속토지 중 주택이 정착한 면적에 일정 배율을 곱하여 산정한
　　면적을 초과하는 토지는 비사업용 토지에 해당하는 것임.(서면5팀-1005, 2007. 3. 29.)

　2. 무허가주택 철거 후 나대지 상태로 양도하는 경우 비사업용 토지 해당 여부
　　주택이 멸실된 토지는 멸실된 날로부터 2년 기간 동안은 비사업용토지에 해당하지
　　아니하나, 무허가주택은 그러하지 아니함.(서면5팀-576, 2008. 3. 19.)

　3. 컨테이너 세입자가 거주하는 경우 주택 부수토지 및 비사업용토지 해당 여부
　　컨테이너는 「지방세법」 제180조 제3호에서 규정하는 "주택"에 해당하지 아니하는
　　것임.(서면5팀-2206, 2007. 8. 1.)

⑧ 별장의 부수토지(출처 : 국세청)

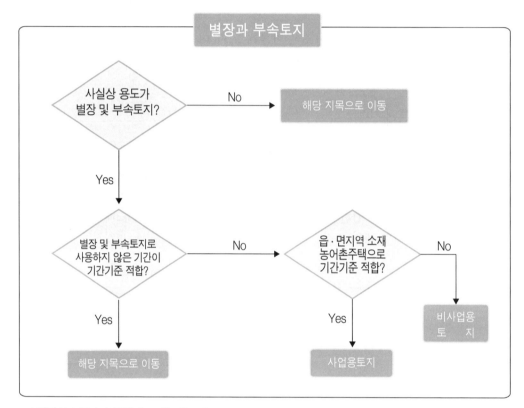

※ 별장부속토지(소득법 §104의3 ① 6호)

주거용 건축물로서 상시주거용으로 사용하지 아니하고 휴양, 피서, 위락 등의 용도로 사용하는 건축물(이하 이 호에서 "별장"이라 한다)의 부속토지는 비사업용토지로 본다. 다만, 「지방자치법」 제3조 제3항 및 제4항에 따른 읍 또는 면에 소재하고 대통령령으로 정하는 범위와 기준에 해당하는 농어촌주택의 부속토지는 제외하며, 별장에 부속된 토지의 경계가 명확하지 아니한 경우에는 그 건축물 바닥면적의 10배에 해당하는 토지를 부속토지로 본다.(2014. 12. 23. 개정)(소득법 §104의3 ① 6호)

위 본문 단서에서 "대통령령으로 정하는 범위와 기준에 해당하는 농어촌주택의 부속토지"란 다음 각 호[아래 (1)~(3)]의 요건을 모두 갖춘 주택의 부속토지를 말한다.(2015. 2. 3. 개정)(소득령 §168의13)

비사업용토지 기간기준 적용 범위

"비사업용 토지"란 해당 토지를 소유하는 기간 중 대통령령으로 정하는 기간 동안 다음의 기술하는 농지, 임야, 목장용지, 농지·임야 및 목장용지 외의 토지, 주택 정착면적을 초과하는 토지, 별장의 부수토지, 그 밖의 사업과 무관한 토지 중 어느 하나에 해당하는 토지를 말하며 앞의[제1절 ❶] 기간기준은 위 토지에 공통적으로 적용되는 기준이다.

(1) 건물의 연면적이 150제곱미터 이내이고 그 건물의 부속토지의 면적이 660제곱미터 이내일 것(2005. 12. 31. 신설)(소득령 §168의13 1호)

(2) 건물과 그 부속토지의 가액이 기준시가 2억 원 이하일 것(2015. 2. 3. 개정)(소득령 §168의13 2호)

(3) 아래「조세특례제한법」제99조의4 제1항 제1호 가목 1)부터 4)까지의 어느 하나에 해당하는 지역을 제외한 지역에 소재할 것(2010. 12. 30. 개정)(소득령 §168의13 3호)

취득 당시 다음의 어느 하나에 해당하는 지역을 제외한 지역으로서「지방자치법」제3조 제3항 및 제4항에 따른 읍·면 또는 인구 규모 등을 고려하여 대통령령으로 정하는 동에 소재할 것(2016. 1. 19. 개정, 2020. 12. 29. 개정)(조특법 §99의4 ① 1호 가목)

1) 수도권지역. 다만,「접경지역 지원 특별법」제2조에 따른 접경지역 중 부동산가격동향 등을 고려하여 대통령령으로 정하는 지역을 제외한다.
위에서 "대통령령으로 정하는 지역"이란 경기도 연천군, 인천광역시 옹진군 및 그 밖에 지역특성이 이와 유사한 지역으로서 기획재정부령으로 정하는 지역을 말한다.(2016. 2. 5. 항번개정)(조특령 §99의4 ③)
2) 「국토의 계획 및 이용에 관한 법률」제6조에 따른 도시지역(2016. 1. 19. 개정)
3) 「주택법」제63조의2에 따른 조정대상지역(2020. 12. 29. 개정)
4) 「부동산 거래신고 등에 관한 법률」제10조에 따른 허가구역(2016. 1. 19. 신설)

위 본문에서 "대통령령으로 정하는 동이란" 아래 별표 12에 따른 시 지역에 속한 동으로서 보유하고 있던 일반주택이 소재하는 동과 같거나 연접하지 아니하는 동을 말한다.(2016. 2. 5. 신설)(조특령 §99의4 ②)

[별표 12] (2016. 2. 5. 개정)

고향주택 소재 지역 범위(제99조의4 제2항 관련)

구분	시 (26개)
충청북도	제천시
충청남도	계룡시, 공주시, 논산시, 보령시, 당진시, 서산시
강원도	동해시, 삼척시, 속초시, 태백시
전라북도	김제시, 남원시, 정읍시
전라남도	광양시, 나주시
경상북도	김천시, 문경시, 상주시, 안동시, 영주시, 영천시
경상남도	밀양시, 사천시, 통영시
제주도	서귀포시

비고
위 표는「통계법」제18조에 따라 통계청장이 통계작성에 관하여 승인한 주민등록인구 현황 (2015년 12월 주민등록인구 기준)을 기준으로 인구 20만 명 이하의 시를 열거한 것임.

⑨ 그 밖의 사업과 무관한 토지

그 밖에 위의 토지[제1호부터 제6호(위 ❸ ~ ❽)까지]와 유사한 토지로서 거주자의 거주 또는 사업과 직접 관련이 없다고 인정할만한 상당한 이유가 있는 대통령령으로 정하는 토지는 비사업용토지로 본다.(2009. 12. 31. 개정)(소득법 §104의3 ① 7호)

→ 2022년 2월 현재 대통령령으로 정한 것은 없다.

비사업용 토지 규정[제1항 (위 제1절)]을 적용할 때 토지 취득 후 법률에 따른 사용 금지나 그 밖에 대통령령으로 정하는 부득이한 사유가 있어 그 토지가 비사업용 토지 규정[소득법 제104조의3 제1항 각 호(위 제1절 ❸ ~ ❾)]의 어느 하나에 해당하는 경우에는 대통령령으로 정하는 바[아래 ❶ ❷]에 따라 그 토지를 비사업용 토지로 보지 아니할 수 있다.(2009. 12. 31. 개정)(소득법 §104의3 ②)

❶ 해당 기간 동안 사업용토지 기간으로 보는 경우

위 본문에서 "대통령령으로 정하는 바"는 다음과 같다.

소득법 제104조의3 제2항에 따라 다음 각 호[아래 (1)~(4)]의 어느 하나에 해당하는 토지는 해당 각 호[아래 (1)~(4)]에서 규정한 기간 동안 소득법 제104조의3 제1항 각 호[위 제1절 ❸ ~ ❾]의 어느 하나에 해당하지 않는 토지로 보아 같은 항에 따른 비사업용 토지(이하 "비사업용 토지"라 한다)에 해당하는지를 판정한다.(2009. 2. 4. 개정)(소득령 §168의14 ①)

(1) 토지를 취득한 후 법령에 따라 사용이 금지 또는 제한된 토지 : 사용이 금지 또는 제한된 기간(2005. 12. 31. 신설)(소득령 §168의14 ① 1호)

(2) 토지를 취득한 후 「문화재보호법」에 따라 지정된 보호구역 안의 토지 : 보호구역으로 지정된 기간(2005. 12. 31. 신설)(소득령 §168의14 ① 2호)

(3) 제1호 및 제2호에 해당되는 토지로서 상속받은 토지: 상속개시일부터 제1호[위 (1)] 및 제2호[위 (2)]에 따라 계산한 기간(2008. 2. 22. 신설)(소득령 §168의14 ① 3호)

(4) 그 밖에 공익, 기업의 구조조정 또는 불가피한 사유로 인한 법령상 제한, 토지의 현황·취득사유 또는 이용상황 등을 고려하여 기획재정부령으로 정하는 부득이한 사유에 해당되는 토지: 기획재정부령으로 정하는 기간(2009. 2. 4. 개정)(소득령 §168의14 ① 4호)

위에서 기획재정부령으로 정하는 부득이한 사유에 해당되는 토지란 다음과 같다.

다음 각 호[아래 1)~12)]의 어느 하나에 해당하는 토지는 해당 각 호[아래 1)~12)]에서 규정한 기간 동안 법 제104조의3 제1항 각 호[위 제1절 **❸**~**❾**]의 어느 하나에 해당하지 아니하는 토지로 보아 같은 항(법 제104조의3 제1항)에 따른 비사업용 토지에 해당하는지 여부를 판정한다. 다만, 부동산매매업(한국표준산업분류에 따른 건물건설업 및 부동산 공급업을 말한다)을 영위하는 자가 취득한 매매용부동산에 대하여는 제1호[아래 1)] 및 제2호[아래 2)]를 적용하지 아니한다.(2009. 4. 14. 개정)(소득칙 §83의5 ①)

1) 취득한 후 건축허가가 제한된 토지

토지를 취득한 후 법령에 따라 당해 사업과 관련된 인가·허가(건축허가를 포함한다. 이하 같다)·면허 등을 신청한 자가 「건축법」 제18조 및 행정지도에 따라 건축허가가 제한됨에 따라 건축을 할 수 없게 된 토지 : 건축허가가 제한된 기간(2009. 4. 14. 개정)(소득칙 §83의5 ① 1호)

2) 건축자재의 수급조절을 위한 행정지도에 따라 착공이 제한된 토지

토지를 취득한 후 법령에 따라 당해 사업과 관련된 인가·허가·면허 등을 받았으나 건축자재의 수급조절을 위한 행정지도에 따라 착공이 제한된 토지 : 착공이 제한된 기간(2005. 12. 31. 신설)(소득칙 §83의5 ① 2호)

3) 사도 또는 도로

사업장(임시 작업장을 제외한다)의 진입도로로서 「사도법」에 따른 사도 또는 불특정다수인이 이용하는 도로 : 사도 또는 도로로 이용되는 기간(2005. 12. 31. 신설)(소득칙 §83의5 ① 3호)

4) 공공공지(公共空地)로 제공한 토지

「건축법」에 따라 건축허가를 받을 당시에 공공공지(公共空地)로 제공한 토지 : 당해 건축물의 착공일부터 공공공지로의 제공이 끝나는 날까지의 기간(2005. 12. 31. 신설)(소득칙 §83의5 ① 4호)

5) 착공일로부터 2년 이내의 토지

지상에 건축물이 정착되어 있지 아니한 토지를 취득하여 사업용으로 사용하기 위하여 건설에 착공(착공일이 불분명한 경우에는 착공신고서 제출일을 기준으로 한다)한 토지 : 당해 토지의 취득일부터 2년 및 착공일 이후 건설이 진행 중인 기간(천재지변, 민원의 발생 그 밖의 정당한 사유로 인하여 건설을 중단한 경우에는 중단한 기간을 포함한다)(2005. 12. 31. 신설)(소득칙 §83의5 ① 5호)

6) 저당권의 실행 등으로 취득한 토지

저당권의 실행 그 밖에 채권을 변제받기 위하여 취득한 토지 및 청산절차에 따라 잔여재산의 분배로 인하여 취득한 토지 : 취득일부터 2년(2005. 12. 31. 신설)(소득칙 §83의5 ① 6호)

7) 소송이 진행중인 토지

당해 토지를 취득한 후 소유권에 관한 소송이 계속(係屬) 중인 토지 : 법원에 소송이 계속되거나 법원에 의하여 사용이 금지된 기간(2005. 12. 31. 신설)(소득칙 §83의5 ① 7호)

8) 도시개발구역 안의 토지로서 건축이 가능한 토지

「도시개발법」에 따른 도시개발구역 안의 토지로서 환지방식에 따라 시행되는 도시개발사업이 구획단위로 사실상 완료되어 건축이 가능한 토지 : 건축이 가능한 날부터 2년(2005. 12. 31. 신설)(소득칙 §83의5 ① 8호)

9) 건축물이 멸실 · 철거되거나 무너진 토지

건축물이 멸실 · 철거되거나 무너진 토지 : 당해 건축물이 멸실 · 철거되거나 무너진 날부터 2년(2005. 12. 31. 신설)(소득칙 §83의5 ① 9호)

10) 휴업 · 폐업 또는 이전일부터 2년 이내 토지

거주자가 2년 이상 사업에 사용한 토지로서 사업의 일부 또는 전부를 휴업 · 폐업 또는 이전함에 따라 사업에 직접 사용하지 아니하게 된 토지 : 휴 · 업폐업 또는 이전일부터 2년 (2005. 12. 31. 신설)(소득칙 §83의5 ① 10호)

11) 천재지변 등으로 황지(荒地)가 된 농지

천재지변 그 밖에 이에 준하는 사유의 발생일부터 소급하여 2년 이상 계속하여 재촌(영 제168조의8 제2항의 규정에 따른 재촌을 말한다)하면서 자경(영 제168조의8 제2항의 규정에 따른 자경을 말한다. 이하 이 호에서 같다)한 자가 소유하는 농지로서 농지의 형질이 변경되어 황지(荒地)가 됨으로써 자경하지 못하는 토지 : 당해 사유의 발생일부터 2년 (2005. 12. 31. 신설)(소득칙 §83의5 ① 11호)

12) 도시계획의 변경 등 사유로 사업에 사용하지 아니하는 토지

당해 토지를 취득한 후 제1호[위 1)] 내지 제11호[위 2)]의 사유 외에 도시계획의 변경 등 정당한 사유로 인하여 사업에 사용하지 아니하는 토지 : 당해 사유가 발생한 기간 (2005. 12. 31. 신설)(소득칙 §83의5 ① 12호)

❷ 토지 양도시기

소득법 제104조의3 제2항의 규정에 따라 다음 각 호[아래 (1)~(3)]의 어느 하나에 해당하는 토지에 대하여는 해당 각 호에서 규정한 날을 양도일로 보아 소득령 제168조의6의 규정[위 제1절 ❶ 비사업용 토지의 기간기준]을 적용하여 비사업용 토지에 해당하는지 여부를 판정한다.(2005. 12. 31. 신설)(소득령 §168의14 ②)

(1) 「민사집행법」에 따른 경매에 따라 양도된 토지 : 최초의 경매기일(2005. 12. 31. 신설)(소득령 §168의14 ② 1호)

(2) 「국세징수법」에 따른 공매에 따라 양도된 토지 : 최초의 공매일(2005. 12. 31. 신설)(소득령 §168의14 ② 2호)

(3) 그 밖에 토지의 양도에 일정한 기간이 소요되는 경우 등 기획재정부령이 정하는 부득이한 사유에 해당되는 다음[아래 1) ~3)]의 토지(2008. 2. 29 직제개정)(소득령 §168의14 ② 3호)

소득세법 시행령 제168조의14 제2항 제3호의 규정에 따라 다음[아래 1) ~3)] 각 호의 어느 하나에 해당하는 토지에 대하여는 해당 각 호에서 규정한 날을 양도일로 보아 소득령 제168조의6의 규정[위 제1절 ❶ 비사업용 토지의 기간기준]을 적용하여 비사업용 토지에 해당하는지 여부를 판정한다.(2005. 12. 31. 신설)(소득칙 §83의5 ②)

1) 한국자산관리공사에 매각을 위임한 토지 : 매각을 위임한 날(2005. 12. 31. 신설)(소득칙 §83의5 ② 1호)

2) 전국을 보급지역으로 하는 일간신문을 포함한 3개 이상의 일간신문에 다음 각 목의 조

건으로 매각을 3일 이상 공고하고, 공고일(공고일이 서로 다른 경우에는 최초의 공고일)부터 1년 이내에 매각계약을 체결한 토지 : 최초의 공고일(2005. 12. 31. 신설)(소득칙 §83의5 ② 2호)

① 매각예정가격이 소득령 제167조 제5항의 규정에 따른 시가 이하일 것(2005. 12. 31. 신설)(소득칙 §83의5 ② 2호 가목)

② 매각대금의 100분의 70 이상을 매각계약 체결일부터 6월 이후에 결제할 것(2005. 12. 31. 신설)(소득칙 §83의5 ② 2호 나목)

3) 제2호의 규정에 따른 토지로서 동호 각 목의 요건을 갖추어 매년 매각을 재공고(직전 매각공고시의 매각예정가격에서 동 금액의 100분의 10을 차감한 금액 이하로 매각을 재공고한 경우에 한한다)하고, 재공고일부터 1년 이내에 매각계약을 체결한 토지 : 최초의 공고일(2005. 12. 31. 신설)(소득칙 §83의5 ② 3호)

③ 기간기준에 관계없이 비사업용토지로 보지 아니하는 토지

소득법 제104조의3 제2항에 따라 다음 각 호[아래 (1)~(6)]의 어느 하나에 해당하는 토지는 비사업용 토지로 보지 않는다.(2009. 2. 4. 개정)(소득령 §168의14 ③)

(1) 상속받은 농지·임야 및 목장용지로서 2009년 12월 31일까지 양도한 토지

2006년 12월 31일 이전에 상속받은 농지·임야 및 목장용지로서 2009년 12월 31일까지 양도하는 토지(2005. 12. 31. 신설)(소득령 §168의14 ③ 1호)

(2) 직계존속 또는 배우자가 8년 이상 재촌자경한 상속받은 농지·임야 및 목장용지

직계존속 또는 배우자가 8년 이상 기획재정부령으로 정하는 토지소재지에 거주하면서 직접 경작한 농지·임야 및 목장용지로서 이를 해당 직계존속 또는 해당 배우자로부터 상속·증여받은 토지. 다만, 양도 당시 「국토의 계획 및 이용에 관한 법률」에 따른 도시지역(녹지지역 및 개발제한구역은 제외한다) 안의 토지는 제외한다.(2013. 2. 15. 개정)(소득령 §168의14 ③ 1호의2)

이 규정에 따른 경작한 기간을 계산할 때 직계존속이 그 배우자로부터 상속·증여받아 경작한 사실이 있는 경우에는 직계존속의 배우자가 취득 후 토지소재지에 거주하면서 직접 경작한 기간은 직계존속이 경작한 기간으로 본다.(2013. 2. 15. 신설)(소득령 §168의14 ④)

위 본문(영 제168조의14 제3항 제1호의2)에서 "8년 이상 기획재정부령으로 정하는 토지소재지에 거주하면서 직접 경작한 농지·임야·목장용지"란 다음[아래 1)~3] 각 호의 토지를 말한다.(2009. 4. 14. 신설)(소득칙 §83의5 ③)

1) 8년 이상 농지의 소재지와 같은 시·군·구(자치구를 말한다. 이하 이 항에서 같다), 연접한 시·군·구 또는 농지로부터 직선거리 30킬로미터 이내에 있는 지역에 사실상 거주하는 자가 「조세특례제한법 시행령」 제66조 제13항에 따른 자경을 한 농지 (2015. 3. 13. 개정)(소득칙 §83의5 ③ 1호)

2) 8년 이상 임야의 소재지와 같은 시·군·구, 연접한 시·군·구 또는 임야로부터 직선거리 30킬로미터 이내에 있는 지역에 사실상 거주하면서 주민등록이 되어 있는 자가 소유한 임야(2015. 3. 13. 개정)(소득칙 §83의5 ③ 2호)

3) 8년 이상 "축산업을 영위하는 자가 소유하는 목장용지로서 영 별표 1의3에 따른 가축별 기준면적과 가축두수를 적용하여 계산한 토지의 면적 이내의 목장용지(2009. 4. 14. 신설)(소득칙 §83의5 ③ 3호)

(3) 20년 이상을 소유한 농지·임야 및 목장용지로서 2009년 12월 31일까지 양도한 토지

2006년 12월 31일 이전에 20년 이상을 소유한 농지·임야 및 목장용지로서 2009년 12월 31일까지 양도하는 토지(2005. 12. 31. 신설)(소득령 §168의14 ③ 2호)

관련 예규·판례

1. 명의신탁된 종중소유 농지를 소유권 환원 후 양도하는 경우 비사업용 토지 여부
   2005. 12. 31. 이전에 취득한 종중이 소유한 농지 및 2006. 12. 31. 이전에 20년 이상을 소유한 농지로서 2009. 12. 31.까지 양도하는 토지는 비사업용 토지에서 제외되는 것이며, 명의신탁해지를 원인으로 소유권 환원하는 경우 취득시기는 명의신탁자의 취득일이나, 이에 해당하는지 여부는 관련사실을 확인하여 판단할 사항임.(서면 5팀-219, 2008. 1. 30.)

(4) 사업인정고시일이 2006년 12월 31일 이전인 토지, 취득일이 사업인정고시 일부터 5년 이전인 토지

「공익사업을 위한 토지 등의 취득 및 보상에 관한 법률」 및 그 밖의 법률에 따라 협의매수 또는 수용되는 토지로서 다음 각 목[아래 1), 2)]의 어느 하나에 해당하는 토지(2014. 2. 21. 개정, 2021. 5. 4. 개정)(소득령 §168의14 ③ 3호)

1) 사업인정고시일이 2006년 12월 31일 이전인 토지(2021. 5. 4. 신설)(소득령 §168의14 ③ 3호 가목)

2) 취득일(상속받은 토지는 피상속인이 해당 토지를 취득한 날을 말하고, 법 제97조의2 제1항을 적용받는 경우에는 증여한 배우자 또는 직계존비속이 해당 자산을 취득한 날을 말한다)이 사업인정고시일부터 5년 이전인 토지(2021. 5. 4 신설)(소득령 §168의14 ③ 3호 나목)

(5) 소득세법 제104조의3 제1항 제1호 나목[위 제1절 ❸ (2), 도시지역 안의 농지]에 해당하는 농지로서 다음 각 목[아래 1), 2)]의 어느 하나에 해당하는 농지(2006. 2. 9. 신설)(소득령 §168의14 ③ 4호)

1) 종중이 소유한 농지(2005년 12월 31일 이전에 취득한 것에 한한다)(2006. 2. 9. 신설)(소득령 §168의14 ③ 4호 가목)

2) 상속에 의하여 취득한 농지로서 그 상속개시일부터 5년 이내에 양도하는 토지(2006. 2. 9. 신설)(소득령 §168의14 ③ 4호 나목)

(6) 그 밖의 부득이한 토지

그 밖에 공익, 기업의 구조조정 또는 불가피한 사유로 인한 법령상 제한, 토지의 현황·취득사유 또는 이용상황 등을 고려하여 기획재정부령으로 정하는 부득이한 사유에 해당되는 토지(2009. 2. 4. 개정)(소득령 §168의14 ③ 5호)

위에서 "기획재정부령으로 정하는 부득이한 사유에 해당되는 토지"란 다음 각 호[아래 1)~7)]의 어느 하나에 해당하는 토지를 말한다.(2009. 4. 14. 개정)(소득칙 §83의5 ④)

1) 공장 소음·분진·악취 등으로 취득한 공장용 부속토지의 인접토지

공장의 가동에 따른 소음·분진·악취 등으로 인하여 생활환경의 오염피해가 발생되는 지역 안의 토지로서 그 토지소유자의 요구에 따라 취득한 공장용 부속토지의 인접토지 (2006. 4. 10. 개정)(소득칙 §83의5 ④ 1호)

2) 이농 농지로서 2009년 12월 31일까지 양도하는 토지

2006년 12월 31일 이전에 이농한 자가 「농지법」 제6조 제2항 제5호에 따라 이농당시 소유하고 있는 농지로서 2009년 12월 31일까지 양도하는 토지(2008. 4. 29. 개정)(소득칙 §83의5 ④ 2호)

3) 부실징후기업이 해당 약정에 따라 양도하는 토지

「기업구조조정 촉진법」에 따른 부실징후기업과 채권금융기관협의회가 같은 법 제10조에 따라 해당 부실징후기업의 경영정상화계획 이행을 위한 약정을 체결하고 그 부실징후기업이 해당 약정에 따라 양도하는 토지(2008년 12월 31일 이전에 취득한 것에 한정한다. 이하 이 항에서 같다)(2009. 4. 14. 신설)(소득칙 §83의5 ④ 3호)

4) 관리대상기업이 해당 약정에 따라 양도하는 토지

채권은행 간 거래기업의 신용위험평가 및 기업구조조정방안 등에 대한 협의와 거래기업에 대한 채권은행 공동관리절차를 규정한 「채권은행협의회 운영협약」에 따른 관리대상기업과 채권은행자율협의회가 같은 협약 제19조에 따라 해당 관리대상기업의 경영정상화계획 이행을 위한 특별약정을 체결하고 그 관리대상기업이 해당 약정에 따라 양도하는 토지 (2009. 4. 14. 신설)(소득칙 §83의5 ④ 4호)

5) 산업용지를 관리기관에 양도하는 토지

「산업집적활성화 및 공장설립에 관한 법률」 제39조에 따라 산업시설구역의 산업용지를 소유하고 있는 입주기업체가 산업용지를 같은 법 제2조에 따른 관리기관(같은 법 제39조 제2항 각 호의 유관기관을 포함한다)에 양도하는 토지(2011. 3. 28. 개정)(소득칙 §83의5 ④ 5호)

6) 농업진흥공사로부터 해당 농지를 최초로 취득하여 8년 이상 자경한 농지

「농촌근대화촉진법」(법률 제4118호로 개정되기 전의 것)에 따른 방조 제공사로 인한 해당 어민의 피해에 대한 보상대책으로 같은 법에 따라 조성된 농지를 보상한 경우로서 같은 법에 따른 농업진흥공사로부터 해당 농지를 최초로 취득하여 8년 이상 직접 경작한 농지. 이 경우 제3항 제1호에 따른 농지소재지 거주요건은 적용하지 아니한다.(2009. 4. 14. 신설)(소

득칙 §83의5 ④ 6호)

7) 회생계획의 수행을 위하여 양도하는 토지

「채무자 회생 및 파산에 관한 법률」 제242조에 따른 회생계획인가 결정에 따라 회생계획의 수행을 위하여 양도하는 토지(2015. 3. 13. 신설)(소득칙 §83의5 ④ 7호)

제10편

토지에 대한 조세특례제한법상 특례

자경농지에 대한 양도소득세의 감면 　제1장

축사용지에 대한 양도소득세의 감면 　제2장

어업용 토지 등에 대한 양도소득세의 감면 　제3장

자경산지에 대한 양도소득세의 감면 　제4장

농지대토에 대한 양도소득세의 감면 　제5장

경영회생 지원을 위한 농지 매매 등에 대한 양도소득세의 과세특례 　제6장

공익사업용토지 등에 대한 양도소득세의 감면 　제7장

대토보상에 대한 양도소득세의 과세특례 　제8장

개발제한구역 지정에 따른 매수대상 토지 등에 대한 양도소득세의 감면 　제9장

박물관 등의 이전에 대한 양도소득세의 과세특례 　제10장

국가에 양도하는 산지에 대한 양도소득세의 감면 　제11장

임대주택 부동산투자회사의 현물출자자에 대한 과세특례 　제12장

임대사업자에게 양도한 토지에 대한 과세특례 　제13장

공공매입임대주택 건설을 목적으로 양도한 토지에 대한 과세특례 　제14장

자경농지에 대한 양도소득세의 감면

① 자경감면

농지 소재지에 거주하는 대통령령으로 정하는 거주자가 8년 이상[대통령령으로 정하는 경영이양 직접지불보조금의 지급대상이 되는 농지를 「한국농어촌공사 및 농지관리기금법」에 따른 한국농어촌공사 또는 농업을 주업으로 하는 법인으로서 대통령령으로 정하는 법인(이하 이 조에서 "농업법인"이라 한다)에 2023년 12월 31일까지 양도하는 경우에는 3년 이상] 대통령령으로 정하는 방법으로 직접 경작한 토지 중 대통령령으로 정하는 토지의 양도로 인하여 발생하는 소득에 대해서는 양도소득세의 100분의 100에 상당하는 세액을 감면한다. 다만, 해당 토지가 주거지역 등에 편입되거나 「도시개발법」 또는 그 밖의 법률에 따라 환지처분 전에 농지 외의 토지로 환지예정지 지정을 받은 경우에는 주거지역 등에 편입되거나, 환지예정지 지정을 받은 날까지 발생한 소득으로서 대통령령으로 정하는 소득에 대해서만 양도소득세의 100분의 100에 상당하는 세액을 감면한다.(2018. 12. 24. 개정, 2021. 12. 28. 개정)(조특법 §69 ①)

여기서 농지는 전·답으로서 지적공부상의 지목에 관계없이 실지로 경작에 사용되는 토지로 하며, 농지경영에 직접 필요한 농막·퇴비사·양수장·지소·농도·수로 등을 포함하는 것으로 한다.(2005. 12. 31. 개정)(조특칙 §27 ①)

(1) 8년 이상 재촌한 거주자

위 조특법 제69조 제1항 본문에서 "농지소재지에 거주하는 대통령령으로 정하는 거주자"란 8년[제3항의 규정에 의한 경영이양보조금의 지급대상이 되는 농지를 「한국농어촌공사 및 농지관리기금법」에 따른 한국농어촌공사(이하 이 조에서 "한국농어촌공사"라 한다) 또는 제2항의 규정에 따른 법인에게 양도하는 경우에는 3년] 이상 다음 각 호[아래 1)~3)]의 어느 하나에 해당하는 지역(경작개시당시에는 당해 지역에 해당하였으나 행정구역의 개편 등으로 이에 해당하지 아니하게 된 지역을 포함한다)에 거주하면서 경작한 자로서 농지 양도일 현재 「소득세법」 제1조의2 제1항 제1호에 따른 거주자인 자(비거주자가 된 날부터 2년 이내인 자를 포함한다)를 말한다.(2013. 2. 15. 개정)(조특령 §66 ①)

1) 농지가 소재하는 시(특별자치시와 「제주특별자치도 설치 및 국제자유도시 조성을 위한 특별법」 제10조 제2항에 따라 설치된 행정시를 포함한다. 이하 이 항에서 같다)·군·구(자치구인 구를 말한다. 이하 이 항에서 같다) 안의 지역(2016. 1. 22. 개정)(조특령 §66 ① 1호)

2) 제1호[위 1)]의 지역과 연접한 시·군·구 안의 지역(2001. 12. 31. 신설)(조특령 §66 ① 2호)

3) 해당 농지로부터 직선거리 30킬로미터 이내의 지역(2015. 2. 3. 개정)(조특령 §66 ① 3호)

(2) 대통령령으로 정하는 법인

위 조특법 제69조 제1항 본문에서 "대통령령으로 정하는 법인"이란 「농어업경영체 육성 및 지원에 관한 법률」 제16조에 따른 영농조합법인 및 같은법 제19조에 따른 농업회사법인을 말한다.(2010. 2. 18. 개정)(조특령 §66 ②)

(3) 경영이양직접지불보조금

위 조특법 제69조 제1항 본문에서 "대통령령으로 정하는 경영이양직접지불보조금"이란 「농산물의 생산자를 위한 직접지불제도 시행규정」 제4조에 따른 경영이양보조금을 말한다.(2010. 2. 18. 개정)(조특령 §66 ③)

(4) 직접 경작

위 조특법 제69조 제1항 본문에서 "대통령령으로 정하는 방법으로 직접 경작"이란 다음 각 호[아래 1), 2)]의 어느 하나에 해당하는 것을 말한다.(2016. 2. 5. 개정)(조특령 §66 13항)

1) 거주자가 그 소유농지에서 농작물의 경작 또는 다년생식물의 재배에 상시 종사하는 것(2016. 2. 5. 신설)(조특령 §66 ⑬ 1호)

2) 거주자가 그 소유농지에서 농작업의 2분의 1 이상을 자기의 노동력에 의하여 경작 또는 재배하는 것(2016. 2. 5. 신설)(조특령 §66 ⑬ 2호)

(5) 8년 이상 자경한 토지

위 조특법 제69조 제1항 본문에서 "대통령령으로 정하는 토지"란 취득한 때부터 양도할 때까지의 사이에 8년(제3항의 규정에 따른 경영이양보조금의 지급대상이 되는 농지를 한국농어촌공사 또는 제2항의 규정에 따른 법인에게 양도하는 경우에는 3년) 이상 자기가 경작한 사실이 있는 농지로서 다음 각 호[아래 1), 2)]의 어느 하나에 해당하는 것을 제외한 것을 말한다.(2010. 2. 18. 개정)(조특령 §66 ④)

1) 양도일 현재 농지

양도일 현재 특별시·광역시(광역시에 있는 군을 제외한다) 또는 시[「지방자치법」 제3조 제4항에 따라 설치된 도농(都農) 복합형태의 시의 읍·면 지역 및 「제주특별자치도 설치 및 국제자유도시 조성을 위한 특별법」 제10조 제2항에 따라 설치된 행정시의 읍·면 지역은 제외한다]에 있는 농지 중 「국토의 계획 및 이용에 관한 법률」에 의한 주거지역·상업지역 및 공업지역 안에 있는 농지로서 이들 지역에 편입된 날부터 3년이 지난 농지. 다만, 다음 각 목[아래 ①~③]의 어느 하나에 해당하는 경우는 제외한다.(2016. 1. 22. 개정)(조특령 §66 ④ 1호)

① 보상지연으로 이들 지역에 편입된 날부터 3년이 지난 경우

사업시행지역 안의 토지소유자가 1천명 이상이거나 사업시행면적이 기획재정부령으로 정하는 규모 이상인 개발사업(이하 이 호에서 "대규모개발사업"이라 한다)지역(사업인정고시일이 같은 하나의 사업시행지역을 말한다) 안에서 대규모개발사업의 시행으로 인하여 「국토의 계획 및 이용에 관한 법률」에 따른 주거지역·상업지역 또는 공업지역에 편입된 농지로서 사업시행자의 단계적 사업시행 또는 보상지연으로 이들 지역에 편입된 날부터 3년이 지난 경우(2013. 2. 15. 개정)(조특령 §66 ④ 1호 가목)

위에서 "기획재정부령으로 정하는 규모"란 100만제곱미터로 한다. 다만, 「택지개발촉진법」에 따른 택지개발사업 또는 「주택법」에 따른 대지조성사업의 경우에는 10만제곱미터로 한다.(2018. 3. 21. 개정)(조특칙 §27 ③)

② 부득이한 사유에 해당하는 경우

사업시행자가 국가, 지방자치단체, 그 밖에 기획재정부령으로 정하는 공공기관인 개발사업지역 안에서 개발사업의 시행으로 인하여 「국토의 계획 및 이용에 관한 법률」에 따른 주거지역·상업지역 또는 공업지역에 편입된 농지로서 기획재정부령으로 정하는 부득이한

사유에 해당하는 경우(2008. 2. 29 직제개정)(조특령 §66 ④ 1호 나목)

ⅰ) 기획재정부령으로 정하는 공공기관

위에서 "기획재정부령으로 정하는 공공기관"이란 「공공기관의 운영에 관한 법률」에 따라 지정된 공공기관과 「지방공기업법」에 따라 설립된 지방직영기업·지방공사·지방공단을 말한다.(2014. 3. 14. 개정)(조특칙 §27 ④)

ⅱ) 기획재정부령으로 정하는 부득이한 사유

위에서 "기획재정부령으로 정하는 부득이한 사유"란 사업 또는 보상을 지연시키는 사유로서 그 책임이 사업시행자에게 있다고 인정되는 사유를 말한다.(2014. 3. 14. 개정)(조특칙 §27 ⑤)

③ 보상지연으로 이들 지역에 편입된 날부터 3년이 지난 경우

「국토의 계획 및 이용에 관한 법률」에 따른 주거지역·상업지역 및 공업지역에 편입된 농지로서 편입된 후 3년 이내에 대규모개발사업이 시행되고, 대규모개발사업 시행자의 단계적 사업시행 또는 보상지연으로 이들 지역에 편입된 날부터 3년이 지난 경우(대규모개발사업지역 안에 있는 경우로 한정한다)(2013. 2. 15. 신설)(조특령 §66 ④ 1호 다목)

2) 환지예정지 지정일부터 3년이 지난 농지

「도시개발법」 또는 그 밖의 법률에 따라 환지처분 이전에 농지 외의 토지로 환지예정지를 지정하는 경우에는 그 환지예정지 지정일부터 3년이 지난 농지. 다만, 환지처분에 따라 교부받는 환지청산금에 해당하는 부분은 제외한다.(2011. 6. 3. 개정)(조특령 §66 ④ 2호)

3) 상속받은 농지의 자경기간 계산

① 상속받은 농지를 1년 이상 계속하여 경작하는 경우

제4항[위 (4)]의 규정에 따른 경작한 기간을 계산할 때 상속인이 상속받은 농지를 1년 이상 계속하여 경작하는 경우(조특령 제66조 제1항 각 호[위 (1)]의 어느 하나에 따른 지역에 거주하면서 경작하는 경우를 말한다. 이하 이 항 및 제12항에서 같다) 다음 각 호[아래 ⅰ), ⅱ)]의 기간은 상속인이 이를 경작한 기간으로 본다.(2012. 2. 2. 개정)(조특령 §66 ⑪)

ⅰ) 피상속인이 취득하여 경작한 기간(직전 피상속인의 경작기간으로 한정한다)(2011. 6. 3. 개정)(조특령 §66 ⑪ 1호)

ⅱ) 피상속인이 배우자로부터 상속받아 경작한 사실이 있는 경우에는 피상속인의 배우

자가 취득하여 경작한 기간(2010. 2. 18. 신설)(조특령 §66 ⑪ 2호)

② 상속받은 날부터 3년이 되는 날까지 양도하거나 수용되는 경우

상속인이 상속받은 농지를 1년 이상 계속하여 경작하지 아니하더라도 상속받은 날부터 3년이 되는 날까지 양도하거나 「공익사업을 위한 토지 등의 취득 및 보상에 관한 법률」 및 그 밖의 법률에 따라 협의매수 또는 수용되는 경우로서 상속받은 날부터 3년이 되는 날까지 다음 각 호의 어느 하나에 해당하는 지역으로 지정(관계 행정기관의 장이 관보 또는 공보에 고시한 날을 말한다)되는 경우(상속받은 날 전에 지정된 경우를 포함한다)에는 제11항 제1호 및 제2호의 경작기간을 상속인이 경작한 기간으로 본다.(2010. 12. 30. 개정)(조특령 §66 ⑫)

제11항 제1호 및 제2호의 경작기간

1. 피상속인이 취득하여 경작한 기간(직전 피상속인의 경작기간으로 한정한다)(2011. 6. 3. 개정)(조특령 §66 ⑪ 1호)

2. 피상속인이 배우자로부터 상속받아 경작한 사실이 있는 경우에는 피상속인의 배우자가 취득하여 경작한 기간(2010. 2. 18. 신설)(조특령 §66 ⑪ 2호)

ⅰ) 「택지개발촉진법」 제3조에 따라 지정된 택지개발지구(2011. 8. 30. 개정)(조특령 §66 ⑫ 1호)

ⅱ) 「산업입지 및 개발에 관한 법률」 제6조·제7조·제7조의2 또는 제8조에 따라 지정된 산업단지(2010. 2. 18. 개정)(조특령 §66 ⑫ 2호)

ⅲ) 제1호[위 ⅰ)] 및 제2호[위 ⅱ)] 외의 지역으로서 기획재정부령으로 정하는 지역 (2009. 2. 4. 신설)(조특령 §66 ⑫ 3호)

"기획재정부령으로 정하는 지역"이란 다음 각 호[아래 가.~ 바.]의 어느 하나에 해당하는 지역을 말한다.(2010. 4. 20 항번개정)(조특칙 §27 ⑦)

가. 「공공주택 특별법」 제6조에 따라 지정된 공공주택지구(2017. 3. 17. 개정)(조특칙 §27 ⑦ 1호)

나. 「도시 및 주거환경정비법」 제16조에 따라 지정·고시된 정비구역(2018. 3. 21. 개정)

(조특칙 §27 ⑦ 2호)

다. 「신항만건설 촉진법」 제5조에 따라 지정된 신항만건설 예정지역(2018. 3. 21. 개정)(조특칙 §27 ⑦ 3호)

라. 「도시개발법」 제3조 및 제9조에 따라 지정·고시된 도시개발구역(2018. 3. 21. 개정) (조특칙 §27 ⑦ 4호)

마. 「철도건설법」 제9조에 따라 철도건설사업실시계획 승인을 받은 지역(2009. 4. 7. 신설) (조특칙 §27 ⑦ 5호)

바. 제1호[위 가.]부터 제5호[위 마.]까지와 유사한 경우로서 다른 법률에 따라 예정지구 또는 실시계획 승인을 받은 지역 등 해당 공익사업으로 인하여 해당 주민이 직접적인 행위제한(건축물의 건축, 토지의 형질변경·분할 등)을 받는 지역(2018. 3. 21. 개정) (조특칙 §27 ⑦ 6호)

4) 자경기간의 판정에서 일정한 사업소득금액이 있는 기간은 제외

제4항·제6항·제11항 및 제12항에 따른 경작한 기간 중 해당 피상속인(그 배우자를 포함한다. 이하 이 항에서 같다) 또는 거주자 각각에 대하여 다음 각 호[아래 ①, ②]의 어느 하나에 해당하는 과세기간이 있는 경우 그 기간은 해당 피상속인 또는 거주자가 경작한 기간에서 제외한다.(2017. 2. 7. 개정, 2020. 2. 11. 개정)(조특령 §66 ⑭)

① 사업소득금액과 총급여액의 합이 3천700만 원 이상

「소득세법」 제19조 제2항에 따른 사업소득금액(농업·임업에서 발생하는 소득, 같은 법 제45조 제2항에 따른 부동산임대업에서 발생하는 소득과 같은 법 시행령 제9조에 따른 농가부업소득은 제외하며, 이하 이 항에서 "사업소득금액"이라 한다)과 같은 법 제20조 제2항에 따른 총급여액의 합계액이 3천700만 원 이상인 과세기간이 있는 경우. 이 경우 사업소득금액이 음수인 경우에는 해당 금액을 0으로 본다.(2020. 2. 11. 신설)(조특령 §66 ⑭ 1호)

② 일정금액 이상의 사업소득 총수입금액

「소득세법」 제24조 제1항에 따른 사업소득 총수입금액(농업·임업에서 발생하는 소득, 같은 법 제45조 제2항에 따른 부동산임대업에서 발생하는 소득과 같은 법 시행령 제9조에 따른 농가부업소득은 제외한다)이 같은 법 시행령 제208조 제5항 제2호 각 목의 금액 이상인 과세기간이 있는 경우(2020. 2. 11. 신설)(조특령 §66 ⑭ 2호)

소득세법 시행령 제208조 제5항 제2호 각 목의 금액

조특령 제66조 제14항 본문에서의 소득세법 시행령 제208조 제5항 제2호 각 목[아래 1.~3.]의 금액은 다음과 같다.(2013. 6. 28. 개정)(소득령 §208 ⑤)

1. 농업·임업 및 어업, 광업, 도매 및 소매업(상품중개업을 제외한다), 제122조 제1항에 따른 부동산매매업, 그 밖에 나목 및 다목에 해당되지 아니하는 사업 : 3억 원 (2013. 2. 15. 개정)(소득령 §208 ⑤ 2호 가목)

2. 제조업, 숙박 및 음식점업, 전기·가스·증기 및 공기조절 공급업, 수도·하수·폐기물처리·원료재생업, 건설업(비주거용 건물 건설업은 제외한다), 부동산 개발 및 공급업(주거용 건물 개발 및 공급업에 한정한다), 운수업 및 창고업, 정보통신업, 금융 및 보험업, 상품중개업 : 1억 5천만 원(2020. 2. 11 개정)(소득령 §208 ⑤ 2호 나목)

3. 법 제45조 제2항에 따른 부동산임대업, 부동산업(제122조 제1항에 따른 부동산매매업은 제외한다), 전문·과학 및 기술서비스업, 사업시설관리·사업지원 및 임대서비스업, 교육서비스업, 보건업 및 사회복지서비스업, 예술·스포츠 및 여가 관련 서비스업, 협회 및 단체, 수리 및 기타 개인서비스업, 가구내 고용활동 : 7천500만 원(2018. 2. 13. 개정)(소득령 §208 ⑤ 2호 다목)

5) 농지

위 조특령 제66조 제4항 규정에 의한 농지는 전·답으로서 지적공부상의 지목에 관계없이 실지로 경작에 사용되는 토지로 하며, 농지경영에 직접 필요한 농막·퇴비사·양수장·지소·농도·수로 등을 포함하는 것으로 한다.(2005. 12. 31. 개정)(조특칙 §27 ①)

6) 농지에 해당하는지 여부의 확인

위 조특령 제66조 제4항에 따른 농지에 해당하는지 여부의 확인은 다음 각 호[아래 ①, ②]의 기준에 따른다.(2011. 8. 3. 개정)(조특칙 §27 ②)

① 양도자가 8년(「한국농어촌공사 및 농지관리기금법」에 따른 한국농어촌공사, 「농어업경영체 육성 및 지원에 관한 법률」에 따른 영농조합법인 및 농업회사법인에게 양도하는 경우에는 3년, 조특령 제67조 제3항 제1호 및 제2호에 따른 종전의 농지를 양도하는 경우에는 4년) 이상 소유한 사실이 다음 각 목[아래 ⅰ), ⅱ)]의 어느 하나의 방법

에 의하여 확인되는 토지일 것. 이 경우 조특법 제70조의2 제1항에 따라 양도소득세를 환급받은 농업인이 환매한 농지 등을 다시 양도하는 경우로서 조특령 제66조 제4항에 따른 농지에 해당하는지를 확인하는 경우 「한국농어촌공사 및 농지관리기금법」 제24조의3 제3항에 따른 임차기간 내에 경작한 기간은 해당 농업인이 해당 농지 등을 소유한 것으로 본다.(2014. 3. 14. 개정)(조특칙 §27 ② 1호)

ⅰ) 「전자정부법」 제36조 제1항에 따른 행정정보의 공동이용을 통한 등기사항증명서 또는 토지대장 등본의 확인(2017. 3. 17. 개정)(조특칙 §27 ② 1호 가목)

ⅱ) 가목[위 ⅰ)]에 따른 방법으로 확인할 수 없는 경우에는 그 밖의 증빙자료의 확인(2006. 7. 5. 개정)(조특칙 §27 ② 1호 나목)

② 양도자가 8년 이상(「한국농어촌공사 및 농지관리기금법」에 따른 한국농어촌공사, 「농어업경영체 육성 및 지원에 관한 법률」에 따른 영농조합법인 및 농업회사법인에게 양도하는 경우에는 3년, 조특령 제67조 제3항 제1호 및 제2호에 따른 종전의 농지를 양도하는 경우에는 4년) 농지소재지에 거주하면서 자기가 경작한 사실이 있고 양도일 현재 농지임이 다음 각 목[아래 ⅰ), ⅱ)] 모두의 방법에 의하여 확인되는 토지일 것(2014. 3. 14. 개정)(조특칙 §27 ② 2호)

ⅰ) 「전자정부법」 제36조 제1항에 따른 행정정보의 공동이용을 통한 주민등록표 초본의 확인. 다만, 신청인이 확인에 동의하지 아니한 경우에는 그 서류를 제출하게 하여야 한다.(2018. 3. 21. 개정)(조특칙 §27 ② 2호 가목)

ⅱ) 시·구·읍·면장이 교부 또는 발급하는 농지원부원본과 자경증명의 확인(2006. 7. 5. 개정)(조특칙 §27 ② 1호 나목)

(6) 양도일 현재 농지

위 조특법 시행령 제4항[위 (5)]의 규정을 적용받는 농지는 「소득세법 시행령」 제162조에 따른 양도일 현재의 농지를 기준으로 한다. 다만, 다음 각 호[아래 1)~3)]의 어느 하나에 해당하는 경우에는 다음 각 호의 구분에 따른 기준에 따른다.(2016. 2. 5. 개정)(조특령 §66 ⑤)

1) 양도일 이전에 매매계약조건에 따라 매수자가 형질변경, 건축착공 등을 한 경우 매매계약일 현재의 농지 기준(2012. 2. 2. 신설)(조특령 §66 ⑤ 1호)

2) 환지처분 전에 해당 농지가 농지 외의 토지로 환지예정지 지정이 되고 그 환지예정지 지정일부터 3년이 경과하기 전의 토지로서 토지조성공사의 시행으로 경작을 못하게 된 경우 토지조성공사 착수일 현재의 농지 기준(2016. 2. 5. 개정)(조특령 §66 ⑤ 2호)

3) 「광산피해의 방지 및 복구에 관한 법률」, 지방자치단체의 조례 및 지방자치단체의 예산에 따라 광산피해를 방지하기 위하여 휴경하고 있는 경우 휴경계약일 현재의 농지 기준(2012. 2. 2. 신설)(조특령 §66 ⑤ 3호)

(7) 교환·분합 및 대토한 경우로서 수용되는 농지

「소득세법」 제89조 제1항 제2호 및 법 제70조의 규정에 의하여 농지를 교환·분합 및 대토한 경우로서 새로이 취득하는 농지가 「공익사업을 위한 토지 등의 취득 및 보상에 관한 법률」에 의한 협의매수·수용 및 그밖의 법률에 의하여 수용되는 경우에 있어서는 교환·분합 및 대토 전의 농지에서 경작한 기간을 당해 농지에서 경작한 기간으로 보아 제1항[위 ❶] 본문의 규정을 적용한다.(2010. 2. 18. 개정)(조특령 §66 ⑥)

자경기간의 판정에서 일정한 사업소득금액이 있는 기간은 제외

제4항·제6항·제11항 및 제12항에 따른 경작한 기간 중 해당 피상속인(그 배우자를 포함한다. 이하 이 항에서 같다) 또는 거주자 각각에 대하여 다음 각 호[아래 ①, ②]의 어느 하나에 해당하는 과세기간이 있는 경우 그 기간은 해당 피상속인 또는 거주자가 경작한 기간에서 제외한다.(2017. 2. 7. 개정, 2020. 2. 11. 개정)(조특령 §66 ⑭)

① 사업소득금액과 총급여액의 합이 3천700만 원 이상
「소득세법」 제19조 제2항에 따른 사업소득금액(농업·임업에서 발생하는 소득, 같은 법 제45조 제2항에 따른 부동산임대업에서 발생하는 소득과 같은 법 시행령 제9조에 따른 농가부업소득은 제외하며, 이하 이 항에서 "사업소득금액"이라 한다)과 같은 법 제20조 제2항에 따른 총급여액의 합계액이 3천700만 원 이상인 과세기간이 있는 경우. 이 경우 사업소득금액이 음수인 경우에는 해당 금액을 0으로 본다.(2020. 2. 11. 신설)(조특령 §66 ⑭ 1호)

② 일정금액 이상의 사업소득 총수입금액
「소득세법」 제24조 제1항에 따른 사업소득 총수입금액(농업·임업에서 발생하는 소득, 같은 법 제45조 제2항에 따른 부동산임대업에서 발생하는 소득과 같은 법

시행령 제9조에 따른 농가부업소득은 제외한다)이 같은 법 시행령 제208조 제5항 제2호 각 목의 금액 이상인 과세기간이 있는 경우(2020. 2. 11. 신설)(조특령 §66 ⑭ 2호)

소득세법 시행령 제208조 제5항 제2호 각 목의 금액

조특령 제66조 제14항 본문에서의 소득세법 시행령 제208조 제5항 제2호 각 목[아래 1.~3.]의 금액은 다음과 같다.(2013. 6. 28. 개정)(소득령 §208 ⑤)

1. 농업·임업 및 어업, 광업, 도매 및 소매업(상품중개업을 제외한다), 제122조 제1항에 따른 부동산매매업, 그 밖에 나목 및 다목에 해당되지 아니하는 사업 : 3억 원(2013. 2. 15. 개정)(소득령 §208 ⑤ 2호 가목)

2. 제조업, 숙박 및 음식점업, 전기·가스·증기 및 공기조절 공급업, 수도·하수·폐기물처리·원료재생업, 건설업(비주거용 건물 건설업은 제외한다), 부동산 개발 및 공급업(주거용 건물 개발 및 공급업에 한정한다), 운수업 및 창고업, 정보통신업, 금융 및 보험업, 상품중개업: 1억5천만 원(2020. 2. 11. 개정)(소득령 §208 ⑤ 2호 나목)

3. 법 제45조 제2항에 따른 부동산임대업, 부동산업(제122조 제1항에 따른 부동산매매업은 제외한다), 전문·과학 및 기술서비스업, 사업시설관리·사업지원 및 임대서비스업, 교육서비스업, 보건업 및 사회복지서비스업, 예술·스포츠 및 여가 관련 서비스업, 협회 및 단체, 수리 및 기타 개인서비스업, 가구내 고용활동 : 7천500만 원(2018. 2. 13. 개정)(소득령 §208 ⑤ 2호 다목)

---

(8) 환지예정지 지정을 받은 날까지 발생한 소득

위 조특법 제69조 제1항 단서에서 환지예정지 지정을 받은 날까지 발생한 소득으로서 "대통령령으로 정하는 소득"이란 「소득세법」 제95조 제1항에 따른 양도소득금액(이하 이 항에서 "양도소득금액"이라 한다) 중 다음 계산식에 의하여 계산한 금액을 말한다. 이 경우 「공익사업을 위한 토지 등의 취득 및 보상에 관한 법률」 및 그 밖의 법률에 따라 협의매수 되거나 수용되는 경우에는 보상가액 산정의 기초가 되는 기준시가를 양도 당시의 기준시가 로 보며, 새로운 기준시가가 고시되기 전에 취득하거나 양도한 경우 또는 주거지역 등에 편입되거나 환지예정지 지정을 받은 날이 도래하는 경우에는 직전의 기준시가를 적용한다.(2015. 2. 3. 개정)(조특령 §66 ⑦)

$$양도소득금액 \times \frac{주거지역 \ 등에 \ 편입되거나 \ 환지예정지 \ 지정을 \ 받은 \ 날의 \ 기준시가 \ - \ 취득 \ 당시 \ 기준시가}{양도 \ 당시 \ 기준시가 \ - \ 취득 \ 당시 \ 기준시가}$$

여기서 보상가액 산정의 기초가 되는 기준시가는 보상금 산정 당시 해당 토지의 개별공시지가로 한다.(2014. 3. 14. 개정)(조특칙 §27 ⑥)

❷ 농업법인 사후관리

농업법인이 해당 토지를 취득한 날부터 3년 이내에 그 토지를 양도하거나 대통령령으로 정하는 사유가 발생한 경우에는 그 법인이 그 사유가 발생한 과세연도의 과세표준신고를 할 때 제1항[위 ❶]에 따라 자경감면된 세액에 상당하는 금액을 법인세로 납부하여야 한다.(2010. 1. 1. 개정)(조특법 §69 ②)

위에서 "대통령령으로 정하는 사유가 발생한 경우"란 다음 각 호[아래 (1), (2)]의 1에 해당하는 경우를 말한다.(2010. 2. 18. 개정)(조특령 §66 ⑧)

(1) 당해 토지를 취득한 날부터 3년 이내에 휴업·폐업하거나 해산하는 경우(조특령 §66 ⑧ 1호)

(2) 당해 토지를 3년 이상 경작하지 아니하고 다른 용도로 사용하는 경우(조특령 §66 ⑧ 2호)

❸ 감면신청

제1항[위 ❶ 자경감면]을 적용받으려는 자는 대통령령으로 정하는 바에 따라 감면신청을 하여야 한다.(2010. 1. 1. 개정)

양도소득세의 자경감면신청을 하고자 하는 자는 당해 농지를 양도한 날이 속하는 과세연도의 과세표준신고(예정신고를 포함한다)와 함께 기획재정부령이 정하는 세액면제신청서를 납세지 관할 세무서장에게 제출하여야 한다. 이 경우 조특령 제66조 제2항[위 ❶ (2), 농업회사법인]의 규정에 의한 법인에게 양도한 경우에는 당해 양수인과 함께 세액감면신

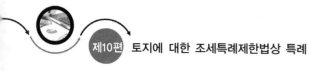

청서를 제출하여야 한다.(2008. 2. 29 직제개정)(조특령 §66 ⑨)

세액감면신청서를 접수한 당해 세무서장은 제2항의 규정에 의한 법인의 납세지 관할 세무서장에게 이를 즉시 통지하여야 한다.(2003. 12. 30. 개정)(조특령 §66 ⑩)

제2장

축사용지에 대한 양도소득세의 감면

❶ 축사용지에 대한 양도소득세의 감면

축산에 사용하는 축사와 이에 딸린 토지(이하 이 조 및 제71조에서 "축사용지"라 한다) 소재지에 거주하는 대통령령으로 정하는 거주자가 8년 이상 대통령령으로 정하는 방법으로 직접 축산에 사용한 대통령령으로 정하는 축사용지를 폐업을 위하여 2022년 12월 31일까지 양도함에 따라 발생하는 소득에 대하여는 양도소득세의 100분의 100에 상당하는 세액을 감면한다. 다만, 해당 토지가 주거지역 등에 편입되거나 「도시개발법」 또는 그 밖의 법률에 따라 환지처분 전에 해당 축사용지 외의 토지로 환지예정지 지정을 받은 경우에는 주거지역 등에 편입되거나, 환지예정지 지정을 받은 날까지 발생한 소득으로서 대통령령으로 정하는 소득에 대하여만 양도소득세의 100분의 100에 상당하는 세액을 감면한다.(2017. 12. 19. 개정, 2020. 12. 29. 개정)(조특법 §69의2 ①)

여기서 축사용지는 지적공부상의 지목에 관계없이 실지로 가축의 사육에 사용한 축사와 이에 딸린 토지로 한다.(2011. 8. 3. 신설)(조특칙 §27의2 ①)

(1) 8년 재촌 요건

축사용지에 대한 양도소득세의 감면[조특법 제69조의2 제1항 (위 ❶)] 본문에서 "대통령령으로 정하는 거주자"란 8년 이상 다음 각 호[아래 1)~3)]의 어느 하나에 해당하는 지역(축산 개시 당시에는 그 지역에 해당하였으나 행정구역의 개편 등으로 이에 해당하지 아니하게 된 지역을 포함한다)에 거주한 자로서 축사용지 양도일 현재 「소득세법」 제1조의2 제1항 제1호에 따른 거주자인 자(비거주자가 된 날부터 2년 이내인 자를 포함한다)를 말한다.(2013. 2. 15. 개정)(조특령 §66의2 ①)

1) 축산에 사용하는 축사와 이에 딸린 토지(이하 이 조 및 제68조에서 "축사용지"라 한다)가 소재하는 시(특별자치시와 「제주특별자치도 설치 및 국제자유도시 조성을 위한 특별법」에 따른 행정시를 포함한다. 이하 이 항에서 같다)·군·구(자치구인 구를

말한다. 이하 이 항에서 같다) 안의 지역(2016. 2. 5. 개정)(조특령 §66의2 ① 1호)

2) 제1호[위 1)]의 지역과 연접한 시·군·구 안의 지역(2011. 7. 25. 신설)(조특령 §66의2 ① 2호)

3) 해당 축사용지로부터 직선거리로 30킬로미터 이내의 지역(2015. 2. 3. 개정)(조특령 §66의2 ① 3호)

(2) 직접 축산

축사용지에 대한 양도소득세의 감면[조특법 제69조의2 제1항, (위 ❶)]에서 "대통령령으로 정하는 방법으로 직접 축산"이란 다음 각 호[아래 1), 2)]의 어느 하나에 해당하는 것을 말한다.(2016. 2. 5. 개정)(조특령 §66의2 ②)

1) 거주자가 그 소유 축사용지에서 「축산법」 제2조 제1호에 따른 가축의 사육에 상시 종사하는 것(2016. 2. 5. 신설)(조특령 §66의2 ② 1호)

2) 거주자가 그 소유 축사용지에서 축산작업의 2분의 1 이상을 자기의 노동력에 의하여 수행하는 것(2016. 2. 5. 신설)(조특령 §66의2 ② 2호)

(3) 축사용지

축사용지에 대한 양도소득세의 감면[조특법 제69조의2 제1항, (위 ❶)본문]에서 "대통령령으로 정하는 축사용지"란 해당 토지를 취득한 때부터 양도할 때까지의 사이에 8년 이상 자기가 직접 축산에 사용한 축사용지로서 다음 각 호[아래 1), 2)]의 어느 하나에 해당하는 것을 제외한 것을 말한다.(2011. 7. 25. 신설)(조특령 §66의2 ③)

☐ 감면 대상에서 제외되는 축사용지

1) 양도일 현재 특별시·광역시(광역시에 있는 군은 제외한다) 또는 시[「지방자치법」 제3조 제4항에 따라 설치된 도농(都農) 복합형태의 시의 읍·면 지역 및 「제주특별자치도 설치 및 국제자유도시 조성을 위한 특별법」 제10조 제2항에 따라 설치된 행정시의 읍·면 지역은 제외한다]에 있는 축사용지 중 「국토의 계획 및 이용에 관한 법률」에 따른 주거지역·상업지역 또는 공업지역 안에 있는 축사용지로서 이들 지역에 편입된 날부터 3년이 지난 축사용지. 다만, 다음 각 목[아래 ①~③]의 어느 하나에 해당하는 경우는 제외한다.(2016. 1. 22. 개정)(조특령 §66의2 ③ 1호)

① 사업시행지역 안의 토지소유자가 1천명 이상이거나 사업시행면적이 기획재정부령으로 정하는 규모 이상인 개발사업(이하 이 호에서 "대규모개발사업"이라 한다)지역(사업인정고시일이 같은 하나의 사업시행지역을 말한다) 안에서 대규모개발사업의 시행으로 인하여 「국토의 계획 및 이용에 관한 법률」에 따른 주거지역・상업지역 또는 공업지역에 편입된 축사용지로서 사업시행자의 단계적 사업시행 또는 보상지연으로 이들 지역에 편입된 날부터 3년이 지난 경우(2013. 2. 15. 개정)(조특령 §66의2 ③ 1호 가목)

② 사업시행자가 국가, 지방자치단체, 그 밖에 기획재정부령으로 정하는 공공기관인 개발사업지역 안에서 개발사업의 시행으로 인하여 「국토의 계획 및 이용에 관한 법률」에 따른 주거지역・상업지역 또는 공업지역에 편입된 축사용지로서 기획재정부령으로 정하는 부득이한 사유에 해당하는 경우(2011. 7. 25. 신설)(조특령 §66의2 ③ 1호 나목)

③ 「국토의 계획 및 이용에 관한 법률」에 따른 주거지역・상업지역 및 공업지역에 편입된 축사용지로서 편입된 후 3년 이내에 대규모개발사업이 시행되고, 대규모개발사업 시행자의 단계적 사업시행 또는 보상지연으로 이들 지역에 편입된 날부터 3년이 지난 경우(대규모개발사업지역 안에 있는 경우로 한정한다)(2013. 2. 15. 신설)(조특령 §66의2 ③ 1호 다목)

2) 「도시개발법」 또는 그 밖의 법률에 따라 환지처분 이전에 축사용지 외의 토지로 환지 예정지를 지정하는 경우에는 그 환지 예정지 지정일부터 3년이 지난 축사용지. 다만, 환지처분에 따라 교부받는 환지 청산금에 해당하는 부분은 제외한다.(2011. 7. 25. 신설)(조특령 §66의2 ③ 2호)

(4) 양도일 현재 축사용지

조특령 제66조의2 제3항[위 (3)]을 적용할 때에는 「소득세법 시행령」 제162조에 따른 양도일 현재의 축사용지를 기준으로 한다. 다만, 양도일 이전에 매매계약조건에 따라 매수자가 형질변경, 건축착공 등을 한 경우에는 매매계약일 현재의 축사용지를 기준으로 하며, 환지처분 전에 해당 축사용지가 축사용지 외의 토지로 환지예정지 지정이 되고 그 환지예정지 지정일부터 3년이 경과하기 전의 토지로서 환지예정지 지정 후 토지조성공사의 시행으로 축산을 하지 못하게 된 경우에는 토지조성공사 착수일 현재의 축사용지를 기준으로 한다.(2011. 7. 25. 신설)(조특령 §66의2 ④)

(5) 축산기간 산정

1) 교환·분합 및 대토한 경우로서 새로이 취득하는 축사용지가 수용 등이 되는 경우

위 규정[제3항, 위 (3)]에 따른 축산에 사용한 기간을 계산할 때 축사용지를 교환·분합 및 대토한 경우로서 새로이 취득하는 축사용지가 「공익사업을 위한 토지 등의 취득 및 보상에 관한 법률」 및 그 밖의 법률에 따라 협의매수되거나 수용되는 경우에는 교환·분합 및 대토 전의 축사용지를 축산에 사용한 기간을 포함하여 계산한다.(2011. 7. 25. 신설)(조특령 §66의2 ⑤)

2) 상속받은 축사용지를 1년 이상 계속하여 축산에 사용하는 경우

위 규정[제3항, 위 (3)]에 따른 축산에 사용한 기간을 계산할 때 상속인이 상속받은 축사용지를 1년 이상 계속하여 축산에 사용하는 경우(제1항 각 호의 어느 하나에 따른 지역에 거주하면서 축산에 사용하는 경우를 말한다. 이하 이 항 및 제7항에서 같다)에는 다음 각 호[아래 ①, ②]의 기간은 상속인이 축산에 사용한 기간으로 본다.(2012. 2. 2. 개정)(조특령 §66의2 ⑥)

① 피상속인이 취득하여 축산에 사용한 기간(직전 피상속인이 축산에 사용한 기간으로 한정한다)(2011. 7. 25. 신설)(조특령 §66의2 ⑥ 1호)
② 피상속인이 그 배우자로부터 상속받은 축사용지를 축산에 사용한 사실이 있는 경우에는 피상속인의 배우자가 취득한 축사용지를 축산에 사용한 기간(2011. 7. 25. 신설)(조특령 §66의2 ⑥ 2호)

3) 상속받은 축사용지를 1년 이상 계속하여 축산에 사용하지 않은 경우

제6항[위 2)]에도 불구하고 상속인이 상속받은 축사용지를 1년 이상 계속하여 축산에 사용하지 아니하더라도 상속받은 날부터 3년이 되는 날까지 양도하거나 「공익사업을 위한 토지 등의 취득 및 보상에 관한 법률」 및 그 밖의 법률에 따라 협의매수 또는 수용되는 경우로서 상속받은 날부터 3년이 되는 날까지 다음 각 호[아래 ①~③]의 어느 하나에 해당하는 지역으로 지정(관계 행정기관의 장이 관보 또는 공보에 고시한 날을 말한다)되는 경우(상속받은 날 전에 지정된 경우를 포함한다)에는 제6항 제1호 및 제2호의 축산에 사용한 기간을 상속인이 축산에 사용한 기간으로 본다.(2011. 7. 25. 신설)(조특령 §66의2 ⑦)

① 「택지개발촉진법」 제3조에 따라 지정된 택지개발지구

(2011. 7. 25. 신설)(조특령 §66의2 ⑦ 1호)

② 「산업입지 및 개발에 관한 법률」제6조·제7조·제7조의2 또는 제8조에 따라 지정
된 산업단지(2011. 7. 25. 신설)(조특령 §66의2 ⑦ 2호)

③ 제1호[위 ①] 및 제2호[위 ②] 외의 지역으로서 기획재정부령으로 정하는 지역
(2011. 7. 25. 신설)(조특령 §66의2 ⑦ 3호)

여기서 "기획재정부령으로 정하는 지역"이란 다음 각 호[아래 ⅰ)～ⅵ)]의 어느 하나에
해당하는 지역을 말한다.(2011. 8. 3. 신설)(조특칙 §27의2 ⑥)

ⅰ)「공공주택 특별법」제6조에 따라 지정된 공공주택지구(2017. 3. 17. 개정)(조특칙 §27의2
⑥ 1호)

ⅱ)「도시 및 주거환경정비법」제16조에 따라 지정·고시된 정비구역(2018. 3. 21. 개정)
(조특칙 §27의2 ⑥ 2호)

ⅲ)「신항만건설 촉진법」제5조에 따라 지정된 신항만건설 예정지역(2018. 3. 21. 개정)(조특
칙 §27의2 ⑥ 3호)

ⅳ)「도시개발법」제3조 및 제9조에 따라 지정·고시된 도시개발구역(2018. 3. 21. 개정)(조
특칙 §27의2 ⑥ 4호)

ⅴ)「철도건설법」제9조에 따라 철도건설사업실시계획 승인을 받은 지역(2011. 8. 3. 신설)
(조특칙 §27의2 ⑥ 5호)

ⅵ) 제1호[위 ⅰ)]부터 제5호[위 ⅴ)]까지와 유사한 경우로서 다른 법률에 따라 예정지
구 또는 실시계획 승인을 받은 지역 해당 공익사업으로 인하여 해당 주민이 직접적
인 행위제한(건축물의 건축, 토지의 형질변경·분할 등)을 받는 지역(2018. 3. 21. 개정)
(조특칙 §27의2 ⑥ 6호)

(6) 축산 폐업

축사용지에 대한 양도세 감면규정[조특법 제69조의2 제1항] 본문에 따른 폐업은 거주자
가 축산을 사실상 중단하는 것으로서 해당 축사용지 소재지의 시장(「제주특별자치도 설치
및 국제자유도시 조성을 위한 특별법」에 따른 행정시장을 포함한다)·군수·구청장(자치
구의 구청장을 말한다)으로부터 다음의 기획재정부령으로 정하는 축산기간 및 폐업 확인
서에 폐업임을 확인(별지 제51호의2 서식)받은 경우를 말한다.(2011. 7. 25. 신설)(조특령 §66의2
⑧)(조특칙 §61 ① 52호의2)

■ 조세특례제한법 시행규칙 [별지 제51호의2 서식] (2011. 8. 3. 신설)

축산기간 및 폐업 확인서

※ 아래의 작성방법을 읽고 작성하여 주시기 바랍니다.

접수번호		접수일자			처리기간	4일

축사 용지 양도인	① 성명				② 주민등록번호	
	③ 주소			(전화번호:)		

축사 용지 의 표시	④ 소재지	⑤ 지번	⑥ 지목	※ 제7항 면적(㎡)		※ 제8항 직접축산 여부	
				토지	건물	직접축산	비직접축산

※ 1. 해당 축사용지를 직접 축산에 사용한 기간		총 년 개월		
년 월 일 ~ 년 월 일	개월	년 월 일 ~ 년 월 일	개월
년 월 일 ~ 년 월 일	개월	년 월 일 ~ 년 월 일	개월
년 월 일 ~ 년 월 일	개월	년 월 일 ~ 년 월 일	개월
년 월 일 ~ 년 월 일	개월	년 월 일 ~ 년 월 일	개월

※ 2. 폐업여부	[ ] 폐업 (폐업일자: 년 월 일)

「조세특례제한법 시행령」 제66조의2 제8항에 따라 축산기간 및 폐업 확인을 신청하오니 양도인이 위 축사용지를 8년 이상 직접 축산에 사용한 후 폐업하였음을 확인하여 주시기 바랍니다.

년   월   일

신청인   (서명 또는 인)

시장・군수・구청장   귀하

첨부서류	없음	수수료 없음

작성방법

1. 신청인은 ⑥번란까지만 기재하고 ※표시란은 증명관청에서 기재합니다.

 (⑧ 직접축산 여부란은 해당란에 ○표를 하고 그 위에 셀로판테이프를 접착합니다)

「조세특례제한법 시행령」 제66조의2에 따라 위와 같이 증명합니다.

년   월   일

시장・군수・구청장   직인

210mm×297mm[일반용지 70g/㎡(재활용품)]

(7) 감면세액

감면하는 세액은 다음 계산식에 따라 계산한다.(2019. 2. 12. 개정)(조특령 §66의2 ⑨)

$$감면세액 = 양도소득세 \ 산출세액 \times \frac{축사용지 \ 면적}{총 \ 양도면적}$$

(8) 주거지역 등에 편입되거나, 환지예정지 지정을 받은 날까지 발생한 소득

조세특례제한법 제69조의2 제1항 단서 "해당 토지가 주거지역 등에 편입되거나 「도시개발법」 또는 그 밖의 법률에 따라 환지처분 전에 해당 축사용지 외의 토지로 환지예정지 지정을 받은 경우에는 주거지역 등에 편입되거나, 환지예정지 지정을 받은 날까지 발생한 소득으로서 대통령령으로 정하는 소득에 대하여만 양도소득세의 100분의 100에 상당하는 세액을 감면한다."에서 대통령령으로 정하는 소득이란 「소득세법」 제95조 제1항에 따른 양도소득금액(이하 이 항에서 "양도소득금액"이라 한다) 중 다음 계산식에 따라 계산한 금액을 말한다. 이 경우 「공익사업을 위한 토지 등의 취득 및 보상에 관한 법률」 및 그 밖의 법률에 따라 협의매수되거나 수용되는 경우에는 보상가액 산정의 기초가 되는 기준시가를 양도 당시의 기준시가로 보며, 새로운 기준시가가 고시되기 전에 취득하거나 양도한 경우 또는 주거지역 등에 편입되거나 환지예정지 지정을 받은 날이 도래하는 경우에는 직전의 기준시가를 적용한다.(2015. 2. 3. 개정)(조특령 §66의2 ⑩)

$$양도소득금액 \times \frac{주거지역 \ 등에 \ 편입되거나 \ 환지예정지 \ 지정을 \ 받은 \ 날의 \ 기준시가 - 취득 \ 당시 \ 기준시가}{양도 \ 당시 \ 기준시가 - 취득 \ 당시 \ 기준시가}$$

(9) 일정한 사업소득금액이 있는 기간은 축산기간에서 제외

축산기간을 산정할 때 축산한 기간 중 해당 피상속인(그 배우자를 포함한다. 이하 이 항에서 같다) 또는 거주자 각각에 대하여 다음 각 호[아래 ①, ②]의 어느 하나에 해당하는 과세기간이 있는 경우 그 기간은 해당 피상속인 또는 거주자가 축산한 기간에서 제외한다.(2017. 2. 7. 개정, 2020. 2. 11. 개정)(조특령 §66의2 ⑬)(조특령 §66 ⑭)

① 사업소득금액과 총급여액의 합이 3천700만 원 이상

「소득세법」 제19조 제2항에 따른 사업소득금액(농업·임업에서 발생하는 소득, 같은 법 제45조 제2항에 따른 부동산임대업에서 발생하는 소득과 같은 법 시행령 제9조에 따른 농가부업소득은 제외하며, 이하 이 항에서 "사업소득금액"이라 한다)과 같은 법 제20조 제2항에 따른 총급여액의 합계액이 3천700만 원 이상인 과세기간이 있는 경우. 이 경우 사업소득금액이 음수인 경우에는 해당 금액을 0으로 본다.(2020. 2. 11. 신설)(조특령 §66 ⑭ 1호)

② 일정금액 이상의 사업소득 총수입금액

「소득세법」 제24조 제1항에 따른 사업소득 총수입금액(농업·임업에서 발생하는 소득, 같은 법 제45조 제2항에 따른 부동산임대업에서 발생하는 소득과 같은 법 시행령 제9조에 따른 농가부업소득은 제외한다)이 같은 법 시행령 제208조 제5항 제2호 각 목의 금액 이상인 과세기간이 있는 경우(2020. 2. 11. 신설)(조특령 §66 ⑭ 1호)

소득세법 시행령 제208조 제5항 제2호 각 목의 금액

조특령 제66조 제14항 본문에서의 소득세법 시행령 제208조 제5항 제2호 각 목[아래 1.~3.]의 금액은 다음과 같다.(2013. 6. 28. 개정)(소득령 §208 ⑤)

1. 농업·임업 및 어업, 광업, 도매 및 소매업(상품중개업을 제외한다), 제122조 제1항에 따른 부동산매매업, 그 밖에 나목 및 다목에 해당되지 아니하는 사업 : 3억 원 (2013. 2. 15. 개정)(소득령 §208 ⑤ 2호 가목)

2. 제조업, 숙박 및 음식점업, 전기·가스·증기 및 공기조절 공급업, 수도·하수·폐기물처리·원료재생업, 건설업(비주거용 건물 건설업은 제외한다), 부동산 개발 및 공급업(주거용 건물 개발 및 공급업에 한정한다), 운수업 및 창고업, 정보통신업, 금융 및 보험업, 상품중개업 : 1억5천만 원(2020. 2. 11 개정)(소득령 §208 ⑤ 2호 나목)

3. 법 제45조 제2항에 따른 부동산임대업, 부동산업(제122조 제1항에 따른 부동산매매업은 제외한다), 전문·과학 및 기술서비스업, 사업시설관리·사업지원 및 임대서비스업, 교육서비스업, 보건업 및 사회복지서비스업, 예술·스포츠 및 여가 관련 서비스업, 협회 및 단체, 수리 및 기타 개인서비스업, 가구내 고용활동 : 7천500만 원(2018. 2. 13. 개정)(소득령 §208 ⑤ 2호 다목)

---

2 사후관리

축사용지에 대한 양도소득세의 감면[조특법 제69조의2 제1항, (위 ❶)]에 따라 양도소득세를 감면받은 거주자가 해당 축사용지 양도 후 5년 이내에 축산업을 다시 하는 경우에는 감면받은 세액을 추징한다. 다만, 조특법 제69조의2 제1항에 따라 축사용지에 대한 양도소득세 감면을 받은 사람이 그 이후에 상속으로 인하여 축산업을 하게 되는 경우에는 그러하지 아니한다.(2011. 7. 25. 신설)(조특법 §69의2 ②)(조특령 §66의2 ⑪)

3 감면신청

축사용지에 대한 양도소득세의 감면[조특법 제69조의2 제1항, (위 ❶)]을 적용받으려는 자는 대통령령으로 정하는 바에 따라 감면신청을 하여야 한다.(2011. 7. 25. 신설)(조특법 §69의2 ③)

대통령령으로 정하는 바에 따른 감면신청이란 감면신청을 하려는 사람은 해당 축사용지를 양도한 날이 속하는 과세기간의 과세표준신고(예정신고를 포함한다)와 함께 기획재정부령으로 정하는 세액감면신청서 및 제8항에 따른 축산 기간 및 폐업 확인서(「축산법」 제22조 제3항에 따른 가축사육업으로서 이 조 제8항에 따른 축산기간 및 폐업 확인을 할 수 없는 경우에는 축산기간 및 폐업 여부를 확인할 수 있는 서류)를 납세지 관할 세무서장에게 제출하여야 한다.(2016. 2. 5. 개정)(조특령 §66의2 ⑫)

4 그 밖의 사항

제1항부터 제3항까지의 규정을 적용하는 경우 축사용지의 보유기간, 폐업의 범위, 감면세액의 계산방법 및 그 밖에 필요한 사항은 대통령령으로 정한다.(2011. 7. 25. 신설)(조특법 §69의2 ④)

제3장

어업용 토지 등에 대한 양도소득세의 감면

❶ 어업용 토지 등에 대한 양도소득세의 감면

어업용 토지 등 소재지에 거주하는 대통령령으로 정하는 거주자가 8년 이상 대통령령으로 정하는 방법으로 직접 어업에 사용한 대통령령으로 정하는 어업용 토지 등을 2022년 12월 31일까지 양도함에 따라 발생하는 소득에 대해서는 양도소득세의 100분의 100에 상당하는 세액을 감면한다. 다만, 해당 어업용 토지 등이 주거지역 등에 편입되거나 「도시개발법」 또는 그 밖의 법률에 따라 환지처분 전에 해당 어업용 토지 등 외의 토지로 환지예정지 지정을 받은 경우에는 주거지역 등에 편입되거나 환지예정지 지정을 받은 날까지 발생한 소득으로서 대통령령으로 정하는 소득에 대해서만 양도소득세의 100분의 100에 상당하는 세액을 감면한다.(2018. 12. 24. 개정, 2020. 12. 29. 개정)(조특법 §69의3 ①)

여기서 어업용 토지 등은 지적공부상의 지목에 관계없이 실지로 양식 또는 수산종자생산에 사용한 건물과 토지로 한다.(2018. 3. 21. 신설)(조특칙 §27의3 ①)

(1) 8년 재촌 요건

어업용 토지 등에 대한 양도소득세의 감면[조특법 제69조의3 제1항, (위 ❶)] 본문에서 "어업용 토지 등 소재지에 거주하는 대통령령으로 정하는 거주자"란 8년 이상 다음 각 호[아래 1)~3)]의 어느 하나에 해당하는 지역(제2항에 따른 양식 등의 개시 당시에는 그 지역에 해당하였으나 행정구역의 개편 등으로 이에 해당하지 아니하게 된 지역을 포함한다)에 거주한 「수산업·어촌 발전 기본법」에 따른 어업인으로서 어업용 토지 등 양도일 현재 「소득세법」 제1조의2 제1항 제1호에 따른 거주자인 자(같은 항 제2호에 따른 비거주자가 된 날부터 2년 이내인 자를 포함한다)를 말한다.(2018. 2. 13. 신설)(조특령 §66의3 ①)

1) 양식 등에 사용하는 어업용 토지 등이 소재하는 시(특별자치시와 「제주특별자치도 설치 및 국제자유도시 조성을 위한 특별법」에 따른 행정시를 포함한다. 이하 이 항에서 같다)·군·구(자치구인 구를 말한다. 이하 이 항에서 같다) 안의 지역(2018. 2. 13. 신설)

(조특령 §66의3 ① 1호)

2) 제1호[위 1)]의 지역과 연접한 시·군·구 안의 지역(2018. 2. 13. 신설)(조특령 §66의3 ① 2호)

3) 해당 어업용 토지 등으로부터 직선거리로 30킬로미터 이내의 지역(2018. 2. 13. 신설)(조특령 §66의3 ① 3호)

(2) 직접 어업에 사용

어업용 토지 등에 대한 양도소득세의 감면 규정[조특법 제69조의3 제1항 본문, {위 (1)}]에서 "대통령령으로 정하는 방법으로 직접 어업에 사용"이란 다음 각 호[아래 1), 2)]의 어느 하나에 해당하는 것을 말한다.(2019. 2. 12. 개정)(조특령 §66의3 ②)

1) 거주자가 그 소유 어업용 토지 등에서 「양식산업발전법」에 따른 육상해수양식업, 같은 법 시행령에 따른 육상수조식내수양식업 및 「수산종자산업육성법」에 따른 수산종자생산업(이하 이 조에서 "양식 등"이라 한다)에 상시 종사하는 것(2018. 2. 13. 신설, 2020. 8. 26. 개정)〈양식산업발전법 시행령〉(조특령 §66의3 ② 1호)

2) 거주자가 그 소유 어업용 토지 등에서 양식 등의 2분의 1 이상을 자기의 노동력에 의하여 수행하는 것(2018. 2. 13. 신설)(조특령 §66의3 ② 2호)

(3) 어업용 토지

위 어업용 토지 등에 대한 양도소득세의 감면 규정[조특법 제69조의3 제1항 본문]에서 "대통령령으로 정하는 어업용 토지 등"이란 해당 토지 등을 취득한 때부터 양도할 때까지의 사이에 8년 이상 자기가 직접 양식 등에 사용한 어업용 토지 등으로서 다음 각 호[아래 1), 2)]의 어느 하나에 해당하는 것을 제외한 것을 말한다.(2019. 2. 12. 개정)(조특령 §66의3 ③)

1) 양도일 현재 특별시·광역시(광역시에 있는 군은 제외한다) 또는 시[「지방자치법」 제3조 제4항에 따라 설치된 도농(都農) 복합형태의 시의 읍·면 지역 및 「제주특별자치도 설치 및 국제자유도시 조성을 위한 특별법」 제10조 제2항에 따라 설치된 행정시의 읍·면 지역은 제외한다]에 있는 어업용 토지 등 중 「국토의 계획 및 이용에 관한 법률」에 따른 주거지역·상업지역 또는 공업지역 안에 있는 어업용 토지 등으로서 이들 지역에 편입된 날부터 3년이 지난 어업용 토지 등. 다만, 다음 각 목[아래 ①, ②]의 어느 하나에 해당하는 경우는 제외한다.(2018. 2. 13. 신설)(조특령 §66의3 ③ 1호)

2018. 2. 13. 당시 「국토의 계획 및 이용에 관한 법률」에 따른 주거지역・상업지역 또는 공업지역에 편입된 어업용 토지 등에 대해서는 제66조의3 제3항 제1호 각 목 외의 부분 본문의 개정규정을 적용할 때 2018. 2. 13.을 「국토의 계획 및 이용에 관한 법률」에 따른 주거지역・상업지역 또는 공업지역에 편입된 날로 봄.[2018. 2. 13 대통령령 제28636호 부칙 제15조 제1항]

① 사업시행지역 안의 토지소유자가 1천명 이상이거나 사업시행면적이 기획재정부령으로 정하는 규모 이상인 개발사업(이하 이 호에서 "대규모개발사업"이라 한다) 지역(사업인정고시일이 같은 하나의 사업시행지역을 말한다) 안에서 대규모개발사업의 시행으로 인하여 「국토의 계획 및 이용에 관한 법률」에 따른 주거지역・상업지역 또는 공업지역에 편입된 어업용 토지 등으로서 사업시행자의 단계적 사업시행 또는 보상지연으로 이들 지역에 편입된 날부터 3년이 지난 경우(2018. 2. 13. 신설)(조특령 §66의3 ③ 1호 가목)

② 사업시행자가 국가, 지방자치단체 그 밖에 기획재정부령으로 정하는 공공기관인 개발사업지역 안에서 개발사업의 시행으로 인하여 「국토의 계획 및 이용에 관한 법률」에 따른 주거지역・상업지역 또는 공업지역에 편입된 어업용 토지 등으로서 기획재정부령으로 정하는 부득이한 사유에 해당하는 경우(2018. 2. 13. 신설)(조특령 §66의3 ③ 1호 나목)

③ 「국토의 계획 및 이용에 관한 법률」에 따른 주거지역・상업지역 및 공업지역에 편입된 어업용 토지 등으로서 편입된 후 3년 이내에 대규모개발사업이 시행되고, 대규모개발사업 시행자의 단계적 사업시행 또는 보상지연으로 이들 지역에 편입된 날부터 3년이 지난 경우(대규모개발사업지역 안에 있는 경우로 한정한다)(2018. 2. 13. 신설)(조특령 §66의3 ③ 1호 다목)

2) 「도시개발법」 또는 그 밖의 법률에 따라 환지처분 이전에 어업용 토지 등 외의 토지로 환지 예정지를 지정하는 경우에는 그 환지 예정지 지정일부터 3년이 지난 어업용 토지 등. 다만, 환지처분에 따라 교부받는 환지 청산금에 해당하는 부분은 제외한다.(2018. 2. 13. 신설)(조특령 §66의3 ③ 2호)

2018. 2. 13. 당시 「도시개발법」 또는 그 밖의 법률에 따라 환지처분 이전에 어업용 토지 등 외의 토지로 환지 예정지 지정을 받은 어업용 토지 등에 대해서는 제66조의3 제3항 제2호의 개정규정을 적용할 때 2018. 2. 13.을 그 환지 예정지 지정일로 봄.[2018. 2. 13. 대통령령 제28636호 부칙 제15조 제2항]

(4) 양도일 현재 어업용 토지

위 규정[제3항, 위 (3)]을 적용할 때에는 「소득세법 시행령」 제162조에 따른 양도일 현재의 어업용 토지 등을 기준으로 한다. 다만, 양도일 이전에 매매계약조건에 따라 매수자가 형질변경, 건축착공 등을 한 경우에는 매매계약일 현재의 어업용 토지 등을 기준으로 하며, 환지처분 전에 해당 어업용 토지 등이 어업용 토지 등 외의 토지로 환지예정지 지정이 되고 그 환지예정지 지정일부터 3년이 경과하기 전의 토지로서 환지예정지 지정 후 토지조성공사의 시행으로 양식 등을 하지 못하게 된 경우에는 토지조성공사 착수일 현재의 어업용 토지 등을 기준으로 한다.(2018. 2. 13. 신설)(조특령 §66의3 ④)

(5) 어업용 기간 산정

1) 교환·분합 및 대토한 경우로서 새로이 취득하는 어업용 토지 등이 수용 등이 되는 경우

위 규정[제3항, 위 (3)]에 따른 양식 등에 사용한 기간을 계산할 때 어업용 토지 등을 교환·분합 및 대토한 경우로서 새로이 취득하는 어업용 토지 등이 「공익사업을 위한 토지 등의 취득 및 보상에 관한 법률」 및 그 밖의 법률에 따라 협의매수되거나 수용되는 경우에는 교환·분합 및 대토 전의 어업용 토지 등을 양식 등에 사용한 기간을 포함하여 계산한다.(2018. 2. 13. 신설)(조특령 §66의3 ⑤)

2) 상속받은 어업용 토지 등을 1년 이상 계속하여 양식 등에 사용하는 경우

위 규정[제3항, 위 (3)]에 따른 양식 등에 사용한 기간을 계산할 때 상속인이 상속받은 어업용 토지 등을 1년 이상 계속하여 양식 등에 사용하는 경우(제2항 각 호의 어느 하나에 따른 지역에 거주하면서 양식 등에 사용하는 경우를 말한다. 이하 이 항 및 제7항에서 같다)에는 다음 각 호[아래 ①, ②]의 기간은 상속인이 양식 등에 사용한 기간으로 본다.(2018. 2. 13. 신설)(조특령 §66의3 ⑥)

① 피상속인이 취득하여 양식 등에 사용한 기간(직전 피상속인이 양식 등에 사용한 기간으로 한정한다)(2018. 2. 13. 신설)(조특령 §66의3 ⑥ 1호)

② 피상속인이 그 배우자로부터 상속받은 어업용 토지 등을 양식 등에 사용한 사실이 있는 경우에는 피상속인의 배우자가 취득한 어업용 토지 등을 양식 등에 사용한 기간(2018. 2. 13. 신설)(조특령 §66의3 ⑥ 2호)

3) 상속받은 어업용 토지 등을 1년 이상 계속하여 양식 등에 사용하지 않는 경우

제6항[위 2)]에도 불구하고 상속인이 상속받은 어업용 토지 등을 1년 이상 계속하여 양식 등에 사용하지 아니하더라도 상속받은 날부터 3년이 되는 날까지 양도하거나 「공익사업을 위한 토지 등의 취득 및 보상에 관한 법률」 및 그 밖의 법률에 따라 협의매수 또는 수용되는 경우로서 상속받은 날부터 3년이 되는 날까지 다음 각 호[아래 ①~③]의 어느 하나에 해당하는 지역으로 지정(관계 행정기관의 장이 관보 또는 공보에 고시한 날을 말한다)되는 경우(상속받은 날 전에 지정된 경우를 포함한다)에는 제6항 제1호 및 제2호의 양식 등에 사용한 기간을 상속인이 양식 등에 사용한 기간으로 본다.(2018. 2. 13. 신설)(조특령 §66의3 ⑦)

① 「택지개발촉진법」 제3조에 따라 지정된 택지개발지구(2018. 2. 13. 신설)(조특령 §66의3 ⑦ 1호)

② 「산업입지 및 개발에 관한 법률」 제6조·제7조·제7조의2 또는 제8조에 따라 지정된 산업단지(2018. 2. 13. 신설)(조특령 §66의3 ⑦ 2호)

③ 제1호 및 제2호 외의 지역으로서 기획재정부령으로 정하는 지역(2018. 2. 13. 신설)(조특령 §66의3 ⑦ 3호)

여기서 "기획재정부령으로 정하는 지역"이란 다음 각 호[아래 ⅰ)~ⅵ)]의 어느 하나에 해당하는 지역을 말한다.(2011. 8. 3. 신설)(조특칙 §27의3 ⑥)

ⅰ) 「공공주택 특별법」 제6조에 따라 지정된 공공주택지구(2018. 3. 21. 신설)(조특칙 §27의3 ⑥ 1호)

ⅱ) 「도시 및 주거환경정비법」 제16조에 따라 지정·고시된 정비구역(2018. 3. 21. 신설)(조특칙 §27의3 ⑥ 2호)

ⅲ) 「신항만건설 촉진법」 제5조에 따라 지정된 신항만건설 예정지역(2018. 3. 21. 신설)(조특칙 §27의3 ⑥ 3호)

ⅳ) 「도시개발법」 제3조 및 제9조에 따라 지정·고시된 도시개발구역(2018. 3. 21. 신설)(조특칙 §27의3 ⑥ 4호)

ⅴ) 「철도건설법」 제9조에 따라 철도건설사업실시계획 승인을 받은 지역(2018. 3. 21. 신설)(조특칙 §27의3 ⑥ 5호)

ⅵ) 제1호[위 ⅰ)]부터 제5호[위 ⅴ)]까지와 유사한 경우로서 다른 법률에 따라 예정지구 또는 실시계획 승인을 받은 지역 해당 공익사업으로 인하여 해당 주민이 직접적인 행위제한(건축물의 건축, 토지의 형질변경·분할 등)을 받는 지역(2018. 3. 21. 신설)(조특칙 §27의3 ⑥ 6호)

(6) 주거지역 등에 편입되거나, 환지예정지 지정을 받은 날까지 발생한 소득

조세특례제한법 제69조의3 제1항 단서에서 "다만, 해당 어업용 토지 등이 주거지역 등에 편입되거나 「도시개발법」 또는 그 밖의 법률에 따라 환지처분 전에 해당 어업용 토지 등 외의 토지로 환지예정지 지정을 받은 경우에는 주거지역 등에 편입되거나 환지예정지 지정을 받은 날까지 발생한 소득으로서 대통령령으로 정하는 소득에 대해서만 양도소득세의 100분의 100에 상당하는 세액을 감면한다."에서 "대통령령으로 정하는 소득"이란 「소득세법」 제95조 제1항에 따른 양도소득금액(이하 이 항에서 "양도소득금액"이라 한다) 중 다음 계산식에 따라 계산한 금액을 말한다. 이 경우 「공익사업을 위한 토지 등의 취득 및 보상에 관한 법률」 및 그 밖의 법률에 따라 협의매수되거나 수용되는 경우에는 보상가액 산정의 기초가 되는 기준시가를 양도 당시의 기준시가로 보며, 새로운 기준시가가 고시되기 전에 취득하거나 양도한 경우 또는 주거지역 등에 편입되거나 환지예정지 지정을 받은 날이 도래하는 경우에는 직전의 기준시가를 적용한다.(2018. 2. 13. 신설)(조특칙 §27의3 ⑧)

$$\text{양도소득금액} \times \frac{\text{주거지역 등에 편입되거나 환지예정지 지정을 받은 날의 기준시가} - \text{취득 당시 기준시가}}{\text{양도 당시 기준시가} - \text{취득 당시 기준시가}}$$

(7) 일정한 사업소득금액이 있는 기간은 어업에 사용한 기간에서 제외

어업에 사용한 기간을 산정할 때 어업에 사용한 기간 중 해당 피상속인(그 배우자를 포함한다. 이하 이 항에서 같다) 또는 거주자 각각에 대하여 다음 각 호[아래 ①, ②]의 어느 하나에 해당하는 과세기간이 있는 경우 그 기간은 해당 피상속인 또는 거주자가 어업에 사용한 기간에서 제외한다.(2017. 2. 7. 개정, 2020. 2. 11. 개정)(조특령 §66의3 ⑩)(조특령 §66 ⑭)

① 사업소득금액과 총급여액의 합이 3천700만 원 이상

「소득세법」 제19조 제2항에 따른 사업소득금액(어업·임업에서 발생하는 소득, 같은 법 제45조 제2항에 따른 부동산임대업에서 발생하는 소득과 같은 법 시행령 제9조에 따른 농가부업소득은 제외하며, 이하 이 항에서 "사업소득금액"이라 한다)과 같은 법 제20조 제2항에 따른 총급여액의 합계액이 3천700만 원 이상인 과세기간이 있는 경우. 이 경우 사업소득금액이 음수인 경우에는 해당 금액을 0으로 본다.(2020. 2. 11. 신설)(조특령 §66 ⑭ 1호)

② 일정금액 이상의 사업소득 총수입금액

「소득세법」 제24조 제1항에 따른 사업소득 총수입금액(어업·임업에서 발생하는 소득, 같은 법 제45조 제2항에 따른 부동산임대업에서 발생하는 소득과 같은 법 시행령 제9조에 따른 농가부업소득은 제외한다)이 같은 법 시행령 제208조 제5항 제2호 각 목의 금액 이상인 과세기간이 있는 경우(2020. 2. 11. 신설)(조특령 §66 ⑭ 1호)

> ●●●●
>
> ### 소득세법 시행령 제208조 제5항 제2호 각 목의 금액
>
> 조특령 제66조 제14항 본문에서의 소득세법 시행령 제208조 제5항 제2호 각 목[아래 1.~3.]의 금액은 다음과 같다.(2013. 6. 28. 개정)(소득령 §208 ⑤)
>
> 1. 농업·임업 및 어업, 광업, 도매 및 소매업(상품중개업을 제외한다), 제122조 제1항에 따른 부동산매매업, 그 밖에 나목 및 다목에 해당되지 아니하는 사업 : 3억 원 (2013. 2. 15. 개정)(소득령 §208 ⑤ 2호 가목)
> 2. 제조업, 숙박 및 음식점업, 전기·가스·증기 및 공기조절 공급업, 수도·하수·폐기물처리·원료재생업, 건설업(비주거용 건물 건설업은 제외한다), 부동산 개발 및 공급업(주거용 건물 개발 및 공급업에 한정한다), 운수업 및 창고업, 정보통신업, 금융 및 보험업, 상품중개업: 1억5천만 원(2020. 2. 11. 개정)(소득령 §208 ⑤ 2호 나목)
> 3. 법 제45조 제2항에 따른 부동산임대업, 부동산업(제122조 제1항에 따른 부동산매매업은 제외한다), 전문·과학 및 기술서비스업, 사업시설관리·사업지원 및 임대서비스업, 교육서비스업, 보건업 및 사회복지서비스업, 예술·스포츠 및 여가 관련 서비스업, 협회 및 단체, 수리 및 기타 개인서비스업, 가구내 고용활동 : 7천500만 원(2018. 2. 13. 개정)(소득령 §208 ⑤ 2호 다목)

❷ 감면신청

양도소득세 감면신청을 하려는 사람은 해당 어업용 토지 등을 양도한 날이 속하는 과세기간의 과세표준신고(예정신고를 포함한다)와 함께 기획재정부령으로 정하는 세액감면신청서를 납세지 관할 세무서장에게 제출하여야 한다.(2018. 2. 13. 신설)(조특령 §66의3 ⑨)(2017. 12. 19. 신설)(조특법 §69의3 ②)

③ 그 밖의 사항

제1항 및 제2항을 적용하는 경우 어업용 토지 등의 보유기간, 감면세액의 계산방법과 그 밖에 필요한 사항은 대통령령으로 정한다.(2017. 12. 19. 신설)(조특법 §69의3 ③)

제4장

자경산지에 대한 양도소득세의 감면

❶ 자경산지에 대한 양도소득세의 감면

　산지 소재지에 거주하는 대통령령으로 정하는 거주자가 「산림자원의 조성 및 관리에 관한 법률」 제13조에 따른 산림경영계획인가를 받아 10년 이상 대통령령으로 정하는 방법으로 직접 경영한 산지 중 대통령령으로 정하는 산지를 양도함에 따라 발생하는 소득에 대해서는 다음 표에 따른 세액을 감면한다. 다만, 해당 산지가 주거지역 등에 편입되거나 「도시개발법」 또는 그 밖의 법률에 따라 환지처분 전에 산지 외의 토지로 환지예정지 지정을 받은 경우에는 주거지역 등에 편입되거나 환지예정지 지정을 받은 날까지 발생한 소득으로서 대통령령으로 정하는 소득에 대해서만 세액을 감면한다.(2017. 12. 19. 신설)(조특법 §69의4 ①)

　여기서 산지는 지적공부상의 지목에 관계없이 실지로 경작에 사용되는 토지로 한다.(2018. 3. 21. 신설)(조특칙 §27의4 ①)

| 자경산지에 대한 양도소득세의 감면세액 |

직접 경영한 기간	감면 세액
10년 이상 20년 미만	양도소득세의 100분의 10에 상당하는 세액
20년 이상 30년 미만	양도소득세의 100분의 20에 상당하는 세액
30년 이상 40년 미만	양도소득세의 100분의 30에 상당하는 세액
40년 이상 50년 미만	양도소득세의 100분의 40에 상당하는 세액
50년 이상	양도소득세의 100분의 50에 상당하는 세액

(1) 재촌 요건

　위 자경산지에 대한 양도소득세의 감면[조특법 제69조의4 본문 (위 ❶)]에서 "대통령령으로 정하는 거주자"란 조특법 제69조의4 제1항의 표(위 표)의 직접 경영한 기간 이상 다음 각 호[아래 1)～ 2)]의 어느 하나에 해당하는 지역(임업 개시 당시에는 그 지역에 해당하였으나 행정구역의 개편 등으로 이에 해당하지 아니하게 된 지역을 포함한다)에 거주한 「임업 및 산촌 진흥촉진에 관한 법률」에 따른 임업인으로서 산지 양도일 현재 「소득세법」 제1조의2 제1항 제1호에 따른 거주자인 사람(같은 항 제2호에 따른 비거주자가 된 날부터 2년 이내인 사람을 포함한다)을 말한다.(2018. 2. 13. 신설)(조특령 §66의4 ①)

1) 산지가 소재하는 시(특별자치시와 「제주특별자치도 설치 및 국제자유도시 조성을 위한 특별법」 제10조 제2항에 따른 행정시를 포함한다. 이하 이 항에서 같다)·군·구 (자치구인 구를 말한다. 이하 이 항에서 같다) 안의 지역(2018. 2. 13. 신설)(조특령 §66의4 ① 1호)

2) 제1호의 지역과 연접한 시·군·구 안의 지역(2018. 2. 13. 신설)(조특령 §66의4 ① 2호)

3) 해당 산지로부터 직선거리로 30킬로미터 이내의 지역(2018. 2. 13. 신설)(조특령 §66의4 ① 3호)

(2) 직접 경영한 산지

위 자경산지에 대한 양도소득세의 감면[조특법 제69조의4 본문, {위 ❶}]에서 "대통령령으로 정하는 방법으로 직접 경영한 산지"란 다음 각 호[아래 1), 2)]의 어느 하나에 해당하는 방법으로 경영한 산지를 말한다.(2018. 2. 13. 신설)(조특령 §66의4 ②)

1) 거주자가 그 소유 산지에서 「임업 및 산촌 진흥촉진에 관한 법률」에 따른 임업(이하 이 조에서 "임업"이라 한다)에 상시 종사하는 것(2018. 2. 13. 신설)(조특령 §66의4 ② 2호)

2) 거주자가 그 소유 산지에서 임작업의 2분의 1 이상을 자기의 노동력에 의하여 수행하는 것(2018. 2. 13. 신설)(조특령 §66의4 ② 2호)

(3) 자경산지

위 자경산지에 대한 양도소득세의 감면[조특법 제69조의4 본문 위 ❶]에서 "대통령령으로 정하는 산지"란 해당 토지를 취득하고 「산림자원의 조성 및 관리에 관한 법률」 제13조에 따른 산림경영계획인가를 받은 날부터 양도할 때까지의 기간에 법 제69조의4 제1항 표 (위 표)의 직접 경영한 기간 이상 자기가 직접 임업에 사용한 「산지관리법」 제4조 제1항 제1호에 따른 보전산지로서 다음 각 호[아래 1), 2)]의 어느 하나에 해당하는 것을 제외한 것을 말한다.(2018. 2. 13. 신설)(조특령 §66의4 ③)

1) 양도일 현재 특별시·광역시(광역시에 있는 군은 제외한다) 또는 시『지방자치법』제3조 제4항에 따라 설치된 도농(都農) 복합형태의 시의 읍·면 지역 및 『제주특별자치도 설치 및 국제자유도시 조성을 위한 특별법』 제10조 제2항에 따라 설치된 행정시의 읍·면 지역은 제외한다]에 있는 산지 중 『국토의 계획 및 이용에 관한 법률』에 따른 주거지역·상업지역 또는 공업지역 안에 있는 산지로서 이들 지역에 편입된 날부터 3년이 지난 산지. 다만, 다음 각 목[아래 ①~③]의 어느 하나에 해당하는 경우는 제외한다.(2018. 2. 13. 신설)(조특령 §66의4 ③ 1호)

2018. 2. 13. 당시 『국토의 계획 및 이용에 관한 법률』에 따른 주거지역·상업지역 또는 공업지역에 편입된 산지에 대해서는 제66조의4 제3항 제1호 본문의 개정규정을 적용할 때 2018. 2. 13.을 『국토의 계획 및 이용에 관한 법률』에 따른 주거지역·상업지역 또는 공업지역에 편입된 날로 봄.[2018. 2. 13 대통령령 제28636호 부칙 제16조 제1항]

① 사업시행지역 안의 토지소유자가 1천명 이상이거나 사업시행면적이 기획재정부령으로 정하는 규모 이상인 개발사업(이하 이 호에서 "대규모개발사업"이라 한다)지역(사업인정고시일이 같은 하나의 사업시행지역을 말한다) 안에서 대규모개발사업의 시행으로 인하여 『국토의 계획 및 이용에 관한 법률』에 따른 주거지역·상업지역 또는 공업지역에 편입된 산지로서 사업시행자의 단계적 사업시행 또는 보상지연으로 이들 지역에 편입된 날부터 3년이 지난 경우(2018. 2. 13. 신설)(조특령 §66의4 ③ 1호 가목)

② 사업시행자가 국가, 지방자치단체 그 밖에 기획재정부령으로 정하는 공공기관인 개발사업지역 안에서 개발사업의 시행으로 인하여 『국토의 계획 및 이용에 관한 법률』에 따른 주거지역·상업지역 또는 공업지역에 편입된 산지로서 기획재정부령으로 정하는 부득이한 사유에 해당하는 경우(2018. 2. 13. 신설)(조특령 §66의4 ③ 1호 나목)

③ 『국토의 계획 및 이용에 관한 법률』에 따른 주거지역·상업지역 및 공업지역에 편입된 산지로서 편입된 후 3년 이내에 대규모개발사업이 시행되고, 대규모개발사업 시행자의 단계적 사업시행 또는 보상지연으로 이들 지역에 편입된 날부터 3년이 지난 경우(대규모개발사업지역 안에 있는 경우로 한정한다)(2018. 2. 13. 신설)(조특령 §66의4 ③ 1호 다목)

2) 『도시개발법』 또는 그 밖의 법률에 따라 환지처분 이전에 산지 외의 토지로 환지 예정지를 지정하는 경우에는 그 환지 예정지 지정일부터 3년이 지난 산지. 다만, 환지처분에 따라 교부받는 환지 청산금에 해당하는 부분은 제외한다.(2018. 2. 13. 신설)(조특령 §66의4 ③ 2호)

2018. 2. 13. 당시 「도시개발법」 또는 그 밖의 법률에 따라 환지처분 이전에 산지 외의 토지로 환지 예정지 지정을 받은 산지에 대해서는 제66조의4 제3항 제2호의 개정규정을 적용할 때 2018. 2. 13.을 그 환지 예정지 지정일로 봄.[2018. 2. 13 대통령령 제28636호 부칙 제16조 제2항]

(4) 양도일 현재의 산지

위 자경산지 규정[조특령 제66조의4 제3항, 위 (3)]을 적용할 때에는 「소득세법 시행령」 제162조에 따른 양도일 현재의 산지를 기준으로 한다. 다만, 양도일 이전에 매매계약조건에 따라 매수자가 형질변경, 건축착공 등을 한 경우에는 매매계약일 현재의 산지를 기준으로 하며, 환지처분 전에 해당 산지가 산지 외의 토지로 환지예정지 지정이 되고 그 환지예정지 지정일부터 3년이 경과하기 전의 토지로서 환지예정지 지정 후 토지조성공사의 시행으로 임업을 하지 못하게 된 경우에는 토지조성공사 착수일 현재의 산지를 기준으로 한다.(2018. 2. 13. 신설)(조특령 §66의4 ④)

(5) 자경기간 산정

1) 교환·분합 및 대토한 경우로서 새로이 취득하는 산지가 수용 등이 되는 경우

위 규정[제3항, 위 (3)]에 따른 임업에 사용한 기간을 계산할 때 산지를 교환·분합 및 대토한 경우로서 새로이 취득하는 산지가 「공익사업을 위한 토지 등의 취득 및 보상에 관한 법률」 및 그 밖의 법률에 따라 협의매수 되거나 수용되는 경우에는 교환·분합 및 대토 전의 산지를 임업에 사용한 기간을 포함하여 계산한다.(2018. 2. 13. 신설)(조특령 §66의4 ⑤)

2) 상속받은 산지를 1년 이상 계속하여 임업에 사용하는 경우

위 규정[제3항 위 (3)]에 따른 임업에 사용한 기간을 계산할 때 상속인이 상속받은 산지를 1년 이상 계속하여 임업에 사용하는 경우(제1항 각 호의 어느 하나에 따른 지역에 거주하면서 임업에 사용하는 경우를 말한다. 이하 이 항 및 제7항에서 같다)에는 다음 각 호[아래 ①, ②]의 기간은 상속인이 임업에 사용한 기간으로 본다.(2018. 2. 13. 신설)(조특령 §66의4 ⑥)
① 피상속인이 취득하여 임업에 사용한 기간(직전 피상속인이 임업에 사용한 기간으로 한정한다)(2018. 2. 13. 신설)(조특령 §66의4 ⑥ 1호)
② 피상속인이 그 배우자로부터 상속받은 산지를 임업에 사용한 사실이 있는 경우에는 피상속인의 배우자가 취득한 산지를 임업에 사용한 기간(2018. 2. 13. 신설)(조특령 §66의4

⑥ 2호)

3) 상속받은 산지를 1년 이상 계속하여 임업에 사용하지 않은 경우

제6항[위, 2)]에도 불구하고 상속인이 상속받은 산지를 1년 이상 계속하여 임업에 사용하지 아니하더라도 상속받은 날부터 3년이 되는 날까지 양도하거나「공익사업을 위한 토지 등의 취득 및 보상에 관한 법률」및 그 밖의 법률에 따라 협의매수되거나 수용되는 경우로서 상속받은 날부터 3년이 되는 날까지 다음 각 호[아래 ①~③]의 어느 하나에 해당하는 지역으로 지정(관계 행정기관의 장이 관보 또는 공보에 고시한 날을 말한다)되는 경우(상속받은 날 전에 지정된 경우를 포함한다)에는 제6항 제1호 및 제2호의 임업에 사용한 기간을 상속인이 임업에 사용한 기간으로 본다.(2018. 2. 13. 신설)(조특령 §66의4 ⑦)

① 「택지개발촉진법」 제3조에 따라 지정된 택지개발지구(2018. 2. 13. 신설)(조특령 §66의4 ⑦ 1호)

② 「산업입지 및 개발에 관한 법률」 제6조・제7조・제7조의2 또는 제8조에 따라 지정된 산업단지(2018. 2. 13. 신설)(조특령 §66의4 ⑦ 2호)

③ 제1호[위 ①] 및 제2호[위 ②] 외의 지역으로서 기획재정부령으로 정하는 지역(2018. 2. 13. 신설)(조특령 §66의4 ⑦ 3호)

여기서 "기획재정부령으로 정하는 지역"이란 다음 각 호[아래 ⅰ)~ⅵ)]의 어느 하나에 해당하는 지역을 말한다.(2018. 3. 21. 신설)(조특칙 §27의4 ⑥)

ⅰ)「공공주택 특별법」 제6조에 따라 지정된 공공주택지구(2018. 3. 21. 신설)(조특칙 27의4 ⑥ 1호)

ⅱ)「도시 및 주거환경정비법」 제16조에 따라 지정・고시된 정비구역(2018. 3. 21. 신설)(조특칙 §27의4 ⑥ 2호)

ⅲ)「신항만건설 촉진법」 제5조에 따라 지정된 신항만건설 예정지역(2018. 3. 21. 신설)(조특칙 §27의4 ⑥ 3호)

ⅳ)「도시개발법」 제3조 및 제9조에 따라 지정・고시된 도시개발구역(2018. 3. 21. 신설)(조특칙 §27의4 ⑥ 4호)

ⅴ)「철도건설법」 제9조에 따라 철도건설사업실시계획 승인을 받은 지역(2018. 3. 21. 신설)(조특칙 §27의4 ⑥ 4호)

ⅵ) 제1호[위 ⅰ)]부터 제5호[위 ⅴ)]까지와 유사한 경우로서 다른 법률에 따라 예정지

구 또는 실시계획 승인을 받은 지역 해당 공익사업으로 인하여 해당 주민이 직접적인 행위제한(건축물의 건축, 토지의 형질변경·분할 등)을 받는 지역(2018. 3. 21. 신설)(조특칙 §27의4 ⑥ 6호)

(6) 환지예정지 지정을 받은 날까지 발생한 소득

조세특례제한법 제69조의4 제1항 단서에서 "다만, 해당 산지가 주거지역 등에 편입되거나 「도시개발법」 또는 그 밖의 법률에 따라 환지처분 전에 산지 외의 토지로 환지예정지 지정을 받은 경우에는 주거지역 등에 편입되거나 환지예정지 지정을 받은 날까지 발생한 소득으로서 대통령령으로 정하는 소득에 대해서만 세액을 감면한다."에서 "대통령령으로 정하는 소득"이란 「소득세법」 제95조 제1항에 따른 양도소득금액(이하 이 항에서 "양도소득금액"이라 한다) 중 다음 계산식에 따라 계산한 금액을 말한다. 이 경우 「공익사업을 위한 토지 등의 취득 및 보상에 관한 법률」 및 그 밖의 법률에 따라 협의매수되거나 수용되는 경우에는 보상가액 산정의 기초가 되는 기준시가를 양도 당시의 기준시가로 보며, 새로운 기준시가가 고시되기 전에 취득하거나 양도한 경우 또는 주거지역 등에 편입되거나 환지예정지 지정을 받은 날이 도래하는 경우에는 직전의 기준시가를 적용한다.(2018. 2. 13. 신설)(조특령 §66의4 ⑧)

$$양도소득금액 \times \frac{(주거지역\ 등에\ 편입되거나\ 환지예정지\ 지정을\ 받은\ 날의\ 기준시가) - (취득당시\ 기준시가)}{양도\ 당시\ 기준시가 - 취득\ 당시\ 기준시가}$$

(7) 일정한 사업소득금액이 있는 기간은 임업에 사용한 기간에서 제외

임업에 사용한 기간을 산정할 때 임업에 사용한 기간 중 해당 피상속인(그 배우자를 포함한다. 이하 이 항에서 같다) 또는 거주자 각각에 대하여 다음 각 호[아래 ①, ②]의 어느 하나에 해당하는 과세기간이 있는 경우 그 기간은 해당 피상속인 또는 거주자가 임업에 사용한 기간에서 제외한다.(2017. 2. 7. 개정, 2020. 2. 11. 개정)(조특법 §69의4 ②)(조특령 §66의4 ⑨)(조특령 §66 ⑭)

① 사업소득금액과 총급여액의 합이 3천700만 원 이상

「소득세법」 제19조 제2항에 따른 사업소득금액(농업·임업에서 발생하는 소득, 같은 법

제45조 제2항에 따른 부동산임대업에서 발생하는 소득과 같은 법 시행령 제9조에 따른 농가부업소득은 제외하며, 이하 이 항에서 "사업소득금액"이라 한다)과 같은 법 제20조 제2항에 따른 총급여액의 합계액이 3천700만 원 이상인 과세기간이 있는 경우. 이 경우 사업소득금액이 음수인 경우에는 해당 금액을 0으로 본다.(2020. 2. 11. 신설)(조특령 §66 ⑭ 1호)

② 일정금액 이상의 사업소득 총수입금액

「소득세법」 제24조 제1항에 따른 사업소득 총수입금액(농업·임업에서 발생하는 소득, 같은 법 제45조 제2항에 따른 부동산임대업에서 발생하는 소득과 같은 법 시행령 제9조에 따른 농가부업소득은 제외한다)이 같은 법 시행령 제208조 제5항 제2호 각 목의 금액 이상인 과세기간이 있는 경우(2020. 2. 11. 신설)(조특령 §66 ⑭ 1호)

소득세법 시행령 제208조 제5항 제2호 각 목의 금액

조특령 제66조 제14항 본문에서의 소득세법 시행령 제208조 제5항 제2호 각 목[아래 1.~3.]의 금액은 다음과 같다.(2013. 6. 28. 개정)(소득령 §208 ⑤)

1. 농업·임업 및 어업, 광업, 도매 및 소매업(상품중개업을 제외한다), 제122조 제1항에 따른 부동산매매업, 그 밖에 나목 및 다목에 해당되지 아니하는 사업: 3억 원 (2013. 2. 15. 개정)(소득령 §208 ⑤ 2호 가목)

2. 제조업, 숙박 및 음식점업, 전기·가스·증기 및 공기조절 공급업, 수도·하수·폐기물처리·원료재생업, 건설업(비주거용 건물 건설업은 제외한다), 부동산 개발 및 공급업(주거용 건물 개발 및 공급업에 한정한다), 운수업 및 창고업, 정보통신업, 금융 및 보험업, 상품중개업: 1억5천만 원(2020. 2. 11. 개정)(소득령 §208 ⑤ 2호 나목)

3. 법 제45조 제2항에 따른 부동산임대업, 부동산업(제122조 제1항에 따른 부동산매매업은 제외한다), 전문·과학 및 기술서비스업, 사업시설관리·사업지원 및 임대서비스업, 교육서비스업, 보건업 및 사회복지서비스업, 예술·스포츠 및 여가 관련 서비스업, 협회 및 단체, 수리 및 기타 개인서비스업, 가구내 고용활동: 7천500만 원(2018. 2. 13. 개정)(소득령 §208 ⑤ 2호 다목)

감면신청

자경산지에 대한 양도소득세의 감면신청을 하려는 사람은 해당 산지를 양도한 날이 속하는 과세기간의 과세표준신고(예정신고를 포함한다)와 함께 기획재정부령으로 정하는 세액감면신청서를 납세지 관할 세무서장에게 제출하여야 한다.(2017. 12. 19. 신설)(조특법 §69의4 ②)(2018. 2. 13. 신설)(조특령 §66의4 ⑨)

농지대토에 대한 양도소득세의 감면

❶ 농지대토에 대한 양도소득세의 감면

농지 소재지에 거주하는 대통령령으로 정하는 거주자가 대통령령으로 정하는 방법으로 직접 경작한 토지를 경작상의 필요에 의하여 대통령령으로 정하는 경우에 해당하는 농지로 대토(代土)함으로써 발생하는 소득에 대해서는 양도소득세의 100분의 100에 상당하는 세액을 감면한다. 다만, 해당 토지가 주거지역 등에 편입되거나 「도시개발법」 또는 그 밖의 법률에 따라 환지처분 전에 농지 외의 토지로 환지예정지 지정을 받은 경우에는 주거지역 등에 편입되거나, 환지예정지 지정을 받은 날까지 발생한 소득으로서 대통령령으로 정하는 소득에 대해서만 양도소득세를 감면한다.(2016. 12. 20. 단서개정)(조특법 §70 ①)

여기서 농지는 전·답으로서 지적공부상의 지목에 관계없이 실지로 경작에 사용되는 토지로 하며, 농지경영에 직접 필요한 농막·퇴비사·양수장·지소·농도·수로 등을 포함하는 것으로 한다.(2005. 12. 31. 개정)(조특칙 §27 ①)

(1) 재촌 요건

농지대토에 대한 양도소득세 감면규정[조특법 제70조 제1항, 위 ❶]에서 "대통령령으로 정하는 거주자"란 4년 이상 다음 각 호[아래 1)~3)]의 어느 하나에 해당하는 지역(경작을 개시할 당시에는 당해 지역에 해당하였으나 행정구역의 개편 등으로 이에 해당하지 아니하게 된 지역을 포함한다. 이하 이 조에서 "농지소재지"라 한다)에 거주한 자로서 대토 전의 농지 양도일 현재 「소득세법」 제1조의2 제1항 제1호에 따른 거주자인 자(비거주자가 된 날부터 2년 이내인 자를 포함한다)를 말한다.(2014. 2. 21. 개정)(조특령 §67 ①)

1) 농지가 소재하는 시(특별자치시와 「제주특별자치도 설치 및 국제자유도시 조성을 위한 특별법」 제10조 제2항에 따라 설치된 행정시를 포함한다. 이하 이 항에서 같다)·군·구(자치구인 구를 말한다. 이하 이 항에서 같다) 안의 지역(2016. 1. 22. 개정)(조특령 §67 ① 1호)

2) 제1호의 지역과 연접한 시·군·구 안의 지역(2005. 12. 31. 신설)(조특령 §67 ① 2호)

3) 해당 농지로부터 직선거리 30킬로미터 이내의 지역(2015. 2. 3. 개정)(조특령 §67 ① 3호)

(2) 직접 경작(자경)

농지대토에 대한 양도소득세 감면규정[조특법 제70조 제1항, 위 ❶] 본문에서 "대통령령으로 정하는 방법으로 직접 경작"이란 다음 각 호[아래 1), 2)]의 어느 하나에 해당하는 것을 말한다.(2016. 2. 5. 개정)(조특령 §67 ②)

1) 거주자가 그 소유농지에서 농작물의 경작 또는 다년생식물의 재배에 상시 종사하는 것(2016. 2. 5. 신설)(조특령 §67 ② 1호)

2) 거주자가 그 소유농지에서 농작업의 2분의 1 이상을 자기의 노동력에 의하여 경작 또는 재배하는 것(2016. 2. 5. 신설)(조특령 §67 ② 2호)

(3) 대토 요건

농지대토에 대한 양도소득세 감면규정[조특법 제70조 제1항, 위 ❶]에서 "대통령령으로 정하는 경우"란 경작상의 필요에 의하여 대토하는 농지로서 다음 각 호[아래 1), 2)]의 어느 하나에 해당하는 경우를 말한다.(2010. 2. 18. 개정)(조특령 §67 ③)

1) 종전 농지 양도 후 대토

4년 이상 종전의 농지소재지에 거주하면서 경작한 자가 종전의 농지의 양도일부터 1년(「공익사업을 위한 토지 등의 취득 및 보상에 관한 법률」에 따른 협의매수·수용 및 그 밖의 법률에 따라 수용되는 경우에는 2년) 내에 새로운 농지를 취득(상속·증여받은 경우를 제외한다. 이하 이 조에서 같다)하여, 그 취득한 날부터 1년(질병의 요양 등 기획재정부령으로 정하는 부득이한 사유로 경작하지 못하는 경우에는 기획재정부령으로 정하는 기간) 내에 새로운 농지소재지에 거주하면서 경작을 개시한 경우로서 다음 각 목[아래 ①, ②]의 어느 하나에 해당하는 경우. 다만, 새로운 농지의 경작을 개시한 후 새로운 농지소재지에 거주하면서 계속하여 경작한 기간과 종전의 농지 경작기간을 합산한 기간이 8년 이상인 경우로 한정한다.(2014. 2. 21. 개정, 2020. 2. 11. 개정)(조특령 §67 ③ 1호)

① 면적의 3분의 2

새로 취득하는 농지의 면적이 양도하는 농지의 면적의 3분의 2 이상일 것(2014. 2. 21. 개정)(조특령 §67 ③ 1호 가목)

② 가액의 2분의 1

새로 취득하는 농지의 가액이 양도하는 농지의 가액의 2분의 1 이상일 것(2014. 2. 21. 개정)(조특령 §67 ③ 1호 나목)

■ **기획재정부령으로 정하는 부득이한 사유**

조특령 제67조 제3항 제1호·제2호 및 같은 조 제10항 제2호에서 "기획재정부령으로 정하는 부득이한 사유"란 각각 다음 각 호[아래 1.~3.]의 어느 하나에 해당하는 경우를 말한다.(2014. 3. 14. 신설)(조특칙 §28 ①)

1. 1년 이상의 치료나 요양을 필요로 하는 질병의 치료 또는 요양을 위한 경우 (2014. 3. 14. 신설)(조특칙 §28 ① 1호)
2. 「농지법 시행령」 제3조의2에 따른 농지개량을 하기 위하여 휴경하는 경우(2014. 3. 14. 신설)(조특칙 §28 ① 2호)
3. 자연재해로 인하여 영농이 불가능하게 되어 휴경하는 경우(2014. 3. 14. 신설)(조특칙 §28 ① 3호)

■ **기획재정부령으로 정하는 기간**

조특령 제67조 제3항 제1호·제2호 및 같은 조 제10항 제2호에서 "기획재정부령으로 정하는 기간"이란 각각 2년을 말한다.(2014. 3. 14. 신설)(조특칙 §28 ②)

---

2) 대토 후 종전 농지 양도

4년 이상 종전의 농지소재지에 거주하면서 경작한 자가 새로운 농지의 취득일부터 1년 내에 종전의 농지를 양도한 후 종전의 농지 양도일부터 1년(질병의 요양 등 기획재정부령으로 정하는 부득이한 사유로 경작하지 못하는 경우에는 기획재정부령으로 정하는 기간) 내에 새로운 농지소재지에 거주하면서 경작을 개시한 경우로서 다음 각 목[아래 ①, ②]의 어느 하나에 해당하는 경우. 다만, 새로운 농지의 경작을 개시한 후 새로운 농지소재지에 거주하면서 계속하여 경작한 기간과 종전의 농지 경작기간을 합산한 기간이 8년 이상인 경우로 한정한다.(2014. 2. 21. 개정)(조특령 §67 ③ 2호)

① 면적의 3분의 2

새로 취득하는 농지의 면적이 양도하는 농지의 면적의 3분의 2 이상일 것(2014. 2. 21. 개정) (조특령 §67 ③ 2호 가목)

② 가액의 2분의 1

새로 취득하는 농지의 가액이 양도하는 농지의 가액의 2분의 1 이상일 것(2014. 2. 21. 개정)(조특령 §67 ③ 2호 나목)

(4) 자경기간의 산정

1) 대토 후 4년 이내에 수용 등이 된 경우

제3항 제1호 및 제2호[위 (3)]를 적용할 때 새로운 농지를 취득한 후 4년 이내에 「공익사업을 위한 토지 등의 취득 및 보상에 관한 법률」에 따른 협의매수·수용 및 그 밖의 법률에 따라 수용되는 경우에는 4년 동안 농지소재지에 거주하면서 경작한 것으로 본다.(2014. 2. 21. 개정)(조특령 §67 ④)

2) 상속인의 경작기간 통산 여부

제3항 제1호 및 제2호[위 (3)]를 적용할 때 새로운 농지를 취득한 후 종전의 농지 경작기간과 새로운 농지 경작기간을 합산하여 8년이 지나기 전에 농지 소유자가 사망한 경우로서 상속인이 농지소재지에 거주하면서 계속 경작한 때에는 피상속인의 경작기간과 상속인의 경작기간을 통산한다.(2014. 2. 21. 개정)(조특령 §67 ⑤)

3) 소득이 있는 경우 경작기간 산정

제3항 제1호 및 제2호[위 (3)]을 적용할 때 종전의 농지 경작기간과 새로운 농지 경작기간의 계산에 관하여는 다음과 같다. 이 경우 새로운 농지의 경작기간을 계산할 때 새로운 농지의 경작을 개시한 후 종전의 농지 경작기간과 새로운 농지 경작기간을 합산하여 8년이 지나기 전에 다음에 해당하는 기간에는 새로운 농지를 계속하여 경작하지 아니한 것으로 본다.(2014. 2. 21. 신설)(조특령 §67 ⑥)

① 소득이 있는 경우 경작기간 제외

경작한 기간 중 해당 피상속인(그 배우자를 포함한다. 이하 이 항에서 같다) 또는 거주자 각각의 「소득세법」 제19조 제2항에 따른 사업소득금액(농업·임업에서 발생하는 소득, 같은 법 제45조 제2항에 따른 부동산임대업에서 발생하는 소득과 소득세법 시행령 제9조에

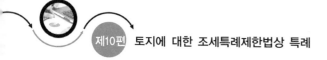

따른 농가부업소득은 제외한다. 이하 이 항에서 "사업소득금액"이라 한다)과 소득세법 제20조 제2항에 따른 총급여액의 합계액이 3천700만 원 이상이거나 같은 법 제24조 제1항에 따른 사업소득 총수입금액(농업·임업에서 발생하는 소득, 같은 법 제45조 제2항에 따른 부동산임대업에서 발생하는 소득과 같은 법 시행령 제9조에 따른 농가부업소득은 제외한다)이 같은 법 시행령 제208조 제5항 제2호 각 목의 금액 이상인 과세기간이 있는 경우 그 기간은 해당 피상속인 또는 거주자가 경작한 기간에서 제외한다. 이 경우 사업소득금액이 음수인 경우에는 해당 금액을 0으로 본다.(2017. 2. 7. 개정, 2020. 2. 11. 개정)(조특령 §66 ⑭)

ⅰ) 사업소득금액과 총급여액의 합이 3천700만 원 이상

ⅱ) 일정금액 이상의 사업소득 총수입금액

소득세법 제24조 제1항에 따른 사업소득 총수입금액(농업·임업에서 발생하는 소득, 같은 법 제45조 제2항에 따른 부동산임대업에서 발생하는 소득과 같은 법 시행령 제9조에 따른 농가부업소득은 제외한다)이 소득세법 시행령 제208조 제5항 제2호 각 목의 금액 이상인 과세기간이 있는 경우 그 기간은 해당 피상속인 또는 거주자가 경작한 기간에서 제외한다.

소득세법 시행령 제208조 제5항 제2호 각 목의 금액

조특령 제66조 제14항 본문에서의 소득세법 시행령 제208조 제5항 제2호 각 목[아래 1.~3.]의 금액은 다음과 같다.(2013. 6. 28. 개정)(소득령 §208 ⑤)

1. 농업·임업 및 어업, 광업, 도매 및 소매업(상품중개업을 제외한다), 제122조 제1항에 따른 부동산매매업, 그 밖에 나목 및 다목에 해당되지 아니하는 사업: 3억 원 (2013. 2. 15. 개정)(소득령 §208 ⑤ 2호 가목)

2. 제조업, 숙박 및 음식점업, 전기·가스·증기 및 공기조절 공급업, 수도·하수·폐기물처리·원료재생업, 건설업(비주거용 건물 건설업은 제외한다), 부동산 개발 및 공급업(주거용 건물 개발 및 공급업에 한정한다), 운수업 및 창고업, 정보통신업, 금융 및 보험업, 상품중개업: 1억5천만 원(2020. 2. 11. 개정)(소득령 §208 ⑤ 2호 나목)

3. 법 제45조 제2항에 따른 부동산임대업, 부동산업(제122조 제1항에 따른 부동산매매업은 제외한다), 전문·과학 및 기술서비스업, 사업시설관리·사업지원 및 임대서비스업, 교육서비스업, 보건업 및 사회복지서비스업, 예술·스포츠 및 여가 관련 서비스업, 협회 및 단체, 수리 및 기타 개인서비스업, 가구내 고용활동: 7천500만 원(2018. 2. 13. 개정)(소득령 §208 ⑤ 2호 다목)

(5) 환지예정지 지정을 받은 날까지 발생한 소득

위 조특법 제70조 제1항 단서에서 환지예정지 지정을 받은 날까지 발생한 소득으로서 "대통령령으로 정하는 소득"이란 「소득세법」 제95조 제1항에 따른 양도소득금액(이하 이 항에서 "양도소득금액"이라 한다) 중 다음의 계산식에 따라 계산한 금액을 말한다. 이 경우 「공익사업을 위한 토지 등의 취득 및 보상에 관한 법률」 및 그 밖의 법률에 따라 협의매수 되거나 수용되는 경우에는 보상가액 산정의 기초가 되는 기준시가를 양도 당시의 기준시가로 보며, 새로운 기준시가가 고시되기 전에 취득하거나 양도한 경우 또는 주거지역 등에 편입되거나 환지예정지 지정을 받은 날이 도래하는 경우에는 직전의 기준시가를 적용한다.(2015. 2. 3. 개정)(조특령 §67 ⑦)

$$\text{양도소득금액} \times \frac{\text{주거지역 등에 편입되거나 환지예정지}}{\text{양도 당시 기준시가} - \text{취득 당시 기준시가}}\frac{\text{지정을 받은 날의 기준시가}}{} - \text{취득 당시 기준시가}$$

❷ 대토감면 적용배제

농지대토에 대한 양도소득세 감면규정[제1항, {위 ❶}]에 따라 양도하거나 취득하는 토지가 주거지역 등에 편입되거나 「도시개발법」 또는 그 밖의 법률에 따라 환지처분 전에 농지 외의 토지로 환지예정지 지정을 받은 토지로서 다음[아래 (1), (2)] 각 호의 어느 하나에 해당하는 토지의 경우에는 농지대토에 대한 양도소득세 감면규정[제1항, {위 ❶}]을 적용하지 아니한다.(2016. 12. 20. 개정)(조특법 §70 ②)(조특령 §67 ⑧)

(1) 양도일 현재 특별시·광역시(광역시에 있는 군을 제외한다) 또는 시[「지방자치법」 제3조 제4항에 따라 설치된 도농(都農) 복합형태의 시의 읍·면 지역 및 「제주특별자치도 설치 및 국제자유도시 조성을 위한 특별법」 제10조 제2항에 따라 설치된 행정시의 읍·면 지역은 제외한다] 지역에 있는 농지 중 「국토의 계획 및 이용에 관한 법률」에 따른 주거지역·상업지역 또는 공업지역 안의 농지로서 이들 지역에 편입된 날부터 3년이 지난 농지.다만, 다음 각 목[아래 1)~3)]의 어느 하나에 해당하는 경우는 제외한다.(2016. 1. 22. 개정)(조특령 §67 ⑧ 1호)

1) 사업시행지역 안의 토지소유자가 1천명 이상이거나 사업시행면적이 기획재정부령으로

정하는 규모 이상인 개발사업(이하 이 호에서 "대규모개발사업"이라 한다)지역(사업인정고시일이 같은 하나의 사업시행지역을 말한다) 안에서 대규모개발사업의 시행으로 인하여 「국토의 계획 및 이용에 관한 법률」에 따른 주거지역·상업지역 또는 공업지역에 편입된 농지로서 사업시행자의 단계적 사업시행 또는 보상지연으로 이들 지역에 편입된 날부터 3년이 지난 경우(2013. 2. 15. 개정)(조특령 §67 ⑧ 1호 가목)

2) 사업시행자가 국가, 지방자치단체, 그 밖에 기획재정부령으로 정하는 공공기관인 개발사업지역 안에서 개발사업의 시행으로 인하여 「국토의 계획 및 이용에 관한 법률」에 따른 주거지역·상업지역 또는 공업지역에 편입된 농지로서 기획재정부령으로 정하는 부득이한 사유에 해당하는 경우(2008. 2. 29 직제개정)(조특령 §67 ⑧ 1호 나목)

3) 「국토의 계획 및 이용에 관한 법률」에 따른 주거지역·상업지역 및 공업지역에 편입된 농지로서 편입된 후 3년 이내에 대규모개발사업이 시행되고, 대규모개발사업 시행자의 단계적 사업시행 또는 보상지연으로 이들 지역에 편입된 날부터 3년이 지난 경우(대규모개발사업지역 안에 있는 경우로 한정한다)(2013. 2. 15. 신설)(조특령 §67 ⑧ 1호 다목)

(2) 「도시개발법」 또는 그 밖의 법률에 따라 환지처분 이전에 농지 외의 토지로 환지예정지를 지정하는 경우에는 그 환지예정지 지정일부터 3년이 지난 농지. 다만, 환지처분에 따라 교부받는 환지청산금에 해당하는 부분은 제외한다.(2012. 2. 2. 개정)(조특령 §67 ⑧ 2호)

③ 감면신청

농지대토에 대한 양도소득세 감면규정[제1항, {위 ❶}]에 따라 감면을 받으려는 자는 양도소득세의 감면신청을 하고자 하는 자는 당해 농지를 양도한 날이 속하는 과세연도의 과세표준신고(예정신고를 포함한다)와 함께 기획재정부령이 정하는 세액감면신청서를 납세지 관할 세무서장에게 제출하여야 한다.(2010. 1. 1. 개정)(조특법 §70 ③)(조특령 §67 ⑨)

④ 사후관리

농지대토에 대한 양도소득세 감면규정[제1항, {위 ❶}]에 따라 양도소득세의 감면을 적용받은 거주자가 대통령령으로 정하는 사유가 발생하여 제1항[위 ❶]에서 정하는 요건을

충족하지 못하는 경우에는 그 사유가 발생한 날이 속하는 달의 말일부터 2개월 이내에 감면받은 양도소득세를 납부하여야 한다.(2014. 1. 1. 신설)(조특법 §70 ④)

여기서 "대통령령으로 정하는 사유"란 다음 각 호[아래 (1)~(4)]의 어느 하나에 해당하는 경우를 말한다. 이 경우 경작기간의 계산 등에 관하여는 제4항 및 제5항[위 (4)]을 준용한다.(2014. 2. 21. 신설)(조특령 §67 ⑩)

(1) 1년 이내 대토를 하지 아니하는 경우

종전의 농지의 양도일부터 1년(「공익사업을 위한 토지 등의 취득 및 보상에 관한 법률」에 따른 협의매수·수용 및 그 밖의 법률에 따라 수용되는 경우에는 2년) 내에 새로운 농지를 취득하지 아니하거나 새로 취득하는 농지의 면적 또는 가액이 제3항 제1호 각 목의 어느 하나(면적의 3분의 2 또는 가액의 2분의 1)에 해당하지 아니하는 경우(2014. 2. 21. 신설)(조특령 §67 ⑩ 1호)

(2) 대토 후 1년 이내 재촌자경을 하지 아니하는 경우

새로운 농지의 취득일(제3항 제2호에 해당하는 경우에는 종전의 농지의 양도일)부터 1년(질병의 요양 등 기획재정부령으로 정하는 부득이한 사유로 경작하지 못하는 경우에는 기획재정부령으로 정하는 기간) 이내에 새로운 농지소재지에 거주하면서 경작을 개시하지 아니하는 경우(2014. 2. 21. 신설)(조특령 §67 ⑩ 2호)

■ 기획재정부령으로 정하는 부득이한 사유

조특령 제67조 제3항 제1호·제2호 및 같은 조 제10항 제2호에서 "기획재정부령으로 정하는 부득이한 사유"란 각각 다음 각 호[아래 1.~3.]의 어느 하나에 해당하는 경우를 말한다.(2014. 3. 14. 신설)(조특칙 §28 ①)

1. 1년 이상의 치료나 요양을 필요로 하는 질병의 치료 또는 요양을 위한 경우 (2014. 3. 14. 신설)(조특칙 §28 ① 1호)

2. 「농지법 시행령」 제3조의2에 따른 농지개량을 하기 위하여 휴경하는 경우(2014. 3. 14. 신설)(조특칙 §28 ① 2호)

3. 자연재해로 인하여 영농이 불가능하게 되어 휴경하는 경우(2014. 3. 14. 신설)(조특칙 §28 ① 3호)

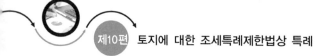

(3) 종전농지와 대토농지의 경작기간 합이 8년 미만인 경우

새로운 농지의 경작을 개시한 후 새로운 농지소재지에 거주하면서 계속하여 경작한 기간
과 종전의 농지 경작기간을 합산한 기간이 8년 미만인 경우(2014. 2. 21. 신설)(조특령 §67 ⑩ 3호)

(4) 사업소득금액 3천700만 원 이상인 과세기간은 경작기간에서 제외

새로운 농지의 경작을 개시한 후 종전의 농지 경작기간과 새로운 농지 경작기간을 합산
하여 8년이 지나기 전에 경작한 기간 중 해당 피상속인(그 배우자를 포함한다. 이하 이 항
에서 같다) 또는 거주자 각각의 「소득세법」 제19조 제2항에 따른 사업소득금액(농업·임
업에서 발생하는 소득, 같은 법 제45조 제2항에 따른 부동산임대업에서 발생하는 소득과
소득세법 시행령 제9조에 따른 농가부업소득은 제외한다. 이하 이 항에서 "사업소득금액"
이라 한다)과 소득세법 제20조 제2항에 따른 총급여액의 합계액이 3천700만 원 이상이거나
같은 법 제24조 제1항에 따른 사업소득 총수입금액(농업·임업에서 발생하는 소득, 같은
법 제45조 제2항에 따른 부동산임대업에서 발생하는 소득과 같은 법 시행령 제9조에 따른
농가부업소득은 제외한다)이 같은 법 시행령 제208조 제5항 제2호 각 목의 금액 이상인 과
세기간이 있는 경우 그 기간은 해당 피상속인 또는 거주자가 경작한 기간에서 제외한다.
이 경우 사업소득금액이 음수인 경우에는 해당 금액을 0으로 본다.(2014. 2. 21. 신설. 개정, 2020.
2. 11. 개정)(조특령 §67 ⑩ 4호)(조특령 §66 ⑭)

① 사업소득금액과 총급여액의 합이 3천700만 원 이상
② 일정금액 이상의 사업소득 총수입금액

    소득세법 제24조 제1항에 따른 사업소득 총수입금액(농업·임업에서 발생하는 소득,
    같은 법 제45조 제2항에 따른 부동산임대업에서 발생하는 소득과 같은 법 시행령 제9
    조에 따른 농가부업소득은 제외한다)이 소득세법 시행령 제208조 제5항 제2호 각 목
    의 금액 이상인 과세기간이 있는 경우 그 기간은 해당 피상속인 또는 거주자가 경작
    한 기간에서 제외한다.

> ### 소득세법 시행령 제208조 제5항 제2호 각 목의 금액
>
> 조특령 제66조 제14항 본문에서의 소득세법 시행령 제208조 제5항 제2호 각 목[아래 1.~3.]의 금액은 다음과 같다.(2013. 6. 28. 개정)(소득령 §208 ⑤)
>
> 1. 농업 · 임업 및 어업, 광업, 도매 및 소매업(상품중개업을 제외한다), 제122조 제1항에 따른 부동산매매업, 그 밖에 나목 및 다목에 해당되지 아니하는 사업: 3억 원 (2013. 2. 15. 개정)(소득령 §208 ⑤ 2호 가목)
> 2. 제조업, 숙박 및 음식점업, 전기 · 가스 · 증기 및 공기조절 공급업, 수도 · 하수 · 폐기물처리 · 원료재생업, 건설업(비주거용 건물 건설업은 제외한다), 부동산 개발 및 공급업(주거용 건물 개발 및 공급업에 한정한다), 운수업 및 창고업, 정보통신업, 금융 및 보험업, 상품중개업: 1억5천만 원(2020. 2. 11. 개정)(소득령 §208 ⑤ 2호 나목)
> 3. 법 제45조 제2항에 따른 부동산임대업, 부동산업(제122조 제1항에 따른 부동산매매업은 제외한다), 전문 · 과학 및 기술서비스업, 사업시설관리 · 사업지원 및 임대서비스업, 교육서비스업, 보건업 및 사회복지서비스업, 예술 · 스포츠 및 여가 관련 서비스업, 협회 및 단체, 수리 및 기타 개인서비스업, 가구내 고용활동: 7천500만 원(2018. 2. 13. 개정)(소득령 §208 ⑤ 2호 다목)

❺ 이자상당액 가산

농지대토에 대한 양도소득세 감면규정[제1항, (위 ❶)]에 따라 감면받은 양도소득세를 제4항에 따라 납부하는 경우에는 대통령령으로 정하는 바에 따라 계산한 이자상당액을 가산한다.(2014. 1. 1. 신설, 2022. 2. 15. 개정)(조특법 §70 ⑤)(조특령 §67 ⑪)

이자상당액
= 납부하여야 할 세액 × 종전의 농지에 대한 양도소득세 예정신고 납부기한의 다음 날부터 법 제70조 제4항에 따른 양도소득세 납부일까지의 기간 × 1일 10만분의 22

경영회생 지원을 위한 농지 매매 등에 대한 양도소득세의 과세특례

① 경영회생 지원을 위한 농지 매매 등에 대한 양도소득세의 과세특례

「농지법」 제2조에 따른 농업인(이하 이 조에서 "농업인"이라 한다)이 「한국농어촌공사 및 농지관리기금법」 제24조의3 제1항에 따라 직접 경작한 농지 및 그 농지에 딸린 농업용시설(이하 이 조에서 "농지 등"이라 한다)을 같은 법 제3조에 따른 한국농어촌공사(이하 이 조에서 "한국농어촌공사"라 한다)에 양도한 후 같은 법 제24조의3 제3항에 따라 임차하여 직접 경작한 경우로서 해당 농지 등을 같은 법 제24조의3 제3항에 따른 임차기간 내에 환매한 경우 대통령령으로 정하는 바에 따라 해당 농지 등의 양도소득에 대하여 납부한 양도소득세를 환급받을 수 있다.(2014. 1. 1. 신설, 2020. 6. 9. 개정)(조특법 §70의2 ①)

② 취득가액 및 취득시기

경영회생 지원을 위한 농지 매매 등에 대한 양도소득세 과세특례[제1항, (위 ①)]에 따라 양도소득세를 환급받은 농업인이 환매한 해당 농지 등을 다시 양도하는 경우 그 농지 등에 대한 양도소득세액은 보유기간 규정[소득법 제95조 제4항], 양도소득의 필요경비계산규정[소득법 제97조 제1항 제1호], 양도 또는 취득의 시기 규정[소득법 제98조] 및 양도소득세율의 취득일 규정[소득법 제104조 제2항]에도 불구하고 다음 각 호[아래 (1), (2)]의 취득가액 및 취득시기를 적용하여 계산한다.(2016. 12. 20. 개정)(조특법 §70의2 ②)

(1) 취득가액

취득가액은 한국농어촌공사에 양도하기 전 농업인의 해당 농지 등 취득 당시의 취득가액으로 한다.(2016. 12. 20. 개정)(조특법 §70의2 ② 1호)

(2) 취득시기

취득시기는 한국농어촌공사에 양도하기 전 해당 농지 등의 취득일로 한다.(2016. 12. 20. 개정)(조특법 §70의2 ② 2호)

③ 환급신청

경영회생 지원을 위한 농지 매매 등에 대한 양도소득세 과세특례에 따라 환급받으려는 자는 대통령령으로 정하는 바에 따라 환급신청을 하여야 한다.(2014. 1. 1. 신설)(조특법 §70의2 ③)

④ 그 밖의 사항

경영회생 지원을 위한 농지 매매 등에 대한 양도소득세 과세특례[제1항 및 제2항]를 적용할 때 환매한 농지 등을 다시 양도하는 경우 제69조에 따른 자경농지에 대한 양도소득세의 감면의 적용방법 등 그 밖에 필요한 사항은 대통령령으로 정한다.(2014. 1. 1. 신설, 2020. 6. 9. 개정)(조특법 §70의2 ④)

공익사업용토지 등에 대한 양도소득세의 감면

제7장

① 공익사업용토지 등에 대한 양도소득세의 감면

다음 각 호[아래 (1)]의 어느 하나에 해당하는 소득으로서 해당 토지 등이 속한 사업지역에 대한 사업인정고시일(사업인정고시일 전에 양도하는 경우에는 양도일)부터 소급하여 2년 이전에 취득한 토지 등을 2023년 12월 31일 이전에 양도함으로써 발생하는 소득에 대해서는 양도소득세의 100분의 10[토지 등의 양도대금을 대통령령으로 정하는 채권으로 받는 부분에 대해서는 100분의 15로 하되, 「공공주택 특별법」 등 대통령령으로 정하는 법률에 따라 협의매수 또는 수용됨으로써 발생하는 소득으로서 대통령령으로 정하는 방법으로 해당 채권을 3년 이상의 만기까지 보유하기로 특약을 체결하는 경우에는 100분의 30(만기가 5년 이상인 경우에는 100분의 40)]에 상당하는 세액을 감면한다.(2018. 12. 24. 개정, 2021. 12. 28. 개정)(조특법 §77 ①)

(1) 감면대상 소득

다음 각 호[아래 1)~3)]의 어느 하나에 해당하는 소득으로서 해당 토지 등이 속한 사업지역에 대한 사업인정고시일(사업인정고시일 전에 양도하는 경우에는 양도일)부터 소급하여 2년 이전에 취득한 토지 등을 2021년 12월 31일 이전에 양도함으로써 발생하는 소득에 대해서는 양도소득세의 일정율을 감면한다.

1) 「공익사업을 위한 토지 등의 취득 및 보상에 관한 법률」이 적용되는 공익사업에 필요한 토지 등을 그 공익사업의 시행자에게 양도함으로써 발생하는 소득(2010. 1. 1. 개정)(조특법 §77 ① 1호)

2) 「도시 및 주거환경정비법」에 따른 정비구역(정비기반시설을 수반하지 아니하는 정비구역은 제외한다)의 토지 등을 같은 법에 따른 사업시행자에게 양도함으로써 발생하는 소득(2010. 1. 1. 개정)(조특법 §77 ① 2호)

3) 「공익사업을 위한 토지 등의 취득 및 보상에 관한 법률」이나 그 밖의 법률에 따른 토지 등의 수용으로 인하여 발생하는 소득(2010. 1. 1. 개정)(조특법 §77 ① 3호)

(2) 감면율

1) 10/100

공익사업용토지 등에 대한 양도소득에 대해 10/100을 감면한다.(조특법 §77 ①)

2) 15/100

감면율 100분의 15를 적용하는 조특법 제77조 제1항 각 호 외의 부분에서 "대통령령으로 정하는 채권"이란 법률 제6656호 공익사업을 위한 토지 등의 취득 및 보상에 관한 법률 부칙 제2조에 따라 폐지된 「토지수용법」 제45조 또는 「공익사업을 위한 토지 등의 취득 및 보상에 관한 법률」 제63조의 규정에 의한 보상채권(이하 이 조에서 "보상채권"이라 한다)을 말한다.(2010. 2. 18. 개정)(조특령 §72 ①)

3) 30/100(40/100)

「공공주택 특별법」 등 대통령령으로 정하는 법률에 따라 협의매수 또는 수용됨으로써 발생하는 소득으로서 대통령령으로 정하는 방법으로 해당 채권을 3년 이상의 만기까지 보유하기로 특약을 체결하는 경우에는 100분의 30(만기가 5년 이상인 경우에는 100분의 40)]에 상당하는 세액을 감면한다.(조특법 §77 ①)

① 대통령령으로 정하는 법률

여기서 "대통령령으로 정하는 법률"이란 다음 각 호[아래 ⅰ)~ⅳ)]의 어느 하나에 해당하는 법률을 말한다.(2015. 12. 28. 개정)(조특령 §72 ②)

　ⅰ) 「공공주택 특별법」(2015. 12. 28. 개정)(조특령 §72 ② 1호)

　ⅱ) 「택지개발촉진법」(2010. 2. 18. 신설)(조특령 §72 ② 2호)

　ⅲ) 「공익사업을 위한 토지 등의 취득 및 보상에 관한 법률」(2010. 2. 18. 신설)(조특령 §72 ② 3호)

　ⅳ) 그 밖에 제1호[위 ⅰ)]부터 제3호[위 ⅲ)]까지에 따른 법률과 유사한 법률로서 공익사업에 따른 협의매수 또는 수용에 관한 사항을 규정하고 있는 법률(2010. 2. 18. 신설)(조특령 §72 ② 4호)

② 대통령령으로 정하는 방법

조특법 제77조 제1항 각 호 외의 부분에서 "대통령령으로 정하는 방법"이란 보상채권을 해당 사업시행자를 「주식·사채 등의 전자등록에 관한 법률」 제19조에 따른 계좌관리기관으로 하여 개설한 계좌를 통하여 만기까지 보유하는 것을 말한다.(2019. 6. 25. 개정)(조특령 §72 ③)

③ 사후관리

제1항 제1호·제2호 또는 제2항에 따라 감면받은 세액을 제3항에 따라 납부하는 경우에는 제63조 제3항의 이자 상당 가산액에 관한 규정을 준용하고 제1항에 따라 감면받은 세액을 제4항에 따라 징수하는 경우에는 제66조 제6항을 준용한다.(2018. 12. 24. 개정, 2020. 12. 29. 개정)(조특법 §77 ⑤)

ⅰ) 제63조 제3항에 따른 이자상당액

감면받은 소득세액 또는 법인세액을 제2항에 따라 납부하는 경우에는 대통령령으로 정하는 바에 따라 계산한 이자상당가산액을 소득세 또는 법인세에 가산하여 납부하여야 하며, 해당 세액은 「소득세법」 제76조 또는 「법인세법」 제64조에 따라 납부하여야 할 세액으로 본다.(2020. 12. 29. 개정)(조특법 §63 ③)

법 제63조 제3항에서 "대통령령으로 정하는 바에 따라 계산한 이자상당가산액"이란 법 제63조 제2항에 따라 납부해야 할 세액에 상당하는 금액에 제1호[아래 가.]에 따른 기간과 제2호[아래 나.]에 따른 율을 곱하여 계산한 금액으로 한다.(2021. 2. 17. 개정)(조특령 §60 ⑦)

가. 감면을 받은 과세연도의 종료일 다음 날부터 법 제63조 제2항에 해당하는 사유가 발생한 날이 속하는 과세연도의 종료일까지의 기간(2021. 2. 17. 개정)(조특령 §60 ⑦ 1호)

나. 1일 10만분의 22(2022. 2. 15. 개정)(조특령 §60 ⑦ 2호)

ⅱ) 제66조 제6항에 따른 이자상당액

감면받은 양도소득세를 대통령령으로 정하는 바에 따라 계산한 이자 상당액을 가산한다.(2014. 12. 23. 개정)(조특법 §66 ⑥)

"대통령령으로 정하는 바에 따라 계산한 이자상당액"이란 납부하여야 할 세액에 상당하는 금액에 제1호[아래 가.]의 기간과 제2호[아래 나.]의 율을 곱하여 계산한 금액으로 한다.(2014. 2. 21. 개정)(조특령 §63 ⑨)

가. 당초 현물출자한 농지 등에 대한 양도소득세 예정신고 납부기한의 다음 날부터 법 제66조 제5항 또는 제9항에 따른 세액의 납부일까지의 기간(2014. 2. 21. 개정) (조특령 §63 ⑨ 1호)

나. 1일 10만분의 22(2022. 2. 15. 개정)(조특령 §63 ⑨ 2호)

❷ 2015년 12월 31일 이전에 양도 지정되기 전의 사업자에게 양도한 경우

거주자가 제1항 제1호에 따른 공익사업의 시행자 및 같은 항 제2호에 따른 사업시행자(이하 이 조에서 "사업시행자"라 한다)로 지정되기 전의 사업자(이하 이 항에서 "지정 전 사업자"라 한다)에게 2년 이상 보유한 토지 등(제1항 제1호의 공익사업에 필요한 토지 등 또는 같은 항 제2호에 따른 정비구역의 토지 등을 말한다. 이하 이 항에서 같다)을 2015년 12월 31일 이전에 양도하고 해당 토지 등을 양도한 날이 속하는 과세기간의 과세표준신고(예정신고를 포함한다)를 법정신고기한까지 한 경우로서 지정 전 사업자가 그 토지 등의 양도일부터 5년 이내에 사업시행자로 지정받은 경우에는 대통령령으로 정하는 바에 따라 제1항에 따른 양도소득세 감면을 받을 수 있다. 이 경우 감면할 양도소득세의 계산은 감면율 등이 변경되더라도 양도 당시 법률에 따른다.(2013. 1. 1. 개정)(조특법 §77 ②)

이 조항에 따라 공익사업용 토지 등을 양도한 자가 양도소득세를 감면받으려는 경우에는 조특법 제77조 제1항 제1호에 따른 공익사업의 시행자 및 같은 항 제2호에 따른 사업시행자(이하 이 조에서 "사업시행자"라 한다)가 해당 사업시행자로 지정받은 날부터 2개월 이내에 기획재정부령으로 정하는 세액감면신청서에 해당 사업시행자임을 확인할 수 있는 서류를 첨부하여 양도자의 납세지 관할 세무서장에게 제출하여야 한다.(2010. 12. 30. 신설)(조특령 §72 ④)

❸ 사후관리

다음 각 호[아래 (1), (2)]의 어느 하나에 해당하는 경우 해당 사업시행자는 공익사업용 토지 등에 대한 양도소득세의 감면규정[제1항{위 ❶} 또는 제2항{위 ❷}]에 따라 감면된 세액에 상당하는 금액을 그 사유가 발생한 과세연도의 과세표준신고를 할 때 소득세 또는 법인세로 납부하여야 한다.(2010. 12. 27. 개정)(조특법 §77 ③)

(1) 제1항[위 ❶] 제1호에 따른 공익사업의 시행자가 사업시행인가 등을 받은 날부터 3년 이내에 그 공익사업을 시작하지 아니하는 경우(2020. 6. 9. 개정)(조특법 §77 ③ 1호)

(2) 「도시 및 주거환경정비법」에 따른 정비구역(정비기반시설을 수반하지 아니하는 정비구역은 제외한다)의 토지 등을 같은 법에 따른 사업시행자[제1항 제2호]가 대통령령으로 정하는 기한까지 「도시 및 주거환경정비법」에 따른 사업시행계획인가를 받지 아니하거나 그 사업을 완료하지 아니하는 경우(2017. 2. 8. 개정)(조특법 §77 ③ 2호)

여기서 "대통령령으로 정하는 기한"이란 사업시행계획인가에 있어서는 「도시 및 주거환경정비법」에 의하여 사업시행자의 지정을 받은 날부터 1년이 되는 날, 사업완료에 있어서는 「도시 및 주거환경정비법」에 의하여 사업시행계획인가를 받은 사업시행계획서상의 공사완료일을 말한다.(2018. 2. 9. 개정)(조특령 §72 ⑤)

❹ 이자상당가산액 준용

제1항 제1호·제2호 또는 제2항에 따라 감면받은 세액을 제3항에 따라 납부하는 경우에는 제63조 제3항의 이자 상당 가산액에 관한 규정을 준용하고 제1항에 따라 감면받은 세액을 제4항에 따라 징수하는 경우에는 제66조 제6항을 준용한다.(2018. 12. 24. 개정, 2020. 12. 29. 개정)(조특법 §77 ⑤)

(1) 제63조 제3항에 따른 이자상당액

감면받은 소득세액 또는 법인세액을 제2항에 따라 납부하는 경우에는 대통령령으로 정하는 바에 따라 계산한 이자상당가산액을 소득세 또는 법인세에 가산하여 납부하여야 하며, 해당 세액은 「소득세법」 제76조 또는 「법인세법」 제64조에 따라 납부하여야 할 세액으로 본다.(2020. 12. 29. 개정)(조특법 §63 ③)

법 제63조 제3항에서 "대통령령으로 정하는 바에 따라 계산한 이자상당가산액"이란 법 제63조 제2항에 따라 납부해야 할 세액에 상당하는 금액에 제1호[아래 1)]에 따른 기간과 제2호[아래 2)]에 따른 율을 곱하여 계산한 금액으로 한다.(2021. 2. 17. 개정)(조특령 §60 ⑦)

1) 감면을 받은 과세연도의 종료일 다음 날부터 법 제63조 제2항에 해당하는 사유가 발생한 날이 속하는 과세연도의 종료일까지의 기간(2021. 2. 17. 개정)(조특령 §60 ⑦ 1호)

2) 1일 10만분의 22(2022. 2. 15. 개정)(조특령 §60 ⑦ 2호)

(2) 제66조 제6항에 따른 이자상당액

감면받은 양도소득세를 대통령령으로 정하는 바에 따라 계산한 이자 상당액을 가산한다. (2014. 12. 23. 개정)(조특법 §66 ⑥)

"대통령령으로 정하는 바에 따라 계산한 이자상당액"이란 납부하여야 할 세액에 상당하는 금액에 제1호[아래 1)]의 기간과 제2호[아래 2)]의 율을 곱하여 계산한 금액으로 한다.(2014. 2. 21. 개정)(조특령 §63 ⑨)

  1) 당초 현물출자한 농지 등에 대한 양도소득세 예정신고 납부기한의 다음 날부터 법 제66조 제5항 또는 제9항에 따른 세액의 납부일까지의 기간(2014. 2. 21. 개정)(조특령 §63 ⑨ 1호)

  2) 1일 10만분의 22(2022. 2. 15. 개정)(조특령 §63 ⑨ 2호)

⑤ 사업시행자의 감면신청

공익사업용토지 등에 대한 양도소득세의 감면규정[제1항 제1호 또는 제2호 [위 ❶ (1),(2)]에 따라 세액을 감면받으려면 해당 사업시행자가 당해 토지 등을 양도한 날이 속하는 과세연도의 과세표준신고와 함께 기획재정부령이 정하는 세액감면신청서에 당해 사업시행자임을 확인할 수 있는 서류(특약체결자의 경우에는 특약체결 사실 및 보상채권 보유 사실을 확인할 수 있는 서류를 포함한다)를 첨부하여 양도자의 납세지 관할 세무서장에게 제출하여야 한다.(2010. 12. 27. 개정)(조특법 §77 ⑥)(2019. 6. 25. 개정)(조특령 §72 ⑦)

⑥ 감면신청

공익사업용토지 등에 대한 양도소득세의 감면규정[제1항 제3호 {위 ❶ (3)}]에 따른 감면을 받으려는 자는 당해 토지 등을 양도한 날이 속하는 과세연도의 과세표준신고(거주자와 「법인세법」 제62조의2 제7항의 규정에 의하여 예정신고를 한 비영리내국법인의 경우에는 예정신고를 포함한다)와 함께 기획재정부령이 정하는 세액감면신청서에 수용된 사실을 확인할 수 있는 서류(특약체결자의 경우에는 특약체결 사실 및 보상채권 보유사실을 확인할 수 있는 서류를 포함한다)를 첨부하여 납세지 관할 세무서장에게 제출하여야 한다.(2010. 12. 27 항번개정)(조특법 §77 ⑦)(2019. 6. 25. 개정)(조특령 §72 ⑧)

⑦ 그 밖의 사항

공익사업용토지 등에 대한 양도소득세의 감면[제1항(위 ❶)]과 채권 만기보유 특약 위반시 징수[제4항(위 ❹)]를 적용하는 경우 채권을 만기까지 보유하기로 한 특약의 내용, 특약을 위반하였을 때 그 위반사실을 국세청에 통보하는 방법, 그 밖에 필요한 사항은 대통령령으로 정한다.(2010. 12. 27. 개정)(조특법 §77 ⑧)

⑧ 상속, 증여받은 토지의 취득일

공익사업용토지 등에 대한 양도소득세의 감면규정[제1항(위 ❶) 및 제2항(위 ❷)]을 적용하는 경우 상속받거나 「소득세법」 제97조의2 제1항이 적용되는 증여받은 토지 등은 피상속인 또는 증여자가 해당 토지 등을 취득한 날을 해당 토지 등의 취득일로 본다.(2014. 1. 1. 개정)(조특법 §77 ⑨)

소득세법 제97조의2 제1항

거주자가 양도일부터 소급하여 5년 이내에 그 배우자(양도 당시 혼인관계가 소멸된 경우를 포함하되, 사망으로 혼인관계가 소멸된 경우는 제외한다. 이하 이 항에서 같다) 또는 직계존비속으로부터 증여받은 제94조 제1항 제1호에 따른 자산이나 그 밖에 대통령령으로 정하는 자산의 양도차익을 계산할 때 양도가액에서 공제할 필요경비는 제97조 제2항에 따르되, 취득가액은 그 배우자 또는 직계존비속의 취득 당시 제97조 제1항 제1호에 따른 금액으로 한다. 이 경우 거주자가 증여받은 자산에 대하여 납부하였거나 납부할 증여세 상당액이 있는 경우에는 제97조 제2항에도 불구하고 필요경비에 산입한다.(2017. 12. 19. 개정)(소득법 §97의2 ①)

제8장

대토보상에 대한 양도소득세의 과세특례

 대토보상에 대한 양도소득세의 과세특례

거주자가 「공익사업을 위한 토지 등의 취득 및 보상에 관한 법률」에 따른 공익사업의 시행으로 해당 사업지역에 대한 사업인정고시일(사업인정고시일 전에 양도하는 경우에는 양도일)부터 소급하여 2년 이전에 취득한 토지 등을 2023년 12월 31일 이전에 해당 공익사업의 시행자에게 양도함으로써 발생하는 양도차익으로서 토지 등의 양도대금을 같은 법 제63조 제1항 각 호 외의 부분 단서에 따라 해당 공익사업의 시행으로 조성한 토지로 보상(이하 이 조에서 "대토보상"이라 한다)받는 부분에 대해서는 대통령령으로 정하는 바에 따라 양도소득세의 100분의 40에 상당하는 세액을 감면받거나 양도소득세의 과세를 이연받을 수 있다.(2019. 12. 31. 개정, 2021. 12. 28. 개정)(조특법 §77의2 ①)

(1) 감면세액의 계산

거주자가 대토보상에 대한 양도소득세 과세특례 규정[조특법 제77조의2 제1항]에 따라 토지 등을 사업시행자에게 양도하고 토지 등의 양도대금의 전부 또는 일부를 해당 공익사업의 시행으로 조성한 토지(이하 이 조에서 "대토"라 한다)로 보상받은 경우에는 다음 각 호[아래 1), 2)]의 구분에 따라 양도소득세 과세특례를 적용한다.(2015. 2. 3. 개정)(조특령 §73 ①)

1) 세액의 감면을 신청하는 경우

세액의 감면을 신청하는 경우에는 거주자가 해당 토지 등을 사업시행자에게 양도하여 발생하는 양도차익 중 다음 계산식에 따라 계산한 금액에 대한 양도소득세의 100분의 40에 상당하는 세액을 감면한다.(2016. 2. 5. 개정, 2020. 2. 11. 개정)(조특령 §73 ① 1호)

$$\text{해당 토지 등의 「소득세법 제95조 제1항에 따른 양도차익에서 같은 조 제2항에 따른 장기보유특별공제액을 뺀 금액}} \times \frac{\text{대토보상상당액}}{\text{총보상액}}$$

2) 과세이연을 신청하는 경우

과세이연을 신청하는 경우에는 거주자가 해당 토지 등을 사업시행자에게 양도하여 발생하는 양도차익 중 다음 계산식에 따라 계산한 금액(이하 "과세이연금액"이라 한다)에 대해서는 양도소득세를 과세하지 아니하되, 해당 대토를 양도할 때에 대토의 취득가액에서 과세이연금액을 뺀 금액을 취득가액으로 보아 양도소득세를 과세한다. 이 경우 대토를 양도할 때는「소득세법」제95조 제2항에 따른 장기보유특별공제액을 계산할 때 보유기간은 대토의 취득 시부터 양도 시까지로 본다.(2015. 2. 3. 개정)(조특령 §73 ① 2호)

$$\text{해당 토지 등의「소득세법 제95조 제1항에 따른 양도차익에서 같은 조 제2항에 따른 장기보유특별공제액을 뺀 금액}} \times \frac{\text{대토보상상당액}}{\text{총보상액}}$$

3) 감면율

양도소득세의 100분의 40

구 분	2019년 12월 31일 이전 양도분	2020년 1월 1일 이후 양도분
감면율	15%	40%

(2) 사후관리

대토보상에 대한 양도소득세 과세특례 규정[조특법 제77조의2 제1항(위 ❶)]에 따라 양도소득세를 감면받거나 과세이연을 받은 거주자(제3호의 상속의 경우에는 해당 거주자의 상속인을 말한다)는 다음 각 호의 어느 하나에 해당하면 대토보상과 현금보상(제4호[아래 4)]의 경우 법 제77조 제1항에 따른 3년 만기보유특약이 체결된 때의 채권보상을 말하되, 현물출자를 통해 받은 주식을「부동산투자회사법」제26조의3 제4항 제1호의 요건을 갖추지 않은 상태에서 처분할 경우 만기보유특약을 체결하지 않은 때의 채권보상으로 한다)의 양도소득세 감면세액의 차액(제1항 제2호에 따라 과세이연을 받은 경우에는 과세이연금액 상당 세액)을 사유가 발생한 날이 속하는 달의 말일부터 2개월(제3호에 따른 증여의 경우에는 3개월, 같은 호에 따른 상속의 경우에는 6개월) 이내에 양도소득세로 신고·납부하여야 한다.(2017. 2. 7. 개정, 2020. 2. 11. 개정, 2021. 5. 4. 개정)(조특령 §73 ⑤)

1) 해당 대토에 관한 소유권 이전등기의 등기원인이 대토보상으로 기재되지 아니한 경우 (제4호[아래 4)]를 적용받는 경우는 제외한다)(2008. 2. 22. 신설, 2020. 2. 11. 개정)(조특령 §73 ⑤ 1호)

2) 제4항 제1호 외의 사유로 현금보상으로 전환된 경우(2008. 2. 22. 신설)(조특령 §73 ⑤ 2호)

3) 해당 대토를 증여하거나 그 상속이 이루어지는 경우(2008. 2. 22. 신설)(조특령 §73 ⑤ 3호)

4) 부동산투자회사에 현물출자하는 경우

「공익사업을 위한 토지 등의 취득 및 보상에 관한 법률」 제63조 제1항 각 호 외의 부분 단서에 따라 토지로 보상받기로 결정된 권리를 「부동산투자회사법」에 따른 부동산투자회사에 현물출자 하는 경우(2020. 2. 11. 신설)(조특령 §73 ⑤ 4호)

제5항 제4호에 따라 현물출자 하는 경우 현물출자자와 현물출자 받은 부동산투자회사는 현물출자계약서 사본을 현물출자자의 납세지 관할 세무서장에게 제출하여야 한다.(2020. 2. 11. 신설)(조특령 §73 ⑧)

② 시행자의 대토보상명세 통보

대토보상에 대한 양도소득세 과세특례 규정[조특법 제77조의2 제1항, (위 ❶)]은 해당 공익사업의 시행자가 대통령령으로 정하는 방법으로 대토보상 명세를 국세청에 통보하는 경우에만 적용한다.(2010. 1. 1. 개정)(조특법 §77의2 ②)

여기서 "대통령령으로 정하는 방법"이란 조특법 제77조의2 제1항에 따라 대토보상을 받은 자(이하 "대토보상자"라 한다)에 대한 보상명세를 다음 달 말일까지 대토보상자의 납세지 관할 세무서장에게 통보하는 것을 말한다.(2008. 2. 22. 신설)(조특령 §73 ②)

사업시행자는 대토보상자에게 대토보상을 현금보상으로 전환한 때에는 그 전환내역을 다음 달 말일까지 제2항의 세무서장에게 통보하여야 한다.(2008. 2. 22. 신설)(조특령 §73 ③)

③ 사후관리

(1) 추징요건

대토보상에 대한 양도소득세 과세특례 규정[조특법 제77조의2 제1항, {위 ❶}]에 따라 양도소득세를 감면받거나 과세이연받은 거주자는 다음 각 호[아래 1), 2)]의 어느 하나에 해당하는 경우 대통령령으로 정하는 바에 따라 감면받거나 과세이연받은 세액 및 이자상당 가산액을 양도소득세로 납부하여야 한다.(2014. 12. 23. 개정)(조특법 §77의2 ③)

1) 대토보상받기로 한 보상금을 현금으로 받는 경우 등 대통령령으로 정하는 사유가 발생하는 경우(2007. 12. 31. 신설)(조특법 §77의2 ③ 1호)
2) 「공익사업을 위한 토지 등의 취득 및 보상에 관한 법률」 제63조 제1항 단서에 따라 토지로 보상받기로 결정된 권리를 「부동산투자회사법」에 따른 부동산투자회사에 현물출자하는 경우 등 대토보상으로 취득하는 토지에 관한 소유권이전등기의 등기원인이 대토보상으로 기재되지 아니하는 경우(2019. 12. 31. 개정)(조특법 §77의2 ③ 2호)

(2) 전매금지 위반·3년 내 양도

조특법 제77조의2 제1항[위 ❶]에 따라 양도소득세를 감면받거나 과세이연을 받은 거주자는 다음 각 호의 어느 하나에 해당하면 제1항 제1호[위 ❶ (1) 1)]에 따른 양도소득세 감면세액 전액[제1항 제2호[위 ❶ (1) 2)]에 따라 과세이연을 받은 경우에는 총보상액에 대한 세액(거주자가 해당 토지 등을 사업시행자에게 양도하여 발생하는 양도소득금액에 조특법 제77조에 따른 세액감면율을 적용한 세액)에서 거주자가 현금보상 또는 채권보상 등을 통하여 이미 납부한 세액을 뺀 금액으로 하며, 이하 이 조에서 "과세이연금액 상당세액"이라 한다]에 제63조 제9항(1일 10만분의 22)을 준용하여 계산한 이자상당액을 가산하여 해당 사유가 발생한 날이 속하는 달의 말일부터 2개월 이내에 양도소득세로 신고·납부하여야 한다.(2015. 2. 3. 개정)(조특령 §73 ④)

1) 「공익사업을 위한 토지 등의 취득 및 보상에 관한 법률」 제63조 제3항에 따른 전매금지를 위반함에 따라 대토보상이 현금보상으로 전환된 경우(2008. 2. 22. 신설)(조특령 §73 ④ 1호)
2) 해당 대토에 대한 소유권 이전등기를 완료한 후 3년 이내에 해당 대토를 양도하는 경

우. 다만, 대토를 취득한 후 3년 이내에 「공익사업을 위한 토지 등의 취득 및 보상에 관한 법률」이나 그 밖의 법률에 따라 협의매수되거나 수용되는 경우에는 그러하지 아니하다.(2008. 2. 22. 신설)(조특령 §73 ④ 2호)

(3) 등기부에 대토보상 미기재 · 현금보상으로 전환 등

조특법 제77조의2 제1항[위 ❶]에 따라 양도소득세를 감면받거나 과세이연을 받은 거주자(제3호[아래 3)]의 상속의 경우에는 해당 거주자의 상속인을 말한다)는 다음 각 호의 어느 하나에 해당하면 대토보상과 현금보상(제4호[아래 4)]의 경우 법 제77조 제1항에 따른 3년 만기보유특약이 체결된 때의 채권보상을 말하되, 현물출자를 통해 받은 주식을 「부동산투자회사법」 제26조의3 제4항 제1호의 요건을 갖추지 않은 상태에서 처분할 경우 만기보유특약을 체결하지 않은 때의 채권보상으로 한다)의 양도소득세 감면세액의 차액(제1항 제2호[위 ❶ (1) 2)]에 따라 과세이연을 받은 경우에는 과세이연금액 상당 세액)을 사유가 발생한 날이 속하는 달의 말일부터 2개월(제3호[아래 3)]에 따른 증여의 경우에는 3개월, 같은 호에 따른 상속의 경우에는 6개월) 이내에 양도소득세로 신고 · 납부해야 한다.(2017. 2. 7. 개정, 2020. 2. 11. 개정, 2021. 5. 4 개정)(조특령 §73 ⑤)

1) 해당 대토에 관한 소유권 이전등기의 등기원인이 대토보상으로 기재되지 않은 경우(제4호를 적용받는 경우는 제외한다)(2008. 2. 22. 신설, 2020. 2. 11. 개정)(조특령 §73 ⑤ 1호)
2) 조특령 제73조 제4항 제1호[위 (2) 1)] 외의 사유로 현금보상으로 전환된 경우(2008. 2. 22. 신설)(조특령 §73 ⑤ 2호)
3) 해당 대토를 증여하거나 그 상속이 이루어지는 경우(2008. 2. 22. 신설)(조특령 §73 ⑤ 3호)
4) 부동산투자회사에 현물출자 하는 경우
   「공익사업을 위한 토지 등의 취득 및 보상에 관한 법률」 제63조 제1항 각 호 외의 부분 단서에 따라 토지로 보상받기로 결정된 권리를 「부동산투자회사법」에 따른 부동산투자회사에 현물출자하는 경우(2020. 2. 11. 신설)(조특령 §73 ⑤ 4호)

❹ 감면 및 과세이연 신청

대토보상에 대한 양도소득세 과세특례 규정[조특법 제77조의2 제1항, (위 ❶)]에 따른 감면이나 과세이연을 받으려는 자는 대통령령으로 정하는 바에 따라 신청하여야 한

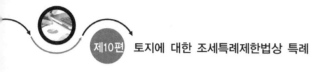

다.(2014. 12. 23. 개정)(조특법 §77의2 ④)

⑤ 그 밖의 사항

대토보상에 대한 양도소득세 과세특례 규정[제1항(위 ❶)부터 제3항(위 ❸)]까지의 규정을 적용하는 경우 대토보상의 요건 및 방법, 감면받거나 과세이연받은 세액의 납부사유 및 방법, 그 밖에 필요한 사항은 대통령령으로 정한다.(2014. 12. 23. 개정)(조특법 §77의2 ⑤)

제9장

개발제한구역 지정에 따른 매수대상 토지 등에 대한 양도소득세의 감면

❶ 개발제한구역 지정에 따른 매수대상 토지 등에 대한 양도소득세의 감면

「개발제한구역의 지정 및 관리에 관한 특별조치법」 제3조에 따라 지정된 개발제한구역(이하 이 조에서 "개발제한구역"이라 한다) 내의 해당 토지 등을 같은 법 제17조에 따른 토지매수의 청구 또는 같은 법 제20조에 따른 협의매수를 통하여 2022년 12월 31일까지 양도함으로써 발생하는 소득에 대해서는 다음 각 호[아래 (1), (2)]에 따른 세액을 감면한다.(2017. 12. 19. 개정, 2020. 12. 29. 개정)(조특법 §77의3 ①)

(1) 개발제한구역 지정일 이전에 해당 토지 등을 취득하여 취득일부터 매수청구일 또는 협의매수일까지 해당 토지 등의 소재지에서 거주하는 대통령령으로 정하는 거주자가 소유한 토지 등 : 양도소득세의 100분의 40에 상당하는 세액(2014. 1. 1. 개정)(조특법 §77의3 ① 1호)

(2) 매수청구일 또는 협의매수일부터 20년 이전에 취득하여 취득일부터 매수청구일 또는 협의매수일까지 해당 토지 등의 소재지에서 거주하는 대통령령으로 정하는 거주자가 소유한 토지 등 : 양도소득세의 100분의 25에 상당하는 세액(2014. 1. 1. 개정)(조특법 §77의3 ① 2호)

"해당 토지 등의 소재지에서 거주하는 대통령령으로 정하는 거주자"란

개발제한구역 지정에 따른 매수대상 토지 등에 대한 양도소득세의 감면규정[제1항(위, ❶) 및 제2항(아래, ❷)]에서 "해당 토지 등의 소재지에서 거주하는 대통령령으로 정하는 거주자"란 다음 각 호[아래 ①~③]의 어느 하나에 해당하는 지역(거주 개시 당시에는 해당 지역에 해당하였으나 행정구역의 개편 등으로 이에 해당하지 아니하게 된 지역을 포함한다)에 거주한 자를 말한다.(2009. 4. 21. 개정)(조특령 §74 ①)

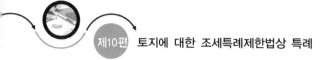

① 해당 토지 등이 소재하는 시(특별자치시와 「제주특별자치도 설치 및 국제자유도시 조성을 위한 특별법」 제10조 제2항에 따른 행정시를 포함한다. 이하 이 항에서 같다)·군·구(자치구인 구를 말한다. 이하 이 항에서 같다) 안의 지역(2016. 1. 22. 개정)(조특령 §74 ① 1호)

② 제1호의 지역과 연접한 시·군·구 안의 지역(2009. 2. 4. 신설)(조특령 §74 ① 2호)

③ 해당 토지 등으로부터 직선거리 30킬로미터 이내의 지역(2015. 2. 3. 개정)(조특령 §74 ① 3호)

❷ 개발제한구역에서 해제된 해당 토지 등을 수용 등을 통하여 양도하는 경우 감면

개발제한구역에서 해제된 해당 토지 등을 「공익사업을 위한 토지 등의 취득 및 보상에 관한 법률」 및 그 밖의 법률에 따른 협의매수 또는 수용을 통하여 2022년 12월 31일까지 양도함으로써 발생하는 소득에 대해서는 다음 각 호[아래 (1), (2)]에 따른 세액을 감면한다. 다만, 개발제한구역 해제일부터 1년(개발제한구역 해제 이전에 「경제자유구역의 지정 및 운영에 관한 법률」에 따른 경제자유구역의 지정 등 대통령령으로 정하는 지역으로 지정이 된 경우에는 5년) 이내에 「공익사업을 위한 토지 등의 취득 및 보상에 관한 법률」 및 그 밖의 법률에 따라 사업인정고시가 된 경우에 한정한다.(2017. 12. 19. 개정, 2021. 3. 16. 개정)(조특법 §77의3 ②)

(1) 개발제한구역 지정일 이전에 해당 토지 등을 취득하여 취득일부터 사업인정고시일까지 해당 토지 등의 소재지에서 거주하는 대통령령으로 정하는 거주자가 소유한 토지 등: 양도소득세의 100분의 40에 상당하는 세액(2014. 1. 1. 개정)(조특법 §77의3 ② 1호)

(2) 사업인정고시일부터 20년 이전에 취득하여 취득일부터 사업인정고시일까지 해당 토지 등의 소재지에서 거주하는 대통령령으로 정하는 거주자가 소유한 토지 등: 양도소득세의 100분의 25에 상당하는 세액(2014. 1. 1. 개정)(조특법 §77의3 ② 2호)

경제자유구역의 지정 등 대통령령으로 정하는 지역

조특법 제77조의3 제2항[위 ❷] 각 호 외의 부분 단서에서 "「경제자유구역의 지정 및 운영에 관한 특별법」에 따른 경제자유구역의 지정 등 대통령령으로 정하는 지역" 이란 다음 각 호[아래 ①~⑤]의 어느 하나에 해당하는 지역을 말한다.(2009. 7. 30. 개 정)(조특령 §74 ②)

① 「경제자유구역의 지정 및 운영에 관한 특별법」 제4조에 따라 지정된 경제자유구역 (2009. 7. 30. 개정)(조특령 §74 ② 1호)
② 「택지개발촉진법」 제3조에 따라 지정된 택지개발지구(2011. 8. 30. 개정)(조특령 §74 ② 2호)
③ 「산업입지 및 개발에 관한 법률」 제6조, 제7조, 제7조의2 또는 제8조에 따라 지정 된 산업단지(2009. 4. 21. 신설)(조특령 §74 ② 3호)
④ 「기업도시개발 특별법」 제5조에 따라 지정된 기업도시개발구역(2009. 4. 21. 신설)(조 특령 §74 ② 4호)
⑤ 조특령 제74조 제1호[위 ①]부터 제4호[위 ④]까지의 규정에 따른 지역과 유사한 지역으로서 기획재정부령으로 정하는 지역(2009. 4. 21. 신설)(조특령 §74 ② 5호)

❸ 상속받은 토지 등의 취득일

개발제한구역 지정에 따른 매수대상 토지 등에 대한 양도소득세의 감면규정[제1항(위, 1) 및 제2항(위, 2)]을 적용하는 경우 상속받은 토지 등은 피상속인이 해당 토지 등을 취득 한 날을 해당 토지 등의 취득일로 본다.(2009. 3. 25. 개정)(조특법 §77의3 ③)

❹ 그 밖의 사항

개발제한구역 지정에 따른 매수대상 토지 등에 대한 양도소득세의 감면규정[제1항(위, 1) 및 제2항(위, 2)]을 적용할 때 감면신청, 거주기간의 계산, 그 밖에 필요한 사항은 대통 령령으로 정한다.(2009. 3. 26. 개정)(조특법 §77의3 ④)

(1) 감면신청

조특법 제77조의3 제4항에 따라 양도소득세의 감면신청을 하려는 자는 해당 토지 등을 양도한 날이 속하는 과세연도의 과세표준신고(예정신고를 포함한다)와 함께 기획재정부령으로 정하는 세액감면신청서에 토지매수 청구 또는 협의매수된 사실을 확인할 수 있는 서류를 첨부하여 납세지 관할 세무서장에게 제출하여야 한다.(2009. 4. 21. 개정)(조특령 §74 ③)

(2) 거주기간의 계산

개발제한구역 지정에 따른 매수대상 토지 등에 대한 양도소득세의 감면규정에서 거주기간을 계산하는 경우 피상속인이 해당 토지 등을 취득하여 거주한 기간은 상속인이 거주한 기간으로 보고, 기획재정부령으로 정하는 취학, 징집, 질병의 요양 그 밖의 부득이한 사유로 해당 토지 등의 소재지에 거주하지 못하는 기간은 거주한 것으로 본다.(2009. 4. 21. 개정)(조특령 §74 ④)

"취학, 징집, 질병의 요양 그 밖의 부득이한 사유"란

조특령 제74조 제4항[위 ❹ (2)]에서 "기획재정부령으로 정하는 취학, 징집, 질병의 요양 그 밖의 부득이한 사유"란 다음 각 호의 어느 하나에 해당하는 경우를 말한다.(2009. 8. 28. 개정)(조특칙 §30)

1. 「초·중등교육법」에 따른 학교(유치원·초등학교 및 중학교를 제외한다) 및 「고등교육법」에 의한 학교에의 취학(2009. 4. 7. 신설)(조특칙 §30 1호)
2. 「병역법」에 의한 징집(2009. 4. 7. 신설)(조특칙 §30 2호)
3. 1년 이상의 치료나 요양을 필요로 하는 질병의 치료 또는 요양(2009. 4. 7. 신설)(조특칙 §30 3호)

박물관 등의 이전에 대한 양도소득세의 과세특례

❶ 박물관 등의 이전에 대한 양도소득세의 과세특례

거주자가 3년 이상 운영한 다음 각 호[아래 (1)~(3)]의 어느 하나에 해당하는 시설(이하 이 조에서 "박물관 등"이라 한다)을 이전하기 위하여 박물관 등의 건물과 부속토지(이하 이 조에서 "종전시설"이라 한다)를 2022년 12월 31일까지 양도하는 경우에는 종전시설을 양도함에 따라 발생하는 양도차익에 상당하는 금액에 대하여 대통령령으로 정하는 바에 따라 계산한 양도소득세를 양도일이 속하는 해당 연도의 양도소득세 과세표준 확정신고기한종료일 이후 3년이 되는 날부터 5년의 기간 동안 균분한 금액 이상을 납부하는 방법에 따라 분할납부할 수 있다.(2019. 12. 31. 개정)(조특법 §83 ①)

(1) 「도서관법」 제36조에 따라 등록한 사립 공공도서관(2021. 12. 7. 신설)(조특법 §83 ① 1호)

(2) 「박물관 및 미술관 진흥법」 제16조에 따라 등록한 사립박물관 및 사립미술관(2016. 12. 20. 신설)(조특법 §83 ① 2호)

(3) 「과학관의 설립·운영 및 육성에 관한 법률」 제6조에 따라 등록한 사립과학관(2016. 12. 20. 신설)(조특법 §83 ① 3호)

❷ 사후관리

박물관 등의 이전에 대한 양도소득세의 과세특례 규정[제1항 (위 ❶)]을 적용받은 자가 대통령령으로 정하는 바에 따라 박물관 등을 이전하지 아니하거나 박물관 등을 이전하여 개관한 날부터 3년 이내에 해당 건물과 부속토지를 처분하거나 폐관한 경우에는 대통령령으로 정하는 바에 따라 계산한 금액을 양도소득세로 납부하여야 한다. 다만, 대통령령으로 정하는 부득이한 사유가 있는 경우는 제외한다.(2016. 12. 20. 신설)(조특법 §83 ②)

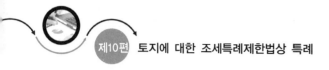

③ 준용규정

사후관리[제2항 (위 ❷)] 본문에 따라 납부할 세액에 대해서는 제33조 제3항 후단을 준용한다.(2016. 12. 20. 신설)(조특법 §83 ③)

④ 그 밖의 사항

박물관 등의 이전에 대한 양도소득세의 과세특례 규정[제1항 (위 ❶) 및 제2항 (위 ❷)]을 적용하는 경우 분할납부신청서의 제출 등 그 밖에 필요한 사항은 대통령령으로 정한다.(2016. 12. 20. 신설)(조특법 §83 ④)

국가에 양도하는 산지에 대한 양도소득세의 감면

❶ 국가에 양도하는 산지에 대한 양도소득세의 감면

거주자가 「산지관리법」에 따른 산지(「국토의 계획 및 이용에 관한 법률」에 따른 도시지역에 소재하는 산지를 제외하며, 이하 이 항에서 "산지"라 한다)로서 2년 이상 보유한 산지를 2022년 12월 31일 이전에 「국유림의 경영 및 관리에 관한 법률」 제18조에 따라 국가에 양도함으로써 발생하는 소득에 대해서는 양도소득세의 100분의 10에 상당하는 세액을 감면한다.(2017. 12. 19. 개정, 2020. 12. 29. 개정)(조특법 §85의10 ①)

❷ 감면신청

국가에 양도하는 산지에 대한 양도소득세의 감면[제1항, (위 ❶)]을 적용받으려는 자는 대통령령으로 정하는 바에 따라 감면신청을 하여야 한다.(2010. 1. 1. 신설)(조특법 §85의10 ②)

임대주택 부동산투자회사의 현물출자자에 대한 과세특례

① 내국인이 다음 각 호[아래 (1),(2)]의 요건을 모두 갖추어 대통령령으로 정하는 임대주택 부동산투자회사(이하 이 조에서 "임대주택 부동산투자회사"라고 한다)에 2017년 12월 31일까지 「소득세법」 제94조 제1항 제1호에 따른 토지 또는 건물을 현물출자함으로써 발생하는 양도차익에 상당하는 금액(현물출자 후 대통령령으로 정하는 바에 따라 임대주택용으로 사용되는 부분에서 발생하는 것에 한정한다)에 대하여는 대통령령으로 정하는 바에 따라 양도소득세의 납부 또는 법인세의 과세를 이연받을 수 있다.(2020. 6. 9. 개정)(조특법 §97의6 ①)

"대통령령으로 정하는 임대주택 부동산투자회사"란 각각 「부동산투자회사법」 제14조의8 제3항 제2호의 주택임대사업에 투자하는 부동산투자회사로서 기획재정부령으로 정하는 임대주택 부동산투자회사(이하 이 조에서 "임대주택 부동산투자회사"라 한다)를 말한다.(2015. 2. 3. 신설)(조특령 §97의6 ①)

> #### 대통령령으로 정하는 바에 따라 임대주택용으로 사용되는 부분이란
>
> 조특법 제97조의6 제1항 각 호 외의 부분에서 "대통령령으로 정하는 바에 따라 임대주택용으로 사용되는 부분"이란 다음 각 호의 어느 하나에 해당하는 부분을 말한다.(2015. 2. 3. 신설)(조특령 §97의6 ②)
>
> 1. 「민간임대주택에 관한 특별법」 제2조에 따른 민간임대주택과 「공공주택 특별법」 제2조 제1호 가목에 따른 공공임대주택에 해당하는 주택(주거에 사용하는 오피스텔을 포함한다)(2015. 12. 28. 개정)(조특령 §97의6 ② 1호)
> 2. 제1호에 따른 주택에 딸린 토지(건물이 정착된 면적에 지역별로 다음 각 목에서 정하는 배율을 곱하여 산정한 면적을 초과하는 경우 그 초과하는 부분의 토지는 제외한다)(2015. 2. 3. 신설)(조특령 §97의6 ② 2호)
>   가. 「국토의 계획 및 이용에 관한 법률」 제6조 제1호에 따른 도시지역의 토지: 5배 (2015. 2. 3. 신설)(조특령 §97의6 ② 2호 가목)

> 나. 그 밖의 토지 : 10배(2015. 2. 3. 신설)(조특령 §97의6 ② 2호 나목)

(1) 「부동산투자회사법」 제9조 제1항에 따른 영업인가(변경인가의 경우 당초 영업인가 이후 추가적인 현물출자로 인한 변경인가에 한정한다)일부터 1년 이내에 현물출자할 것(2014. 12. 23. 신설)(조특법 §97의6 ① 1호)

(2) 현물출자의 대가를 전액 주식으로 받을 것(2014. 12. 23. 신설)(조특법 §97의6 ① 2호)

❷ 제1항[위 ❶]을 적용받은 내국인이 다음 각 호[아래 (1)~(4)]의 어느 하나에 해당하게 되는 경우에는 대통령령으로 정하는 바에 따라 거주자의 경우에는 해당 사유 발생일이 속하는 달의 말일부터 2개월 이내(제4호의 증여의 경우 3개월 이내, 상속의 경우 6개월 이내)에 이연받은 양도소득세액을 납부하여야 하며, 내국법인의 경우에는 해당 사유가 발생한 사업연도의 소득금액을 계산할 때 과세이연받은 금액을 익금에 산입하여야 한다.(2016. 12. 20. 개정)(조특법 §97의6 ②)

(1) 현물출자의 대가로 받은 주식의 일부 또는 전부를 처분하는 경우(제4호에 따라 거주자가 증여하거나 거주자의 사망으로 상속이 이루어지는 경우는 제외한다)(2016. 12. 20. 개정)(조특법 §97의6 ② 1호)

(2) 현물출자받은 임대주택 부동산투자회사가 「부동산투자회사법」 제44조에 따라 해산하는 경우(다만, 「부동산투자회사법」 제43조에 따른 합병으로서 「법인세법」 제44조 제2항 각 호의 요건을 모두 갖춘 합병인 경우는 제외한다. 이 경우 합병법인을 당초에 현물출자 받은 임대주택 부동산투자회사로 보아 이 조를 적용한다)(2014. 12. 23. 신설)(조특법 §97의6 ② 2호)

(3) 매 분기 말 2분기 연속하여 대통령령으로 정하는 임대주택 부동산투자회사 요건을 갖추지 못한 경우(2014. 12. 23. 신설)(조특법 §97의6 ② 3호)

(4) 제1항[위 ❶]을 적용받은 거주자가 현물출자의 대가로 받은 주식의 일부 또는 전부를 증여하거나 거주자의 사망으로 해당 주식에 대한 상속이 이루어지는 경우(2016. 12. 20. 신설)(조특법 §97의6 ② 4호)

3 내국인이 제1항 [위 ❶]에 따라 납부를 이연받은 양도소득세액 또는 과세를 이연받은 법인세액을 제2항 제2호(「부동산투자회사법」 제42조에 따른 영업인가 취소의 경우에 한정한다) 또는 제2항 제3호에 따라 납부하는 경우에는 대통령령으로 정하는 바에 따라 계산한 이자상당가산액을 양도소득세 또는 법인세에 더하여 납부하여야 하며, 해당 세액은 「소득세법」 제111조 또는 「법인세법」 제64조에 따라 납부하여야 할 세액으로 본다.(2014. 12. 23. 신설)(조특법 §97의6 ③)

4 제1항[위 ❶]에 따라 과세특례를 적용받으려는 자는 대통령령으로 정하는 바에 따라 과세특례의 적용을 신청하여야 한다.(2014. 12. 23. 신설)(조특법 §97의6 ④)

5 제1항[위 ❶]에 따라 현물출자받은 임대주택 부동산투자회사는 대통령령으로 정하는 바에 따라 임대주택 부동산투자회사의 현물출자자에 대한 과세특례의 적용을 위해 필요한 서류를 제출하여야 한다.(2014. 12. 23. 신설) (조특법 §97의6 ⑤)

6 제1항부터 제3항까지의 규정을 적용할 때 납부 또는 과세를 이연받은 양도소득세 또는 법인세의 납부 방법 등 그 밖에 필요한 사항은 대통령령으로 정한다.(2014. 12. 23. 신설)(조특법 §97의6 ⑥)

임대사업자에게 양도한 토지에 대한 과세특례

1 거주자가 공공지원민간임대주택을 300호 이상 건설하려는 「민간임대주택에 관한 특별법」 제2조 제7호에 따른 임대사업자(이하 이 조에서 "임대사업자"라 한다)에게 2018년 12월 31일까지 토지를 양도함으로써 발생하는 소득에 대해서는 양도소득세의 100분의 10에 상당하는 세액을 감면한다.(2018. 1. 16. 개정)(조특법 §97의7 ①)

2 제1항에 따라 세액감면을 적용받으려는 자는 대통령령으로 정하는 바에 따라 납세지 관할 세무서장에게 세액감면 신청을 하여야 한다.(2015. 12. 15. 신설)(조특법 §97의7 ②)

3 임대사업자가 다음 각 호의 사유에 해당하는 경우 제1항에 따라 감면된 세액에 상당하는 금액을 그 사유가 발생한 과세연도의 과세표준을 신고할 때 소득세 또는 법인세로 납부하여야 한다.(2018. 1. 16. 개정)(조특법 §97의7 ③)

(1) 「민간임대주택에 관한 특별법」 제23조에 따라 공공지원민간임대주택 개발 사업의 시행자로 지정받은 자인 경우

토지 양도일로부터 대통령령으로 정하는 기간 이내에 해당 토지가 「민간임대주택에 관한 특별법」 제22조에 따른 공급촉진지구로 지정을 받지 못하거나, 공급촉진지구로 지정을 받았으나 공급촉진지구 지정일로부터 대통령령으로 정한 기간(공급촉진지구 지정일부터 6년) 이내에 공급촉진지구 내 유상공급면적의 100분의 50 이상을 공공지원민간임대주택으로 건설하여 취득하지 아니하는 경우(2018. 1. 16. 개정)(조특법 §97의7 ③ 1호)(조특령 §97의7 ④)

(2) 제1호 외의 임대사업자의 경우: 토지 양도일로부터 대통령령으로 정하는 기간(토지 양도일부터 3년) 이내에 해당 토지에 공공지원민간임대주택 건설을 위한 「주택법」 제15조에 따른 사업계획승인 또는 「건축법」 제11조에 따른 건축허가(이하 이 조에서 "사업계획승인 등"이라 한다)를 받지 못하거나, 사업계획승인 등을 받았으나 사업계획승인일로부터 대통령령으로 정하는 기간(사업계획승인일부터 6년) 이내에 사업부지 내 전체

건축물 연면적 대비 공공지원민간임대주택 연면적의 비율이 100분의 50 이상이 되지 아니하는 경우(2018. 1. 16. 개정)(조특법 §97의7 ③ 2호)(조특령 §97의7 ③)(조특령 §97의7 ⑤)

4 제1항에 따라 감면받은 세액을 제3항에 따라 납부하는 경우에는 제63조 제3항의 이자상당가산액에 관한 규정을 준용한다.(2020. 12. 29. 개정)(조특법 §97의7 ④)

5 제1항에 따른 감면 대상 양도소득금액의 계산 및 그 밖에 필요한 사항은 대통령령으로 정한다.(2015. 12. 15. 신설)(조특법 §97의7 ⑤)

제14장

공공매입임대주택 건설을 목적으로 양도한 토지에 대한 과세특례

① 거주자가 「공공주택 특별법」 제2조 제1호의3에 따른 공공매입임대주택(이하 이 조에서 "공공매입임대주택"이라 한다)을 건설할 자[같은 법 제4조에 따른 공공주택사업자(이하 이 조에서 "공공주택사업자"라 한다)와 공공매입임대주택을 건설하여 양도하기로 약정을 체결한 자로 한정한다. 이하 이 조에서 "주택건설사업자"라 한다]에게 2022년 12월 31일까지 주택 건설을 위한 토지를 양도함으로써 발생하는 소득에 대해서는 양도소득세의 100분의 10에 상당하는 세액을 감면한다.(2021. 3. 16. 신설)(조특법 §97의9 ①)

② 제1항에 따라 세액감면을 적용받으려는 사람은 대통령령으로 정하는 바에 따라 납세지 관할 세무서장에게 세액감면 신청을 하여야 한다.(2021. 3. 16. 신설)(조특법 §97의9 ②)

③ 주택건설사업자가 토지를 양도받은 날부터 3년 이내에 해당 토지에 공공매입임대주택으로 사용할 주택을 건설하여 공공주택사업자에게 양도하지 아니하는 경우 주택건설사업자는 제1항에 따라 감면된 세액에 상당하는 금액을 그 사유가 발생한 과세연도의 과세표준을 신고할 때 소득세 또는 법인세로 납부하여야 한다.(2021. 3. 16. 신설)(조특법 §97의9 ③)

④ 제1항에 따라 감면받은 세액을 제3항에 따라 납부하는 경우에는 제63조 제3항을 준용하여 이자상당가산액을 납부하여야 한다.(2021. 3. 16. 신설)(조특법 §97의9 ④)

⑤ 제1항에 따른 감면 대상 양도소득금액의 계산 및 그 밖에 필요한 사항은 대통령령으로 정한다.(2021. 3. 16. 신설)(조특법 §97의9 ⑤)

제11편

조세특례제한법상 양도소득세
감면 배제 및 종합한도

조세특례제한 중복지원의 배제   제1장

양도소득세의 감면 배제 등   제2장

양도소득세 감면의 종합한도   제3장

조세특례제한 중복지원의 배제

① **토지 등을 양도하여 둘 이상의 감면규정을 동시에 적용받는 경우 그 중 하나만 감면**

거주자가 토지 등을 양도하여 둘 이상의 양도소득세의 감면규정을 동시에 적용받는 경우에는 그 거주자가 선택하는 하나의 감면규정만을 적용한다. 다만, 토지 등의 일부에 대하여 특정의 감면규정을 적용받는 경우에는 남은 부분에 대하여 다른 감면규정을 적용받을 수 있다.(2010. 1. 1. 개정)(조특법 §127 ⑦)

② **「공익사업용토지 등에 대한 양도소득세의 감면」 및 「공익사업을 위한 수용 등에 따른 공장이전에 대한 과세특례」가 동시에 적용되는 경우 그 중 하나만 감면**

거주자가 토지 등을 양도하여 조특법 제77조[공익사업용토지 등에 대한 양도소득세의 감면] 및 제85조의7[공익사업을 위한 수용등에 따른 공장이전에 대한 과세특례]가 동시에 적용되는 경우에는 그 중 하나만을 선택하여 적용받을 수 있다.(2010. 1. 1. 개정)(조특법 §127 ⑧)

③ **「지방 미분양주택 취득에 대한 양도소득세 등 과세특례」와 「미분양주택의 취득자에 대한 양도소득세의 과세특례」가 동시에 적용되는 경우 그 중 하나만 감면**

거주자가 주택을 양도하여 조특법 제98조의2 [지방 미분양주택 취득에 대한 양도소득세 등 과세특례]와 조특법 제98조의3 [미분양주택의 취득자에 대한 양도소득세의 과세특례]가 동시에 적용되는 경우에는 그중 하나만을 선택하여 적용받을 수 있다.(2009. 3. 25. 신설)(조특법 §127 ⑨)

제2장

양도소득세의 감면 배제 등

 매매계약서의 거래가액을 실지거래가액과 다르게 적은 경우

　토지 및 건물·부동산에 관한 권리[소득법 제94조 제1항 제1호 및 제2호에 따른 자산]를 매매하는 거래당사자가 매매계약서의 거래가액을 실지거래가액과 다르게 적은 경우에는 해당 자산에 대하여 「소득세법」 제91조 제2항에 따라 이 법에 따른 양도소득세의 비과세 및 감면을 제한한다.(2010. 12. 27. 신설)(조특법 §129 ①)

 미등기양도자산

　「소득세법」 제104조 제3항에 따른 미등기양도자산에 대해서는 양도소득세의 비과세 및 감면에 관한 규정을 적용하지 아니한다.(2010. 12. 27. 개정)(조특법 §129 ②)

양도소득세 감면의 종합한도

개인이 조특법 제33조, 제43조, 제66조부터 제69조까지, 제69조의2부터 제69조의4까지, 제70조, 제77조, 제77조의2, 제77조의3, 제85조의10 또는 법률 제6538호 부칙 제29조에 따라 감면받을 양도소득세액의 합계액 중에서 다음 각 호[아래 ❶ ❷]의 금액 중 큰 금액은 감면하지 아니한다. 이 경우 감면받는 양도소득세액의 합계액은 자산양도의 순서에 따라 합산한다.(2017. 12. 19. 개정)(조특법 §133 ①)

❶ 감면받을 양도소득세액의 합계액이 과세기간별로 1억 원을 초과하는 금액

조특법 제33조, 제43조, 제66조부터 제69조까지, 제69조의2부터 제69조의4까지, 제70조, 제77조, 제77조의2, 제77조의3, 제85조의10 또는 법률 제6538호 부칙 제29조에 따라 감면받을 양도소득세액의 합계액이 과세기간별로 1억 원을 초과하는 경우에는 그 초과하는 부분에 상당하는 금액(2017. 12. 19. 개정)(조특법 §133 ① 1호)

❷ 5개 과세기간의 감면받을 양도소득세액의 합계액을 초과하는 금액

5개 과세기간의 합계액으로 계산된 다음 각 목[아래 (1), (2)]의 금액 중 큰 금액. 이 경우 5개 과세기간의 감면받을 양도소득세액의 합계액은 해당 과세기간에 감면받을 양도소득세액과 직전 4개 과세기간에 감면받은 양도소득세액을 합친 금액으로 계산한다.(2010. 1. 1. 개정)(조특법 §133 ① 2호)

☐ 5개 과세기간 합계액 금액기준으로 감면 배제되는 금액 = MAX[(1), (2)]

(1) 5개 과세기간의 농지대토에 대한 양도소득세 감면이 1억 원을 초과하는 금액
   5개 과세기간의 농지대토에 대한 양도소득세 감면[조특법 제70조]에 따라 감면받을 양도소득세액의 합계액이 1억 원을 초과하는 경우에는 그 초과하는 부분에 상당하는 금액(2008. 12. 26. 개정)(조특법 §133 ① 2호 가목)

(2) 5개 과세기간 감면 합계액이 2억 원을 초과하는 금액

5개 과세기간의 조특법 제66조부터 제69조까지, 제69조의2부터 제69조의4까지, 제70조, 제77조 또는 제77조의2에 따라 감면받을 양도소득세액의 합계액이 2억 원을 초과하는 경우에는 그 초과하는 부분에 상당하는 금액(2017. 12. 19. 개정)(조특법 §133 ① 2호 나목)

제12편

양도소득 과세표준의 예정신고
및 확정신고와 납부

양도소득과세표준 예정신고　제1장

예정신고 산출세액의 계산　제2장

재외국민과 외국인의 부동산 등 양도신고확인서의 제출　제3장

양도소득과세표준 확정신고　제4장

환산가액 적용에 따른 가산세　제5장

신탁 수익자명부 변동상황명세서의 제출　제6장

양도소득과세표준 예정신고

❶ 예정신고

소득세법 제94조 제1항 각 호에서 규정하는 자산을 양도한 거주자는 제92조 제2항에 따라 계산한 양도소득과세표준을 다음 각 호[아래 (1), (2)]의 구분에 따른 기간에 대통령령으로 정하는 바에 따라 납세지 관할 세무서장에게 신고하여야 한다.(2019. 12. 31. 개정, 2020. 12. 29. 개정)(소득법 §105 ①)

(1) 토지 및 건물, 부동산에 관한 권리, 기타자산, 신탁수익권의 양도 예정신고

토지 및 건물, 부동산에 관한 권리, 기타자산, 신탁수익권(제94조 제1항 제1호·제2호·제4호 및 제6호에 따른 자산)을 양도한 경우에는 그 양도일이 속하는 달의 말일부터 2개월. 다만, 「부동산 거래신고 등에 관한 법률」 제10조 제1항에 따른 토지거래계약에 관한 허가구역에 있는 토지를 양도할 때 토지거래계약허가를 받기 전에 대금을 청산한 경우에는 그 허가일(토지거래계약허가를 받기 전에 허가구역의 지정이 해제된 경우에는 그 해제일을 말한다)이 속하는 달의 말일부터 2개월로 한다.(2017. 12. 19. 단서개정, 2020. 12. 29. 개정)(소득법 §105 ① 1호)

(2) 부담부증여의 양도 예정신고

제1호[위 (1)] 및 제2호[위 (2)]에도 불구하고 양도의 정의 규정[소득법 제88조 제1호 각 목 외의 부분 후단]에 따른 부담부증여의 채무액에 해당하는 부분으로서 양도로 보는 경우에는 그 양도일이 속하는 달의 말일부터 3개월(2016. 12. 20. 신설)(소득법 §105 ① 3호)

❷ 예정신고는 양도차익이 없거나 양도차손이 발생한 경우

예정신고는 양도차익이 없거나 양도차손이 발생한 경우에도 적용한다.(2009. 12. 31. 개정)(소득법 §105 ③)

제2장

예정신고 산출세액의 계산

❶ 예정신고 산출세액의 계산

거주자가 예정신고를 할 때 예정신고 산출세액은 다음 계산식에 따라 계산한다.(2016. 12. 20. 개정)(소득법 §107 ①)

> 예정신고 산출세액 = (A − B − C) × D
>
> A: 양도차익
> B: 장기보유특별공제
> C: 양도소득 기본공제
> D: 제104조 제1항에 따른 세율

❷ 양도소득금액 합산신고의 경우 예정신고 산출세액 계산

해당 과세기간에 누진세율 적용대상 자산에 대한 예정신고를 2회 이상 하는 경우로서 거주자가 이미 신고한 양도소득금액과 합산하여 신고하려는 경우에는 다음 각 호[아래 (1)~(3)]의 구분에 따른 금액을 2회 이후 신고하는 예정신고 산출세액으로 한다.(2016. 12. 20. 개정)(소득법 §107 ②)

(1) 일반누진세율 적용대상 자산의 경우

일반누진세율[소득법 제104조 제1항 제1호에 따른 세율] 적용대상 자산의 경우: 다음의 계산식에 따른 금액(2016. 12. 20. 개정)(소득법 §107 ② 1호)

$$예정신고 \ 산출세액 = 〔(A + B - C) × D〕- E$$

A: 이미 신고한 자산의 양도소득금액
B: 2회 이후 신고하는 자산의 양도소득금액
C: 양도소득 기본공제
D: 제104조 제1항 제1호에 따른 세율
E: 이미 신고한 예정신고 산출세액

(2) 비사업용토지 등 세율 10% 추가 가산하는 경우

비사업용토지 등 일반누진세율 + 10%p 세율 추가 규정[소득법 제104조 제1항 제8호 또는 제9호]에 따른 세율 적용대상 자산의 경우: 다음의 계산식에 따른 금액(2016. 12. 20. 개정)(소득법 §107 ② 2호)

$$예정신고 \ 산출세액 = 〔(A + B - C) × D〕- E$$

A: 이미 신고한 자산의 양도소득금액
B: 2회 이후 신고하는 자산의 양도소득금액
C: 양도소득 기본공제
D: 제104조 제1항 제8호 또는 제9호에 따른 세율
E: 이미 신고한 예정신고 산출세액

(3) 신탁수익권

제104조 제1항 제14호에 따른 세율 적용대상 자산의 경우: 다음의 계산식에 따른 금액 (2020. 12. 29. 신설)(소득법 §107 ② 4호)

$$예정신고 \ 산출세액 = 〔(A + B - C) × D〕- E$$

A : 이미 신고한 자산의 양도소득금액
B : 2회 이후 신고하는 자산의 양도소득금액
C : 양도소득 기본공제
D : 제104조 제1항 제14호에 따른 세율
E : 이미 신고한 예정신고 산출세액

재외국민과 외국인의 부동산 등 양도신고 확인서의 제출

「재외동포의 출입국과 법적지위에 관한 법률」 제2조 제1호에 따른 재외국민과 「출입국관리법」 제2조 제2호에 따른 외국인이 토지 및 건물(소득법 제94조 제1항 제1호의 자산)을 양도하고 그 소유권을 이전하기 위하여 등기관서의 장에게 등기를 신청할 때에는 대통령령으로 정하는 바에 따라 부동산 등 양도신고확인서를 제출하여야 한다.(2019. 12. 31. 신설)(소득법 §108)

1. 법 제108조에 따라 등기관서의 장에게 부동산 등 양도신고확인서를 제출하려는 자는 세무서장에게 그 발급을 신청하여야 한다. 다만, 「인감증명법 시행령」 제13조 제3항 단서에 따라 세무서장의 확인을 받은 경우에는 법 제108조에 따른 부동산 등 양도신고확인서를 제출하지 아니할 수 있다.(2020. 2. 11. 신설)(소득령 §171 ①)

2. 세무서장은 제1항[위 ❶]에 따라 발급을 신청받은 때에는 해당 신청자가 신고한 양도소득과세 표준신고서를 확인하여 기획재정부령으로 정하는 부동산 등 양도신고확인서를 발급하여야 한다.(2020. 2. 11. 신설)(소득령 §171 ②)

제4장

양도소득과세표준 확정신고

❶ 양도소득과세표준 확정신고

해당 과세기간의 양도소득금액이 있는 거주자는 그 양도소득과세표준을 그 과세기간의 다음 연도 5월 1일부터 5월 31일까지[제105조 제1항 제1호 단서에 해당하는 경우에는 토지 거래계약에 관한 허가일(토지거래계약허가를 받기 전에 허가구역의 지정이 해제된 경우에는 그 해제일을 말한다)이 속하는 과세기간의 다음 연도 5월 1일부터 5월 31일까지] 대통령령으로 정하는 바에 따라 납세지 관할 세무서장에게 신고하여야 한다.(2017. 12. 19. 개정) (소득법 §110 ①)

❷ 과세표준이 없거나 결손금액이 있는 경우

확정신고는 해당 과세기간의 과세표준이 없거나 결손금액이 있는 경우에도 적용한다.(2009. 12. 31. 개정)(소득법 §110 ②)

❸ 예정신고를 한 경우의 확정신고

예정신고를 한 자는 제1항[위 ❶]에도 불구하고 해당 소득에 대한 확정신고를 하지 아니할 수 있다. 다만, 해당 과세기간에 누진세율 적용대상 자산에 대한 예정신고를 2회 이상 하는 경우 등으로서 대통령령으로 정하는 경우에는 그러하지 아니하다.(2009. 12. 31. 개정)(소득법 §110 ④)

"대통령령으로 정하는 경우"란 다음 각 호[아래 (1)~(3)]의 어느 하나에 해당하는 경우를 말한다.(2018. 2. 13. 항번개정)(소득령 §173 ⑤)

(1) 당해 연도에 누진세율의 적용대상 자산에 대한 예정신고를 2회 이상 한 자가 법 제107조 제2항의 규정에 따라 이미 신고한 양도소득금액과 합산하여 신고하지 아니한 경우(2000. 12. 29. 신설)(소득령 §173 ⑤ 1호)

(2) 소득세법 제94조 제1항 제1호·제2호·제4호 및 제6호의 토지, 건물, 부동산에 관한 권리, 기타자산 및 신탁 수익권을 2회 이상 양도한 경우로서 법 제103조 제2항을 적용할 경우 당초 신고한 양도소득산출세액이 달라지는 경우(2000. 12. 29. 신설, 2021. 2. 17. 개정)(소득령 §173 ⑤ 2호)

(3) 소득세법 제94조 제1항 제1호·제2호 및 제4호에 따른 토지, 건물, 부동산에 관한 권리 및 기타자산을 둘 이상 양도한 경우로서 법 제104조 제5항을 적용할 경우 당초 신고한 양도소득산출세액이 달라지는 경우(2020. 2. 11. 신설)(소득령 §173 ⑤ 4호)

제5장

환산가액 적용에 따른 가산세

❶ 환산가액 적용에 따른 가산세

거주자가 건물을 신축 또는 증축(증축의 경우 바닥면적 합계가 85제곱미터를 초과하는 경우에 한정한다)하고 그 건물의 취득일 또는 증축일부터 5년 이내에 해당 건물을 양도하는 경우로서 제97조 제1항 제1호 나목에 따른 감정가액 또는 환산취득가액을 그 취득가액으로 하는 경우에는 해당 건물의 감정가액(증축의 경우 증축한 부분에 한정한다) 또는 환산취득가액(증축의 경우 증축한 부분에 한정한다)의 100분의 5에 해당하는 금액을 제93조 제2호에 따른 양도소득 결정세액에 더한다.(2019. 12. 31. 개정)(소득법 §114의2 ①, ②)

> **고가주택의 환산가액 적용에 대한 가산세 적용방법**
>
> 고가주택에 대한 환산가액 적용에 따른 가산세는 환산가액 전체금액에 100분의 5에 해당하는 금액으로 하는 것임.(기획재정부 재산-939, 2018. 11. 1.)

신탁 수익자명부 변동상황명세서의 제출

신탁의 수탁자는 제94조 제1항 제6호에 따른 신탁 수익권에 대하여 신탁이 설정된 경우와 수익권의 양도 등으로 인하여 신탁 수익자의 변동사항이 있는 경우 대통령령으로 정하는 바에 따라 수익자명부 변동상황명세서를 작성·보관하여야 하며, 신탁 설정 또는 수익자 변동이 발생한 과세기간의 다음 연도 5월 1일부터 5월 31일(법인과세 신탁재산의 수탁자의 경우에는 「법인세법」 제60조에 따른 신고기한을 말한다)까지 수익자명부 변동상황명세서를 납세지 관할 세무서장에게 제출하여야 한다.(2020. 12. 29. 신설)(소득법 §115의2)

제13편

국외자산양도에 대한 양도소득세

국외자산 양도소득의 범위　제1장

국외자산의 양도가액　제2장

국외자산 양도소득의 필요경비 계산　제3장

국외자산 양도소득세의 세율　제4장

국외자산 양도소득에 대한 외국납부세액의 공제　제5장

국외자산 양도소득 기본공제　제6장

국외자산 양도에 대한 준용규정　제7장

국외자산 양도소득의 범위

거주자(해당 자산의 양도일까지 계속 5년 이상 국내에 주소 또는 거소를 둔 자만 해당한다)의 국외에 있는 자산의 양도에 대한 양도소득은 해당 과세기간에 국외에 있는 자산을 양도함으로써 발생하는 다음 각 호의 소득으로 한다. 다만, 다음 각 호에 따른 소득이 국외에서 외화를 차입하여 취득한 자산을 양도하여 발생하는 소득으로서 환율변동으로 인하여 외화차입금으로부터 발생하는 환차익을 포함하고 있는 경우에는 해당 환차익을 양도소득의 범위에서 제외한다.(2015. 12. 15. 단서신설)(소득법 §118의2)

① **토지 또는 건물의 양도로 발생하는 소득**

　　(2009. 12. 31. 개정)(소득법 §118의2 1호)

② **다음 각 목[아래 (1), (2)]의 어느 하나에 해당하는 부동산에 관한 권리의 양도로 발생하는 소득(2016. 12. 20. 개정)(소득법 §118의2 2호)**

　　(1) 부동산을 취득할 수 있는 권리(건물이 완성되는 때에 그 건물과 이에 딸린 토지를 취득할 수 있는 권리를 포함한다)(2016. 12. 20. 개정)(소득법 §118의2 2호 가목)

　　(2) 지상권(2016. 12. 20. 개정)(소득법 §118의2 2호 나목)

　　(3) 전세권과 부동산임차권(2016. 12. 20. 개정)(소득법 §118의2 2호 다목)

③ **그 밖의 자산의 양도로 발생하는 소득**

그 밖에 소득법 제94조 제1항 제4호에 따른 기타자산과 소득법 제118조의2 제2호에 따른 부동산에 관한 권리로서 미등기 양도자산을 자산의 양도로 발생하는 소득(2015. 12. 15. 개정)(소득법 §118의2 5호)(소득령 §178의2)

제2장

국외자산의 양도가액

❶ 국외자산의 양도가액 산정

국외자산[소득법 제118조의2에 따른 자산(이하 이 절에서 "국외자산"이라 한다)]의 양도가액은 그 자산의 양도 당시의 실지거래가액으로 한다. 다만, 양도 당시의 실지거래가액을 확인할 수 없는 경우에는 양도자산이 소재하는 국가의 양도 당시 현황을 반영한 시가에 따르되, 시가를 산정하기 어려울 때에는 그 자산의 종류, 규모, 거래상황 등을 고려하여 대통령령으로 정하는 방법에 따른다.(2009. 12. 31. 개정)(소득법 §118의3 ①)

(1) 양도 당시의 실지거래가액을 확인할 수 없는 경우에는 양도자산이 소재하는 국가의 양도 당시 현황을 반영한 시가에 따르는 경우

양도 당시의 실지거래가액을 확인할 수 없는 경우에는 양도자산이 소재하는 국가의 양도 당시 현황을 반영한 시가에 따르는 경우 국외자산의 시가를 산정할 때 다음 각 호[아래 1)~4)]의 어느 하나에 해당하는 가액이 확인되는 때에는 이를 해당 자산의 시가로 한다. 다만, 제178조의2 제4항에 따른 자산 중 법 제94조 제1항 제4호 나목부터 라목까지의 규정에 따른 자산(같은 호 나목에 따른 자산인 경우에는 같은 호 다목 및 라목에 따른 주식 등으로 한정한다)의 경우에는 제2호부터 제4호까지의 규정을 적용하지 않는다.(2018. 2. 13. 단서개정, 2020. 2. 11. 개정, 2021. 2. 17 단서개정)(소득령 §178의3 ①)

1) 국외자산의 양도에 대한 과세와 관련하여 이루어진 외국정부(지방자치단체를 포함한다)의 평가가액(1998. 12. 31. 신설)(소득령 §178의3 ① 1호)

2) 국외자산의 양도일 또는 취득일 전후 6월 이내에 이루어진 실지거래가액(1998. 12. 31. 신설)(소득령 §178의3 ① 2호)

3) 국외자산의 양도일 또는 취득일 전후 6월 이내에 평가된 감정평가법인 등의 감정가액(2018. 2. 13. 개정, 2022. 1. 21 개정)(소득령 §178의3 ① 3호)

4) 국외자산의 양도일 또는 취득일 전후 6월 이내에 수용 등을 통하여 확정된 국외자산

의 보상가액(1998. 12. 31. 신설)(소득령 §178의3 ① 4호)

(2) 시가를 산정하기 어려울 때

시가를 산정하기 어려울 때 다음 각 호의 어느 하나에 따라 평가하는 것을 말한다.(2010. 2. 18. 개정)(소득령 §178의3 ②)

1) 부동산 및 부동산에 관한 권리의 경우에는 「상속세 및 증여세법」 제61조, 제62조, 제64조 및 제65조를 준용하여 국외자산가액을 평가하는 것. 다만, 「상속세 및 증여세법」 제61조, 제62조, 제64조 및 제65조를 준용하여 국외자산가액을 평가하는 것이 적절하지 아니한 경우에는 「감정평가 및 감정평가사에 관한 법률」에 따른 감정평가법인 등이 평가하는 것을 말한다.(2016. 8. 31. 개정, 2022. 1. 21. 단서개정)(소득령 §178의3 ② 1호)

2) 유가증권가액의 산정은 「상속세 및 증여세법」 제63조의 규정에 의한 평가방법을 준용하여 평가하는 것. 이 경우 동조 제1항 제1호 가목의 규정 중 "평가기준일 이전·이후 각 2월"은 각각 "양도일·취득일 이전 1월"로 본다.(2005. 2. 19 법명개정)(소득령 §178의3 ② 2호)

제3장

국외자산 양도소득의 필요경비 계산

❶ 국외자산의 양도에 대한 필요경비

국외자산의 양도에 대한 양도차익을 계산할 때 양도가액에서 공제하는 필요경비는 다음 각 호의 금액을 합한 것으로 한다.(2009. 12. 31. 개정)(소득법 §118의4 ①)

(1) 취득가액(1998. 12. 28. 신설)

해당 자산의 취득에 든 실지거래가액. 다만, 취득 당시의 실지거래가액을 확인할 수 없는 경우에는 양도자산이 소재하는 국가의 취득 당시의 현황을 반영한 시가에 따르되, 시가를 산정하기 어려울 때에는 그 자산의 종류, 규모, 거래상황 등을 고려하여 대통령령으로 정하는 방법에 따라 취득가액을 산정한다.(2009. 12. 31. 개정)(소득법 §118의4 ① 1호)

(2) 대통령령으로 정하는 자본적 지출액(2009. 12. 31. 개정)(소득법 §118의4 ① 2호)

(3) 대통령령으로 정하는 양도비(2009. 12. 31. 개정)(소득법 §118의4 ① 3호)

❷ 국외자산의 양도차익의 외화환산

위의 제1항[위 ❶]에 따른 양도차익의 외화환산, 취득에 드는 실지거래가액, 시가의 산정 등 필요경비의 계산에 필요한 사항은 다음과 같다.(2009. 12. 31. 개정)(소득법 §118의4 ① 2호)

(1) 양도가액 및 필요경비를 수령하거나 지출한 날 현재「외국환거래법」에 의한 기준환율 또는 재정환율에 의하여 계산한다.(2005. 2. 19. 법명개정)(소득령 §178의5 ①)

(2) 장기할부조건(소득령 제162조 제1항 제3호의 규정에 의한)의 경우에는 동호의 규정에 의한 양도일 및 취득일을 양도가액 또는 취득가액을 수령하거나 지출한 날로 본다.(2001. 12. 31. 신설)(소득령 §178의5 ②)

제4장

국외자산 양도소득세의 세율

❶ 국외자산의 양도소득세율

국외자산의 양도소득에 대한 소득세는 해당 과세기간의 양도소득과세표준에 소득법 제55조 제1항에 따른 세율을 적용하여 계산한 금액을 그 세액으로 한다.(2019. 12. 31. 개정)(소득법 §118의5 ①)

❷ 준용규정

제1항(위 ❶)에 따른 세율의 조정에 관하여는 제104조 제4항을 준용한다.(2017. 12. 19. 개정)(소득법 §118의5 ②)

5장

국외자산 양도소득에 대한 외국납부세액의 공제

1. 국외자산 양도소득에 대한 외국납부세액의 공제

국외자산의 양도소득에 대하여 해당 외국에서 과세를 하는 경우로서 그 양도소득에 대하여 대통령령으로 정하는 국외자산 양도소득에 대한 세액(이하 이 항에서 "국외자산 양도소득세액"이라 한다)을 납부하였거나 납부할 것이 있을 때에는 다음 각 호의 방법 중 하나를 선택하여 적용할 수 있다.(2019. 12. 31. 개정)(소득법 §118의6 ①)

(1) 외국납부세액의 세액공제방법: 다음 계산식에 따라 계산한 금액을 한도로 국외자산 양도소득세액을 해당 과세기간의 양도소득 산출세액에서 공제하는 방법(2019. 12. 31. 개정)(소득법 §118의6 ① 1호)

$$공제한도금액 = A \times \frac{B}{C}$$

A: 제118조의5에 따라 계산한 해당 과세기간의 국외자산에 대한 양도소득 산출세액
B: 해당 국외자산 양도소득금액
C: 해당 과세기간의 국외자산에 대한 양도소득금액

(2) 외국납부세액의 필요경비 산입방법 : 국외자산 양도소득에 대하여 납부하였거나 납부할 국외자산 양도소득세액을 해당 과세기간의 필요경비에 산입하는 방법(2019. 12. 31. 개정)(소득법 §118의6 ① 2호)

 필요경비 산입 방법

필요경비에 산입하고자 하는 자는 기획재정부령이 정하는 국외자산 양도소득세액공제(필요경비 산입)신청서를 법 제110조의 규정에 의한 확정신고(법 제105조의 규정에 의한 예정신고를 포함한다)기한 내에 납세지 관할 세무서장에게 제출하여야 한다.(2009. 12. 31. 개정)(소득법 §118의6 ②)(소득령 §178의7 ②)

제6장

국외자산 양도소득 기본공제

❶ 양도소득 기본공제

국외자산의 양도에 대한 양도소득이 있는 거주자에 대해서는 해당 과세기간의 양도소득금액에서 연 250만 원을 공제한다.(2019. 12. 31. 개정)(소득법 §118의7 ①)

❷ 감면소득금액이 있는 경우

양도소득기본공제[제1항 {위 ❶}]를 적용할 때 해당 과세기간의 양도소득금액에 이 법 또는 「조세특례제한법」이나 그 밖의 법률에 따른 감면소득금액이 있는 경우에는 감면소득금액 외의 양도소득금액에서 먼저 공제하고, 감면소득금액 외의 양도소득금액 중에서는 해당 과세기간에 먼저 양도하는 자산의 양도소득금액에서부터 순서대로 공제한다.(2009. 12. 31. 개정)(소득법 §118의7 ②)

제7장

국외자산 양도에 대한 준용규정

국외자산의 양도에 대한 양도소득세의 과세에 관하여는 제89조, 제90조, 제92조, 제93조, 제95조, 제97조 제3항, 제98조, 제100조, 제101조, 제105조부터 제107조까지, 제110조부터 제112조까지, 제114조, 제114조의2, 제116조 및 제117조를 준용한다. 다만, 제95조에 따른 장기보유 특별공제액은 공제하지 아니한다.(2019. 12. 31. 개정, 2020. 12. 29. 개정)(소득법 §118의8)

제14편

농어촌특별세

농어촌특별세 제1장

농어촌특별세

농어촌특별세법에서 "감면"이란 「조세특례제한법」·「관세법」·「지방세법」 또는 「지방세특례제한법」에 따라 소득세·법인세·관세·취득세 또는 등록에 대한 등록면허세가 부과되지 아니하거나 경감되는 경우로서 다음 각 호[아래 1.~2.]의 어느 하나에 해당하는 것을 말한다.(2010. 12. 30. 개정)(농특법 §2 ①)

1. 비과세·세액면제·세액감면·세액공제 또는 소득공제(2010. 12. 30. 개정)(농특법 §2 ① 1호)

2. 「조세특례제한법」 제72조 제1항에 따른 조합법인 등에 대한 법인세 특례세율의 적용 또는 같은 법 제89조 제1항 및 제89조의3에 따른 이자소득·배당소득·금융투자소득에 대한 소득세 특례세율의 적용(2021. 12. 21. 개정)(농특법 §2 ① 2호)

3. 「지방세법」 제15조 제1항에 따른 취득세 특례세율의 적용(2010. 12. 30. 개정)(농특법 §2 ① 3호)

제2절 납세의무자

다음 각 호[아래 1.~3.]의 어느 하나에 해당하는 자는 이 법에 따라 농어촌특별세를 납부할 의무를 진다.(2010. 12. 30. 개정)(농특법 §3)

1. 제2조 제1항 각 호 외의 부분에 규정된 법률에 따라 소득세·법인세·관세·취득세 또는 등록에 대한 등록면허세의 감면을 받는 자(2010. 12. 30. 개정)(농특법 §3 1호)

2. 「지방세법」에 따른 취득세 또는 레저세의 납세의무자(2010. 12. 30. 개정)(농특법 §3 5호)

3. 「종합부동산세법」에 따른 종합부동산세의 납세의무자(2010. 12. 30. 개정)(농특법 §3 6호)

제3절 비과세

다음 각 호[아래 1.~12.]의 어느 하나에 해당하는 경우에는 농어촌특별세를 부과하지 아니한다.(2010. 12. 30. 개정)(농특법 §4)

1. 국가(외국정부를 포함한다)·지방자치단체 또는 지방자치단체조합에 대한 감면(2010. 12. 30. 개정)(농특법 §4 1호)

2. 농어업인(「농업·농촌 및 식품산업 기본법」 제3조 제2호의 농업인과 「수산업·어촌 발전 기본법」 제3조 제3호의 어업인을 말한다. 이하 같다) 또는 농어업인을 조합원으로 하는 단체(「농어업경영체 육성 및 지원에 관한 법률」에 따른 영농조합법인, 농업회사법인 및 영어조합법인을 포함한다)에 대한 감면으로서 대통령령으로 정하는 것(2015. 6. 22. 개정)(농특법 §4 2호)

3. 「조세특례제한법」 제6조·제7조에 따른 중소기업에 대한 세액감면·특별세액감면 및 「지방세특례제한법」 제58조의3 제1항·제3항에 따른 세액감면(2014. 12. 31. 개정)(농특법 §4 3호)

3의2. 「조세특례제한법」 제40조에 따른 양도소득세 또는 금융투자소득세의 감면(2010. 12. 30. 개정, 2021. 12. 21. 개정)(농특법 §4 3호의2)

3의3. 「조세특례제한법」 제16조의 소득공제에 따른 감면(2016. 12. 20. 신설)(농특법 §4 3호의3)

4. 「조세특례제한법」 제86조의3·제86조의4·제87조·제87조의2·제87조의5·제88조의2·제88조의4·제88조의5·제91조의14, 제91조의16부터 제91조의21까지에 따른 저축이나 이자소득, 배당소득 및 금융투자소득에 대한 감면(2018. 12. 31. 개정, 2019. 12. 31. 개정, 2021. 12. 21. 개정)(농특법 §4 4호)

5. 「조세특례제한법」 제21조에 따른 이자소득 등에 대한 감면 중 비거주자 또는 외국법인에 대한 감면(2010. 12. 30. 개정)(농특법 §4 5호)

6. 국제협약·국제관례 등에 따른 관세의 감면으로서 대통령령으로 정하는 것(2010. 12. 30. 개정)(농특법 §4 6호)

7. 「증권거래세법」 제6조에 따라 증권거래세가 부과되지 아니하거나 같은 법 제8조 제2항에 따라 영의 세율이 적용되는 경우. 다만, 「자본시장과 금융투자업에 관한 법률」에 따른 증권시장으로서 대통령령으로 정하는 증권시장에서 양도되는 증권의 양도가액에 대하여 영의 세율이 적용되는 경우는 제외한다.(2010. 12. 30. 개정, 2021. 12. 21. 단서신설)(농특법 §4 7호)

7의2. 「조세특례제한법」 제117조 제1항 및 제2항에 해당하는 경우(2010. 12. 30. 개정, 2021. 12. 21. 개정)(농특법 §4 7호의2)

8. 「지방세법」과 「지방세특례제한법」에 따른 형식적인 소유권의 취득, 단순한 표시변경 등기 또는 등록, 임시건축물의 취득, 천재지변 등으로 인한 대체취득 등에 대한 취득세 및 등록면허세의 감면으로서 대통령령으로 정하는 것(2010. 12. 30. 개정)(농특법 §4 8호)

8의2. 삭제(2014. 12. 31)(농특법 §4 8호의2)

9. 대통령령으로 정하는 서민주택에 대한 취득세 또는 등록에 대한 등록면허세의 감면(2010. 12. 30. 개정)(농특법 §4 9호)

10. 「지방세특례제한법」 제6조 제1항의 적용대상이 되는 농지 및 임야에 대한 취득세(2010. 12. 30. 개정)(농특법 §4 10호)

10의2. 「지방세법」 제124조에 따른 자동차에 대한 취득세(2010. 12. 30. 개정)(농특법 §4 10호의2)

10의3. 「지방세특례제한법」 제35조 제1항에 따른 등록면허세의 감면(2010. 12. 30. 개정)(농특법 §4 10호의3)

10의4. 「지방세법」 제15조 제1항 제1호부터 제3호까지의 규정에 따른 취득세(2010. 12. 30. 개정)(농특법 §4 10호의4)

10의5. 「지방세특례제한법」 제8조 제4항에 따른 취득세(2010. 12. 30. 신설)(농특법 §4 10호의5)

11. 대통령령으로 정하는 서민주택 및 농가주택에 대한 취득세(2010. 12. 30. 개정)(농특법 §4 11호)

11의2. 「조세특례제한법」 제20조·제100조·제140조 및 제141조에 따른 감면(2010. 12. 30. 개정)(농특법 §4 11호의2)

11의3. 「조세특례제한법」 제30조의2 및 제30조의4에 따른 감면(2010. 12. 30. 개정)(농특법 §4 11호의3)

11의4. 「조세특례제한법」 제121조의24에 따른 감면(2014. 5. 14. 신설)(농특법 §4 11호의4)

12. 기술 및 인력개발, 저소득자의 재산형성, 공익사업 등 국가경쟁력의 확보 또는 국민 경제의 효율적 운영을 위하여 농어촌특별세를 비과세할 필요가 있다고 인정되는 경우 로서 대통령령으로 정하는 것(2010. 12. 30. 개정)(농특법 §4 12호)

제4절 과세표준 및 세율

농어촌특별세는 다음 각 호의 과세표준에 대한 세율을 곱하여 계산한 금액을 그 세액으로 한다.(2013. 5. 28. 개정, 2021. 12. 21. 개정)(농특법 §5 ①)

호별	과세표준	세율
1	「조세특례제한법」·「관세법」·「지방세법」 및 「지방세특례제한법」에 따라 감면을 받는 소득세·법인세·관세·취득세 또는 등록에 대한 등록면허세의 감면세액(제2호의 경우는 제외한다)(2000. 12. 30. 개정)	20%
8	「종합부동산세법」에 따라 납부하여야 할 종합부동산세액(2010. 12. 30. 개정)	20%

|저|자|소|개|

■ 변 종 화 세무사

[약력]

* (현) 세무법인 로맥 세무사
* (현) 한국세무사회 세무연수원 교수
* (현) 변종화의 양도세 아카데미 원장
* (현) 인천지방세무사회 연수위원
* (현) 데일리캠퍼스 전임교수
* (전) 고양세무서 국세심사위원
* (전) 웅지세무대학교 겸임교수
* (전) 고양지역세무사회장

[학력]

* 연세대 법무대학원 조세법전공(법학석사)

[저서]

* 부자를 만드는 부동산 세금(변종화 공저, 삼일인포마인)
* 주택소유자가 꼭 알아야 할 주택 세금의 모든 것(변종화 저, 택스미디어)
* 주택임대사업자 택스플레이닝(변종화, 한국세무사회)
* 포인트 다주택자 양도세실무(변종화, 택스미디어)
* 세무조사 대비의 모든 것(변종화 공저, 매일경제)

[저자 직강 양도세 유료 강의]

* 변종화의 양도세 아카데미
* www.landforyou.co.kr

[홈페이지]

* 세무법인로맥(강남/일산)
* www.tax114.org

개정증보판 **2022 양도소득세 실무**

2019년 4월 12일 초판 발행
2022년 4월 8일 4판 발행

저　　　자　변　종　화
발　행　인　이　희　태
발　행　처　**삼일인포마인**

저자협의
인지생략

서울특별시 용산구 한강대로 273 용산빌딩 4층
등록번호 : 1995. 6. 26 제3-633호
전　　　화 : (02) 3489-3100
F　A　X : (02) 3489-3141
I S B N : 979-11-6784-068-4 93320

♣ 파본은 교환하여 드립니다.　　　　　　　　　정가 55,000원